LEXIQUE DES TERMES JURIDIQUES

フランス法律用語辞典

［第3版］

中村紘一・新倉 修・今関源成＝［監訳］

Termes juridiques研究会＝［訳］

三省堂

LEXIQUE DES TERMES JURIDIQUES

16th edition

by
Raymond Guillien and Jean Vincent

L' édition originale de cet ouvrage a paru sous le titre
"*Lexique des termes juridiques*" © 2007, Editions DALLOZ,
31-35 rue Froidevaux, 75685 Paris cedex 14
Japanese translation rights arranged with Editions Dalloz through UNI Agency, Inc., Tokyo.
Japanese Copyright © 2012, Sanseido Co., Ltd. Tokyo, JAPAN

初版への原著序文

　このささやかな法律用語小辞典は，最近刊行された，それぞれ個性ある隣接領域の他の小辞典と同列をなそうとするものである。実際に，多くの人々が，用語の定義を示した簡易で利用に便なる辞典を切望している。こうした辞典によって，読者が法律文の一節，新聞，雑誌の記事を読む際に，その意味をよく知らない，または，まったく知らない語句に出くわしてしばしば生じる混乱を避けることができるだろう。

　このように本書は，法律学を学びはじめて日が浅く知識があいまいであるあらゆる人々にとって有用であろうが，われわれがとくに対象としたのは，学部の1，2年生または法科短大生，そして，高等学校にあって，かつてより早期に法律関係科目を選択する生徒たちである。

　ところで，経験によれば，リセの最終学年の生徒たちにとっても，若い学生たちにとっても，法学入門は次第にむずかしくなっている。

　たとえば，かつては古典語教育のおかげで十分に通じえたラテン語表現が，いまや日常語からはまったく駆逐されようとしている。ラテン語表現は，実際にはごく少なくなっているものの，いまなお法律の領域では残されており，これを完全に消し去ってしまっては，法的推論の明晰さを損ないかねない。

　さらに顕著で歓迎すべき事実として，法学部（ここでは過去のものとなったこの語を使わせていただきたい）の学生は，かつてより多様な階層から集まってきている。そこで，現在の学生たちは知らず識らずのうちに現実に受ける法学教育，すなわちそれぞれの家庭環境の日常的な接触から受ける教育をしばしば欠いており，彼らにとってまったく未知なる世界に入るにあたっての手引きを必要としている。つまり学生たちは，この手引きがいかに初歩的でささやかなものであれ，これを受ける権利をもっているのである。

　また，1968年11月12日のかの有名な高等教育基本法により制度化された《多元専門制》は，かつてよりいっそう自由に，一人の学生がさまざまな専門領域から学びとることを可能とすることを狙ったものであるが，本書の執筆陣はこのことにも留意している。ところで，こうした学生が自分でいくつかの法領域に取り組もうとすれば，たいへんな困難に直面することになるだろう。そこで，いまだに容易ならざるものであり，また，やっかいで，古くさく，まやかしとまで疑われる語彙に依拠するものとして非難の絶えない法学教育の最初の危険に備えようと試みたのである。

　たしかに，法の観点から検討すれば，社会的な諸事実は固有の色彩を帯びる。法律家の言葉が抽象的に見えるのは，規範的学問と専門技術とを併せて表現しているからである。法律家の言葉は，法学教育を受けていない者にとっては，なじみにくい特殊性を呈している。そもそも法というものは，社会集団の日常的な動きに非常に密接に関係しているのであるから，法的思考の道具たる法律用語は，普段使われている最も一般的な用語，すなわち日常用語から取り入れられてきた。

いったん法律用語として取り込まれると，日常用語は変化を受け，ときには大幅な変化をさえ受けるが，それによって法的安定性にとって欠かすことのできない専門的な明瞭さを与えられるのである。そのことにより日常語が特殊な意味をもつに至り，少しずつ，素人には難解なものとなっていくのである。いくつかだけしか挙げないが，《acte, action, aliment, compagnie, demande, exception, office, ordre》といった語はその例である。法律の言葉は非常に《雑多な》用語からなり，いくつかの用語はたいへん堅固で数世紀を耐えぬき，またいくつかの用語はやがてはかなく消え去る一時的な役割を果たすに過ぎず，さらにいくつかは今なお激動の渦中にある。いくつかの用語は，それが法律用語であるのに誰もがこれを知っているが，他のいくつかのものはまったく何のことだかわからない。《建築用賃貸借》，《リース契約》，《ファクタリング》，《ノウ・ハウ》といった用語が証明しているように，法律の語彙は絶えず更新されている。なぜなら，法は経済生活および社会生活に実に深く根付いているので，法はその絶えざる発現と悲喜こもごもの活力の中に，これらの動きのすべてを映し出しているのである。

　以上，われわれの狙いとしたところをいくつか示したが，この小辞典は何ら学問的な野心を抱いたものではない。すなわち，本書はごくわずかな用例を示すに過ぎないし，判例，学説もまったく扱っていない。また，特殊専門領域に対応するほとんどすべての用語を排除しており，法学入門に必要な常用語のリストを示しているに過ぎない。
　この小著を世に送るにあたって，われわれ執筆陣（＊注）にはいささかの危惧の念がないわけではない。本書の限界そしてその不完全であることを自覚しているからである。結果的には，この仕事の大きさと困難さは当初の予想を超えるものがあった。若き学生たちのときにはためらいがちな第一歩の助けとなりたいという一念に免じて，願わくはわれわれのこの無謀な企てを諒とされんことを。

リヨンにて，1970年6月24日

リヨン大学法学部名誉教授
レモン・ギリアン
（Raymond Guillien）

ジャン・ムーラン（リヨン第3）大学
法学部教授　名誉学部長
ジャン・ヴァンサン
（Jean Vincent）

（＊注）この用語辞典は，当初は故レモン・ギリアン（Raymond Guillien）（公法），故ジャン・ヴァンサン（Jean Vincent）（私法）両教授，ついでセルジュ・ガンシャール（Serge Guinchard），ガブリエル・モンタニエ（Gabriel Montagnier）両教授の監修により編集された。執筆者は以下のとおりである。

行政法・財政法：故レモン・ギリアン（Raymond Guillien）教授，ガブリエル・モンタニエ（Gabriel Montagnier）教授。ついでガブリエル・モンタニエ（Gabriel Montagnier）教授。

民法：ジョゼフ・フロサール（Joseph Frossard）教授，セルジュ・ガンシャール（Serge Guinchard）教授。ついでロラン・ボワイエ（Laurent Boyer）教授，セルジュ・ガンシャール（Serge Guinchard）教授，アンリ・ロラン（Henri Roland）教授。

商法：ジャック・アゼマ（Jacques Azéma）教授，ダニエル・マソ・デュラン（Danièle-Massot-Durin）准教授，イーヴ・レナール（Yves Reinhard）教授。ついでイーヴ・レナール（Yves Reinhard）教授。

憲法・国際公法：故ラウル・パディラック（Raoul Padirac）講師。ついでクリスチアン・フィリップ（Christian Philip）教授。

ＥＵ法：クリスチアン・フィリップ（Christian Philip）教授。

国際私法：ジャック・プレヴォ（Jacques Prévault）教授。ついでエマニュエル・ガンシャール（Emmanuel Guinchard）講師。

農事法：ジャック・プレヴォ（Jacques Prévault）教授。ついでドミニク・グリエ（Dominique Grillet）准教授。ついでシルヴィ・フェレ・アンドレ（Sylvie Ferré-André）教授。

社会保障法：マリ・アンドレ・ゲリコラ（Marie-Andrée Guéricolas）法学博士（労働研究所の元研究員）。ついでジェラール・ヴァシェ（Gérard Vachet）教授。

労働法：故ジョゼフ・フロサール（Joseph Frossard）教授，マリ・アンドレ・ゲリコラ（Marie-Andrée Guéricolas）法学博士。ついで故ジョゼフ・フロサール（Joseph Frossard）教授。ついでセルジュ・フロサール（Serge Frossard）教授。

刑法・刑事手続法：故アルベール・シャヴァンヌ（Albert Chavanne）教授，アンドレ・ドゥコク（André Decocq）教授，故マリ・クロード・ファイヤール（Marie-Claude Fayard）講師。ついでアドリアン・シャルル・ダナ（Adrien-Charles Dana）教授，イーヴ・マイヨ（Yves Mayaud）教授，アンドレ・ヴァリナール（André Varinard）教授。

民事手続法：アンリ・ロラン（Henri Roland）教授，故ジャン・ヴァンサン（Jean Vincent）教授。ついでアンリ・ロラン（Henri Roland）教授。

訳者はしがき

　本書は，レモン・ギリアン（Raymond Guillien），ジャン・ヴァンサン（Jean Vincent）編著，『法律用語小辞典』（*Lexique de termes juridiques*）第9版（Dalloz, 1993）の翻訳である。

　今からおよそ80年前，第一高等学校仏法科学生のための資料をまとめて『佛和法律新辞典』（大正4年）を公刊された柳川勝二先生は，その「題言」において，「僚友ノ勧告ト明治十八年佛語學會ノ監輯ニ係ル佛和法律字彙以後此種ノ企畫ナク初學者往々不便ヲ感シタリシ事實トハ著者ヲシテ之カ公刊ヲ決意セシムルニ至レリ」と述べられた。今日，日仏両国の関係は当時とは比べものにならないほどに緊密となり，フランス法の研究者，大学においてフランス法を学ぶ者，あるいは実務においてフランス法に接する者の数は飛躍的に増大している。しかし，残念なことに，今日の法律関係の問題に対応しうる専門的かつ総合的なフランス法律辞典は未だわが国に存在しない。それゆえ，フランス法を学ぶ者は，一般の仏和辞典を片手に原書の教科書・辞典を読みながら術語を経験的に理解するほかなく，研究者にとっても専門外の用語の理解には相当の労力を必要とする状況にある。こうした方法はたとえ正しい勉強方法ではあっても，とりわけ初学者や実務家にとって，「不便ヲ感シタリシ事實」は今なお改善されたとはいいがたい。そこで，フランス法の研究・教育に携わる本書監訳者を中心として，さしあたり Lexique de termes juridiques の翻訳書の刊行を構想してきた。原著は編者が序文で述べているように，もともと法学入門の一助として初学者向けに企画されたものであるが，法律学の各分野の基本用語を網羅し，最新の情報を簡潔に収録しており，その翻訳書はわが国において初学者のみならず，研究者および実務家諸氏にとっても有用であろうと考えたのである。幸いにもこの構想には，1992年にはほぼ全領域をカヴァーする約30名の賛同者をえることができ，さっそく原著第8版の翻訳のための研究会を発足した。そして，1993年に原著第9版が刊行されたのを期に実質的な翻訳作業に着手することになった。

　この翻訳作業は，分野別に組織した7つの分科会で分担し，ひと月に2回程度開催した全体会では，各分野の基本用語を中心として会員全員による訳語・訳文の検討を行った。ここで，作業の経緯についてはいちいち述べないが，翻訳書である本書の性質を示す上で必要と思われる翻訳・編集方針について，われわれの特に留意した点に触れておきたい。第一に，分野の枠を越えた訳語の整合である。本書は分担翻訳ではあるが，できる限り横の連携を密にし，全体会での検討を重視しながら訳語を決定した。同一の原語が複数の分野で用いられる場合であっても，同一の概念を示している限り，本来これは1つの訳語で示されるべきものである。ところが，わが国においては，各法分野ごとに独自の訳語が存在し，定着している例が少なくない。こうした例の中にはわが国の術語との対応上，分野を越えた訳語の統一が難しいものも存在するが，可能な限りの統一

を図るよう調整に心がけた。また，コンピュータによるデータ処理を最大限活用することにより，形式的にも訳語・訳文の整合性の確保に努めた。第二に，翻訳に徹した点である。そもそも原著の名宛人はフランス人であり，フランスの社会的・経済的な一般的背景を多少とも理解していることを前提としている。そこで，ストレートな翻訳によって名宛人を日本人とすることが可能であるかという疑問がないわけではない。また，原著の解説文がきわめて簡潔であるため，教科書・大辞典といった参考文献の詳細な記述の方がはるかに理解し易く，ときには原著の解説のままでは不十分と考えられる部分もあった。しかし，いずれも翻訳の範囲内でなしうる若干の配慮を施したほかは，訳注等による加筆・修正は一切行わないこととした。これは，はじめに述べた翻訳書の出版という本企画の構想を貫徹するものであると同時に，原著の最大の特徴であるハンディなることを損なわないよう留意したためである。

　こうした方針の下に進められた翻訳作業の最大の困難は，いうまでもなく具体的な訳語選定の問題であった。周知のように，わが国の基本的な法律概念はドイツ法にその源を有するものが多く，わが国の法律用語とフランスのそれとでは，概念において相当に異なっている。もとより異なる法制度における用語を，それぞれの対応関係において訳出することは困難なのである。これを強行すれば誤解の種を蒔き続けることになりかねず，反対に，誤解を避けようとすれば，わが国の法律用語から離れ，または翻訳を放棄したカナ書きに頼らざるをえない。かくして，訳語の選定，吟味はわれわれの作業の中心となり，その議論のために膨大な時間を費やすことになった。本書にこうした個々の検討過程を示せないのは残念であるが，われわれにとって，それぞれが研究会における白熱した議論の思い出のこめられた訳語となっている。

　見出し語，解説文の翻訳には参考文献に基づいて相当の検討を加えたつもりであるが，なおも誤解，誤訳が残っていることをおそれている。本書の趣旨をご理解いただくとともに，忌憚のないご教示ご批判を賜われれば幸いである。

　1992年に助走を始めた研究会によって，一応の翻訳を完了したのは1994年の末であった。その後，細部の調整・検討にさらに時間を要し，ようやく原稿となったのは1995年の春であって，スタートから丸３年を費やしたことになる。フランスの立法サイクルはきわめて速く，この間にも刑法典の全面改正をはじめ多分野で重要な法改正が行われている。また，原著第９版の刊行から２年を経過し，予想通り今年には原著第10版が刊行されている。しかし，幸いなことに，長く準備された刑法典の改正は「新刑法典」としてその骨子はすでに第９版に反映されており，また，本企画の趣旨からして当初の予定通り第９版の翻訳を公表することとした。原著と対照される利用者には原著の入手についてご不便をおかけすることになろうが，どうかご海容の程お願いしたい。

　一人ひとりのお名前こそ挙げえないが，この翻訳に際しては，多くの先生方から数々の貴重なご助言をいただくことができた。また本書の刊行については，株式会社三省堂の佐塚英樹氏，鷲尾徹氏，奥村俊一氏に多大なるご配慮とご助力をいただいた。あわせて，

研究会全員を代表してここに御礼申し上げたい。
　なお，本書は早稲田大学比較法研究所の1993年・1994年度特定課題研究（共同研究）として，早稲田大学より研究助成を受けた研究成果に基づくものである。当時の比較法研究所所長中山和久教授には，研究上数々の便宜を図っていただいた。心から御礼申し上げる。

　1995年秋

Termes juridiques 研究会を代表して

中　村　紘　一

第2版について

　本書は原著第11版（Lexique de termes juridiques, Dalloz, 1998）の翻訳である。原著第9版（1993）の翻訳である初版に比して，追加された項目は約260，削除された項目は約50，さらに解説文に変更が加えられた項目は約240に及んでいる。
　なお，本書は1999年度早稲田大学特定課題研究助成（共同研究 課題番号 99B-003）を受けた研究成果の一部である。

　2000年秋

Termes juridiques 研究会を代表して

中　村　紘　一

第3版について

　本書は原著第16版（Lexique des termes juridiques, Dalloz, 2007）の翻訳である。原著第11版（1998）の翻訳である第2版に比して，追加された項目は約800，削除された項目は約70，さらに解説文に変更が加えられた項目は約1,500に及んでいる。項目数は総じて5,000を超えた。

　2011年秋

Termes juridiques 研究会を代表して

中　村　紘　一

Termes juridiques 研究会　参加者氏名（50音順）

赤井澤勝正（AKAIZAWA Katsumasa）	柴田　純子（SHIBATA Junko）
石川裕一郎（ISHIKAWA Yuichiro）	白石　智則（SHIRAISHI Tomonori）
今尾　　真（IMAO Makoto）	杉原　丈史（SUGIHARA Takeshi）
今関　源成（IMASEKI Motonari）	杉本　和士（SUGIMOTO Kazushi）
色川　豪一（IROKAWA Hidekazu）	須崎ゆり子（SUSAKI Yuriko）
内田　千秋（UCHIDA Chiaki）	鈴木　眞澄（SUZUKI Masumi）
江口眞樹子（EGUCHI Makiko）	鈴木めぐみ（SUZUKI Megumi）
江藤　英樹（ETO Hideki）	田村　達久（TAMURA Tatsuhisa）
大澤慎太郎（OSAWA Shintaro）	都筑　満雄（TSUZUKI Mitsuo）
大橋　麻也（OHASHI Asaya）	寺　　洋平（TERA Yohei）
岡上　雅美（OKAUE Masami）	鳥山　恭一（TORIYAMA Kyoichi）
織田　博子（ORITA Hiroko）	中村　紘一（NAKAMURA Koichi）
鎌田　　薫（KAMATA Kaoru）	新倉　　修（NIIKURA Osamu）
栗山　朗子（KURIYAMA Akiko）	箱井　崇史（HAKOI Takashi）
後藤　巻則（GOTO Makinori）	馬場　圭太（BABA Keita）
小中さつき（KONAKA Satsuki）	日野　辰哉（HINO Tatsuya）
小山　敬晴（KOYAMA Takaharu）	藤井　啓子（FUJII Keiko）
斉藤　　周（SAITO Madoka）	舟橋　　哲（FUNABASHI Satoru）
酒井真紀子（SAKAI Makiko）	松崎　倫子（MATSUZAKI Motoko）
佐古田　彰（SAKOTA Akira）	本久　洋一（MOTOHISA Yoichi）
澤野　和博（SAWANO Kazuhiro）	山口　斉昭（YAMAGUCHI Nariaki）
柴崎　　暁（SHIBAZAKI Satoru）	和田　敏朗（WADA Toshirou）

凡　例

I. 底本／原書

Lexique des termes juridiques, 16ᵉ édition, Dalloz, 2007.

　本書は上記底本の翻訳であって，その構成，内容いずれにおいても，底本の日本文による忠実な再現に努めた。ただし，以下に述べるように，日本の利用者の便宜をはかるため，訳者の判断によって原書の項目，分類，記号類の使用等を，若干変更した。また，原書の明らかな誤りは，訳者の判断で修正したが，法律の改廃等による修正は行っていない。

II. 見出し語

1. 見出し語約5,000は，上記底本に拠った。見出し語は底本通りの表記を原則としたが，日本の利用者には不適当と思われるものには若干の修正を加えた。
2. 見出し語の配列順は原則として底本に従った。この順は基本的にはabc順であり，冠詞および前置詞を考慮していない。
3. ラテン語，英語等の外国語または法格言等が見出し語となる場合，原書に従って《　》で囲んだ。
4. 複数の見出し語が列挙されている場合，①同義語で訳語の共通するものはそれぞれをセミコロン（；）で区切り，②対義語あるいは関連語等で訳語の異なるものはそれぞれをカンマ（，）で区切って並列させた。この場合，2番目以降に掲げられる見出し語については，検索の必要に応じてabc順の該当箇所に参照のための見出し語項目を追加した。

III. 法分野略号

　本書では，以下の22分野の略号を用いた。原書は解説文ごとに該当する分野略号を掲げており，分類は原則としてこれに従った。ただし，原書で略号の付されていないものは，他の例を参考としていずれか適当な分野に分類した。また，明らかな分類の誤りについて修正したほか，ごく少数の特殊な分類については以下の分類中に吸収した。

　　　　　行政　Droit administratif（行政法）
　　　　　保険　Droit des assurances（保険法）
　　　　　民法　Droit civil（民法）
　　　　　商法　Droit commercial（商法）
　　　　　憲法　Droit constitutionnel（憲法）

| EU | Droit européen（EU法）
| 財政 | Droit financier（財政法）
| 一般 | Droit général（法一般）
| 国私 | Droit international privé（国際私法）
| 国公 | Droit international public（国際公法）
| 海法 | Droit maritime（海法）
| 刑法 | Droit pénal（刑法）
| 私法 | Droit privé（私法）
| 公法 | Droit public（公法）
| 農事 | Droit rural（農事法）
| 社会 | Droit social（社会法）
| 労働 | Droit du travail（労働法）
| 行訴 | Procédure administrative（行政訴訟法）
| 民訴 | Procédure civile（民事訴訟法）
| 刑訴 | Procédure pénale（刑事訴訟法）
| 訴訟 | Procédure（principes généraux）（訴訟法一般）
| 社保 | Sécurité sociale（社会保障法）

Ⅳ．見出し語訳

1．見出し語に続いて，解説文に対応する分野略号を掲げ，見出し語訳を「太字」で示した。単独の見出し語（または列挙された同義語）に対して複数の訳語を示す必要のある場合には，それぞれをセミコロン（；）で区切って併記した。
2．解説文が複数分野に分けられている場合には，それぞれの解説文頭に分野略号を掲げて，対応する見出し語訳を「太字」で示した。
3．見出し語訳は，解説文に対応するものに限ることを原則とした。
4．対義語あるいは関連語等で訳語の異なる見出し語がカンマ（，）で区切って列挙されている場合（Ⅱ．4を参照）は，訳語においてもカンマで区切り，それぞれの順序で対応させた。ここで，その1つの見出し語について複数の訳語を示す場合には，上記1の原則によりセミコロンを併用した。
5．見出し語に（ ）で付加された語句は，原則として見出し語訳においてもこれに対応した。ただし，解説文の内容から判断して，単にabcによる配列上の便宜により（ ）が用いられているにすぎず，対応するのに無意味であると思われるものは，場合により（ ）を用いずに訳出した。
6．見出し語訳には，現在日本で用いられていない表現もあるが，これは原書の趣旨を忠実に再現するためあえてそのように訳出したものである（解説文についても同様）。

Ⅴ．解説文
1．併記した複数の見出し語訳について，その各々に異なる解説文が対応する場合，各

解説文を丸数字（①②‥‥）で区切り，それぞれに該当する訳語を再掲したのち，//で結んで解説文を掲げた．
2．原書の解説文中，小見出しとして扱うべきものは，原語をイタリックで掲げ，訳語を示したのちにコロン（:）で結んで解説文を掲げた．
3．〔　〕により囲まれた語句は，直前の語句と日仏語の対訳関係にあることを示す．
4．参照すべき法文については▻で法典，個別法令および条約の名称と条数を示した．なお，参照の指示は原則として原書に従い，原書刊行後の法文の改廃による修正は行っていない．
5．関連して参照すべき項目については▶で参照先の見出し語と訳語，また場合によっては解説文中の一部分を分野略号または丸数字によって示した．なお，参照の指示は原則として原書に従い，網羅的ではない．
6．原書の解説文中に出現する《　》書きは，原則としてこれを残して訳出した．
7．原書の解説文中に出現するイタリック表記は，訳文においても強調する意味があると思われるものに限り，「　」書きで示した．
8．解説文の翻訳に際して，ある語句に複数の訳語が妥当し，その1つを選択するだけでは不都合がある場合，ごく例外的に次候補を［　］で囲んで示した．
9．ラテン語の見出し語のフランス語訳がそのまま解説文になっている場合など，見出し語訳を掲げることにより不要となる解説文訳は，重複を避けて省略した．

A

Abandon 民法 放棄　人が権利を放棄する行為。

放棄は，喪失〔perte〕とは異なり，意思を前提とする。

Abandon d'enfant 民法 子の遺棄　個人または福祉施設によって引き取られ，その後1年をたっても両親が引き取りに来ない子は，大審裁判所により，遺棄された子と宣言され養子縁組の対象となる。ただし，両親が貧窮状態に陥っている場合，または，1年の期間内に家族の構成員の1人がその子を養育することを請求しこの請求が子の利益に合致すると判断された場合はこの限りでない。
▷民法典350条；新民事手続法典1158条以下

刑法 子の遺棄　子どもまたは自ら身を守ることのできない者を，人気のない場所であると否とを問わず，ある場所において，危険にさらし，またはさらさせ，置去りにしまたは置去りにさせる行為。事情に応じて重罪または軽罪とされる。
▷刑法典223-3条以下および227-1条以下
► Délaissement〔置去り〕

Abandon de famille 刑法 家族の遺棄
①裁判所が決定した給付金または扶養定期金の支払いに関して判決を履行しないこと，②住所の変更を，給付金または扶養定期金の債権者に通知しないこと。

新刑法典の施行日である1994年3月1日以後，父または母が家族を物質面で遺棄することおよび夫が妊娠中の妻を遺棄することはもはや犯罪とならない。子の精神的遺棄については，未成年者を危険にさらすこと〔► Mise en péril des mineurs〕として問題にされる。
▷刑法典227-3条以下

Abattement 財政 控除　► Réfaction〔課税標準の控除〕

Abattement supplémentaire 社保 社会保険料の補足的控除　限定列挙された若干の職業に認められていた，職業費用についての補足的控除〔déduction supplémentaire〕額と等しい額を社会保険料の算定基礎から控除すること。2001年1月1日以前は，税法上認められていた。
▷2002年12月20日のアレテ9条

《**Ab intestat**》民法 無遺言の　被相続人が遺言を残さなかった場合，または，遺言を作成したが，それが無効または失効した場合に，立法者によって定められた規則に従って財産が相続人に帰属する相続についていわれる。
▷民法典720条以下；新民事手続法典1304条以下

《**Ab irato**》一般 怒りから　ある行為が怒りが昂じてなされたとき，その行為は《怒りから》〔ab irato〕なされた，といわれる。怒りからなされたということだけでは，この行為は無効とはならない。

Abondement 労働 財形貯蓄企業側助成金
► Plan d'épargne d'entreprise〔財形貯蓄〕

Abordage 海法 船舶の衝突　2隻の商船の衝突〔collision〕。ただし，船舶の衝突の法的規制は，例えば1隻の船舶の移動に際して生じた渦などによる，衝突によらない損害にも拡張されている。

Abornement 民法 境界画定　特に境界標を設置することによって，土地の境界に目印を付すこと。
► Bornage〔境界画定〕

Aboutissants 民法 隣接地　土地に関して，その短辺に隣接する筆を指す。
► Tenants〔隣接地〕

Abrogation 一般 廃止　将来に向けて法規範を廃すること。

行政 撤回　► Retrait〔取消し〕

刑法 刑の廃止　新刑法典以降は，ある事実について刑が言い渡されても，判決後の法律によってその事実がもはや犯罪としての性格をもたなくなった場合には刑の執行が終了することとなった。
▷刑法典112-4条

Absence 民法 生死不明　ある者について，その死亡を推測させる特別な出来事は生じていないが，なお生存しているかどうかが不明な状態。第1段階として，後見裁判官に対する生死不明推定〔► Présomption〕確認の訴え，第2段階として，一定期間が経過したことを条件に，大審裁判所に対する生死不明宣告の訴えの対象となる。生死不明推定とは，その者が生きていると推定して，帰ってくる

までの間その者の利益を守ることである。これに対し，生死不明宣告は，死亡の効果を生じさせる。
▷民法典112条以下；新民事手続法典1062条以下
► Disparition〔失踪〕

Absentéisme 〔労働〕**欠勤現象** 一定の期間に労働者が，許可無許可を問わず，労働の場から離脱する現象のこと。欠勤率〔taux d'absentéisme〕とは，一定の日付における企業の従業員数に対する欠勤者数の比率である。

Absolution 〔刑法〕**宥恕** ► Exemption de peine〔刑の任意的免除；刑の必要的免除〕

Absolutisme 〔憲法〕**絶対主義** すべての権力が君主の掌中に集中している政治体制。

Abstention 〔一般〕**棄権；放棄；不作為** ある権利もしくはある職務を行使しない，またはある義務を果たさない態度。
〔訴訟〕**回避** 裁判官が，自身に忌避事由が存在し，または回避が望ましいとする良心上の理由が存在するために，訴訟を審理することを差し控える行為。
▷新民事手続法典339条；司法組織法典L111-7条
► Déport〔(裁判官の)回避；(仲裁人の)辞退〕
► Récusation〔忌避〕

Abstention délictueuse 〔刑法〕**不作為犯罪**
► Omission de porter secours〔救助の懈怠〕

Abstentionnisme électoral 〔憲法〕**選挙投票の棄権傾向** 選挙〔► Élection〕または国民投票〔► Référendum〕に参加しない現象のこと。選挙人名簿に登録された選挙人の数と，実際に投票した選挙人の総数(有効投票〔► Suffrages exprimés〕，白票〔► Bulletins (Votes) blancs〕と無効投票〔► Bulletins nuls〕を加えた数)との差である。
► Électeurs inscrits〔登録選挙人〕

Abus d'autorité 〔民法〕**権威の濫用** ある者がある法律行為(婚姻，契約など)または事実行為(例えば，詐術による誘惑)を行うよう仕向けるためにその者に対して行使される，事実上または法律上の権威による精神的強制。
〔刑法〕**権限の濫用** 自己の職務を遂行するにあたり，私人に対してであれ，公の事項に対してであれ，犯罪を犯す官吏に適用される罪名の総体を指す表現。
▷刑法典432-1条以下

Abus de biens sociaux 〔商法〕〔刑法〕**会社財産の濫用** 株式を発行する会社または有限会社の指揮者が，故意に，会社の利益に反することを知りながら，自己のために，または，自らが直接もしくは間接に利害関係を有する他の会社もしくは企業のために，会社の財産または信用を利用する場合に，その指揮者を有責とする軽罪。
▷商法典L241-3条4号およびL242-6条3号

Abus de blanc-seing 〔刑法〕**白紙委任状の濫用** 署名のある文書に，債権債務の発生・消滅，その他すべての，署名者の身体または財産を危うくしうる事項を虚偽に記載すること。
　白紙委任状の濫用が新刑法典ではもはや独立の犯罪ではなく，信用の濫用〔► Abus de confiance〕または文書偽造〔► Faux〕として処罰される場合がある。
▷刑法典441-1条

Abus de confiance 〔刑法〕**信用の濫用；背信** ある者が，返還，代理または特定の利用を義務づけられて交付された現金，有価証券または何らかの財物を横領して，他人に損害を与える行為。
▷刑法典314-1条

Abus de domination 〔商法〕〔刑法〕**支配の濫用** 企業または企業グループがその経済力を濫用する行動。
　経済的支配はそれ自体では非難の対象とはならず，その濫用だけが，それが競争の作用を歪めまたは制限する場合に制裁の対象となる。この支配の濫用には，2つの形態がある。
　支配的地位の濫用〔abus de position dominante〕といわれるのが，第1の形態である。これは，特定の市場において支配的な地位を有する企業または企業グループが，その地位を利用して，競争に対し有害な一定の行動をとる場合である。
　経済的従属状態の濫用〔abus de l'état de dépendance économique〕といわれるのが，第2の形態である。これは，他の同等の手段をもたない顧客または供給業者に対して，是認されない行動をする場合である。

Abus de droit 〔私法〕〔訴訟〕**権利の濫用** 権利の名義人が権利の目的を超えてそれを行使すること，または，別の基準によれば，権利の名義人が自己の利益のためでなく他人を害することのみを目的としてそれを行使すること。フォートを構成し，民事責任の普通法の条件において損害賠償責任を発生させることがある。
▷民法典1382条；新民事手続法典32-1条，

559条，581条および628条
[労働] **権利の濫用** ►Rupture du contrat de travail〔労働契約の破棄〕

Abus de faiblesse [民法] [商法] [刑法] **相手の弱い立場の悪用** 人の無知な状態，脆弱な状態，または心理的もしくは身体的な従属状態を利用して，その人が内容を判断することができない契約を締結させること。相手の弱い立場の悪用は，詐欺〔dol〕，強迫〔violence〕などの同意の瑕疵として扱われ，軽罪を構成する。この軽罪が狂信的集団〔secte〕の指導者によっておかされた場合には加重される。
▷消費法典L122-8条；刑法典223-15-2条

Abus de majorité [商法] **多数決の濫用** 資本の過半数を有する株主または株主グループが，会社の利益に反して，多数派の利益を少数派の犠牲においてはかることだけを目的として行う決定。
　多数決の濫用に対する制裁は，損害の賠償，または濫用行為の取消しである。

Abus de minorité [商法] **少数派議決権の濫用** 少数派の社員が，会社の利益に反して，他の社員の犠牲のもとに少数派の利益をはかることだけを目的としてする決定。
　この濫用に対する制裁として，損害賠償が認められ，さらに，少数派社員の名において議決権を行使することを任務とする受任者が選任されることもある。

Abus de position dominante [EU] **支配的地位の濫用** 条約による定義はないが，ヨーロッパ共同体裁判所によれば，市場の構造に影響を与える性質を有する支配的地位にある企業の行動であって，最低限の競争の維持を害するに至るものから生じる。ヨーロッパ委員会は，支配的地位の濫用を確認すると，必要な場合は市場再編を放棄または変更することによってその濫用を終了させることを関係する企業に義務づける。制裁金が課せられることもある。ヨーロッパ委員会の決定は，ヨーロッパ共同体第一審裁判所に対する不服申立ての対象となる。

[商法] [刑法] **支配的地位の濫用** ►Abus de domination〔支配の濫用〕

《**Abusus**》 [民法] **処分権** 所有権の属性の1つである処分する権利（譲渡という形による法的処分および破壊という形による物理的処分を含む）を表すラテン語。
　►Disposer〔処分する〕►《Fructus》〔収益権〕►《Usus》〔使用権〕

Académie [行政] **大学区** 初等中等教育および大学行政上の地域的区分。通常，複数の県を含む。4つの海外県〔►Départements d'outre-mer（DOM）〕においては大学区は1つの県しか含まず，それゆえ県国民教育局長〔directeur des services départementaux de l'Éducation nationale〕が大学区総長〔►Recteur〕を兼務する。

À cause de mort [民法] **死因** 行為者の死亡後に初めて効果を生ずる行為を形容する語。遺言が代表的な死因行為である。ラテン語では《mortis causa》〔死亡を原因とする〕という。
►Entre vifs〔生前〕

Acceptation [民法] **承認；承諾**
　①承認//ある者が望む場合に，ある法的地位を利用することを認める法律上の申込み〔offre〕または第三者からの申込みに対して，その者が同意を与える行為（例：相続，遺贈の承認）。
　②承諾//自己に対してなされた契約の申込みに対して同意を与える意思の表明。
　[商法] **引受け** 為替手形の債務者，すなわち支払人〔tiré〕が行う，満期においてこの手形の金額を支払う旨の債務負担。この債務負担は，手形の表面の署名によって確認される。
▷商法典L511-15条以下；通貨金融法典L134-1条

Acceptation à concurrence de l'actif net [民法] **純積極財産を限度とする承認** 相続人が，受け取った純積極財産を限度としてでなければ債務を弁済しないことを可能とし，相続人の個人財産と相続財産との混同を避け，かつ，相続人が故人の財産に対して以前に有していたすべての権利を相続財産に対して保持する，（積極財産と消極財産の評価を含む）故人の財産の目録を前提とする相続の承認。この承認は相続の限定承認〔►Acceptation de succession sous bénéfice d'inventaire〕に取って代わるものであるが，その精神は維持され，手続きが簡略化され，公示により債権者を早期に明らかにすることが可能となった。
▷民法典787条以下および新民事手続法典1334条以下
►Inventaire〔財産目録〕

Acceptation de succession sous bénéfice d'inventaire [民法] **相続の限定承認** 移転される財産の目録に添付され，相続債務の負担を相続財産の積極財産の範囲に限定する承認であったが，2007年1月1日より，純積極財産

を限度とする承認〔►Acceptation à concurrence de l'actif net〕となった。
►Inventaire〔財産目録〕

Accès aux documents administratifs（Droit d'） 行政 行政文書開示（請求権） 無記名の行政文書，または自己に関係する記名文書の大部分の開示を求める，国民に認められる権利。さらに，すべての人は，行政文書の結論が自己に不利益をもたらす場合に，その文書に含まれる情報を知る権利を有する。

開示を拒否された場合，当事者は行政文書開示請求審査委員会（CADA）に不服を申し立てることができる。管轄権限を有する行政裁判所に拒否処分について直接に訴えを提起することは，当事者に認められていない。

Accession 民法 添付 法律に基づき，ある物に対する所有権が，その産出した物のすべておよびそれと結合しまたは一体となった物のすべてに拡張すること。

ある者が，自己の所有する材料を用いて，第三者の所有する土地の上に建物を建築した場合，その土地の所有者は添付によって建物の所有者となる。
▷民法典546条以下
►Alluvions〔寄洲〕 ►Avulsion〔土地移動〕
►Spécification〔加工〕
国公 加入 ►Adhésion〔加入〕

Accessoire 民法 従たる 主たる要素に結びつけられる要素。主たる要素の法制度に従う。
►《Accessorium sequitur principale》〔従物は主物に従う〕

《Accessorium sequitur principale》 民法 従物は主物に従う 主たる物は，その法的状況をそれと結びついている物に及ぼすという意味。
►Accession〔添付〕

Accident bénin 社保 軽度の災害 労働停止も保険診療ももたらさない，すなわち，社会保障機関による現物給付の原因とならない事故のこと。《軽度の》災害については，企業は，専用の台帳に記載することを条件にして，初級疾病保険金庫への届出義務を免除されることがある。
▷社会保障法典L441-4条

Accident de mission 社保 企業外の災害 労働者の住所と通常とは異なる労働の場との間の往路および復路の途上で生じた事故。労働災害とみなされ，通勤災害とはみなされない。

Accident de trajet 社保 通勤災害 通勤災害とは，労働の場と次に挙げる場所との往復の行程で，労働者に生じた事故のことである。

①主たる居所，安定的な従たる居所または労働者が通常家庭生活を営むために赴くその他すべての場所。ただし日常的な相乗りのため迂回が必要とされる場合は，この行程は最短でなくともよい。

②レストラン，従業員食堂または，より一般的には，労働者が通常食事をとる場所。ただし以上の行程が日常の生活に不可欠の必要性によるものではない個人的な理由または雇用関係とは関係のない理由で中断または迂回された場合は，この限りではない。

通勤災害は労働災害〔►Accident du travail〕と同一の補償を受ける権利を生じさせる。しかし，通勤災害の被害者およびその被扶養者は，事故の加害者が使用者またはそれを代行するものであっても，その者に対して普通法に従い訴えを提起することができる。
▷社会保障法典L411-2条

Accident du travail 社保 労働災害 原因の何たるかを問わず，労働をすることによって，または，労働に際して，賃労働者またはその名目・場所にかかわらず1人または複数の使用者あるいは企業長のために働くすべての者に発生した事故のこと。

労働災害によって，受給者の一部負担〔►Ticket modérateur〕のない第三者支払制度〔►Tiers payant〕による疾病保険の現物給付の受給権が発生するとともに，金銭給付，すなわち一時的労働不能の場合は休業補償手当〔indemnités journalières〕，永続的労働不能または死亡事故の場合は年金〔rente〕，不能の程度が10パーセント未満の永続的労働不能の場合は一時払いの補償金〔capital〕の受給権が生ずる。

労働災害の場合，被害者は，次の場合を除いて，自己の使用者またはそれを代行する者に対して，訴えを提起することはできない。すなわち，害意〔faute intentionnelle〕がある場合，許しがたい過失〔faute inexcusable〕がある場合，または公道上で生じた，原動機付陸上車両との交通事故の場合である。
►Faute〔フォート〕
▷社会保障法典L411-1条およびL455-1-1条

《Accipiens》 民法 受領者 弁済を受ける者を表すラテン語。一般に，受領者は債権者である。
►《Solvens》〔弁済者〕

Accises 財政 個別消費税 酒税またはたばこ税のように，ある物品に特定して課される間

接税を指す語。
　租税一般法典〔Code général des impôts〕では《contributions indirectes》〔間接税〕と通常呼ばれている。

Accompagnement du majeur en matière sociale et budgétaire 民法 **成年者生活支援** ►Mesure d'accompagnement social personnalisé（MASP）〔成年者生活支援〕

Accompagnement parental 民法 **親権者支援** 未成年者個別追跡調査措置（子の育成に関する助言および支援活動を通じての）。市町村長の認定するところまたは市町村長に知らされた情報から，当該未成年者の監督不足または不登校により公共の秩序，安全，平穏が脅かされていることが判明した場合，市町村長から本人の両親または法定代理人に対して，またはそれらの者の求めに応じて，提案される。この措置は，親権者責任契約〔►Contrat de responsabilité parentale〕が両親との間に締結されているとき，および，育成扶助措置が命じられているときは提案されることができない。
▷社会福祉法典L141-2条

Acconier 海法 **艀**（はしけ）**運送業者；港湾運送業者** 船積みおよび荷揚げの作業にあたる港湾荷役業者。この業者はまた，運送品の受取りなどの法律上の行為を委託されることがある。

Accord 一般 **合意** 当事者によって追求されている法的効果を生じさせるための意思の合致。契約，婚姻，相互の同意による離婚，強制和議など。

Accord atypique 労働 **非典型協定** 労働協約および集団協定の締結に関する実体的条件に従わない集団協定。非典型協定は，代表的組合組織との交渉によるものではなく，他の従業員を代表する者〔représentants du personnel〕との間で締結されたものであることが非常に多い。このような協定は，無効ではないが，限られた効力しかもたない。
　小企業においては，1996年11月12日の法律により，従業員を代表する者は，一定の条件のもとで，集団協定を締結することができる。

Accord-cadre 行政 **事前枠組合意契約** 一定期間内に締結される公契約〔►Marchés publics〕を規律する（納入される物品または提供される役務の性質，価格，場合により数量に関する）若干の文言を前もって定めることを目的として，公法人〔►Personne publique〕と業者との間で締結されうる契約。この合意の枠内で後に締結される契約は，非常に簡略化された手続きで締結される。公発注〔►Commande publique〕への業者の平等な参加を確保するため，事前枠組合意契約は，それ自体公契約ではないが，公契約に関する規定を遵守して締結されなければならない。
▷公契約法典76条

Accord collectif 労働 **集団協定** 集団協定は，特定の事項しか対象としない点で，労働協約〔►Convention collective〕と異なる。
▷労働法典L132-1条

Accord de méthode 労働 **方式協定** 2つのタイプの集団協定を指すために法律家により用いられている表現。第1のタイプは，労働法典の規定の枠内で当該産業につき，ならびに当該産業に属する企業につき締結された協約について，法律上要求されている過半数の効力要件〔condition de validité〕を定める集団協定である。この協定はまた，場合により，企業レヴェルの協約に対する産業レヴェルの協約の効力範囲を定める。
　経済的理由による解雇の領域では，方式協定とは，解雇手続きについて定める会社グループ，産業別または企業レヴェルの協定を指す。企業委員会の意見を徴する手続きを交渉により定めて，労使が法定の手続きに替えて一定程度協定による手続きを採用できるようにすることがその目的である。
▷労働法典L132-2-2条，L132-23条およびL320-3条
►Accord collectif〔集団協定〕►Convention collective〔労働協約〕

Accord dérogatoire 労働 **特例協定** 公序に属するものとみなされる法規定，または，より広範な適用領域を対象とする協約文書の条項の適用を除外することを，一定の条件のもとで可能にする企業協定または部門協定。例えば，年間労働時間の配分を行う変形労働時間制協定は，通常週単位で算定される超過勤務時間の法制度についての特例協定である。
▷労働法典L132-13条以下，L132-23条以下およびL212-9条以下
►Accord collectif〔集団協定〕►Convention collective〔労働協約〕

Accord en forme simplifiée 国公 **簡略形式による条約** 批准または承認に服さない条約であり，したがって，その署名後ただちに効力

が発生する。簡略形式による条約は，現代では非常に発達しており，しばしば重要な条約を対象とする。アメリカ合衆国においては簡略形式による条約は，executive agreement〔行政協定〕と呼ばれ，これらの条約と批准された条約との比率は3対2である。フランスでは，簡略形式による条約は締結される条約の少なくとも30パーセントに相当する。国家がこの形式によって条約を締結しうるか否かは国内法による。
▶Ratification des traités〔条約の批准〕

Accord de modulation 〔労働〕**変形労働時間制協定** ▶Heures supplémentaires〔超過勤務時間〕

Accord procédural 〔国私〕**訴訟合意** 訴訟の両当事者は，自己の権利を自由に処分できる場合には，法廷地法〔loi du for〕を適用することを合意することができる。
　この合意は，通常管轄権限を有する法を指定する国際条約または契約条項が存在する場合であっても有効である。合意は明示の場合も黙示の場合もある。

Accord régional 〔国公〕**地域的取極め** 地理的な連帯性により結合した国家間の取極めで，相互安全保障の強化を目的とするもの。
　地域的取極めは国際連合と一致するという条件が，国連憲章8章に定められている。

Accord de siège 〔国公〕**本部協定** 国際組織と，領域内にその国際組織が設置される国家との間で，組織があることから生じる諸問題を解決するために締結される条約。

Accréditer 〔国公〕**（外交官を）任命する** 他国に対して自国を（外交官として）代表させるために，または国際機構に対して自国を代表させるために，ある者に資格を与えること。
▶Agent diplomatique〔外交官〕 ▶Agrément〔アグレマン〕 ▶《Persona grata》〔ペルソナ・グラータ〕

Accréditif 〔商法〕**信用状** 顧客が，他地にある銀行から資金を受領し，または，与信を受けることができるように，銀行が顧客に交付する信用状〔▶Lettre de crédit〕を一般に指す名称。

Accroissement 〔民法〕**（相続人などの持分の）増大；増加（条項）；増積（地）**
　①（相続人などの持分の）増大//相続人または受遺者が複数いる場合に，相続または受遺しない者〔défaillant〕の持分が，相続財産を受け取ることになった者の持分を，おのおのの権利関係に応じて当然に増大させること。相続しない者の持分は，その代襲相続人，または，これを欠く場合にはその共同相続人に帰属し，共同相続人なき場合には後順位の者に帰属する。遺贈が複数の者に対して共同でなされた場合，受遺しない者の持分は共同受遺者に帰属する。主として，相続の放棄または遺贈の放棄もしくは失効から生じる。
▷民法典805条2項および1044条
　②増加（条項）//また，先に死亡した者の取り分〔portion〕が，生存者に移譲されることを定める契約条項を意味することもある（終身定期金，トンチ氏方式〔▶Tontine〕，共同の買入れ）。
　③増積（地）//最後に，河川による沿岸の土地への土の堆積から生じ，その土地の所有者の利益となる，自然の添付〔accession〕の形態を意味することもある。この場合は，寄洲〔▶Alluvions〕または堆積（地）〔▶Atterrissement〕とも呼ばれる。
▷民法典556条

Accueil de l'embryon 〔民法〕**第三者による胚の受入れ** 婚姻しているかまたは少なくとも2年間の共同生活を立証することのできる1組の男女は，不妊症を理由にまたは特別に重い病気を子に遺伝させることを避けるために生殖への医療介助〔▶Assistance médicale à la procréation〕の助けをかりることを許可された場合，5年の期間内に自分たちの親となる望みを実現させる目的で，一定数の卵母細胞の受精が試みられるよう決めることができる。その場合，胚の保存が必要となることがある。例外的に，かつ，大審裁判所所長の許可にもとづいて，1組の男女の双方（または死亡の場合は生存者）は，書面により，保存される胚が，生殖への医療介助が第三者たるドナーに頼ることなしには成功しないことが分かっている別の1組の男女によって受け入れられることに同意することができる。
▷公衆衛生法典L2141-1条以下
▶Embryon humain〔人の胚〕 ▶Fœtus〔胎児〕
▶Surnuméraire〔余った胚〕

Accusatoire (Procédure) 〔訴訟〕**当事者主義的（手続き）；弾劾主義的（手続き）** ▶Procédure accusatoire〔当事者主義的手続き；弾劾主義的手続き〕

Accusé 〔刑訴〕**（重罪）被告人** 狭義では，重罪の嫌疑を受けており，裁判を受けるためにその被疑事実について重罪院に召喚される者。

広義（ヨーロッパ人権裁判所の判例における用法）では，犯罪の嫌疑を受けており，聴問と裁判を受けるために裁判所に召喚されるすべての者。
▷刑事手続法典214条以下
▶Prévenu〔（軽罪・違警罪）被告人〕

Achalandage 商法 **立地による顧客** 顧客〔▶Clientèle〕のうち，商人自身またはその活動というより，営業財産の場所によって保持されているもの。

À charge d'appel 民訴 **控訴の負担付きで** 控訴の方法により変更または取消しを請求することのできる判決についていう。
▷司法組織法典R311-1条

Acompte 行政 財政 **部分払い** 約定された財またはサーヴィスの供給のうちすでに履行された部分に対してなされる部分的な支払い。
▶Avance〔前金払〕
民法 **内金** 債務の額に充当される部分的な支払い。
▶Arrhes〔手付金〕

《A contrario》 一般 **反対の理由により（による）** ある規範がある一定の地位について定められている場合，対象とされていない地位にはその反対の規範が当てはまると推論すること。例えば，合意によって公序に属する法律の適用を除外することが私に禁止されている場合（民法典6条），《反対の理由により》〔a contrario〕私は公序には属さない法律の適用を除外することができる。
▶《A fortiori》〔より強い理由により（による）〕・《A pari》〔同様の理由により（による）〕

Acquêts 民法 **後得財産** 共通財産制において，夫婦が，労働から得た収入により，または固有財産からの果実もしくは収入についてなされた倹約によって，婚姻している間に，共にまたはそれぞれに，有償で取得する財産。後得財産は共通財産である。
▷民法典1401条以下および1498条以下
▶Participation aux acquêts〔後得財産参加制〕

Acquiescement 民訴 **認諾** 訴訟当事者の一方が他方の申立て〔prétentions〕に従う行為。
請求の認諾〔acquiescement à la demande〕は相手方の申立てに理由があることの承認および訴権の放棄をもたらす。
判決の認諾〔acquiescement au jugement〕は判決項目に従うことおよび不服申立ての放棄をもたらす。

▷新民事手続法典408条および409条

Acquisition intracommunautaire 財政 **域内取得** 現行の域内付加価値税の移行期体制における，（付加価値税を賦課される）企業による他のヨーロッパ共同体加盟国からの購入。付加価値税は購入者の国で徴収される。
▶Importations, Exportations〔輸入，輸出〕

Acquit 民法 **受領証** 債務の支払いを証明するために，債権者によって証書になされた記載。債権者の署名が付される。《pour》〔～宛て〕という前置きが置かれる。
▶Quittance〔受領証書〕

Acquit-à-caution 財政 **保税品運送許可証** ワインおよび蒸留酒に関する脱税を防止するために，その所持者は，租税の支払いを証明する一種の受領書（《congé》〔商品搬出許可証〕），または保証人の保証のもとに租税の支払いを一時的に免除して酒類を運送することを可能とする文書（《acquit-à-caution》〔保税品運送許可証〕）を有している場合にしか，ワインおよび蒸留酒を運送することができない。

Acquittement 刑訴 **（重罪）無罪判決** 法廷に召喚された被告人の無罪を宣告する重罪院の判決。
▷刑事手続法典363条

Acte 民法 **証書；行為**
①証書//形式〔▶Forme〕としてのacte〔証書〕は，ある法的地位の有効性または証明のために必要な文書である。《instrumentum》〔証書〕という語によって，形式的な意味におけるacteを指すことがある。
▶Écrit〔文書〕・《Negotium》〔法律行為の実体〕
②行為//実体〔▶Fond〕としてのacte〔行為〕は，一般的に《acte juridique》〔法律行為〕という表現によって表される，法的効果を生じさせることを目的とする意思の表明である。この意味において，acteは，negotium〔法律行為の実体〕と呼ばれることがある。
▶《Instrumentum》〔証書〕・Fait juridique〔法律事実〕・Acte juridique〔法律行為〕（さまざまな種類の法律行為も参照）

Acte administratif 行政 **行政行為** 行政法の基本的概念であり，いくつかの観点から分析することができ，そこからさまざまな定義が導かれる。
①行政行為に固有の性質は何かという視角から考察した場合。
形式的観点からは，行政行為は行政機関に

よってなされるすべての決定のことである。
　実質的観点からは，行政行為は一個人または特定されたもしくは特定されうる多数人を名宛人とする行為のことである（一般的効力を有する行政立法行為と対置される）。この観点からは，行政行為は個別行為〔▶Acte individuel〕と同義である。
　②法制度の視角から考察すれば，行政行為は行政法および行政裁判所の管轄権限に服するすべての行為のことである。なおここで，行政行為とは，一方的行為でも双方的行為でもよい。また，当該行為が行政機関によってなされるか否かは問われない。

Acte d'administration　[民法] 管理行為
　①広義では，財産〔patrimoine〕の価値を維持し，そこから収益をあげることによって，その通常の管理をなすことを目的とする行為。
　②狭義では，管理行為は，処分行為〔▶Acte de disposition〕と対置される。すなわち，管理行為は，財産〔patrimoine〕の中に諸々の権利を維持することを目的とし，それゆえ，それらの権利の移転を生じさせることはない。管理行為は，保存行為〔▶Acte conservatoire〕とも対置される。保存行為は，財産を利用することではなく財産の現状維持を目的とする。

Acte d'administration judiciaire　[訴訟] 裁判所運営上の行為　▶Mesure d'administration judiciaire〔裁判所運営上の措置〕

Acte apparent　[民訴] 表見証書；表見行為　真実の状況と異なった法的地位を示す証書（行為）。
　表見証書（表見行為）は，acte ostensibleともいう。
　▶Apparence〔外観〕▶Contre-lettre〔反対証書；反対行為〕▶Simulation〔虚偽表示〕

Acte d'appel　[民訴] 控訴の申立て（書）　旧民事手続法典上の廃止された制度下で，控訴を提起する行為（文書）。
　▶Déclaration d'appel〔控訴の申立て（書）〕

Acte authentique　[民法] [民訴] 公署証書　公署官（例えば，公証人）によって作成された書面であり，その記載は，偽造の申立て〔▶Inscription de faux〕があるまでは証明力を有する。公署証書の，執行文を付与された執行謄本は，強制執行を可能にする。
　▷民法典1317条以下；新民事手続法典132条以下および303条以下
　▶Acte sous seing privé〔私署証書〕▶Copie exécutoire〔執行正本〕▶Grosse〔執行正本〕

Actes d'autorité et de gestion (Distinction des)　[行政] 権力行為と管理行為（の区別）　行政裁判所の管轄権限および行政法の適用の有無は，当該行為が行政庁に認められた作用特権を行使する権力行為（または公権力行為）か，行政庁に与えられているいかなる特権をも行使することのない管理行為かによって決定されるとする，19世紀の学説が提唱した理論。しかし，この理論は今日ではほとんど採用されていない。

Acte d'avocat à avocat　[民訴] 弁護士間の文書（行為）　大審裁判所付弁護士によって作成され，裁判所において法廷執行吏によって相手方弁護士に送達される手続文書。裁判所内送達文書〔acte du Palais〕という表現も用いられる。
　送達は直接送達によることもできる。すなわち，名宛人弁護士に文書を2通手渡し，名宛人弁護士は日付を記入し，かつ証印をしたうえで，直ちにその1通を相手方弁護士に返却する。
　▷新民事手続法典672条および673条
　▶Acte d'avoué à avoué〔代訴士間の文書（行為）〕

Acte d'avoué à avoué　[民訴] 代訴士間の文書（行為）　控訴院付代訴士によって作成され，控訴院において執行吏送達または直接送達によって相手方代訴士に送達される手続文書。
　▷新民事手続法典674条
　▶Acte d'avocat à avocat〔弁護士間の文書（行為）〕

Acte bilatéral　[民法] 双方的行為　2人の者の意思から生ずる法律行為〔▶Acte juridique〕。
　▶Acte unilatéral〔一方的行為〕

Acte à cause de mort　[民法] 死因行為　ある者の死亡後に初めて効果を生ずる法律行為（遺言〔▶Testament〕）。
　▶Acte entre vifs〔生前行為〕

Acte de commerce　[商法] 商行為　その内容（再販売のための買入など），その形式（為替手形など）を理由として，または，その行為者の商人たる資格を理由として，商法の規定に服する法律行為〔▶Acte juridique〕または法律事実〔▶Fait juridique〕。
　▷商法典L110-1条およびL110-2条

Acte-condition　[民法] 条件行為　ある個人にそれまで適用されていなかった個別の法規範

Act

（または法規範全体）をその者に適用するという結果をもたらす行為。条件行為は、法によってあらかじめそのすべてを定められた法的地位に当該個人を置くものであり、法律行為である場合（婚姻、官吏の任命）と法律事実である場合（陪審員の抽選）とがある。

Acte consensuel 民法 諾成行為　その成立につき、何らの特別な形式も必要とせず、双方の同意のみによって生じる法律行為〔►Acte juridique〕。
　諾成主義〔consensualisme〕が原則である。
▷民法典1108条
　►Acte solennel〔厳粛行為〕

Acte conservatoire 民法 保存行為　権利の保全（例えば、抵当権登記の更新、時効の中断など）または財産の減失（例えば、建物の損壊）の回避を目的とする法律行為〔►Acte juridique〕。保存行為は必要かつ緊急の行為であるため、管理行為〔►Acte d'administration〕および処分行為〔►Acte de disposition〕に必要とされるほどの権限に基づく必要はない。
　►Mesures conservatoires〔保全措置〕

Acte constitutif 民法 創設的行為　新たな権利を創造し、または、それ以前の地位を変更する法律行為〔►Acte juridique〕。例えば、抵当権設定行為または離婚裁判。
　►Acte déclaratif〔宣言的行為〕

Acte déclaratif 民法 宣言的行為　既存の法的地位を確認する行為。例えば、自然子の自発的認知または父子関係の裁判上の認定。
　►Acte constitutif〔創設的行為〕

Acte déguisé 民法 仮装された行為　秘密を保つため、当事者の意思を反映していない表見行為によって仮装されている法律行為〔►Acte juridique〕（例えば、売買によって仮装された贈与）。
　►Acte fictif〔仮装行為〕►Contre-lettre〔反対証書；反対行為〕►Simulation〔虚偽表示〕

Acte détachable 行政 分離しうる行為　主たる措置とこれに付随する行為からなる複合的な行政行為の場合に、その付随する行為のうちで、行政裁判所がその主たる措置に適用される訴訟制度とは別の訴訟制度に服させることを認めている行為を指し示す用語。

Acte de disposition 民法 処分行為　物権の移転または重大な法的義務の負担を内容とし、財産体の価値を減少させる効果をもちうる法律行為〔►Acte juridique〕。例えば、財産の売却または贈与、自己の財産を対象とする9年を超える賃貸借契約への署名、公債応募。
　►Acte d'administration〔管理行為〕►Acte conservatoire〔保存行為〕

Acte de l'état civil 民法 身分証書　人の身分を証明する目的で、身分吏により、または身分吏の責任のもとで作成される証書。
▷民法典34条以下
　►État des personnes〔人の身分〕

Acte entre vifs 民法 生前行為　当事者が生存している間に効果を生ずる法律行為〔►Acte juridique〕（例：贈与〔►Donation〕）。
　►Acte à cause de mort〔死因行為〕

Acte exécutoire 訴訟 執行力ある証書
　►Titres exécutoires〔執行名義〕

Acte extrajudiciaire 民訴 裁判外の文書　裁判手続きとは直接関係なく、執行吏によって送達され、権利行使または権利保存を目的とする文書。例えば、支払催告状〔sommation de payer〕、拒絶証書〔protêt〕、差押前催告状〔commandement de saisie〕。
　►Acte judiciaire〔裁判上の行為（文書）〕

Acte fictif 民法 仮装行為　当事者が、義務を負うことを欲していなかったにもかかわらず、法的関係の虚偽の外観を創造する仮装の行為。
　►Acte déguisé〔仮装された行為〕►Contre-lettre〔反対証書；反対行為〕►Simulation〔虚偽表示〕

Actes frustratoires 訴訟 不用な文書　無効または無用な文書。その費用はそれを作成した裁判補助者が負担する。
▷新民事手続法典650条および698条
　►Dépens〔訴訟費用〕

Actes de gestion 行政 管理行為　►Actes d'autorité et de gestion（Distiction des）〔権力行為と管理行為の区別〕

Acte de gouvernement 公法 統治行為　一般に政府議会間の関係に関わったり、国際関係上国がとった行動に直接関わるという理由で、行政裁判所および司法裁判所が審理を差し控える国の機関の若干の行為の存在を説明するための呼称。例：フランスの軍隊を平和維持活動に派遣する決定、共和国大統領による憲法院の構成員の任命。

Acte gracieux 民訴 非訟行為　►Décision gracieuse〔非訟事件決定〕

Acte individuel 行政 個別行為　特定の名宛人に、または複数の名宛人に個別的に、利益または不利益を生じさせることを目的とする

9

Act

行為。一般的かつ不特定的効力を有する行政立法行為と対置される。

Acte d'instruction 〔刑訴〕 **予審行為** 真実発見(真実の顕現)に有用な裁判上の証拠調べの措置。予審裁判所が自ら行いまたは命令によって他の機関に行わせる。特に，公訴時効を中断する効果がある。
▷刑事手続法典7条以下および81条

Acte instrumentaire 〔民法〕 **証書** 法的地位の存在を証明することを目的とする書面。この地位は，negotium〔法律行為の実体〕という意味におけるacte〔行為〕から生じることも，法律事実から生じることもある。
►Acte juridique〔法律行為〕►Écrit〔書面〕►Fait juridique〔法律事実〕►《Negotium》〔法律行為の実体〕

Acte judiciaire 〔訴訟〕 **裁判上の行為(文書)** 訴訟もしくは非訟手続きの進行に関する，または，強制執行を目的とする，当事者もしくは一定の裁判補助者(弁護士，代訴士，執行吏，書記)の行為(文書)。例えば，呼出し(状)，証人の呼出し(状)，申立趣意書の作成および送達。
►Acte extrajudiciaire〔裁判外の文書〕

Acte juridictionnel 〔訴訟〕 **裁判行為** 実質的観点からすれば，主体が誰であろうと，管轄権限を有する機関が法律行為または事実行為についての適法性の審査を行うすべての行為と理解される。

形式的観点からすれば，この呼称は裁判機関(裁判官，裁判所)によってなされる実質的裁判行為に与えられる。

このような行為は，既判力，執行力を有し，ほとんどの場合，宣言的な性質を有している。裁判行為をなした裁判官は事件関与を解除される。多数説によれば，非訟行為〔►Acte gracieux〕は係争の判断をしないが，裁判行為の性質を有する。
►Chose jugée〔既判事項〕►Décision gracieuse〔非訟事件決定〕►Dessaisissement du juge〔裁判官の事件関与の解除〕►Formel, Matériel〔形式的，実質的〕►Mesure d'administration judiciaire〔裁判所運営上の措置〕

Acte juridique 〔一般〕 **法律行為** 法(律)効果を生じさせることを目的とする意思の表明。法律行為論およびその基本的分類は，フランスでは主としてLéon Duguitおよびその弟子(Bonnard, Vizioz, Réglade)からなるボルドー学派によって提示されたものであり，すべての法分野の体系的な分析を可能にした。法律行為は法秩序〔►Ordonnancement juridique；Ordre juridique〕に変更をもたらす行為〔►Acte〕とされている。法律行為の主たるカテゴリーは次のようなものである。

Actes subjectifs, Actes objectifs 主観的行為，客観的行為：これらの行為は，適用範囲が個別的であるか(一方的行為および合意に基づく行為)，より広範であるか(►Acte-règle〔法規行為〕)によって区別される。これら2種類の行為からそれぞれ，主観的法的地位〔►Situations juridiques subjectives〕および客観的法的地位〔►Situations juridiques objectives〕が生じる。

Actes collectifs 集団的行為：集団的行為は，法律行為がなされる際の多数の一致した意思表示によって特徴づけられる。集団的行為は，一般には公法上の法的行為(例えば，法律の表決，国会議員選挙，国民投票など)であるが，私法上の法的行為の場合(例えば，既存の社団に新たな社員が入社する場合)もある。

Actes conventionnels 合意に基づく行為：この行為は意思の協力(個別的意欲の相互依存によって生じ，そのことにより，合意に基づく行為と集団的行為とが区別される)によって特徴づけられ，この意思の協力が当該行為の要素および効果のすべてを決定する。ただし，場合によって，法が定め，かつ課している補足的要素は除く。契約は合意の典型例である。
►Acte-condition〔条件行為〕►Acte instrumentaire〔証書〕►Fait juridique〔法律事実〕

Acte mixte 〔商法〕 **一方的商行為** 当事者の一方については商事性，他方については民事性を示す行為。

商人が一般個人に家庭用器具を販売する行為がその例である。

Acte notarié 〔民法〕 **公証人証書** ►Acte authentique〔公署証書〕

Acte de notoriété 〔民法〕 **公知証書** 公知の事実を証言する複数の者の申述を内容とする証書。公署官(公証人,身分吏)または裁判官(小審裁判所裁判官)によって作成される。
▷民法典71条，310-3条，317条，335条，730-1条以下および815-11条；新民事手続法典1157条および1157-1条
►Certificat d'hérédité〔相続証明書〕►Inti-

tulé d'inventaire〔財産目録の頭書〕
Acte du Palais 民訴 裁判所内送達文書
▶Acte d'avocat à avocat〔弁護士間の文書（行為）〕▶Acte d'avoué à avoué〔代訴士間の文書（行為）〕

Acte de poursuite 刑訴 訴追行為　広義では，公訴権を発動するあらゆる行為（通告，調書による召喚，即時出頭，有責認知に基づく出頭，直接呼出し，公訴権の発動を義務づける告訴，予審開始請求）または公訴権の行使の実現を可能にする行為（追加的請求，終局的請求，検察側の不服申立ての行使など）。
　狭義では，公訴時効を中断する行為。
▷刑事手続法典7条以下
財政 強制徴収　▶Poursuites（Actes de）〔強制徴収〕

Acte de procédure 訴訟 手続行為（文書）　一定の形式に従い，裁判補助者または訴訟当事者によってなされる行為（文書）。訴訟手続きを開始し，展開させ，停止し，または，終了することを目的とする。
▷新民事手続法典2条，112条以下および411条

Actes préparatoires 刑法 予備行為　犯罪の実現の際に，実行の着手に接着した前段階に位置する行為。したがって，処罰の対象となる未遂ではない。
▷刑法典121-5条
行政 準備行為　行政機関によりなされる決定であって，最終的な決定を行う過程の1つの要素にすぎないもの。例：新たな市町村役場の建設のための調査委員会の設置を決定する市町村会〔▶Conseil municipal〕の議決。この決定は，それ自体何らの法効果ももたらさないため，訴訟の対象とすることができない。しかし，この決定の違法性は，最終的な決定がある場合には，その最終的な決定に対して提起された訴えの裏づけとして援用することができるであろう。
▶Grief（Actes faisant）〔不利益（を生じる行為）〕

Actes de pure faculté 民法 随意行為　所有者が，他人の土地にはみ出すことなく自己の土地においてなす行為であるが，取得時効により他人の土地に対する権利（例えば地役）を取得させることがないもの。例えば，隣地に接してはいるが共有の境界壁ではない壁を所有する者が，その壁に法律上認められた明かりとり〔jours〕を設けた場合，後に壁の互有権〔mitoyenneté〕を取得した隣人に対して長期の占有を理由に明かりとりの遮蔽を禁ずることはできない。
▷民法典2232条
▶Acte de tolérence〔許容行為〕▶Faculté〔選択権；自由〕

Acte récognitif 民法 承認証書　前の書面によって証明されていた法的地位の存在を承認する証書。
　この証書は，失われた原証書に代わるという効果を有することもあれば，時効を中断するという効果を有することもある。

Acte-règle 私法 公法 法規行為　いわゆる客観的法的地位を発生させ，変更し，または消滅させる法律行為〔▶Acte juridique〕。ここで，いわゆる客観的法的地位とは，当該地位を創出する行為の観点から見た場合，まったく画一の法的枠内に置かれる集団を構成する自然人または法人（しばしば，同時にその両者）に影響を与える法的地位である。

Acte réglementaire 行政 行政立法行為
▶Acte individuel〔個別行為〕

Acte solennel 民法 厳粛行為　意思の表明が法律の要求する一定の形式を伴っている場合にのみ有効とされる法律行為〔▶Acte juridique〕。
▶Acte consensuel〔諾成行為〕▶Consensualisme〔意思主義；諾成主義〕▶Formalisme〔形式主義；要式主義〕▶《Ad validitatem》〔有効となるために〕

Acte sous seing privé 民法 私署証書　私人によって作成され，当事者の自筆の署名〔▶Signature〕を伴う証書。通常は，法律行為に関するものであり，まれに，法的地位の存在のために必要となることがある。
▷民法典1322条以下
▶Acte authentique〔公署証書〕▶Blancseing〔白地署名〕

Acte à titre gratuit 民法 無償行為　寛大な意図〔intention généreuse〕によって，反対給付なく，義務を負いまたは権利を処分する法律行為〔▶Acte juridique〕（例：債務免除〔▶Remise de dettes〕）。
▶Acte à titre onéreux〔有償行為〕

Acte à titre onéreux 民法 有償行為　各当事者が利益を追求する行為。有償行為と，相互的な義務の存在を内容とする双務契約とを混同してはならない。有償行為は，各契約当事者に利益を与えるけれども，必ずしも相互

Act

的な法的義務を生じさせるわけではないからである（例えば，債務免除〔►Remise de dettes〕）。
　►Acte à titre gratuit〔無償行為〕►Contrat synallagmatique〔双務契約〕

Acte de tolérance 民法 許容行為　他人の土地に対する使用収益行為であって，その土地の所有者が好意または善隣精神により許容しているもの。許容行為は，その性質上，時効によって権利を基礎づけることはない。acte de simple toléranceともいう。
　▷民法典2232条
　►Acte de pure faculté〔随意行為〕

Acte translatif 民法 移転行為　ある者に対して，1または複数の権利，あるいは財産体を移転する法律行為〔►Acte juridique〕。
　►Acte constitutif〔創設的行為〕

Acte-type 行政 行為モデル；標準行為　上級庁があらかじめ示した，法律行為の作成のためのモデルに付けられた名称。下級庁はこの種の様式を用いることを多かれ少なかれ直接的に強制される。
　事務分散においては，この手法を用いることによって行政内部での作用の非常に強固な統一性を確保することが可能となる。
　地方分権においては，この手法は，国にとって，後見監督権が存続する場合であっても後見監督権には訓令権〔►Instruction (Pouvoir d')〕は含まれないという原則の適用範囲を狭める手段となっている。

Acte unilatéral 民法 一方的行為　1人の者のみの意思の表明によって生ずる法律行為〔►Acte juridique〕（例：遺言）。
　►Acte bilatéral〔双方的行為〕

Acte unique européen EU 単一ヨーロッパ議定書　ヨーロッパ共同体の基本文書を変更する条約。1985年12月に採択され，1986年2月に署名され，1987年7月に発効した。部分的ではあるがヨーロッパ議会の権限を強化することにより，組織に関するいくつかの規定を変更した（►Procédure de coopération〔協力手続き〕）。ヨーロッパ政治協力〔coopération politique européenne〕を共同体の体制に組み入れるものである。域内市場の達成を1992年12月31日とし，その日付までに必要な措置を採用することを規定している。単一ヨーロッパ議定書の採択はヨーロッパ建設〔construction européenne〕の推進の意思を表したものであった。

Actif 民法 積極財産　日常的には，この概念は，人が所有している財産の全体を包含するが，専門的には，（純）積極財産は，積極財産から消極財産〔passif〕を差し引いた超過分を意味する。積極財産が存在する場合には，支払能力があるということになり，したがって，債権者の権利の保護措置（期限の喪失，保全差押えなど）を利用することはできない。
　商法 資産；（貸借対照表の）借方　企業が有する動産と不動産，債権と金銭の総体であり，これは貸借対照表の左側に掲げられる。
　►Bilan (Théorie du)〔確定決算主義〕

Action 訴訟 訴権；訴え　►Action en justice〔訴権；裁判上の訴え〕

　財政 単位事業　国の予算の階層分類上，単位事業とは，事業計画〔►Programme〕の基本構成要素をいう。事業計画には，1または複数の単位事業が含まれる。
　例：（外務省によって主導される）《国の対外的事業》の計画大綱〔►Mission〕には（とりわけ）《文化・学術の普及》の事業計画が含まれ，この事業計画には，（とりわけ）《学術・技術・文化交流の強化》の単位事業が含まれる。

Action(s) 商法 株式　株式発行会社が発行する流通証券であり，会社の資本の割合的単位〔fraction〕を表章し，会社における社員権を確認するもの。
　優先株式〔actions de préférence〕と呼ばれる一定の株式は，その引受人に対して，補充的権利を付与し，または反対に，例えば議決権を排除することにより，引受人の権利を縮減することもできる。
　▷商法典L228-7条以下

Action d'apport 商法 現物出資株式　株式会社または株式合資会社の設立または増資の際に，現物出資をした者に交付される株式。
　これと対置されるのが金銭出資株式〔action en numéraire〕である。金銭出資株式は，その金額が現金もしくは相殺によって払い込まれた株式，または，準備金〔réserve〕，利益〔bénéfice〕もしくは額面超過額〔prime d'émission〕の資本組入れによって発行される株式である。
　▷商法典L228-7条

Action associationnelle 訴訟 非営利社団訴権；非営利社団の訴え　►Action collective〔団体訴権；団体の訴え〕

Action de capital 商法 資本株式　その券面額が株主に償還されなかった株式。これと対置されるのが享益株式〔►Action de jouissance〕である。
▷商法典L225-198条

Action civile 刑訴 私訴；私訴権；犯罪被害者の損害賠償の訴え　重罪，軽罪または違警罪によって直接生じた損害の賠償に関する訴え。私訴権は，損害を自ら被った者すべてに属し，被害者の選択によって，刑事裁判所で公訴権と同時に行使されることもあり，または民事裁判所で公訴権とは別個に行使されることもある。これは，公訴権の発動を義務づける告訴とは区別されなければならない。後者は，損害賠償を求める権利とは無関係に，したがってすべての請求とは無関係に公訴権を発動させることを被害者に認めるものである。また，私訴権は，民事的性質をもつ訴権〔action〈de nature〉civile〕とも区別される。民事的性質をもつ訴権は，犯罪が存在しない場合に，民事裁判所において損害の賠償を得ることを目的とするものである。
▷刑事手続法典2条以下
►Constitution de partie civile〔私訴原告人となることの申立て；刑事事件における民事の当事者となることの申立て〕

Action collective 訴訟 団体訴権；団体の訴え　非営利目的の法人（非営利社団，職業組合または専門職同業団体）が，その目的に含まれる，集団的性質を有する利益を擁護するために行使する訴権。
　職業組合は，自らが代表する職業の集団の利益に直接または間接の損害をもたらす行為に関して，私訴原告人〔partie civile〕とするあらゆる権利をすべての裁判所において行使することができる（労働法典L411-11条）。他方，非営利社団は，自らの擁護する利益のために裁判上の訴えをなすことを一般的には認められていない。提訴できるのは，原則として立法者が非営利社団に対して，犯罪が存在するか否かを問わず，民事または刑事裁判所に提訴する権利を明文の規定により与えている場合に限られる。
▷刑事手続法典2条から2-21条
►Action en représentation conjointe〔共同代理訴権；共同代理の訴え〕

Action de concert 商法 協調行為　議決権を取得もしくは譲渡し，または，議決権を行使して会社に対して共通の政策を実行するための合意。
　この合意の署名者が有する株式の総数を考慮して，上場会社への資本参加の割合に基づく規制が適用される。
▷商法典L233-10条

Action confessoire 民法 地役権確認訴権；地役権確認の訴え　地役権，用益権または使用権の確認または行使を目的とする対物訴権（対物の訴え）。
►Action négatoire〔地役権不存在確認訴権；地役権不存在確認の訴え〕

Action en contestation d'état 民法 身分異議訴権；身分異議の訴え　►Action d'état〔身分訴権；身分の訴え〕

Action《de in rem verso》 民法 不当利得返還訴権；不当利得返還の訴え　不当利得がある場合に，訴えの提起を可能とする訴権。
►Enrichissement sans cause〔不当利得〕

Action déclaratoire 民法 確認訴権；確認の訴え　すでに生じている現在の利益〔intérêt né et actuel〕とは無関係に，法的状態の適法性または違法性を裁判上で確認させることを目的とする訴権（訴え）。このような訴えは必ずしも受理されるとは限らない。
►Action interrogatoire〔態度決定を促す訴え〕►Action de jactance〔公言内容の証明を促す訴え〕►Mesure d'instruction〔証拠調べ〕

Action directe 民法 直接訴権　債権者が自己の名において，自己の債務者の契約の相手方である第三者に対して直接に行使する訴権〔►Action en justice〕。例えば，賃貸人は転借人に対して賃料支払訴権を行使することができる。
▷民法典1753条
►Action paulienne〔詐害行為取消訴権；詐害行為取消しの訴え〕
　直接訴権は，債権者代位訴権〔►Action oblique〕と対置される。責任保険においては，この表現は，保険契約に定められた填補を開始させるために，被害者が，自己の損害の責任者の保険者に対して直接に行使する訴権を意味する。
▷民法典L124-3条

Action disciplinaire 訴訟 懲戒訴権；懲戒の訴え　職業（官吏，司法官，弁護士，裁判所補助吏など）上の倫理規定違反に対する懲罰を目的とする訴権（訴え）。その結果，場合によって職業上の制裁が科される。すなわち譴

Act

責〔►Blâme〕，停職，罷免〔►Révocation〕などである。懲戒訴権（訴え）は，一般利益においてなされる公訴〔action publique〕とも区別され，特定の被害者のためにのみ存在する私訴〔action civile〕とも区別される。その目的は，追及される者の属する職団に払われるべき敬意を保つことである。
►Déontologie〔職業倫理〕►Discipline〔懲戒〕
►Pouvoir disciplinaire〔懲戒権〕

Action estimatoire 民法 **代金減額訴権；代金減額の訴え** 物の取得者が，その物の価値を低下させる隠れた瑕疵を理由として代金の減額を請求する訴権（裁判上の訴え）〔►Action en justice〕。
▷民法典1644条

Action d'état 民法 **身分訴権；身分の訴え** 人の身分に関する裁判上の訴え。

身分主張訴権（身分主張の訴え）〔action en réclamation d'état〕（例えば，親子関係の証明の訴え）と身分異議訴権（身分異議の訴え）〔action en contestation d'état〕（例えば，親子関係を争う訴え）とに区別される。前者は，原告が自己の真の身分の確認を裁判によって得ることを可能にするのに対して，後者は，裁判所において他人の表見的身分を否定する資格を有する者によって提起される。

Action 《ad exhibendum》 民訴 **証拠提出訴権；証拠提出の訴え** 《提出させることを目的とする》。相手方当事者または第三者が保持する，自己の主張が真実であることを証明する書証を提出させることを目的とする訴訟当事者に認められた訴権（訴え）〔►Action en justice〕。新民事手続法典は，当事者の申請に基づき，正当事由が存在しない限り，罰金強制を用いて，真実の発見に役立つあらゆる証拠〔élément de preuve〕を提出するよう命じる権限を裁判官に認めた。
▷新民事手続法典11条および138条以下

Action à fins de subsides 民法 **援助金訴権；援助金の訴え** 親子関係が適法に証明されていないすべての自然子が有する訴権（訴え）〔►Action en justice〕。母の法定懐胎期間中に母と性的関係があった者から養育および育成の費用にあてるための定期金を取得することを目的とする。この訴えは父子関係の証明を必要としない。
▷民法典342条以下

Action à futur 民訴 **将来のための訴権；将来のための訴え** ►《In futurum》〔将来のための〕

Action en garantie 民法 **担保請求訴権；担保請求の訴え** ►Garantie（Appel en）〔担保のための呼出し〕

Action de groupe 民訴 **集団代表訴権；集団代表の訴え** 集団的損害の賠償を目的とする訴え。集団的損害とは，製品の売買または役務の提供に関する同一の類型の契約について，同一の業者による契約上の債務の不履行または不誠実履行のゆえに消費者の受けた損害である。

この訴えの意義は，個人として受けた損害の額が少額なので損害賠償の訴えを提起することをためらうかもしれない消費者の訴えを支援することに存する。

学説上《集団損害責任確認の訴え》と呼ぶことが提唱されているこの集団代表の訴えは，法制化が計画中である。この訴えはアングロサクソンの世界では，異なった訴訟手続きによるが，《クラス・アクション》と呼ばれているものである。
►Action en représentation conjointe〔共同代理訴権；共同代理の訴え〕

Action illicite sur les prix 商法 刑法 **価格操作行為** 物またはサーヴィスの価格を人為的に上昇もしくは下降させ，またはさせようとする目的で，虚偽の情報または中傷的な情報を何らかの方法で流布して，相場を混乱させるために市場で買付けもしくは売付けを行い，またはその他のあらゆる詐欺的な手段を用いることからなる犯罪。

Action immobilière 民訴 **不動産訴権；不動産を対象とする訴え** 不動産を対象とする物権または債権の承認を請求する訴権（訴え）〔►Action en justice〕（例:（所有権に基づく）返還請求）。
▷民法典526条；新民事手続法典44条

Action en inscription de faux 民法 民訴 **公署証書偽造の訴え** ►Acte authentique〔公署証書〕►Faux〔偽造の申立て〕►Faux incident〔公署証書偽造の付帯申立て〕►Inscription de faux〔公署証書偽造の申立て〕

Action interrogatoire 民訴 **態度決定を促す訴え** 被告に対して，法律が期間を与えているにもかかわらず，選択をなすことにつき（相続人は，態度を決めるために4ヵ月の期間を有する），または申立てをなすことにつき（無能力者は契約の無効を請求するために5年の期間を有する），ただちに態度を決める

よう催告することを目的とする裁判上の訴え〔►Action en justice〕。原則として受理されない。

Action de jactance 〔民訴〕公言内容の証明を促す訴え ある者に対して権利を有すると公言している者に対して，その主張が真実であることの証明を義務づけることを目的としてなされる訴え〔►Action enjustice〕。真実であることを証明できない場合は永久に沈黙することを義務づけられる。原告が実際に物的または精神的損害を被っていないときは，多くの場合受理されない。

Action de jouissance 〔商法〕享益株式 会社が，資本の償却〔amortissement du capital〕を行い，すなわち，その存続中に利益から株式の券面額を株主に償還する際に，株主に交付される証券。
▷商法典L225-198条

Action en justice 〔訴訟〕訴権；裁判上の訴え 法主体に認められる，自己の権利または正当な利益の尊重を得るために裁判所に訴える権能。自己に対してなされた申立てに理由があることを争う，相手方の権利も意味する。
▷新民事手続法典30条

Action mixte 〔民訴〕混合訴権；混合の訴え 同時に物権と債権の承認を請求する訴権(訴え)〔►Action en justice〕。
▷新民事手続法典46条

Action mobilière 〔民訴〕動産訴権；動産を対象とする訴え 動産または債権を対象とする債権または物権を承認させる訴権(訴え)〔►Action en justice〕。
▷民法典529条

Action négatoire 〔民訴〕地役権不存在確認訴権；地役権不存在確認の訴え 自己の不動産が地役〔servitude〕，用益権〔usufruit〕，使用権〔droit d'usage〕を負担していないことを原告が主張する対物訴権(訴え)。
►Action confessoire〔地役権確認訴権；地役権確認の訴え〕

Action nominative 〔商法〕記名株式 ▷商法典L225-109条►Titre nominatif〔記名証券〕

Action de numéraire 〔商法〕金銭出資株式 ▷商法典L228-7条►Action d'apport〔現物出資株式〕

Action oblique 〔民法〕債権者代位訴権；債権者代位の訴え 権利を行使せず，かつ，支払不能状態にある債務者のために，債務者の名において債権者が行使する訴権(訴え)〔►Action en justice〕。
▷民法典1166条
►Action directe〔直接訴権〕►Action paulienne〔詐害行為取消訴権；詐害行為取消しの訴え〕

Action paulienne 〔民法〕詐害行為取消訴権；詐害行為取消しの訴え 支払不能状態にある債務者が債権者の権利を詐害する意図をもってなした財産減少行為の取消しを債権者が請求する裁判上の訴え〔►Action en justice〕(古代ローマで法務官パウルスによって作り出されたとされる)。訴えが認容された場合，詐害行為は遡及的に取り消されるが，取消しは訴えた者の利益のためにかつその利益の存する限りにおいてのみ効力を有するので，原告たる債権者の利益を超える部分については，第三取得者は譲渡の利益を保持する。したがって，詐害行為は対抗不可能であるとはいえ，このことは訴訟当事者たる債権者の利益となる範囲でしか妥当しない。
▷民法典1167条
►Action directe〔直接訴権〕►Action oblique〔債権者代位訴権；債権者代位の訴え〕

Action personnelle 〔民訴〕対人訴権；対人の訴え その原因が何であろうと(合意，不法行為，法律，事務管理，不当利得)，債権の承認を請求する訴権(訴え)〔►Action en justice〕。
　この訴権(訴え)は，一般的に有体動産または無体動産を対象とするが，例外的に不動産を対象とすることもある。

Action pétitoire 〔民訴〕〔民法〕不動産物権訴権；不動産物権の訴え；本権の訴え 不動産物権，とりわけ不動産所有権の存否をその対象とする訴権(訴え)〔►Action en justice〕。
▷新民事手続法典1265条以下
►Action possessoire〔占有訴権；占有の訴え〕

Action au porteur 〔商法〕無記名株式 ▷商法典L228-1条►Titre au porteur〔無記名証券〕

Action possessoire 〔民訴〕占有訴権；占有の訴え 不動産の平穏な占有および保持という法的事実の保護を目的とする裁判上の訴え〔►Action en justice〕。占有の訴えは大審裁判所の専属管轄〔compétence exclusive〕に属する。
▷民法典2282条および2283条；新民事手続法典1264条以下
►Action pétitoire〔不動産物権訴権；不動産物権の訴え；本権の訴え〕►Complainte

〔占有保持の訴え〕►Dénonciation de nouvel œuvre〔占有保全の訴え〕►Réintégrande〔占有回復訴権；占有回復の訴え〕

Action de préférence 商法 **優先株式** その所持人に普通株式と比較して一定の特性を与える株式。この株式はその所持人に金銭的利得（優先配当，割増配当）を付与することができる。議決権もまた影響を受けることがあり，法文が認める条件にしたがい，あるいは議決権が排除され，あるいは議決権が増加されることがある（二重議決権，議決権の制限）。これらの権利は一時的または永続的に割り当てられる。
▷商法典L228-11条

Action publique 刑訴 **公訴権** 刑事裁判所において，犯罪行為者に対する刑罰の適用を求める裁判上の訴え〔►Action en justice〕。公訴は，私訴原告人によって発動される場合もあるが，つねに検察官または法律によって公訴権を付与される官吏が提起する。
▷刑事手続法典1条
►Action civile〔私訴；私訴権；犯罪被害者の損害賠償の訴え〕

Action en réclamation d'état 民法 **身分主張訴権；身分主張の訴え** ►Action d'état〔身分訴権；身分の訴え〕

Action récursoire 民法 **求償訴権；求償の訴え** 他人が負っていた債務を履行した者が，履行されたものの求償を認める判決を得るために，その者に対して行使する訴権（訴え）〔►Action en justice〕。
▷民法典1214条

Action rédhibitoire 民法 **解除訴権；解除の訴え** 買主が，物の隠れた瑕疵を理由として売買契約の解除を請求する裁判上の訴え（訴権）〔►Action en justice〕。
▷民法典1644条

Action en réduction 民法 **減殺訴権；減殺の訴え** ►Réduction pour cause d'excès〔分不相応を理由とする減殺〕

Action réelle 民訴 **対物訴権；対物の訴え** 不動産およびまれに動産を対象とする主たる物権または従たる物権の承認または保護を請求する訴権（訴え）〔►Action en justice〕。
▷新民事手続法典44条

Action en représentation conjointe 民訴 **共同代理訴権；共同代理の訴え** 全国レヴェルで代表的と認められ，認可を受けた消費者団体によって行使される訴権〔►Action en justice〕。自然人である特定された消費者が，同一の業者の行為から個人として被った損害の填補を得ることを目的とする。その団体はあらゆる裁判所で訴訟を行うための資格を有する。ただし，少なくとも2人の消費者から訴訟の委任を受けなければならない。
▷消費法典422-1条およびR422-1条以下
►Action de groupe〔集団代表訴権；集団代表の訴え〕

Action en revendication 民法 **取戻訴権；取戻しの訴え** 所有権者に与えられる，不当に所有権者の財物を所持し，かつ，その財物の返還を拒絶して所有権を争う者に対する対物訴権（対物の訴え）〔►Action réelle〕，すなわち本権の訴え。勝訴の場合，所有権が確認され，かつ，当該財物が返還される。
▷民法典2279条および2280条
►Action pétitoire〔不動産物権訴権；不動産物権の訴え；本権の訴え〕

Action sanitaire et sociale 行政 **保健社会福祉活動** 恵まれない子どもおよび青少年，老齢者もしくは障害者のように，危機的なもしくは困難な状況にある社会的階層の人々の援助，または，特に母親および幼児の健康の確保を目的とする財政的援助およびさまざまな給付の総体。かつて公的扶助〔assistance publique〕と呼ばれていたものである。
この活動は大部分が県によって担われている。なお，社会保障制度によって保障される別の形式の保健社会福祉活動もある。
社保 **保健社会福祉活動** 住民の総体または一定の社会集団（例えば障害者）の健康状態の改善に資し，補足的給付（法定給付以外の給付）の形態で個人または集団のために福祉と財源の両面に関与することを目的とする社会保障金庫の活動。

Action syndicale 訴訟 **職業組合訴権；職業組合の訴え** ►Action collective〔団体訴権；団体の訴え〕

Actionnaire 商法 **株主** 資本会社の株式を有する者。
►Action〔株式〕

Actionnariat des salariés 労働 **労働者持株制** 会社の資本に対する労働者の参加方法。その会社は，労働者が自ら雇用されている会社である場合もあり（従業員持株制〔actionnariat dans l'entreprise〕），まったく別の会社である場合もある（株式大衆化〔capitalisme populaire〕）。立法者は従業員持株制を促進

しようと努力している。
▷労働法典L443-3条以下

Activités sociales et culturelles 〔労働〕**福利厚生文化活動** 企業あるいは事業所における，使用者にとって義務的性格をもたない，労働契約から独立した活動または制度の総体。労働者，引退した労働者およびその家族の福利厚生の諸条件の改善を目的とする。一時的な援助である場合も常設的なサーヴィス（食堂，林間臨海学校，図書館，文化活動など）である場合もある。こうした福利厚生文化活動が存在する場合，企業委員会がその総体を管理し監督する。1982年10月28日の法律以前では，法文はœuvres socialesという表現を用いていた。
▷労働法典L432-8条以下およびR432-2条

《**Actor sequitur forum rei**》 〔民訴〕**原告は被告の法廷に従う** 原告は被告の裁判所に訴えを提起しなければならない。
▷新民事手続法典42条

《**Actori incumbit probatio**》 〔民訴〕**原告に証明責任がある** ▷民法典1315条；新民事手続法典6条

Adage 〔一般〕**法格言** ▶Aphorisme；Adage；Brocard〔法格言〕

《**Ad agendum**》 〔民訴〕**訴権のための** mandat〔委任〕の語に付け加わり，その特定の目的を示す熟語。訴権の委任〔mandat《ad agendum》〕により訴権の名義人は自己の代わりに訴訟を開始し，追行する任務をある者に与える。例えば区分所有権者の総会は，区分所有物のために第三者に対して損害賠償責任の訴えをする任務を区分所有管理者に与える。手続行為の代理しか対象とせず，開始権限も遂行権限も委ねない訴訟委任〔mandat《ad litem》〕とは区別される。
▶《Ad litem》〔訴訟のための〕

《**Ad exhibendum**》 〔民訴〕**提出を目的とする**
▶Action《ad exhibendum》〔証拠提出訴権；証拠提出の訴え〕

《**Ad hoc**》 〔一般〕**このための；特別の** 《pour cela》〔このための〕を意味する表現。例えば，tuteur《ad hoc》〔特別後見人〕，administrateur《ad hoc》〔特別管財人〕，juge《ad hoc》〔特別選任裁判官〕。

《**Ad litem**》 〔民訴〕**訴訟のための** 行為または判断が《訴訟のために》なされることを示すために用いられる表現。例えば，provision《ad litem》〔訴訟費用仮払金〕，mandat《ad litem》〔訴訟委任〕。
▶《Ad agendum》〔訴権のための〕

《**Ad nutum**》 〔一般〕**随時の** révocabilité《ad nutum》〔随時の解任〕とは，ただ1人のまたはそのための権限を有する機関の専権的決定によって，いつでも言い渡すことのできる解任のことである。

《**Ad probationem**》 〔一般〕**立証のために** 有効性についての内在的な要素を構成するのではなく，単に，ある行為の存在または内容を立証するために必要とされるにすぎない形式上の要求。

《**Ad solemnitatem**》 〔一般〕**厳格な様式として** 当該行為が有効となるために定められた様式が要求されること，および，その様式を欠くことが無効の原因となりうることを意味する表現。

《**Ad validitatem**》 〔一般〕**有効となるために** 《Ad solemnitatem》〔厳格な様式として〕の同義語。

Adhésion 〔民法〕**附合** ▶Contrat d'adhésion〔附合契約〕

〔労働〕**加入** 職業組織もしくは労働組合または使用者の一方的行為であって，労働協約のすべて（規範的部分と債務的部分）または一部分（規範的部分のみ）の適用を目的とする。加入は契約に関する普通法の例外をなす。
▷労働法典L132-9条およびL132-15条以下

〔国公〕**加入；加盟**
①加入//条約の非当事国がその条約の規定のもとに服することとなる行為。accessionの語も使われる。
②加入；加盟//ある国家が，その国の単なる意思の表明に基づき，国際組織に加わる行為。
▶Admission〔加盟の承認〕

Adjudicataire 〔民訴〕**競落人** 動産または不動産の競売において最後のかつ最高の値を付け，その者に競売物が帰属すると宣言される者（1992年7月1日のデクレ114条，116条および189条）。
▷民法典2208条

Adjudication 〔行政〕**入札** 公契約〔▶Marchés publics〕締結のかつての方式。この方式では，参加者が事前に競争入札を行い，最低価格を提示する参加者に対して自動的に発注がなされる。この自動決定方式の結果に対しては批判があったため，この手続きは廃止された（2001年）。

Adj

[民法] [民訴] **競落；競売** 競売に付された動産または不動産を，最も高い価額を申し出た者に帰属させること。不動産差押えにおいては，付競売判決は債務者に対する強制退去名義となる。
▷民法典2210条
►Adjudicataire〔競落人〕

Adjudication de territoire [国公] **判決による領域帰属** 仲裁的または司法的手段により，領域を国家に帰属させること。

Adjugé [民法] [民訴] **(申立)認容；競落**
①(申立)認容//裁判官が当事者に，その申立てどおりに与えること。(用例：)原告にその申立ての趣意の利益を認容する。
②競落//競売においては，最高価額を申し出る者に財物を帰属させること。
►Adjudication〔競落；競売〕[民法][民訴]
►Bien-fondé〔理由がある(こと)〕《Ad litem》

Adminicule [民法] **書証の端緒** それだけでは不完全な証拠であるが，ある事実を信ずるに足るものとする性質を有し，かつ，民事において証人による証明が認められるために十分に重要な証拠。
▷民法典1347条
►Commencement de preuve par écrit〔書証の端緒〕

Administarteur [民法] **財産管理人** 他人に帰属する，または他人との不分割状態にある，1または複数の財産または財産体を管理することを任務とする者。

Administrateur délégué [商法] **社長職代行取締役** 取締役会の構成員で，社長に一時的な障害がありまたは社長が死亡した場合に，社長の職務を代行することを取締役会から委ねられた者。
▷商法典L225-50条

Administrateur judiciaire [商法] [民訴] **裁判上の管理者** 民事会社または商事会社，非営利社団〔association〕および資産〔patrimoine〕を暫定的に管理するために，裁判所により，通常は急速審理〔référé〕において裁判する裁判所所長により任命される裁判上の受任者。
▷民法典815-6条および1429条

Administrateur judiciaire (Procédures de sauvegarde, de redressement et de liquidation judiciaire) [商法] [民訴] **債務者側管理者** 債務者側管理者は，裁判上の決定により，他者の財産を管理し，またはこれらの財産の管理における補佐もしくは監視の職務を遂行する任務を負う受任者である。この職業の規制は，商法典に置かれている。

救済手続きにおいては，債務者側管理者は，その経営において債務者を監視しまたはすべての管理行為もしくはそのうちのいくつかの行為について債務者を補佐する任務を負う。裁判所はまた，債務者側管理者に，裁判所が決定する計画の実施に必要な行為を行う任務を負わせることができる。

裁判上の更生手続きにおいては，債務者側管理者は，裁判所によりなされる決定に従い，経営に関するすべての行為もしくはそのうちのいくつかの行為に関して債務者を補佐し，または自ら企業の管理を全体的にもしくは部分的に確保する。

債務者側管理者は，例外的に，裁判上の清算手続きに関与することがある。
▷商法典L811-1条以下，L622-1条，L626-24条およびL631-12条
►Mandataire judiciaire à la sauvegarde, au redressement ou à la liquidation des entreprises〔債権者側受任者〕

Administrateur légal [民法] **法定財産管理人** 他人の財産の法定財産管理〔►Administration légale〕の範囲内において，法律によって与えられた権限を行使する者。例：自己の未成年の子の財産を管理する責任を負う親。
▷民法典389条以下

Administrateur provisoire [商法] **仮の管理者**
►Administrateur judiciaire〔裁判上の管理者〕►Séquestre〔係争物管理人〕

Administrateur-séquestre [民法] [民訴] **係争物管理人** 係争物管理のもとにおかれた財産(係争物，差押財産，供託金など)の管理を任務とする裁判上の受任者。
▷民法典1961条以下；新民事手続法典1281-1条および1281-2条
►Administrateur judiciaire〔裁判上の管理者〕►Séquestre〔係争物管理人〕

Administrateur de société [商法] **(会社の)取締役** 株式会社における取締役会の構成員。取締役は，通常総会〔assemblée générale ordinaire〕で選任されるが，株式会社が資金を公募して設立された場合の最初の取締役は創立総会〔assemblée constitutive〕で選任され，株式会社が資金を公募しないで設立された場合の最初の取締役は定款〔statuts〕において任命される。取締役の任期は，定款に

おいて定められる。ただし，通常総会または創立総会で選任される取締役の任期は6年を超えることができず，定款で任命された取締役の任期は3年を超えることができない。通常総会は取締役を再任し，また，取締役をいつでも解任することができる。取締役は，自然人であっても法人であってもよい。取締役が法人である場合には，自然人がこの法人を代表し，その自然人が通常の取締役と同様に責任を負う。
▷商法典L225-17条以下

Administration 〔行政〕 **行 政；行政機関**
①*Administration* 行政：行政を行う行為, 活動。
②*Administration* 行政機関；行政：形式的〔→Formel〕意味における公役務〔→Service public〕の同義語。広義では，公権力〔→Puissance publique〕の同義語。
〔民法〕 **管理権；管理**
①管理権//ある財産または財産体を保存し，利用するために必要な行為をなす権限。
②管理//このことを目的としてなされる行為の総体。

Administration judiciaire（Mesures d'） 〔民訴〕 **裁判所運営（上の措置）** ►Mesure d'administration judiciaire〔裁判所運営上の措置〕

Administration légale 〔民法〕 **法定財産管理** 法律の定める特定の者による財産体または総財産の管理。
未成年の子の財産は，原則として，その両親によって管理される。父母が共同で親権〔►Autorité parentale〕を行使する場合には，父母がともに法定財産管理人となる。この場合は，単純法定財産管理〔administration légale pure et simple〕と呼ばれる。そうでない場合には，法定財産管理は，裁判官の監督のもとにおいて，両親のうちの親権を行使する方の者に帰属する。後見裁判官および共和国検事は，自己の管轄区域内の法定財産管理と後見の全般的監督を行う。
▷民法典388-3条および389条以下
►Jouissance légale〔法定用益権〕►Tutelle〔後見〕

Administration de mission 〔行政〕 **特務行政**
フランスでは，伝統的行政と特務行政が習慣的に対置されてきた。伝統的行政とは，従来の行政法および財政法規範のもとで公役務の運営を保障することを任務とし，現在では管理行政の名称で呼ばれる行政である。これに対して，特務行政は，伝統的行政の関与と従来の行政手段だけでは解決することができないと考えられる（こう考えることが正しいかどうかは別である）新たな諸問題に対応するための解決策を立案し，その実施に貢献することを任務とする行政である。
この種の行政活動にみられる曖昧さは，特務行政に柔軟な関与が要請されるところから生じる。この要請によって，特務行政は，私人の権利と一般の利益の要請を保障するために，法律と裁判官によって形成される通常の行政法がさまざまな程度において適用除外される法制のもとに置かれる。

Administré 〔行政〕 **行政客体** 行政庁との関係において市民を指すために伝統的に用いられている用語。他の主要国の言語には翻訳できないこの用語は，君主制的ナポレオン体制的な考え方の名残りであり，個人と公権力〔►Puissance publique〕との間の著しく不平等な関係を長い間示してきた。

Admissibilité 〔民法〕 **証拠能力** 法律上認められた証拠方法の許容性。証拠能力がある場合には，裁判官は証拠を取り調べる義務を負うが，原則としてその評価の自由は残されている。

Admission 〔国公〕 **加盟の承認** ある国家を新たな構成員として受け入れる国際組織の決定。

Admission des créances 〔商法〕〔民訴〕 **債権の確定** 保護手続き，裁判上の更生手続きおよび裁判上の清算手続きにおける受命裁判官の決定。債権者側受任者の提案を考慮してなされ，適法に届け出られた債権の存在，有効性およびその数額を確定する。
▷商法典L624-1条
►Déclaration des créances〔債権の届出〕

Admission en non-valeur 〔財政〕 **徴収義務免除決定** 公的債権の徴収に関して，徴収不能（債務者の支払不能）となった債権について公会計官の責任を免除するために，行政機関によってなされる決定（機関は，債権の性質すなわち租税債権か否かによって異なる）。徴収義務免除決定は，公会計官と国との関係においてのみ効力を有する。これは，債務免除〔►Remise de dettes〕と異なり納税義務者の債務を消滅させるものではないため，納税義務者は相変わらず支払いの追及を受けうる。
〔社保〕 **保険料不徴収決定** 債務者の特殊の状況を斟酌して，社会保障の保険料を徴収しないことを許可する決定。

▷社会保障法典L243-3条およびD243-2条

Admission au travail 〔労働〕 **入職** ▶Âge d'admission au travail〔最低入職年齢〕

Admonestation 〔刑法〕 **戒告** 叱責を内容とする教育的性質をもつ処分。特に少年係裁判官が、刑事訴追された未成年者に対して行うことができるもの(1945年2月2日のオルドナンス8条)。

Adoptant 〔民法〕 **養親** ある者(養子となる者)と養子縁組をし、その結果その者の父または母となる者。
▶Adopté〔養子〕

Adopté 〔民法〕 **養子** 養子縁組された者。
▶Adoptant〔養親〕

Adoptif 〔民法〕 **養子縁組の** 養子縁組に関することと。《parent adoptif》〔養親〕とか《enfant adoptif》〔養子〕といわれることがある。

Adoption 〔民法〕 **養子縁組** 裁判所の判断によって、通常は血縁関係にない2人の者の間に親子関係を創設すること。
▶Autorité centrale pour l'adoption internationale〔国際養子縁組中央機関〕▶Conseil national pour l'accès aux origines personnelles〔出自開示全国評議会〕▶Conseil supérieur de l'adoption〔養子縁組高等評議会〕▶Adoption plénière〔完全養子縁組〕
▶Adoption simple〔単純養子縁組〕

Adoption plénière 〔民法〕 **完全養子縁組** もとの家族と養子との関係に断絶を生じさせ、養子を養子縁組家族の嫡出子と同視する養子縁組。
▷民法典343条以下
▶Adoption〔養子縁組〕▶Adoption simple〔単純養子縁組〕

Adoption simple 〔民法〕 **単純養子縁組** 養親と養子との間の親子関係を創設するが、もとの家族と養子との法的関係を存続させたままにしておく養子縁組。
▷民法典360条以下
▶Adoption〔養子縁組〕▶Adoption plénière〔完全養子縁組〕

Adultère 〔民法〕 **姦通** 夫婦の一方とその配偶者以外の者との性的関係。姦通は、貞操義務違反としてフォートを構成し、離婚原因となる。姦通は、もはや刑罰法規によって罰せられることはない(1975年7月11日の法律)。
▷民法典212条および242条

Aéronef 〔商法〕 **航空機** 空気中に自らを維持し、移動することのできる装置(飛行機、気球、飛行船、ヘリコプターなど)。
〔刑法〕 **航空機** ▶Piraterie〔ハイジャック〕
▷民間航空法典L110-1条

Affacturage 〔商法〕 **ファクタリング** 《ファクタリング業者》〔factor ou affactureur〕と呼ばれる金融機関が、顧客から商事債権を譲り受け、報酬と引換えにその債権の取立てを行う与信取引。その場合、ファクタリング業者は顧客に代位することとなるが、第三債務者に債務不履行があったとしても顧客に対し求償することはできない。

債権の流動化のメリットに加え、ファクタリングには、ファクタリング業者から顧客に対するさまざまな経営サーヴィスの提供が含まれている。

Affaires courantes 〔憲法〕 **日常的政務** 不信任案の表決または信任案の否決の後に、辞職する政府が行うことの許される限定された事項。辞職する政府は日常的政務を遂行するが、新規の措置に着手することはできない。

Affaire en état 〔訴訟〕 **弁論適状にある事件** 事件を弁論期日(すなわちその後に判決の言い渡し期日となる)に送付できるとき、その事件は弁論適状にあるという。
▷新民事手続法典779条

Affectation 〔行政〕 **公用開始** classementの同義語。
▶Classement〔公用開始〕
〔民法〕 **割当て** 財産利用の特殊な技法。1または複数の者の利益保護のために(人的割当て)、または、ある一定の者の利益とは無関係な財産経営のために(物的割当て)、財産を適切な使用に服させる手続き。財産の割当ては、財産権に関する法制度を決定する。
▶Destination〔用途〕▶Patrimoines d'affectation(Théorie des)〔目的財産(の理論)〕
▶Fiducie〔譲渡担保;信託〕
〔財政〕 **予算割当て** 徴収される財源の全体または一部をある歳出のために使用することを予定するような歳入と歳出との間に設けられる法的関係。財政法によって厳しく規制される。
〔刑法〕 **用途指定** 一定額の金銭または財物を、合意または強制によって、特定の用途に当てること。これを侵害すると背信〔abus de confiance〕となることがある。

《**Affectio societatis**》 〔商法〕 **アフェクティオ・ソキエタティス** 社員の行動の基礎となる、平等の立場で協働しようとする意図。

アフェクティオ・ソキエタティスは，協働の精神だけではなく，それぞれの社員が有する，会社の管理を委ねられた者の行為を監視する権利をも内容としている。

Affection grave et incurable 民法 **重い不治の病気**　「重い不治の病気」になった者は，自分に対して行われる治療が自分の命を縮める副作用をもつかもしれないことを知らされる権利，病気が進んだ段階にあるかまたは終末段階にあるときにすべての治療を制限または停止することを決める権利のごとき権利の行使を認められることになる。
▷公衆衛生法典L1110-5条およびL1111-10条からL1111-13条
►Atteinte à la dignité de la personne〔人の尊厳に対する侵害〕►Soins palliatifs〔終末期医療〕

Affection longue et coûteuse 社保 **長期高額負担疾病**　一部負担が免除される疾病。30の長期高額負担疾病からなるリストがある。
▷社会保障法典L322-3条3号

Affermage 行政 **公役務管理の委託**　委託による公役務または公共建造物の管理形態。原則として，国または地方公共団体〔►Collectivités territoriales〕は，特許〔►Concession〕の場合と異なり，自ら資金調達と施工を行ったうえで，事前に設定された金額の定期的支払いと引換えに私人（ほとんどの場合，会社）に管理を委ねる。受託者は，利用者から徴収する料金を自己の収入とする。公役務管理の委託は，上水道網の経営のために広く利用されている。

Affermer 農事 **定額小作権を設定する**　経営の結果とは無関係な一定の代金と引換えに農地を賃貸すること。定額小作料は貨幣で設定される。
▷農事法典L411-1条
►Métayage〔分益小作契約〕

Affichage 刑法 **掲示**　一定の重罪または軽罪について科される補充刑。裁判所の定めた場所にその定めた期間だけ有罪判決を貼り出すことを内容とする。
▷刑法典131-10条，131-35条および131-39条
►Diffusion〔公告〕

Affidavit 民法 **宣誓申述証明書**　《確認済み》を意味するラテン語。管轄権限を有する（一般的には外国の）機関において宣誓のもとになされた申述の証明書で，証拠として提出される。

商法 **有価証券課税証明書**　外国人である有価証券所持人に交付される証明書で，当該有価証券がすでに本国で課税されている場合に，その有価証券についての免税を可能にするためのもの。

Affiliation à la Sécurité sociale 社保 **社会保障への加入**　加入は，被保険者が特定の金庫に所属することをあらわす法的地位である。加入する金庫を特定する基準は，原則的に，被保険者の居所地であるが，いくつかの職業においては，労働の地が依然として加入の基準として用いられている。
▷社会保障法典R312-1条

Affirmation 一般 **確言**　法律が定める場合にしか要求されない，誠実性および真実性の宣言。例として次の場合が挙げられる。訴訟費用の直接取立てにおける弁護士の確言，裁判上の整理または裁判上の財産の清算において提出される債権者の確言，一定の調書の作成者の確言（漁業監視員，狩猟監視員），裁判上の（管理財産の）報告書における後見人の確言など。

Affouage 農事 **薪採取権**　一般的には暖房，建築または修繕に用いるために，森林のなかで枯れ木を拾い集める権利。市町村の森林について，市町村会は，薪採取のために付与される区域の割当ての条件を定めることができる。
▷森林法典L145-1条

Affrètement 商法 **傭船契約**　船舶艤装（ぎそう）者（船主〔fréteur〕）が，物品運送または旅客運送のため，報酬を得て，船舶，航空機その他のあらゆる運送手段（内水船，トラックなど）ならびにこの運送手段の稼働に必要な物的手段および人的手段（乗組員）を傭船者の利用に供することを約する契約。
►Fret〔運賃；傭船料〕

《A fortiori》 一般 **より強い理由により（による）**　ある法規範の適用を，そうする理由が一段とより強いがゆえに，規定されている地位とは異なる地位に拡張できると推論すること。
►《A contrario》〔反対の理由により（による）〕
►《A pari》〔同様の理由により（による）〕

Âge d'admission au travail 労働 **入職年齢**　入職年齢は，就学義務の終了する年齢であり，現在のところ16歳である。

Agence de la biomédecine 民法 **生体臨床医**

21

学センター　保健衛生大臣の後見のもとに置かれた国の行政的公施設法人で，人に関する臓器移植，生殖，発生学および遺伝学の分野において権限を有する。フランス臓器移植管理機構〔Établissement français des greffes〕の後身であり，その権限の範囲内で，とりわけ以下の任務を有する。規制および行動指針の作成と適用に関与し，勧告を行うこと，知識および技術の発達について国会および政府に対し常時情報提供を行うこと，医学上および生物学上の活動，とりわけナノバイオテクノロジー関連の活動を追跡調査し，評価し，監督し，これらの活動の透明性を監視すること，人体に由来する臓器，組織および細胞の提供ならびに配偶子の提供を促進すること，ドナーの健康への摘出の影響を評価するため，臓器および卵母細胞のドナーの健康状態の追跡調査を行うこと，移植待機患者の登録を管理し，移植組織の割当てを管理し，若干の適応症の指示に付随しうる緊急的性格を考慮して移植組織の分配と割当ての規約を作成すること，近親者からの移植を受けられない患者のために，造血細胞または末梢単核細胞のドナーとなることを申し出た者のファイルを管理すること，などである。
▷公衆衛生法典L1418-1条以下

Agence centrale des organismes de Sécurité sociale 社保 社会保障機関中央財務管理事務所　3つの全国社会保障金庫〔►Caisses de Sécurité sociale〕の財務を管理し，保険料徴収組合〔►Union de recouvrement〕の指揮および監督を行うことを職務とする全国組織。
▷社会保障法典L225-1条以下

Agence départementale 行政 県協議会　市町村に対する技術的，法的，財政的援助の供与を目的として，1982年以降，県と市町村の合意に基づいて設立することができるようになった機関。
▷地方公共団体一般法典L5511-1条

Agence européene EU EU独立行政法人　ヨーロッパ連合の制度上の機関（ヨーロッパ共同体閣僚理事会，ヨーロッパ委員会，ヨーロッパ議会）とは異なる，固有の法人格を有する公法上の機関。設立文書において定められる，専門的，科学的または管理的性質の任務を果たすために，派生的共同体法上の行為（原則として規則〔règlement〕）によって創設される。固有の機関および固有の予算（ヨーロッパ委員会およびヨーロッパ議会の監督に服する）を有する。ここ数年，増加の傾向にある（約30を数える）。例：ヨーロッパ職業教育センター（最も古いもの。1975年），2007年より設置されたヨーロッパ人権センター，ヨーロッパ薬価審議機構（1993年），ヨーロッパ食品安全審議機構（2002年），出入域管理機構（2004年）（以上，ヨーロッパ連合第1構成領域）。ヨーロッパ防衛機構（2004年）（ヨーロッパ連合第2構成領域）。また，ヨーロッパ連合第3構成領域としては，ヨーロッパ警察局〔Europol〕（1995年），ヨーロッパ連合検察団〔Eurojust〕（2002年）等がある。

Agence française de l'adoption 民法 フランス養子縁組センター　2005年7月4日の法律により創設されたこの機関は，国，県，私法上の法人の間で設立される公益団体〔groupement d'intérêt public〕の形をとる。その使命は，15歳を下回る外国人未成年者の養子縁組について情報を提供し，助言し，仲介をつとめることである。
▷公衆衛生法典L225-15条以下
►Autorité centrale pour l'adoption internationale〔国際養子縁組中央機構〕

Agence française du sang 行政 フランス中央血液センター　行政的性格を有し，保健衛生担当の大臣の後見監督に置かれる国の公施設法人。同センターは輸血政策の決定と実施に寄与し，地方輸血センター〔établissements de transfusion sanguine〕の監督と調整を行い，もって輸血に関する全国的規模の任務を遂行しなければならない。

Agence française de sécurité sanitaire des aliments 民法 フランス食品安全センター　食品供給の分野において，原材料の生産から最終消費者への供給まで，公衆衛生上の安全の確保に寄与することを任務とする国の公施設法人。
▷公衆衛生法典L1323-1条以下およびR1323条以下

Agence française de sécurité sanitaire des produits de santé 民法 フランス保健製品安全センター　人を対象とする保健製品および美容・衛生製品の製造，商品化および利用に関する法律および行政立法の適用に関与する国の公施設法人。
▷公衆衛生法典L5311-1条以下およびR5311-1条以下

Agence France Trésor 財政 フランス国庫機

構　2001年に創設された財務省の国庫・経済予測総局〔Direction générale du Trésor et de la prévision économique〕の部局。国庫の財政状態を予測し管理すること，および国債を発行し管理することを任務とする。
▶Dette publique〔公債〕

Agence internationale de l'énergie atomique　国公 国際原子力機関(IAEA)　1957年に設立された国際組織であり，国際連合と連携する。平和および繁栄に対する原子力の貢献を促進するよう努力し，加盟国において開発される原子力施設の平和的利用の尊重を監視する。所在地：ウィーン。

Agence du médicament　社保 医薬品安全センター　医薬品の製造，実験，治療上の特性および医薬品の使用に関する研究と監督の独立，科学的能力および行政上の実効性を保障することを任務とする国の公施設法人。国民の健康と安全を可能なかぎり安価で確保すること，ならびに産業活動および薬学研究の発展に寄与することを目的とする。

Agence nationale de l'accueil des étrangers et des migrations　国公 労働 国立移民受入れセンター　外国人労働者のフランスへの移民を統制することを任務とする公的機関。国立移民局〔office national d'immigration〕の後身である移民労働局〔office des migrations internationales〕に取って代わった。
▷労働法典L342-9条以下およびR342-9条以下

Agence nationale pour l'emploi　労働 国立雇用センター　▶Emploi〔雇用〕

Agent d'affaires　商法 代行業者　報酬を得て個人の利害関係を担当し，この個人に助言し，ときにはこの個人に代わって行為することを職業とする者。

Agent de change　商法 公認仲買人　顧客の計算で有価証券を取引する特権を有していた商人である裁判所補助吏〔officier ministériel〕。1988年1月22日の法律は，公認仲買人の業務を廃止した。
▶Prestataire de services d'investissement〔投資事業者〕

Agent commercial　商法 代理商　独立した職業的な受任者として，労働契約によって拘束されることなく，商人の名をもって，かつ，その計算において取引をなし，契約を締結する商取引の仲介者。
▷商法典L134-1条

Agent comptable　財政 会計官　comptable (public)〔(公)会計官〕の同義語。この呼称はとくに大学と大部分の公施設法人の会計官に用いられる。また，社会保障〔▶Sécurité sociale〕の領域でも使われるが，この公役務〔▶Service public〕を管理する組織の大部分は私法上の地位をもつものである。
▶Comptables publics〔公会計官〕

Agent diplomatique　国公 外交官　公的関係を継続的に維持するために，他国に対して国家を代表する者(派遣国を代表し情報を伝達すること，派遣国およびその国民の利益を保護すること，接受国政府と交渉することを任務とする)。

Agent général d'assurances　労働 保険代理業者　一定の知識を証明した自然人であって，指名契約に基づき一定の区域において1または複数の保険会社を代理する。
　保険代理業者は，その代理する会社のために保険契約への加入をすすめ，その保険契約を管理する。火災，事故，種々のリスクおよび生命などの保険部門において，保険代理業者は特別な身分規程を享受する。
▷保険法典L134-1条

Agent international　国公 国際職員　国際組織の業務に従事するあらゆる個人を指すために使われる総称で，一時的な協力者(専門家，調停者など)または国際公務員〔▶Fonctionnaire international〕であるとを問わない。

Agent judiciaire du Trésor Public　財政 民訴 国庫訟務官　経済財政省の高級官吏。主要な権限は，租税および国有財産に関わらない国の債権の取立てならびに司法裁判所において原告または被告として国を代表することである。

Agent de justice　民訴 刑訴 裁判所相談員　最長5年(更新不可)の任期で採用される公法上の職員。裁判所および和解所〔maison de justice et du droit〕において利用者の受入れ・支援活動を行うこと，ならびに，行刑施設において未成年犯罪者および若年犯罪者の相談にのり育成的見地から見守ること，を目的とする(1999年10月27日のデクレ第916号1条)。

Agent de maîtrise　労働 職長　一般的に労働協約によって定められる職業上のカテゴリーのひとつ。職長は，自己が責任を負う職務の遂行において一定の数の労働者の労働を指揮し，調整し，監督することを任務とする(班長〔chef d'équipe〕，職工長〔contremaître〕，作業場長〔chef d'atelier〕)。法律は

職長を定義しておらず，ときに職長を管理職〔►Cadre〕として扱う。

Agent de probation 刑法 **保護観察官** ►Travailleur social〔保護観察員〕

Agents de police judiciaire 刑訴 **司法警察補助員** ►Officiers（et agents）de police judiciaire〔司法警察職員〕

Agent public 行政 **公務員** 公役務〔►Service public〕（多くの場合行政的性質をもつ）の協力者全体の総称。ここに協力者とは，公役務が行う活動の直接の実施に一定の期間加わり，そうした立場に照らして行政法の適用を受ける者をいう。

　　公務員の大部分は，官吏〔►Fonctionnaire〕という法的身分を有しており，画一的な一般的規範の適用を受ける。また，いくつかの公役務では私法の適用を受ける労働者も雇用されており，当該公役務の活動の性質によっても異なるが，こうした労働者の数は多い。

Agglomération 一般 行政 **都市圏** 近接して建てられた建物の集まっている空間。その入口と出口は，その空間を横切るかまたは縁取る道路に沿ってそのために設置されている標識によって示されている。

▷道路法典R110-2条

　►**Communauté d'agglomération**〔中規模都市共同体〕

Agios 商法 **手数料** 銀行が扱うさまざまな取引にかかる費用。

AGIRC（Association générale des institutions de retraites des cadres）社保 **管理職退職年金制度総連合** 管理職の退職年金および相互扶助の補足制度〔régime complémentaire de retraite et de prévoyance〕を管理する諸制度を統合する組織。管理職の退職年金および相互扶助の補足制度は，A区分〔tranche A〕よりも上に位置する報酬区分の労働者を対象に，社会保障の一般制度を補足することを目的として創設された。A区分は，社会保障の報酬限度額〔►Plafond〕である。

Agissements parasitaires 民法 商法 **寄生行為** 自己が生産した製品に他人の生産した製品の著名な名称または周知の表示を付して，その者が得ている評判から利益を引き出そうとする企業家または商人の行為。他人の顧客の獲得が混同〔confusion〕を生じさせることなく行われるので不正競争とはならないが，民事責任に服すべき一種の権利濫用となる。

▷民法典1382条

　►Parasitisme〔寄生〕

Agréage 民法 **（味見を経た）承諾** レストランにおけるワインの承認のように味見のできる売買契約における買主による商品の承諾。

▷民法典1587条

Agréé 商法 民訴 **（商事裁判所付）弁護士** 裁判関係職の統合以前に，商事裁判所において訴訟当事者を補佐し代理する資格をその裁判所によって与えられていた裁判補助者。

　►Avocat〔弁護士〕

Agrément 行政 財政 **承認** 私人が，特定の計画を実施するために，またはそうした計画の実施が財政上もしくは税制上の優遇措置を受けるために，行政から得なければならない同意。

商法 **承認** 会社の社員が，持分または株式の譲渡または移転を，承認または拒絶する手続き。社員はこの手続きによって，新たな社員の入社，または既存の社員が有する資本参加の増大を阻止することができる。

　　承認を拒絶すると多くの場合，社員は，譲渡人の持分もしくは株式を買い取るか，または，それを第三者に取得させるべき義務を負う。ただし，会社はその資本を減少させることもできる。

国公 **アグレマン** 外交官を接受する側の国家が，他国が外交官として任命した者を受け入れること。

　►《Persona grata》〔ペルソナ・グラータ〕

社保 **承認** 理事の任命，金庫の規約および内部規則の作成，金庫職員の労働協約の適用に対して，監督機関より与えられる同意。

Agression 国公 **侵略** 《一国による他国の主権，領土保全もしくは政治的独立に対して武力を行使すること，または国際連合憲章と両立しない他の方法による武力の行使》（長期間の作業を経て，1974年12月14日の国際連合総会決議によって作成された定義。この決議は，3条において侵略を構成する行為を非制限的に列挙している）。

Agressions sexuelles 刑法 **性的攻撃** 暴力，強制，脅迫または不意打ちをもって行われるあらゆる性的侵害。

▷刑法典222-22条

　►Atteinte sexuelle〔性的侵害〕

Agriculture 農事 **農業** 植物または動物の生物学的循環を支配し，利用し，この循環の進行に必要な1または複数の段階からなる活動，ならびに，農業経営者によって行われる生産

Aid

活動の延長線としての活動または農業経営を支えるための活動は，すべて農業とみなされる。

このように定義される活動は，民事性を有する。

▷農事法典L311-1条

Aide à l'accès au droit 訴訟 権利実現援助
権利義務に関する情報，手続上の支援，非裁判手続きの補佐，法律相談，ならびに法的文書の作成および法律行為の締結の補佐を得ることを目的として，それを必要とする市民に与えられる，一般に金銭的な援助のこと。

▶Aide judiciaire〔裁判援助〕▶Aide juridictionnelle〔裁判援助〕▶Aide juridique〔法律援助〕

Aide familiale 農事 社保 家族補助者　農業経営者の疾病保険制度に固有の観念。家族補助者に含まれるのは，農業経営体の長またはその配偶者の尊属，16歳以上の直系卑属，兄弟，姉妹，または同一の親等の姻族であって，労働者の資格でも経営協力者の資格でもなく農業経営体によって生計を立て農業経営に参加する者である。この地位は，2006年1月5日の法律第11号により，以後5年間限りに制限された。

▷農事法典L722-10条2号

▶Associé d'exploitation〔経営協力者〕

Aide aux pays en voie de développement 国公 発展途上国(に対する)援助

①*Aide économique*　経済援助：発展途上国に対してその生産物の市場と安定した価格を保障する援助。

②*Aide financière*　金融援助：発展途上国が必要な投資をなしうるように金融資産（貸与または贈与）を途上国の利用に供すること。

③*Aide multilatérale*　多数国間援助：国際機構によって開発途上国に提供される援助（国家から国家に直接供給される二国間援助とは対照的である）。多数の普遍的国際機構（国際連合〔▶Organisation des Nations unies〕,国際連合貿易開発会議〔▶Conférence des Nations unies pour le Commerce et le Développement (CNUCED)〕, 国際金融公社〔▶Société financière internationale〕, 国際開発協会〔▶Association internationale de développement (AID)〕など）や地域的国際機構（ヨーロッパ経済協力機構〔▶Organisation européenne de coopération économique〕,ヨーロッパ共同体〔▶Communautés européennes〕など）がこの援助に参加している。

④*Aide technique*　技術援助：その発展に必要な技術的知識を発展途上国の利用に供すること（奨学金，専門家の派遣，現地の管理職の養成，設備の供給）。

Aide judiciaire 訴訟 裁判援助　1972年に創設された制度で，裁判扶助〔assistance judiciaire〕からこの制度に代わった。裁判扶助は，1851年に設立され，無資力の訴訟当事者が，民事，刑事または行政裁判所において，原告または被告として訴訟を行うことを金銭的に援助することを目的とした。

▶Aide juridictionnelle〔裁判援助〕▶Aide juridique〔法律援助〕

Aide juridictionnelle 訴訟 裁判援助　裁判援助〔▶Aide judiciaire〕の新しい呼称（1991年7月10日の法律第647号）。

この制度は，その資力が一定の金額を超えない訴訟当事者を金銭的に援助することを目的とする。これにより訴訟当事者は，弁護士，代訴士または裁判所補助吏の無償の協力および証拠調べにより必要とされる費用の国による仮払いを全面的にまたは部分的に得られる。

裁判援助は，民事裁判所，刑事裁判所および行政裁判所において行われる。訴訟手続きの開始前に和解に達することを目的として与えられることもある。警察留置の期間中，ならびに，刑事調停および刑事示談取引の際の弁護士の関与を含む。

▶Aide à l'accès au droit〔権利実現援助〕
▶Aide juridique〔法律援助〕▶Assistance judiciaire〔裁判扶助〕

Aide juridique 訴訟 法律援助　裁判援助〔▶Aide juridictionnelle〕および権利実現援助〔▶Aide à l'accès au droit〕を含む，社会援助の一形態。

Aide personnalisée au logement 社保 応能住宅援助　賃借人，居住するために住居を購入する者，居住する住居をリフォームする者に対する援助であって，その住宅が国の援助または協定融資〔prêts conventionnés〕を受けていること，または，住宅の賃貸人が国と締結された協定の定める義務を遵守することを約していることを条件とする。

この援助は，世帯の所得の変動，住宅に関する負担および家族構成に正確に対応することを目的とする点において，応能と呼ばれる。

応能住宅援助は，住宅手当〔▶Allocation

de logement〕と重複することはできない。しかし、応能住宅援助の支給が実際に開始されるまでは住宅手当が継続して供与される。
▷建築・住居法典L351-2条以下

Aide sociale 社保 **社会援助** 所得の不十分な者に対して地方公共団体が行う救済のこと。1953年に社会援助は公的扶助〔assistance publique〕を引き継いだ。社会援助は種々の形態をとる。すなわち、医療援助、老齢者への援助、障害者への援助、児童への援助など。社会援助は県レヴェルで組織される。
►Action sanitaire et sociale〔保健社会福祉活動〕►Bureau d'aide sociale〔社会援助課〕

Aire piétonne 一般 **歩行者専用エリア** 一時的または恒常的に歩行者の通行の用に供される土地。その区域内では車両の通行は特別の指示に従う。
▷道路法典R110-2条

Aisances et dépendances 民法 **付従物** 売却不動産の付属物全体を指し、付属物ひとつひとつを列挙することを避けるために公証人によって用いられる冗語表現。

Aisances de voirie 行政 **沿道便益権** 通路開設権(高速道路については廃止されている)、開口権、流水権(特定の条件のもとで認められる)といった公道の沿道住民に認められる諸権利の総称。
►Voirie〔道路〕

Ajournement 民訴 **呼出し** 旧民事手続法典上、呼出し〔►Assignation〕を示す表現。
►Citation (en justice)〔(裁判上の)呼出し；呼出状〕

Ajournement du prononcé de la peine 刑法 **刑の宣告猶予** 刑罰の人的個別化として、軽罪または違警罪に関して、裁判所が制裁の宣告を猶予することを決定する処分。犯罪者の社会復帰が得られつつあり、損害が賠償される見込みがあり、かつ、犯罪から生じた混乱がやむと思われる場合に課される。場合に応じて、裁判所による命令または保護観察を伴う。
▷刑法典132-58条，132-60条以下；刑事手続法典747-3条以下
►Dispense de peine〔刑の任意的免除〕

Aléa thérapeutique 民法 **治療上の偶発的リスク** 予防行為、診断行為または治療行為の結果生じる、医療専門家または保健衛生施設のフォートとはならない事故。
▷公衆衛生法典1142-1条2項

►Risques sanitaires〔保健衛生上のリスク〕

Alerte 商法 **警告** ►Procédure d'alerte〔警告手続き〕

Alibi 刑訴 **アリバイ** 犯罪が行われたときその場所とは異なる場所にいたことなどを理由として、それを援用する者が客観的に犯罪の行為者たりえないということを主張する防御方法。

Aliénabilité 民法 **譲渡可能性** 所有権者がその権利を移転し、または、第三者のために物権を設定することができるという財産の法的性質。
►Inaliénabilité〔不可譲渡性〕

Aliénation 民法 **譲渡** 自由意思によって他人に所有権を移転すること、または、所有権を分肢化する物権を設定すること(部分的譲渡〔aliénation partielle〕)。有償行為〔►Acte à titre onéreux〕の場合もあれば無償行為〔►Acte à titre gratuit〕の場合もあり、生前行為〔►Acte entre vifs〕の場合もあれば死因行為〔►Acte à cause de mort〕の場合もあり、特定名義〔à titre particulier〕の場合もあれば包括名義〔à titre universel〕の場合もある。譲渡行為は一般に処分行為〔►Acte de disposition〕であるが、管理行為〔►Acte d'administration〕にとどまることもある(例：果実の売却)。

Aliénation mentale 民法 **精神病** 個人が、自分のなした行為もしくは事実を完全には自覚していない程度の精神的能力の低下。
法はそのような病気に冒された者を保護するが、精神障害下で損害を与えた者は、それでもやはり損害賠償責任を負う。
▷民法典490条(2009年1月1日より414-1条以下および425条以下)
►Altéraion des facultés mentales ou corporelles〔精神的または身体的能力の低下〕
►Démence〔心神喪失〕►Hospitalisation d'un aliéné〔精神病者の収容〕►Majeur protégé〔被保護成年者〕►Protection des majeurs〔成年者保護〕

Aliéné mental 民法 **精神病者** 精神病に罹患した者。Aliénéともいう。
►Aliénation mentale〔精神病〕►Hospitalisation d'un aliéné〔精神病者の収容〕

Alignement 行政 **道路建築線指定** 沿道の不動産との関係で若干の公物(公道、鉄道)の境界を行政が一方的に設定する方法。
▷道路管理法典L112-1条以下

Aliments 民法 **扶養料** もはや自分自身の生存を自分で確保することができない者の生存に不可欠な生活必需品の充足を確保するための給付。一般的には金銭でなされる。
▷民法典205条以下
▶Pension alimentaire〔扶養定期金〕

Alinéa 一般 **項** 2000年10月20日の首相府通達以来,政府および国会の発する法文に関しては,改行された語または語群はすべて,前行の最後におかれた句読記号(ピリオド,コロン,コンマその他)または新たな項が開始する行の最初におかれた句読記号(括弧,ダッシュ,数字その他)が何であれ,1つの項とみなされる。

Allégation 民訴 **主張** 厳密には,申立てを根拠づける性質を有する事実を述べることを意味するものとされる。裁判上の論証の第1段階であり,続いて必ず証拠の提出がなされ,場合によってはその事実の法的性質決定がなされる。
▷新民事手続法典6条
▶Demandeur〔原告〕▶Pertinence〔適切性〕

Alliance 民法 **姻族関係** 婚姻により夫婦の一方とその配偶者の血族との間に存在する法的な関係。姻族関係は,姻族の間に権利,義務,禁止を生じさせる。
▷民法典161条,164条および206条
▶Parenté〔血族関係〕

Allocataire 社保 **受給権者** 家族給付の受給権が認められる自然人。この受給権は,フランスに居住し,かつ,同じくフランスに居住する少なくとも1人の子を実際にかつ永続的に扶養しているすべての者に生じる。
▷社会保障法典L521-2条

Allocation 社保 **手当** 必要に対処させるために人に支給される金銭給付。

Allocation aux adultes handicapés 社保 **成人障害者手当** 少なくとも成人障害者手当に等しい額の老齢年金または廃疾年金を受けられない成人障害者に対して所得の最低保障額を供与する給付。
▷社会保障法典L821-1条

Allocations de chômage 労働 **失業手当** 失業者に対して,一定の条件のもとで,金銭で給付される援助。失業手当は,以下のように区分される。
　Allocation unique dégressive 漸減単一手当:失業保険〔▶Assurance chômage〕として給付される。この手当の支給期間は限定されており,その価額も支給期間の経過に伴い減少する。基準賃金日額〔salaire journalier de référence〕に比例する部分および定額部分から構成される。
▷労働法典L351-1条およびR351-1条以下
　Allocation de solidarité spécifique 特別連帯手当:連帯制度として給付される。主として失業保険受給権を使い果たした失業者に対して支給される。
▷労働法典L351-10条,R351-13条およびR351-22条

Allocation d'éducation de l'enfant handicapé 社保 **障害児育成手当** 20歳未満で永続的障害の程度が少なくとも80パーセントの障害児向けの家族手当。ただし,児童が障害者特別育成施設に通っている場合,または,児童の状態が特別育成サーヴィスまたは自宅看護サーヴィスの利用を必要とする場合は,永続的障害の程度は50パーセント以上80パーセント未満でもよい。
▷社会保障法典L541-1条

Allocation familiale 社保 **家族手当** フランスに居住する2人以上の子をもつフランスに居住するすべての者に毎月それぞれの子について支払われる家族養育給付。
▷社会保障法典L521-1条
▶Enfant à charge〔被扶養子〕

Allocation forfaitaire 社保 **定額職務手当** 労働者に,その職務または雇用に固有の支出について供与される金額。保険料の算定基礎からの定額職務手当の控除は,実際に手当がどれだけその目的に沿って使われたかによって決定される。
▷2002年12月20日のアレテ2条

Allocation forfaitaire de repos maternel 社保 **女性経営者出産手当** 職業活動の低下をもたらす出産または養子縁組の場合に,企業長である女性,および,手工業者,商人または自由職の構成員の,共に働いている配偶者である女性に支払われる手当。
▷社会保障法典L613-19条およびL613-19-1条

Allocation de logement 社保 **住宅手当** 家賃の負担または受給権者の主たる居所の所有権取得の負担を補償するための家族手当。支給額については,受給権者の所得,家族構成,衛生および居住密度の最低条件が考慮される。応能住宅援助とは反対に,受給資格が与えられるのは一定の住居ではなく,一定の人である。2つの型の住宅手当が区別されるが,そ

の支給条件はほぼ同一である。すなわち，家族を扶養する者を対象とする《家族的性格》の住宅手当および《社会的性格》の住宅手当である。
▷社会保障法典L542-1条以下

Allocation de parent isolé 社保 単親手当 フランスに居住し単独で1人または複数の子を扶養するすべての者を対象とする家族手当。単親手当には，所得による支給制限がある。単親手当は，受益者が婚姻または内縁生活に入った場合には，支給されなくなる。
▷社会保障法典L524-1条以下およびR524-1条

Allocation personalisée d'autonomie 社保 高齢者自立援助手当 フランスに居住する高齢者であって，その身体的または精神的状態に起因する自立の不足または喪失に対処することができない者に給付される手当。
▷社会福祉法典L232-11条

Allocation de présence parentale 社保 児童付添手当 扶養している子が重い疾病または障害を有し，継続的に付き添うことまたは看護に専念することが一定期間必要であるとき，職業活動を停止または短縮する者に対して児童付添休暇〔congé de présence parentale〕の枠内で支給される手当。
▷社会保障法典L544-1条以下

Allocation de rentrée scolaire 社保 新学年手当 新学年手当の対象となる1人または複数の子の新学年の開始する9月1日に先行する12ヵ月間の一部または全部において家族給付を受け，かつ，所得条件を満たした世帯または人に対して支給される手当。
▷社会保障法典L543-1条以下

Allocation de solidarité 労働 連帯手当
►Assurance chômage〔失業保険〕

Allocation de solidarité aux personnes âgées 社保 老齢者連帯手当 これまで老齢者最低保障額〔minimum vieillesse〕を構成していた若干の給付を統合した手当。この手当は，フランスに安定的かつ正規に居住していることおよび収入が一定額を下回ることを条件に与えられ，その額は家族構成により変動する。
▷社会保障法典L815-2条

Allocation de soutien familial 社保 家族支援手当 父および（または）母のないすべての子，両親の一方および（または）もう一方について親子関係が法的に証明されていないすべての子，および，父および（または）母が扶養義務を果たそうとしないすべての子を対象とする家族給付。
父または母が婚姻または内縁生活に入った場合，またはパートナー契約〔pacte civil de solidalité〕を締結した場合には，家族支援手当は支給されなくなる。
▷社会保障法典L523-1条およびL523-2条

Allocation spécifique d'attente 労働 特別待機手当 老齢保険の保険料を160四半期以上払い込み，特別連帯手当または雇用促進最低収入（RMI）の手当を受ける60歳未満の者は，これらの最低保障に加えて，「特別待機手当」と称される付加手当を受ける権利を有する。
▷労働法典L354-10-1条
►Allocations de chômage〔失業手当〕

Allotissement 民法 （具体的取り分作出のための）分割 各分割者に帰属している持分をおのおのに分与するために，具体的取り分〔part〕を作り出す分割行為。
▷民法典825条以下

行政 公契約の分割 土木工事，物品の納入または役務の提供に関する公契約〔►Marchés publics〕を，いくつかの部分に分割して，異なる企業に割り当てることができるようにすること。そうすることによって，小規模の企業が大規模な公契約に参加することが可能となる。

Alluvions 民法 寄洲 上流の河岸の識別可能な一部が切り離され流れついたのではなく，水流によってわずかずつ運ばれてきた土の堆積物。沿岸住民の所有地を増大させる。
▷民法典556条以下および596条
►Accroissement〔増積（地）〕►Atterrissement〔堆積（地）〕

Altération des facultés mentales ou corporelles 民法 精神的または身体的能力の低下 自己の意思の表明を妨げる性質の医学的に証明された精神的能力もしくは身体的能力の低下の程度に応じて，自分だけでは自己の必要を弁ずることができない者はすべて，法的保護措置，すなわち，無能力の程度の低いものから高いものの順に並べると裁判上の保護〔►Sauvegarde de justice〕，保佐〔►Curatelle〕および後見〔►Tutelle〕を利用することができる。
▷民法典425条以下（適用は2009年1月1日より）
►Aliénation mentale〔精神病〕►Démence〔心神喪失〕►Majeur protégé〔被保護成年者〕
►Protection des majeurs〔成年者保護〕

Alternance 憲法 **政権交代** 国家の指揮をとる政党の交代。当該国家において多数派の変更が生じた場合に，その政権を継承する政治勢力の正統性を承認することは，複数政党制民主主義〔►Démocratie pluraliste〕の必要不可欠の一要素である。

Alternatives à l'emprisonnement 刑法 **拘禁刑の代替** 拘禁刑の代わりに自由に宣告できるすべての刑罰。拘禁刑とは併科できない。
►Peines alternatives（Système des）〔代替刑（制度）〕►Peine de substitution〔代替刑〕

Alternatives aux poursuites 刑法 **刑事訴追の代替** 刑事訴訟手続きの開始に代わる手続き。起訴便宜主義〔opportunité des poursuites〕に基づき，共和国検事によって実施される。調停〔médiation〕および刑事示談取引〔composition pénale〕がその代表的なものである。
▷刑事手続法典41-1条および41-2条

Ambassadeur 国公 **大使** ある国家または主権者を，外国または他の主権者に対して外交的に代表する者。
►Agent diplomatique〔外交官〕

Aménagement foncier 行政 **土地整備** 不動産，農地経営および森林経営の合理的な利用を確保することを目的とする行為の総体。これを実現するための手段は多様である（交換分合，併合の禁止，基盤整備事業の実施，土地の共同経営など）。国家は強制的手段によって（例，併合の禁止），または誘導措置によって（例，任意的な共同経営組織の形成）関与する。

Aménagement du territoire 行政 **国土整備** 国土のより合理的な経済的人的利用を目的とする政策，手段を指すために用いられる総括的な表現。

Amende 民法 **罰金** 広義では，制限的に列挙されている一定の法規に違反した場合に民事裁判所によって言い渡される金銭的制裁。民事法律によって定められる。
▷民法典10条および50条

　　より限定された意味では，民事罰金〔amende civile〕とは，懲戒権限を与えられている私人によって，フォートを犯した者に課される金銭をいう。罰金の額は，損害の額と直接の関係はない。例えば，企業長は，最近まで，労働者に罰金を課すことができた。労働の項を参照。

刑法 **罰金** 有罪判決を受けた者が国庫への一定金額の支払いを義務づけられる金銭罰。刑法上の罰金は税法上の罰金（追徴金）とは異なる。後者は，刑罰であるとともに，税務当局が徴収しえたはずの一定金額の回収を目的とする回復処分である。

労働 **罰金** 懲戒的かつ非契約的な性格を有する金銭的制裁のことで，企業長によって労働者に課される。罰金は，以前は規制にとどめられていたが，1978年7月17日の法律で禁止された。
▷労働法典L122-42条

民訴 **罰金** 訴訟当事者に負担させることができる金銭的制裁。その訴訟当事者が，自己の提起した手続きに関する付帯申立て（文書の検真，公署証書偽造の申立て，忌避）が単に退けられた場合，あるいは不服申立ての方法（控訴，破毀申立て，第三者異議の訴え，再審の申立て）を濫用し，または引き延ばしの意図をもって行使した場合に課されうる。
▷新民事手続法典32-1条，559条，581条および628条

Amende forfaitaire 刑法 **反則金** 第1級から第4級の一定の違警罪，特に道路法典の違警罪に固有の公訴権消滅の態様。違反者は，即時に調書作成者に対して，または罰金印紙の納付等の方法により，反則金を支払うことで，あらゆる訴追を免れる。
　　違反者が支払いの最終期限を遵守しなかったとき，反則金は増額される。
　　逆に道路法典上の一定の違警罪（駐車に関する違警罪を除く）について，違反者が特定の期間内に支払うとき，反則金は減額される。
▷刑事手続法典529条以下およびR49条以下

Amendement 憲法 **修正案** 法律案の審議の過程で当該法律案に対して提案された変更案。

刑法 **改善** 犯罪者の人格改善と社会復帰という形で，性質や重さのいかんを問わず，刑事制裁がもつ特性。

Ameubli 民法 **動産化不動産** ►Ameublissement〔動産化〕

Ameublissement 民法 **動産化** 夫婦財産契約に記載された動産化条項〔clause d'ameublissement〕は，法定夫婦財産制に従えば配偶者の一方の固有財産となるであろう1または複数の不動産を共通財産に組み入れることを目的とする。この合意の対象となる不動産は，ameubli〔動産化不動産〕といわれる。
▷民法典1497条

Amiable compositeur 民訴 **衡平仲裁人** 法によるのではなく衡平によって，通常の手続規

定に従うことなく判断をなす権限を当事者から与えられた仲裁人。

　民事事件において当事者が自己の権利を自由に処分できるとき，同一の権限が，国家の裁判官に対しても与えられることがある。
▷新民事手続法典12条，57-1条，1474条，1482条および1497条

《Amicus curiae》 訴訟 **裁判所の友**　ある活動領域において権威があり，裁判所が，《裁判所の友》として(つまり証人としてでもなく，鑑定人としてでもなく)，職権で(現行の法文では規定されていないので，例外的に)聴問する人。その見識をもって，大陸法の意味における衡平な訴訟を保障することを目的として，裁判所が法廷で議論されている問題についての意見を知るために，聴問される。

Amnistie 刑法 **大赦**　法律上の赦免〔pardon légal〕の同義語。大赦は，法律が定めるものであって，客観的事実およびその民事上の帰結に影響を与えず，公訴を消滅させ，宣告刑を取り消す。
▷刑法典133-9条以下

Amodiation 行政 **採掘権の賃貸借**　鉱業法において，採掘権者(国または特許権取得者)が，賃料を対価として第三者に鉱山の採掘権の貸借を行う契約に与えられる名称。

民法 **(農地・鉱山の)賃貸借形式の委託経営**　果実の一部(現物または金銭)によって賃料が支払われる土地賃貸借。

Amortissement de la dette publique 財政 **公債償却**　償還による公債の漸進的消滅。
►Caisse de la dette publique〔公債金庫〕

Amortissement financier 商法 財政 **財務償却**　通常は数年間に分割して行われる，証券所持人に対する借入金元本の償還。

Amortissement industriel 商法 財政 **事業償却**　経過した営業年度において企業の固定資産に生じた価値の減少を，会計上認識する技術。その固定資産を後に更新する目的で，償却額を積み立てると，その額は課税利益から控除される。

　減価償却を単なる価値の減少の計上ととらえるこのような静態的な会計の立場よりも，今日ではむしろ，減価償却は企業の自己金融の主要な手段であると動態的にとらえる財務的な考え方が支配的である。ただし，この立場では，多くの場合，現実が歪曲されることになる。

Amovibilité 行政 民訴 刑訴 **可動性**　►Ina-movibilité〔不可動性〕

Ampliation 行政 **認証ある謄本**　書面による行政行為の副本で認証を受けたもの。

Amplitude 労働 **拘束時間**　►Durée du travail〔労働時間〕

Analogie 刑法 **類推**　►Interprétation stricte〔厳格解釈〕

Anatocisme 民法 **重利；複利**　利息の元本組入。元本〔►Capital〕に組み入れられた利息〔►Intérêt〕は，それ自体収益を生み出す。このことは，急速に負債を増大させる。
▷民法典1154条および1155条

Angarie 国公 **非常徴用**　交戦国の管轄権のもとにある水域において，補償金と引換えに交戦国が中立国の船舶を徴発すること。

　非常徴用権は，中立国がこの権利を援用し，自国の港にある交戦国の船舶に対して行使したため，第一次世界大戦と第二次世界大戦における実行を通じて拡大した。

《Animus》 民法 **心素**　物に対する権利を行使するにあたって，その権利の名義人として行動する心理状態(「所有の意図」〔animus domini〕，「占有の意図」〔animus possidendi〕)，または，無償譲与を行おうとする心理状態(「無償譲与の意図」〔animus donandi〕)。

　権利の客観的な行使にすぎない《体素》〔►《Corpus》〕と対置される。

《Animus necandi》 刑法 **殺意**　故殺〔meutre〕の心理的要素。殺害する意図のこと。

Année judiciaire 民訴 **司法年度**　司法年度は，暦年と一致するものであり，1月1日に始まり12月31日に終わる。裁判公役務の常設性および継続性は常に確保されている。
▷司法組織法典R711-1条

Annexe 一般 **付則；添付書類**　主たる文書を補完するために(例えば，条約の付則，デクレの付則など)，または，証明するために(例えば，商業登記簿に付される添付書類。これは，商事会社に関する登記を証明する)添付される書類。

Annexe comptable 商法 **会計付属明細書**　貸借対照表〔bilan〕および成果計算書〔compte de résultat〕により示される情報を，企業の財務状況の忠実な概観〔image fidèle〕を示すように補足しかつ説明することを目的とする会計書類。
▷商法典L123-13条

Annexes de propres 民法 **固有財産の付属物**　共通財産制を採用する夫婦財産契約に挿入さ

れる条項。固有財産の付属物に関する条項〔clause d'annexes de propres〕は，婚姻中に有償で取得された不動産が固有財産の付属物である場合に，それを固有財産とすることを目的としている。固有財産とされた不動産の価格は，共通財産に償還される。
▷民法典1406条
▶Récompense〔償還金〕

Annexion 国公 併合　国家に新たに領域が加えられること。
　　併合は多くの場合，戦争の結果生じる。敗戦国は，自国の領域を切り離す平和条約に署名しなければならないからである。

Annonce judiciaire et légale 民訴 裁判上および法律上の公告　裁判官または法律により命じられる，一定の授権された新聞における公示。一定の法律行為または裁判上の行為(判決の抄本，競売)を知らせることを目的とする。
▶Publicité d'actes juridiques〔法律行為の公示〕

Annualisation 労働 年単位調整　年単位調整とは，原則として常用週単位で算定される法定労働時間を，労働協約に基づいて，1年を単位として配分することができることである。
▷労働法典L212-2-1条およびL212-8条
▶Modulation〔変形労働時間制〕

Annualité 財政 予算単年度の原則　予算法の最も古い原則。今日では，特に国の予算について大きく緩和されている。租税の徴収と公的支出の執行の承認は，各年度ごとに予算〔▶Budget〕の表決によって与えられなければならず，当該年度についてのみ有効とされる。その結果，当該年度末に未執行の予算額〔▶Crédit budgétaire〕は取り消される。

Annuité 民法 年賦払金　負債を完済するために，債務者が債権者に毎年渡さなければならない金銭。年賦払金は，元本に利息を加えたものの一部である。

Annuités (d'emprunt) 財政 (借入金の)年賦償還金　この日常用語にここで言及するのは，ただ次のことに注意を促すためである。すなわち，若干の統計では，年賦償還金は元本の償却と利息の支払いとして債権者に毎年支払われる額を含むが，利息を排除する統計もあるということ。

Annulabilité 一般 取消可能性　法律行為が，取消しを言い渡される性質の形式上または実体上の瑕疵を有していること。

Annulation 一般 訴訟 取消し　その成立条件を尊重しなかったことを理由に，法律行為を遡及的に消滅させること。その効果は，当事者に対してあらゆる履行を免除すること，または相互的な返還を当事者に対して義務づけることである。ヨーロッパ共同体裁判所とコンセイユ・デタは，取消しが将来についてしか効果を生じないことを認めたが，破毀院は，この点について疑問を呈している。
　　法律行為の取消しが初めから効果を生じる場合，すなわち遡及効を有する場合(通則)は「最初から(ex tunc)」の取消しであり，取消しの効果が判決の時から，さらには後日からでなければ生じない場合，すなわち当該法律行為のそれまでの効果を尊重する場合(主に法的安定性〔▶Sécurité juridique〔Principe de〕〕の要請を考慮した例外的地位)は「今から(ex nunc)」の取消しである。
▶Nullité〔無効〕▶Rescision〔(レジオンを理由とする)取消し〕▶Résiliation〔解約；告知〕▶Résolution〔解除〕

民訴 取消し　控訴，破毀申立てまたは再審の訴えの結果，手続上または実体上の違法性を理由として裁判〔décision judiciaire〕を消滅させること。
▷新民事手続法典562条2項，595条および604条

《A non domino》 一般 所有者でない者から　所有者でなかった者から財産を受け取ったことを意味するラテン語の表現。

Anomal 民法 不規則な　▶Succession〔相続；相続財産〕

Antériorité 商法 先使用権　ある工業所有権の資格に対抗しうる，先行する権利または事実で，その資格を無効にするもの。

Anthropométrie 刑法 人体鑑識　身体の測定またはいくつかの特性(耳，鼻，足など)に基づいて行われる，犯罪者の識別のための技術。

Antichrèse 民法 不動産質　当事者の合意により設定され，それによって債権者が不動産の占有を取得する物的担保。その不動産の果実および収益は，債権が完済されるまで毎年，まずその利息に，次いでその元本に充当される。担保法改正に関する2006年3月23日のオルドナンス以降，不動産質の設定には公証人証書の作成を要する。この改正により，不動産質はもはやnantissementの一類型ではなくなった。
▷民法典2373条および2387条以下
▶Nantissement〔無体動産質〕

Antidate 民法 商法 後日付　法的文書に当事者による署名の日以前の日付を付与するという錯誤または詐欺。後日付は，証書の日付が，競合する権利間の優劣を決する際の，あるいは，法律上または裁判上の地位の開始点を示す際の決定因である場合にしか制裁されない。

Antitrust 商法 反トラスト　►Droit de la concurrence〔競争法〕

《A pari》 一般 同様の理由により（による）　ある一定の地位について規定されている法規範の適用を同様の地位に拡張できると推論すること。
►《A contrario》〔反対の理由により（による）〕●《A fortiori》〔より強い理由により（による）〕

《Apartheid》 国公 アパルトヘイト；人種隔離政策　白人の優越性を確保するために，南アフリカ共和国において1991年まで実施されていた人種隔離政策。

Apatride 国私 無国籍者　いかなる国籍ももたない者のこと。heimatlos の語が用いられることもある。
　このような地位は，一般に，生来の国籍を喪失した（例えば失権のため）が，新たな国籍を取得していない場合に生じる。
▷民法典20-3条および25条

Apériteur 民法 代表保険者　同一の危険についての共同保険者の間で，特に保険証券の作成，保険料の受領および災害の支払いについて，被保険者との関係で，すべての共同保険者を代表する者(代表保険会社)を指す。
▷保険法典L352-1条
►Coassurance〔共同保険〕

Aphorisme；Adage；Brocard 一般 法格言　これらの語は，しばしば格言という語と，また，ときとして諺〔proverbe〕という語と比較されるが，法律用語としてきわめて類義性が強いので，ほぼ同義語と考えられている。しかしながら，法律家にとって，これらの語義の微妙な違いは依然として大きいようである。brocardという語のみが日常語として次第に用いられなくなり，法的定型表現をつねに指すようになった。法的定型表現は，きわめて簡潔な点に特徴があるが，人間的諸相のもとに直接的に捉えられた法的問題の核心をすべて見事に要約している。brocardは長い間ラテン語で印象づけられてきたが（法の極みは不正の極み〔summum jus, summa injuria〕)，フランス語で用いられるようになっている（婚姻にあたっては欺きうる者が欺く〔en mariage il trompe qui peut〕，死者は生者を捉う〔le mort saisi le vif〕)。brocardは，いにしえの法律家によって濫用といってよいほど，絶えずかつ華々しく用いられ，他方，現代の法律家からは見捨てられることが多く，これもまた行き過ぎといえなくもない。brocardという語の意味は，aphorismeの語義ともはやほとんど異ならない。aphorismeという語は，法分野ではほとんど用いられなくなっており，その内容はより社会学的になっている。brocardという語の意味は，とりわけadageという語の意味に吸収されている。adageという語が最もよく用いられ，さらには用いられるほぼ唯一の語であるといえるが，強い道徳的響きを有する。
►Maxime〔法格言〕

Apostille 民法 欄外追記　欄外，頁の下，文書の最後になされる証書への追記。欄外追記は，参照記号によって知られる。参照記号は，原文の用語が変更されたことを示す記号に他ならない。

Apparence 民法 商法 外観　法の場に歪められた形で現れている地位の状態。
　外観上の法的地位は，現実には存在しないことすらある。法的安定性〔►Sécurité juridique (Principe de)〕を理由に，ときとして，外観上の地位から法的効果が導き出され，（表見相続人，表見代理人），当該地位につき正当な信頼を抱いた第三者においてそれを主張することが認められることがある。

Apparentement 憲法 政策連合；（名簿式比例代表制選挙における）名簿連合
　①政策連合//当選人がある会派〔►Groupe parlementaire〕と拘束の緩い提携を結ぶこと。この提携には当該会派の同意が要求されるが，当該会派の規律が厳格に課されるわけではない。
　ある政党の当選者は，固有の会派を形成するに足りるほどの人数となっていない場合に，自分たちの政治信条に近い会派と政策連合を行うことができる。
　②（名簿式比例代表制選挙における）名簿連合//反対派を孤立させ，議席を獲得するために，異なったいくつかの政党によって提出された候補者名簿を統合すること（1951年5月9日の法律を参照）。

Appel 訴訟 控訴　原判決変更または原判決取消しを目的とする普通法上の（かつ通常の）

不服申立ての方法。この方法により訴訟当事者が上級の裁判所に，場合によっては，構成を変えた同種の裁判所（重罪院が第一審としてなした裁判に対する控訴）に訴訟を提起する。
▷新民事手続法典542条；刑事手続法典380-1条以下

Appel des causes 民訴 **事件の呼上げ** 大審裁判所および控訴院において，（事件を配分された）部の長が，準備手続きを開始するか，弁論期日へ即時に送付するか，申立趣意書の交換または書証の伝達が今一度必要であると思うときは両当事者の弁護士と新たに協議するかを決定する期日。
▷新民事手続法典759条以下および910条
▶Mise en état〔弁論適状におくこと〕

Appel en garantie 民訴 **担保のための呼出し**
▶Garantie（Appel en）〔担保のための呼出し〕

Appel incident 民訴 **付帯控訴** 主たる控訴に応じて被控訴人によって提起される控訴であり，控訴人または他の被控訴人に対して向けられる。
　付帯控訴はまた，被控訴人でなくてもすべての当事者が主たる控訴または付帯控訴に基づき提起することができる。
▷新民事手続法典548条
▶Appel provoqué par l'appel principal〔主たる控訴により挑発される控訴〕

Appel《a minima》 刑訴 **最低刑ゆえの控訴；刑の加重を求める控訴** 検察官のなす控訴申立で，検察官が，不十分であると考える刑を加重するよう，第二審の裁判所に要求するもの。

Appel d'offres 行政 **募集選考** 一定額を超える公契約〔▶Marchés publics〕の普通法〔▶Droit commun（Régime, Règle de）〕上の締結手続き。公法人は事前に手続きの公示をなすことを要し，参加業者と交渉することなく，前もって参加業者に通知された客観的基準に基づき，経済的に最も有利な申込みを選択する。募集選考は，すべての関係業者が申込みをなすことができる場合には《一般》〔ouvert〕募集選考と呼ばれ，選抜された参加業者のみが申込みをなすことができる場合には《指名》〔restreint〕募集選考と呼ばれる。
▷公契約法典26条および33条

Appel principal 訴訟 **主たる控訴** 第一審において，原告または被告として敗訴した訴訟当事者によって提起される控訴。
　この不服申立ては原審の弁論におけるすべての争点またはそのうちのいくつかのみを対象とする。
▷新民事手続法典562条；刑事手続法典380-3条および515条

Appel provoqué par l'appel principal 民訴 **主たる控訴により挑発される控訴** 2人より多くの当事者がかかわる訴訟において，主たる控訴の相手方とされなかったため，付帯控訴〔▶Appel incident〕を用いることができない第一審の訴訟当事者によって提起される控訴。
▷新民事手続法典549条

Appel public à l'épargne 商法 **資金の公募** 規制金融市場で証券を売り出して相場を付けること，または，広告，訪問販売〔▶Démarchage〕もしくは金融機関・投資事業者による株式の売付けを利用することによる，会社の資金調達方法。
▷通貨金融法典L411-1条

Appelant 民訴 **控訴人** 控訴を提起する者の名称。
▶Intimé〔被控訴人〕

Appelé 民法 **被指定者** 転譲与義務者〔grevé〕の死亡時に，または，その者が失権または放棄した場合において，無償譲与を構成する財産の転譲与を受けることを，無償譲与の処分者から指名されている者。第二受益者〔second gratifié〕ともいう。
▷民法典1048条以下
▶Gratifié〔無償譲与受益者〕▶Libéralité graduelle〔順位付無償譲与〕

Appellation d'origine 商法 **原産地呼称** 地方〔pays〕，地域〔région〕，または場所〔localité〕の名称であり，そこを原産とし，かつ，その品質または特質が自然的要素と人的要素を含む土地環境に由来している産品を示すために使われるもの。
　原産地呼称の使用は，当該産品のすべての生産者に認められる。
▷消費者法典L115-1条

Applicabilité directe EU **直接適用性の原則** 条約または共同体法の若干の規定は，裁判客体のための権利を創設しているがゆえに，限定的な基準（明確性，正確性，無条件性）に応じて彼らが国内裁判所において援用しうるとする，ヨーロッパ共同体裁判所によって導き出された原則（1962年8月16日のVan Gend en

33

Loos事件判決，Rec. 1963, p.1）。

Application immédiate des lois 〔一般〕 **法律の即時適用** ►Effet immédiat de la loi (Principe de l') 〔法律の即時効(の原則)〕

Appoint 〔民法〕〔商法〕 **釣銭不要支払い** 債権者がいかなるつり銭も返す必要がないように，銀行券および硬貨で支払いをする債務者が債権者に渡さなければならない金額に小銭を用いてきっかり合わせること。
▷通貨金融法典L112-5条

Apport 〔民法〕〔商法〕 **出資** 金銭，現物，または労務(すなわち，活動という形)によって法人の設立に寄与すること。
▷民法典1843-3条

Apport partiel d'actif 〔商法〕 **資産一部の出資** 会社がその財産の一部だけを新設または既存の他の会社に出資し，これと引換えに，出資を受けた会社の持分または株式を受領する行為。会社は，受領した持分または株式を自ら保有し，または社員に分配する。

Apport (s) en société 〔民法〕〔商法〕 **(会社への)出資** 会社の設立または資本増加の際に，社員が提供する財産。
出資は，金銭出資，現物出資または労務出資(すなわち，労働またはサーヴィスによる出資)の形態で行われる。社員はその出資と引換えに，社員権(持分または株式)を取得する。
▷民法典1832条，1835条および1843-1条から1843-3条

Appréciation de légalité (Recours en) 〔行政〕 **適法性審査(訴訟)** ►Recours en appréciation de légalité 〔適法性審査訴訟〕

Apprentissage 〔労働〕 **見習制度** 見習制度は交互制職業教育の一形態である。見習制度は，義務教育を修了した若年労働者に対して，中級もしくは上級の職業教育もしくは技術教育の免状かまたは職業認可証によって認定される職業資格を取得させるために，一般的，理論的かつ実践的な職業教育を与えることを目的とする(1987年7月23日の法律)。
見習契約〔contrat d'apprentissage〕は，特殊な型の労働契約であり，期間を定められる場合がある。この契約によって，使用者は，賃金の支払いに加え，若年労働者に対して体系的かつ完全な職業教育を保障する義務を負う。その職業教育は，一部は企業内で一部は見習教育センターで行われる。
▷労働法典L117-1条

Approbation 〔国公〕 **承認** 国家が行う約束の手続きであり，批准および簡略形式による条約とは区別されなければならない。承認は，署名の後の手続きをいい，国会の許可を必要とすることもある。共和国大統領ではなく，政府，そして実務上は外務大臣に権限があることから，批准とは区別される。

Apurement des comptes 〔財政〕 **行政的決算審査** 公共団体の会計監査に関して，公会計官によって執行される公的な収入および支出に関する行為，ならびに監査対象期間に公会計官が行った資金および債券の移動の適式性を審査し，適式な場合には決算を行う行政作用の総体。
(行政的)決算審査は，裁判機関(会計検査院，州会計検査院)が行う会計検査判決とは区別される。この判決は，行政決定に至るのでなく，決算済みまたは決算時欠損〔►Débet〕を言い渡し，それによって会計官の地位を終局的に決定する真の判決に至る。
►Trésorier-payeur général 〔地方財務局長〕
この広義の決算審査概念を批判する専門家もいる。彼らによれば，この用語は，会計官の会計報告書の検査の任にあたる機関が，《当該会計から次の会計への資産と負債の収支の正確な引継ぎ》を確認することを指すためだけに用いられる。

Arbitrage 〔労働〕 **仲裁** 集団的労働紛争解決の任意的手続きであって，紛争の解決を労使双方から選任された第三者に委ねるもの。
▷労働法典L525-1条以下
►Cour supérieure d'arbitrage〔高等仲裁院〕
〔民訴〕 **仲裁** 仲裁人〔►Arbitre〕と呼ばれる1または複数(奇数)の私人に委ねられる紛争解決手続き。ときには両訴訟当事者により衡平仲裁人〔►Amiable compositeur〕と指定された国家の裁判官に委ねられることもある。
▷新民事手続法典1442条以下
►Clause compromissoire〔仲裁条項〕
►Compromis〔仲裁契約〕
〔公法〕 **裁定** この語は，法的争訟を解決することを目的として《法を宣言する》という実質的裁判手続きを意味するが，そうでない場合がしばしばある。そこで，この語は，ある機関が行政的または多くは政治的な見解の対立を終局的に解決するためにもつ正式の決定権限を言い表すために用いられる(例：当該年度の予算法律案における予算額の配分に関する首相または大統領の《予算裁定》)。現行

憲法典5条により大統領に与えられている裁定権限の意味は，政治的慣行を通じて，まさにこのようなものとなった。

Arbitrage international 国私 国際仲裁　国際仲裁とは，国際商取引の利害が問題となる仲裁である。
▷新民事手続法典1492条以下
国公 国際仲裁裁判　►Règlement pacifique des conflits〔紛争の平和的解決〕

Arbitre 民訴 仲裁人　仲裁合意〔convention d'arbitrage〕に従い，公の裁判官に代わって紛争を審理し，それについての判断をなすことを任務とする私人。
►Amiable compositeur〔衡平仲裁人〕
►Clause compromissoire〔仲裁条項〕

Arbitre-rapporteur 民訴（商事裁判所）報告役　商事裁判所において和解を試みた後，専門的意見を提出するためにかつて指名されていた者。この職務は廃止された。

Archives audiovisuelles de la justice 訴訟 裁判映像記録　行政系統のまたは司法系統の裁判所における公開の法廷は，裁判を歴史的に残すために有用である場合には，映像または音声により記録されることができる。録画録音は裁判所の長により許可され，ついで，フランス資料センター〔Archives de France〕の管理に移される。訴訟終結から20年の期間が過ぎれば記録のアクセスは自由である。ただし，複製し，放送することが自由にできるようになるのは50年後である。
▷文化財法典L221-1条以下

Argument 訴訟 論拠　手続きまたは本案に関する攻撃防禦方法〔►Moyens〕を支えるために援用される推論。
►Cause〔原因〕

Aristocratie 憲法 アリストクラシー　ギリシャ語の《最上の者たち》〔aristoi〕と，《支配》〔cratos〕からなる語。権力がエリートとみなされている一階級の人々に保持されている政治体制。例：スパルタの軍人によるアリストクラシー，ヴェネツィアの富豪によるアリストクラシー。

Armateur 海法 船舶艤装（ぎそう）者　船舶を商業上経営する者。

Armes 刑法 武器　性質上の武器〔arme par nature〕とは，殺傷するために考案されたすべての用具を指す。
　用途上の武器〔arme par destination〕とは，性質上の武器を除き，殺傷もしくは脅迫するために使用される場合またはそれを携帯する者によって殺傷もしくは脅迫の用途にあてられる場合に，人に危険を及ぼしうるすべての用具を指す。
　いわゆる《模造》武器〔arme dite《simulée》〕とは，混同をもたらしうる点で性質上の武器と類似し，殺傷の脅迫のために使用され，またはそれを携帯する者によって殺傷の脅迫の用途にあてられるすべての用具を指す。殺傷または脅迫のための動物の使用〔utilisation d'un animal〕は武器の使用とみなされる。
▷刑法典132-75条

Armistice 国公 休戦協定　敵対行為の中断のために，交戦国間で締結される協定であり，実際には，しばしば和平交渉に先行する。これは，停戦〔suspension d'armes〕，すなわち，差し迫っているが限定された利益（例えば，死者および負傷者の移送）を調整するための短期間の休戦〔trêve〕とは区別される。

Arpentage 民法 測量　土地の測量。もともとは，アルパン〔arpent〕（1アルパン＝34.19アール）という単位によってなされていたが，今日では，メートル法の単位によってなされている。測量は，あらゆる境界画定に先立つ作業である。

ARRCO（Association pour les régimes de retraites complémentaires des salariés） 社保 補足退職年金制度連合　補足退職年金制度を統合する組織。1999年1月1日から，単一の制度となっている。これは，ARRCOに属するあらゆる制度が完全に統一された規則を適用し，この規則によって各制度の規則が強制的に置き換えられたからである。
　この制度には，非管理職の労働者のみならず，社会保障の報酬限度額を超えない報酬区分（A区分）について管理職もまた属する。
►Plafond（報酬限度額）

Arrérages 民法 支分金　定期金または年金から生じ，定期的に債権者に支払われる金銭。
▷民法典1948条以下

Arrestation 刑訴 逮捕　司法機関または行政機関への出頭または収容を目的として，必要な場合は実力を用いて，身柄を拘束する行為。現行犯の場合を除いて，逮捕は令状〔►Mandat〕を必要とする。

Arrêt 訴訟 （法院）判決　控訴院，破毀院，または地方行政裁判所以外の行政裁判所によってなされる裁判。
►Jugement〔裁判；判決；判断〕

35

Arrêt des poursuites individuelles 商法 個別的訴求の停止 ►Suspension des poursuites individuelles〔個別的訴求の停止〕

Arrêt de règlement 訴訟 法規的判決　最高〔Cour souveraine〕法院（アンシャン・レジームの高等法院）によりなされる正式な判決。一般的効力をもち，下級裁判所を拘束する。
　フランスの裁判所は法規的判決をなすことを禁止されている。
▷民法典5条
►Cour de cassation〔破毀院〕の項のsaisine pour avis〔意見照会〕

Arrêté 行政 憲法 アレテ　1もしくは複数の大臣（大臣アレテ，共同大臣アレテ），または他の行政庁（県知事アレテ，市町村長アレテなど）が発する一般的または個別的な効力範囲をもつ執行的決定。

Arrêté de cessibilité 行政 収用許容決定アレテ　公用収用〔►Expropriation pour cause d'utilité publique〕手続きにおいて，収用される土地区画——または不動産物権——のリストを，このリストがいまだ公益宣言によって定められていない場合に確定する県知事アレテ。
▷収用法典L11-8条およびR11-19条

Arrêté de compte 民法 計算確認書　ある者が他の者から報告された計算を承認する証書。
▷民法典471条；新民事手続法典1269条

Arrêté de conflit 行政 権限争議決定　司法裁判所は無管轄であると行政庁が判断した係争を司法裁判所の管轄から取り上げることを目的として，権限裁判所に対して管轄問題を提起する県知事の決定。

Arrhes 民法 手付金　契約締結時に債務者によって支払われる金銭であり，代金に充当され，または，反対の約定がある場合は（消費法典L114-1条）一方的解除権〔►Dédit〕の発生原因となるもの。
　債務者がその契約を解除した場合には手付金は失われる。手付金を受け取った者がその契約を解除した場合には，2倍の額を返還しなければならない。実務においては《手付金》〔arrhes〕と《内金》〔►Acompte〕とが区別されることなく用いられているが，この2つの用語を混同してはならない。
▷民法典1590条；消費法典L114-1条

Arrondissement 行政 郡；区
　①郡//法人格をもたない行政区画で，県と小郡〔canton〕の間に位置する。フランス本土におよそ320存在する。
►Sous-préfet〔副知事〕
　②区//若干の大都市の内部的区画。
►Conseil d'arrondissement〔区会〕
►Maire d'arrondissement〔区長〕

Artisan 商法 手工業者；職人　自己の計算において手工業職に従事し，その職業について職業資格を有し，かつ，作業の実行に自らが関わっている者。手工業者は，手工業者名簿〔Répertoire des métiers〕に登録されなければならない。
　手工業活動は民事活動であり，それゆえ，手工業者は商事裁判所の管轄には服さず，商法の適用を受けない。ただし，近年では，手工業者にも商法上の規則に基づく利益を認める傾向にある。
　以上の判例による手工業者の定義は，行政による定義よりも厳格である。行政による定義では，手工業者名簿への登録が義務づけられる者は，その雇用する従業員が10人を超えておらず，農業と漁業以外の分野で，製造，加工，修理またはサーヴィスの提供を内容とする独立の職業活動を主要な職業または付随的な職業としている者である。
　反対に，判例による手工業者の定義は，税法上の定義よりも包括的である。税法は，1人で働いているか，または，家族と職人〔compagnon〕もしくは徒弟〔apprenti〕とともに働いている者にだけ，一定の優遇措置を認めている。

Ascendant 民法 直系尊属　法律上，ある者の祖先となっている者。民法典は，子が自分の直系尊属と個人的関係を保つ権利を定めている。これを妨げうるのは，子の利益のみである。
▷民法典371-4条および731条
►Collatéral〔傍系；傍系血族〕►Degré de parenté〔親等〕►Descendant〔直系卑属〕
►Enfant〔子〕►Ligne〔系〕

Asile diplomatique 国公 外交的庇護　追及されて庇護を求めてきた者に対して，国家が外交使節団の公館の不可侵によって保証できる保護。その者の接受国当局への引渡しを拒否し，または接受国当局がその者を逮捕しに来ることを拒否することにより行う。

Asile politique 国公 政治的庇護　国籍国において迫害された外国人に与えられる法的地位。これにより，受入国に滞在することが認められる。この法的地位を付与する条件およびこ

Assassinat 刑法 謀殺　予謀〔►Préméditation〕を伴って遂行される故殺〔►Meurtre〕。
▷刑法典221-3条

Assemblée des chambres 民訴 控訴院合同部　パリ控訴院では第1部から第3部までの，他の控訴院では第1部から第2部までの合同会議体。司法官の宣誓を受理し，法院および法院検事局の構成員ならびに主席書記の任命の手続きを行うことを目的とする。
▷司法組織法典R212-4条

Assemblée constituante 憲法 憲法制定議会　憲法を制定し，または，改正するために特別に選出される議会。

Assemblée générale 民法 商法 総会　経営に承認を与え，非常に重要な決議をなすためになされる，非営利社団または（民事または商事の）会社の全構成員の定期的な集会。

　通常総会〔assemblées ordinaires〕に加えて，定款変更の際には，特別総会〔assemblées extraordinaires〕が行われる。

　総会は，全会一致によって（人的会社），または，過半数（通常総会）もしくは特別多数（特別総会）によって議決を行う。

Assemblée générale dans certaines juridictions de l'ordre judiciaire 民訴 刑訴 司法系統の裁判所における裁判所会議　裁判所に属する者全員またはその一部の集合で，その裁判所の全般的な運営について評議することを目的とする。
▷司法組織法典761-1条以下

Assemblée générale des Nations Unies 国公 国際連合総会　国際連合の全加盟国参加機関。すべての加盟国が平等に代表される。国連総会の権限は国連の目的の全体に及ぶが，総会は勧告の権限しかもたない（組織運営上の問題を除く）ことが留保されている。
►Conseil de sécurité〔安全保障理事会〕

Assemblée nationale 憲法 国民議会　直接普通選挙によって選出されるフランス国会の第一院。国民議会は，（元老院〔►Sénat〕とともに）立法権および財政権を行使する。国民議会は政府を監督する（質問，国政調査）。すなわち，国民議会だけが，自発的に（不信任案），または政府が提出する信任案に基づいて，政府の政治責任を問うことができる。その代わりに，大統領は国民議会を解散することができる。

Assemblée plénière 民訴 刑訴 大法廷　破毀院の構成体で，院長の主宰のもと，部長，部の最古参判事および各部から1名の判事（計19名）により構成される。移送された裁判所が破毀院の判断に従わなかったために，第2の破毀申立てが第1の申立てと同じ攻撃方法に基づき提訴される場合，大法廷への付託は義務的である。事実審裁判所の間においてであれ，事実審裁判所と破毀院との間においてであれ，異なる解釈がある場合，大法廷への付託は任意的である。

　すべての場合において，移送された裁判所は大法廷の判決に従わなければならない。

　大法廷は例外として移送せずに裁判することがある。
▷司法組織法典L421-5条，L431-6条およびL431-9条

行政 **大法廷**　コンセイユ・デタの最高位の裁判構成体，すなわち大法廷として，訴訟総会〔Assemblée du contentieux〕は，訴訟部と行政部の構成員からなり，実際には主として最も重要な新しい問題を審理する。その判決は原則的効力しかもたない。

Assesseurs 刑訴 陪席裁判官　重罪院の裁判長に陪席する2名の職業裁判官。
▷刑事手続法典248条以下

訴訟 陪席裁判官　►Collégialité〔合議制〕

Assiette (des cotisations) 社保 保険料の算定基礎　保険料を算定する基礎のこと。保険料の算定基礎は，労働の対価としてまたは労働に際して労働者に支払われるすべての金額を含む。
▷社会保障法典L242-1条

Assiette de l'impôt 財政 課税標準の認定；課税標準
　①課税標準の認定//課税対象の存在と額を決定し，租税の発生事実，すなわち租税債務の発生条件である行為または地位の存在を確認することを目的とする行政作用の総体。
　②課税標準//税率表を適用して租税を算定する際に基礎とされる数値そのもの。例えば，年間所得額である。

Assignation 民訴 呼出し；呼出状　執行吏を介して原告から被告にあてた手続行為（文書）。呼出状は，被告に司法系統の裁判所への出頭を促すことを目的とし，大審裁判所においては，原告にとって申立趣意書〔►Conclusions〕に相当する。
▷新民事手続法典55条および56条
►Citation (en justice)〔(裁判上の) 呼出し；

呼出状〕
　►Procédure à jour fixe〔指定期日の手続き〕
　►Requête conjointe〔共同申請（書）〕
Assignation à résidence　国私 **居所指定**　追放〔►Expulsion〕のアレテの対象となった外国人がその領域を離れることができない場合，その者は居所を指定されることがある。
Assignation à toutes fins　民訴 **（小審裁判所における）勧解および裁判のための呼出し（呼出状）**　小審裁判所の呼出し（呼出状）。当事者に対し和解を勧め，不調の場合にはその申立て〔prétentions〕について裁判するという二重の目的を有する。
▷新民事手続法典829条
Assises　刑訴 **重罪院**　狭義では，第一審または控訴審として，重罪を審理する管轄権限を有する重罪院〔►Cour d'assises〕。
　広義では，この裁判所が開廷される，「重罪院の開廷期」〔session d'assises〕と呼ばれる期間。
▷刑事手続法典231条以下
Assistance　民法 **扶助；保佐**
　①扶助//配偶者に課せられる，注意深い配慮によって自己の配偶者に物質的精神的援助を行う義務（devoir de secours〔救護義務〕と比較せよ）。
▷民法典212条
　►Secours〔（金銭的）救護〕
　②保佐//保佐制度のもとに置かれた一定の成年無能力者の保護措置。保佐人〔curateur〕は，その保佐権限により，証書の無能力者の署名の横に署名し，または事前に無能力者に行為の許可を与える。保佐を行う者は代理権を有しない。
▷民法典510条
　►Représentation〔代理〕
Assistance médicale à la procréation　民法 **生殖への医療介助**　生殖への医療介助とは，生体外受胎，胚移植，人工授精を可能とする臨床的，生物学的行為，ならびに，保健衛生担当大臣のアレテの定めるリストに掲げられている，自然的プロセス以外の生殖を可能とする同等の効果を有するあらゆる技法のことである。生殖への医療介助は，男女の1組の親となる望みに応えようとするものであり，病理学的なものであると医学的に診断された不妊に対処すること，または，特別に重い病気が子に遺伝することもしくは男女の1組の一方に伝染することを避けること，を目的と

している。
▷公衆衛生法典L2141-1条およびL2141-2条
Assistance des plaideurs　民訴 **訴訟当事者の補佐**　補佐は，訴訟当事者への助言および訴訟当事者の弁護という任務であり，その任務には当事者はまったく拘束されない。委任者の名において手続行為をなす権能および義務を内容とする真の委任である裁判上の代理〔►Représentation en justice des plaideurs〕とは異なる。反対の規定または合意がある場合を除き，補佐の任務は代理に関する委任に含まれる。
▷新民事手続法典412条および413条
　►Aide juridique〔法律援助〕►Défenseur〔弁護人〕►Mandat de représentaion en justice〔裁判上の代理の委任〕
Assistance éducative　民法 **育成扶助**　未解放の未成年者の健康，安全，精神，または，育成もしくは身体的・情緒的・知的・社会的発育の条件が重大な危険にさらされているときに，少年係裁判官がとることのできるあらゆる措置。少年係裁判官は，子を家族から引き離すことを命じることも，家族から親権〔►Autorité parentale〕を剥奪することなく一定の義務の尊重を命じるのみで，子を現在の環境に留めておくこともできる。
▷民法典375条以下
Assistance judiciaire　民訴 **裁判扶助**　►Aide juridique〔法律援助〕
Assistance mutuelle　国公 **相互援助**　国家が条約によって相互に約束する，いずれかの1国が侵略の犠牲となった場合の援助。
Assistance publique　社保 **公的扶助**　►Aide sociale〔社会援助〕
Assistant de justice　民訴 **裁判所助手**　書面による契約により採用される裁判官の補助者。任期は2年，2度の再任が可能。小審裁判所，大審裁判所，控訴院および破毀院の裁判官がその権限を行使するにあたって行う準備作業に協力することを任務とする。
　行政 **裁判所助手**　コンセイユ・デタ，行政控訴院および地方行政裁判所付裁判所助手は，2年の任期で任命され，2度の再任が可能である。これらの裁判所助手の職務はほぼ同一である。
▷行政裁判法典L122-2条，L227-1条
Assistante maternelle　労働 **自宅保育婦**　個人または私法上の法人から委託された1人または複数の未成年者を，恒常的に自宅に迎え

入れ，それによって報酬を得る者。自宅保育婦というカテゴリーは，実際のところ，1977年5月17日の法律以後は，それ以前の乳母〔nourrice〕および子守〔gardienne d'enfant〕を含む。自宅保育婦は，県保健社会福祉活動局〔Direction départementale de l'Action sanitaire et sociale〕の認可を受けなくてはならないが，労働者とみなされ，その帰結として，時にはいくつかの修正を伴うものの，労働法典の諸規定の保護を受ける。

▷労働法典L773-1条以下およびD773-1-1条以下

Assistant (e) social (e) 社会 ソーシャル・ワーカー ソーシャル・ワーカー国家資格を取得した者。その一般的職務は，家族が社会生活に適応できるように助けることである。

Association 行政 民法 非営利社団契約；非営利社団

①非営利社団契約//非営利社団契約とは，複数の者が利益を分配すること以外の目的において知識または活動を共にするという合意である（1901年7月1日の法律1条）。

②非営利社団//①のような合意によって成立する法人をいう。種類（届出団体，公益認定を受けた団体，半数以上が外国人である団体，外国に所在地をもつ団体）に応じて，非営利社団は，多かれ少なかれ広く自由を認める制度に服する。

▶Société〔会社契約；会社；組合〕

Association d'avocats 民訴 弁護士提携（契約）；弁護士提携体 資金の共有と一般経費の分担を目的とする提携体を設立することを内容として，弁護士間で締結することのできる，書面による契約。その提携体においては，各弁護士は依然として各人の顧客に対して責任を負う。

▶Société civile professionnelle〔専門職民事会社〕

Association de consommateurs 民訴 刑訴 消費者団体 消費担当大臣および司法大臣の共同のアレテにより認可された団体。消費者の利益を護ることを定款上の目的としている。この団体は，消費者の集団的な利益に直接または間接の損害を与える事実に関して，私訴原告人に認められる権利を行使する資格を法律により認められている。また同一の業者から個別に損害を被った被害者である複数の消費者の名において，民事裁判所に訴えを提起することを委任されることができる。

▷消費法典L421-1条およびL422-1条

▶Action en représentation conjointe〔共同代理訴権；共同代理の訴え〕

Association pour l'emploi dans l'industrie et le commerce（ASSEDIC） 労働 商工業雇用協会 労働協約によって設立される労使同数の代表から構成される非営利社団であって，（完全失業の）失業者に対する補償を行う。すべての商工業雇用協会は1つの全国規模の連合体（UNEDIC）に統合され，この連合体が，使用者および労働者の負担する拠出金と国の補助金とからなる基金を管理する。

▷労働法典L351-21条，D352-1条以下

Association européenne de libre-échange 国公 ヨーロッパ自由貿易連合 7ヵ国（オーストリア，デンマーク，ノルウェー，ポルトガル，イギリス，スウェーデンおよびスイス）によって1960年に創設された国際組織。7ヵ国は加盟国間に自由貿易地域〔▶Zone de libre échange〕を設立することを決定した。

フィンランドが1961年に，アイスランドが1970年に，ついでリヒテンシュタインが加盟した。

加盟国のうち，まずデンマークとイギリス，ついでポルトガル，そして1995年にオーストリア，フィンランドおよびスウェーデンが順次ヨーロッパ連合に加盟したため，ヨーロッパ自由貿易連合は事実上ほとんど中身のない枠組になってしまった。イギリス人によって《対EEC》として構想されたヨーロッパ自由貿易連合は，今日，ヨーロッパ経済圏〔▶Espace économique européen〕に吸収されている。

Association foncière agricole 農事 農地整備団体 土地所有者が集まって作る工事組合〔associations syndicales〕。農地整備団体は，工作物の建設，保守，および，土地の有効利用のための工事の実施，自然的もしくは衛生上の災害の予防，環境保護，を目的とする。農地整備団体は，行政的性格の公施設法人の地位を有する。

▷農事法典L131-1条以下およびR131-1条以下

Association foncière pastorale 農事 牧畜用地整備団体 粗放的牧畜の維持が自然環境を保護し社会生活を守る性質を有する山地指定地域に位置する農林牧畜用土地所有者の団体。牧畜用地整備団体は，土地所有者の分散した土地を合理的運用単位に集約することを提案する。牧畜用地整備団体は，行政的性格の公

施設法人の地位を有している。
▷農事法典L135-1条以下

Association pour la gestion du fonds de financement de l'AGIRC et de l'ARRCO (AGFF) 社団 **補足退職年金基金管理協会**(AGFF) 補足退職年金に関する2001年2月10日の協定によって創設された団体。AGFFは，財政構造協会〔ASF(Association pour la structure financière)〕に取って代わる。AGFFは，清算された補足退職年金制度連合〔ARRCO (Association des régimes de retraites complémentaires)〕および管理職退職年金制度総連合〔AGIRC (Association générale des institutions de retraites des cadres)〕の60歳からの補足退職年金の財源調達を引き受ける。

Association intermédiaire 社団 **失業者派遣協会** 国の認可を受けた非営利社団であって，失業者を雇用して，自然人または法人に有償で派遣し，私人または地方公共団体がこれまで地方レヴェルでは行ってこなかった仕事に従事させることを目的とする。失業者派遣協会の活動は，営利を目的としないものとみなされる。
▷労働法典L322-4-16-3条

Association internationale de développement (AID) 国公 **国際開発協会** 1960年に設立された国際連合の専門機関であり，国際復興開発銀行〔►Banque internationale pour la reconstruction et le développement (BIRD)〕の系列下にある。
　後発開発途上国がすべての開発計画(直接生産的でない計画であっても)の資金調達ができるように，最貧国に対して長期間(50年間かつ無利息で)貸付けを行う。所在地：ワシントン。

Association de malfaiteurs 刑法 **凶徒の結社** 1または数個の，重罪または5年以上の拘禁刑で罰せられる軽罪の準備を行う目的で集団を結成し，または謀議を行うことであり，その準備が1または数個の客観的要素によって具体化された場合。
▷刑法典450-1条

Association en participation 商法 **匿名社団**
►Société en participation〔匿名会社〕

Associations syndicales 行政 **工事組合** 不動産所有者が，その所有地の共通の利益のために土木工事を行うことを目的として，集合してできた数種の団体の総称。主要な型として次のものがある。すなわち，自由設立工事組合(単なる私法人)，設立許可制工事組合(行政庁の許可を要する。この型のものが最も多い)および，設立強制工事組合(公施設法人。この資格で行政法の適用を受け，公権力特権を享受する)。

Associé 民法 商法 **社員** 会社〔►Société〕の構成員。出資を行い，会社の運営に参加し，利益または損失を分配する。狭義では，人的会社の構成員のことを指し，株主〔►Actionnaire〕と対置される。
►Sociétaire〔非営利社団構成員〕

Associé d'exploitation 農事 **経営協力者** 経営協力者は，農業経営者の家族構成員であって，主たる職業活動として農業経営に参加はするが，企業の賃労働者ではない，18歳以上35歳未満の者である。報酬は低いが家族補助者よりはましである。経営協力者になれるのは，農業経営体の長もしくはその配偶者の直系卑属，兄弟，姉妹，または同一の親等の姻族である。
▷農事法典L321-6条以下
►Aide familiale〔家族補助者〕

Assujettissement 社保 **加入義務** 一般制度の社会保険に加入する義務のこと。年齢を問わず，年金の受給資格者であっても，1人または複数の使用者のために賃労働または何らかの資格で働くすべての者は，国籍，労働の場，報酬の額・性質，契約の形式・性質・有効性いかんにかかわらず，この加入義務を負う。
▷社会保障法典L311-2条

Assurance 民法 商法 **保険** 一方当事者(被保険者)が，報酬(保険料)と引換えに，危険が実現した場合，他方当事者(保険者)をして自己または第三者に給付金を支払わせる契約。保険者は，危険(損害)の全体を負担するが，統計的法則にしたがってその埋め合わせをする。
▷民法典1964条

Assurence accidents du travail et maladies professionnelles des exploitants agricoles (ATEXA) 社保 **農業経営者労災職業病保険 (ATEXA)** 労働災害と職業病という職業上のリスクを扱う保険。この保険により，現物給付および金銭給付に対する権利が生じる。
▷農事法典L752-1条

Assurance chômage 労働 **失業保険** 労働協約に基づく完全失業の補償制度であって，

1958年に全国職際協定によって創設されたものであるが，1967年に拡張され，加入が義務づけられた。この制度は，1979年1月16日の枠組法律によって統一された。この枠組法律は，公的援助による補足手当を廃止し，国に対し全国商工業雇用協会連合（UNEDIC）の管理する失業補償制度への助成金の交付を義務づけた。1958年の協約に代わる1984年1月10日の確認書〔protocole〕およびそれを受けた2月24日の協約では，企業と労働者によって財源調達される固有の意味での失業保険と，新規の求職者，失業保険受給権を使い果たした失業者，職業教育を受けている失業者および早期退職者の援助を目的とする地方公共団体負担の連帯制度〔régime de solidarité〕とを区別している。2004年1月1日の規約は，非常に野心的なものであり，失業者が職を積極的に求めて得るのを助けることを目的とする再就職援助計画（PARE）を実施している。この計画にもとづき，個別的に国立雇用センター（ANPE）との徹底的な話し合いが行なわれる。これにより，国立雇用センターが求職者とともに個人別行動計画を定め，締結することが可能となる。この同じ協定により，失業補償のあらゆる漸減性が廃止された。

▷労働法典L351-1条以下

▶Association pour l'emploi dans l'industrie et le commerce（ASSEDIC）〔商工業雇用協会〕

Assurance décès 社保 **死亡保険** 死亡した被保険者の被扶養者に死亡一時金〔capital-décès〕と呼ばれる一定の額の金銭を支払うことを保障する保険。

▷社会保障法典L361-1条以下

より一般的には，同じ条件で，契約で指定された第三者への一時金または定期金の支払いを保障する保険契約。

▶Assurance vie〔生命保険〕

Assurance garantie des salaires 労働 **賃金保障保険** 企業が裁判上の更生または裁判上の清算の状態にある場合の，賃金および賃金とみなされる価額の不払いのリスクに対する保険制度。使用者は自己の労働者について保険に加入することを義務づけられており，この目的のために使用者団体たる《賃金保障保険》に保険料を払い込む。この保険料は商工業雇用協会〔ASSEDIC〕によって徴収され，同協会が，この保障の受益者たる労働者に現金を前払いする。

▷労働法典L143-11-1条

Assurance invalidité 社保 **廃疾保険** 永続的な労働能力の減退を被った被保険者に対して年金を支給する保険。

廃疾のリスクはすべての社会保障制度の対象になっている。

▷社会保障法典L341-1条以下

Assurance maladie 社保 **疾病保険** 疾病の場合に《金銭給付》および《現物給付》を行う保険。疾病のリスクは強制加入の基礎制度のすべてにおいて対象となっている。

▶Sécurité sociale〔社会保障〕

しかしながら，例えば農業経営者のための農業制度，および，自由職のための非賃労働非農業制度のように，金銭給付を行わない制度もある。

▷社会保障法典L321-1条以下

▶Prestation(s)〔給付〕

Assurance maladie des exploitants agricoles（AMEXA） 社保 **農業経営者疾病保険（AMEXA）** この保険は，疾病，母性および廃疾のリスクを扱う。疾病に関しては，現物給付の権利しか生じない。

▷農事法典L732-3条

Assurance maternité 社保 **母性保険** 妊娠出産の場合に，受給者に一部負担〔▶Ticket modérateur〕させることなく，金銭給付および現物給付を行う保険。母性保険制度は，強制加入の基礎制度のすべてにおいて対象となっている。

▶Sécurité sociale〔社会保障〕

しかしながら，例えば非賃労働非農業制度のように，休業補償手当〔indemnité journalière〕ではなく，定率制の手当を支給する制度もある。

▷社会保障法典L331-1条以下

Assurance vie 民法 **生命保険** ある者（保険契約者）が，他の者（保険者）から，保険料と引換えに，自分が一定の日付よりも長生きした場合は自己に，自分が死亡した場合はその指名する第三者（被保険者）に，一時金または定期金の支払いをうける保険契約。税制上有利な扱いをうける。

▷保険法典L131-s条およびR131-s条

▶Assurance décès〔死亡保険〕

Assurance vieillesse 社保 **老齢保険** 一定の被保険者期間を満たしていることを証明し，60歳で引退する人に年金を支給する保険。

▷社会保障法典L351-1条以下

老齢のリスクは強制加入の基礎制度のすべてにおいて対象となっている。しかしながら，60歳より前に引退する人に対して年金を支給する制度もある。

Assurance volontaire 社保 任意加入保険　老齢，生存配偶者，廃疾および労働災害のリスクに対し強制加入の制度の対象となっていない者に開かれている，老齢，生存配偶者，廃疾および労働災害の各制度を対象とする任意加入の制度。任意加入保険は普遍的疾病給付〔►Couverture maladie universelle (CMU)〕が補完する。

▷社会保障法典L742-1条以下

Assuré social 社保 被保険者　社会保障制度に加入しているすべての人のこと。

Astreinte 民法 民訴 罰金強制　債務者が本来の債務を履行するよう促すために，事実審裁判官または急速審理裁判官によって，遅滞している日ごと（週ごとまたは月ごと）にいくらという形で，一定の金額の支払いが強情な債務者に対して言い渡されること。

　罰金強制は，原則として，「暫定的」〔provisoire〕，すなわち，修正されうるものであるが，裁判所が確定的なものであることを明示して判決した場合には，「確定的」〔définitive〕罰金強制となる。しかし，確定的罰金強制は，暫定的罰金強制の言渡しの後，その裁判官が定めた期間内でなければ，命じられない。

　すべての裁判官は，その判決の執行を確保するために，職権によって罰金強制を命じることもできる。

　執行裁判官は，この領域では特別の権限を有している。

▷新民事手続法典11条，491条

行政 罰金強制　行政裁判所は，判決の不履行を避けるために，公法人または公役務の管理を任務とする私法上の組織に対して当該判決の履行を確保することを目的として，罰金強制を言い渡すことができる。

▷行政裁判法典L911-3条

Astreinte (Période d') 労働 特別拘束（時間）　特別拘束と実働労働時間〔temps de travail effectif〕は区別される。実働労働時間は，労働者が使用者の指揮命令のもとに置かれ，個人的な仕事に自由に従事することができないということを前提としている。それに対して，特別拘束時間は，労働者が使用者の恒常的かつ直接的な指揮命令のもとになく，企業のために労働を行うことができるように，その自宅または近隣に待機する義務を負っている時間と解される。企業のために労働を行う時間は，実働労働時間とみなされる。特別拘束は（金銭的なまたは休日の形での）代償の対象とされなければならない。

▷労働法典L212-4条およびL212-4条の2

Atelier protégé 労働 保護事業所　普通の企業に近い仕組みで，障害者の職業生活への組入れを促進することを目的とする事業所。保護事業所で働く障害者は労働者であり，その報酬は最低賃金を下回ることもあるが，援助が加給される。保護事業所は，一般に，製造会社と下請契約を結んでいる。

▷労働法典L323-30条以下およびR323-60条以下

►Centre d'aide par le travail (CAT)〔障害者労働援助センター〕

Atermoiement 商法 弁済猶予　債務者が，一定期間の猶予をもって，その債務の全額の弁済義務を負う強制和議〔concordat〕の形態。

Atteinte à la dignité de la personne 民法 刑法 人の尊厳に対する侵害

　①特に，差別，売春の仲介，児童売春の組織，悪質な労働条件または宿泊条件，いじめまたは墓の冒瀆の形をとってあらわれる人に対する敬意の欠如。

▷民法典16条；刑法典225-1条以下

　②すべての者は，自分の健康状態にとって最も適切な治療を受ける権利を有し，かつ，その有効性が承認済みの治療法をほどこされる権利を有するが，予防，検査または治療のための行為は，医学知識の現状において，患者に所期の利益と比較して不釣合いな危険を冒させるものであってはならない。それらの行為は，常軌を逸した執拗さをもって続行されてもいけない。それらの行為が無用，不釣合い，または人工的延命効果しか有しないと思われる場合には，それらの行為を停止することまたは行わないことさえもできる。その場合には，医師は，瀕死の人の尊厳をまもり，かつ，患者に終末期医療〔►Soins palliatifs〕をほどこすことにより患者の生活の質を確保する。

　医療専門家は，利用可能なすべての手段を使って，患者に対し，死に至るまで，人間の尊厳に値する生を確保しなければならない。副作用で患者の命を縮めることになる治療をほどこすことによってしか，その原因がいかなるものであれ進んだ段階にあるかまたは終

末段階にある重い不治の病気の患者の苦痛を和らげることができないことを確認した場合，医師は，患者本人，患者が意思を表明できる状態にない場合には患者によってあらかじめ指名された信頼できる者，家族または家族のないときは近親者に対して，そのことを告げなくてはならない。
▷公衆衛生法典L1110-5条
▶Affection grave et incurable〔重い不治の病気〕▶Fin de vie〔終末期〕

Atteinte à la liberté du travail 労法 **労働の自由に対する侵害** ▶Liberté du travail〔労働の自由〕

Atteinte sexuelle 刑法 **性的侵害** 性に関する犯罪行為のうち，暴力，強制，脅迫または不意打ちをもって行われる行為は，被害者が誰であるかを問わずつねに性的攻撃〔▶Agressions sexuelles〕として処罰され，これらを伴わない行為は，未成年者に対して行われたときに限り処罰される。
▷刑法典222-22条以下および227-15条以下
▶Mise en péril des mineurs〔未成年者を危険にさらすこと〕

Atteintes involontaires 刑法 **過失による人に対する侵害** 過失致死および過失による暴力行為を総称する表現。故意による人に対する侵害〔atteintes volontaires〕の反対語。人の生命に対するものと，人の身体的または精神的完全性に対するものとがある。
▷刑法典221-6条以下，222-19条以下，R622-1条およびR625-2条以下

Atteintes à l'état civil 刑法 **民事身分に対する侵害** 人の民事身分を危うくする軽罪または違警罪の性格を有する犯罪の総体。刑法典の独立した節にまとめられており，身分証書によって定められた氏名の不遵守，重婚〔▶Bigamie〕，事前に法律上の婚姻を行わずに宗教上の婚姻を挙式すること，葬式の自由に対する妨害，身分証書管理規則の不遵守，出生の不届出，新生児発見の不届出，無許可の埋葬または法令上の規定に違反する埋葬を含む。
▷刑法典433-19条以下およびR645-3条以下

Atteintes à la filiation 刑法 **親子関係に対する侵害** 子の遺棄〔▶Abandon d'enfant〕の教唆，故意による子の取替え〔▶Substitution d'enfant〕，子の偽装〔▶Simulation d'enfant〕，または子の隠匿に関わる犯罪。
▷刑法典227-12条以下

Atteintes à la sûreté de l'État 刑法 **国家の安全に対する侵害** 国防，フランスの対外関係，国家の安全および公共の平和を危うくする重罪および軽罪の総体。新刑法典では，国家の安全に対する侵害は，国益〔▶Intérêts fondamentaux de la nation〕に対する侵害の編で扱われている。
▷刑法典410-1条

Atteintes à la vie privée 民法 刑法 **私生活に対する侵害** 私生活または私生活の内面〔intimité de la vie privée〕の枠内における，人格に関する各市民の権利を侵害する民事上のフォートまたは刑事上の反規範的態度。

Atteintes aux intérêts fondamentaux de la nation 刑法 **国益に対する侵害** ▶Intérêts fondamentaux de la nation〔国益〕

Attendu 民訴 刑訴 **理由；であるゆえに** 判決の一部をなし，事案の事実認定，手続きの順および裁判官の理由づけを内容とする諸段落に与えられる名称。各段落は次の語で始まる。"Attendu que"（…であるゆえに）。
▶Considérant〔理由；であるゆえに〕

Attentat à la pudeur 刑法 **性道徳に対する危害行為** 性別を問わず被害者の身体侵害を伴う性的違法行為。暴力によるものと非暴力的なものがあった。新刑法典では，性道徳に対する危害行為は性的侵害〔▶Atteinte sexuelle〕とされ，性的攻撃〔▶Agressions sexuelles〕または未成年者を危険にさらすこと〔▶Mise en péril des mineurs〕として問題とされる。
▷刑法典222-22条以下および227-25条以下

Atterrissement 民法 **堆積（地）** 河川の作用によって土地が移動すること。河岸への沈積によって増積地を形成させることも，島または小島を河床上に出現させることもある。
▷民法典556条および560条
▶Accroissement〔増積（地）〕▶Alluvions〔寄洲〕▶Lais, relais〔寄洲，砂洲〕

Attestation 民訴 **証言書** 証人尋問に証人として呼び出される者が，証人として出廷する代わりに作成する供述書。証言書は訴訟当事者が自発的に提出することもあり，または裁判官が提出を促すこともある。証言者が目撃したか，または自身で確認した事実の報告がその内容である。
▷新民事手続法典199条以下

Attestation d'embauche 労法 **雇入証明書** 雇入れの際に使用者が労働者に対して交付を

Att

義務づけられている書面であって，使用者がその労働者を雇い入れたことを証明する。この措置は，隠匿労働〔travail dissimulé〕を取り締まることを目的としている。
▷労働法典R320-5条

Attributaire 社保 受給者　家族給付が実際に支払われる自然人または法人。一般的には，受給者は受給権者〔►Allocataire〕であるが，受給権者の配偶者，内縁の配偶者または子の養育を引き受けている者も受給者になりうる。
▷社会保障法典L513-1条

Attribution de juridiction 民訴 裁判権の付与
►Clause attributive de compétence〔管轄権限付与条項〕►Prorogation de juridiction〔裁判権の延長〕

Attribution préférentielle 民法 優先分与　不分割財産の分割において，不分割財産権利者のうち，法的基準に照らして，その財産を受け取るのに最も適した者に財産を分与すること。
▷民法典831条以下，1476条および1844-9条

Aubain 国私 他所者　封建時代の用語で，領地外で生まれ，そのために，いくつかの点で無能力とされた者を指す（ラテン語の alibi natus〔他所で生まれた者〕より）。

Audience 民訴 法廷；期日　裁判所が両当事者の申立て〔prétentions〕を検討し，訴訟を審理し，陳述を聴聞し，判決をなす場。
たいていの場合，法廷は公開である。
▷新民事手続法典430条以下

Audience de la Chambre 民訴 正規の部法廷　破毀院の各部の裁判構成体であって，議決権を有する部構成員5名からなる。3名の裁判官からなる通常の裁判構成体によっては審理することができない困難な破毀申立てについて裁判する。
▷司法組織法典L431-1条

Audience foraine 民訴 出張法廷　裁判所の所在地が定められている市町村以外の市町村において開廷される法廷。
▷司法組織法典R7-10-1-1条

Audience d'orientation 民訴 不動産差押進路決定法廷　不動産差押手続きにおいて，執行裁判官が開く法廷。その目的は，差押えの有効性を判断し，当該差押えに関係する争いおよび付帯の訴えについて裁判し，手続きが追行される態様（合意による売却または強制売却）を定めることである。

Audience de procédure 民訴 手続協議法廷　手続きの進め方（弁論送付，準備手続送付，補充的申立趣意書送付）を決定するために，裁判所所長または準備手続裁判官が両当事者の代理人と協議する裁判所の会議。陳述を目的としない。
▷新民事手続法典759条以下
►Appel des causes〔事件の呼上げ〕

Audience solennelle 民訴 厳粛法廷　控訴院院長および数個の部に属する裁判官により構成される控訴院の例外的構成体。その事案の性質または複雑性を考慮して控訴院院長が必要と認めた場合に，破毀後の移送について裁判するために設定される。
厳粛法廷はまた，弁護士職団評議会の選挙に関する訴訟のような若干の訴訟について審理する権限を有している。
▷司法組織法典L312-2条およびR312-9条

Audiencer 民訴 弁論期日を決定する　本案について判断される用意が整って，陳述がなされるために事件が呼び上げられる法廷の日付を定めること。
▷新民事手続法典760条

Audit 一般 経営調査　企業のある事業または企業の現況の現行法規への適合性を調査する任務。経営調査の任務は，当該事業または現況の意義についての情報を得ることを欲する人（依頼人〔prescripteur〕）によって，独立した専門家（経営調査士〔auditeur〕）に委ねられる。経営調査の任務は，調査された事業計画および事業，およびその実効性の評価にまで及ぶことがある。法律調査，税務調査，労使関係調査などがある。

Auditeur 行政 財政 傍聴官　コンセイユ・デタの構成員および会計検査院裁判官の初任者の等級。

Auditeur de justice 民訴 司法官試補　選抜試験により，資格に基づきまたは審査を経て採用される国立司法学院〔École nationale de la magistrature〕の学生。卒業すると，司法官に任命される。

Auditeur à la Cour de cassation 民訴 刑訴 破毀院傍聴官　破毀院において運営上の事務（資料のデータベース化，裁判のための準備作業）を担当する司法官。
▷司法組織法典R131-14条

Audition des parties 民訴 当事者の聴問　裁判官はいつでも，職権で，本人出頭〔►Comparution personnelle〕手続きとは別に当事者を聴問することができる。

44

▷新民事手続法典20条

Audition des témoins 民訴 **証人の聴問** 民事裁判所において，証人の聴問は裁判所の法廷でまたは受命裁判官の面前で行われる。
▷新民事手続法典208条以下
►Enquête〔証人尋問〕►Témoin〔証人〕

刑法 **証人の聴問** 刑事手続きにおいて，証人の聴問に適用される原則は，手続きの段階によって著しく異なる。警察捜査および予審のときはどちらかといえば糾問型であるが，判決手続きのときはむしろ弾劾的な規定である（口頭，公開および対審による証言）。

Audition des tiers 民訴 **第三者の聴問** 裁判官は，自己の判断に役立ちうる者およびその利益が判決により影響を被るおそれのある者を，手続きを踏まずに聴問する権能を有する。
▷新民事手続法典27条

Au marc le franc 民法 商法 **按分による** 一般債権者間で金銭を比例的に配分することを意味する。一般債権者は，共通の債務者の資産が債権の総額に満たない場合，同率の配当金（40パーセント，75パーセントなど）を受け取る。distribution par contributionともいう。
▷民法典2285条
►Distribution par contribution〔按分による配当〕

Au principal 民訴 **本案に対して** 本案に関すること。「本案について裁判する前の」〔avant-dire-droit〕と対比される。
►Jugement avant dire droit〔avant faire droit〕〔先行判決〕►Principal〔本案〕

Auteur 民法 **被承継人** 承継人〔►Ayant cause〕と呼ばれる者に，権利または義務を移転する者。

刑法 **行為者；正犯** 犯罪の構成要素をその者自身が実現したために，犯罪の既遂または未遂を帰責する対象となりうる者。
▷刑法典121-4条
►Co-activité〔共同実行〕►Complicité〔共犯〕

Authenticité 民法 **公署性** ►Acte authentique〔公署証書〕

Authentification 民訴 **公署；鑑定**
①公署//証書に真正性を付与する行為。
►Acte authentique〔公署証書〕
②鑑定//事物または書面の正確な出所を証明すること。

Autocontrôle 商法 **自己支配** 会社が直接または間接に支配する会社を介して自己の資本を有している状態。自己支配は，制限的な規制の対象となっている。

Autocratie 憲法 **独裁** 1人の人間に絶対的な権力が与えられている状態。

Autodéfense 刑法 **自衛** 正当防衛〔►Légitime défense〕の必要性要件および相当性要件を遵守することなく，攻撃を予防する行為（人を殺害することのできるしかけなど）。
▷刑法典122-5条および122-6条

Autodétermination 憲法 **民族自決** ある民族が，自ら主権者になって国家を形成し，その政治経済体制を決定することを望むか否かを，自由に（国民投票によって）選択すること。

Autofinancement 商法 **自己金融** 配当可能利益の相当部分を留保して，投資のための資金を確保するという企業の財務政策。

この方法は，フランスの企業にとって資金調達の重要な源泉であり，これは準備金〔►Réserves〕として計上される。

Autonomie financière 行政 財政 **財政自治** 予算またはそれに相当する文書にまとめられた収入と支出に関する固有の管理権を有する団体または組織の地位。財政自治が完全なものとなるためには，当該団体に固有の財源が存在しなければならない。

財政自治は，当然にではないが，しばしば当該組織への法人格の承認を伴う。

Autonomie de la volonté 一般 **意思自律；意思自治** 自由に表明された意思は債権債務関係を創設する力を有する，という法哲学上および法の一般理論上の原則。

Autopsie 社保 **検死** 労働災害の結果として生じた死亡の場合，死亡原因に関する医学上の所見を得るために，被害者の被扶養者または社会保障金庫は，検死を要請することができる。

検死が実施されることを被扶養者が拒絶する場合には，被扶養者は帰責性の推定の利益を失う。その場合，被扶養者は労働災害と死亡との間の因果関係を立証しなければならない。
▷社会保障法典L442-4条

Autorisation 行政 **許可** 行政が若干の活動に対して特に厳重な監視を行うことを可能とする手続き。許可は，当該活動が逐一検討され，行政機関によって正式に承認されることを要求する。許可条件は，場合によるが，多かれ少なかれ厳格である。許可から生じる監督権限は，多かれ少なかれ恒常的な監視を可能と

し，しばしば厳格なものである。《免許の付与》〔attribution de licence〕と呼ばれるもの（酒小売店の開業など）を位置づけなければならないのはここにである。

Autorisation de travail 国私 労働許可証 フランスで賃労働を行おうとするすべての外国人は，行政機関により認証された労働契約書または労働許可証を提示しなければならない。

例外として，ヨーロッパ連合加盟国の国民は，労働許可証等を必要とせず，あらゆる職業に就くことができる。

▷労働法典L341-2条，L341-4条，L341-6条以下およびR341-1条以下

Autorisations d'engagement 財政 支出負担行為の承認 国の予算における予算の承認であって，当該年度分としてなされうる支出の上限を表すもの。この予算の承認は（従来の予算支出プログラムの承認〔►Autorisations de programme〕とは異なり）当該年度内のみ有効であるが，年度末に未執行の予算額は，（人件費に関する場合を除き）次年度に無制限に繰り越されうる。

►Crédit budgétaire〔予算（額）〕►Crédits de paiement〔年割額〕►Engagement〔支出負担行為〕

Autorisations de programme 財政 予算支出プログラムの承認

①国の場合：2006年以前に予算法律〔►Loi de finances〕において認められていた，（予算単年度の原則の適用除外により）期間の限定がなくとも有効な予算の承認。これによって行政庁は，複数年度にわたる投資支出（および，例外的に経常支出）の支出負担行為〔►Engagement〕を行うことができた。しかし，支出の支払いを認めるものではない。そのためには，後に年割額〔►Crédits de paiement〕の計上をしなければならなかった。2006年からは，支出負担行為の承認〔►Autorisations d'engagement〕がこれに取って代わったが，その法制度は著しく異なる。

②地方公共団体の場合：州〔►Région〕，県〔►Département〕および人口3500人以上の市町村〔►Commune〕の予算は，投資支出に関して，国について存在していたような予算支出プログラムの承認を含むことができる。

►Délibération de programme〔地方予算支出プログラムの議決〕

Autorité centrale pour l'adoption internationale 民法 国際養子縁組中央機関 行政庁および国際養子縁組について権限を有する機関の活動を方向付け，調整することを任務とする首相付の組織。

▷社会福祉法典L148-2条

►Agence française de l'adoption〔フランス養子縁組センター〕

Autorités administratives indépendantes 行政 独立行政機関 独立行政機関はたいてい合議制（ただし，例えば共和国行政斡旋官〔►Médiateur de la République〕，児童擁護官〔►Défenseur des enfants〕などを参照）であり，国の機関であって国の名において行為する。しかしその設置規定は，政府および国会に対して機関の活動の独立性を確保するよう努めている。この機関は，自己の管轄領域において行政庁〔►Administration〕の直接の関与なしに，権利および自由の保護（情報処理と自由に関する全国委員会〔►Commission nationale de l'informatique et des libertés（CNIL）〕），若干の範疇に属する者の保護（児童擁護官）などのいくつかの保障，ならびに若干の経済部門の適正な運営（金融市場機関〔►Autorité des marchés financiers〕，放送メディア高等評議会〔►Conseil supérieur de l'audiovisuel〕）を確保するために創設された。場合により独立行政機関は，自己の領域において，意見，勧告，制裁，個別的決定の権限，さらには真の行政立法権限（金融市場機関）をも有し，ときにこれらの権限を併有する。この機関が抱える主な問題は，今のところ未解決であるが，機関の独立性とその活動の民主的統制とを両立させることである。

►Régulation〔調整〕

Autorité judiciaire 民訴 司法権；司法機関 1958年の憲法典の表現（64条ないし68条）で，行政裁判と対照をなす司法裁判の役務を行う司法官の総体を表す。

►Judiciaire（pouvoir）〔司法（権）〕

Autorité de chose jugée 訴訟 既判力
►Chose jugée〔既判事項〕

Autorité de la chose interprétée EU 既解釈力

①国内裁判所からの先決問題付託を受けたヨーロッパ共同体裁判所〔►Cour de justice des Communautés européennes（CJCE）〕の解釈判決は，その国内裁判所に対して強制力

を有する。
　②転じて、一部の学説によれば、ヨーロッパ人権裁判所〔►Cour européenne des droits de l'Homme〕の判決は、以下の意味において、既判力は有しないが既解釈力を有する。すなわち、ヨーロッパ人権裁判所の示す判断は、その判断が明確かつ完全であるという条件で、ヨーロッパ人権条約の見地から類似の問題を示すすべての事案について、これからはすべての国内裁判所によって遵守されなければならない。このことを、ヨーロッパ人権裁判所の判決の即時効〔effet immédiat〕という。国内裁判所は、ヨーロッパ人権裁判所がヨーロッパ人権条約に合致しないと判断した国内法はこれからは適用されない、と考えなければならない。既解釈力とは、ヨーロッパ人権裁判所がヨーロッパ人権条約を解釈するがゆえに生じる、ヨーロッパ人権裁判所の判例の有する固有の効果なのである。

Autorité des marchés financiers 商法 **金融市場機関**　金融市場機関（AMF）は、法人格を有する独立行政機関〔►Autorités administratives indépendantes〕である。その役割は、金融手段、より一般的には資金を公募する投資物件に投資された資金の保護、投資者への情報提供、および金融手段市場の適正な運営を監視することである。
　2003年8月1日の法律により、金融市場機関は、かつて証券取引委員会〔►Commission des opérations de bourse〕、金融市場評議会〔►Conseil des marchés financiers〕および金融資産管理規律評議会〔Conseil de discipline de la gestion financière〕に属していた権限を引き継いだ。金融市場機関は、これらの機関の合併から生まれたものである。
▷通貨金融法典L621-1条以下

Autorité parentale 民法 **親権**　法律が父母に認めている、未成年かつ未解放の子の身上および財産に対する権限。親権は子の利益を目的とする権利および義務の総体である。すなわち、子の人格を尊重しつつ、その安全、健康および精神を護り、その育成を確保し、ならびにその成長を可能にすることを目的としている。原則として、親権は父母によって共同で行使される。
▷民法典371-1条および372条以下
　►Contrat de responsabilité parentale〔親権者責任契約〕

Autorité de régulation des télécommunications 行政 商法 **電気通信規制機関**　電気通信の分野において、この部門の規制撤廃の結果、事業者の監督と制裁の権限を付与された専門機関。
▷郵便電気通信法典L36-8条

Autorités publiques 行政 憲法 **公権力；公的機関**　►Pouvoirs publics〔公権力；公的機関〕

Auxiliaires 行政 **補助職**　国、地方公共団体およびそれらの公施設法人によって雇用されるが、正式採用はされていない職員。理論上は、その正規の職員を欠く場合、暫定的にその職務を遂行することになっているが、実際は、補助職の多くは、長期にわたりこの地位を占め、しばしば正規の職員として採用されることになる。

Auxiliaires de justice 民訴 **裁判補助者**　訴訟手続きの進行および裁判の正常な運営を助けることを任務とする法律家。
　►Administrateur judiciaire〔裁判上の管理者〕►Avocat〔弁護士〕►Avocat au Conseil d'État et à la Cour de cassation〔コンセイユ・デタ・破毀院付弁護士〕►Avoué〔代訴士〕►Commissaire-priseur judiciaire〔動産公売官〕►Greffier〔裁判所書記〕►Huissier de justice〔執行吏〕►Mandataire judiciaire au rétablissement personnel des particuliers〔個人更生手続きにおける裁判上の受任者〕►Mandataire judiciaire à la sauvegarde, au redressement et à la liquidation des entreprises〔債権者側受任者〕

Aval 商法 **手形保証**　商業証券において、《donneur d'aval》、《avaliste》または《avaliseur》と呼ばれる者（手形保証人）が、担保責任を負担すること。手形保証を受けた署名者は《avalisé》（被保証人）と呼ばれるが、この者が満期に手形の金額を全部または一部について支払わない場合、手形保証人は、これを支払う義務を負う。したがって、この行為は、手形上の保証に類似している。
▷商法典L511-21条およびL512-4条；通貨金融法典L131-28条以下

Avance 行政 財政 **前金払**　合意された給付の、不完全な履行すらない段階でなされる、部分的な支払い。
　►Acompte〔部分払い〕

Avancement d'hoirie 民法 **相続分の前渡し**　現在の相続分の前渡し〔►Avancement de part successorale〕を意味する、2007年1月1日より前に用いられていた表現。

Avancement de part successorale 〔民法〕 相続分の前渡し　推定相続人〔►Héritier〕に対して，前もって，死亡の日にその者が受け取るであろうもののうちからなされる贈与〔►Donation〕。この贈与は，相続財産〔►Succession〕に持ち戻され，相続分から差し引かれる。ただし，その贈与が明示的に相続分外としてなされた場合を除く。
▷民法典843条

Avant-contrat 〔民法〕 予約　2人以上の者が将来において本契約を成立させることを定める意思の合致（例：売買の予約，貸借の予約）。

Avant-dire-droit 〔民訴〕 本案について裁判する前の　►Jugement avant dire droit（avant faire droit）〔先行判決〕

Avantage matrimonial 〔民法〕 夫婦財産制に基づく利得　夫婦財産制の規定の作用によって配偶者の一方にもたらされた利得。原則として無償譲与の規定を免れる。その一例として，先取権〔►Préciput〕。
▷民法典1515条

Avantage en nature 〔社保〕 現物支給　労働者に対して無償で供与される財，生産物，サーヴィス，すなわち，労働者の利得分であって，保険料の算定基礎に算入されることが定められているもの（例えば，住居，食事，通勤用自動車など）。
▷2002年12月10日のアレテ

Avantages acquis（Maintien des） 〔労働〕 既得利益（の維持）　旧労働協約に含まれていた利益のうちのいくつかを維持する新労働協約の条項。判例法上，この条項は限定的に解釈されている。1982年11月13日の法律が，一定の条件のもとで，労働協約の破棄通告がなされ，再交渉がなされなかった場合に，個別的労使関係上の既得利益が維持されることを定めている。
▷労働法典L132-8条6項およびL132-8条7項

Avantages contributifs 〔社保〕 拠出制の給付　保険料の対償として支給される給付。

Avantages non contributifs 〔社保〕 非拠出制の給付　保険料の見返りとしてではなく支給される給付。

Avenant 〔民法〕〔商法〕（契約の）変更　従前の契約または標準契約にもたらされた変更。この変更を証する文書についてもいう。

Avenir 〔民訴〕 出廷催告（状）　かつて，相手方に訴訟関係確定の期日〔audience de liaison de l'instance〕に出廷するように促した行為（文書）。準備手続きが設けられて以来，廃止された。
►Mise en état〔弁論適状におくこと〕

Avertissement 〔財政〕 納税通知　avis d'impositionの旧称。
►Avis d'imposition〔納税通知〕
〔行政〕〔民訴〕 戒告　懲戒処分。
►Poursuite disciplinaire〔懲戒訴追〕
〔刑訴〕 通告（状）　軽罪裁判所または違警罪裁判所において公訴を開始するため，検察官によって用いられる非要式手続き。口頭手続きに代わり文書で行われる場合は，訴追される犯罪を記載し，かつ，その罰条を掲げなければならない。その名宛人が任意出頭〔►Comparution volontaire〕する場合に限り，直接呼出手続きが免除される。
▷刑事手続法典389条
〔社保〕 警告　地方保健社会福祉局〔direction régionale des affaires sanitaires et sociales〕が書留郵便により保険料納付義務者に対して納付義務のある保険料について自己の地位を適正化すべきことを勧めること。この警告は，強制取立手続き〔action en recouvrement〕に先行する。警告の代わりに催促〔►Mise en demeure〕をなすことができる。
▷社会保障法典L244-2条

Aveu 〔民法〕〔民訴〕 自白　自己に不利な法的帰結を生じる可能性のある事実を真実と認める申述。
　申述が裁判上でなされるときは裁判上の自白である。すなわち裁判官を拘束する。裁判所は裁判外の自白に対しては自由に評価する権限を有する。
▷民法典1354条から1356条
〔刑訴〕 自白　犯罪者が自らに帰責される犯罪事実を認めること。自白は刑事裁判官を拘束しない。
▷刑事手続法典428条および536条

Avis 〔一般〕 答申；意見　種々さまざまの機関（人または委員会，評議会，資格を有する官吏，コンセイユ・デタなど）に対して，場合により任意的または義務的になされた諮問に対する回答について，あらゆる法分野において適用される法律用語。
　諮問の内容が答申によって拘束されることはまれにしかない。その場合は，《決定は…の答申に基づいて〔sur avis conforme de…〕なされる》と規定される。

Avis consultatif 〔国公〕 勧告的意見　国際司法

裁判所が，権限を有する機関（国際連合の安全保障理事会，総会，その他の国連機関および専門機関で総会の許可を得たもの）の要請により，すべての法律問題に対して与えることのできる法的拘束力のない意見。

Avis de la Cour de cassation 民訴 **破毀院の意見** ►Cour de cassation〔破毀院〕

Avis d'imposition 財政 **納税通知** 租税債務支払いの額と態様を知らせるために，課税台帳〔►Rôle〕に基づいて直接税を徴収される納税義務者に対して発せられる通知。かつてはavertissementと呼ばれた。
▷租税手続法典L253条

Avis de mise en recouvrement 財政 **徴収決定通知** 間接税の領域において，租税の未払額を確定し，場合によっては強制執行〔►Voies d'exécution〕の方法によってその徴収を可能にするために，主税総局内の部局が発する執行名義。
▷租税手続法典L256条
►Liquidation 財政〔税額算定〕

Avis à tiers-détenteur 財政 **第三債務者への差押通知** きわめて単純化された形式による一種の差押え＝帰属〔►Saisie-attribution〕，または報酬の差押え〔►Saisie des rémunérations du travail dues par un employeur〕。公会計官は，これによって，国庫が特権をもつ租税の納税義務者に帰属する金銭を有している（すなわち納税義務者に支払義務を負う）すべての第三者に対して，当該第三者が負う債務額を限度として，すなわち第三者自身が当該租税債権の債務者とならない限度で，納税義務者への支払いに代えて公会計官にこの租税を支払うことを要求することができる。とりわけ，納税義務者の雇主もしくは賃借人，または納税義務者が口座を有する銀行に対してこの方法は大変よく用いられる。なお，類似の手続きとして，地方公共団体〔►Collectivités territoriales〕の執行名義について徴収を行うための第三債務者への差押通知〔opposition à tiers-détenteur〕，ならびに，罰金および金銭支払いを命じる判決について徴収を行うための行政上の差押通知〔opposition administrative〕が存在する。
▷租税手続法典L262条；地方公共団体一般法典L1617-5条

Avocat 行訴 民訴 刑訴 **弁護士** 大審裁判所付代訴士職および商事裁判所付弁護士職（1971年に廃止），法律助言士職（1991年に廃止）に以前属していたすべての権限を行使する裁判補助者。弁護士は現在，助言士〔conseil〕，代理人〔mandataire〕，弁護人〔défenseur〕の職務を兼任する。

弁護士はすべての裁判所および懲戒裁判機関において陳述することができる。ただし大審裁判所における代訴に関しては管轄区域の原則〔principe de territorialité〕を遵守しなければならない。

弁護士職〔profession d'avocat〕の遂行：
弁護士職はさまざまな態様で行われる。
・単独の個人として，または協働者として（►Collaboration (Contrat de... entre avocats)〔協働（弁護士間の協働契約）〕），被用者として（►Avocat salarié〔被用弁護士〕）
・提携体として（►Association d'avocats〔弁護士提携（契約）；弁護士提携体〕）
・会社として（►Société civile professionnelle〔専門職民事会社〕►Société d'exercice libéral (SEL)〔自由職会社〕►Société en participation〔匿名組合〕）

Avocat aux conseils 訴訟 **コンセイユ・デタ・破毀院付弁護士** ►Avocat au Conseil d'État et à la Cour de cassation〔コンセイユ・デタ・破毀院付弁護士〕

Avocat au Conseil d'État et à la Cour de cassation 行政 民訴 刑訴 **コンセイユ・デタ・破毀院付弁護士** コンセイユ・デタおよび破毀院において，訴訟当事者を補助し，代理する裁判所補助吏。Avocat aux Conseilsと呼ばれたこともあった。

Avocat général EU **法務官** ヨーロッパ共同体裁判所において，法務官は，フランス国内の行政裁判所における論告担当官〔►Commissaire du gouvernement〕に相当する職務に就いている。

民訴 刑訴 **法院検事** 控訴院および破毀院に設けられている検事局の構成員。法院検事長〔procureur général〕を補佐する者。

Avocat salarié 行訴 民訴 刑訴 **被用弁護士** 1991年11月27日のデクレ第1197号（136条以下）は，被用弁護士による弁護士職の実施を規制している。その場合は契約書の作成が必要であり，それは職団評議会に提出される。そこには報酬の額が明記される。

被用弁護士はその職を行う際，独立を保つ。この契約から場合により生じる紛争は，弁護士会長の仲裁に委ねられる。

Avoir 民法 商法 **総財産；貸方**

①総財産//1人の自然人または法人の財産の総体。

②貸方//ある者に対する勘定において，avoir〔貸方〕の欄はその者に支払われるべきものを示し，doit〔借方〕の欄はその者が支払うべきものを示す。

►Actif〔資産；(貸借対照表の)借方〕►Doit〔借方〕►Passif〔負債；(貸借対照表の)貸方〕

Avoir fiscal 財政 **配当税額控除；配当金還付金** 法人税〔►Impôt sur les sociétés〕を負担する会社の株主を対象に，配当された利益(配当金〔►Dividendes〕)に課される税額を軽減しまたは消滅させることを目的とする税額控除〔►Crédit d'impôt〕。2005年以降廃止され，個人については，課税対象配当金額からの50パーセント控除がこれに取って代わった。

Avortement 刑法 **堕胎罪** 本人の同意の有無を問わず，他人の妊娠を中絶しまたは妊娠を中絶しようとすること。この行為は，新刑法典および公衆衛生法典では《違法妊娠中絶》〔interruption illégale de grossesse〕と呼ばれ，軽罪の刑罰で罰せられる。ただし，妊娠中絶が，第12週の終了前に行われる場合または医療目的で行われる場合には正当化される。
▷刑法典223-10条；公衆衛生法典L2222-2条以下

►Faits justificatifs〔正当化事由〕

Avoué 民訴 **代訴士** 控訴院において訴訟を代訴し(すなわち，手続に必要なあらゆる文書を作成し)，申立趣意書〔►Conclusions〕を提出する(その依頼者の申立てを認識させる)裁判所補助吏であって，その関与は原則として強制的である。
▷新民事手続法典899条

►Avocat〔弁護士〕►Postulation〔代訴〕►Société d'exercice libéral (SEL)〔自由職会社〕

Avulsion 民法 **土地移動** 突然の水流の影響によって，《河岸の土地の相当な大きさの識別可能な部分》が動き，下流の土地または対岸に固まりのまま移ること。添付制度が即座に適用される寄洲〔alluvion〕とは異なり，土地移動によって生じた土地の増加は，1年の期間内に返還請求がなされなかった場合にのみ添付を生じさせる。
▷民法典559条

Ayant cause 民法 **承継人** 被承継人〔►Auteur〕と呼ばれる者から権利を承継した者。

►Ayant cause à titre particulier〔特定名義の承継人〕►Ayant cause à titre universel〔包括名義の承継人〕►Ayant cause universel〔包括承継人〕►Ayant droit〔承継人〕

Ayant cause à titre particulier 民法 **特定名義の承継人** 被承継人〔►Auteur〕から(積極財産と消極財産とを包摂する総財産ではなく)特定の1または複数の権利のみを取得する承継人。
▷民法典1014条

►Ayant cause à titre universel〔包括名義の承継人〕►Ayant cause universel〔包括承継人〕

Ayant cause à titre universel 民法 **包括名義の承継人** 権利および義務(積極財産および消極財産)からなる総財産の割合部分を被承継人〔►Auteur〕から受け取った者。
▷民法典1010条

►Ayant cause à titre particulier〔特定名義の承継人〕►Ayant cause universel〔包括承継人〕

Ayant cause universel 民法 **包括承継人** 総資産の全体を被承継人〔►Auteur〕から取得する資格を有する者。
▷民法典1003条

►Ayant cause à titre universel〔包括名義の承継人〕►Ayant cause à titre particulier〔特定名義の承継人〕

Ayant droit 民法 **権利者** 権利の名義人である者。この表現は承継人〔►Ayant cause〕の同義語として使われることがあるが，誤用である。承継人とはその者に対してある者の権利が移転された者のことであるからである。
社保 **被扶養者** 社会保障制度の支給する給付を，自身の資格においてではなく，被保険者と自己との関係に基づいて，享受する者。配偶者，被扶養子〔enfant à charge〕，直系尊属，一定の条件のもとでの内縁の配偶者または同棲者など。

B

Bail 民法 **賃貸借** さまざまな物の賃貸借〔louage〕。bailという用語は，不動産の賃貸借または農業の利益となりうる動物の賃貸借を示すのに用いられる。
▷民法典1709条
▶Bail à cheptel〔家畜賃貸借〕▶Louage〔賃貸借〕

Bail à cheptel 民法 農事 **家畜賃貸借** 当事者の一方が他方に対し，当事者間で合意された条件のもとで，収容，飼育および世話をする目的で供与する家畜資産の賃貸借。ここでいう家畜とは，増殖し，農業または商業の利益となるすべての種類の動物である。

・単純家畜賃貸借〔cheptel simple〕においては，当事者の一方によってすべての家畜が供与され，賃借人は増殖分の半分を利得し，かつ損失の半分を負担する。

・折半家畜賃貸借〔cheptel à moitié〕においては，各契約当事者が，家畜の半分を供与し，利得または損失について折半する。

・定額小作人に対する家畜賃貸借〔cheptel de fer（cheptel donné au fermier）〕においては，農業経営体の所有者は，定額小作人が賃貸借契約の満了時に自身の受領した家畜資産と同等の家畜資産を残すという負担付きで，当該定額小作人に対して当該農業経営体を貸与する。この家畜資産は不動産の性質を有し（というのも，家畜資産は用途による不動産〔immeuble par destination〕だからである），当該賃貸借契約によって，定額小作人は，家畜資産の全体の損失についても不可抗力による損失についても，全面的に責任を負わされる。
▷民法典1800条以下；農事法典L421-1条
▶Cheptel〔家畜賃貸借〕▶Croît〔増殖分〕

Bail à colonat partiaire 民法 農事 **分益小作契約** métayageの同義語。
▷農事法典L417-2条以下
▶Métayage〔分益小作契約〕

Bail commercial 商法 **商事賃貸借** 賃借人が自ら所有する商業用または手工業用の財産をそこで経営するために行う，不動産の賃貸借。
商事賃貸借は，賃借人たる商人に与えられる更新権を特徴とするきわめて特殊な法制度に服する。この制度において賃借人が有するものは，誤って《商事所有権》〔propriété commerciale〕と呼ばれている。
▷商法典L145-1条以下

Bail à complant 農事 **ブドウ栽培賃貸借** ブドウ栽培地に適用される賃貸借。その大きな特徴は，土地の所有権（賃貸人に所属する）とブドウの木の所有権（《complanteur》〔借受人〕と呼ばれる賃借人に譲渡される）を分けることである。借受人〔complanteur〕とは，譲渡可能物権の名義人のことである。ブドウの木が譲渡される場合，賃貸人はこの譲渡に対して先買権〔droit de préemption〕を有し，借受人の方も，賃貸人が土地を譲渡する場合には先買権を行使することができる。定額小作〔fermage〕の地位からは排除されているこの賃貸借は，とりわけラングドック地方およびナント周辺地域において見られる。
▷農事法典L441-1条以下

Bail à construction 民法 **建築用賃貸借** 賃借人がその土地上に建築物を築造することを約する長期（18年から99年）の賃貸借契約。賃借人はその土地の使用収益権，すなわち，地上権〔▶Droit de superficie〕を有する。
▷建設・住居法典251-1条以下

Bail à domaine congéable 農事 **解約権付土地賃貸借** 土地の賃貸借とともに耕作物および建築物の賃借人への譲渡をも定める点で特徴的である農事賃貸借。この賃借人の建築物および耕作物に対する権利は，《droits réparatoires》〔回復権〕と呼ばれる。これらの権利は譲渡可能である。賃貸借契約終了時に，契約を終了する賃借人は，その《回復権》を契約を締結する賃借人に譲渡することができる。この農事賃貸借はブルターニュ地方で生まれたが，生まれた地で時に利用される他は，ほとんど利用されていない。
▷農事法典L431-1条以下

Bail emphythéotique 民法 農事 **永代賃貸借**
▷農事法典L451-1条以下
▶Emphythéose〔永代賃貸借〕

Bail à ferme 農事 **定額小作契約** 農地を対象とする賃貸借契約。9年を期間として締結され，更新が可能である。賃借人は定額小作人

〔fermier〕と呼ばれ，賃貸料は定額小作料〔fermage〕と呼ばれる。

定額小作制度では，農事賃貸借の商品価値のないことを理由に自己の権利を処分することを定額小作人に許していない。しかし，2006年1月5日の農業基本法第11号は，家族の枠外で譲渡可能な農事賃貸借を創設した。
▷民法典1764条以下；農事法典L411-1条以下

Bail à long terme 農事 **長期(農事)賃貸借**
長期の農事賃貸借の現代的形態(18年以上25年未満)。長期農事賃貸借は，農業経営者に大きな安定性を与え，農地所有者により高額の賃貸料を確保し，ならびに，無償名義の移転の場合には，税制上の実質的利益(課税標準の75パーセントまでの免除)を受けることを可能とする。

期間が満了すると，長期農事賃貸借は，原則として，通常9年ごとに更新される。
▷農事法典L416-1条以下

Bail à nourriture 民法 **終身扶養契約** 当事者の一方が，一定の報酬，多くの場合には財産または資本の譲渡と引換えに，契約の相手方に生涯にわたって食料を与え，金銭的な援助をなし，居住させることを約する契約。

Bail pastoral 民法 **放牧賃貸借** 山岳経済区域における放牧地の賃貸借。

Bail à réhabilitation 民法 **建替賃貸借** 低家賃住宅組織または住宅の賃貸借をなすことを目的とする公私資本混合会社が，賃貸借の期間，賃貸人の不動産を居住用賃貸借に用いることを目的として，当該土地に対して改善事業を行うことを約する契約。

賃借人は，物権の名義人であり，この物権は，抵当権および不動産差押えの対象となる。

Bail rural 農事 **農事賃貸借** ▶Bail à cheptel〔家畜賃貸借〕▶Bail à colonat partiaire〔分益小作契約〕▶Bail à complant〔ブドウ栽培賃貸借〕▶Bail à domaine congéable〔解約権付土地賃貸借〕▶Bail emphytéotique〔永代賃貸借〕▶Bail à ferme〔定額小作契約〕▶Bail à long terme〔長期(農事)賃貸借〕▶Bail pastoral〔放牧賃貸借〕

Bailleur 民法 **賃貸人** 賃貸借契約において，一定の報酬と引換えに，契約の相手方に対してある物を使用収益させることを約する者。

Balance des paiements 一般 **国際収支** 一定期間における，ある国と外国との収支の総体を示す統計文書。

このような取引のうち，輸出入された財(《貿易取引》)とサーヴィス(《貿易外取引》)の収支に相当する貿易収支と，有償または無償でなされる資本の移転および通貨としての金の移転とを区別することができる。

Ballottage 憲法 **バロタージュ；当選者未定**
二(または数)回投票制選挙において，いずれの立候補者(または名簿)も絶対多数を得ていない場合に生じる，当選者未決定という結果。

Bande d'arrêt d'urgence 一般 **緊急停止用車線** 車道〔▶Chaussée〕に沿った路肩の一部分。緊急の場合に車両を停止または駐車できるよう特に設けられている。
▷道路法典R110-2条

Bande cyclable 一般 **2輪車専用車線** 複数車線〔▶Voie de circulation〕を有する車道〔▶Chaussée〕上のもっぱら2輪車または3輪車の用に供される車線。
▷道路法典R110-2条

Bande organisée 刑法 **組織集団** 若干の犯罪の加重事情。1または数個の犯罪の準備を行う目的で集団を形成し，または謀議を行うことであり，その準備が1または数個の客観的要素によって具体化された場合。
▷刑法典132-71条

Bannissement 刑法 **追放** 政治犯罪に対する単に名誉を損なう重罪の刑罰。フランス国内に居住することを禁止される。

この刑罰は，新刑法典において削除された。

Banque 商法 **銀行** 公衆から当座性の預金または期間が2年以下の預金を受け入れ，かつ，すべての銀行取引〔▶Opération de banque〕を行う資格を一般的に有する金融機関〔▶Établissement de crédit〕。

Banque centrale européenne (BCE) EU **ヨーロッパ中央銀行** 単一通貨の管理および共同体通貨政策の決定を目的として，マーストリヒト条約〔▶Maastricht〕により設置が認められた。1994年1月1日のヨーロッパ通貨機構〔Institut monétaire européen〕の設立により準備が始まり，1999年1月1日に創設された。各国中央銀行総裁会議，およびヨーロッパ理事会によって任命されたヨーロッパ中央銀行理事会により運営される。所在地：フランクフルト。

Banque de données juridiques 一般 **法律データバンク** 磁気媒体に記録され，コンピュータによって利用される法律情報の総体。

これらの情報は，各データバンクによって種類が異なり，法律および行政立法の法文，

判決例,参考文献がある。
　それらの情報は,キーワードによって選択され,ディスプレイあるいはプリンタにより表示収集される。

Banque de France 〔財政〕**フランス銀行**　フランスの通貨制度および銀行制度の中心的な機関であり,資本の全額を国が有している。しかし,国からは完全に独立しており,その地位と役割は,1999年1月1日に発効することとなる経済通貨連合〔Union économique et monétaire〕の要請に適合させるために,1993年および1998年に根本的に変更された。

　フランス銀行はヨーロッパ中央銀行制度〔►Système européen des banques centrales (SEBC)〕に統合されているため,ヨーロッパ共同体条約105条以下に定める同制度の任務および目標,特に物価の安定という優先目標を尊重しつつ自己の職務を遂行しなければならない。

　1999年以降,通貨政策の決定はヨーロッパ中央銀行制度の権限に,為替政策の決定はヨーロッパ理事会の権限に,そして為替政策の各国による実施の監督はヨーロッパ中央銀行制度の権限に属する。この法的枠組におけるフランス銀行の基本的任務は次のとおりである。

・ヨーロッパ中央銀行制度の任務の遂行に協力すること。
・物価の安定という主要目標の実現を妨げない限りにおいて,フランス政府の経済政策を支援すること。
・国の為替準備金を確保すること。
・支払制度の適切な運営と安全を,当該分野におけるヨーロッパ中央銀行制度の優先的権限を妨げない限りにおいて監視すること。
・フランス本土および海外県において,銀行券発行の法律上の独占を実施すること。

フランス銀行はさらに他の重要な役割,とりわけ次の役割を果たす。
・公的および民間の金融機関が資金を調達する銀行。
・直接的に,またはフランス銀行と密接に結びついた機関を介して,銀行の規制と監督を行う機関。

　フランス銀行は,また,国庫口座を管理しており,国の予算および国庫に関する取引の大部分はこの口座に一本化されている。しかし,フランス銀行は,前渡金またはいかなる種類の信用供与も国に与えることができないし,公債〔►Dette publique〕証券を国から直接購入することもできない。
▷通貨金融法典L141-1条以下

Banque européenne d'investissement (BEI) 〔EU〕**ヨーロッパ投資銀行**　ヨーロッパ経済共同体条約により設置され,特に,苦境にある地域または経済部門への投資に対する融資を任務としている。ヨーロッパ投資銀行は,共同体の諸組織からは独立しており,固有の機関と固有の財源を有し,重要な役割を果たしている。所在地:ルクセンブルク。

Banque européenne pour la reconstruction et le développement (BERD) 〔EU〕**ヨーロッパ復興開発銀行**　中央ヨーロッパおよび東ヨーロッパ諸国の市場経済への移行を促進するために1990年に創設された。ヨーロッパ連合加盟国,国際通貨基金〔Fonds monétaire international〕に加盟する非ヨーロッパ諸国,およびヨーロッパ投資銀行〔Banque européenne d'investissement〕によって構成される。所在地:ロンドン。

Banque internationale pour la reconstruction et le développement (BIRD) 〔国公〕**国際復興開発銀行**　1945年に設立された国際連合の専門機関。保証と貸付けによって,一定の国家,主として発展途上国における資本投資を助成する。所在地:ワシントン。

Banqueroute 〔刑法〕**更生手続上の犯罪;破産犯罪**　商人,手工業者もしくは農業経営者による,または経済活動を行う私法上の法人のあらゆる指揮者による不正な業務執行行為からなる犯罪。訴追には,あらかじめ裁判上の更生または清算手続きが開始されていることを要する。
　法人もこれについて刑事責任を負うことがある。
▷商法典L626-1条以下

Bans 〔民法〕**婚姻公示**　挙式地の市町村役所および将来の夫婦のおのおのの住所の市町村役所に掲示することにより,婚姻の計画を公示すること。
▷民法典63条,166条および169条

Barre 〔訴訟〕**弁護士陳述席**　弁護士が陳述するため,および証人が供述するために占める法廷内の場所。かつては,司法官のいる場所と,傍聴者のいる場所とを分ける柵があった。
　《à la barre du tribunal》〔弁護士陳述席で〕という表現は,その行為が法廷で,すなわち

裁判官の面前で行われることを意味する。
►Barreau〔弁護士会〕

Barreau 〔民訴〕**弁護士会** 大審裁判所に登録された弁護士は，弁護士会と呼ばれる職団を構成する。原則として各大審裁判所に弁護士会がある。

同じ控訴院の管轄区域内に設立されている複数の弁護士会は，単一の弁護士会に統合するよう定めることができる。

弁護士は1つの弁護士会にしか登録されない。

►Bureau secondaire d'avocat〔弁護士事務所出張所〕►Ordre des avocats〔弁護士職団〕

Base légale 〔民訴〕**法的基礎** 破毀申立事由〔cas d'ouverture à cassation〕である《法的基礎の欠如》〔manque de base légale〕という表現において用いられる語。法的基礎の欠如は，判決の不十分な理由付けよりなり，最高の法院がその事案において法規範が正しく適用されたか否かを判断することを不可能とする。疑わしげな理由〔motif dubitatif〕もしくは仮説的な理由〔motif hypothétique〕の場合，適法性の評価のために有用な事実に関する明確性の欠如の場合，さらには，判決が法的に根拠付けられるか否かを判断するためになされなければならない実質的な確認の欠如の場合も同様である。

Base mensuelle de calcul 〔社保〕**算定基礎月額** 住宅手当を除いた家族手当の算定の基礎。算定基礎月額は，物価の上昇および経済成長への寄与に応じて変化する。また，算定基礎月額は，平均賃金の一般的上昇または最低賃金（SMIC）に応じて変化することもある。
▷社会保障法典L551-1条

Bateau 〔商法〕**内水船** 河川および運河の航行の利用に供される構造物。
►Navire〔航海船；船舶〕

Bâtonnier 〔民訴〕**弁護士会長** 2年の任期で選ばれる弁護士会〔►Barreau〕の長。弁護士会長は，弁護士職団〔►Ordre des avocats〕評議会を主宰し，行政上および懲戒上の職務を行う。
►Dauphin〔次期弁護士会長予定者〕

Bénéfice de discussion 〔民法〕**検索の利益** 履行の請求を受けた保証人に認められている権利。この権利により，主たる債務者の財産が先に検索されること，すなわち，先に差し押さえられ，競売されることを当該債権者に要求することができる。
▷民法典2298条以下

Bénéfice de division 〔民法〕**分別の利益** 共同保証の場合において，全部について追及を受けた1人の保証人が，履行請求訴権が追及時に支払能力を有するすべての保証人の間で分別される旨の判決を得るための手続上の抗弁。
▷民法典2303条および2304条
►Cofidéjusseurs〔共同保証人〕

Bénéfice d'émolument 〔民法〕**取得分限度負担の利益** 共通財産制に服していた夫婦のおのおのに認められている権利。この権利は，財産目録が作成されていたことを条件に，共通財産の分割から取得する積極財産の限度においてしか他方配偶者の名義で生じた共通財産上の債務を負担しないことを内容とする。

1804年に起草された民法典において，この制度は，1966年2月1日以前に結婚した者に適用されていたが，そこでは，この利益を主張することができるのは妻だけであった。
▷民法典1483条以下

Bénéfices 〔民法〕〔商法〕**利益** 企業の資産要素〔éléments d'actif〕が負債要素〔éléments passifs〕を超過している部分。その額は，貸借対照表の貸方に掲げられ，その記載によって貸借対照表の両側の合計額が一致する。
▷民法典1844-1条

Benelux 〔国公〕**ベネルクス** ベルギー，オランダ，ルクセンブルク間の経済および関税同盟（1944年）。

Bicamérisme；Bicaméralisme 〔憲法〕**二院制；両院制** 2つの議院に分ける国会の構成方法。

第二院は，特定の社会階級もしくはエリート階級，地方の名望家，経済的社会的団体または連邦を構成する諸州の代表が確保されるような構成をとることがある。

二院制の支持者は，第二院を均衡の一要素であると考える。すなわち，第二院は，世論のより適切な代表の確保を可能とし，法律案のより適正な審議を保障する。

Bien 〔民法〕**財産；財物**
①財産//あらゆる財産的権利。
②財物//物権の対象となるあらゆる物。

Bien corporel 〔民法〕**有体財産** 権利の目的となり，その物理的性質により感知可能な世界の一部をなす物（椅子，テーブルなど）。
►Bien incorporel〔無体財産〕►Choses corporelles〔有体物〕►Droit corporel〔有体財産権〕►Meuble〔動産〕

Bien-fondé 〔訴訟〕**理由がある（こと）** 裁判上

の請求とそれに適用される法規範とが一致していること。反対の場合，申立て〔prétention〕は理由がない〔▶Mal-fondéまたはnon fondé〕という。
▷新民事手続法典71条
▶Recevabilité〔受理性〕

Bien incorporel 民法 **無体財産** 権利の目的たる経済的価値であって，感知可能な実体は有しないが，法的に構築されることによりその存在が導かれるもの（例えば，芸術的著作物）。
▶Bien corporel〔有体財産〕▶Droit incorporel〔無体財産権〕▶Meuble〔動産〕

Biens communaux 民法 **市町村有地** 市町村の私産たる土地(牧草地，森林，沼沢)。住民は，天然果実の収取権を有する。
▷民法典542条

Biens communs 民法 **共通財産** 夫婦間の共通財産〔▶Communauté entre époux〕の一部をなす財産。これは，夫婦財産制の解消後に，原則として，折半される。
▷民法典1401条および1421条以下
▶Biens propres〔固有財産〕

Biens consomptibles 民法 **消費財産**
▶Choses consomptibles〔消費物〕

Biens culturels 民法 **文化財** 多くの法文中で用いられている表現。文化財が特別の規制に服するのに対し，その範囲は法律で定義されているわけではない。例えば，文化財の電子競売を仲立することは動産任意競売評議会〔▶Conseil des ventes volontaires de meubles aux enchères publiques〕の許可に服する。骨董品，美術品および収集品は，通常文化財とされる。
▶Patrimoine culturel〔文化遺産〕

Biens dotaux 民法 **嫁資財産** 嫁資制度において，夫婦財産契約の中で表明された意思により，譲渡することも差し押えることもできない妻の財産のこと。
▷民法典旧1540条以下
▶Biens paraphernaux〔嫁資外財産〕

Biens de famille 民法 **家族財産** 配偶者または尊属の意思によって，家族のためにその財産を保存することを可能にする法制度に服する財産。

Biens d'occasion 商法 **古物** 古物とみなされるのは，有償または無償のあらゆる行為の結果，生産または流通のある段階において，ある者が自らの用に供するために占有するに至った財物である。
▷商法典L321-1条

Biens insaisissables 民訴 **差押禁止財産** 全面的もしくは部分的に差押えから除外される財産，または，一定の債権者しか差し押さえることができない財産（1991年7月9日の法律14条，1992年7月31日のデクレ39条以下）。これは，主として，法律が差押禁止としている財産(商業証券，社会保障給付，雇用促進最低収入)，すでに支払われた扶養料の支払いを除く，扶養的性格を有する債権，差押えを受けた債務者とその家族の生活および労働に不可欠な動産(衣類，布類，テーブルおよび椅子，室内動物など)である。ただし，これらのものが，重要性，材質，希少性，骨董性，もしくは豪華さを理由として，高価な財産である場合，または，差押えがこれらの価格の支払いに起因する場合は除く。
▶Insaisissabilité〔差押禁止〕

Biens paraphernaux 民法 **嫁資外財産** 嫁資制度において，夫婦財産契約の中で表明された夫婦の意思により，妻の管理に服する，したがって嫁資財産でない妻の財産のこと。
▷民法典1574条以下
▶Biens dotaux〔嫁資財産〕▶Biens propres〔固有財産〕

Biens présents et à venir 民法 **現在および将来の財産** 現在財産は，ある者が法律行為の成立の日において所有している財産であると理解されており，将来財産は，将来取得する財産または死亡の際に残すことになる財産であると理解されている（▶Donation de biens à venir〔将来財産の贈与〕）。

　この表現は，結びついた形で使われるときにのみ，専門的な意味をもつ。すなわち，この表現は，法的地位を決する時に存在する積極財産を指す。民法典2284条によってすべての債権者に認められている一般担保権〔droit de gage général〕が理解されなければならないのは，この意味においてである。

Biens propres 民法 **固有財産** 夫婦共通財産制において，夫婦の一方または他方に属する財産であって，かつ，共通財産体に入らないもの。共通財産の解消の際には，夫婦のおのおのはその固有財産を取り戻すことになる。
▷民法典1403条以下

Biens réservés 民法 **留保財産** かつての共通財産制および後得財産共通特約付別産制において，妻が夫の職業とは別の職業に従事して

取得した財産。

これらの財産は共通財産であったが，妻がその財産の管理，使用収益，および原則として自由な処分を行っていた。
▷民法典旧224条以下

1985年12月23日の法律第1372号以降，これらの財産は共通財産体に組み込まれ，夫および妻はそれらの財産について同一の権限を有することになった。

Biens sans maître 民法 **無主物** 30年以上前から相続が開始されているが相続権者がいまだ現れない相続財産に含まれる財産，または，所有者が知られておらず，第三者による不動産税〔taxes foncières〕の支払いが3年以上行われていない不動産に含まれる財産。

これらの無主物は，その所在地の市町村に帰属する。ただし，当該市町村が権利行使を放棄した場合，その所有権は当然に国に移転する。
▷民法典539条および713条；公法人財産一般法典L1123-1条以下

▶Déshérence〔相続人の不存在〕▶Vacance〔(法主体の)不存在〕

Biens vacants 民法 **無主物** ▶Vacance〔(法主体)の不存在〕

Bigamie 民法 刑法 **重婚** 既に婚姻関係にある者が，前婚の解消前にさらに婚姻をなす行為。重婚は人の民事身分を侵害する軽罪であり，2番目の婚姻は無効となる。第2の結合が前婚と同一の者の間で約定されたという事情は，重婚の存在の妨げとはならない(土地の風習に従って単婚形式の婚姻をなした後にフランスで民事婚を挙式したケース：破毀院第一民事部2004年2月3日)。
▷民法典147条，188条および189条；刑法典433-20条

Bilan（Théorie du) 財政 **確定決算主義** 企業所得に対する税制上の考え方を基礎づける理論。確定決算主義によれば，課税対象となる利益は，貸借対照表における各営業年度の期末と期首の純資産の差額によって表される。この理論によって，当期営業利益と副利益だけを課税対象とする(これは源泉課税主義〔théorie de la source〕に相応する)のではなく，譲渡益のような特別利益も課税対象とされる。
▷租税一般法典38-2条

行政 **費用便益衡量理論** 公益宣言の適法性に関する訴訟について，行政裁判所が構築し，他の分野にも拡張した，行政行為の適法性審査の方法。計画された事業の不利益と利益を比較衡量した結果，前者が後者よりも過大であると行政裁判所が判断した場合，その公益は存在しないことになる。この理論は，評価の明白な過誤〔▶Erreur manifeste〕の理論に接近するように思われる。

Bilan de compétence 労働 **職業能力診断** 職業能力診断は，職業教育に関する規定の適用領域に含まれるものであり，労働者が，自己の職業能力および個人的能力，ならびに，適性および意欲を分析し，職業計画案，場合によっては職業教育計画案を定めることができるようにすることを目的とする。
▷労働法典L900-2条

Bilan consolidé 商法 **連結貸借対照表**
▶Comptes consolidés〔連結計算書類〕

Bilan de santé 社保 **無償健康診断** 被保険者およびその家族の構成員がその生涯の一定の時期に受けることのできる無償の健康診断。

Bilan social 労働 **労働条件報告書** 企業における労働条件についてその状況を数値化して明らかにする文書であり，従業員を代表する者〔représentants du personnel〕の意見を聴いた後に，企業長が作成する。1977年7月12日の法律とその施行規則は，最低過去3年間について有益な比較を行うことができるように，報告書における指標を厳密に定めている。もっとも，労働条件報告書の提出を義務づけられているのは，労働者300名以上の企業または事業所である。
▷労働法典L438-1条以下およびR438-1条

Billet à ordre 商法 **約束手形** 振出人〔souscripteur〕が，一定の時期に一定の金額を，受取人〔bénéficiaire〕またはその指図人に支払う義務を負う流通証券。この証券は，為替手形と異なり，形式を理由とする商行為ではない。
▷商法典L512-1条以下；通貨金融法典L134-2条

▶Effet de commerce〔商業証券〕

Billet à ordre-relevé（BOR） 商法 **電子約束手形** 情報処理手段により，電子為替手形〔▶Lettre de change-relevé（LCR）〕と同じ方法で流通する約束手形〔▶Billet à ordre〕。証券自体はもはや流通せず，この証券に含まれる情報のみが情報処理媒体に転写され，この手段を通じて流通する。

Billet au porteur 民法 商法 **持参人払式債権**

証書　持参人払式債権証書および無記名証券〔titre au porteur〕は，受取人の名が記載されず，かつ，引渡し（交付）によって移転する債権証書である。
▶Titre nominatif〔記名証券〕

Billet de banque 商法 財政 銀行券　フランス銀行が発行する無記名証券であり，貨幣の役割を果たす。
▶Cours forcé〔強制通用力〕▶Cours légal〔法定通用力〕▶Monnaie〔貨幣；通貨〕

Billets de fonds 商法 営業財産手形　営業財産の取得者がその代金の支払いのために振り出した約束手形であり，所定の満期に支払われるもの。これは，割引適格性のある商業証券である。

Bioéthique 民法 刑法 生命倫理　医学的研究およびその人間への応用を支配する倫理。生命倫理法は刑事制裁を伴い，人体の尊重，人の遺伝子研究，人体の諸要素および生成物の提供および利用，生殖への医療介助ならびに治療目的または学術目的での人に関する生物医学的研究について規定している。
▷民法典16条から16-12条；公衆衛生法典L152-1条以下，L209-1条以下，L665-10条，L671-1条以下，L1131-1条以下，L1211-1条以下，L1231-1条以下；刑法典226-25条以下および511-2条以下

Biotope（Arrêté de） 農事 バイオトープの保護（アレテ）　生物学的に均衡のとれた自然区域を創設する県知事アレテによる環境保護措置。このアレテは，生垣，土手および灌木の除去といった積極的な行為によって生態系を脅かす農業者に対して拘束を課す。

Bipartisme 憲法 二大政党制　対立する2党だけが多数党になる能力をもち，その2党が，多かれ少なかれ周期的に，交互に政権を担当する政党体制。選挙で勝利を得た政党が政府を構成し，敗北した政党は野党になる。この場合，政権交代は体制の基本的事項に関する2党間の合意を前提とする。

Bipolarisation 憲法 二極化　複数の政党が二極に結集し，対立する2つの連合に再編される傾向がみられる状況。フランス第五共和制では，政治勢力が2つの極（すなわち，一方における保守政党と自由主義政党，他方における共産主義政党と社会主義政党）にそれぞれ結集することを指すためにしばしば使われる用語である。

Blâme 民訴 譴責　懲戒処分。

▶Action disciplinaire〔懲戒訴権；懲戒の訴え〕▶Pouvoir disciplinaire〔懲戒権〕

Blanchiment（de capitaux illicites） 刑法 （違法資金の）洗浄；マネー・ロンダリング　重罪または軽罪の行為者に直接的または間接的に利益をもたらした財物または収入の出所を偽って正当化することをあらゆる手段を用いて助長すること，およびそれらの犯罪による収益の投資，隠匿または転換に協力すること。
▷刑法典324-1条以下

Blanc-seing 民法 白地署名；白地証書　証書の作成前に，証書になされている署名（および，そのような証書）。
▷民法典1326条
▶Abus de blanc-seing〔白紙委任状の濫用〕

《Bleus》budgétaires 財政 予算青書　2005年まで，政府が国会に提出した予算法律案に記載された予算額を各省ごとに詳細に説明していた（青表紙の）冊子。この青表紙の付属文書には，法律の案文および経済財政報告のような総括文書も含まれる。
▶Loi de finances〔予算法律〕▶《Verts》budgétaires〔予算緑書〕

Bloc de constitutionnalité 憲法 憲法ブロック　立法権の行使に際して国会を拘束すると憲法院が判断する規定の総体を意味する表現。憲法典の条文，憲法典前文，《憲法的価値を有する原則》（1789年人権宣言および1946年憲法典前文に定められている原則，または憲法院の判決において《共和国の諸法律によって承認された》原則），そして一定程度において，組織法律および国際条約がそれにあたる。

Bloc de contrôle 商法 支配株　発行会社の支配権をもたらす数量の株式。
支配株の譲渡にはときとして，とりわけ証券取引所で譲渡される場合には，特別の規則が適用される。

Blocs de compétence（Système des） 行政 一括管轄方式　司法および行政の両裁判所系統間に生じる裁判管轄の配分問題を解決するための方式。この方式は，ときおり行政裁判所によって利用され，管轄配分の単純化のために，同一分野において生じうる個々の係争の総体を同一の裁判所系統の管轄に帰属させることを，その内容とする。

Blocus 国公 封鎖　ある国家に対して外部とのすべての交通または経済交流を武力によって禁止することにより，その国家に圧力を加えようとする行動。

Bon　商法　債券；証券　►Titre de créances négociables〔流通債権証券〕

Bons d'achat　労働　購買券　労働者に報酬の名義で手渡される文書であって，労働者は使用者の店舗においてこれを使って商品を購入することができる。この報酬形態は，労働法典によって禁止されている。
▷労働法典L148-1条

Bon de caisse　商法　債券　銀行または商事企業が発行する，記名式，無記名式または指図式の証券であり，利息を発生させ，定められた満期に証券発行者により償還される借入金を表章する。
▷通貨金融法典L223-1条

Bon de délégation　労働　代表活動証明書　従業員を代表する者または組合代表委員が，代表としての任務を行なうために一時的に職場を離れることを報告する書式。この証明書は，代表としての職務にあてられる時間を管理するために要求されるものであるが，その交付については使用者のいかなる許可をも条件とすることができない。
　この管理方式は，慣行から生じたものである。

Bons offices　国公　周旋；斡旋　第三国が介在する国際紛争の解決方式であって，当事者の交渉を開始させ，または他の平和的紛争解決方法をとらせるために間をとりもつことを内容とする。

Bon père de famille　民法　善良な家父　通常は慎重で注意深く勤勉な，普通の能力を有する者のことをいう。ある行為につき責任があったのか否かを評価するための，または，他人の利益につき責任を有する者または他人の財産のひとつを所持している者が，その義務を正確に果たしたか否かを測りうるための抽象的基準となる。
▷民法典450条，1137条，1374条，1728条，1806条，1880条および1962条
　►《In abstracto》〔抽象的な仕方で〕
　►Standards juridiques〔法的適正水準〕

Bon pour　民法　1980年7月12日の法律によって，今日は廃止されている手続き。完全には記載されていない手書きの片務証書において，金銭または重さ，数もしくは大きさで指示される物を引き渡すことを約した者は，白地証書の濫用を防ぐために，手書きでbon pourまたはこれと同様の言葉を署名の前に付した。この手続きは，他の手続きに代えられた。す なわち，約務を負う当事者は，この約務を確認する証書において，手書きで，金額または数量を文字と数字で記載する。この2つの記載が異なる場合には，私署証書は，文字で記載されている金額について効力を生ずる。
▷民法典1326条
►Reconnaissance de dette〔借用証書〕

Bons du Trésor　財政　短期国債　国が，国庫の需要を賄うために発行する短期の借入れ。短期国債は国内外の銀行および投資家向けに発行され，短期金融市場において流通する証券であり，当座勘定取引口座における国債登録の形式をとる。短期国債には，最長1年満期の確定利付割引国債〔bons à taux fixe et intérêts payés d'avance〕（BTF）と2年から5年満期の確定年利国債〔bons du Trésor à taux annuel normalisé〕（BTAN）の2種類がある。
　1998年まで，国は，3ヵ月から5年満期で保有期間に応じて累進する利子付きの短期国債証券〔bons sur formules〕（証券の形式をとるところから《sur formules》といわれる）を個人向けに発行していた。
►Dette publique〔公債〕►Obligations assimilables du Trésor〔長期国債〕►Valeurs du Trésor〔国債証券〕

Boni de liquidation　商法　清算剰余金　会社の清算の後，すなわち債権者が弁済を受け，社員が出資の払戻しを受けた後に生じる資産の残余。
　この清算剰余金は，社員間に分配され，発起人持分〔part de fondateur〕が発行されているときは，その所持人にも分配される。

Bonification d'intérêt　財政　利子補給　国が融資者に支払われるべき利子の一部を負担し，融資を受けた者に与えることのできる補助金。

Bonne foi　民法　誠実；善意
　①誠実//この語は2つの意味に使用される。まず bonne foi とは，法律行為の締結および履行における誠実さのことをいう。
　②善意//また，bonne foi は，ある事実，ある権利，またはある法規範の存否に関する過失なき誤った認識を指すこともある。
▷民法典2268条
►Mauvaise foi〔不誠実；悪意〕
　刑法　善意　►Intention〔故意〕

Bonnes mœurs　民法　刑法　善良の風俗　ある時代の社会道徳により課せられる規範。この規範に対する違反は，場合によっては犯罪を

構成し，合意の無効を生じさせうる。
▷民法典6条
►Outrage aux bonnes mœurs〔良俗壊乱〕

Bonus-Malus 民法 料率割引割増制度　自動車保険において，被保険者に責任のある事故の回数に応じて，保険料の額が割増しされたり割引きされたりするという効果を有する条項。
▷保険法典A121-1条

Bordereau de cession de créances professionnelles 商法 職業債権譲渡明細書　企業（譲渡人）が，特定の職業債権およびそれに附従する担保権を，金融機関（譲受人）に譲渡するための文書。譲受人は，債権額を譲渡人にただちに払い込む場合もあれば，譲渡人に対する与信を担保する目的で債権を譲り受ける場合もある。

　この証書は，法律案を提出した元老院議員の名をとって《ダイイ明細書》〔►Bordereau Dailly〕とも呼ばれる。
▷通貨金融法典L313-23条以下

Bordereau de collocation 民訴 順位決定明細書　順位による配当手続き〔procédure d'ordre〕の後，各債権者に交付される，自己への配当分の支払いを受けるための証書。

　不動産差押えならびに不動産換価代金の配当に関する手続きの改革により，順位決定明細書は廃止された。現行規定では，単に，係争物管理人または不動産の受託者は，配当表を定める文書の送達から1ヵ月内に債権者に対する支払いを行う，ことが定められている。
▷民法典2216条
►Ordre〔順位による配当（手続き）；配当順位〕

Bordereau de communication de pièces 民訴 書証伝達明細書　民事訴訟において伝達される書証の一覧表。書証の伝達を行う弁護士または代訴士が作成し，伝達をうけた弁護士または代訴士は，手続きが遂行されたことを証するため，これに署名する。将来的には，送達をうける側が明示的に同意する場合には，電子的に送達がなされるようになる。
▷新民事手続法典748-1条以下，753条，815条および961条

Bordereau Dailly 商法 ダイイ明細書　►Bordereau de cession de créances professionnelles〔職業債権譲渡明細書〕

Bordereau récapitulatif des cotisations 社保 社会保険料明細書　社会保険料払込みに伴う文書。事業所または企業の労働者数ならびに払い込むべき社会保険料の算定基礎および額を示す。

Bornage 民法 境界画定　隣接する2つの土地の境界を画定する法的操作。境界標などの目印を設置することを意味する。
▷民法典646条
►Abornement〔境界画定〕

《Bouclier fiscal》 財政 税負担限度　納税義務者によって支払われる直接税〔►Impôt direct〕の上限額の決定に与えられる呼び名。税負担限度は，納税義務者に対し，年間に支払われる所得税〔►Impôt sur le revenu〕，連帯富裕税〔►Impôt de solidarité sur la fortune〕，不動産税〔►Taxes foncières〕および主たる住居の住居税〔►Taxe d'habitation〕の合計が前年度の課税対象所得の60パーセントを超えないことを保障する。納税義務者が次年度末までに請求をした場合，超過額は次年度に還付される。
▷租税一般法典1条，1649条-OA条

Bourse de commerce；Bourse de marchandises 商法 商品取引所　広範な市場で流通する一定の商品（羊毛，コーヒー，カカオ）が，総じて先物で売買される場所。

Bourse de marchandises 商法 商品取引所
►Bourse de commerce；Bourse de marchandises〔商品取引所〕

Bourse de valeurs 商法 証券取引所　取引所会員会社〔société de bourse〕を介して，現物または先物の，有価証券の取引が行われていた場所。

　1996年7月2日の法律は，証券取引所を廃止し，規制市場〔►Marché réglementé〕を創設した。

Bourse du travail 労働 労働取引所；労働組合会館　市町村庁により労働組合の用に供される建物。制度的側面についてみた場合，労働取引所はその職業紹介機能を喪失してしまっており，現在では，組合の会合の場を提供し，資料を収集することを役割としている。一般に，労働者のための情報および援助の部門が設けられている。
▷労働法典L312-2条およびL411-14条

Boycottage 労働 ボイコット　►Mise à l'index〔ボイコット〕

Branches (d'un moyen) 訴訟 （攻撃防禦方法の）分肢　►Moyens〔攻撃防禦方法〕

Brevet 民法 原本交付証書　原本交付証書

として作成される証書は，公証人により1部のみ作成され，利害関係人に交付される。
　►Minute〔原本〕

Brevet d'invention　商法 **発明特許**　公的機関(INPI〔工業所有権局〕)が交付する証書。この証書は，発明を開示し，当該発明に関する十分かつ完全な明細書を提出して，その独占を要求する者に対して，その発明に関する一定期間(原則として20年)の利用独占権を付与する。
　▷知的所有権法典L611-1条およびL611-2条

Brocard　一般 **法格言**　►Aphorisme〔法格言〕

Budget　財政 **予算**
　①地方公共団体および公施設法人の場合：当該年度の収入と支出がこれらの法人の議決機関によって定められ，承認される行為，またはそれを表す証書。
　►Acte〔証書；行為〕
　②国の場合：当該年度の国の収入と支出の承認に対応する，予算法律〔►Loi de finances〕の部分。これらの承認は，3つに分けて行われる：一般予算，付属予算，国庫特別勘定〔►Comptes spéciaux du Trésor〕。
　Budget général　一般予算：国の歳入の予測と歳出の承認は，一般予算に記載される。これが普通法〔►Droit commun (Régime, Règle de)〕である。通常，特定の歳入が特定の歳出に割り当てられることはない(総計予算の原則〔►Universalité〕)。
　Budgets annexes　付属予算：少なくとも理論上は，その活動が対価と引換えに財または役務を提供することを目的とする国の機関の支出と収入を記す会計。活動の対価は，財または役務を提供する機関に割り当てられる。
　③省の《予算》の場合：省の権限内にある予算額〔►Crédit budgétaire〕(実際には，その省に関する予算配分デクレ〔►Décret de répartition〕に記載される)を指してしばしば用いられる表現。
　►Dotation〔歳費〕►Mission〔計画大綱〕
　►Performance (publique)〔費用対効果比〕

Budget autonome　財政 **独立予算**　法人格を有し，法律上定められた条件で独自にその支出と収入を定める国とは異なるすべての公的機関(例：地方公共団体〔►Collectivités territoriales〕，公施設法人〔►Établissement public〕)の予算に与えられる名称。

Budget économique　財政 **経済予算**　国民経済会計に関して，当該年度の国民経済の諸活動の総体を算定し予測する報告書。

Budget social (de la nation)　財政 **(国の)社会予算**　当該年度に福祉問題に関して行われる主要な活動を算定しひとまとめにした情報提供のための文書。

Budgets annexes　財政 **付属予算**　►Budget〔予算〕

Budgets opérationnels de programme (BOP)　財政 **事業計画執行予算**　事業計画執行単位〔►Unité opérationnelle de programme〕による事業計画の内容の具体的執行を目的として，予算区分上の事業計画〔►Programme〕を，適切な領域のレヴェル(例えば，中央官庁，州，県)で分割したもの。その長は，(複数の事業計画執行予算を管理することもある)事業計画執行予算責任者である。州〔►Région〕において実際に責任者となるのは，国の出先機関の長(県知事〔►Préfet〕，大学区総長〔recteur〕，州青少年保護局長〔directeur régional de la protection judiciaire de la jeunesse〕)である。2006年には約230あったこれらの事業計画の諸部分は，事業計画と同一の規定に服する。

Bulletin de greffe　民訴 **書記課通知書**　送達または呼出しの目的で当事者に送付される単なる記入式書面。裁判所の書記により日付が付され署名される。
　▷新民事手続法典826条2項および3項

Bulletin de paie　労働 **賃金支払明細書**　賃金支払いの際に，使用者がその雇用する者に対して交付を義務づけられる文書であって，この文書により，労働者は自己に支払われるべき価額を確実に受領したか否かを確認することができる。
　▷労働法典L143-3条以下，R143-2条以下およびR154-3条

Bulletin de vote　公法 **投票用紙**　特に，選挙の実施，議会の手続およびプレビシットまたは国民投票の手続において，投票権者の法的意思を表示する1または複数の記載事項を備えた用紙の形で，投票への参加を具体化するもの。

Bulletins (Votes) blancs　公法 **白票**　積極的な選択が行われていない投票(空の封筒または相反する趣旨の2枚の投票用紙もしくはまったく白紙の投票用紙が入った封筒)。しかしながら，投票棄権者の場合とは異なり，白票は，提示されている選択肢への拒否と同時に，公民としての参加の意思を表明するも

のであり，この点で政治的意義を有することは疑いえない。もっとも，白票は有効投票とはみなされず，無効投票に算入される（こうした扱いを不当とする見解もある）。

Bulletins nuls 公法 **無効投票** 選挙法の規定に適合せず，その結果，有効とされない投票（例えば，投票用紙に識別のための目印が記されている場合）。有効投票数の算定から除外される。

Bundesrat 憲法 **連邦参議院** ドイツ国会の第二院。各州政府の代表者によって構成される。

Bundestag 憲法 **連邦議会** フランスの国民議会に相当するドイツの議院。

Bureau 民法 **執行部** 理事会の構成員のうちから選ばれた少なくとも1名の長，書記および会計を含む団体の運営を行う機関。

憲法 **議院理事部** 議院の活動を指導する機関。議院議長，議院副議長（議長を代行する），書記担当理事（表決および会議録の作成の監督を担当する）および管理担当理事（内部行政上の問題を担当する）で構成される。

民訴 **（事務）局；部** 裁判所において職務を行う合議機関。その権限はあるときは運営上のものであり（破毀院事務局），あるときは裁判上のものであり（労働裁判所の部），あるときは単に司法上のものである（裁判援助局）。

Bureau d'aide sociale 行政 **社会援助課**
►Centre communal d'action sociale〔市町村社会福祉活動事務所〕

Bureau International du Travail 労働 **国際労働事務局；ILO事務局** 国際労働機関（ILO）の常設の運営機関。

Bureau de conciliation 民訴 **勧解部** 労働裁判所の構成体で，使用者の代表1人と労働者の代表1人からなる。その最も重要な職務は両当事者の和解を試みることである。

勧解部は，労働証明書および賃金支払明細書の交付，ならびに，債務の存在について実質的な争いがない場合には，賃金および補償金の仮払金の支払いを命ずることができる。
▷労働法典L515-2条，R515-1条およびR516-13条

Bureau de jugement 民訴 **判決部** 労働裁判所の構成体で，勧解が不調におわった個別的労働紛争について審理する。使用者の代表2人と労働者の代表2人からなる。
▷労働法典L511-1条，L515-2条およびR516-26条

Bureau de placement 労働 **民営職業紹介所** 求人者と求職者とをとりもつことを目的とする私企業。

有料の民営職業紹介所は原則として廃止されている。

Bureau secondaire d'avocat 民訴 **弁護士事務所出張所** 弁護士は自分の登録されている大審裁判所の管轄区域内にその職業上の住所を有さなくてはならない。

しかし一定の条件のもとで，その弁護士会の管轄区域内に（または異なる弁護士会の管轄区域内であっても）出張所を開設することができる。

Bureau de vote 憲法 **投票所事務局** 市町村長と選挙人によって構成される組織。各市町村または投票区において，投票の管理および監視，投票の受付け，開票ならびに記録の作成を行う。

C

Cabinet ministériel 憲法 **内閣；大臣官房**
①内閣//政府構成員の総体（ただし，イギリスを除く。イギリスでは，内閣は首相が選任する最も重要な大臣により編成される限定的な構成体であり，主要な決定は大臣全体の会議ではなくこの内閣の会議において行われる）。

②大臣官房//大臣の直接の協力者の総体（原則として，官房長，審議官，官房主任および技術顧問を含む）。大臣が自由に任命および罷免する。フランスにおいて大臣官房は，伝統的に重要なものであり，政治的色彩が強い。大臣官房は，省内の行政部局との調整を行い（そのことから，行政に圧力をかける手段になっていると非難される），当然に大臣と外部（例えば，国会，報道機関または選挙区）との関係にあたる。

Cadastre 民法 財政 **土地台帳；土地台帳課**
①土地台帳//市町村を基礎とし，土地が筆〔parcelles〕に分割されたところに従って，国土全体を地図で表したもの。

これに対応する台帳用紙〔feuillets〕は，

所在地で，抄本〔extrait〕による公示に服し，行政庁および各役場に寄託されるものであり，次の3組の文書から構成される。
・市町村において，各所有者に帰属する筆を列挙する人別地籍簿〔matrice〕。
・地図の参照を可能にする一覧表の一種である区画明細書〔états des section〕。
・大縮尺地図，正確には台帳地図〔plan cadastral〕。
②土地台帳課//前項の文書を作成，改訂，保存することを任務とする税務機関。

Cadre 社会 管理職　一般的に，履修した教育または指揮権の行使により上級職員〔employé supérieur〕のカテゴリーに属する労働者。

管理職の退職年金および相互扶助の制度〔régime de retraite et de prévoyance〕を創設した1947年3月14日全国労働協約（修正）の適用については，一定の最低基準に達した報酬を受けているいくつかのカテゴリーの労働者は管理職として扱われる。

労働 管理職　労働時間に関する規定を適用するために，2000年1月19日の法律は管理職を3つのカテゴリーに分類した。すなわち，cadre《dirigeant》〔指導的管理職〕（労働時間，週休および祝日に関する規定に服さない），部門別の協約において（あるいは1947年3月14日の全国協定4条で）管理職とされ，配属された作業場，部署または作業班内において適用される集団的な労働時間に従って働く管理職，および，この2つのカテゴリーのいずれにも属さない管理職である。この第3の場合，労働時間および労働時間の調整に関する個別の取扱いは，とりわけみなし労働時間に関する個別的合意の文言によって定められている。
▷労働法典L212-15-1条以下

外交員（VRP）は労働裁判所〔►Conseil de prud'hommes〕の管理職部〔section de l'encadrement〕に属する。
▷労働法典L513-1条

Caducité 民法 失効　有効な法律行為が，その行為がなされた後に生じた事実により効力を奪われている状態。例えば，受遺者が遺言者より先に死亡した場合には，その遺言は失効する。
▷民法典1039条以下

民訴 失効　呼出状が無効となること。懈怠に対する制裁として，訴訟手続関係〔lien d'instance〕を消滅させる。すなわち，呼出しから4ヵ月内に大審裁判所の書記課に，期日の遅くとも8日前に小審裁判所または商事裁判所書記課に，呼出状の写しを提出しなかったとき，正当な理由なく出頭しなかったときなど，である。

失効は，裁判官により職権で宣言される。時効が完成していなかった場合は，訴えを再び提起することができ，その際は新たな呼出しをなす。
▷新民事手続法典406条，407条，468条，469条，757条，791条，838条2項，857条および922条

Cahier des charges 行政 条件明細書　若干の行政契約（例えば特許〔►Concession〕）の相手方，および若干の認可（画地〔►Lotissement〕）を受けた者の義務，および場合によっては権利を，一般的に細目まで詳述する行政文書。または，若干の決定（例えば協議整備区域〔►Zone d'aménagement concerté（ZAC）〕）の実施態様を明確にする行政文書。

民訴 競売条件明細書　不動産差押えにおいて，たいていの場合，差押債権者の弁護士によって作成される文書。近く行われる競売のあらゆる条件が記載される。

競売条件明細書は裁判所書記課に提出される。それは異議申立ての対象となることがある。

Caisse d'amortissement de la dette sociale (CADES) 財政 社会保障債務償却金庫　当初，1993年以来の社会保障機関の累積赤字を補塡するために1996年に設置された財政機構。その財源は，公債およびすべての所得に対する租税（社会保障債務償還目的税〔►Contribution pour le remboursement de la dette sociale〕：CRDS）によって確保されている。

Caisse des dépôts et consignations 財政 預託供託金庫　強力な公的信用制度で，公施設法人の形態をとり，指導機関のなかには非常に多くの公的機関〔pouvoirs publics〕および高級官僚職団〔grands corps de l'État〕の代表者が構成員として存在する。関与を効率化するために設けられたすべての組織網の中心に位置する。

当初は公証人の義務的預託と供託金〔►Consignation〕を受け入れるために設置されたが，今日では預託供託金庫は主に貯蓄金庫，共済制度，社会保障組織の自由に運用できる資金を集めることによって成り立っている。資金の運用先は非常に多様である。金

庫が重要な国庫預託元〔►Correspondant du Trésor public〕であるため国庫に投資されるものもあるが，大部分は，公法人とりわけ金庫が直接または間接に大口の融資者となっている地方公共団体，および社会住宅供給機関への出資と融資に用いられる。

Caisse de la dette publique 財政 公債金庫
2003年に，公債償却金庫〔Caisse d'amortissement de la dette publique〕と国債支援基金〔Fonds de soutien des rentes〕の合併によって生じた，公会計官を有する行政的公施設法人。多様な取引を通じて，国により発行されまたは保証される公債の質を金融市場において維持し，それらを償却することに寄与することを任務とする。

Caisses d'épargne et de prévoyance 財政 貯蓄共済金庫　貯蓄共済金庫は，協同組合の形態で組織され，その協同組合という地位にもかかわらず，（特別の地位を有する《A通帳》を含む預金通帳または通常の銀行口座を用いた）一般からの預金の受入れ，与信および為替取引，有価証券への投資およびその運用，資産運用に関する助言，さらには生命保険などのあらゆる銀行業務を行うことを認められた金融機関である。ただし，貯蓄共済金庫は，通貨金融法典L512-85条により，全体的利益に属する任務，とりわけ経営上の利益の一部を社会経済計画および地方経済計画（地方公共団体〔►Collectivités territoriales〕への貸付け）の資金調達に充てる任務を与えられている点に特徴がある。各地の貯蓄共済金庫の資本は，《地方貯蓄共済組合》〔société locale d'épargne〕によって保有される。貯蓄共済金庫は全体がネットワーク化されており，その中央機関として貯蓄共済金庫全国金庫〔Caisse nationale des Caisses d'épargne〕がある。その資本の大部分は各地の貯蓄共済金庫によって保有され，残りは預託供託金庫〔►Caisse des dépôts et consignations〕によって保有される。
▷通貨金融法典L512-85条以下

Caisse mutuelle régionale 社保 地方共済組合金庫　非賃労働非農業労働者を登録し，協約機関に加入させる金庫。
▷社会保障法典R613-10条

Caisse noire 財政 裏勘定　公務員が違法な手続きを用いて集めることがある資金。公会計に関する規定の外で管理され，大方の場合は部局の正規の予算収入よりも多い額を獲得することを目的とする。

Caisses de Sécurité sociale 社保 社会保障金庫　社会保障の一般制度の管理機関。以下の金庫がある。

Caisse nationale d'assurance maladie des travailleurs salariés〔全国賃労働者疾病保険金庫〕，Caisses régionales d'assurance maladie〔地方疾病保険金庫〕，Caisses primaires d'assurance maladie〔初級疾病保険金庫〕。これらの金庫は，疾病，母性，廃疾，死亡，労働災害のリスクを管理する。

Caisse nationale d'allocations familiales〔全国家族手当金庫〕，Caisses d'allocations familiales〔家族手当金庫〕。これらの金庫は，家族手当を管理する。

Caisse nationale d'assurance vieillesse des travailleurs salariés〔全国賃労働者老齢保険金庫〕，Caisse régionale d'assurance vieillesse pour les départements du Haut-Rhin, Bas-Rhin et Moselle〔オ・ラン県，バ・ラン県，モゼル県老齢保険地方金庫〕。これらは老齢のリスクの管理にあてられている。

Caisses générales de Sécurité sociale pour les départements d'Outre-Mer〔海外県社会保障一般金庫〕。

全国金庫は，行政的性格を有する公施設法人である。

一般制度の外では，おのおのの社会保障制度が固有の管理組織をもち，個別の金庫を有している。すなわち，caisses de mutualité agricole〔農業共済組合金庫〕，caisses professionnelles et interprofessionnelles du régime des non salariés non agricoles〔非農業非賃労働者の職業別金庫および職際金庫〕，société de secours minières du régime des Mines〔炭鉱制度の炭鉱救済組合〕など。

Cambiaire 商法 手形の　為替手形および転じて他の商業証券に関する事柄（例として，手形上の遡求〔recours cambiaire〕）。

Campagne électorale 憲法 選挙運動　選挙または国民投票に先立って行われる宣伝活動の総体。

Cancellation 一般 抹消線による削除　抹消線〔rature, rayure, biffage〕によって，証書の全部または一部を手書きで削除すること。抹消線による削除は，その種類やそれが行われる時期によって，それだけで有効となる場合もあれば，承認を必要とする場合もある。特に遺言の場合，および，控訴院予審部が予

審行為の審査権限を行使して一定の行為の取消しを命じる場合に用いられる。

Candidature 憲法 **立候補** ある職務の担当者を選挙または任命によって任ずる場合に，その職務に対して候補者となる行為。

Canon 一般 **カノン法；教会法** ►Droit canonique〔カノン法；教会法〕

Canton 行政 **小郡** 法人格をもたない行政区画。郡と市町村との間に位置し，フランス本土におよそ3900存在する。

Cantonnement 民法 **制限** 債務の額により適合させ，債務者の信用に配慮するために，担保の対象を裁判上縮減すること。例：法定抵当権（民法典2401条）または裁判上の抵当権（民法典2412条）の制限。
▷民法典2444条以下

Capacité 民法 **能力** 権利を取得し，行使する資格。

法的能力は2段階に区別される。権利能力〔capacité de jouissance〕は権利および義務を有する資格である（すべての自然人は，原則として，権利能力を有する）。行為能力〔capacité d'exercice〕は第三者による保佐も代理もなしに自分自身でその権利および義務を行う権能である。

►Incapacité〔無能力〕

Capacité d'ester en justice 訴訟 **訴訟を行う能力** 裁判に訴えることは非常に重要な権利であり，したがって訴訟を行う権能の「享受」〔当事者能力〕は，外国人も含め，あらゆる自然人または法人に対して開かれている。

逆に，「行使」能力〔訴訟能力〕すなわちその権利および利益を自身でまたは単独で裁判上主張する権能を有しない者も多い（未成年者，後見〔►Tutelle〕または保佐〔►Curatelle〕に付された成年者）。

►Incapacité〔無能力〕

Capital 民法 **資本；元本**
①資本//積極財産として計上される財産全体のことで，これが産み出す収益〔revenus〕とは対照をなす。
►Capital social〔(会社の)資本〕
②元本//金銭債務の元金。
►Intérêt〔利益；利息〕

Capitalisation 民法 商法 **元本組入** 債権者が受け取った利息を，新しい利息を産み出すために，元本に移すこと。
▷民法典1154条
►Anatocisme〔重利；複利〕

社保 **積立方式** 年度ごとに払い込まれる保険料が各補足制度加入者〔►Participant〕の個人勘定に充当され，死亡率を考慮した複利で積み立てられる制度。

引退年齢に達すると，加入者は，積立金および利子に対応する保険金またはこの保険金に対応する終身年金を受け取る。

Capital social 民法 商法 **(会社の)資本** 金銭出資および現物出資の価額が会社の資本を構成し，一定の形態の会社については，その最低額が法律により定められている。資本は一定の条件のもとで増加することができるが，会社資本不変の原則により，会社債権者のために，資本の減少に関してはより厳格な規制が存在する。
▷民法典1835条

Capital variable 商法 **可変資本** ►Société à capital variable〔可変資本会社〕

Capitaux de couverture 社保 **積立金** 給付を最後まで保障する資金。すべての相互扶助制度は，今後は《積立金》で運営されなければならない。この手法は《積立方式》〔►Capitalisation〕とも呼ばれる。

Capitaux propres 商法 **自己資本** 自己資本は，会社が解散すると社員に帰することになる資金の総額である。自己資本は，資本の所有者が払い込んだ資金の総額であり，これとは対照的なものが，外部から調達された資金である。

自己資本の額は貸借対照表の貸方に掲げられ，資本〔capital〕，準備金〔réserves〕，当期成果〔résultats〕の合計額がこれにあたる。

Capitulations (Régime des) 国公 **カピテュラシオン(制度)** （章，条項の意のラテン語capitulumより）今日では廃れた制度だが，非キリスト教国家（トルコ，エジプト，中国）に対して用いられた。これは，外国人は現地国機関の管轄権から免除され，依然として自国機関（特に自国領事）の裁判権のもとに置かれるとするものである。

Captation 民法 **騙受** 他人に対する詐術〔manœuvres dolosives〕であり，その結果，無償譲与を受けるもの。受贈者によって行われることも第三者によって行われることもある。
▷民法典909条

Captation de parole et d'image 民法 **発言および肖像の侵害** ►Atteintes à la vie privée〔私生活に対する侵害〕

Carence ［民訴］（差押動産の）不存在　債務者の手中に差し押さえることのできる動産が存在しないこと。この場合，執行吏は差押動産不存在調書を作成する。封印を貼付しようとする小審裁判所主席書記がいかなる動産も見出せない場合についても，同様に調書が作成される。
▷新民事手続法典1316条

［行政］懈怠　行政庁の不作為は，特に行政庁が作為義務を負っていた場合には，行政庁の懈怠と呼ばれる。行政庁の懈怠から損害が生じた場合，関係公法人は賠償責任を負う。

［EU］不作為の認定の申立て　ヨーロッパ共同体裁判所またはヨーロッパ共同体第一審判所による，閣僚理事会または委員会の不作為の違法性認定を可能とする申立て。ヨーロッパ共同体条約232条に規定されている。

Carnet de maternité　［社保］母性手帳　さまざまな義務的健康診断が記載されている手帳。
▷社会保障法典R331-4条

Carrières　［行政］［民法］露天採掘鉱　　鉱床〔→Mines〕と対置されて定義されている鉱脈。鉱床は法律により制限列挙されている。
　露天採掘鉱には建築材，道路舗装材，土壌改良材などが含まれる。

Carte d'assurance maladie (Vitale)　［社保］疾病（終身）保険証　疾病保険の受給者すべてに交付される個人別電子カード。
▷社会保障法典L161-31条

Carte communale　［行政］市町村土地利用区分図　地域都市計画〔→Plans locaux d'urbanisme〕を備えていない小規模市町村は，都市計画を進めるために，建築可能区域と自然区域との境界を定める文書を作成することができる。
　市町村土地利用区分図は，地域総合基本計画〔→Schémas de cohérence territoriale〕または地方自然公園〔→Parcs naturels〕憲章のような他の国土整備文書に適合するものでなければならない。
▷都市計画法典L124-1条以下

Carte de paiement　［商法］支払カード　銀行またはデパートが発行する標準化された判型のカードで，その所持人が，加盟店における購入またはサーヴィスの提供を簡便に決済し，または，発行銀行において現金を引き出すことを可能とする。支払カードは，譲渡することができない。
▷通貨金融法典L132-1条およびL132-2条

《Carte grise》　［行政］カルト・グリーズ　車両規制のための登録証明書を指す通称。この文書には，特に，所有者の住所のある県が交付する車両の登録番号が記載されている。

Carte nationale d'identité　［行政］［刑法］身分証明書　申請により公的機関がすべての人に交付する文書であり，警察による本人性確認の場合に，所持者は記載事項によって本人性を証明することができる。身分証明書の所持は任意であり，本人性は他のあらゆる手段によって証明することができる。

Carte professionnelle　［労働］［行政］職業証明書　一定の職業，例えば，港湾労働者，商業代理人，いくつかの商業職について，行政機関または同業団体の機関によって交付され，これらの職業の行使にあたり，事実上または法律上必要とされる証明書。よく知られているものの1つにジャーナリストの職業資格証明書があり，この証明書により，その職業を行うにあたり行政機関より与えられる便宜を受けることができる。
▷労働法典L751-13条およびL761-15条

Carte de travail　［国私］労働許可証　→Autorisation de travail〔労働許可証〕

《Carte verte》　［保険］国際自動車保険証書；カルト・ヴェルト　自動車強制保険の分野で，保険の付された自動車の国際的な通行を容易にするために，事故の加害者の民事責任に関して保険会社により作成され，保険契約を証明する証書の通称。

Cartel　［商法］カルテル　→Entente〔カルテル〕

Cas fortuit　［民法］不可抗力；内因的不可抗力
　①不可抗力//広義では，《force majeure》の同義語。
　→Force majeure〔不可抗力〕
　②内因的不可抗力//狭義では，内在的原因（例，材料の瑕疵）から債務を履行できないこと（このような不可抗力の存在については学説上争いがある）。

Casier civil　［民法］民事簿　→Répertoire civil〔民事目録〕

Casier judiciaire　［刑法］前科簿　有罪判決およびその他一定の司法上の判断を登載した全国的記録簿で，コンピュータ化されている。このように集中管理される情報は，3種の《票》〔bulletins〕（第1号票(B1)，第2号票(B2)，第3号票(B3)）に登載され，特定の者に交付されることがあるが，交付を受ける者の資格に応じてその内容は異なる。

▷刑事手続法典768条以下およびR62条以下
　前科簿は，従来，自然人に関するものであったが，新刑法典に取り入れられた法人の刑事責任の原則がもたらす当然の帰結として，今後は法人にも適用される。

Cassation 〔民訴〕〔刑訴〕**破毀**　確定力を有し，かつ，法律違反の状態でなされた判決の，最高の法院による取消し。
▷新民事手続法典625条
▶Conseil d'État 〔コンセイユ・デタ〕
▶Cour de cassation 〔破毀院〕▶Pourvoi en cassation 〔破毀申立て〕

《**Casus belli**》〔国公〕**開戦理由**　宣戦を誘発する性質の事情。

Caucus　〔憲法〕**党員集会**　アメリカ合衆国において，予備選挙を組織していない州で，選挙，とりわけ大統領選挙の候補者を選出しなければならない各政党の党大会代議員を指名するために用いられる制度。その政党の支持者として登録されている選挙人だけが投票する。

Causalité　〔民法〕**因果関係**　債務法においては，人のフォートまたは物の所作と第三者が被った損害との間の原因と結果の関係。

　損害の発生にはさまざまな要因が介在しうるので，学説はこの概念を明確にするため努力した。かつて，原因となったものはすべて，損害全部の発生原因であると主張された（条件等価の理論〔théorie de l'équivalence des conditions〕）。しかし，反対に，相当な原因〔cause adéquate〕，すなわち，通常，想定された損害を惹起する性質の原因を探求しなければならない，とも主張された。判例は，一般的に，この相当因果関係説〔théorie de la causalité adéquate〕を適用している。

〔刑法〕**因果関係**　故意によらない軽罪〔▶Délit non intentionnel〕の定義を定めた2000年7月10日の法律第647号からは，因果関係は故意によらない軽罪においてもまた自然人の刑事責任の判断基準のひとつとなり，反規範的態度の2つの範疇と組み合わされることとなった。

　因果関係が直接的である場合は，責任を問うには単純な反規範的態度〔faute simple〕で足りる。

　因果関係が間接的である場合，すなわち，軽罪被告人が，損害の発生を可能とする状況を作り出したか，もしくは作り出すことに寄与した場合，または損害を回避することを可能とする措置をとらなかった場合は，責任を問うには加重された反規範的態度〔faute qualifiée〕を要する。加重された反規範的態度は，法律もしくは行政立法により規定された特別の注意義務または安全義務への明らかに意識的な違反〔violation manifestement délibérée d'une obligation paticulière de prudence ou de sécurité〕という形をとるか，あるいは，無視することができないほど特別に重大な危険に他人をさらしたという明白な反規範的態度〔faute caractérisée〕の形をとる。
▷刑法典121-3条

Cause　〔民法〕**コーズ；原因**
　・コーズの存在
　債務法において，債務者の債務の《cause》とは，その者が債務を負った即時かつ直接の目的である。このように定義されるコーズは，「動機」〔motif〕，つまり人的，主観的そして遠隔的な縁由〔mobile〕と対照をなす。コーズは，これとは異なり，客観的である。コーズは，法律行為が有効であるために必要であり，行為の各カテゴリーごとに同一である（例，双務契約においては，一方当事者の債務のコーズは，他方当事者の債務である。無償行為においては，コーズは，無償譲与の意図〔intention libérale〕である）。
▷民法典1108条および1131条
　・コーズの適法性
　コーズという概念は，コーズの適法性ないし合法性の側面から考察されるときには，当事者を契約締結に至らせた人的な動機を包含する。動機が（道徳，公序に反して）違法であるときは，取引の「推進的かつ決定的原因」〔cause impulsive et déterminante〕であること，および，相手方がそれを知っていたことという2つの条件のもとで，その行為は無効とされる。
▷民法典1131条および1133条

〔民訴〕**原因；訴訟；訴訟事件**
　①原因//原因という概念は，裁判上の請求の要素を定めるために機能する。請求の原因は法的に性質決定された事実の総体によって構成される。それはまた，その紛争がまだ裁判されていないかを（判決の主文と後の裁判上の請求を比較して）確かめるためにも機能する。
▶Moyens〔攻撃防禦方法〕
▷民法典1351条；新民事手続法典6条および7条，331条以下，336条および759条
　② 訴訟；訴訟事件//広義では，裁判官に提

訴された争い〔contestation〕。このように理解すると，cause〔訴訟〕はprocès〔訴訟〕と同一視され，訴訟〔contentieux〕に展開しない限り正式手続きを欠いた主張の対立にとどまる紛争とは異なる。mettre en cause〔訴訟沙汰にする〕，être hors de cause〔訴訟と関わりがない〕，appeler la cause〔訴訟を起こす〕という表現で問題になっているのは，手続きの中で具体化した紛争〔différend〕と定義されるcause〔訴訟〕である。

Cause étrangère　民法　**外在的事由**　損害の発生に介在する出来事（例：戦争，洪水）または第三者の行為。不予見性〔imprévisibilité〕，不可抗性〔irrésistibilité〕および外在性〔extériorité〕という3つの特徴を示す。これらの特徴から，ある者のすべての不法行為責任または契約責任を免責する。cas fortuitおよびfore majeurは外在的事由に属する。
▶Cas fortuit〔不可抗力；内因的不可抗力〕
▶Force majeure〔不可抗力；外因的不可抗力〕

Cause réelle et sérieuse　労働　**現実かつ重大な事由**　1973年7月13日の法律以後，解雇を正当化する事実。この事由は必ずしも非行に限られず（例えば，疾病による長期の欠勤），またこの事由が非難されるべき行為である場合であっても，その非難の程度は重い非行〔faute grave〕ほどではない。現実かつ重大な事由は，経済的理由に基づくこともある。
▷労働法典L122-14-3条，L122-14-4条およびL321-1条

《Cautio judicatum solvi》　民訴　**裁判上の支払保証人**　1972年以前，訴えの被告であるフランス人が，外国人である原告に対して要求することのできた保証人で，原告に対して言い渡されうる金銭の支払を保証することを目的とした。
▶Caution〔保証人〕

Caution　民法　**保証人**　債権者に対し，債務者本人が債務を履行しない場合にその者に代わって債務の履行を満足させることを約束する者。

債務者が自己の債務を履行しなかった場合に保証人が自ら履行することを承諾するとき，その者は人的保証人〔caution personnelle〕といわれる。保証人が，自ら履行することを約する代わりに，その所有する不動産を担保として抵当に供するとき，その者は物上保証人〔caution réelle〕といわれる。
▷民法典2288条以下

▶Cautionnement〔保証〕

民訴　**保証人**　訴訟当事者はときに，保証人を立てることまたは一定の金額を供託することを申し出て，判決の仮執行を得ることができる。
▷新民事手続法典517条および519条
▶Consignation〔供託〕

Cautionnement　民法　商法　**保証；保証金供託**
①保証//ある者が保証人となることを約する契約。
▷民法典2288条以下
②保証金供託//将来生じることのある債権を担保するために現金または有価証券を寄託すること。
▶Caution〔保証人〕▶Consignation〔供託〕

Cautionnement électoral　憲法　**供託金**　選挙立候補者が供託しなければならない金額。一定の得票率に達した場合は立候補者に返還される。この制度の目的は，真に当選する意思のない立候補を思い止まらせることにある。

Cautionnement des ouvriers et employés　労働　**労働者弁償保証金**　労働契約の締結に際し，労働者がその職務を行うにあたり所持することを要請される現金または商品の返還を保証するために，使用者に対して行う金銭または有価証券の寄託。

労働者弁償保証金は規制を受けている。
▷労働法典L126-1条以下

Cavalerie (Ttraite de)　商法　**手形騎乗（騎乗手形）**　▶Effet de complaisance〔融通手形〕

Cavalier budgétaire　財政　**予算法律への相乗り**　性質上，予算法律の領域とは関係ないが，単なる便宜上の理由で予算法律のひとつに違法に規定された法律の規定。憲法院〔▶Conseil constitutionnel〕に提訴された場合には無効とされることになる。

Cédant, Cessionnaire　民法　**譲渡人，譲受人**
▶Cession de créance〔債権譲渡〕

Cédule　財政　**所得種別**　所得税の課税所得の行政上の分類の旧い同義語。例えば，俸給と賃金のcédules〔部〕または土地所得のcédules〔部〕という言い方がなされていた。

Célibat (Clause de)　労働　**結婚退職条項**　労働者が結婚した場合に労働契約を解約する旨を規定する労働契約条項。1982年7月13日の法律は，家族状況を考慮に入れることを禁止している。
▷労働法典L122-45条；刑法典225-1条

Censure　行政　**検閲**　国が出版および興行を

許可または禁止するに先立って行っていた審査。フランスでは，出版に対する検閲は1881年7月22日の法律により廃止された。この法律は，《すべての新聞，すべての定期刊行物は，事前の許可なく発行することができる》と宣言している。興行に対する検閲は，1906年6月8日のデクレにより廃止された。ただし，映画は，一定の公衆への公開を制限する（さらに理論上はこれを完全に禁止する）権限をもつ委員会の検閲済証を上映前に取得しなければならず，書籍および定期刊行物は，その内容（例：過剰な暴力，人種的偏見に基づく憎悪への呼びかけなど）を理由として，（たいていは一定の公衆に対する）陳列または販売を禁止されることがある。

憲法 **不信任；懲罰**

①不信任//国会が，理由を明示して政府を非難することによって，政府の政治責任を問う手続き。

不信任動議が可決された場合，政府は総辞職しなければならない。合理化された議院内閣制においては，不信任について，その受理，討議および表決に関する詳細な規定が定められている（1958年憲法典49条参照）。

②懲罰//議院規則によって定められた条件において国会議員に科される懲戒処分。

民訴 譴責　懲戒処分。

▶Pouvoir disciplinaire〔懲戒権〕

Centrale d'achat　商法 **買入れセンター**　会社〔société〕または経済利益団体〔groupement d'intérêt économique〕の形態で設立された商人の団体であり，多くの場合は問屋の資格で行為し，その構成員の計算において買入れを行う。

構成員が協同会社〔協同組合〕〔société coopérative〕の組織で共同で買入れを行う買入れ団体〔groupement d'achat〕は，固有の意味での買入れセンターとは区別されるべきである。

また，照会センター〔centrale de référencement〕といわれる組織も存在する。この組織は，組織自体では買入れは行わないが，供給業者を流通業者に照会し，供給業者と供給の条件について交渉する。照会センターでは流通業者の購買力が集積するため，その行為が支配の濫用〔▶Abus de domination〕にあたるとされる場合がある。

Centralisation　行政 **中央集権**　間接的または直接的に政府の階層権限のもとに置かれる機関に決定権限を付与する行政システム。

組織の仕方の観点から，中央集権は，2つの形態をとりうる。

一極集中〔concentration〕：前述の機関を政府の所在地に集中させるシステムであり，現実には実現不可能なものである。

事務分散〔déconcentration〕：さまざまな行政区画で実際に行政を行っている国の機関に決定権限を委ねるシステムであり，実定法上，現に行われている。

Centralisme démocratique　憲法 **民主集中制**　共産党の組織の指導原則。この原則は次のことを意味する。

 a)底辺から頂点までの党のすべての指導機関の選挙。
 b)党員に対する定期的な活動報告。
 c)党内の厳格な規律（分派の禁止）と多数派への少数派の服従。
 d)下部組織が上部組織の決定を執行する厳格な義務。

a)とb)はこの制度の民主的部分を表すが，c)とd)は集権的な部分を示す。

Centre d'aide par le travail（CAT）　労働 **障害者労働援助センター**　身体的，感覚的，精神的または心理的な機能の低下の結果，雇用を得る能力またはこれを維持する能力が実質的に低下しており，そのために障害労働者であると認定された，16歳を超える者を受け入れる施設。これらの労働者は，社会保障医療および育成の支援を受けながら職業的性格の活動を行う。

▷労働法典L323-8条，L323-10条およびL323-30条

Centre d'analyse stratégique　行政 **国家戦略センター**　首相の諮問機関。報告，勧告または意見によって，経済，社会，環境または文化の領域における国の政策の決定について政府に助言することを任務とする。その研究成果は公表される。国家戦略センターは，2006年に，経済企画庁〔Commissariat général au Plan〕に取って代わった。

▶Plan (de développement économique et social)〔（経済・社会発展）計画〕

Centre communal d'action sociale　行政 **市町村社会福祉活動事務所**　1968年から旧社会援助課〔Bureaux d'aide sociale〕を引き継いだ，市町村の，または，市町村を横断する公施設法人であって，社会福祉のための予防措置およびその増進という一般的使命ならびに社会

援助請求の予備審査を任務とする。市町村社会福祉活動事務所は，さらに，最も貧困な住民に対して金銭給付および現物給付を行う。

Centres de détention 行政 財政 **拘禁センター** 主として有罪判決を受けた者の社会復帰を目的とする行刑施設。これらの施設には，若年受刑者センター〔centre pour jeunes condamnés〕と開放行刑施設〔établissement ouvert〕がある。
►Prisons〔刑務所〕

Centres éducatifs fermés 刑法 刑訴 **閉鎖育成施設** 司法上の統制〔contrôle judiciaire〕または保護観察付執行猶予〔sursis avec mise à l'épreuve〕の適用により未成年者が収容されている，公施設法人または資格を与えられた民間施設。これらの施設は，行刑施設とは異なり施設外への外出が可能である。施設内では，未成年者は，強化された個人別の育成的かつ教育的な追跡調査を可能にする監視措置および統制措置の対象となる。未成年者の課された義務への違反は，場合により，その未成年者の勾留収容または拘禁をもたらすことがある。
▷1945年2月2日のオルドナンス第174号33条
►Centres éducatifs renforcés〔強化育成施設〕►Centres de placement immédiat〔緊急収容施設〕

Centres éducatifs renforcés 刑法 刑訴 **強化育成施設** 著しく困難な状況にある，または社会から脱落しつつある累犯未成年犯罪者の受入施設。3ヵ月から6ヵ月の期間の強化活動プログラムと継続的な教育指導を特徴とする。
►Centres éducatifs fermés〔閉鎖育成施設〕
►Centres de placement immédiat〔緊急収容施設〕

Centre d'étude des revenus et des coûts (CERC) 財政 行政 **所得・コスト研究センター** ►Conseil de l'emploi, des revenus et de la cohésion sociale (CERC)〔雇用・所得・社会的結束評議会〕

Centre européen de la recherche nucléaire (CERN) 国公 **ヨーロッパ原子力研究センター** 1953年に設立された国際組織であり，原子力エネルギーの平和利用を目指す科学研究を行うために，ヨーロッパ諸国の資源を共用することを目的とする。

　ヨーロッパ原子力研究センターは，ジュネーヴ近郊において，大規模な粒子加速器を管理している。

Centre de formalités des entreprises (CFE) 社保 財政 **企業届出書式事務所** 企業の設立，地位の変更，活動の終了に関して，行政法，租税法，社会法および統計法の領域における法律および命令が要求する届出を，同一箇所で一文書に記入することを企業に可能にさせる事務所。

Centre de gestion agréé 財政 **公認会計管理センター** 労働者以外の職業の所得捕捉改善政策の枠内で，公認自由職業協会〔associations agréées pour les professions libérales〕という名称の公認会計管理センターが設けられた。自由職に従事している者はこの機関に会計管理を委託することができる。この委託によって会計の正確さが高まるので，自由職従事者には若干の条件のもとに課税所得からの所得控除を受ける権利が生じる。設立の承認は租税行政庁によって与えられる。

Centre des impôts 財政 **税務署** 主税総局の所轄する課税標準の評価および調査の業務を担当する地方組織の基本単位。当該管轄区域内におけるすべての納税義務者（私人または企業）に関する税務資料が，そこに提出され，補訂されて，情報の最新化が図られる。

Centre national d'études judiciaires 民訴 **国立司法研修所** ►École national de la Magistrature (ENM)〔国立司法学院〕

Centres de placement immédiat 刑法 刑訴 **緊急収容施設** 未成年犯罪者の緊急受入施設。裁判官に適切な方針を提案するため，1ヵ月から3ヵ月の期間，受け入れられた未成年者の個人，家族，学業または職業の状況の評価作業および観察作業を行うことを任務とする。
►Centres éducatifs fermés〔閉鎖育成施設〕
►Centres éducatifs renforcés〔強化育成施設〕

Centre de préparation à l'administration générale (CPAG) 行政 **一般行政職受験準備センター** ►Institut régional d'Administration (IRA)〔地方行政学院〕

Centre régional de formation professionnelle d'avocats 民訴 **州弁護士職業研修所** 法人格を与えられた公益施設で，1991年11月27日のデクレ（42条以下）により州レベルで設立された。以前はこのような研修所は控訴院の管轄区域内にあった。

　各研修所は司法官，弁護士および大学教官で構成される理事会により運営される。

Cer

州弁護士職業研修所は，入所試験の合格者の研修を行い，弁護士職適格証明書のための準備をなす。また弁護士会の構成員の研修を常時行う任務も負う。

Certain 民法 民訴 確定した；特定した
①確定した//争われる余地がないもの（確定債務〔dette certaine〕）。
②特定した//特定されたもの（特定物〔►Corps certain〕）。
►Créance〔債権〕►Date certaine〔確定日付〕

Certificat complémentaire de protection 商法 特許補充保護証書 存続期間が満了した特許に一定期間代わる証書であり，その権利者に同一の権利を付与しかつ同一の制限に服する。この証書は医薬品に関する発明の保護を補完するためのものであり，販売許可を取得するまでその特許を利用できなかった不利益をこうして補っている。
▷知的所有権法典L611-3条

Certificat de conformité 行政 検査済証
►Permis de construire〔建築許可〕

Certificat de coutume 国私 慣習証明書 他国の法律家（弁護士，公証人，領事）によって交付される証明書で，法規範の存在を確認し，またはその内容を示すもの。
他国において，成文法が存在せず，法規範が慣習または判例に由来するときに，しばしば用いられる方法。

Certificat de droit de vote 商法 議決権証書
►Certificat d'investissement〔投資証書〕

Certificat d'hérédité 民法 相続証明書 アルザス=モゼル地方の県以外においては小審裁判所または市町村長によって，証拠となるものを見たうえで交付される証明書。
►Acte de notoriété〔公知証書〕►Intitulé d'inventaire〔財産目録の頭書〕
アルザス=モゼル地方の県においては，相続資格および相続権者の相続分について証明するためにこの証明書を作成するのは相続開始地の小郡裁判官〔juge cantonal〕である。

Certificat d'investissement 商法 投資証書
ひとつの株式が分解〔démembrement d'une action〕されることによって，議決権証書〔certificat de droit de vote〕とともに発生する証券。投資証書は流通性があり，その権利者に，株式より生じるすべての金銭的な権利を与える。反対に，議決権証書は，原則として譲渡することができない。したがって，そのような証券を発行することにより，会社は，独立性を失うことなく，その資本を増加させることができる。
2004年6月24日のオルドナンスは，将来に向かって投資証書を廃止している。
▷商法典L225-186条，L228-30条以下；通貨金融法典L212-11条

Certificat de nationalité 国私 国籍証明書 ある個人がフランス国籍をもっているという証明書。国籍証明書に記載されることとなる証明書類を審査したうえで，小審裁判所主席書記がこれを交付する。その有効性は，裁判上争うことができる。
▷民法典31条以下

Certificat de non-paiement 商法 支払拒絶証明書 1985年7月11日の法律第695号によって，執行力ある拒絶証書〔protêt exécutoire〕に代わるものとして制度化された証明書。支払人は，小切手の最初の支払呈示から30日の期間内に支払いがない場合には小切手の所持人の請求に基づいて，また，改めて小切手が呈示された場合には当然に，支払拒絶証明書を小切手所持人に交付する。支払拒絶証明書は，小切手の支払拒絶を公式に確認することを目的としており，この支払拒絶証明書に基づいて，執行吏は執行名義を交付し，それによりすべての形態の差押えが可能になる。
▷通貨金融法典L131-73条
►Protêt〔拒絶証書〕

Certificat d'obtention végétale 商法 植物新品種登録証明書 ►Obtention végétale〔植物新品種〕

Certificat de propriété 民法 商法 所有証明書 物または有価証券上に権利が存在することを，公務員または官吏が証明する証書。

Certificat de travail 労働 労働証明書 労働契約満了時に使用者が労働者に手渡す義務のある文書。契約当事者名，労働者の入職および離職の日付，労働者の就いていた雇用の性質を記載する。
この証明書には，使用者が署名しなければならない。
▷労働法典L122-16条およびR516-18条

Certificat d'urbanisme 行政 都市計画証明書 行政庁に対して交付を申請することのできる情報を提供する文書。都市計画の規定，所有権に課される行政上の制限，特定の土地に適用される都市計画税および都市計画分担金，ならびに既存のまたは予定されている公共施設を示す。

さらに，申請者の計画する建設事業が申請書において具体的に述べられているとき，都市計画証明書において当該土地をその事業の実施に用いることが可能か否かも示される。

建設予定地を取得する前に，この文書の交付を申請するのが安全である。

▷都市計画法典L410-1条

Certificat d'utilité 商法 実用証　特許性を有する発明を，短期間(6年)保護することとなる工業所有権証書。調査報告書〔rapport de recherche〕を作成する必要はない。

Certificat de vie 民法 生存証明書　ある者が現実に生存していることを，公的職務を執行する者(公証人，裁判所所長，市町村長)が証明する証書。年金受給権者は，その者が権利を有する支分金の支払いを受けようとするときは，原則としてこの証明書を提示しなければならない。

Certification conforme 民法 民訴 同一性の証明　証書の写しと原本との同一性，または口頭の申述(証言)の文書への記録の正確性の証明。例えば，すべての証人は証人尋問調書に署名をするか，この調書が自己の証言と一致することを証明しなければならない。

▷新民事手続法典220条2項

行政 同一性の証明　2001年から国，地方公共団体〔▶Collectivités territoriales〕，その公施設法人〔▶Établssement public〕，社会保障機関は，これらの機関の1から交付される公文書原本の認証謄本の提出をもはや求めることができなくなった。原本のコピー〔photocopie〕が受理されなければならないが，疑義のある場合には，原本の提出を求めることができる。

Certification (en matière de chèque) 商法 (小切手の)支払保証　支払人が，小切手の表面に署名をすることにより，自己の責任において，所持人のために，法定の支払呈示期間が経過するまで小切手資金を凍結する方法。

▷1992年5月22日のデクレ456号32条(通貨金融法典R131-2条)

Césarisme 憲法 カエサル的独裁政治　理論的には人民に帰属する政治権力が，実際には，人民によって信頼に値するひとりの人物に委ねられ，その人物が政治権力を一手に掌握し，それを権威主義的に行使する統治制度(例：第一帝政，第二帝政。そこでは，プレビシット〔▶Plébiscite〕がカエサル的独裁政治の手段として利用された)。

《**Cessante ratione legis, cessat ejus dispositio**》 一般 法律の理由がなくなるとその規定はなくなる　法律は立法理由がなくなると適用されなくなる。

Cessation des paiements 商法 支払停止　自己の処分可能な資産をもって，履行期が到来している負債を満足させることができなくなっている債務者の状態。支払停止は裁判上の更生〔▶Redressement judiciaire〕および裁判上の清算〔▶Liquidation judiciaire〕の手続きの開始事由のひとつである。

Cessibilité 行政 収用許容　▶Arrêté de cessibilité〔収用許容決定アレテ〕

民法 商法 譲渡可能性　無体財産〔bien incorporel〕(会社持分，証券，営業財産など)の譲渡が可能であるという性質。

Cession 民法 譲渡　生存者間での権利の移転。

▶Vente〔売買；売却；競売〕

Cession à bail 国公 租借　ある国が他国のために自国の領域の一部に対して行う管轄権の一時的移転。

列強により19世紀末に中国への経済的な浸透を助けるために用いられた方法。また第二次世界大戦後は，戦略基地政策のために再び採られた方法。

Cession de créance 民法 債権譲渡　譲渡人〔cédant〕と称される債権者が，その者の債務者(被譲渡債務者〔débiteur cédé〕)に対する債権を，譲受人〔cessionnaire〕と称される第三者に移転する合意。

▷民法典1689条以下

Cession de dettes 民法 債務引受け　債務者が，自己の債務を第三者に移転し，その者はその者が債務者の債権者に対する地位を引き継ぐ旨の合意。債務引受けは，例外的な場合にしか許されない。

Cession de droits litigieux 民法 係争中の権利の譲渡　その存在または有効性が，訴訟または異議申立ての対象となっている債権の譲渡。

▷民法典1700条

この譲渡が帯びている危険性ゆえに，譲渡債権の債務者は，新たな債権者に現実の譲渡代金(債権の名目額ではない)を，費用および正当な経費ならびに排除される譲受人が支払いをなした日から起算される利息とともに償還することにより，その新たな債権者を排除することができる。

▷民法典1699条

Cession de droits successifs 〔民法〕**相続権の譲渡**　相続財産を受け取る権利を有する相続人が相続財産における持分を第三者に譲渡する旨の合意。

▷民法典780条および815-14条
►Pacte sur succession future〔将来の相続財産に関する合意〕

Cession de salaire 〔労働〕**賃金債権の譲渡**　労働者が債権者に対し，賃金の全部または一部についてその賃金債権を譲渡すること。これによって，使用者は当該債権者に対して直接賃金を支払うことになる。

　賃金債権の譲渡は金額および手続きに関する厳格な規定に従う。

▷労働法典L145-1条以下およびR145-1条以下

Cession de terrain contre locaux futurs 〔民法〕**アパルトマンの建築分譲を受けるための土地譲渡**　通常は個人である売主が，通常は会社である第三者に土地を譲渡し，この者が，売買代金の全部または一部の支払いという名目で，売主に対して，建造物を建設しいくつかのアパルトマンを引き渡すことを約する契約。

Chaîne de contrats 〔民法〕**契約の連鎖**　時系列的に連続して発生する，同一の目的物を対象とする複数の合意。連続する契約が同一の性質をもつ場合，その連鎖は均質であるといわれる（製造業者と卸売業者，次いで卸売業者と小売業者，最後に小売業者と一般顧客の間で順次成立する売買の場合）。連続する契約が異なる性質をもつ場合，その連鎖は不均質であるといわれる（資材業者と建築業者の間での資材の売買と，建築業者と個人の間での家屋建築の請負契約）。契約の連鎖の概念は，契約の相対効を制限し，連鎖に含まれるどの契約当事者にも，連鎖を構成する他の契約の当事者に対して契約責任の訴えをなすことを認めるために用いられる。破毀院は，所有権移転を生ずる契約が連続している場合にのみ，このような契約上の直接訴権を認めている。

Chambre 〔憲法〕**議院**　立法議会。二院制をとる国会において，かつて，公選の議院を下院，任命制または世襲制の議院を上院と呼んでいた。

►Parlement〔国会〕

〔訴訟〕**部**　同一の裁判所の裁判官の集合で，審理または判決という裁判上の目的で開かれる。一般に同一の裁判所の部は固有の管轄権限を有さず，なされた裁判はその裁判所全体の行為とみなされる。

▷司法組織法典R212-3条およびR311-11条
►Section〔(裁判所の)部〕

　この用語はまた，裁判補助者（代訴士，公証人，動産公売官）の同業団体に関して，同一の職業の構成員の代表機関を示す。その機関は共通の利益に関わる問題（内部規則，懲戒など）につき審議決定する権限を有する。

Chambre d'accusation 〔刑訴〕**控訴院弾劾部**
►Chambre de l'instruction〔控訴院予審部〕

Chambre d'agriculture 〔農事〕**農業会議所**　県単位で農業者の利益を代表する機関。選挙されたメンバーで構成され，主として諮問権限を行使する。

▷農事法典L511-1条

Chambre des appels correctionnels 〔刑訴〕**軽罪控訴部**　控訴院の構成体。軽罪裁判所および違警罪裁判所により始審として裁判された事件に対する控訴につき裁判する管轄権限を有する。

▷刑事手続法典510条以下

Chambre civile 〔民訴〕**民事部**　破毀院の部で，私法（民法，商法，社会法，民事手続きなど）の領域でなされた破毀申立てを審査することを任務とする。

　以下のような名称が与えられた5つの民事部が存在する。すなわち第一民事部，第二民事部，第三民事部，商事部，社会部である。

▷司法組織法典L421-1条以下およびR121-3条以下

Chambre de commerce et d'industrie 〔商法〕**商工会議所**　商人と製造業者によって構成される公施設法人。商工会議所を構成する商人と製造業者は，数年を任期として選任され，商工業の一般利益を擁護することを任務としている。

　商工会議所は各県に少なくとも1つは設置されており，さらに，経済地域圏ごとに地方会議所〔chambre régionale〕が設置されている。

▷商法典L711-1条以下

Chambre de commerce internationale 〔商法〕〔国私〕〔民訴〕**国際商業会議所**　パリに本部を置く民間機関（略称：CCI）。国際商業会議所は，国際取引に関する合意に基づくルールの形成を目的としている。またとりわけ，国際商業会議所は，商取引に関する国際的な紛争に関して仲裁を行っている。

Chambre commerciale et financière 民訴 商事部　破毀院の4番目の民事部に与えられた名称。

Chambre de compensation 商法 手形交換所　もともとは，同一の地の銀行が相互の債権を相殺するために，1日または数日に1回行う会合の場所のこと。今日では，商業証券の相殺は，電子化され，銀行間の電子決済システムを通じて行われる。
▷商法典L511-26条2項
　►Compensation〔相殺〕►Clearing〔手形交換〕

Chambre du conseil 民訴 評議部　あらゆる民事裁判所に存する非公開で裁判する構成体。
　評議部の権限はたいていの場合には非訟に関するものであるが，ときには訴訟に関するものであることもある。
▷新民事手続法典22条および433条以下

Chambre criminelle 刑訴 刑事部　刑事に関する破毀申立ての審査を任務とする破毀院の構成体。
▷刑事手続法典567条

Chambre des députés 憲法 代　議　院
　►Chambre〔議院〕

Chambre détachée 民訴 刑訴 （大審裁判所）支部　大審裁判所の裁判構成体。裁判を国民にとって身近なものにするため，大審裁判所の管轄区域の市町村のうちのひとつに設置され，その大審裁判所の支部の役割を果たす。
▷司法組織法典R311-39条以下

Chambre de discipline 民訴 懲戒委員会　同業団体における裁判機関で，職業上の義務違反について裁定することを任務とする。例えば，代訴士懲戒委員会，動産公売官懲戒委員会。
　►Discipline〔懲戒〕►Pouvoir disciplinaire〔懲戒権〕

Chambre de l'instruction 刑訴 控訴院予審部　控訴院の構成体。無罪の推定の保護および被害者の権利を強化する2000年6月15日の法律第516号から旧控訴院弾劾部に取って代わった。
　・主たる役割：
　予審の枠内でなされた命令または判断に対する控訴を裁判する。
　・付加的役割：
　①司法警察職員の懲戒裁判所として裁判する。
　②犯罪人引渡し，裁判上の復権，大赦に関する訴訟，管轄裁定などについて裁判する。

▷刑事手続法典191条以下

Chambre des métiers 商法 民法 手工業会議所　通常は県単位で設置される公施設法人であり，選任された構成員を通して，行政との関係で手工業者〔artisans〕の一般利益を代表することを任務としている。

Chambre mixte 民訴 刑訴 混合部　破毀院の構成体で，少なくとも3つの部に属する裁判官（少なくとも13名の裁判官，すなわち院長および各部ごとに部長，最古参の裁判官，裁判官2名）からなる。
　混合部への付託は，1つの部において可否同数の場合，義務的である。
　複数の部の権限に属する問題を生じさせる事柄の場合，および同一内容の事柄について対立する解決法がとられ，またはとられることが予想される場合には任意的である。
▷司法組織法典L421-4条，L431-5条およびL431-7条

Chambre régionale des comptes 財政 州会計検査院　州を管轄する財務裁判所であり，次の3つの任務を担当する。
　①州，県，市町村およびその公施設法人の公会計官〔►Comptables publics〕または事実上の会計官〔►Comptable de fait〕が決算済みかまたは決算時欠損〔►Débet〕を与えているかを決定するために，これらの者が行った会計について判決をなす。この判決は，会計検査院〔►Cour des comptes〕に対する控訴の対象となる。
　②管理行為の適式性，使用される手段の妥当性，および目標との関係における結果の評価を対象として，前記の公共団体の公金管理について行政的性質の監査を行う。その際に，当該公共団体に対する批判的意見を表明することもある。
　③前記の公共団体の予算が，所定の期間内に表決されない場合，歳出超過の状態で表決または執行される場合，または，義務的経費に十分な予算を割り当てていない場合に行政的性格の財政監督〔contrôle budgétaire〕を行う。ただし，これは，県知事〔►Préfet〕の決定によって覆されることもある。
▷財務裁判所法典L210-1条以下
　►Trésorier-payeur général〔地方財務局長〕

Chambres juridictionnelles EU （ヨーロッパ共同体第一審裁判所）付属簡易法廷　ニース条約（2000年12月）は，ヨーロッパ理事会がヨーロッパ共同体第一審裁判所〔►Tribunal de première instance des Communautés européennes〕付属簡易法廷を設置し，特定の領域について第一審として裁判する権限を付与することができることを定めていた。付属簡易法廷の判決に対する破毀申立および または控訴（設置の決定の定めるところによる）は，ヨーロッパ共同体第一審裁判所に対して提起されることになる。EU公務員に関する訴訟を審理するため，最初の付属簡易法廷が設置された。

Chambres des requêtes 民訴 審理部　1947年以前の破毀院の部で，民事部による審査の前に申請の受理性について裁判していた。

Chambre sociale 民訴 社会部　破毀院の5番目の民事部および社会法に関する事件の管轄権を有する控訴院の部に与えられた名称。
▷労働法典R517-8条

Chambres réunies 民訴 刑訴 連合部　破毀院の構成体で，1967年以降，大法廷〔►Assemblée plénière〕へと代わった。

Chancellerie 行政 大学区事務所　各大学区に所在し，大学区総長〔►Recteur〕の指揮を受けて，高等教育の運営のために財務管理を行う公施設法人。

憲法 首相官邸；司法省
①首相官邸//ドイツ連邦共和国，オーストリアのような若干の国では首相にchancelierという称号が与えられるが，その首相が執務する場所またはその住居をいう。
②司法省//フランスの司法省。

国公 大使館（または領事館）事務局　大使館または領事館の事務局をいい，ここで一定の文書を交付する。

Change 商法 両替；為替　ある通貨を別の通貨に交換すること。
両替は，鋳貨もしくは紙幣または有価証券〔valeurs mobilières〕を目的としてすることができる。
この用語は，2種の通貨の間の相場の差額から生じる利益を指す場合もある。

Chantage 刑法 恐喝　名誉または敬意を侵害する性質をもつ事実を暴露しまたは糾弾すると脅して，署名，約束もしくは権利の放棄，秘密の開示，または現金，有価証券もしくは何らかの財物の引渡しを得る，または得ようとする行為。
▷刑法典312-10条以下

Chapitre budgétaire 財政 予算科目　2006年以前の予算〔►Crédit budgétaire〕の基本区分単位。予算の限定は，その単位で，性質（人件費，設備費など）または使用目的にしたがって行われていた。
現在では，予算の限定は，非常に異なったやり方で事業計画〔►Programme〕ごとになされている。

Charge 民訴 （裁判所補助吏の）官職株　►Officier ministériel〔裁判所補助吏〕

Chargé d'affaires 国公 代理公使　►Agent diplomatique〔外交官〕►Rang diplomatique〔外交席次〕

Charges 民法 負担　無償譲与において：処分者が受益者に課す義務。受益者がその義務を履行しない場合には，制裁として無償譲与を失う。ただし，受益者は裁判所に負担の修正を求めることができる。
▷民法典900-2条
婚姻上の負担：夫婦財産制において，消極財産の部に計上され，主に，家庭の費用および子の育成の費用を内容とする。婚姻上の負担は，最終的には，法定共通財産〔communauté légale〕によって引き受けられる。
▷民法典214条

社会 社会保障負担　使用者が種々の社会保障機関に支払う義務的な拠出金の総体であって，労働者階層の社会的保護を目的とするもの。

Charges indues 社保 不当負担　現在のところ社会保障の一般制度が負担しているが，通常であれば地方公共団体の負担に属し租税によって充当されるべき出費のこと。

Chargeur 海法 荷送人　箇品運送契約における運送人の相手方。

Charte 憲法 憲章　権原または特権を付与する古法上の文書。イギリス法においては，諸侯，聖職者，ロンドン民衆の武力による圧力を受けて国王が承認した，とりわけ公の自由に関する基本的文書（1215年の大憲章（マグナ・カルタ））。フランス法においては，復古王政(1814年)，七月王政(1830年)の憲法的文書。

国公 憲章　国際組織の設立文書。例，国際連合憲章。

Charte des droits fondamentaux de l'Union européenne EU ヨーロッパ連合基本権憲章　2000年12月にニースのヨーロッパ理事会によって採択された，主要な社会的政治的諸権利の宣言。ヨーロッパ憲法条約草案の第2部を構成する。法的には強制力をもたないが，

ヨーロッパ連合基本権憲章は，それにもかかわらず，裁判所がその尊重に努める法の一般原則として，ヨーロッパ共同体裁判所によって利用されている。

Charte de l'environnement 憲法 **環境憲章**
2005年2月28日に両院合同会議によって採択された憲章。1789年の人および市民の権利宣言と同一の資格で憲法典前文に組み込まれている。環境憲章は，フランスの法制度が従わねばならない原則，例えば予防原則〔principe de précaution〕を定めている。フランスは，このような憲章を憲法典に挿入した最初の国であるが，その真の帰結はこの憲章の今後の実践によって明らかとなろう。憲法院の判例が注目される。
▶Précaution (Principe de) 〔予防(原則)〕

Charte européenne des droits sociaux fondamentaux des travailleurs EU **労働者の社会的基本権に関するヨーロッパ憲章** ヨーロッパ理事会により1989年12月9日にストラスブールで採択された。イギリスは署名しなかった。公式の宣言にとどまるものであるが，主要な社会的権利を規定しており，それらの権利は，場合に応じて，国家または共同体により保障され，実現される。

Charte-partie 海法 **傭船契約書** 傭船契約〔▶Affrètement〕を確認する書面。
これは一定の記載事項を含むものでなければならない(1966年12月31日のデクレ5条を参照)。

Charte sociale européenne 労働 **ヨーロッパ社会憲章** ヨーロッパ審議会の作成した，労働および社会保障に関する国際条約。1961年10月18日に署名されたが，フランスが批准したのは1973年のことである。

Charte du travail 労働 **労働憲章** ヴィシー体制下の労使関係の組織原理。国家の統制下に置かれる単一かつ強制加入の組合という原則を特徴とする。

Chaussée 一般 **車道** 通常，車両の通行の用に供される道路の部分。
▷道路法典R110-2条

Chef 民訴 **請求項目** 裁判官に対してなされた申立ての論点のひとつ。裁判官は請求のすべての項目について裁判しなければならない。
▷新民事手続法典5条
▶《Infra petita》〔請求の一部を落として〕
▶《Ultra petita》〔請求の範囲をこえて〕

Chef de l'Etat 憲法 **国家元首** 立憲君主制の国家において，国王が国家において卓越した地位を有していた時代に現れた称号であるが，国王の職務内容が(いくつかの体制では消滅するに至るほど)減少しても，その称号は存続してきた。国家元首は，世襲制の場合もあれば(国王)，選挙による場合もある(共和国大統領)。また，独任制の場合もあれば合議制の場合(総裁政府，ソヴィエト最高会議幹部会)もある。

Chef d'entreprise 労働 **企業長** ▶Employeur〔使用者〕▶Entreprise〔企業〕

Chef de famille 民法 **家族の長** 家族の物質的，精神的管理を引き受けるために，かつて，夫に認められていた資格。最近の法律(1965年7月13日，1970年6月4日，1975年7月11日，1985年12月23日)によれば，夫婦は共同して家族の管理を引き受ける。
▶Administration légale〔法定財産管理〕
▶Autorité parentale〔親権〕

Chef (de son) 民法 **自らの権限(責任)で** 本人名義で，自己の名において。自らの権限で相続する〔venir à une succession de son chef〕とは，代襲によってではなく，故人と自己との親等に対応する固有の能力によって相続に呼び出されることである。
▶Tête(par)〔頭割り(による)〕

Cheptel 民法 **家畜賃貸借** 民法典1800条から1830条に規定されている，家畜資産を対象とする賃貸借の3つのカテゴリー(単純または通常家畜賃貸借〔cheptel simple ou ordinaire〕，折半家畜賃貸借〔cheptel à moitié〕，定額小作人または分益小作人に対する家畜賃貸借〔cheptel donné par le propriétaire à son fermier ou colon paritaire (métayer)〕)。当事者の一方が他方に対し，監視，飼育および世話をする目的で家畜資産を供与するという共通点をもつ。1頭または数頭の牝牛を収容し，飼育するために供与することを内容とする，不適切にも家畜賃貸借と呼ばれる契約についてもいう。この場合，賃貸人は牝牛の所有権を保持し，牝牛から産まれる仔牛しか利得しない。
▷民法典1831条；農事法典L421-1条以下
▶Bail à cheptel〔家畜賃貸借〕▶Bail à colonat partiaire〔分益小作契約〕

Chèque 商法 **小切手** 《振出人》〔tireur〕と呼ばれる者が，《支払人》〔tiré〕である銀行またはこれに同視される機関に対して，あるいは振出人自身に，あるいは第三者である《受

取人》〔bénéficiaire〕または所持人に，あるいはその指図人に〔à son ordre〕，一定金額を一覧で支払う旨を指図する証券。

Chèque barré 〖商法〗**線引小切手**
　①*Barrement général* 一般線引：表面に平行な2本線が表示され，その間に何らの記載もない小切手。支払人は，その支払いを，銀行もしくはこれに同視される機関，郵便小切手局長〔chef de bureau de chèques postaux〕または支払人に知れたる顧客に対してでなければ，行うことができない。
　②*Barrement spécial* 特定線引：表面に平行な2本線が表示され，その間に銀行名の記載がある小切手。支払人は，その支払いを，ここに指定された銀行に対してでなければ，行うことができない。
　一般線引は特定線引に変更することができるが，その反対はできない。小切手の線引は証券の有効要件ではない。
▷通貨金融法典L131-44条，L131-45条およびL131-71条3項

Chèque emploi associatif 〖社保〗**非営利団体雇用券** 最大3名の労働者を雇用する非営利団体向けの証券の一種。労働者の雇入れと労働者に対する支払いを支援し，社会保障負担〔charges sociales〕の申告と計算を簡略化することを目的としている。
▷社会保障法典L128-1条

Chèque emploi-service universel 〖労働〗〖社保〗**介護サーヴィス等利用券** 支援サーヴィス利用券とは，支払いのための特別の小切手または証書であって，この券を用いる者は，あるいは，在宅支援サーヴィス（子守，老齢者または障害者支援），在宅生活支援住居外環境移動支援サーヴィスに従事する労働者または認可自宅保育士への支払いと社会保障機関への申告を，あるいは，同様の領域での業務を認可された機関の提供するサーヴィスの一部または全部に対する支払いを，簡略化された手続きで行うことができる。
　この支払いのための証書は，2007年1月1日から，支援サーヴィス券〔chèque emploi-service〕と支援サーヴィスチケット〔titre emploi-service〕に取って代わることになる。
▷労働法典L129-5条

Chèque emploi-TPE 〖社保〗**零細企業雇用券** 最大5名の労働者を雇用する企業向けの証券の一種。この証券を用いることにより，社会保障の拠出金および保険料に関する義務的な申告の手続きが簡略化される。
▷社会保障法典D133-6条

Chèque postal 〖商法〗**郵便小切手** 郵政省によって交付された特別の用紙を用いて作成された証券であり，固有の規則に従い，郵政省に開設され，かつ，保管されている預金口座の利用を可能にするもの。そうではあるが，郵便小切手は，真の小切手〔►Chèque〕である。
▷通貨金融法典L131-88条；郵便通信法典L98条からL109条

Chèque sans provision 〖刑法〗**資金不足小切手；過振小切手** 資金なく振り出された小切手，振出後に資金の全部もしくは一部が引き出された小切手，または支払禁止手続きがとられた小切手。
　1991年12月30日の法律第1382号以来，資金がない小切手の振出しという特別の犯罪は廃止され，資金不足の結果への制裁は，銀行によるもののみとなり，ただし犯則金〔pénalité libératoire〕は国庫に支払われる。振出後の資金の引き出しと支払禁止手続きだけが，他人の権利を侵害する意図で行われた場合，依然として犯罪となる。
▷通貨金融法典L163-2条

Chèque restaurant 〖商法〗**レストラン小切手**
►Titre-restaurant〔レストラン券〕

Chèque sur le trésor 〖財政〗**国庫支払いの小切手** 公支出に関する通常の支払方法であり，銀行振替えまたは郵便振替えによる。債権者を受取人として，国が振出しをした，国自身が支払人となる小切手という形をとる。一定額を超える支払いは例外を除き振替えによることが義務づけられている。
►Comptable assignataire〔支払担当会計官〕

Chèque syndical 〖労働〗**組合助成金** 企業に設置された労働組合に対して使用者が支払う助成金のこと。その額は，各組合それぞれの支持率によって，および，同調者の数によって決定される。こうした慣行は，企業協定にしか根拠をもたないものであるが，議論の対象となっている。

Chèque vacance 〖労働〗**休暇用小切手** 使用者が取得し，そのために積立てをした労働者に額面より低額で譲渡する証書。低所得労働者は，地方公共団体および指定サーヴィス提供者に対してこの証書を手渡して，休暇のために支出された費用の支払いにあてる。

Chèque de voyage 〖商法〗**旅行小切手** 銀行が，自己の事業所または支店に宛てて，小切手金

額に手数料を加えたものと同額の払込みと引換えに，自己の顧客に振り出す小切手。この小切手により，所持人（顧客）は，発行銀行が支店またはコルレス先を有しているすべての都市において，資金を受け取ることが可能になる。
▶Chèque〔小切手〕

Chiffre noir 刑法 暗数 犯罪件数は現に発生したものと認知されたものとで異なり，現に発生しても認知されていない犯罪件数を暗数と呼ぶ。
▶Criminalité〔犯罪(性)〕

Chirographaire 民法 無担保の ▶Créancier chirographaire〔一般債権者〕

Chômage 労働 失業 職業活動の停止。労働能力がありながら意に反して職に就いていない労働者を，失業しているという。失業は，完全失業のこともあり部分失業のこともある。部分失業とは，労働時間が通常の程度を超えて短縮されている状態を指す。

Chômage cyclique 循環的失業：経済または生産の循環的変動により，一定の間隔で繰り返される失業状態。

Chômage saisonnier 季節的失業：1年の一定の時期に限って起こり，毎年その時期に繰り返される失業。

Chômage technique 不可抗力的失業：克服し難い事態（エネルギー不足，原料不足，ストライキ）により操業が困難となった事業所の活動停止。

Chômage structurel 構造的失業：経済構造の変化に起因する失業。
▷労働法典L351-1条以下およびL351-25条

Chose jugée 訴訟 既判事項 裁判上立証された権利の強制執行のための基礎として用いられるとともに，同一の事件が再び裁判所に提訴されるのを防ぐ，裁判行為に付与された権威。

同一の資格で提訴する同一の当事者間で，同一の原因に根拠付けられた同一の目的を対象とする同一の請求が再び裁判所に提訴されたとき，既判事項がある。

判決がなされたとき（判決の言渡しの日）は単に既判力〔autorité de chose jugée〕といい，執行を停止する不服申立て（故障申立て，控訴，執行が停止されるまれな場合における申立て）の期間が満了したとき，またはそれらの不服申立ての方法がすでに行使されたとき，確定力〔autorité de force de chose jugée〕という。最後に，特別の不服申立ての方法がすでに行使され，またはもはや行使されることができないとき，不覆力〔autorité d'irrévocabilité〕という。

既判力は相対的である場合と絶対的である場合がある。私法，および行政訴訟の一定の形態においては既判力はたいていの場合，相対的である。既判力は当事者によって訴訟不受理事由〔fin de non recevoir〕として援用され（既判事項の抗弁〔exception de chose jugée〕といわれているが誤用である），また第三者によって既判事項の相対性の抗弁として援用される。既判力は裁判官により職権で指摘されうる。

2人以上の訴訟当事者間で裁判されたことが対世的効力を有しかつ訴訟外の者によって尊重されるべき場合には，判決の既判力は絶対的であると言われる。第三者異議の訴え〔▶Tierce opposition〕は，ある判決が自己に対抗できない旨を求めることを第三者に可能にする不服申立ての方法である。
▷民法典1350条および1351条；新民事手続法典125条，480条および500条
▶Opposabilité〔対抗力〕▶Force de chose jugée〔確定力〕

刑訴 既判事項；既判力 犯罪について確定裁判を受けた者が，異なる罪名のもとであっても，もはや同一の犯罪事実について訴追されることはないという状態。
▶《Non bis in idem》〔一事不再理〕

Choses 民法 物；事柄
①物//第1の意味としては，通常複数形で，その上に権利が存在しうる物体。
②第2の意味としては，単数形で，事柄〔question, problème, affaire〕。例えば，既判事項〔▶Chose jugée〕。

Choses communes 民法 共同物 所有の対象とならず，万人の用に供される物。例えば，空気，水がある。
▷民法典714条
▶《Res nullius》〔無主物〕

Choses consomptibles 民法 消費物 利用することにより破壊されてしまうために，一度の使用で消費されてしまう物（例：飲料，食料品）。
▷民法典587条および1874条

Choses corporelles 民法 有体物 感知可能であり，それに対して権利が行使される物〔▶Choses〕。

►Droit corporel〔有体財産権〕►Droit incorporel〔無体財産権〕►Bien corporel〔有体財産〕►Bien incorporel〔無体財産〕

Choses fongibles 民法 **代替物** 他の物と相互に交換可能な物(例：100キログラムの小麦とそれと同量の小麦，大量生産の車)。
▷民法典1291条

代替物は，《種類物》〔choses de genre〕ともいわれる。代替不可能な物は，《特定物》〔corps certains〕といわれる。

Choses frugifères 民法 **元物** 果実〔►Fruits〕を生みだす物。

Choses de genre 民法 **種類物** ►Choses fongibles〔代替物〕

Choses hors du commerce 一般 **取引対象外物** 所有の対象にはなるが譲渡が禁じられている物。法的取引の対象外にある。
▷民法典1128条

Circonscription d'action régionale 行政 **州活動管轄地域** 1972年7月5日の法律まで州〔►Région〕に与えられていた名称。州活動管轄地域自体は，1955年創設のプログラム州に1960年に取って代わったものである。

Circonscription électorale 憲法 **選挙区** その住民が1人または複数の代表者を選ぶ権利を有する領土の部分。

選挙区は，行政区画と一致する場合もあれば，そのために特に設けられた区域である場合もある。

選挙区の確定は，代表において不平等を来すこともあれば(選挙区が選挙人数の不均衡を抱えている場合)，政治的な操作の原因となることもある(ある特定の政党に有利な区割り。これは，アメリカ合衆国において《ゲリマンダ》の名で知られるやり方である)。

Circonstances aggravantes 刑法 **加重事情** 法律に制限列挙する事実または資格で，これが認められると，通常の場合よりも重い刑罰を適用される。
▷刑法典132-71条以下

Circonstances atténuantes 刑法 **軽減事情** 犯罪の遂行をめぐる事実または行為者の人格に関する事情。裁判官によって任意に判断され，刑罰を軽減方向に変更することになる。

新刑法典では，刑の下限の廃止に伴って当然に，軽減事情の概念それ自体がなくなった。ただし，犯罪に関する事情および行為者人格はともに，刑の人的個別化の箇所で明文で扱われているので，この概念がなくなったことは用語上のことにすぎない。
▷刑法典132-24条

Circonstances exceptionnelles 行政 **例外状況** 例外的事態に直面し，公役務の継続的運営を可能とするために必要な範囲内で，行政の通常の権限を一時的に拡大するものと主として分析される判例理論。

憲法 **非常事態** ►Pouvoirs exceptionnels〔非常事態権限〕

Circulaires 行政 **通達** 上級の機関から階層的権限に基づき，下位の公務員に発せられる書面による職務上の訓令。

通達は，法的には，それを発する者が行政立法権を有するという例外的な場合を除き，国民に対する強制力をもたないが，実際には，行政と国民との関係において重要な役割を果たす。国民は行政に対して(適法な)通達を援用することができる。さらに，租税に関しては，納税義務者に対して有利に租税法律の適用を除外する通達は，違法ではあるが，法的安定を理由に，若干の場合には税務当局に対して援用することができる。

社保 **通達** 省報に公示された大臣の通達および訓令は，社会保障家族手当保険料徴収組合連合〔URSSAF〕に対して対抗力を有する。
▷社会保障法典L243-6-2条

Citation (en justice) 民訴 **(裁判上の)呼出し；呼出状** ある者または証人に裁判官，裁判所または懲戒機関のもとへの出頭を促す手続行為(文書)の総称。
►Assignation〔呼出し；呼出状〕

Citation directe 刑訴 **直接呼出(状)** 検察官または被害者が，軽罪・違警罪被告人に公判期日を通知し，判決裁判所に直接提訴する手続行為(文書)。
▷刑事手続法典550条以下
►Réquisitoire〔(検察官の予審判事に対する)請求(書)〕

Citoyen 憲法 **市民；公民** 自己の帰属する国家の領土において，民事的権利および政治的権利を享有する個人。

Citoyenneté européenne EU **ヨーロッパ市民権** 加盟国の国籍を有するすべての者のためにマーストリヒト条約〔►Maastricht〕により設けられた。この市民権は，加盟国の市民の資格に関連する権利義務に加えて付与される。

以下の権利が定められている。すなわち，地方自治体選挙およびヨーロッパ連合選挙に

おける選挙権および被選挙権，第三国におけるヨーロッパ共同体に帰属するすべての者が有する外交上の保護を受ける権利，ヨーロッパ議会への請願権，共同体の機関の行為から生じる不当な取扱いについてヨーロッパ議会の任命するオンブズマンに対し不服申立てを行う権利．すべての者のヨーロッパ域内における移動および滞在の自由も保障される．

ヨーロッパ憲法では，ヨーロッパ委員会に対する法案または枠組法案の提出権を100万人のヨーロッパ市民に与えている．

Civilement responsable 民法 **民事上責任を負う（者）** 他人が犯した権利侵害の民事上の結果に対して責任を負わなければならない者．例えば，企業長と労働者，親と未成年の子．

Clandestinité 民法 **隠秘** それを知ることにつき第三者が利益を有している法的状態（例：占有）またはしばしば法律行為（例：婚姻の締結，会社の設立）が，秘密にされていること．隠秘にはさまざまな方法で制裁が課される（占有については取得時効に対する障害，婚姻の無効）．

刑法 **犯罪の潜行** 実現したことがただちには明らかにならないことのある犯罪の状態（信用の濫用，会社財産の濫用など）．公訴時効〔►Prescription de l'action publique〕期間の起算点を，犯罪を知る客観的な手段が生じたときとすべきか，犯罪を実際に知った日にまで遅らせるのが妥当ではないかという問題が生ずる．

Class action 民法 **クラス・アクション** フランス語でaction de groupeと訳される英語表現．
►Action de groupe〔集団代表訴訟；集団代表の訴え〕

Classement 行政 **公用開始** 必要とされる場合に，ある財産を公共団体の公産に法的に組み入れる行為．ただし，後に具体的効果を生じるものでなければならない．

Classement sans suite 刑訴 **不起訴処分** 起訴便宜主義により検察官のなす決定で，暫定的に公訴権の発動を退ける．
▷刑事手続法典40条

Classifcation commune des actes médicaux (CCAM) 社保 **共通医療行為集（CCAM）** 共通医療行為集は，既存の2種の医療行為集，すなわち，開業医用医療行為集〔NDAP〕および公立病院用医療行為集〔CDAM〕を統合したものである．共通医療行為集は，7200の異なった専門的行為を調査，分類，コード化している．

Clause 民法 **条項** 法律行為のなかの特約事項．

Clause abusive 民法 **不当条項** 職業者と非職業者もしくは消費者の間で締結される契約中に記されている，非職業者もしくは消費者を不利に扱うことによって契約当事者間の権利義務に明白な不均衡を生じさせることを目的する，または，結果として生じさせる条項．不当条項委員会〔Commission des clauses abusives〕の意見をきいた後にコンセイユ・デタの議を経て定められたデクレにより，不当とみなすべき条項の種類が定められる．さらに，破毀院は，規制条項とは別に，ある条項が不当であると判断する権限を事実審裁判官に認めてきている．なお，消費法典は，一定の要件（職業者と消費者，権利義務の不均衡）を満たす場合，不当とみなされうる条項のリストを，限定的ではなく例示的に記している．
▷消費法典L132-1条以下

Clause d'accroissement 民法 **増加条項**
►Accroissement〔増加（条項）〕

Clause d'administration conjointe 民法 **共同管理条項** ►Main commune〔共同管理条項〕

Clause d'agrément 商法 **承認条項** ►Agrément〔承認〕

Clause d'ameublissement 民法 **動産化条項**
►Ameublissement〔動産化〕

Clause attributive de compétence 民訴 **管轄権付与条項** 事物管轄，土地管轄を問わず，紛争の解決を，それを審理する権能を法律上有しない裁判所に委ねる契約上の条項．

この条項は，一定の場合かつ一定の条件のもとでしか有効ではない．
▷新民事手続法典41条および48条
►Attribution de juridiction〔裁判権の付与〕
►Prorogation de juridiction〔裁判権の延長〕

Clause de célibat 労働 **結婚退職条項** ►Célibat（Clause de）〔結婚退職条項〕

Clause commerciale 民法 **営業財産条項** 夫婦財産契約に含まれる条項．この条項は，共通財産を解消する際に，分割の平等を維持するための補償と引換えに共通財産が夫婦の一方に分与されることを可能にし，または，生存配偶者が死亡配偶者の固有財産を相続人への補償と引換えに取得することを認める．

この財産は，たいていの場合営業財産

〔fonds de commerce〕であることから，この条項にはこの名称が与えられている。この条項は，固有財産を対象とする場合には，法律によって例外的に認められた将来の相続財産に関する合意〔►Pacte sur succession future〕である。
▷民法典1390条以下および1511条

Clause compromissoire 国公 裁判付託条項 条約の解釈または適用に関する紛争が生じた場合，仲裁裁判による解決または司法的解決によることを定める当該条約の条項。

民訴 仲裁条項 契約の中に盛り込まれる条項。たいていの場合，商事および私法上の契約に盛り込まれる。この条項により，当事者はこの契約について自分たちの間で生じるおそれのある紛争について仲裁に委ねることを約する。この条項は，業者間で締結された契約中に盛り込まれている場合には有効とされる。
▷民法典2061条；新民事手続法典1442条以下；消費法典L721-3条

Clause de conscience 労働 良心条項 報道企業に雇用されている記者が編集方針に顕著な変化があったことを理由として離職する際に，この状況が記者の精神的利益を侵害する場合には解雇補償金を受け取ることができることを定める法規定。
▷労働法典L761-7条

Clause de dédit formation 労働 職業教育費償還条項 この条項により，労働者は，自己の労働契約において，企業が職業教育費を負担する代わりに，一定期間その企業で働くことを受諾する。約定の期間の満了以前に辞職する場合，労働者は職業教育費の全部または一部を償還しなくてはならない。

Clause d'échelle mobile 民法 スライディング・スケール条項 継続的給付契約の条項であり，これに基づいて給付の価値は，物，役務または生活費の価値と結びつけられる。
►Échelle mobile des salaires〔賃金スライド制〕►Indexation〔指数スライド方式〕

Clause d'exclusivité 民法 商法 排他条項 動産の買主，譲受人または賃借人が，その売主，譲渡人または賃貸人に対して，他の業者の類似品または関連品を用いないことを約する契約条項。
▷商法典L330-1条

Clause exorbitante (du droit commun) 行政 (普通法)適用除外条項 行政によってまたは行政のために締結された契約に盛り込まれる条項。この条項の有する私法の適用を除外する性質によって，当該契約は行政的な性質を獲得する。

学者の中には，この条項の内容が私法上違法とされるようなものでなければならないと考える者もいる。だが，行政判例では，当該条項が私人間の契約においては用いられないものであれば足りるとされている。

Clause de garantie de passif 商法 負債保証条項 ►Garantie de passif〔負債保証（条項）〕

Clause léonine 商法 獅子条項 会社の利益に対する権利をある社員から奪い，または，ある社員に利益全額に対する権利を付与する条項，および，会社の負債全額をある社員に負担させ，または，会社の損失に対する負担をある社員についてすべて免除する条項。

この条項は，会社契約においては記載のないものとみなされる。
▷民法典1844-1条2項

Clause de mobilité 労働 移動条項 労働契約の条項であり，この条項によって，労働者は，この条項がなければ契約の本質的要素の変更となる可能性があり，したがって，その場合には一方的に課されえないであろう遠隔地異動に事前に同意する。移動条項の存在およびその実施は，企業の正当な利益によって根拠づけられなければならない。

Clause de la nation la plus favorisée 国公 最恵国条項 国家が，将来他国に対して条約で利益を与えることがあれば，その利益を相手国に拡げることを約束する条項。この条項は，条約の効果を第三国に拡大することを許容するものであり，条約の相対性の原則に対する例外である。

Clause de non-concurrence 商法 労働 競業避止条項 当事者の一方が，相手方と競合するおそれがある一定の職業活動を，限定された期間と場所においては行わないと定める契約条項。この条項は特に，営業財産に関する契約に定められることが多い。

労働契約にもこの条項が定められることがあり，その場合にはこの条項は，clause de non-réembauchageといわれることもある。これは，労働者が，企業を離職する際に，限定された期間と場所においては競争業者には雇用されず，自己の計算で開業もしないと合意する条項である。この条項の有効性には，判例によりいくつかの条件が付されてきた。

すなわち，この条項は，企業の正当な利益の保護に不可欠であり，期間と場所の点で限定され，当該労働者の職の特性を考慮し，さらに金銭的代償を労働者に支払う使用者の義務を含むものでなければならない。

Clause de non-réembauchage 〔労働〕**競業避止条項** ►Clause de non-concurrence〔競業避止条項〕

Clause de non-rétablissement 〔民法〕〔労働〕**営業再開禁止条項** ►Clause de non-concurrence〔競業避止条項〕

Clause passerelle 〔EU〕**特例決定方式** ヨーロッパ連合〔►Union européenne〕に関する条約の規定（42条）によれば，閣僚理事会〔►Conseil des ministres〕は，通常は全員一致で決定するが，一定の領域においては，これからは，（全員一致ではなく）特別多数〔majorité qualifiée〕で決定することができる。この規定により，閣僚理事会の決定手続きは，ヨーロッパに関する諸条約の改正という手間のかかる手続きによることなく，限定的にではあるが変更可能となった。この規定は，庇護権および移民については実施されたが裁判制度については適用を認められなかった。

Clause pénale 〔民法〕**過怠約款；制裁条項**
①過怠約款//契約において，債務者が，自己の債務を履行しなかった場合に，惹起された損害とは無関係にあらかじめ定められた金額を債権者に支払う旨の条項。
▷民法典1152条および1226条
②制裁条項/遺言において，遺言者が課した条件を満たさなかった相続人または受遺者から，相続または遺贈の利益を奪う旨の条項。

Clause de réserve de propriété 〔商法〕**所有権留保条項** 売主が自己の債権を担保するために，買主による価格の全額支払いがあるまで，売買の目的物の所有権を自己に留保することを内容とする条項。
所有権留保条項は，一定の条件を満たせば，第三者，とりわけ裁判上の更生〔►Redressement judiciaire〕または裁判上の清算〔►Liquidation judiciaire〕の手続きのもとにある買主の債権者に対抗できる。
▷商法典L621-122条以下
〔民法〕**所有権留保条項** 所有権留保条項は，2006年3月23日のオルドナンスにより民法典に導入された：反対給付の債務が完全に弁済されるまで契約の移転的効果を停止する所有権留保条項に基づき，財産の所有権は担保として留保されることができる。
▷民法典2367条以下

Clause résolutoire 〔民法〕**当然解除条項**
►Pacte commissoire〔当然解除条項〕

Clause de sauvegarde 〔社保〕**加入者保護条項** 使用者が管理職退職年金制度総連合（AGIRC）の制度へ補足制度加入者〔►Participant〕の拠出金を支払わないことに対して加入者に与えられる保障であって，拠出金の賃金控除を受けてきた加入者が自己の権利を保持することを可能にする。

Clause de sécurité syndicale 〔労働〕**組合保障条項** 使用者と労働組合との間に締結される合意であり，署名組合の有利になるように組合加入の自由を制限することを目的とする。組合加入の自由に対する侵害は，いずれにせよ大であるが，《クローズドショップ》〔►《Closed-shop》(Clause)〕にいたっては，とりわけ甚だしい。クローズドショップは，フランスでは，禁止されている。
▷労働法典L411-5条およびL412-2条

Clause de style 〔民法〕**典型条項** 同種の行為においてしばしばみられる条項。

Clearing 〔商法〕**手形交換** 銀行間の債権債務を相殺〔►Compensation〕によって決済する方法。
►Chambre de compensation〔手形交換所〕

《Clearing house》 〔商法〕**手形交換所**
►Chambre de compensation〔手形交換所〕

Clerc 〔民法〕〔民訴〕**（公署官および裁判所補助吏に雇われている）事務職員** 公証人〔notaire〕，執行吏〔huissier〕，代訴士〔avoué〕に雇われている事務職員であり，官職保有者がその作成を独占する証書の準備を任務とし，ときに自ら証書を作成することが許されている。

Clerc d'huissier 〔民訴〕**執行吏書記** 執行吏宣誓書記は，使用者（執行吏）に代わり，使用者の責任のもとで，送達を行う資格を法律上有する。また一定の条件を満たすと，認定〔constats〕を行う資格を与えられる（1945年11月2日のオルドナンス第2592号1条の2。1991年7月9日の法律によって追加）。
►Clerc〔（公署官および裁判所補助吏に雇われている）事務職員〕

Clientèle 〔商法〕**顧客** 職業者〔professionnel〕と取引関係にある人（顧客〔client〕）の総体。
当該職業者が商人である場合，顧客は商事

上の顧客といわれる。職業者が，民事上のとりわけ自由職（弁護士，医者など）に従事している場合，顧客は民事上の顧客といわれる。

Clientèle (Droit de) 〔民法〕**顧客（権）** 商人または自由職に就いている者の，得意先に関する表象的な価値を対象とする権利。

Clonage reproductif 〔刑法〕**クローン化による複製** 生存中のまたは死亡した他の者と遺伝子的に同一の子を誕生させることを目的とする操作。人という種に対する罪〔crime contre l'espèce humaine〕となる。

▷民法典16-4条3項；刑法典214-2条；公衆衛生法典L2151-1条

《Closed-shop》(Clause) 〔労働〕**クローズドショップ（条項）** 《クローズドショップ》条項は，組合の自由を制限する条項であり，北アメリカ諸国における労働協約でときに行われている。クローズドショップに同意した使用者は，署名組合の組合員以外の労働者を雇い入れない義務を負う。

►Clause de sécurité syndicale〔組合保障条項〕

Clôture des débats 〔民訴〕**弁論の終結** 関与当事者〔►Partie jointe〕たる検察官の聴聞後に弁論期日が終結すること。その後，当事者は自らの意見を裏付ける意見書を一切提出できない。ただし，検察官の示す論拠に応え，または事実上もしくは法律上の説明を行うことを当事者に促す裁判長の要求に応える場合を除く。

▷新民事手続法典445条

Co-activité 〔刑法〕**共同実行** 決定的かつ不可欠な態様で犯罪に関与し，それによって，関与者は，他の行為者と同じ条件で共同正犯として訴追されることになる。

▷刑法典121-4条

Coalition 〔労働〕**コアリシオン** 賃金の引下げまたは引上げを目指して圧力を加えることを目的として，使用者または労働者が集団を形成すること。コアリシオンは，ル・シャプリエ法（1791年）によって禁止され，刑法典によって犯罪とされてきた。コアリシオン罪は，1864年の法律によって廃止された。

Coassurance 〔民法〕**共同保険** 複数の保険者間で，海事，産業，不動産等の大きな危険を配分すること。

各保険者は，《最高引受額》〔plein de souscription〕（最高保障金額）を限度として負担することを承諾した額についてのみ責任を負う。

▷保険法典L352-1条およびR331-31条
►Apériteur〔代表保険者〕

Cocontractant 〔民法〕**（契約の）相手方** 契約を締結する相手。例えば，売買契約において，買主の相手方は売主であり，売主の相手方は買主である。

Code 〔一般〕**法典** 同一の法分野をなす事項を集めて整序した法律の集合体（例えば，民法典，商法典，刑法典，民事手続法典）。

現代の法典は，もはや組織的統一体ではなく，一定の領域にかかわる規定を1つの集合体にまとめたものにすぎないことが多い（薬事法典，貯蓄金庫法典など）。

►Codification〔法典化〕

Codécision 〔EU〕**共同決定** 若干の問題について，マーストリヒト条約（189条B）は，1986年の単一ヨーロッパ議定書〔►Acte unique européen〕によって創設された協力手続き〔►Procédure de coopération〕を超えて，いわゆる共同決定権限をヨーロッパ議会に認めている。アムステルダム条約は，協力手続きに代えて共同決定手続きが作用する領域を拡大し，その結果，協力手続きは，条約の通貨統合に関する諸規定についてのみ存続することになる。ヨーロッパ憲法は，共同決定が立法における意思決定の原則であるとはっきり述べている。

共同決定によってヨーロッパ議会は閣僚理事会の共通の立場を排斥することが可能となり，排斥された場合，その行為が採択されることは不可能となる。議会が行為を修正したが理事会がその修正を支持しなかった場合，合同調停委員会が招集され，合意が探られる。合意に達しなかった場合，マーストリヒト条約は，理事会が自らの立場を強制することを認めていた（ただし，議員の絶対多数による反対の表決の場合を除く）が，アムステルダム条約以後は，理事会と議会との間の合意が形成されない場合，その行為は採択されない。合同調停委員会で合意が成立した場合は，議会の有効投票の絶対多数と理事会の特別多数による表決によって追認されなければならず，それを欠く場合はその行為の提案は採択されない。

Codicille 〔民法〕**遺言変更証書** 遺言の方式に服する証書で，前の遺言を変更しまたは取り消すもの。

Codification 〔行政〕**法典化** 同一の事項に関する，しばしば複雑に入り組んだ法律または行

政立法の規定の総体を，一般的には政府提出の法文にまとめること。これらの規定が当初の適用範囲および法的効力を維持するため，法典化において，対象となる法文が厳密に尊重されない場合には微妙な問題が生じる。
►Code〔法典〕

国公 **法典化**　集団的条約〔traité collectif〕の形式で実現され，一定事項に関する国際法の規則（大部分は慣習法）を体系的に，かつ明確な用語で表明する活動。
►Commission du droit international〔国際法委員会〕

Coefficient d'anticipation　社保 繰上支給係数　労働者が，保険料を160四半期拠出することなく，60歳または65歳以前に引退する場合に，その退職年金に対して適用される減額支給の係数のこと。

Coefficient d'occupation des sols（COS）
行政 **土地占用係数**　土地の一定の種類について，敷地面積に対する建築可能な床面積の数字を示す比率。この比率は，地域都市計画〔►Plans locaux d'urbanisme〕により定められ，建設予定の建築物の用途（住居，事務所，店舗など）に応じて異なりうる。地域都市計画の策定により，法定上限密度〔►Plafond légal de densité（PLD）〕を遵守している場合，土地占用係数を超えた建築許可〔►Permis de construire〕に対する権利が認められる。2000年12月13日の法律は，このような場合における土地占用係数超過分についての財政分担金を課すことを廃止した。
▷都市計画法典L123-1条以下およびR123-22条

Coexistence pacifique　国公 **平和共存**　諸国が相対立する政治経済体制を相互に認め合う国際体制のこと。諸国は，一方の体制を力によって他方に押しつけることを放棄して，平和的な競争形態（経済競争，科学技術競争など）を採ることを目的とする。
►Guerre〔戦争〕

Cofidéjusseurs　民法 共同保証人　同一の債務者の同一の負債について保証人となった複数の者を意味する。
►Bénéfice de division〔分別の利益〕

Cogestion　労働 共同管理　企業長と労働者の代表者とが共同で企業を管理運営すること。このことは，労働者の代表者が，必ずしも当該企業の株主または出資者でなくても，決定に参加する権限を有することを意味する。

企業委員会制度は，フランスでは，共同管理を実現しなかった。

Cohabitation　民法 同居；同居（義務）
①同居//2人以上の者が一緒に住んでいる状態。
②同居（義務）//夫婦の，夫婦の間の性的関係を維持する義務。その関係の排他性を原則とするがゆえに，父子関係の推定〔►Présomption de paternité〕を導く。
▷民法典215条
►Communauté de vie〔生活共同〕

憲法 **保革共存**　大統領の与党（大統領多数派）と議会多数派の対立下における第五共和制の運営を特徴づけるために用いられる表現。こうした状況は，1986年3月から1988年5月の間，ついで1993年4月から1995年5月の間，さらにまた1997年5月から2002年5月の間に生じた。第五共和制の精神に反して，権力の実体が首相に傾いたことを表す言葉である。

《**Coin fiscal**》　財政 **租税負担額**　英語に由来する新語。課税前の原所得と，さまざまな租税がこの所得に賦課された後に納税義務者の手中に残る可処分所得の差額，すなわち課税によって生じる差額を指す。例えば，法人税課税前の株式会社の1株あたり利益と所得税課税後の株主の可処分配当金の差額は，この2つの租税を連続して賦課されることから生じる《租税負担額》となる。

Colitigants　民訴 共同訴訟人　多数の主体による訴訟において，原告としてであれ被告としてであれ，同一の訴訟上の地位を占める訴訟当事者のこと。

Collaboration（Contrat de ... entre avocats）　民訴 **協働（弁護士間の協働契約）**　弁護士が，謝礼譲渡〔rétrocession d'honoraires〕の形式のもとに報酬を得て他の弁護士の事務所でその活動の全部または一部を行うことを約する，書面による契約。協働する弁護士は，弁論を行うに際しては全く自由である。

Collatéral　民法 **傍系；傍系血族**　互いに他の子孫ではない，ある者とその共通の始祖の子孫である別の1または複数の者との血族関係を形容する形容詞。
この語は名詞としても用いられる。
▷民法典734条以下
►Ascendant〔直系尊属〕►Degré de parenté〔親等〕►Descendant〔直系卑属〕►Enfant〔子〕►Ligne〔系〕

Collationnement　民法 民訴 照合　証書また

は文書の写しが原本に一致していること，動産の差押えまたは財産目録に含まれる目的物が，売却または分割の前に横流しされなかったことの確認。
▶Récolement〔確認〕

Collectif 財政 補正予算案 かつてloi de finances rectificatives〔補正予算法律〕を指すために使われた用語。
▶Loi de finances〔予算法律〕

Collectivités locales 行政 地方公共団体 しばしばcollectivités territorialesの同義語として用いられる表現。憲法典上は，collectivités territorialesのみが用いられている。
▶Collectivités territoriales〔地方公共団体〕

Collectivités d'outre-mer 行政 海外公共団体 2003年に創設された地方公共団体〔▶Collectivités territoriales〕のカテゴリー。フランス領ポリネシア，マイヨット，サンピエール＝エ＝ミクロン，ワリス＝エ＝フトゥナを含む。これらの地方公共団体はそれぞれ，フランス共和国内でそれらがもつ固有の利益を考慮した特殊な地位を有する。

　ヌーヴェルカレドニは固有の地位を有し，そのため法的にはこのカテゴリーから除外される。

▷憲法典74条，74-1条，76条および77条
▶Territoire d'outre-mer（TOM）〔海外領土〕

Collectivités territoriales 行政 地方公共団体 国が法人格および公選の機関による自治を行う権限を与えた，国家の領土の一定の部分に地理的に位置している人的集団に相当する公法上の存在を指す総称。地方公共団体は，主として租税の形式による固有財源を有し，かつ，（フランスの組織は分権化されているので）地方公共団体レヴェルで最も適切に行使されうる権限を国により与えられる（補完性の原則）。2002年までこの地方公共団体とは，州〔régions〕（本土および海外），県〔départements〕，市町村〔communes〕，海外県〔départements d'outre-mer〕（DOM），海外領土〔territoires d'outre-mer〕（TOM）および特殊な法的地位を有する若干の海外公共団体〔collectivités d'outre-mer〕であった。2003年の憲法改正は，海外フランス〔France d'outre-mer〕を組織し直した。その結果，いまや，地方公共団体は，市町村，県および海外県（DOM），州および海外州〔régions d'outre-mer〕（ROM）ならびに法律の定める特殊な地位を有する公共団体を含むことになった。これらの公共団体および海外県・海外州の権限は，拡張され進化している。

▷憲法典1条，72条および72-3条
▶Collectivités d'outre-mer〔海外公共団体〕

Collège des magistrats 民訴 刑訴 司法官による選挙人団 司法系統の司法官により選挙される，裁判所および司法省の司法官。昇進委員会を構成する司法官の選挙を行うことを任務とする。昇進委員会は，昇進名簿および職務適性名簿を作成しかつ決定する。

Collégialité 訴訟 合議制 裁判が複数の裁判官によりなされるという原則。それらの裁判官は判決を下し絶対多数の票で決める。他方，単独裁判官制〔▶Juge unique（Système du）〕では，裁判する権限はただ1人の裁判官に属する。単独裁判官制は，行政系統で適用されることは例外的であるが，司法系統においてはよく用いられる。

　刑事裁判における単独裁判官制の伝統的な例は，予審判事〔▶Juge d'instruction〕であった。しかし現在では，刑事手続きの安定を強化することを目的とする2007年3月5日の法律第291号以降，予審には合議制の原則が適用され，その実施は時間をかけて順次に行われる。

▷行政裁判法典L3条；司法組織法典L121-2条，L212-2条，L222-1条，L311-7条 以下，L321-4条，L412-1条およびL441-2条；刑事手続法典83条；労働法典R515-2条およびR515-3条；商法典L722-1条；農事法典L492-1条

Collègue 一般 同職者 共通の公職に就いている者（例えば，同一の地位の官吏，司法官，大学教官）または共同して任務を果たす者（例えば，大臣，代議士，非営利社団または営利社団の理事会構成員）の相互関係においてそれらの者を指す。
▶Confrère〔同業者〕

Collocation 民訴 順位決定 他の債権者と競合する債権者が共通の債務者の手中にある差押財産の売却代金の分配をうけるときに，その者の順位および権利を定める裁判。

　Collocationという用語は，廃止され，現在の法文中では使われていない。

Colonat partiaire 民法 分益小作 ▶Métayage〔分益小作契約〕

Colonisation 国公 植民地化 16世紀以降いくつかの国家が未開発の人民に対して行った政治的・経済的拡張政策。これらの人民は，程度の差はあるが緊密な従属関係の受入れを

強いられた。
►Annexion〔併合〕►Capitulations（Régime des）〔カピテュラシオン（制度）〕►Cession à bail〔租借〕►Concession〔租界〕►Condominium〔共同統治；コンドミニウム〕►Décolonisation〔非植民地化〕►Porte ouverte〔門戸開放〕►Protectorat〔保護関係〕

Colportage 刑法 商法 **行商** ►Démarchage〔訪問販売〕

Comecon 国公 **経済相互援助会議；コメコン** 経済相互援助会議，すなわちコメコンは，東ヨーロッパ諸国，さらには若干の非ヨーロッパ諸国（モンゴル，キューバ，ヴェトナム）を結集する経済的権限を有する組織であった。1949年にマーシャル・プランに対抗するために創設されたが，ヨーロッパ共同体に比すべき統合を実現できなかった。ソ連に奉仕する道具であり，それによりソ連が監督を行うとみなされてきたが，ソ連の崩壊とともに消滅した。

Comitas Gentium 国公 **国際礼譲** ►Courtoisie internationale（comitas gentium）〔国際礼譲〕

Comité de l'administration régionale（CAR） 行政 **州行政委員会** 州行政協議会の後身。州行政委員会は県知事および高級官僚から構成され，州知事〔►Préfet de région〕のもとに設置され，州知事によって主宰される。とりわけ公共投資に関して，国の機関によって州〔►Région〕においてとられるべき戦略的決定について検討する。

Comité consultatif national d'éthique pour les sciences de la vie et de la santé 民法 **生命倫理全国諮問委員会** 生物学，医学および保健衛生学の領域における知識の進歩により提起された倫理問題および社会問題について意見を述べることを任務とする独立行政機関。
▷公衆衛生法典L1412-1条以下

Comité de créanciers 商法 **債権者委員会** 債権者委員会の設置は，大企業においては義務づけられ，その他の場合には任意にすぎず，委員会の数および構成は法文により定められている。債権者委員会を設置することによって，債権者は，保護手続きおよび裁判上の更生手続きの展開に関与することができる。
▷商法典L626-29条以下

Comité économique et social EU **経済社会委員会** ヨーロッパ共同体の枠内での各社会職業部門の労使代表者からなる諮問機関。222名からなり（うち24名がフランス枠），経済界および労働界の代表的組織にヨーロッパ共同体次元の意識をもたせるうえで有用な役割を果たしている。

Comité électoral 憲法 **選挙後援会** 1または複数の立候補者を支持し，その立候補者の選挙運動を支援することを目的とする，ある政党の構成員または支持者からなる地元の市民の団体。

Comité d'entreprise 労働 **企業委員会** 企業長と従業員から選出された代表者とを結合する企業の機関であって，従業員から選出された代表者を企業の管理運営に参加させることを目的とする。

Comité central d'entreprise 中央企業委員会：企業が複数の事業所〔►Établissement〕を含むときは，それぞれの事業所委員会〔comité d'établissement〕の選出する代表委員から構成される中央企業委員会が存在する。
▷労働法典L431-1条以下およびL435-1条以下

Comité d'entreprise européen 労働 **ヨーロッパ企業委員会** 1994年9月22日のヨーロッパ共同体指令の国内法化により，労働法典は，ヨーロッパ連合加盟国およびヨーロッパ経済圏参加国において1000人以上の労働者を雇用し，かつ少なくとも2カ国以上において150人以上の労働者を雇用する2つ以上の事業所および企業を有する企業にヨーロッパ企業委員会を設置することを規定する。この制度は，共同体規模のこれらの企業における労働者の代表制を認め，情報および協議に対する労働者の権利を組織する。その制度の実施は特別交渉団体において交渉された協定に従う。協定を欠く場合には，法がヨーロッパ企業委員会の構成および権限を定める。
▷労働法典L439-6条以下およびL439-12条以下

Comité de groupe 労働 **企業グループ委員会** 従業員の代表組織であって，いわゆる支配的企業〔entreprise dominante〕がその支配する他の企業に対して「支配的な」影響力を行使する企業グループのなかに設置される。支配的影響力〔influence dominante〕は，あるいは法律の定める一定の要素を確認することによって推定され，あるいは企業が同一の経済グループに属することを証明する継続的かつ重要な関係に基づいて証明される。企業グループ委員会は，企業委員会が行使する権限と比較して限定された権限しか有さず，経済

上および労働関係上の情報を受け取るのみである。
▷労働法典L439-1条

Comité d'hygiène, de sécurité et des conditions de travail 〖労働〗**安全衛生労働条件委員会** 事業所に設置される機関であって，労働災害を予防し，労働安全に関する規定の適用を監視し，労働条件の改善に貢献することを任務とする。
▷労働法典L236-1条以下

Comité des régions 〖EU〗**地域委員会** 地方公共団体を共同体体制に参加させるためにマーストリヒト条約〔►Maastricht〕によって設立された。ヨーロッパ連合理事会によって189名の構成員が任命される。自らの発意でまたはヨーロッパ連合理事会もしくはヨーロッパ委員会の求めに応じて，諮問的役割を果たす。

Comité des représentants permanents des États membres (Coreper) 〖EU〗**（加盟国）常駐代表委員会** ヨーロッパ共同体閣僚理事会の作業を準備し，閣僚理事会によって委任された事項を処理する。共同体の意思決定過程における常駐代表委員会の事実上の重要性は，制度間の均衡の変化に少なからぬ影響を及ぼしてきた。

Comitologie 〖EU〗**コミトロジー** 閣僚理事会とヨーロッパ委員会がその権限を行使するにあたり，それを補佐させるために多くの委員会を設置する，ヨーロッパ共同体組織の制度的慣行。加盟国代表から構成され，ヨーロッパ委員会によって主宰されるこれらの委員会によって，閣僚理事会とヨーロッパ委員会の権限配分が不完全であることが糊塗されている。

Command (Déclaration de) 〖民法〗〖商法〗**真の受益者（の申述）** 協議のうえ合意された売買につき，（名義上の）取得者が，真の受益者に取って代わられる選択権。この権利は，約定により（名義上の）取得者に留保される。
〖民訴〗**真の取得者（の申述）** 不動産の競落後24時間内になされる申述。これにより競落人はその競落の真の取得者の氏名およびその者の承諾を知らせる。
　競売に参加しなかった第三者に代わって申述をなすというこの権能は，透明な手続きにしたがって競り手に競争させるために，2006年4月21日のオルドナンス第461号によって廃止された。

▷民法典2207条

Commande publique 〖行政〗**公発注** 公法人〔►Personne publique〕による物品，役務または土木工事施工の注文を指すためにしばしば用いられる表現。

Commandement 〖民訴〗**差押前催告（状）** 支払いがなければ差押えが行われることを示して，債務者に支払いを促す文書。執行吏を介して，債務者に伝達される。
　この文書の送達は，債権者が執行名義〔titre exécutoire〕を備えていることを前提としてなされる。差押え＝売却〔saisie-vente〕（差押え＝執行〔saisie-exécution〕から取って代わった），差押え＝獲取〔saisie-appréhension〕または不動産差押えの手続きの第1段階をなす（1991年7月9日の法律第650号50条；1992年7月31日のデクレ第755号141条；2006年7月27日のデクレ第936号13条以下）。

Commandement de l'autorité légitime 〖刑法〗**正統な公権力の命令** 権限ある正統な公権力の発する命令を遂行する場合に，行為の犯罪的性格を否定する正当化事由。ただし，公権力の命令が明らかに違法である場合はこの限りではない。
▷刑法典122-4条

Commanditaire 〖商法〗**有限責任社員** 合資会社〔►Société en commandite simple〕および株式合資会社〔►Société en commandite par actions〕の社員のうち，その出資額についてだけ責任を負う者。有限責任社員は単なる資金の拠出者であるにすぎず，商人資格は取得しない。

Commandité 〖商法〗**無限責任社員** 合資会社〔►Société en commandite simple〕および株式合資会社〔►Société en commandite par actions〕の社員のうち，商人資格を有し，会社の債務について直接に無限責任を負う者。

Commencement d'exécution 〖刑法〗**実行の着手** 処罰の対象となる未遂〔►Tentative〕を特徴づける行為。犯罪遂行の意思をもって，直接，犯罪に向けられる行為。その即時的かつ直接的結果が犯罪の遂行である。
▷刑法典121-5条

Commencement de preuve par écrit 〖私法〗**書証の端緒** 請求を提起された者が提出する署名の付された証書で，内容または形式ゆえに，法律行為の証明に必要とされる文書としては不完全なもの（例，公署ではなく私署でなされた自然子の認知は書証の端緒としかならな

い)。このような文書の提出により，主張された事実が確からしいものになれば，証人尋問が認められる。

[民訴] **書証の端緒** 本人出頭〔►Comparution personnelle〕が命令されたとき，裁判官は両当事者の申述から，あるいは一方当事者の応答の不存在または拒絶からあらゆる法的帰結をも引き出し，それを書証の端緒に相当するものとみなすことができる。
▷民法典1347条3項；新民事手続法典198条
►Serment probatoire〔立証的宣誓〕
►Serment promissoire〔誓約的宣誓〕

Commerçant [商法] **商人** 自己の名において，かつ，自己の計算で商行為をなし，実際にその職業を営む者。
▷商法典L121-1条およびL110-1条（旧1条およ び632条）

Commerce électronique [商法] [財政] **電子商取引** 情報処理ネットワーク（例えば，インターネット）を通じた，文章，音声または画像に対応しうるデジタルデータの通信および処理によって行われる，財または役務を対象とする企業と私人間（いわゆる《Ｂ２Ｃ》：business to consumer），または企業間（《Ｂ２Ｂ》）の商取引を示す表現。

電子商取引は以下の種類に区別される。

Commerce électronique indirect 間接電子商取引：この場合は，注文のみが情報処理手段により行われ，注文品は，送付のような伝統的な方法で引き渡される。これは，古典的な商取引と異ならない。

Commerce électronique direct 直接電子商取引：この場合は，注文品の引渡しも情報処理手段（ダウンロード）で行われる。これは，法律上および税務上，新たな問題を提起している。

《**Commercium**》 [一般] **法的取引** 法的意味における取引を表すラテン語。

ローマでは，《commercium》〔法的取引〕はローマ市民法〔►Jus civile〕上の行為を行う権利を有する市民および準市民に対して用いられていた。

今日では，合意の対象となりうる，またはなりえない物に対して用いられている。例えば，家族法上の権利は法的取引対象外に〔extra commercium〕ある，市場に提供された商品は法的取引対象内に〔in commercio〕あるという。
▷民法典1128条

►Hors du commerce〔取引対象外〕

Committant [民法] **委託者** ある任務を自己の名において行う義務を他の者に負わせ，この任務を遂行するためになされた行為から生ずる民事責任を引き受ける者。

委託者の指揮のもとに行動する者を受託者〔préposé〕という。
▷民法典1384条5項
[商法] **委任者；委託者** ►Commission〔取次〕

Comminatoire [民法] [民訴] **威嚇的な** 債務者に圧力をかけるための撤回可能な手段を形容する形容詞。裁判官によって言い渡される罰金強制〔►Astreinte〕は，しばしば威嚇的である。

Commissaire adjoint de la République [行政] **共和国委員補佐；地方長官補佐** 1982年から1988年までの間，副知事〔►Sous-préfet〕に与えられていた名称。

Commissaire aux apports [商法] **出資検査役** 株式会社，株式合資会社および有限会社において，会社の設立または資本増加の際に社員が行う現物出資〔apports en nature〕と，それらの場合になされた労務の対価として会社が社員または社員以外の者に付与する特別利益〔avantages particuliers〕の価額を，自己の責任で評価することを任務としている者。

出資検査役は，原則として，有限会社では社員の全員一致で任命され，他の形態の会社では，商事裁判所所長が任命する。

Commissaire aux comptes [商法] **会計監査役** 株式発行会社その他一定の団体の計算書類の正規性〔régularité〕，誠実性〔sincérité〕および忠実性〔fidélité〕を非常に厳格に監査する自然人または法人。その活動は規制の対象となる。

会計監査役は，その監査の終了後，計算書類を証明し，それが困難な場合には，留保を表明し，または計算書類の証明を拒絶する。

会計監査役はまた，一定数の利益相反取引，および任務の遂行中に発見しえた不正規な事実を指揮機関および株主に通知しなければならない。
▷商法典L820-1条以下

Commissaire du gouvernement [行政] **論告担当官；政府委員** 非常に異なった身分規程および職務を有する，複数の公務員のカテゴリーに共通の名称。

①論告担当官//権限裁判所〔►Tribunal des conflits〕，地方行政裁判所〔►Tribu-

nal administratif〕, 行政控訴院〔►Cour administrative d'appel〕, コンセイユ・デタ〔►Conseil d'État〕の裁判構成体(訴訟部〔section du contentieux〕)の場合：その不適切な呼称にもかかわらず，完全な独立性をもって，裁判所に提起された法律問題について，自らが必要と考える法的解決方法に関する意見を法廷において《論告》〔conclusions〕の形で示すことを任務とする裁判所構成員。
▷行政裁判法典L7条
②政府委員//コンセイユ・デタの行政構成体(主に政府提出法律案および行政立法案について，政府に対し助言を行うことを任務とする)の場合：コンセイユ・デタの意見が求められた法案について，自己の所属する省の見解を提示しかつ擁護するために，デクレによって任命される高級官吏。
▷行政裁判法典R123-24条
③政府委員//国の監督に服する若干の機関の場合：当該機関の運営について，それを規律する法文が定める監査を行う国の代表者。

Commissaire de police 〔刑訴〕**警視** 国家警察の職員。司法警察員の資格を与えられており，一定の手続行為をなす権限を有する。

Commissaire-priseur habilité 〔一般〕**認可動産公売人** 動産任意競売会社〔► Société de ventes volontaires de meubles aux enchères publiques〕において，任意競売を指揮し，競落人を指名し，財物が落札されなかったことを宣言し，売却調書を作成する権限を唯一認められている者たちについて，法律の沈黙のゆえに，動産任意競売評議会〔►Conseil des ventes volontaires de meubles aux enchères publiques〕が提唱している呼び名。その者たちは同様の価値を有すると認められる肩書，資格または授権の保有者であると分かるようにされなければならない。
▷商法典L321-8条
►Commissaire-priseur judiciaire〔動産公売官〕►Vente aux enchères〔競売〕

Commissaire-priseur judiciaire 〔民訴〕**動産公売官** 公開の競り，すなわち法律または判決の命じる競売により，動産，すなわち有体動産の裁判上の売却をその管轄区域において行うことを任務としている裁判所補助吏。2000年7月10日の法律第642号はそれまでのcommissaire-priseur〔動産公売官〕の名称をcommissaire-priseur judiciaireとしたが，動産公売官は従来有していた独占権を失い，商

事形態の会社も任意競売を行えるようになった。この裁判所補助吏はアルザス＝モゼル地域にはいない。この地域では，裁判上の売却は公証人および執行吏によって行われている。
►Commissaire-priseur habilité〔認可動産公売人〕►Société d'exercice libéral (SEL)〔自由職会社〕►Société de ventes volontaires de meubles aux enchères publiques〔動産任意競売会社〕►Vente aux enchères〔競売〕

Commissaire de la République 〔行政〕**共和国委員；地方長官** 1982年に知事〔►Préfet〕に与えられた名称。1988年2月29日のデクレはPréfetという職名を復活させた。

Commission 〔民法〕〔商法〕**手数料；取次**
①手数料//commissionnaire〔受任者〕に対して，広くはmandataire〔受任者〕に対して支払われるべき報酬。
②取次//ある者が，委託者の計算において1または複数の行為を達成することを約する契約だが，委託者の名はしかしながら取次商が他人のために行動することを知っている契約の相手方には示されない。
▷商法典L132-1条(旧94条1項)

〔訴訟〕**委任** 裁判官により公的機関の職員に対して与えられる任務。監督(清算の集団的手続きにおける受命裁判官)，代行(遠距離を理由として，権限を有する裁判所の代わりに審理を行うことを任務とする裁判官)，保存(判決の原本を裁判所書記課に返付するために指名された執行吏)，または法的状態の整理(夫婦財産制の清算を委任された公証人)をその目的とする。
►Commission rogatoire〔共助の嘱託〕
また一定の職務を正規に行うために必要な認可のこともいう。例えば田園監視人の職務は副知事により正式に委任されなくてはならない。

Commission d'accès aux documents administratifs (CADA) 〔行政〕**行政文書開示請求審査委員会** ►Accès aux documents administratifs (Droit d')〔行政文書開示(請求権)〕

Commission de conciliation 〔民法〕〔民訴〕**勧解委員会** 県は，多くの勧解委員会の枠組となっている。

Commissions départementales de conciliation en matière de baux commerciaux 商事賃貸借に関する県勧解委員会(1988年7月5日の法律および1988年5月9日のデクレ第694号)は，同数の賃貸人と賃借人および有資格

者から構成され，賃料の上限撤廃の存在自体に関する原則上の争いについて，そして，上限撤廃に争いがない場合には，賃料改訂率および賃貸価値に関する争いについて権限を有する。

Commissions départementales de conciliation en matière de baux d'habitation 居住用賃貸借に関する県勧解委員会(1989年7月6日の法律第462号)は，最初の契約であれ，更新された契約であれ，住宅賃貸借契約の当事者を勧解するよう努めなければならない。

Commissions de règlement des litiges de la consommation 消費紛争解決委員会(1994年12月20日のアレテ)は，県消費委員会〔comités départementaux de la consommation〕の内部に設置され，事件係属後2ヵ月内に，消費者と売主または役務提供者との間の紛争を解決する。

▶ Conciliateur de justice〔勧解人〕◆Surendettement〔過剰債務；個人破産(制度)〕

Commission départementale de la coopération communale 行政 (県の)市町村協力委員会 地方(市町村，県)議会議員からなる委員会であり，県知事によって主宰される。この委員会は，市町村間の協力の強化を目的とした調査および提案を行う役割を与えられている。同委員会は，県に対して市町村間の協力の現状を報告する。

▷地方公共団体一般法典L5211-13条

Commission départementale des impôts 財政 県租税委員会 納税義務者および国の代表者がおのおの同数ずつ参加する行政機関(国を代表するのは租税行政庁の公務員および1名の行政裁判官であり，後者は委員会を主催し可否同数の場合に決裁権を有する)。県租税委員会は，見積課税額〔forfait〕の算定にあたり農業利益を決定する権限，および，付加価値税，法人税または非賃労働所得税に関する事実問題(例：資産の減価償却率)についての租税行政庁による更正〔redressement fiscal〕をめぐり争いが生じた場合に意見を述べる権限を有する。

▷租税一般法典1651条；租税手続法典1条以下および59条A以下

Commission départementale de surendettement des particuliers 民法 県個人破産委員会 県個人破産委員会は，各県に設置され，自然人の過剰債務〔◆Surendettement〕状態を処理することを任務とする。この委員会は，県における国の代表(委員長)，地方財務局長(副委員長)および租税機関の長または代表，ならびに，その地におけるフランス銀行の代表(委員会の事務局を務める)，および，国の代表により県内から選ばれた2名の者(1名はフランス金融機関投資企業協会の推薦に基づいて，他の1名は家族団体または消費者団体の推薦に基づいて選ばれる)から構成される。さらに，社会経済家族分野の経験を有する者1名，ならびに，法律分野の学位および経験を有する者1名が，書類の審査に加わり，委員会の会議に出席するが，発言権のみを有する。

▷消費法典L331-1条以下

▶Rétablissement personnel (Procédure de)〔個人更生(手続き)〕

Commission du droit international 国公 国際法委員会 世界の異なる法体系を代表するように選ばれた34人の独立の法律家からなる，国際連合総会の補助機関〔▶Organe subsidiaire〕であり，《国際法の漸進的発展とその法典化を奨励する》ことを任務とする。国際法委員会の作業により重要な条約の採択が可能となった。例えば，海洋法に関するジュネーヴ諸条約(1958年)，外交関係に関するウィーン条約(1961年)，領事関係に関するウィーン条約(1963年)そして条約法に関するウィーン条約(1969年)である。膨大な作業にもかかわらず，今日では，新たな条約の採択に至るのはより困難になってきている。

Commission des droits et de l'autonomie des personnes handicapées (CDAPH) 社保 障害者の権利と自立委員会(CDAPH) 障害者職業指導社会復帰専門委員会〔COTOREP〕の後身。これらの県障害者センターは，障害者が権利を行使し，給付を受けるための《単一窓口》〔guichet unique〕である。

Commission de l'éducation spéciale (CDES) 社保 特別育成委員会 児童の障害に適合する特別育成を行い，かつ，その児童を受け入れることのできる施設を指定すること，児童または青少年の労働不能の状態または率が，特別育成手当ならびに場合によっては，補足手当および廃疾年金の支給を正当化するか否かを審査することを権限として有する機関。

Commission d'examen des pratiques commerciales 商法 取引慣行審査委員会 国会議員，司法官および実業界代表から構成される委員会であって，競争法の領域に属す

る一定の慣行に関して意見を述べ，勧告を発することを任務とする。
▷商法典L440-1条

Commission européenne [EU] **ヨーロッパ委員会** 1967年7月1日以降，ヨーロッパ石炭鉄鋼共同体，ヨーロッパ経済共同体およびヨーロッパ原子力共同体の共通機関。2004年11月まで20名の委員（主要国，すなわちドイツ，スペイン，フランス，イタリアおよびイギリスの国籍保持者は各2名，他の10ヵ国の国籍保持者は各1名のみ）から構成されていた。ただし，委員は自らがその市民たる国家を代表するわけではないため各国政府からは独立している。

　ニース条約〔➡Nice〕は，当時ロマーノ・プロディ〔Romano PRODI〕によって主宰されていた委員会の任期満了に当たる2004年11月に着任する新たな委員会の構成の改革について規定した。委員数が過剰となることを避けるため，それ以来，委員数はヨーロッパ連合加盟国の数と同じものとされ，各加盟国はその国籍保持者たる委員を1名ずつ有することになった（閣僚理事会における票数が新たに加重されるのと引換えに大国が譲歩）。

　ヨーロッパ憲法は，2014年（ヨーロッパ憲法発効後に指名される最初の委員会の任期満了）以降，委員数はヨーロッパ連合加盟国の数の3分の2に制限され，その際には加盟国間の《平等な》輪番制が導入されるものと規定している。ただし，ヨーロッパ憲法の発効から2014年までに，閣僚理事会は，全会一致で決定することによりこの数を修正すること（例えば，各加盟国の国籍保持者1名ずつの状態に戻ること）ができる。

　委員長は（2014年以降）加盟国政府により特別多数で指名されるが，この指名はヨーロッパ議会により承認されなければならない。他の委員は，加盟国政府と指名された委員長の一致した合意によって選出される。ヨーロッパ議会は，委員会の構成を承認する前に各委員を聴聞する。委員会は，2004年からはジョゼ・マヌエル・バローゾ〔José Manuel BARROSO〕によって主宰されている。ヨーロッパ委員会には発議権（ヨーロッパ委員会は規則と指令を提案する），執行権（ヨーロッパ連合の施策の実施と統制），および代表権（特に第三国との関係において）が付与されている。ジャン・モネ〔Jean MONNET〕は，ヨーロッパ委員会が「ヨーロッパを牽引する機関」になることを望んだ。ヨーロッパ委員会は，今日，閣僚理事会およびヨーロッパ議会との関係における自らの位置づけに困難を感じている。

Commission européenne des droits de l'Homme [国公] **ヨーロッパ人権委員会** ヨーロッパ人権条約〔➡Convention européenne des droits de l'Homme〕によって創設された機関。以下のことを目的とする。

　①国家による，または（訴えられた国家が個人による申請を認めている場合には）個人による，条約で認められている人権に対する侵害についての申請の受理性を審査する。

　②協議による解決を試みる。

　ヨーロッパ人権委員会は，ヨーロッパ人権条約を変更して，審査の仕組みの総体をヨーロッパ人権裁判所〔➡Cour européenne des droits de l'Homme〕に委ねる議定書の発効に伴い，1998年11月に消滅した。

Commission d'indemnisation des victimes d'infractions [民法][民訴][刑訴] **犯罪被害者補償委員会** 大審裁判所に設置されている民事裁判機関。（行為者が不明または支払不能であるなどの理由で）犯罪の被害者が行為者から直接賠償を得ることができない場合に，一定の条件のもとで補償金を与えることにつき管轄権限を有する。この補償金は，具体的にはテロ行為および他の犯罪の被害者補償基金〔➡Fonds de garantie des victimes des actes de terrorisme et d'autre infractions〕により負担される。
▷刑事手続法典706-3条以下およびR50-1条以下

Commission mixte paritaire [憲法] **両院合同同数委員会** 同数の両院議員で構成される委員会。法律案について両院の意見が一致しない場合，両院によって採択されうる妥協案の作成にあたる（1958年憲法典以来フランスの国会で実施されている制度）。

Commission nationale de l'informatique et des libertés（CNIL） [行政] **情報処理と自由に関する全国委員会** ➡Fichiers〔情報ファイル〕

Commission nationale de la négociation collective [労働] **団体交渉全国委員会** 公的機関の代表者，代表的労働組合組織の代表者，代表的使用者組織の代表者から構成される委員会。団体交渉全国委員会は，団体交渉の発展を促進する性質の提案を行い，労働協

約の拡張および拡大について，また最低賃金（SMIC）の決定について意見を述べることを任務とする。
▶Convention collective〔労働協約〕

Commission d'office 〔刑訴〕**職権による弁護人の指名** 予審対象者（予審被告人），軽罪・違警罪被告人または重罪被告人の防禦を援助するために，職権で弁護士を指名する措置。
▷刑事手続法典116条，274条，317条および417条

Commission des opérations de bourse 〔商法〕**証券取引委員会** 2003年以前に，公募資金の保護，投資者への情報提供，および市場の健全な運営を監視することを任務としていた独立行政機関。証券取引委員会〔COB〕は，市場運営および職業慣行規範に関する規則を制定することができた。また，調査権限を行使し，一定の場合には，制裁権限を行使した。
今日，これらの職務は，証券取引委員会を引き継いだ金融市場機関〔▶Autorité des marchés financiers〕によって行使される。
▷通貨金融法典L621-1条以下

Commission parlementaire 〔憲法〕**国会の委員会**
①立法作業の準備（政府提出および議員提出の法律案を本会議における審議決定前に検討すること）にあたる国会内部の構成体。
以下のように区別される。専門常任委員会：財政，外交など（例，フランス）。専門化されていない常任委員会（例，イギリス）。特定の政府提出または議員提出の法律案を検討するために，事案ごとに設置される特別委員会。
②特定の問題につき資料を収集することを任務として両院が設置する機関（調査・監査委員会）。

Commission de recours amiable 〔社保〕**不服申立委員会** 社会保障地方金庫の理事会のなかに構成される委員会であって，金庫の決定に対する私人の不服申立てを審査する。苦情処理手続きが前置されているのは，争訟手続きを回避するためである。
▷社会保障法典R142-1条以下

Commission des représentants 〔労働〕**外交員の手数料** 集められた注文の総額の一定の歩合からなる外交員の報酬。
▷労働法典L751-8条

Commission rogatoire 〔民訴〕〔刑訴〕〔国私〕**共助の嘱託** 裁判官が，自らの代わりに刑事における予審行為または民事における審理行為をなすよう，他の裁判官または司法警察員にその権限を委任する行為。
▶Commission〔委任〕
共助の嘱託は外国の要求によりフランスにおいて，および，フランスの要求により外国において可能である（国際的共助の嘱託）。

Commissions d'urbanisme commercial 〔行政〕**商業都市計画委員会** 1973年に（Royer法によって）設置された機関で，県と国の2つのレヴェルをもつシステムを構成し，地元の（中小）商店および手工業の利害と《大規模小売店》の利害との調整を試みる。このシステムは，地方議会議員，商業・手工業活動の代表および消費者代表からなる委員会に，《大規模小売店》に対して営業を許可する真の権限を与えている。
▷都市計画法典L451-5条以下

Commission de vérification des comptes des entreprises publiques 〔財政〕**公企業会計検査委員会** 財務監査を行う非裁判的機関。1976年に廃止された。この委員会の権限は会計検査院〔▶Cour des comptes〕に移管されたが，もっとも，委員会はその構成の点では会計検査院の一部といってよいものであった。

Commissionnaire 〔商法〕**問屋；取次商** 自己の名においてではあるが，他人（委託者〔commettant〕）の計算で行為する商取引の仲介者。問屋が行った商取引の経済的な効果は，委託者に帰属する。
▷商法典L132-1条以下およびL110-1条（旧94条以下および632条）

Commodat 〔民法〕**使用貸借** 借主によって現物で返還されなければならない非消費物を目的とする貸借。
▷民法典1875条以下
▶《Mutuum》〔消費貸借〕 ▶Prêt〔貸借〕

Common law 〔一般〕**コモン・ロー** アングロサクソン系諸国の普通法であり，立法府による法文ではなく裁判所の実務に由来する。

Commonwealth 〔国公〕**コモンウェルス** イギリスと完全に独立国の地位を獲得した旧イギリス領との結合。1949年まで，ブリティッシュ・コモンウェルス〔British Commonwealth〕は（出身および伝統に関してイギリス系の）すべての構成国のイギリス国王に対する忠誠を伴った。その拡大以来，ブリティッシュ・コモンウェルスはもはや，構成国が《自由な結合の象徴》としてイギリス国

王を認めるコモンウェルス〔Commonwealth of Nations〕でしかない。法的枠組の欠如はコモンウェルスに非常な柔軟性を与えている。

《Comorientes》 民法 **同時死亡者** ►Comourants〔同時死亡者〕

Communauté 憲法 **フランス共同体** 1958年に提示された，フランスとその植民地との関係を調整する形態（憲法典12章）。フランス連合〔Union française〕とは異なり，フランス共同体は，1958年憲法典の表決による自由加盟の原則に立脚している（ギニアは《否決》し，ただちに独立した）。この形態は，アフリカ諸国が真の独立獲得という意思を有していた結果，過渡的なものであった。1960年6月4日の憲法的法律によって，フランス共同体は国家間の提携となり，事実上消滅した。いわゆる《刷新された》フランス共同体は形骸化し，フランスとこれらの新しい国家との関係は，純粋に二国間的な基盤の上に構築されている。フランス共同体は1992年に憲法典から姿を消した。

Communauté d'agglomération 行政 **中規模都市共同体** 中規模都市の間における市町村間協力の形成を目的として設立することのできる公施設法人〔►Établissement public〕。

中規模都市共同体は，1ないし複数の（原則として）人口1万5000人以上の市町村を中核として，人口5万人以上の隣接する市町村の集合体を作らなければならない。

中規模都市共同体は，都市の発展，社会住宅および都市政策に関する若干の義務的な権限を，構成単位である市町村に代わって行使する。さらに，中規模都市共同体は，重要な都市施設に関するその他の若干の権限も行使しなければならない。

▷地方公共団体一般法典L5216-1条以下
►Agglomération〔都市圏〕►Communauté de communes〔市町村共同体〕►Communauté urbaine〔大規模都市共同体〕►Établissement public de coopération intercommunale（EPCI）〔市町村間協力公施設法人〕

Communauté de communes 行政 **市町村共同体** 隣接する複数の市町村間において設立することのできる公施設法人〔►Établissement public〕。この市町村共同体は，最低人口条件がないために農村地帯における市町村間協力に最適の手段となっている。市町村共同体は，主として地域整備，経済発展および施設〔équipements〕に関する若干の権限を，構成単位である市町村に代わって行使する。

▷地方公共団体一般法典L5214-1条以下

Communauté entre époux 民法 **共通財産（制）** 夫婦が有している財産の一部を共通財産とし，婚姻の解消後，これを分割する夫婦財産制。夫婦が夫婦財産契約を締結しない場合につねに適用される法定夫婦財産制は，1965年7月13日の法律以降，後得財産に限定された共通財産制となった。

▷民法典1400条以下および1497条以下
►Acquêts〔後得財産〕

Communauté des États indépendants（CEI） 国公 **独立国家共同体** 旧ソヴィエト社会主義共和国連邦の，ロシア，ウクライナ，ベラルーシ，アルメニア，アゼルバイジャン，モルドバおよびその他の中央アジアの5共和国の間で，1991年12月に設立された。これらの国家の間に緩やかな結びつきしか設定できず，唯一恒常的なものとしては署名国の国境を不可侵のものとする約束がある。

Communautés européennes EU **ヨーロッパ共同体** 一定の分野において国家主権を共通の機関のもとに置くことにより，ヨーロッパ統合を実現することを目的とする組織。

共同体の特徴（各国政府から独立した個人から構成される機関の存在，国家から委譲された権限の大きいこと，多数決原理の導入，個人との直接的関係など）からして，超国家的組織ともいわれてきた。27の加盟国から構成される。そのうち，ドイツ，ベルギー，フランス，イタリア，ルクセンブルク，オランダが原加盟国であり，1973年にイギリス，デンマーク，アイルランドが，1981年にギリシアが，1986年にスペイン，ポルトガルが，1995年1月にオーストリア，フィンランド，スウェーデンが，2004年にスロヴェニア，スロヴァキア，チェコ共和国，ポーランド，マルタ，リトアニア，ラトヴィア，ハンガリー，エストニア，キプロスが，そして2007年にブルガリア，ルーマニアが加盟した。以下の3共同体からなる。

①Communauté européenne du Charbon et de l'Acier（CECA）ヨーロッパ石炭鉄鋼共同体（1951年）：最高機関〔Haute autorité〕の監視のもとでの生産と取引の自由競争：統制権限，すなわち，（生産と価格に関する）景気介入および開発（投資の資金調達，企業の近代化，研究に対する援助）に関する介入，社会的権限（労働者の生活条件の改善）。

ヨーロッパ石炭鉄鋼共同体は2002年に消滅した。もともと50年間の期間を予定して創設されたものであって，2002年にヨーロッパ経済共同体条約という一般的枠組のなかに統合されたのである。

②Communauté économique européenne (Marché commun) ヨーロッパ経済共同体 (共同市場) (1957年)：マーストリヒト条約〔►Maastricht〕により，ヨーロッパ共同体〔Communauté européenne〕と名称を変更した。以下の2つの役割を兼ねる。a) 関税同盟：関税障壁の廃止および数量制限の撤廃による商品の自由流通，域外共通関税。b) 経済同盟：人，サーヴィスおよび資本の自由流通，(社会法制，税制などの) 法制の接近，(農業，運輸，エネルギーといった) 部門別共通経済政策，または (景気，通貨，通商および開発に関する) 一般的共通経済政策。

③Communauté européenne de l'énergie atomique (Euratom) ヨーロッパ原子力共同体 (1957年)：研究の調整と情報の普及，企業のイニシアティヴの促進と共同事業の創設，原子力共同市場の組織化，核燃料供給の共通政策，健康の保護，安全の監督。

ヨーロッパ共同体は，政治協力の仕組みを統合する一層広範な総体にこれら3共同体を包括するマーストリヒト条約によってヨーロッパ連合〔►Union européenne〕の設立にまで非常な発展を見せた。

1987年7月1日に執行体制が融合されて以来，事実上単一の組織を構成している。

Communauté européenne de défense (CED) EU ヨーロッパ防衛共同体 すでにヨーロッパ石炭鉄鋼共同体の加盟国であった6ヵ国の間の1952年5月27日の条約によって規定されていた組織であるが，フランスの拒否 (1954年8月30日) により実際には設立されなかった。

この計画は，超国家的機関のもとに《6ヵ国》の軍隊を統合することを目指しており，西ドイツの再軍備の予想により生じた恐れに対応していた。この再軍備は，朝鮮戦争の際にアメリカが企図したものである。

Communauté politique européenne EU ヨーロッパ政治共同体 ヨーロッパ防衛共同体条約38条に規定されており，政治共同体の規程は1953年以降，ヨーロッパ石炭鉄鋼共同体総会によって設立された特別総会において起草された。真の連邦となるものであった。ヨーロッパ防衛共同体条約の未発効により死産となった。

Communauté urbaine 行政 **大規模都市共同体** 大都市圏 〔grandes agglomérations urbaines〕において市町村間協力を形成するために設立することのできる公施設法人〔►Établissement public〕。

1999年7月12日の法律の後に設立される都市共同体は，総人口50万人以上になるように市町村を結集しなければならない。

大規模都市共同体は，経済発展，共同体地域整備，社会住宅，都市政策，環境保護，および集団的利益に関わる重要な役務の管理に関する多数の権限を，構成単位である市町村に代わって法律上当然に行使する。

▷地方公共団体一般法典L5215-1条以下
►Communauté d'agglomération〔中規模都市共同体〕►Communauté de communes〔市町村共同体〕

Communauté de vie 民法 **生活共同** 夫婦に課せられる，共に生活し (居所〔résidence〕の共同)，夫婦の間の性的関係 (同居〔►Cohabitation〕) を維持する義務。

▷民法典215条

Communauté de villes 行政 **市共同体** 市町村間協力公施設法人〔►Établissement public de coopération intercommunale (EPCI)〕のかつての一形態。遅くとも2001年末には，市町村共同体〔►Communauté de communes〕または中規模都市共同体〔►Communauté d'agglomération〕に再編された。

Commune renommée 民法 **一般の評判** いかなる直接証拠〔preuve directe〕も存在しない事実を真実とみなす世間の評判または一般の信頼。

一般の評判は，証拠方法としては例外的にしか認められない。

Communes 行政 **市町村** フランス行政組織の基礎をなす地方公共団体。各市町村の財源および人口はきわめて異なっているが，市町村会および市町村長が原則として画一的な法制度に従って管理する。フランス本土には，3万6000以上の市町村がある。その10分の9は人口が2000人以下であり，さらにその10分の6は，人口が500人以下である。

▷地方公共団体一般法典L2111-1条以下
►Décentralisation〔分権化〕

Communication du dossier 行政 **一件書類の**

伝達　防禦に関する基本的な保障。この保障は，あらゆる懲戒措置または単なる人事考課に先立ち，行政に従属するすべての者が，自己の一件書類の内容を知ることができる状態にする行政の義務からなる。これに違反する場合には，当該手続きは無効とされる。

Communication au ministère public 民訴 **検察官への伝達**　検察官が，自発的にまたは裁判所の要求によりまたは法律の命じるところにより，関与当事者〔partie jointe〕として事件に関与するときには，検察官への伝達が行われる。
▷新民事手続法典425条および798条

Communication de pièces 民訴 **書証の伝達**　訴訟当事者は自己の用いる書証を互いに伝達しなければならない。
　この伝達が自発的になされない場合には，(相手方当事者は)裁判所を介して要求することができ，裁判所はその一定の期間が経過しても伝達がされない場合，罰金強制を課すことができる。
▷新民事手続法典15条および132条以下
►Compulsoire〔謄本交付申請(閲覧)〕

Commutation de peine 刑法 **大統領恩赦による減刑**　大統領の恩赦によって，ある刑罰を他の刑罰に代替する処分。例えば，自由剥奪刑を，罰金刑へ軽減すること。
▷刑法典133-7条以下

Commutative（Justice-） 一般 **交換的（正義）**
►Justice〔正義〕

Comourants ; 《Comorientes》 民法 **同時死亡者**　同一の出来事において死亡する者であって，一方が他方を相続する関係にあった者。
▷民法典725-1条以下

Compagnie 民訴 **裁判所補助吏団体**　動産公売官〔►Commissaire-priseur judiciaire〕職のような一定の職業の同業団体を指すための慣用的用語。

Compagnies républicaines de sécurité（CRS） 行政 **共和国治安機動隊**　司法警察補助員と同様に公の武力に属する文民警察官であるが，軍隊式に編成される。共和国治安機動隊は非常に機動力があり，その任務は多様である。それは日常的な意味での秩序維持という枠をはるかに超えている。共和国治安機動隊は内務省に属し，かつ，文官の直接の命令によって活動する。共和国治安機動隊は文官に階層的に従属する。
►Gendarmerie〔憲兵隊〕

Comparution 民訴 **出頭**　普通法上の裁判所において出頭するということは，呼出状によって定められた期間内に（大審裁判所においては）弁護士を，または（控訴院においては）代訴士を選任することを意味する。
▷新民事手続法典751条および899条
　例外裁判所において出頭するということは，事件の呼上げの際に，本人自らが法廷に赴くこと，または代理人を法廷に赴かせることを意味する。
▷新民事手続法典827条，828条，853条，883条および931条；労働法典R516-4条

Comparution immédiate 刑訴 **即時出頭**　1983年6月10日の法律以来，直接提訴〔saisine directe〕に代わって行われている，軽罪裁判所への提訴の態様。現行犯であると否とを問わず，裁判適状にある事件においてのみ行われる。ただし，刑事未成年，政治犯罪，出版犯罪および明文により特別の訴追手続きに服するとされる犯罪の領域は除かれる。
▷刑事手続法典395条以下

Comparution personnelle 訴訟 **本人出頭**　当事者を裁判所に呼び出し，当該事件に関する事実について尋問する証拠調べ。
民訴 **本人出頭**　本人出頭とは，訴訟当事者自身が裁判所へ出廷しなければならないという意味ではなく（代理人による訴訟代理が原則である），両当事者または一方当事者を直接尋問する証拠調べ〔►Mesures d'instruction〕のことである。
　本人出頭はあらゆる事件において，職権でも命じることができる。本人出頭は弁護人の立会いのもとで行われ，調書が作成される。
　本人出頭は法人を対象とすることもあり，その場合は，法定代理人が出頭する。
►Audition des parties〔当事者の聴問〕

Comparution sur reconnaissance préalable de culpabilité 刑訴 **有責認知に基づく出頭**　2004年3月9日の法律第204号（PerbenⅡ法）により設置された軽罪裁判所への提訴の態様。《plaider coupable》〔有罪の答弁〕とも呼ばれている。犯罪行為者が自己に対して非難されている事実および自己の有責性を認める場合に法廷審理の手間を省くことを内容とする。この場合，共和国検事は，科されるべき1または複数の主刑または補充刑を犯罪行為者に示すことができる。犯罪行為者が受諾した場合，提案の認可のためにその者はただちに大審裁判所所長（または所長が委任した裁判官）

の面前に出頭させられる。この手続きは，18歳未満の未成年にも，出版犯罪，過失致死罪，政治犯罪，訴追手続きが特別法により定められている犯罪にも適用されない。
▷刑事手続法典495-7条以下

Comparution volontaire 刑訴 **任意出頭** 軽罪裁判所および違警罪裁判所に対する，非要式的な提訴の態様。これにより，被告人は，一般的には検察官の通告状に基づき，刑事裁判所へ任意に出頭し，その結果，直接呼出状の交付が免除される。
▷刑事手続法典389条

Compensation 民法 **相殺** 相互的な2つの債務が，額の小さい方の金額に達するまで消滅すること。
▷民法典1289条以下
　債務が確定しており〔certains〕，金銭評価が可能であり〔liquides〕，かつ，請求が可能なものである〔exigibles〕場合にしか，相殺をすることはできない。
►Certain〔確定した〕►Liquidité〔金銭評価可能性〕►Exigibilité〔請求可能性〕

Compensation démographique 社保 **制度間財務調整** ある社会保障制度から他の社会保障制度へと行われる資金の移転であって，一定の部門に存在する就業加入者数と非就業加入者数との不利な関係によって生じた資金と支出の不均衡を救済することを目的とする。したがって，制度間財務調整は，一般制度と非労働者制度との間で行われている。

Compétence 私法 公法 **(管轄)権限** 公的機関または裁判所が，行為を遂行し，または，訴訟を審理かつ裁判する法律上の権能。

Compétence d'attribution；《Ratione materiae》 行訴 民訴 **事物管轄** 事件の性質，ときにはその価額による裁判所〔►Juridiction〕の管轄権限。
　係争は，事物管轄に関する規定により，一定の系統，審級および性質の裁判所間で配分される。
▷司法組織法典L311-1条，L411-1条以下，R211-1条以下，R311-1条以下およびR321-1条以下；商法典L411-4条以下；労働法典L511-1条；行政裁判法典L211-1条，L211-2条およびL311-2条以下
►Compétence territoriale；《Ratione personae vel loci》〔土地管轄〕

Compétence civile 民訴 **民事管轄** ►Juridiction de proximité〔直近裁判所〕►Tribunal de grande instance〔大審裁判所〕►Tribunal d'instance〔小審裁判所〕

Compétence commerciale 民訴 **商事管轄** ►Tribunal de commerce〔商事裁判所〕

Compétence discrétionnaire, Compétence liée 行政 **裁量権限，覊束権限** ►Pouvoir discrétionnaire, Pouvoir lié〔裁量権限，覊束権限〕

Compétence exclusive 民訴 **専属管轄** 事物管轄・土地管轄を問わず，ある訴訟の審理がもっぱら特定の裁判所に割り当てられているときに，専属管轄が存する。例えば，大審裁判所は人の身分に関して専属管轄を有する。
　専属管轄の存する場合，判断付託問題〔question préjudicielle〕が生じることになり，専属管轄権限を有する裁判所が判断を示すまで，訴えをうけた裁判所は裁判を停止しなければならない。
▷司法組織法典L211-4条およびR311-2条
►Question préjudicielle〔判断付託問題〕

Compétence internationale 国私 **国際裁判管轄** ►Conflit de juridictions〔裁判管轄権の抵触〕

Compétence matérielle；《Ratione materiae》 刑訴 **事物管轄** 犯罪の性質(例えば違警罪，軽罪，重罪)に応じて刑事事件を審理する刑事裁判所の権能。

Compétence nationale (Domaine de la) 国公 **国内管轄権(国内管轄事項)** 国際連合憲章(2条7項)の用語によると，もっぱら加盟国に属する事項をいい，したがって，この事項は国連の機関の管轄から除外される。
　《留保事項》〔domaine réservé〕の内容は定まっていないため，国連の機関は国家が国内管轄権の抗弁を提起するたびに裁量的に決定を下すが，多くの場合この抗弁を無視した(主として植民地に関して適用)。

Compétence personnelle；《Ratione personae》 刑訴 **人的管轄** 犯罪者の一身的な地位(例えば18歳未満の未成年者)に応じて刑事事件を審理する刑事裁判所の権能。

Compétence territoriale；《Ratione loci》 刑訴 **土地管轄** 場所に関する事情(例えば犯罪地，被告人の居住地または逮捕地)に応じて刑事事件を審理する刑事裁判所の権能。

Compétence territoriale；《Ratione personae vel loci》 行訴 民訴 **土地管轄** 土地管轄に関する規定は，全国に設置されているすべての同種の裁判所のうち，どの裁判所が事件を

審理することになるかを定める。
▷新民事手続法典42条以下
▶Compétence d'attribution；《Ratione materiae》〔事物管轄〕

Complainte 民訴 占有保持の訴え　現在の妨害により被害を受けているときに，自主占有者，さらには容仮占有者が占有の訴えを提起することを可能にする訴権。
▷民法典2282条；新民事手続法典1264条
▶Action possessoire〔占有訴権；占有の訴え〕
▶Dénonciation de nouvel œuvre〔占有保全の訴え〕▶Réintégrande〔占有回復訴権；占有回復の訴え〕

Complément familial 社保 補足家族手当　3歳以上の子どもを3人以上養育する世帯または人に支給される家族給付。
▷社会保障法典L522-1条以下

Complicité 刑法 共犯　補助または援助によって，犯罪の準備または犯罪の遂行を容易にする者の地位。共犯自身は犯罪の構成要素を実現するものではない。ほかに，犯罪を教唆し，または犯罪を遂行するように指示を与える者の地位。
　新刑法典では，犯罪の共犯は正犯と同様に処罰される。
▷刑法典121-6条および121-7条

Composition pénale 刑訴 刑事示談取引　公訴権が発動されていない限りにおいて，1もしくは複数の軽罪または1もしくは複数の違警罪を犯したことを認める成年者に対して共和国検事によって提案される，代償または賠償の措置。対象となる犯罪のリストは，法律または行政立法によって定められる。この措置が裁判所所長により有効とされた後に実行されることで，公訴権は消滅する。
▷刑事手続法典41-2条以下

Compromis 民法 仮契約　当事者が，公証人の前で取引を正式なものとする前に，売却の条件について一致したことを確認するための仮の合意を指すものとして実務家によって不適切に用いられている用語。

民訴 仲裁契約　2人またはそれ以上の者が，自己が自由に処分することのできる権利に関する紛争を仲裁〔▶Arbitrage〕に委ねるとする合意。行政庁は，例外を除いて，仲裁契約を締結することはできない。
▶Clause compromissoire〔仲裁条項〕
▷新民事手続法典1447条以下

国公 裁判付託合意　国家を対立させている紛争を仲裁裁判による解決または司法的解決に服させることを内容とする国家間の合意。

Comptabilité 商法 企業会計　会計書類を継続して管理することにより，個人商人または商事企業が行うすべての商取引を記録する手続き。この手続きによって，いつでも一部の状況を明らかにすることができ（例えば，現金の状態，顧客の状態），営業年度末には，個人商人または商事企業の全般的な財務状況が貸借対照表の作成を通して明らかになる。

Comptabilité publique 財政 公会計
　①最狭義には，国，地方公共団体〔▶Collectivités territoriales〕，および公会計に服する公施設法人〔▶Établissement public〕の会計の作成について定める特別な規範の総体。国については，公会計は，主に，予算〔▶Budget〕によって承認された収入および支出の執行を記載することを任務とする予算会計〔comptabilité budgétaire〕，国の収支，財産および財務状況の全体を記載する（国の活動の特性上要請されるかぎりにおいてのみ企業のそれと異なる）財務会計〔comptabilité générale〕，ならびに，（企業におけるほど精密ではないが）予算区分上の事業計画〔▶Programme〕に含まれる各個別事業〔▶Action〕の費用を分析し把握するための一種の原価会計〔comptabilité analytique〕を含む。

　②広義には，公会計には，支払命令官と公会計官の義務と責任を定める規範の総体，および公法人〔▶Personne publique〕の税外収入の徴収と支出の執行に関する規範が含まれる。フランスでは最もしばしばこの意味で用いられる。

Comptable assignataire 行政 支払担当会計官　公会計官〔▶Comptables publics〕の一種で，この会計官の金庫に支払命令官は公法人〔▶Personne publique〕の支出の支払いを帰属させなければならない。すなわち，この金庫から支払いを行わせなければならない。支払担当会計官は，支払命令官〔▶Ordonnateurs〕によってなされる支払いの適式性の審査を行うことを任務とする。

Comptable de fait 財政 事実上の会計官　事実上の公金管理〔▶Gestion de fait〕にあたる行為を行ったことにより責任を問われるすべての者を指す用語。

Comptable principal 財政 主席会計官　会計検査院〔▶Cour des comptes〕または州会計検査院〔▶Chambre régionale des comptes〕

に会計報告書〔►Compte de gestion〕を提出する公会計官〔►Comptables publics〕。会計報告書の提出は，場合により，他の公会計官（次席会計官〔comptable secondaire〕と呼ばれる）の収支計算を自己の収支計算に組み入れた後に行われることもある。各県においては，地方財務局長〔►Trésorier-payeur général〕だけが，会計検査院に対して，国のすべての支出と収入について責任を負う主席会計官である。

Comptables publics 〔財政〕**公会計官** 大部分の公法人の債権の回収と債務の支払いおよび，公法人に帰属しまたは委託された資金と有価証券の管理と保全を行う資格をもつ公務員のカテゴリー。公会計官のみがこの資格を有する。また，この資格には，個人的な金銭上の責任が伴う。

会計官と支払命令官の職務は原則として兼ねることができない。しかし，間接税については，会計官が自ら租税債権額の確定〔►Liquidation〕を行う。また，支払命令官〔►Ordonnateurs〕のもとに支払事務の代行または徴収事務の代行〔►Régie d'avances, Régie de recettes〕を置くことができる。

Compte administratif 〔行政〕**決算書** 地方公共団体および公施設法人の財政に関して，予算年度の終了後，執行された収支と予算上の承認額とを比較対照するために，議決機関（市町村会など）によって表決される文書。

この文書は，国の決算法律〔►Loi de règlement〕に相当するものである。

▷地方公共団体一般法典L1612-12条
►Loi de finances〔予算法律〕

Comptes consolidés 〔商法〕**連結計算書類** 会社の貸借対照表その他の計算書類で，子会社その他の，この会社が資本参加している会社の資産と負債の状況と成果〔当期損益〕〔résultats〕も計上されているもの。

Compte courant 〔民法〕〔商法〕**交互計算** 定期的に相互に債権者および債務者となる人により締結される契約。その債権および債務は不可分の勘定項目に記載され，締切りの後は差引額のみが支払われる。

債権の受益者である者を《預入人》〔remettant〕，同一の記載を自己の債務として行う者を《受取人》〔récepteur〕と呼ぶ。

Compte courant d'associé 〔商法〕**社員の交互計算；社員による会社への貸付け** これは，社員がその会社に対して行う貸付けを指す用語であり，この用語は不正確である。

貸付けの期間は，貸付金の据置きが合意されている場合のように，定められていないこともある。

この貸付けに対して支払われる利息には，特別の税制度が適用される。

Compte courant postal 〔商法〕**郵便当座勘定取引口座** すべての自然人または法人，すべての公役務および利益団体のために，郵便局への請求に基づき，郵政当局の承認を条件に開設される口座であり，郵政当局が管理する。

郵便当座勘定取引口座は，用語の技術的意味における当座勘定取引口座〔compte courant〕ではないが，まさに預金口座〔compte de dépôt〕または小切手口座〔compte chèques〕である。

▷郵便通信法典L98条以下，R52-10条およびD488条以下

Compte de dépôts 〔商法〕**預金口座** 金融機関とりわけ銀行が，商人であると非商人であるとを問わず，資金を預ける者に対して開設する口座。預金者は，小切手または振替えによって資金を引き出す。

Compte épargne-temps 〔労働〕**有給休暇積立口座** 有給休暇〔congés payés〕の権利を貯めること，または，取られなかった有給休暇もしくは代償休日の期間の代わりに，ただちにもしくは後に，報酬を受けることを，希望する労働者に対して可能にする口座。有給休暇積立口座は，労働者または使用者によって様々な方法で積み立てることができ，特に，年次有給休暇の一部の繰越し，または代償休日〔►Repos compensateur〕の時間数の充当によって行われる。有給休暇積立口座に記載された金額は，別途の収入として，または企業もしくは企業グループの財形貯蓄〔Plan d'épargne d'entreprise〕および集団的退職積立制度〔►Plan d'épargne pour la retraite〕に積み立てるために，労働者の求めにより，協定に規定された態様に従って利用されることができる。有給休暇積立口座は集団的約定（企業グループ，企業または事業所単位の労働協約または集団協定）によって創設される。

▷労働法典L227-1条

Compte d'exploitation 〔商法〕**一般経営計算書** 営業年度といわれる期間における企業の経常的な費用と収益とがあわせて記載された法定の計算書類。

一般経営計算書の差額は，経営上の損益を示している。

一般経営計算書は，損益計算書〔compte de pertes et profits〕とともに，成果計算書〔compte de résultat〕といわれる単一の計算書に統合された。

▷商法典L123-13条

Compte de gestion 財政 **会計報告書** 収入と支出に関する計算書類および証拠書類の総体。主席会計官〔►Comptable principal〕は，会計報告書によって，一会計年度内に自ら執行した，または，集約した収支計算を会計検査院または州会計検査院に対して証明する。

Compte joint 民法 商法 **複数名義口座** 複数の者の名義において開設される口座で，それらの者の間では借方も貸方も一体となる。名義人が単独で資金全体を拘束することができ，財産は預金者間の共有が推定されることによって特徴づけられる。口座は一体として運用されるが，清算においては分離される。

▷民法典1202条1項

Compte de pertes et profits 商法 **損益計算書** 一般経営計算書〔►Compte d'exploitation〕の費用と収益のそれぞれの合計額に，特別損益と前営業年度にかかわる損益を加えた額があわせて記載されていた法定の計算書類。

損益計算書の差額が当期純損益〔résultat net comptable〕を示しており，この額は，貸借対照表の借方(損失)または貸方(利益)に記載されていた。

現在では，これに代えて成果計算書〔compte de résultat〕が作成されている。

Compte de résultat 商法 **成果計算書** 企業の収益と費用のすべてが総括して記載される法定の計算書類。

成果計算書の差額は，当期純損益〔résultat net comptable〕を示している。この額は，貸借対照表の貸方に記載される(損失の場合はそこから控除される)。

▷商法典L123-13条

Comptes spéciaux du Trésor 財政 **国庫特別勘定** （総計予算の原則〔►Universalité〕の適用除外により）一定の収入を一定の支出（例：地方公共団体に対する貸付け）に割り当てるために，国庫の帳簿に開設される勘定。

国会は，国庫特別勘定によって総体または差引残高として示された収支を予算法律〔►Loi de finances〕のなかで承認する。

Compulsoire 民法 民訴 **謄本交付申請（閲覧）** 訴訟人が，自らが関与しなかった公の証書の写しの交付を受け，また，写しと照合するために原本の提示を求めることができた，かつての手続きのこと。

この手続きは新民事手続法典によって廃止，置換され，新法は，より一般的に，訴訟の係属中，当事者に対し第三者の所持する証拠物を入手することを認める規範を整備している。

▷新民事手続法典138条

Computation 訴訟 **算定** ►Délai〔期間〕

Concentration 行政 **一極集中** すべての決定権限が，首都に存在する国家機関に集められるべきだとする行政の組織化の方法であるが，机上の理論にすぎない。

商法 **企業集中** 広義では，企業の間でその経済力を増大させるために経営政策の決定の一体性を確保しようとするすべての法的な行為。

▷商法典L430条-2条以下

狭義では，関係する企業の法人格に影響を及ぼす組織上の関係を形成し〔►Fusion〔合併〕），あるいは，関係する企業の法的な独立性は維持したまま財務上の関係を形成することによって，企業の間で政策決定の一体性を確保しようとする法的な行為。

►Groupe de sociétés〔会社グループ〕

Conception 民法 **懐胎** フランス法においては，生きて出生し，生育力のある子の法主体性〔personnalité juridique〕は懐胎の日に遡る。この局面において，出産〔procréation〕と混同される。

▷民法典16条，311条，312条および725条

►Procréation médicalement assistée〔医療介助生殖〕

Concert européen 国公 **ヨーロッパ協調** 19世紀にヨーロッパの大国により行われた協調。ヨーロッパの重要問題を，会議を断続的に開いて共同して解決することを目的とした。

Concession 行政 **特許** 以下に示すように数種類の特許が存在するが，いずれも，委託者たる公法人(国，地方公共団体)と私法上または公法上の法人(受託者)との間で締結される契約に相応する。

①*Concession de service public* 公役務の特許：契約に基づき私人たる受託者に管理を委託する公役務の管理形態。受託者は，自らの危険において活動し，公役務の利用者から徴収する料金を自己の収入とする。

②*Concession de travaux publics* 公土

木工事の特許：公の工作物〔►Ouvrage public〕の施工方式。受託者は資金調達と施工を行い，当該工作物を一定期間有償名義で経営し利用者から料金を徴収する（例：有料高速道路）。

③*Concession d'occupation du domaine public* 公物占有の特許：占有料を支払うことを条件に公物の多かれ少なかれ広い部分を排他的に使用する権利を受託者に与える行政法上の契約。

►Concession de voirie〔占用特許〕

[国公] **租界** 現地に居住している外国人に対し，町の1地区を割り当て，その外国人が自らの行政と自らの裁判を行う権利を認めること。

この租界制度は，1840年から中国で行われたが，第一次世界大戦後，徐々に姿を消していった。

Concession commerciale [商法] **特約店契約**
供給業者を商人と結びつける契約であり，この契約によって供給業者は商人にその製品の販売を割り当てる。ただし，その条件として，商人は自己の企業について営業，会計，さらに財務に関する監督を受け入れ，場合によりその分野において当該供給業者からもっぱら供給を受ける義務を負う。

▷商法典L330-3条

Concession immobilière [民法] **不動産利用権設定** 不動産の所有者が，年単位の報酬の対価として，その利用権を少なくとも20年の間賃借人に付与し，賃借人は好みに応じて備品をもち込み，建物を建てることができる契約。

契約の期間満了に際して，所有者は原則として，建設された建物について被設定者に補償をしなければならない。

▷1967年12月30日の法律第1253号

Concession de voirie [行政] **占用特許** 使用料を支払うことを条件に道路の一部についての私人の排他的な（したがって，例外的な）占有を許可する行政契約。この許可は，契約の性質を有するが，不安定なものであり，当該特許取得者に補償金を支払うことで撤回することができる。

►Permission de voirie〔占用許可〕

Conciliateur de justice [民法] [民訴] **勧解人**
紛争当事者の和解を促す者のうち，特に裁判上任命される者。勧解人とは，裁判官（特に小審裁判所裁判官）の指名に基づき，両当事者の合意を得たうえで，あらゆる裁判手続きの外において，当事者が自由に処分することのできる権利を対象とする争いについて，その合意による解決を促進すること，あるいは，法律に定める事前の勧解手続き（離婚または別居に関する場合を除く）を行うことを任務とする私人をいう。勧解人は，少なくとも3年にわたる法律に関する経験を証明しなければならない。勧解人は，控訴院院長の命令によって任命される。勧解人は，無償でその職務を遂行する。

▷新民事手続法典127条以下，831条以下，840条2項および847-3条

►Médiateur〔調停者〕

[商法] **整理委員** ►Conciliation〔整理〕

Conciliation [商法] **整理** 明らかなまたは予見される，法的，経済的または財務的困難を証明し，45日を超えて支払停止の状態にない，商業活動または手工業活動を行う人，私法上の法人，独立して職業活動を行う自然人に適用される措置。

この手続きは，2005年7月26日の保護法により商法典に導入された。

裁判所所長により選任される整理委員は，企業の経営難を終了させるために，債務者およびその主たる債権者との間の同意による協定の締結を促進することを任務としている。

この協定は，場合により，裁判所の認可に，または裁判所所長の確認に服する。前者の場合には，認可された協定は，その期間の間は，協定の署名者である債権者の側からの，債務者へのあらゆる訴求を停止させる。後者の場合(確認整理)には，債権者および署名者ならびに債務者は，同意した協定の文言に服する。

▷商法典L611-4条

[国公] **調停** 国際紛争の政治的解決方式のひとつであって，対審手続きにより，事件を審査しかつ解決案を提示することを任務とする委員会の関与をその内容とする。

[労働] **勧解；斡旋**
①勧解//労働裁判所の訴訟手続きにおける義務的な段階であって，判決部における手続きに先行する。この段階においては，2名の裁判官が両当事者を合意に導こうと試みる。

②斡旋/集団的労働紛争の協議による解決方法のひとつ。斡旋手続きは，この手続きを義務づける合意のある場合を除いて，任意的である。

[民訴] **勧解；和解** 一定の（例えば別居および離婚）訴訟においては，訴訟前の段階で，裁

判官は訴訟当事者を協議による解決へ導こうとする。裁判官は，法定の例外(労働裁判所，農事賃貸借同数裁判所)を除いて，民事，商事または社会的事項に関する訴訟において和解を試みる義務はないが，手続きのあらゆる段階においてつねにこれを行うことが可能である。
▷新民事手続法典127条
►Médiation〔調停〕

Conclusions 〔行政〕論告 ►Commissaire du gouvernement〔論告担当官〕

〔訴訟〕**申立趣意書；申立ての趣意** 原告が請求項目を提示し，被告が防禦方法を提示する手続文書(行為)。申立趣意書の提出により弁論の範囲が拘束される。裁判官は申立趣意書のすべての項目について判断しなければならない。
▷新民事手続法典4条，815条，909条および961条
►Avocat〔弁護士〕►Avoué〔代訴士〕►Postulation〔代訴〕

Conclusions qualificatives 〔民訴〕**性質決定明示申立趣意書** 両当事者の申立てを基礎づける攻撃防禦方法が事実のみならず法に関しても明示的に述べられた申立趣意書。大審裁判所および控訴院に提出される申立趣意書は，性質決定〔qualification〕の明示が義務づけられているのが特徴である。
▷新民事手続法典753条および954条

Conclusions récapitulatives 〔民訴〕**要点再録申立趣意書** 総括的で日付上最終の申立趣意書であり，それ以前の申立趣意書において提示または援用された申立ておよび攻撃防禦方法を再録するもの。再録されていない論点は放棄されたものとみなされるので，大審裁判所または控訴院は最終の文書〔dernières écritures〕についてしか判断する義務を負わず，したがって，申立および攻撃防禦方法が再録されていなかった場合，その判決は申立趣意書に対する回答の欠如を理由とする破毀の対象とされることはない。
▷新民事手続法典753条2項および954条2項

Concordat 〔商法〕**強制和議** ►Règlement amiable〔同意整理〕

〔国公〕**コンコルダート；政教条約** ローマ法王庁と国家が，ローマ・カトリック教会と信仰の，国内における地位を解決するために締結する条約。

Concours 〔行政〕**競争試験** 官吏の通常の採用方式。独立の試験委員会が責任をもって行う志願者の選抜と等級づけからなる。筆記試験もしくは口頭試問に基づく場合(テストによる競争試験)，または，志願者の学位もしくは職業上の資格を比較して評価する場合(資格による競争試験)がある。

Concours (Cumul) idéal d'infractions 〔刑法〕**犯罪の観念的競合** ►Conflit de qualifications〔罪名決定の抵触〕

Concours (Loi du) 〔民法〕**競合(の法則)** 複数の債権者が，債務者の支払不能を自己の権利に応じて負担するという原則。支払不能〔déconfiture〕が制度化されておらず，支払いが競争の対価であることが受け入れられている民法においては，この原則の適用は例外的である。ひとたび差押えが行われると，額の決定について故障の申立手続きによらなければ，この法則は効力を生じない。逆に，按分比例による分配という平等原理が，商事の負債の清算〔liquidation du passif〕を支配している。
►Au marc le franc〔按分による〕►Contribution〔按分〕

Concours réel d'infractions 〔刑法〕**犯罪の実在的競合** 犯罪者が数個の行為で異なる数個の犯罪を遂行したこと。ただし，数個の犯罪が有罪の確定判決で隔てられていない場合に限る。実現された犯罪の数だけ刑事責任が生ずることになるが，刑の不併科の原則〔►Non-cumul des peines〕により，同じ性質の刑罰を，最も重い犯罪について定められた上限を超えて言い渡しまたは執行することは禁じられる。
　犯罪の実在的競合は，一方では累犯〔►Récidive〕と，他方では反復犯〔►Réitération〕と区別される。累犯とは，ある犯罪について有罪の確定判決がなされた後に，別の重罪または軽罪，さらには違警罪を新たに遂行することをいう(刑法典132-8条以下)。反復犯とは，有罪の確定判決で隔てられた数個の犯罪を遂行する点では累犯と同様であるが，法定の条件を満たさないために累犯とはならない場合をいう(刑法典132-16-7条)。
▷刑法典132-2条

Concours au Trésor public 〔財政〕**国庫への信用供与** 1993年の改革以前には，フランス銀行が法定上限額内で国に対して常時与えていた国庫への前渡金を意味した。1993年の改革によって，フランス銀行は，直接間接を問わず，国に対するあらゆる形式の信用供与また

は貸付けを禁じられた。

Concubinage 民法 **内縁** 婚姻の挙式は行われていないが，カップルとして生活する異性または同性の2人の者の間の，安定性，継続性を有する共同生活によって特徴づけられる事実上の結合。この事実上の結合は，パートナー契約〔►Pacte civil de solidarité (PACS)〕を伴うこともあれば，そうでないこともある。
▷民法典515-8条
►Union civile〔民事結合〕

Concurrence 商法 **競争** ►Droit de la concurrence〔競争法〕

Concurrence déloyale 商法 **不正競争** 法律または慣習に反する競争手段で，故意または過失によって，競争者に損害を生じさせる性質のもの。
▷民法典1382条

Concurrence fiscale dommageable 財政 **税制の不公正競合** 国家が，輸出の促進または企業もしくは外国資本の誘致のために，自国の租税を競争相手国より極端に低い水準に引き下げること。しばしば，輸入された資本の便宜を図って銀行に秘密主義を求めることもある。経済協力開発機構(OECD)およびヨーロッパ連合はこのようなやり方に強く反対している。

Concussion 刑法 **公金横領** 公権力の受託者または公役務の任務の担当者が，利用税もしくは分担金，財産税もしくは公租の名目で，相当でないこともしくは相当な額を超えていることを知りながら，金を受け取り，要求し，もしくは徴収を命じる行為，または法律に違反して税金等を免除する行為。
▷刑法典432-10条

Condition 民法 **条件**
①行為の有効性または効力を決定づける要素（契約が締結されるための人の能力，裁判上の訴えが受理されるための訴えの利益など）。
②権利の存在を実現の不確実な将来の出来事にかからせる法律行為の態様。その効果に応じて，停止条件〔condition suspensive〕と解除条件〔condition résolutoire〕が区別される。条件が停止的である場合は，権利は，出来事が発生するときにしか，遡及的に生じない。条件が解除的である場合には，出来事の発生は権利を遡及的に消滅させる。
►Terme〔期限〕

条件の実現における，意思の不確定的役割に応じて，偶成条件〔condition casuelle〕，随意条件〔condition potestative〕および混成条件〔condition mixte〕が区別される。
偶成条件は，もっぱら偶然の事情のみに依拠する条件である。
随意条件は，法律行為または契約の一方当事者の意思に依拠する条件である。
随意条件は，依拠する意思が債権債務関係の債権者の意思であるときは有効である。
随意条件は，債務者の意思のみに依拠するとき（私が欲する場合に支払う）には有効ではなく，純粋随意条件〔condition purement potestative〕と言われる。
債務者の意思およびその意思と無関係な事情に依拠する単純随意条件〔condition simplement potestative〕は，適法である。
同時に，当事者の一方の意思および第三者の意思に依拠する混成条件も，同様に有効である。
▷民法典1168条以下

Condition des étrangers 国私 国公 **外国人の法的地位** フランス領域内にいる外国人が享受しうる権利の総体。
外国人には公法上および私法上のいくつかの制限が課される。
▷労働法典L341条-1条以下およびR341-1条以下；民法典11条

Condition potestative 民法 **随意条件**
►Condition〔条件〕

Condition préalable 刑法 **前提条件** 犯罪の遂行に不可欠の事情。しかし，前提条件自体は，厳密かつ狭義の犯罪構成要素ではない。例えば，窃盗において，領得の対象となる物があらかじめ存在していることである。この条件が欠如する場合，窃取行為は観念しえない。

Condominium 国公 **共同統治；コンドミニウム** 2国またはそれ以上の国家が同一の領域に対して共同で主権を行使する制度（例：1980年にヴァヌアツとして独立が達成されるまでのニューヘブリデーズ諸島に対するフランスとイギリスによる共同統治）。

Confédération 憲法 国公 **国家連合** 一定の権限(外交，防衛など)の行使を，条約によって，共通の機関に委任した複数の独立国家の結合体。しかしながら，構成国の上に位置する新国家を構成するものではない（連邦国家との基本的な相違点）。

国家連合の権限は，外交的な機関を通じて行使され，その機関は全会一致または特別多数決によって決定を下すが，決定は構成国を媒介して間接的にしか国民に及ばない。例，アメリカ連合(1781年-1787年)，ドイツ連邦(1815年-1866年)。

[労働] **総連合体** 職業組合の産業別連合体〔fédération〕および職際的な地域別連合体〔union〕を結集する団体のこと。

主たる総連合体には，次のものがある。労働総同盟(CGT)，労働総同盟＝労働者の力(CGT-FO)，フランス・キリスト教労働者同盟(CFTC)，フランス民主主義労働総同盟(CFDT)，フランス職制＝管理職総連合(CFE-CGC)。

Conférence [国公] **会議**
①複数の国家に共通の利益の問題について討議するための個人(政治家，外交官，専門家など)の国際的な集会(その断続的な性格により，国際機構と対照的である)。
②国際機構の討議機関を示すためにしばしば使われる用語(例えば国際連合教育科学文化機関(UNESCO)，国際労働機関(OIT)のConférence générale〔総会〕)。

Conférence administrative régionale [行政] **州行政協議会** ►Comité de l'administration régionale (CAR)〔州行政委員会〕

Conférence nationale des finances publiques [財政] **公財政全国会議** 2006年に設置された，国，地方公共団体および社会福祉(社会保障，退職年金)機関に共通の公財政の基本問題(例：全体の公的債務)について協議する機関。年に1回首相によって招集され，政府，国会の両院，経済社会評議会〔►Conseil économique et social〕，地方公共団体〔►Collectivités territoriales〕，社会福祉機関および労使(職業組合)の代表者からなる。公財政全国会議の協議は，公財政審議会〔►Conseil d'orientation des finances publiques〕の検討作業を利用して行われる。

Conférence des Nations Unies pour le Commerce et le Développement (CNUCED) [国公] **国際連合貿易開発会議 (UNCTAD)** 工業国と発展途上国との間の貿易に関する問題を取り扱うために国際連合総会によって設立された補助機関。南北対話の主要な機関となっている。

Conférence des présidents [憲法] **議事協議会**
議院議長，同副議長，会派の長，委員会委員長，予算総括報告者および政府代表によって構成される国会内の機関。その役割は，議院の審議日程を検討すること，および，政府により優先的に定められた討議を補完して，議事日程〔►Ordre du jour〕の決定に関するすべての提案を行うことにある。

Conférences de La Haye [国私] **ハーグ会議**
国際私法〔►Droit international privé〕に関する国際条約を作成する目的で，1893年から1905年の間にハーグで開催され，1925年および特に1951年から再開された会議。

Confiance légitime (Principe de) [EU] [行政] **正当な信頼の原則** 法的安定性の原則〔►Sécurité juridique (Principe de)〕から導かれる共同体法上の原則。裁判に際して善意の国民——実際は企業であることが多い——は，いくつかの，たいていは経済的な判断をなすにあたって根拠とした法文の一定の安定性を期待することができることを内容とする。したがって，それらの法文のあまりに急激で，かつ，予測できない変更に対しては，補償金の支給を要求できるばかりでなく，場合によっては自己のなした判断に対して新規定を適用しないよう要求することさえできる。

行政法においては，正当な信頼の原則はそれ自体としては認められていない。しかし，この考え方は，例えば，行政庁が遡及効を有する行為をなすことを禁ずることのような古典的判例原則の基礎にすでに存在していた。

Confirmation [民法] **追認** 相対無効訴権の名義人が提訴を断念し，新たな同意によって行為を遡及的に有効にする意思の表明。
追認は，黙示的でもよい。
▷民法典1338条以下

[訴訟] **(原判決)維持** 控訴または故障の申立てについて裁判する裁判所による，対審としてまたは欠席で，第一審としてなされた判決の維持。
►Infirmation〔(原判決)取消し〕►Réformation〔(原判決)変更〕

Confiscation [刑法] **没収** 人の財産の全部または一部(動物を含む)を強制的に国庫に帰属させる刑罰。ただし，財産の破壊または帰属を定める個別規定がある場合はこの限りではない。

法律または行政立法によって危険または有害と評価される物，または，有罪判決を受けた者の所有であると否とを問わずその所持が違法である物について，没収は必要的である。

さらに，没収対象物が押収できなかった場合または特定できない場合，没収は価値相当額について命じられ，場合により，滞納留置〔►Contrainte judiciaire〕を行うことがある。
▷刑法典131-21条

Conflit 行政 争議
①***Conflit positif d'attributions***　積極的権限争議：行政が，2つの系統の裁判所の裁判管轄権限の配分に関する規定にかんがみて司法裁判所は無権限であると主張し，権限裁判所を通じ，誤って訴訟を受理したと考えられる司法裁判所から当該訴訟を取り上げることを可能とするための手続き。
②***Conflit négatif d'attributions***　消極的権限争議：各系統の裁判所が，他方の系統の裁判所のみが当該訴訟を審理する権限を有すると考える場合に，この訴訟を審理する裁判官を見出すことができない事態を回避するための手続き。権限裁判所は当然に，または，申立てに基づいて関与する。
③***Conflit de jugements***　判決争議（しばしば，判決間の矛盾〔Contrariété de jugements〕といわれる）：各系統の裁判所が本案についてそれぞれに判決をなし，それらの判決の間に法的に理由のない矛盾があり，それが訴訟当事者にとって裁判の拒絶をもたらすことになる場合に，当該訴訟当事者が権限裁判所に訴訟の本案を裁判させることを可能とするための手続き。

Conflit collectif de travail 労働 集団的労働紛争　集団的利益を争点とする紛争であって，1または複数の使用者と労働者の集団とが対立するもの。
　集団的労働紛争には，一般的に，ストライキが伴う。

Conflit collectif d'ordre juridique　集団的権利紛争：ある法源の適用または解釈をめぐる集団的紛争。

Conflit collectif d'ordre économique et social　集団的利益紛争：労使関係の緊張を原因とし，新たな均衡を目指して労働者と使用者との間の法的関係を変更することを目的とする集団的紛争。
▷労働法典L521-1条以下；刑法典431-1条

Conflits de compétence 民訴 管轄権限の抵触　►Connexité〔関連性〕►Contredit〔異議の申立て〕►Déclinatoire de compétence〔無管轄の抗弁〕►Litispendance〔事件係属〕

Conflit（Différend, Litige）international 国公 国際紛争　国家間の法的主張または利益の対立。
①***Conflits juridiques***　法律的紛争（通常その解決が司法裁判または仲裁裁判によりなされるがゆえに，裁判に親しむ紛争〔conflit justiciable〕）：実定国際法の適用または解釈に関する紛争。
②***Conflits politiques***　政治的紛争（国家が外交的または政治的解決方式の方を好むがゆえに，裁判に親しまない紛争〔conflit non justiciable〕）：当事国の一方が実定国際法の変更を求めている紛争。
►Règlement pacifique des conflits〔紛争の平和的解決〕

Conflit de juridictions 国私 裁判管轄権の抵触　国内裁判所の「直接的」国際管轄権，国際係争に適用される手続き，および外国判決の効果に関する問題を指すために，伝統的に用いられる表現。
▷民法典14条，15条および2123条，新民事手続法典509条および683条以下，司法組織法典L311-1条，消費法典L121-73条

Conflit de lois 国私 法律の抵触　別個の国から生じ，同一の法律事実に適用されうる，2または数個の法秩序〔►Ordre juridique〕が競合すること。法律の場所的抵触〔conflit de lois dans l'espace〕ともいう。
　これは，立法管轄権の抵触である（例：外国領域内で2人のフランス人の間で交通事故が生じたとき。民事責任は，その事故が発生した国の法律に従って評価されるべきか，それとも利害関係人の本国の法律に従って評価されるべきか）。法律の抵触は，伝統的に，いわゆる法律の抵触準則〔règle de conflit de lois〕によって解決される。
　法廷地法の適用範囲のみを定める一方的抵触準則〔règle unilatérale de conflit de lois〕と，法廷地法と外国法を同等とみなしたうえで準拠法を指定する双方的抵触準則〔règle bilatérale de conflit de lois〕がある。
　法律の抵触準則の体系は，今日，即時適用法律〔►Loi d'application immédiate〕と競合している。
▷民法典3条，310条，311-14条，311-16条から311-18条および370-3条1項

Conflits de lois dans le temps 一般 法律の時間的抵触　旧法と新法との時間的継石から生じる問題。原則として，新法は即時に適用されて，遡及することはなく，旧法は即時に廃

止されて，暫定的に適用され続けることはない。この2つの一般原則には例外がある。この問題はしばしばdroit transitoire〔移行法〕ともいわれる。

Conflit mobile 国私 **法律の複合抵触** 法律の場所的抵触と時間的抵触が，複合的に生じるような状況をいう（例：外国人がフランス国籍を取得し，フランス法は離婚を認めるが，その外国法はこれを認めないとき。フランスに帰化した外国人は，婚姻をなした国の法律が離婚を禁じているにもかかわらず，離婚をすることができるか）。

Conflit de nationalités 国私 **国籍の抵触** 異なる2つの国籍を援用することができたり（積極的抵触），異なる2国のいずれからも自国民とみなされず国籍を否定されることがある（消極的抵触〔►Apatride〔無国籍者〕〕）ような個人の地位をいう。
　第1の場合（重国籍）は，しばしばみられる。それは，国家の法制度が，個人の国籍を決定するためにまったく同一の基準を採用しているわけではないからである。
▷民法典20-3条，23条および25条

Conflit de qualifications 国私 **性質決定の抵触** 異なる法体系による同一の制度についての性質決定〔►Qualification〕が一致しないこと（例：遺言証書の作成を裁判所補助吏が行うことは，フランス法では，単なる形式の問題とみなされる。オランダでは，民法典は，これを遺言の有効性のための実質的条件とする）。

刑法 **罪名決定の抵触** 刑法上，客観的に1つである犯罪者の行為が，複数の犯罪規定に該当するように見えること。この場合，競合する罪名が，併存するか否かの問題が生じる（例えば，融資を得る目的での虚偽の貸借対照表の提出は，偽造文書の行使とともに詐欺未遂となりうる）。

Confrère 一般 **同業者** 若干の自由職（弁護士，医師，建築家など）または若干の学術団体，文芸団体，宗教団体（例えば，アカデミー・フランセーズ）の構成員の相互関係においてそれらの者を指す。
►Collègue〔同職者〕

Confrontation 訴訟 **対質** 裁判官が数人の主張を対比するために，これらの者を突き合わせる証拠調べの方式。証人と証人，当事者と当事者，当事者と証人を対質させることができる。場合により，専門家の立会いのもとで尋問が行われる。
▷新民事手続法典189条，190条および215条

Confusion 民法 **混同** 法的地位が存続するためには2人の者に割り当てられなければならない2つの対立する資格が，同一の者に帰することによる法的地位の消滅態様（例えば，債権者がその債務者を相続する場合には，債権者は対立する2つの資格を併せもつことになる。その結果，混同が生じ，債権債務関係は消滅する）。
▷民法典1301条

Confusion des peines 刑法 **刑の吸収** 刑の不併科の原則〔►Non-cumul des peines〕の適用態様。分離手続きの場合に，訴追された者が実在的に競合する数個の犯罪で有罪を認められた場合に行われる（►Concours réel d'infractions〔犯罪の実在的競合〕）。
▷刑法典132-4条以下

Congé 民法 **解約の申入れ** 賃貸借契約の当事者の一方が他方に対して契約を終了させる意思を表示する行為。
財政 **商品搬出許可証** ►Acquit-à-caution〔保税品運送許可証〕
労働 **解雇；休暇**
　①解雇//期間の定めのない労働契約の破棄のこと。
►Congédiement〔解雇〕►Licenciement〔解雇〕►Résiliation〔解約〕►Rupture du contrat de travail〔労働契約の破棄〕
　②休暇//労働者に利益を付与することを目的とする，労働契約の組織的な停止のこと。以下の項目を見よ。

Congé de conversion 労働 **職業転換休暇** 経済的事由による解雇の前段階であって，この休暇により，労働者は再就職のために教育を受けることができるようになる。労働者は，使用者と国とが締結するものであって，国立雇用基金の財政的援助を受けることを内容とする職業転換協定により部分的報酬を受ける。
▷労働法典L322-4条

Congé pour évènements familiaux 労働 **慶弔休暇** 1日ないし4日の例外的欠勤の許可。労働者の慶弔（婚姻，出生（母性休暇〔►Congé de maternité〕と兼ねることはできない），配偶者，血族，姻族，兄弟姉妹または子の死亡）に際し，それを理由に与えられる。
▷労働法典L226-1条

Congé de formation 労働 **自主研修休暇** 少なくとも200人を雇用する事業所について，

教育研修を希望する労働者に対して，企業の従業員の2パーセントを限度として法律上当然に付与される休暇。自主研修休暇の期間は1年に及ぶことがある。
▷労働法典L931-1条以下

Congé de formation économique, sociale et syndicale 〔労働〕**社会経済組合教育休暇** 2日から12日までの期間，すべての労働者は，代表的組合組織に付属するセンターまたは専門の教育機関において，社会経済教育または労働組合教育を受けることができる。この休暇は使用者によって支払われる。
▷労働法典L451-1条以下

Congé de maternité 〔労働〕**母性休暇** 妊産婦の労働契約を停止すること(義務的法定期間：8週間。任意的法定期間：16週間。ただし，家族または疾病の状況に応じて延長することができる)。
▷労働法典L122-26条およびL224-1条

Congé parenral 〔労働〕**育児休暇** 子の出生または養子縁組の際にその親に付与される休暇のこと。母性休暇または養子縁組休暇の期間満了から認められ，子の3歳の誕生日まで延長されうる。
▷労働法典L122-28-1条以下

Congé payé 〔労働〕**有給休暇** 労働契約の年次的停止であって，その間，労働者は通常の報酬を受ける。
▷労働法典L223-1条，L223-2条以下およびL223-11条以下

Congé sabbatique 〔労働〕**安息休暇** 一定期間職業活動を行なってきた労働者が，その企業における勤続年数を条件として取得することができる，個人的便宜(理由を付さなくともよい)のための休暇のこと。この休暇は，報酬が支払われず，労働契約の単なる停止となる。
▷労働法典L122-32-17条以下およびL122-32-22条以下

Congé spécial 〔行政〕**特別休職** 一定の官吏が職権によってまたは自らの請求に基づいて置かれる行政上の特別の地位。その地位にあっても俸給は支給される。また，その地位は，一般的に，引退または早期引退によって終了する。

Congédiement 〔労働〕**解雇** 使用者の発意による労働契約の破棄。licenciement〔解雇〕という言葉の方がよく用いられる。

Congrégation 〔行政〕**修道会** 法律上の定義は存在しないが，判例と行政は，修道会とは，主として同一の信仰によって結びつけられた人々からなり，彼らの生活(原則として共同生活)をこの同一の信仰のもとに置き，同一の権威に服する共同体として特徴づけられるとみなしている。《認可を受けた》修道会は法人格を有するが，しかし，若干の禁止事項に服する。
▶Association〔非営利社団〕

Congrès 〔憲法〕**連邦議会；両院合同会議；党大会**
　①連邦議会//アメリカ合衆国の議会の名称。
　②両院合同会議//フランスにおける両院合同による会議。憲法改正法律を採択することを目的とする(1958年憲法典89条3項)。
　③党大会//政党の代議員による定期的な集会。綱領および政治上の諸問題について決定を下し，指導部を改選することを目的とする。
　〔国公〕**会議** 重要な政治問題の解決を目標とする国家元首，外務大臣または全権委員の集まり。

Conjoint 〔民法〕**分割された** ▶Obligations conjointes〔分割債権債務〕

Conjoint associé 〔社保〕**社員配偶者** 近親者で経営される手工業的または商業的企業活動に参加する者。社員配偶者は，非賃労働非農業職業の老齢保険および疾病母性保険制度ならびに使用者および独立労働者の家族手当制度に加入しなければならない。
▷社会保障法典L613-1条およびL622-8条
〔商法〕**社員配偶者** ▶Société entre époux〔夫婦会社〕

Conjoint à charge 〔社保〕**扶養する配偶者** 労働者または非労働者の配偶者であって，強制加入の社会保障制度へ加入する義務をもたらすようないかなる職業活動にも従事していない者。

Conjoint collaborateur 〔社保〕**協力配偶者** その配偶者の非賃労働的職業活動に実質的かつ恒常的に参加し，強制加入の老齢保険制度に加入していない者。協力配偶者は，その配偶者の老齢保険基礎制度に加入することができる。
▷社会保障法典L742-6条

Conjoint successible 〔民法〕**相続権のある配偶者** 離婚も別居もしていない場合に，死亡した夫または妻の財産を相続する配偶者。
▷民法典732条以下；新民事手続法典1341条
▶Conjoint survivant〔生存配偶者〕

Conjoint survivant [民法] **生存配偶者**　相手に先立たれた夫または妻。生存配偶者には，死亡時に主たる住居として占用していた住宅に関して，相続上の権利に加えて1年間のその住宅に対する権利，または（先に死亡した配偶者の反対の意思がない限り）終生の居住権が認められる。
▷民法典763条以下
▶Conjoint successible〔相続権のある配偶者〕

Conjonctif [民法] **共同の**　第三者のためであれ，交互的および相互的な処分としてであれ，複数の者が同一の証書においてなした遺言に当てはまる形容詞。共同遺言は禁止されている。
▷民法典968条

Connaissement [海法] **船荷証券**　船長が本船において運送品を受領したことを認める文書であり，これには当該運送品が記載される。
　船荷証券は運送品を代表する証券であり，商業証券と同様に流通する。

Connexité [民訴] **関連性**　2つの裁判上の請求が互いに密接な関係にあり，その結果これらを別々に裁判することにより判決間の矛盾を生じさせるおそれがあるときに，両請求の間には関連性が存する。
▷新民事手続法典100条以下
　関連性はまた，付帯の訴えの受理要件である。
▷新民事手続法典70条
▶Déclinatoire de compétence〔無管轄の抗弁〕▶Litispendance〔事件係属〕
[刑訴] **関連性**　犯罪間に密接な関係がある場合，法律上，管轄権限の延長を認めること。犯罪間に時間，場所もしくは意思の一体性がある場合，牽連関係がある場合または物を不法領得した後さらに隠匿する場合がある。
▷刑事手続法典203条

Conquête [国公] **征服**　国家による他国の領域の取得であり，他国を全面的に消滅させた軍事行動の結果生じる。

Consanguins [民法] **異母兄弟（姉妹）**　同じ父によってもうけられたが，異なる母から生まれた兄弟および姉妹をいう。
▶Germains〔同父母兄弟（姉妹）〕▶Utérins〔異父兄弟（姉妹）〕

Conseil d'administration [商法] **取締役会**　いわゆる《従来型の株式会社》〔société anonyme de type classique〕の業務執行に関して，会社の他の機関に付与されている権限を除いて最も広範な権限をもつ合議制の機関。その構成員は，最低3人，最高18人である。
▷商法典L225-17条以下

Conseil d'arrondissement [行政] **区会**　パリ，リヨンおよびマルセイユには，区の公選の区会がある。区会には，基本的に，当該区域にかかわる事項および公共施設に関する諮問権限が与えられている。区会は，区の住民と市町村の制度とを仲介する役割も果たしている。
▷地方公共団体一般法典L2511-3条以下

Conseil de cabinet [憲法] **首相主宰の閣議**　首相主宰のもとに政府構成員を招集する内閣の構成体。

Conseil de la concurrence [商法] **競争評議会**　行政裁判官と司法裁判官，各種の経済分野を代表する者，および，競争と消費に関するその専門知識を理由として選任された者によって構成される決定機関。主に，カルテルまたは支配の濫用を行った企業に対する制裁を決定する。
　競争評議会はまた，一部の価格規制と競争に関するあらゆる問題とについて諮問に応じるものとされており，さらに，企業集中規制の手続きでも競争評議会に対する諮問が定められている。
▷商法典461-1条以下

Conseil constitutionnel [憲法] **憲法院**　1958年憲法典によって設置された機関。以下のような役割を有する。審署前の法律について，合憲性の審査を行う。国民投票および国民議会議員選挙または大統領選挙の適法性を監視する。憲法典16条の非常事態手続きに訴える際に，諮問機関としての役割を果たす。国家元首の職務遂行に関する障害を認定する。大統領候補者の死亡または障害が大統領選挙の過程に与える影響を決定する。
　構成：共和国大統領により任命される3名，国民議会議長により任命される3名，元老院議長により任命される3名（任期9年）。元共和国大統領は当然の構成員となる。
　組織法律と議院規則については憲法院への提訴は自動的であるが，通常法律と国際条約の合憲性審査に関しては，共和国大統領，首相，両院議長が憲法院へ提訴することができる。さらに，60名の国民議会議員または60名の元老院議員は，1974年以降，表決された通常法律が違憲であると考えた場合，また，1992年以降は国際条約が違憲であると考えた場合，憲法院へ提訴することができる。これ

によって，実際に，提訴の条件が著しく拡大され，提訴件数も著しく増えた。今日多くの人から期待されているような市民の憲法院提訴の可能性（例えば，法律の規定の違憲性が裁判所に提起された場合に，その裁判所が判断付託問題として憲法院に判断を求める方式，または，憲法院へ法律を提訴する場合に一定数以上の署名を求める方式）は実現されずにいる。

憲法院は，第五共和制の政治体制において，次第に重要な地位を占めるに至った。その判例は，真の《自由の憲章》を構成し，憲法上の公権力間の関係を明確化した。

Conseil départemental de l'accès au droit　訴訟　**県権利実現支援審議会**　各県において，必要性を調査し，地域的施策を立案し，活動の一覧表を作成することを任務とする公益団体。県権利実現審議会は，あらゆる活動計画について情報提供を受け，国に対する財政援助のあらゆる申請について意見を述べる。

Conseil pour les droits et devoirs des familles　民法　**親権者支援協議会**　親権者支援協議会は，市町村会の審議決定を経て設置され，市町村長またはその代理人によって主宰される。親権者支援協議会は，県会議長の提案による親権者責任契約〔►Contrat de responsabilité parentale〕の締結，および，少年係裁判官による育成扶助措置の命令について通知を受け，市町村長が親権者支援〔►Accompagnement parental〕の提案を検討する際には市町村長から諮問を受ける。この協議会はまた，以下の場合には議長により召集されなければならない。すなわち，家族の意見を聴き，子に対する権利および義務を家族に知らせ，子を危険にさらし他人に害を及ぼすおそれのある行動を予防するための勧告を家族に与える場合と，親権者支援措置の具体案，ならびに，家族に与えられた勧告および場合により親権者責任契約の枠内で家族がした約束について社会福祉の専門家および関係を有する第三者に通知することの妥当性を家族とともに検討する場合である。親権者支援協議会は，社会福祉追跡調査〔suivi social〕または協議会に知らされた情報に基づき，家族または家庭の状況が子の育成と家族の安定とを危険にさらし，かつ，公共の平穏または安全に影響を及ぼすと思われる場合には，県会議長に対して社会的・家族的経済支援〔accompagnement en économie sociale et familiale〕措置の実施を提議するよう市町村長に提案することができる。
▷社会福祉法典L141-1条

Conseil économique et social　憲法　**経済社会評議会**　国の主要な経済的・社会的活動部門の代表者によって構成される純粋に諮問的な会議体。政府の諮問は義務的な場合（計画案）と任意的な場合（経済的社会的性格を有する法文または問題）がある。同評議会は，その権限に含まれる問題について自ら審議を開始することもできる。

　国公　**経済社会理事会**　総会によって3年の任期で選挙される54理事国からなる国際連合の機関であり，経済的社会的な国際協力を促進することを任務とする（研究，報告，条約案の作成，国際会議の召集，総会・国連加盟国・専門機関への勧告）。

Conseil économique et social régional　行政　**州経済社会評議会**　経済および財政の分野に関する州〔►Région〕の諮問機関であり，経済的，社会的，文化的，スポーツ的，職業的，家族的，教育的および学術的性格を有する機関・団体の代表者から構成される。
▷地方公共団体一般法典L4134-1条
►Conseil régional〔州会〕►Préfet de région〔州知事〕

Conseil de l'emploi, des revenus et de la cohésion sociale（CERC）　行政　**雇用・所得・社会的結束評議会**　《所得，社会的不平等，および雇用・所得・社会的結束の相互の関係を知ることに貢献することを任務とする》諮問機関。雇用・所得・社会的結束評議会は，これらの領域に生ずる変化を研究し，とりわけ所得の再配分の仕組みに関する望ましい変化への注意を喚起する。その研究成果から生ずる報告書は，公的機関〔►Pouvoirs publics〕に送付され，公表される。雇用・所得・社会的結束評議会は，2000年に雇用・所得・コスト高等評議会〔Conseil supérieur de l'emploi, des revenus et des coûts〕に取って代わった。

Conseil d'État　行政　**コンセイユ・デタ**　裁判権限と行政権限を併せもつ行政系統の最高裁判所。

　裁判所として，コンセイユ・デタは，若干の争訟に関する第一審裁判所であるとともに，地方行政裁判所〔►Tribunal administratif〕の若干の判決（主に，市町村会議員および県会議員選挙に関する訴訟）の控訴裁判所であ

り，また同時に，破毀裁判所である。
　行政機関としての主要な権限は，政府から付託を受けた問題または政府提出法律案に対する答申を義務的にまたは任意に表明することである。さらに，コンセイユ・デタの多くの構成員は，個人として，政府または上級公務員制度において重要な職務を担っている。
▶︎Cour administrative d'appel〔行政控訴院〕
▶︎Dualité de juridictions〔裁判所の二元性〕

Conseil de l'Europe　国公　ヨーロッパ審議会
1949年に創設され，ヨーロッパの民主主義国家（現在は54カ国．西ヨーロッパ諸国のみならず東ヨーロッパ諸国も参加している）に開放されている国際組織。ヨーロッパ審議会は，あらゆる分野（軍事分野を除く）において活動するが，決定権は有さない。何よりも討論の場であるが，ヨーロッパ審議会は，加盟国の法制度間の調和をはかる条約を作成し，その批准を促す場でもある。所在地：ストラスブール。
▶︎Convention européenne des droits de l'Homme〔ヨーロッパ人権条約〕

Conseil européen　EU　ヨーロッパ理事会
ヨーロッパ連合加盟国の国家元首（フランス）または政府の長（他の諸国）による1975年以降の定期会合。各国の外務大臣およびヨーロッパ委員会委員長によって補佐される。最初は条約に規定されていなかった制度であり，フランス大統領ジスカールデスタン〔Valéry Giscard d'ESTAING〕の提唱により1974年12月に創設され，以降，共同体の活動にとって重要な場となっている。1987年に，単一ヨーロッパ議定書により公式なものとなった。少なくとも年に2回開催される（ヨーロッパ憲法〔▶︎Constitution européenne〕は毎年4回の会合を定めている）。ヨーロッパ建設に新たな局面を切り開き，新たな前進のための定期的機会たることを目的とするが，いくつかの会合が歴史的に重要なきっかけとなったにせよ，常にこの狙いに応えてきたわけではない。ヨーロッパ憲法は，（現在，閣僚理事会開催国の持回りとなっている）ヨーロッパ理事会議長職の安定化を図り，議長は2年半の任期（1度のみ更新可）でヨーロッパ理事会の特別多数により選出され，その職務は加盟国国内の職務と両立しないと規定している。ヨーロッパ憲法が実施されれば，このことは制度上の一大革新となる。
▶︎Coopération politique européenne〔ヨーロッパ政治協力〕

Conseil de l'information sur l'énergie électronucléaire　行政　原子力発電エネルギー情報評議会
専門家および国民の代表からなる委員会であり，国民が，原子力発電エネルギーの技術的，健康的，環境保護的，経済的および財政的側面に関する情報を得ることに配慮することを任務とする。
　そのために，当該評議会はフランスおよび世界における原子力発電の開発について情報を得ていなければならず，諮問および聴聞を行うことができる。当該評議会は毎年公的な報告を行う。

Conseil de famille　民法　家族会
親および資格を有する者の会議。後見裁判官〔juge des tutelles〕の主宰のもとで，未成年者または後見に付された成年者の名において行われる一定の重大な行為に許可を与え，後見人による管理を統制する任務を負う。
▷民法典407条以下（2009年1月1日より民法典397条以下，445条および456条以下）

Conseil général　行政　県会
審議決定を通じて地方公共団体としての県の事務を司ることを任務とする公選の会議体。
▷地方公共団体一般法典L3121-1条以下

Conseil des impôts　財政　租税審議会
▶︎Conseil des prélèvements obligatoires〔強制徴収金審議会〕

Conseil interministériel　憲法　関係閣僚会議
若干の政府決定に関する準備を行う会議。国家元首または首相の主宰のもとに，議事日程に上がっている問題に関係する大臣および大臣補佐の他，検討領域について責任を有する高級官吏も招集される。

Conseil judiciaire　民法　保佐人
かつて，浪費者および精神障害者を補佐する任務を負っていた者。
▶︎Curateur〔保佐人；法主体不存在の相続財産の管理者〕

Conseil juridique　民法　商法　民訴　法律助言士
個人の名義において，あるいは会社の枠内で営まれる法律職。商事，税務に関して，助言をなすことおよび私署証書の作成をすることを内容とする。
　1990年12月31日の法律第1259号は，法律助言士職を廃止した。この職を行っていた者は，1992年1月1日以降，法律上当然に弁護士となった。ただし，他の職を行うことを望む場合にはこの限りではない。経過規定が定め

られている。

Conseil des marchés financiers 商法 **金融市場評議会** 2003年以前に，投資事業者と市場参加企業に対する監督権限を付与されていた，法人格を有する職業機関。現在，その権限は，金融市場機関〔►Autorité des marchés financiers〕によって行使される。

Conseil des ministres 憲法 **閣議** 国家元首主宰のもとに全政府構成員を招集する構成体（しかし，大臣補佐の参加に関しては，第五共和制下の慣行は一定していない）。政府の政策が決定され，若干の重要な決定（高級官吏の任命，信任動議の提出に関する決定など）がなされるのは閣議においてである。

EU **閣僚理事会** *Conseil des Ministres des Communautés Européennes* ヨーロッパ共同体閣僚理事会：ヨーロッパ石炭鉄鋼共同体，ヨーロッパ経済共同体およびヨーロッパ原子力共同体の共通機関。加盟国の政府代表から構成され，ヨーロッパ委員会と協力して，共同体内における執行権限を行使することを任務とする（きわめて図式的に言えば，閣僚理事会は，意思決定権を有するが，その決定は委員会の提案に基づく）。

Conseil municipal 行政 **市町村会** 審議決定を通じて市町村の事務を司ることを任務とする公選の会議体。
▷地方公共団体一般法典L2121-1条以下

Conseil national pour l'accès aux origines personnelles 民法 **出自開示全国評議会** 養子または国の被後見子〔pupilles de l'État〕の出自の開示を容易にすることを任務とする社会福祉担当大臣付の組織。
▷社会福祉法典 L147-1条

Conseil national de l'aide juridique 訴訟 **全国法律援助審議会** コンセイユ・デタ評定官または破毀院裁判官が主宰し，24名の構成員からなる機関。法律援助，権利実現援助，ならびに，警察留置，刑事調停および刑事示談の期間中の弁護士関与への援助に関する法律案およびデクレ案について意見を述べる。

Conseil national des barreaux 民訴 刑訴 **弁護士会全国評議会** 弁護士会全国評議会は，すべてのフランス弁護士会の共同活動およびヨーロッパの弁護士会との関係を促進することを目的として，1991年11月27日のデクレ（19条以下）により設立された。

この評議会は，比例代表制の名簿式投票で2つの選挙人団（地元レヴェルと全国レヴェル）により選任された弁護士で構成される。この選挙人団も選挙により選ばれる。

弁護士会全国評議会は，例えば医師会が有するようないかなる懲戒上の権限も有しない。他方，当該評議会の研修委員会はとりわけ州弁護士職研修所のカリキュラムを承認しなければならない。

現行の法規定を尊重して，弁護士会全国評議会は，弁護士職の規範・慣行を，一般規定を定めることにより統一しようとしている。このようにして弁護士会全国評議会により編集されたのが，フランス弁護士会統一内部規則（RIU）である。

Conseil national du crédit et du titre 商法 **金融審議会** 経済・財政担当大臣を会長，フランス銀行総裁を副会長とし，大臣アレテによって任命された50名程度の構成員からなる諮問機関。金融審議会は，特に顧客との関係および支払手段の管理における銀行または金融制度の運営上の条件について，検討を行う。その権限に属する事項に関わる法律案またはデクレ案を付託されて，意見を求められることもある。金融審議会は，毎年，共和国大統領と国会に，銀行および金融制度の運営に関する報告書を提出する。この報告書は官報において公表される。

Conseil national des greffiers des tribunaux de commerce 民訴 **商事裁判所書記全国評議会** 公的機関に対して商事裁判所書記職を代表する評議会。書記職の集団の利益を擁護することを任務とする。
▷司法組織法典R821-13条；商法典L741-2条

Conseil de l'Ordre 一般 **職団評議会** 職団に所属している人々によって構成員が選任される機関。
►Ordre des avocats〔弁護士職団〕

民訴 **職団評議会** *Conseil de l'ordre des avocats* 弁護士職団評議会：各弁護士会ごとに（3人から36人の構成員からなる）職団評議会が存する。それはすべての弁護士により選任され，毎年3分の1ずつ改選される。その長は弁護士会長である。この評議会には運営上の権限および懲戒上の権限が付与されている。各大審裁判所に設置されている弁護士会ごとに職団評議会が存する。しかしながら同一の控訴院の管轄区域では，複数の弁護士会が集まり，単一職団評議会および単一の弁護士会を形成することもある。

Conseil d'orientation des finances publiques

Con

[財政] **公財政審議会**　2006年に設置された諮問機関。首相〔►Premier ministre〕によって主宰され，主に政府，国会の両院，社会保障機関の代表者からなる。公財政審議会は，公財政の状況を分析し，その持続可能性の条件を検討し，公財政全国会議〔►Conférence nationale des finances publiques〕の協議の対象となる勧告を作成する。つまり，公財政全国会議の準備を行うのである。公財政審議会は，公開の年次報告書を作成する。

Conseil des prélèvements obligatoires　[行政] **強制徴収金審議会**　2005年10月から租税審議会を引き継いだ，会計検査院のもとに設置された諮問機関。会計検査院長により主宰され，高級司法官および高級官吏ならびに有識者から構成される。強制徴収金審議会は，強制徴収金〔►Prélèvements obligatoires〕の変動およびその経済的，社会的および財政的影響を評価し，あらゆる関係問題について勧告を行い，ならびに，首相または国会の求めに応じて研究を行う。強制徴収金審議会は，その研究成果に関して年次報告書を作成する。

Conseil en propriété industrielle　[商法][民訴] **弁理士**　工業所有権の取得，維持，利用，および保護のために，顧客に助言し，顧客を補佐し，または代理するという業務を，常時かつ有償で公衆に対して提供する職業者。

　工業所有権局〔Institut National de la Propriété industrielle〕の局長が作成する弁理士名簿に登録されない限り，何人も弁理士の資格を用いることはできない。

▷知的所有権法典L422-1条

Conseil de prud'hommes　[労働][民訴] **労働裁判所**　個別的労働契約の締結，履行および解約から生じる紛争の勧解を行い，不調の場合は裁判をすることを任務とする労使同数構成の例外裁判所。労働裁判所は県ごとに少なくとも1つは存在する（全部で271）。

　労働裁判所はそれぞれ，独立した5つの部を有している。すなわち，管理職部，工業部，商業部，農業部およびその他の職業の部である。労働裁判所は，3つの構成体からなる。すなわち，勧解部〔►Bureau de conciliation〕，判決部〔►Bureau de jugement〕，急速審理〔référé〕構成体である。

►Juge des référés〔急速審理裁判官〕

　労働裁判所の構成体において可否同数の場合は，事件は，決裁裁判官として関与する小審裁判官の面前で審議される。

▷労働法典L511-1条以下およびR511-1条以下

Conseil de quartier　[行政] **地区会**　►Quartiers〔地区〕

Conseil régional　[行政] **州会**　審議決定を通じて州〔►Région〕の事務を司ることを任務とする会議体。比例代表制の直接普通選挙によって6年任期で選出される。

▷地方公共団体一般法典L4131-1条以下

►Comité économique et social〔経済社会委員会〕►Préfet de région〔州知事〕

Conseil de sécurité　[国公] **安全保障理事会**　15理事国（常任理事国5ヵ国と2年の任期で総会によって選出される10ヵ国）からなる国際連合の機関であり，平和維持に関する主要な責任を負っている。すなわち，紛争の平和的解決（勧告権限），侵略または侵略の脅威がある場合の強制行動，紛争を鎮める方法を講ずることである。その常任理事国の増加（ドイツ，日本，そしてアフリカプラス南アメリカから1ヵ国）について，場合によっては拒否権の廃止も視野に入れた議論がなされている。

Conseil supérieur de l'adoption　[民法] **養子縁組高等評議会**　国際養子縁組を含む養子縁組に関して答申を表明し，あらゆる有用な提案を行うことを任務とする首相付の組織。養子縁組高等評議会はまた，この領域においてとられる立法措置および行政立法措置について諮問を受ける。

▷社会福祉法典L148-1条

Conseil supérieur de l'audiovisuel (CSA)　[行政] **放送メディア高等評議会**　共和国大統領，元老院議長および国民議会議長がそれぞれ3名ずつ任命する9名の委員からなる独立行政機関〔►Autorités administratives indépendantes〕。議長は共和国大統領が任命する。同評議会は，公私の放送を規制する非常に広範な職務を担当する。とりわけ，放送メディア高等評議会は，ラジオおよびテレビの公共放送局の責任者を指名し，民間放送局（《自由》ラジオおよび《自由》テレビ）への周波数の割当てを決定する。放送メディア高等評議会は，広告放送の内容，意見の多元性の尊重，ならびに，放送における人間の尊重，青少年保護の要請の遵守，および性別，風習，宗教または国籍に基づく憎悪または暴力の煽動の一般的禁止について監視を行う。放送メディア高等評議会は制裁権限を有し，年次報告書を公表する。

Conseil supérieur de l'égalité professionnelle

110

entre les femmes et les hommes [労働] **男女職業平等高等評議会** 男女間の職業上の平等政策の実現に寄与することを目的とする評議会。
▷労働法典L330-2条およびR331-1条以下

Conseil supérieur des Français de l'étranger [憲法] **在外フランス人高等評議会** 外国に居住するフランス人を代表する評議会。在外フランス人によって選出される（任命による数名の人物も加えられる）。在外フランス人高等評議会は12名の元老院議員を指名する。

Conseil supérieur de la magistrature [憲法] [民訴] [刑訴] **司法官職高等評議会** 司法権の独立を保障することを目的とした憲法上の機関。2つの構成体からなるが，ともに共和国大統領が主宰し，司法大臣が副議長となる。

裁判官について管轄権限を有する構成体（5名の裁判官，1名の検察官，1名のコンセイユ・デタ評定官，3名の人物）は，破毀院裁判官，控訴院院長または大審裁判所所長の任命について提案を行い，その他の裁判官については司法大臣の提案について（拘束的）意見を述べる。

検察官について管轄権限を有する構成体（5名の検察官，1名の裁判官，1名のコンセイユ・デタ評定官，3名の人物）は，閣議において任命される職を除き，司法大臣の提案について（単なる）意見を述べる。

懲戒に関して，司法官職高等評議会は，裁判官に対しては懲戒評議会として開廷する。この場合は破毀院院長によって主宰される（共和国大統領も司法大臣も出席しない）。検察官に対しては，司法官職高等評議会は破毀院検事長によって主宰され，その懲戒処分について，司法大臣から単に諮問を受けるだけである。この場合，懲戒処分を科す権限を有するのは司法大臣自身である。

司法官職高等評議会は，また，恩赦の申立てについても諮問を受ける。
▷憲法典64条および65条

Conseil supérieur de la prud'homie [労働] [民訴] **労働裁判所高等評議会** 労働裁判所の組織と運営に関して答申と提案を作成し研究を行うことを任務とする評議会。労働裁判所高等評議会は，司法大臣，農業大臣および労働大臣によって任命される代表者，労働者代表および使用者代表（すなわち，23名の構成員および議長）によって構成される。議長および13名の構成員によって常設委員会が組織され，全体会議を頻繁に召喚することを回避している。
▷労働法典L511-4条およびR511-4条以下

Conseil syndical [民法] **組合管理会** 建築不動産の他の区分所有者によって選ばれた区分所有者の一部で構成される機関で，管理者を援助し，区分所有物に関する管理を統制する任務を負うもの。

Conseil de tutelle [国公] **信託統治理事会** 総会の権威のもとで信託統治地域〔►Tutelle (Territoire sous)〕の施政を監督することを任務とする国際連合の機関。信託統治地域の消滅により，もはや活動していない。

Conseil de l'Union européenne [EU] **ヨーロッパ連合理事会** マーストリヒト条約〔►Maastricht〕以降は，ヨーロッパ共同体を創設した諸条約によって定義された閣僚理事会〔►Conseil des ministres〕の役割を果たすと同時に，この新条約から生まれた政治的権限を行使する加盟国閣僚の会議。
►Union européenne〔ヨーロッパ連合〕

Conseil des ventes volontaires de meubles aux enchères publiques [民訴] **動産任意競売制度運用会議** 2000年7月10日の法律第642号により設立された独立調整機関。以下の4つの事項につき権限を有する。

第1に，動産任意競売会社〔►Société de ventes volontaires de meubles aux enchères publiques〕，ならびに，これらの動産任意競売会社，執行吏〔►Huissier de justice〕，公証人〔►Notaire〕および動産公売官〔►Commissaire-priseur judiciaire〕が依頼することのある鑑定人〔►Expert〕を認可すること。

第2に，ヨーロッパ共同体構成国またはヨーロッパ経済圏協定加盟国に属する者であって，通常はこれらの国の1つにおいて従事している動産任意競売活動を，フランスにおいて臨時に行うことを希望する者の申請を受理すること。

第3に，動産任意競売会社，認可鑑定人〔►Expert agréé par le Conseil des ventes volontaires de meubles aux enchères publiques〕およびヨーロッパ共同体構成国またはヨーロッパ経済圏協定加盟国に属する者であって，その任意競売活動をフランスにおいて臨時に行う者に対して適用される法律，行政立法および職業上の義務に反する行為を制裁すること。

第4に，将来の認可動産公売人〔►Commissaire-priseur habilité〕の職業教育を組織すること。
▷商法典L321-18条

Conseiller 訴訟 (法院の)裁判官；評定官 控訴院，破毀院，地方行政裁判所および財務裁判所の裁判官。会計検査院には調査判事〔conseillers référendaires〕と主任評定官〔conseillers maîtres〕がおり，部の長はもっぱら主任評定官の中から選ばれる。
破毀院に在籍出向している若干の裁判官は調査判事の肩書きをもつ。

Conseiller de la mise en état 民訴 (法院の)準備手続裁判官 控訴院の裁判官。第一審において準備手続裁判官〔►Juge de la mise en état (JME)〕の指揮下で事件が(あらかじめ)審理されるのと同様に，第二審の段階でも(法院の)準備手続裁判官の指揮下で事件が(あらかじめ)審理される。

Conseiller prud'homal 民訴 労働裁判所裁判官 労働裁判所を構成する裁判官に与えられている名称。

Conseiller du salarié 労働 労働者助言員 解雇に先立つ話合いに呼び出された労働者は，当該企業に従業員の代表制度が存在しない場合には，企業外の助言員によって補佐されることができる。助言員は，県知事が労働組合組織の意見を聴いた後に作成する名簿から選ばれる。
▷労働法典L122-14条およびL122-14-14条以下

Conseiller du travail 労働 労働カウンセラー 労働大臣の交付する免状を有する福祉担当の労働者であって，労働の場において，労働者の福祉と労働適性とを監視することを職務とする。
▷労働法典R250-6条

Conseillers rapporteurs 民訴 報告裁判官 勧解部によって，あるいは，判決部(またはその部長)によって指名される労働裁判所の裁判官で，事件の準備手続きおよび当事者の勧解を任務とする。
▷労働法典R516-21条以下

Consensualisme 民法 意思主義；諾成主義 法律行為が有効であるために，いかなる特別の形式にも服さないという原則で，同意〔consentement〕はそれのみで債権債務関係を生じさせる力をもつ。
▷民法典1108条

►Acte consensuel〔諾成行為〕►Acte solennel〔厳粛行為〕►Formalisme〔形式主義；要式主義〕►Forme〔形式〕

Consensus 憲法 コンセンサス 基本的な社会的価値，とりわけ現行の政治体制に関する一般的な合意。政治的な対立(体制の範囲内の闘争で体制自体にかかわらないもの)を抑制する効果を有する。

憲法 国公 コンセンサス方式 正規の投票手続きをとらずに(場合によっては正規の投票に訴えるのを回避することを目的として)相互の合意を追求する決議の採択方法。

Consentement 民法 同意；合意 法律行為の形成において，一方当事者が，他方当事者の申出に対して賛同すること。同意の交換は，意思の合致を生じさせ，当事者を拘束する。
►Acceptation〔承認；承諾〕►Offre〔申込み〕

Consentement de la victime 刑法 被害者の同意 自分に対する犯罪構成事実を，対象となった個人が承諾すること。このような同意には，原則として正当化の効力がない。したがって，行為者の刑事責任は否定されない(例えば，安楽死)。

Conservation des hypothèques 民法 抵当権保存所 不動産物権に関するすべての証書，および，不動産が間接的に目的となる債権を生じさせる一定の証書が寄託される事務所。抵当権保存吏は，寄託された書類を保管する任務を負い，人ごとおよび物ごとのファイル〔fichiers〕を作る。または，公示された証書の写しまたは抄本，および，特定の不動産に設定された物権(抵当権，先取特権)の登記の一覧表を交付する。このようにして，不動産に関する証書の公示が確保される。
▷民法典2196条以下
►Publicité foncière〔土地公示〕

Considérant 訴訟 理由；であるゆえに attenduの同義語。特に，一部の控訴院，コンセイユ・デタ，権限裁判所および憲法院の判決〔arrêts〕を作成するときに用いられる。
►Attendu〔理由；であるゆえに〕

Consignation 民法 民訴 供託 現金，有価証券または目的物を，これらの物を権利者に引き渡す責務を負う第三者の手に寄託すること。例えば，訴訟人は，鑑定人の費用および報酬をまかなうのに必要な金額を，裁判所書記課に寄託する。また，債権者による支払いの受領の拒絶に直面した債務者は，預託供託金庫(CDC)に引き渡すべきものを寄託すること

により免責される。
▷民法典1257条；新民事手続法典1426条；通貨金融法典L518-17条
►Exécution provisoire〔仮執行〕 ►Offres réelles〔現実の提供〕

《Consilium fraudis》 [民法] **詐害の意思** 債務者が、ある行為を行うことによって、自己の支払不能状態が悪化することになることについて知っていること。また、第三者が、ある者と取引を行うことによって、その者の財産状態が悪化し、その者の債権者が損害を受けることになることを知っていること。
►Action paulienne〔詐害行為取消訴権；詐害行為取消しの訴え〕

Consolidation [民法] **混同** 所有権とその分肢（用益権、地役権）が同一の者に帰すること。
▷民法典617条および705条

Consolidation de blessure [社保] **損傷の固定化** 労働災害によって生じた損傷による障害が固定すること。この損傷の固定化によって、休業補償手当の支給が終わり、労働災害年金の支給が開始される。
▷社会保障法典L433-1条

Consolidation comptable [商法] **（計算書類の）連結** 会社グループにおいて、グループを構成する会社全体の財務の実態を示す計算書類を作成する会計実務。
►Bilan consolidé〔連結貸借対照表〕
►Comptes consolidés〔連結計算書類〕

Consolidation de la dette publique [財政] **公債の中長期公債への借換え** 短期公債を中長期公債に置き換えることによって償還期限を延長することを目的とする公金管理上の措置。

Consommateur [商法] **消費者** 業者と契約を締結して、自分または家族が使用する物またはサーヴィスを、所有または使用する権利を得る者。
　判例は、ときに、その職業活動と直接的な関係を有しない契約を締結した業者を消費者とみなしている。
▷消費法典L132-1条

Consommation [刑法] **遂行；既遂** 犯罪のすべての構成要素において、犯罪を現実化すること。すなわち、犯罪の前提条件〔►Condition préalable〕を満たし、犯罪構成要素を実現し、犯罪結果を発生させること。既遂犯とは未遂犯の対義語である。
▷刑法典121-4条および121-5条

Consomptible [民法] **消費される** ►Choses consomptibles〔消費物〕

Consorts [一般] **共同利害関係人** 利害を共にするにもかかわらず、必ずしも同一の法的地位を有しない者。この用語は依然として一般社会で用いられているが、今日では裁判上、特にlitisconsorts〔共同訴訟人〕という用語中に含まれて用いられる。

Constat d'huissier de justice [民訴] **執行吏認定書** 裁判官または当事者の請求により、執行吏が自己の認定〔►Constatations〕したことを記載する文書。この文書は、そこから導き出されうる事実上および法律上の帰結についての一切の見解を含まず、単なる情報としての価値しかなく、反証の余地が残されている（1945年11月2日のオルドナンス第2592号1条2項）。
►Clerc d'huissier〔執行吏書記〕

Constat d'urgence [行政] **緊急認定** ►Référé administratif〔行政急速審理〕

Constatation [一般] **確認** 書面への記入により、物、場所の状態を証すること。この書面には単なる情報としての価値しかない。

Constatations [民訴] **認定** 裁判官が、専門家〔►Technicien〕の知識を要する事実問題を明らかにする必要のある場合に用いる証拠調べ。認定は裁判官を拘束しない。
▷新民事手続法典249条

Constitution [憲法] **憲法；憲法典**
　①憲法//実質的意味：国家の形態（単一国家か連邦国家か）、権力の帰属および行使を規定する、成文のまたは慣習的な規範の総体。
　②憲法典//形式的意味：政治制度に関する文書で、制定および改正が通常の立法手続きとは異なる手続き（例：憲法制定議会、特別多数決）に従うもの。こうした手続きを踏むことによって当該規範には一定の法的効力が付与され、この規範は法規範の序列中で最高位に位置づけられることになる。この場合は「硬性憲法」〔constitution rigide〕という表現が用いられる。これに対して、憲法が通常法律と形式の点で区別されず、それと法規範の序列において同一の地位を占めるため、通常法律によって改正しうる場合、憲法は「軟性」〔souple〕であるといわれる。

Constitution d'avocat [民訴] **弁護士の選任** 訴訟当事者が、訴訟において代理かつ補佐させるために弁護士に対してなす委任。
　この選任は大審裁判所においては原則として義務的である。それは住所の選定を伴う。

代訴士の選任〔►Constitution d'avoué〕は弁護士の選任へと代わった。
▷新民事手続法典755条，790条および814条

Constitution d'avoué 民訴 **代訴士の選任** 訴訟当事者が控訴院における自己の代理を代訴士に委任すること。代訴士の選任は，控訴院に提起された訴訟については例外を除いて義務的である。それは住所の選定を伴う。
▷新民事手続法典899条，901条および960条
►Constitution d'avocat〔弁護士の選任〕

Constitution européenne EU **ヨーロッパ憲法** 2004年10月29日にローマで署名された条約の名称。ヨーロッパ連合創設諸条約全体をひとつの法文にまとめようとしたものであり，ヨーロッパ連合の諸目的（第3部）ならびに拡大ヨーロッパにふさわしい運営機構（第1部）を定めている。ヨーロッパの将来のための代表者会議〔►Convention pour l'avenir de l'Europe〕の作成した草案に基づいて採択され，次いで加盟国の政府間交渉の手続きがとられた。以下に示す諸要素を明確に示すことにより，ヨーロッパ建設の新しい段階を画するものである。すなわち，ヨーロッパ連合基本権憲章〔►Charte des droits fondamentaux de l'Union européenne〕の導入（第2部），ヨーロッパ理事会〔►Conseil européen〕議長職ないしヨーロッパ連合外務大臣〔►Ministre des Affaires étrangères〕職の創設，マーストリヒト条約の創設した3つの（ヨーロッパ連合）構成領域〔►Piliers〕の統合，特別多数〔►Majorité qualifiée〕表決制の新設，ヨーロッパ委員会〔►Commission européenne〕の構成の変更，ヨーロッパ連合の定義，加盟国の議会の役割の強化などである。フランス（2005年5月25日）およびオランダ（6月1日）の《non》の表明によって批准手続きは中断されている。発効するに至らなくても，2009年までを目途とされる新創設条約の作成の出発点となるであろう。

Constitution de partie civile 刑訴 **私訴原告人となることの申立て；刑事事件における民事の当事者となることの申立て** ►Partie civile〔私訴原告人〕

Constitutionnalisme 憲法 **立憲主義** 憲法典の観念と自由主義体制の観念とを結びつける考え方（『人および市民の権利宣言』16条を参照）。1789年の大革命を行った人々および19世紀における憲法学の創始者達が有していた。

Constitutionnalité des lois (Contrôle de) 憲法 **法律の合憲性の審査** 硬性憲法に対する法律の適合性を確保することを目的とする審査。
違憲の申立ては公権力に留保されている場合と市民に開かれている場合とがある。また政治機関に対して提起される場合と裁判機関に対して提起される場合とがある。
①政治機関による審査。例：帝政期の元老院。
②裁判機関による審査。訴えによる場合は，法律を対世的に無効とするために，裁判所（通常の最高裁判所または特別裁判所）に対して直接に違憲の申立てがなされる（例：スイス，ドイツ連邦共和国）。
►Conseil constitutionnel〔憲法院〕
抗弁による場合は，裁判所に係属している訴訟において，一方当事者が法律の適用を阻止しようとしてその違憲性を援用する。この場合，裁判所には法律を対世的に無効とする権限はなく，法律を違憲と判断する場合には訴訟にそれを適用することを拒否することになる（この方式はとりわけアメリカ合衆国において行われているが，一時期（1880年-1936年）《裁判官統治》という性格を帯びた）。
►Conventionnalité (Contrôle de)〔条約適合性の審査〕

Consul 国公 **領事；領事官** 国家が他国の都市に置く公務員であり，その任務は在外自国民を保護すること，および在外自国民に関するさまざまな権限を行使することである（民事身分，旅券の発給および査証，署名の認証，公証人証書，共助の嘱託〔commission rogatoire〕の執行など）。
①**Consul de carrière** 本務領事（官）：任命国の職員としての資格で排他的にその任務を遂行する領事。
②**Consul honoraire, Consul marchand** 名誉領事官，商人領事（官）：ある国家により領事任務を行うために自国民または接受国国民の中から現地で選任された人（この場合，その領事任務は，他の職業活動，特に商業活動の副次的活動にすぎない）。

Consultation 民訴 **助言** 裁判官または裁判所が専門家〔►Technicien〕に託する任務。事実の審査が複雑な調査を必要としない場合，専門家が係争事実についての対審的な調査の後に，裁判官に対し口頭で，場合によっては書面で意見を提出する。
▷新民事手続法典256条

訴訟 **助言** 訴訟事件において法律専門家が

述べる意見のことも助言という。

Consumérisme 〔商法〕 消費者運動 ►Consommateur〔消費者〕

Contenance 〔民法〕 面積 既建築地または更地の広さ。法は，(契約上の)面積と実際の測定値との不適合に対して，代金の調整または契約の解除という制裁を加えている。
▷民法典1616条以下

Contentieux 〔訴訟〕 訴訟 名詞として用いられる場合：contentieux〔訴訟〕は，同一の目的に関するprocès〔訴訟〕の総体からなる。例えば，民事訴訟，刑事訴訟，行政訴訟，税務訴訟。
また，賃料訴訟，社会保障訴訟，運送責任訴訟などもある。
形容詞として用いられる場合：(特に法的争いの)対象となるということ。しばしば，juridictionnel〔裁判上の〕の同義語となる。

Contentieux administratif 〔行政〕 行政訴訟 複数の意味をもつ用語だが，すべて係争の観念を基礎としている。
①行政裁判所の組織および運営に関する規範の総体。
②行政裁判所の管轄に属する係争の総体。
訴訟の区別。行政訴訟の類型には主として以下のようなものがある。
裁判官の権限を基礎とする四分法(取消訴訟，全面裁判訴訟，解釈訴訟および処罰訴訟)。
裁判官に付託される訴訟の対象となっている法的地位の性質を基準とする二分法(客観訴訟および主観訴訟)。

Contentieux du contrôle technique 〔社保〕 医療監督専門争訟 医師，歯科医，助産婦および薬剤師が被保険者に対する診療または給付に関して犯したフォート，濫用的行為，不正行為，すなわち，正当化されない行為，仮想行為，情実による処方箋に対する処罰を目的とする懲戒争訟。第一審において権限を有する医療監督専門裁判機関は，当該職能団体の地方懲戒委員会の社会保険部門である。控訴審では，事案は，権限を有する当該職能団体の全国委員会の社会保険部門によって審査される。労働不能専門訴訟〔►Contentieux technique〕と混同すべきではない。
▷社会保障法典L145-1条以下

Contentieux de la Sécurité sociale 〔民訴〕〔社保〕 社会保障訴訟 社会保障および農業共済組合に関する立法および規制の適用に関する係争の総体。
通常の社会保障訴訟は，専門の裁判所が，簡素化されかつ費用の安い手続きによって裁判する。しかし，通常の社会保障裁判所の管轄には属さない特殊な訴訟が存する。
▷社会保障法典L142-1条以下
►Tribunal des affaires de Sécurité sociale〔社会保障事件裁判所〕

Contentieux technique 〔社保〕 労働不能専門訴訟 労働災害または職業病による，廃疾の程度または永続的労働不能の状態に関する訴訟，および労働災害の保険料率に関する訴訟。前者はまず労働不能訴訟裁判所〔►Tribunal du contentieux de l'incapacité〕に，ついで全国労働不能控訴院〔►Cour nationale de l'incapacité et de la tarification des accidents du travail〕に提起される。後者は，直接，全国労働不能控訴院に提起される。医療監督専門訴訟〔►Contentieux du contrôle technique〕と混同すべきではない。
▷社会保障法典L143-1条以下

Contingent 〔財政〕 割当額 地方財政の分野において，一定の支出の財源調達への協力を目的として公共団体に対して要求される拠出金の同義語(例：社会援助市町村割当額)。

Continuité de l'État 〔国公〕 国家の継続性 政府は前政府が同意した義務を拒否することができないとする原則。

Contractuel 〔行政〕 契約職員 契約に基づき，理論上は一時的に公的機関に採用される人。したがって，官吏の資格をもたない。契約職員の採用は，かつては行政がほとんど熟練を必要としない補充職員《auxiliaires》〔補助職〕)を獲得することを目的としたものであったが，今日では，官吏よりも高い俸給を与えることによって，高度に熟練した専門家を採用することにも役立っている。なお，このような優遇措置がなければ，行政がそのような専門家を採用することは困難となろう。

《Contra non valentem agere non currit praescriptio》 〔民法〕 訴えを提起することができない者に対して，時効は進行しない
▷民法典2251条
►Prescription civile〔民事時効〕

Contradiction 〔訴訟〕 対審 ►Contradictoire (Principe du)〔対審(の原則)〕►Liberté de la défense〔防禦の自由〕

Contradictoire (Principe du) 〔訴訟〕 対審(の原則) 長い間法律によって規定されていなかったものの，すべての手続きを支配してい

115

る基本原則である。
　対審の原則は，両当事者が自分の請求または防禦の成功に必要であることをすべて審理させる自由を含んでいる。それは，一方当事者のすべての論拠すなわち裁判官に対して提出した書類・証拠を，すべて相手方の知るところとし，法廷で自由に討議することを課している。この対審の原則の尊重は，防禦の自由の不可欠の条件である。裁判官はいかなる状況においても対審の原則を尊重し，かつ尊重させなければならない。そして，裁判官は対審によって集めた資料でなければ，その裁判において採用することはできない。
▷新民事手続法典16条；行政裁判法典L5条；刑事手続法典前加条；ヨーロッパ人権条約6条1項から3項
►Droits de la défense〔防禦権；弁護権〕
►Égalité des armes〔武器対等〕►Procès équitable〔公正な裁判〕

Contrainte　[刑法] **強制**　犯罪者が，行為時に，抵抗できない力の影響下にあったという事情。行為者の刑事責任を否定する。
▷刑法典122-2条
►Imputabilité〔帰責性〕

[民訴] **執行令状**　租税行政庁または社会保障金庫によって交付され，債務者に対する強制執行を可能にする証書。
　債権者機関の理事長が未払社会保険料の支払いを受けることのできる手続き。社会保障裁判所に対する債務者の異議申立てがなければ，執行令状はあらゆる判決効を有する。
▷社会保障法典L244-9条

Contrainte par corps　[刑訴] **滞納留置**
►Contrainte judiciaire〔滞納留置〕

Contrainte judiciaire　[刑訴] **滞納留置**　重罪または軽罪として拘禁刑で処罰される犯罪について言い渡される1または複数の罰金刑の故意の不履行の場合に，支払能力のある65歳未満の成人について，刑罰適用裁判官によって命じられる，圧力手段として用いられる拘禁刑。税法上または関税法上科される追徴金の故意の不履行の場合についても同様である。拘禁刑の期間は，罰金の額またはその併科額に応じて法律の定める最長期間を限度として裁判官によって定められる。
　滞納留置にはこれまでcontrainte par corpsの語が用いられてきたが，2004年3月9日の法律第204号（PerbenⅡ法）により，contrainte judiciaireの語に変わった。旧滞納留置はその要件および制度上，特に政治犯罪〔►Infraction politique〕への適用を除外していた点で若干異なっていたが，この適用除外は廃止された。
▷刑事手続法典749条以下

Contrariété de jugements　[民訴] **判決間の矛盾**
同一の当事者間で，同一の攻撃防禦方法に基づき，かつ，同一の目的に関してなされた2つの判決が相容れないこと。これによりそれぞれの執行が不可能となり，後になされた判決が破毀されることになる。矛盾が認定されると，それは最初になされた判決に有利に解決され，かつ，移送を伴わない破毀が言い渡される。
▷新民事手続法典617条および618条

Contrat　[民法] **契約**　1もしくは複数の債務を生じさせ，または，物権を設定し，もしくは，移転する合意。
▷民法典1101条以下
►Convention〔合意〕

Contrat（Établissements d'enseignement privé sous）　[行政] **契約のもとにある私立学校**　1959年12月31日の法律（《ドゥブレ法》）以降，教育および財政に関する監督を受ける代わりに，私立学校に公的機関の財政的援助を与える可能性が開かれたが，それを利用している私立学校。実際にはほとんどがカトリック系の学校である。次のような区別がある。
　初等および中等ならびに職業教育を公教育の規則およびカリキュラムにしたがって行う私立学校が利用できる協同契約〔contrat d'association〕。公的機関が経常費と教員（公立学校の職員である場合も，また（きわめて一般的には）当該私立学校自体の職員である場合もある）の賃金を負担する。
　初等教育に適用される単純契約。この場合教員に私立学校教員の資格が残るが，その報酬は公金から支払われる。

Contrat d'accompagnement dans l'emploi　[労働] **雇用促進支援契約**　雇用促進支援契約とは，雇用促進連帯契約〔contrat emploi-solidarité〕を引き継いだもので，期間の定めのある特別の契約であって，少なくとも6ヵ月の期間（かつ，週労働時間が原則として少なくとも20時間）を有し，雇用に対するアクセスが社会的かつ職業的に特に困難な者と，その者の雇用を促進する目的で締結される。この契約の締結は，国と地方公共団体，他の公法上の法人，非営利目的の私法上の機関ま

たは公役務の管理を任務とする法人との間で，国の役務に雇用を供給するために，または，満たされていない集団的必要を満たすための雇用を供給するために，協定が結ばれていることを前提としている。国は，人件費の一部を，雇用する機関に対する免税措置の形で負担する。
▷労働法典L322-4-7条

Contrat d'adaptation à l'emploi [労働] 雇用適応契約 若年者の職業生活への適応を促進する目的を有する労働契約。この契約を締結した若年者は，交互制職業教育を受け，企業の有資格の責任者であるチューターに指導される。
▷労働法典L981-6条およびD981-9条以下

Contrat administratif [行政] 行政契約 公法人によってまたは公法人のために締結される契約で，法律の明文の規定により，または，契約条項のなかに普通法適用除外条項があることにより，または，契約の相手方に公役務活動の執行への直接の参加を認めることにより，行政裁判所の管轄に服し，行政法の適用を受ける。

したがって，公法人の締結する契約がすべて行政契約であるわけではなく，私法上の規範に服するものもある。

Contrat d'adhésion [民法][公法] 附合契約 2当事者間で締結される契約であり，その一方が，事実上，さまざまな条項について異議を唱えることができず，合意の申入れの全内容を承諾するかまたは拒絶するかの自由しか有しないもの（例：航空会社または鉄道会社との運送契約）。

Contrat aléatoire [民法] 射倖契約 給付の存在または価値が，将来の不確実な出来事にかかっているためその締結時には明らかでない有償契約（例：終身定期金契約）。
▷民法典1104条2項
▶Contrat commutatif〔実定契約〕

Contrat d'assurance de groupe [保険][社保] 団体保険契約 契約において定められた条件に合致する者の総体を保険契約に加入させるために，法人または企業長によって締結される契約。生命の長さに関わるリスク，身体の完全性に対する侵害もしくは母性に関わるリスク，労働不能もしくは廃疾のリスク，または失業のリスクをカヴァーすることを目的とする。

Contrat d'avenir [労働] 雇用促進将来契約 雇用促進将来契約とは，期間の定めのある特別のパートタイム（原則として週26時間労働）契約であって，デクレの定める期間，雇用促進最低収入〔RMI〕，特別連帯手当〔ASS〕または単親手当〔API〕を受給している者と公法上の使用者（地方公共団体，公法上の法人）または若干の私法上の使用者（公役務の管理を任務とする法人，非営利目的の私法上の機関）との間で締結される。この契約は，その者の雇用を促進する目的で締結され，労働者とその者を雇用する公法上の，場合によっては私法上の法人を代表する者との間の，労働者に提案される職業訓練計画〔projet professionnel〕に関する協定の締結を前提としている。

この契約は2年の期間で締結され，場合により12ヵ月または36ヵ月延長可能である。使用者は，国から，およびこの契約の当事者である者に手当を支給している機関から補助金を受け取る。その総額は契約当事者に対して支払われる報酬を超えることはできない。
▷労働法典新L322-4-10条以下

Contrat de bière [商法] ビール契約 当初は，ビール醸造業者と酒類小売業者または再販売業者との間で締結される契約で，醸造業者が一定の利益（不動産賃貸，用具の貸出，金銭借入の保証など）を供与するかわりに，小売業者または再販売業者が，その契約の相手方から排他的にビールを仕入れることを約する契約であった。

この用語は，現在ではより一般的に排他的な仕入契約または条項を指している。この契約または条項によって，当事者は，相手方との間で，特定の製品または商品をこの相手方からのみ仕入れる義務を負う。
▷商法典L330-1条およびL330-2条
▶Concession commerciale〔特約店契約〕

Contrat commutatif [民法] 実定契約 契約が締結されるときに，お互いの給付の規模が知られている有償契約。
▷民法典1104条
▶Contrat aléatoire〔射倖契約〕

Contrat emploi jeunes [労働] 若年者雇用促進契約 1997年10月6日の法律は，雇用を創出する社会的に有益な活動の発展を促進すること，および充足されていない新たな諸需要（文化，スポーツ，育成，その他の隣接活動）に対応することを目的としている。このタイプの労働契約は，この目的のために公共部門お

および非営利社団部門において，国の援助を受けて5年の期間で締結されうる。
▷労働法典L322-4-18条以下

Contrat d'entreprise 民法 商法 **請負契約** ある者が，他の者のために，仕事の遂行につき独立性を維持しつつ，報酬と引換えに，ある仕事をなすことを引き受ける契約。
▷民法典1787条

Contrat initiative-emploi 労働 **優先的雇用促進契約** 雇用を得ることが社会的かつ職業的に困難な失業者との間で，その者の雇用を促進する目的で締結される，特別な，期間の定めのある労働契約または期間の定めのない労働契約。優先的雇用促進契約は，国と，個々の労働者ではなく使用者または使用者団体との間で結ばれる合意を適用して締結される。優先的雇用促進契約は，締結された当該契約の費用，および場合により合意の定める職業教育活動および職業支援活動の費用の一部を負担するために，国の助成を受ける権利を生じさせる。
▷労働法典新L322-4-8条

Contrats innommé 民法 **無名契約** 法律によって定められている類型にない契約。
▷民法典1107条
▶Contrat nommé〔有名契約〕

Contrat d'insertion en alternance 労働 **交互制雇用促進諸契約** 交互制職業教育を定める労働契約による雇用の促進を目的とする措置の総体。
▷労働法典L981-1条以下

Contrat d'insertion-revenu minimum d'activité 労働 **雇用促進最低収入契約** 雇用促進最低収入契約とは，期間の定めのある特別の契約であって，使用者と，雇用促進最低収入〔RMI〕，単親手当〔API〕または特別連帯手当〔ASS〕の受給者であって雇用に対するアクセスの特に困難な者との間で締結される。この契約の締結は，使用者と給付者たる地方公共団体との間で協定が結ばれていることを前提としている。この契約は，場合により，2度更新可能である。
▷労働法典L322-4-15条以下

Contrat instantané 民法 **一回的給付契約** 1回の同意の交換に対して，1回のみの給付で履行がなされる契約(例，売買契約)。

Contrat d'intégration 農事 **農産物流通契約** 商事企業と農業者との間で締結される契約であり，それによって農業者は流通機構に組み込まれる。農業者保護を目的とする特別法が，この場合に適用される。

Contrat jeunes en entreprise 労働 **企業における若年者契約** フルタイムまたはパートタイムの，期間の定めのない特別な労働契約。その時間は，適用される集団的な労働時間の少なくとも2分の1に等しくなければならない。教育の水準が長期第2課程の修了免状に達していない16歳から22歳までの若年者と締結される。使用者はこの契約により，国の援助(社会保険料および使用者の義務的な社会保障拠出金を対象とする)を最長で3年間受けることができる。この契約が2002年8月29日の法律第1095号によって創設された結果，優先的雇用促進契約〔contrat initiative emploi〕が当初享受していた社会保障負担の軽減が復活している。
▷労働法典L322-4-6条以下

Contrat judiciaire 民訴 **訴訟終結契約** 訴訟手続中に訴訟当事者間でなされ，訴訟を終結させることを目的とする合意。
　裁判官は裁判としての性質をもたない判断により，当事者に対してその合意についての認定を与える。
▶Jugement de donné acte〔認定判断〕
▶Jugement d'expédient, Jugement convenu〔便宜判決，合意判決〕

Contrat de licence 商法 **ライセンス契約** 工業所有権(特許，商標，意匠)の権利者が，第三者に対して，無償で，または，有償ですなわち使用料〔redevanceまたはroyalties〕の支払いを条件として，その利用権の全部または一部の実施を認める契約。

Contrat de mariage 民法 **夫婦財産契約** 将来の夫婦が，婚姻期間中における彼らの財産の置かれる地位および，離婚時におけるその帰趨を定める合意。
　しばしば同義語として用いられるconventions matrimonialesという表現は，夫婦財産制を意味するだけでなく，両親または他人から将来の夫婦に対してなされる無償譲与のような付随的な合意をも意味する。
▷民法典1387条以下

Contrat nommé 民法 商法 **有名契約** 通常用いられ，そのため，法律によって名称が与えられ規定されている契約(売買，賃貸借，寄託，保険など)。反対に，契約がいかなる特定の法制度の対象にもなっていない場合，その契約は，実務上固有の名称を与えられるに

至っているとしても，無名契約〔►Contrat innommé〕といわれる（旅店契約，引越契約）。
▷民法典1107条

Contrat nouvelles embauches 労働 雇用強化新規雇用契約 2005年8月2日のオルドナンス第893号による雇用強化新規雇用契約は，多くとも20人を雇う使用者によって締結されることのできる，書面による期間の定めのない労働契約である。初めに最長2年間の雇用強化期間を有することが，雇用強化新規雇用契約の特徴である。この期間においては，いくつかの規定，とりわけ，普通法上の解雇手続きに関する規定および解雇の際の理由記載に関する規定の適用が排除されることにより，労働契約の破棄，とくに解雇が容易にされている。雇用強化の期間は，若干の点で試用〔►Essai〕期間を連想させるが，試用期間と同じものではない。雇用強化期間は試用期間と目的を異にするものであり（その期間を考慮すれば，使用者にとってその目的は労働者の適性を理解することではありえない），またこの期間における労働契約の破棄の法制度が，試用の場合よりも制限的だからである（一定の条件で，解雇予告期間および解雇補償金が定められている）。ILO158号条約の批准により，この法文の国際条約との適合性の問題が生じたが，これはいまだ解決されていない。

Contrat de partenariat (sous-entendu : public/privé) 行政 公共施設建設委任契約 固有の法制度に服する行政契約〔►Contrat administratif〕の新たなカテゴリー（2004年）。主に，国，公施設法人〔►Établissement public〕および地方公共団体〔►Collectivités territoriales〕が，明確な条件を満たす複雑または緊急の，そして実際に大規模な（刑務所，病院の建設）計画を実現するために，私法上の契約の相手方に，公法人自身が公役務を遂行する場合に必要な有形無形の投資のための資金調達（公役務の委任〔►Délégation de service public〕との主たる相違），投資の実行およびその維持管理を主な内容とする包括的な任務を与えることができるよう考案された。（その成果の所有権を得る）私法上の契約の相手方への報酬は，契約期間分割払いとなり，したがって財政負担も分割される。

Contrat pignoratif 民法 商法 譲渡担保契約 債権者が，自らのなすべき債務を担保するために，自己の財産の中のある構成要素の占有を債権者に移転する契約（不動産質〔►Anti-chrèse〕，動産質〔►Gage〕，手形裏書など）。
▷民法典2071条以下
►Endossement〔裏書〕►Effet de commerce〔商業証券〕

Contrat de professionnalisation 労働 雇用促進職業訓練契約 雇用促進職業訓練契約とは，いわゆる交互制雇用促進諸契約〔contrats d'insertion en alternance〕に代えて，2004年5月4日の法律第391号によって創設された期間の定めのある，または，期間の定めのない契約であって，その目的は，この契約を締結する者に，（一般的，職業的または専門的）教育と，目標とする職業資格と結びついた1または複数の職業活動を企業において実践することによるノウ・ハウの取得とを組み合わせることにより，法律の認める職業資格を取得させ，もってその者の雇用または再雇用を促進することを目的とする。この契約は，満16歳から25歳までの若年者が最初の職業教育を補完するためにも，また26歳以上の求職者についても適用される。期間の定めのある場合，この契約の期間は少なくとも6ヵ月である。期間の定めのない雇用促進職業訓練契約は，契約履行の当初に設定される少なくとも6ヵ月の職業訓練活動を含む。
▷労働法典L981-1条以下

Contrat réel 民法 要物契約 目的物の引渡しが成立の要件である契約。すなわち，貸借〔►Prêt〕，動産質〔►Gage〕，寄託〔►Dépôt〕のこと。

Contrat de responsabilité parentale 民法 親権者責任契約 不登校の状態にあり，学校の運営の障害となっており，または親権者の無策と関連するその他すべての問題行動をとっている未成年者の親に対して，県会議長によって提案される契約。提議する機関は問題行動の原因の性質により変わる。この契約の目的は，親権者にその義務を想起させ，状況を改善する性質のあらゆる援助および社会福祉活動の措置を講ずることである。契約期間は1年を超えることはできず，親への提案は，話合いの際に通知されるか，または，郵送により通知される。契約書に記載された義務を履行しなかった場合，または，正当な理由がないのに親が署名しなかった場合は，家族手当ならびに関連給付の全部または一部を最長1年間停止することができる。
▷社会福祉法典L222-4-1条

Contrat solennel 民法 厳粛契約 成立に，手

続きを踏むこと，一般的には書面の作成が必要とされ，これを欠けば絶対無効となる契約。例えば，約定抵当権は公署の形式で作成される証書によってでなければ合意されえない。
▷民法典2416条

Contrat successif 民法 **継続的供給契約**　その履行について一定期間の経過を要素とする契約。給付が分割される場合（新聞の定期購読契約）と，契約の両当事者間に継続的債権関係が存在する場合（賃貸借契約，雇用契約）とがある。
►Contrat instantané〔一回的給付契約〕

Contrat synallagmatique 民法 **双務契約**　両当事者に相互的な給付を負担させる契約（例：売買契約）。
▷民法典1102条
►Contrat unilatéral〔片務契約〕

Contrat à titre onéreux 民法 **有償契約**
►Acte à titre onéreux〔有償行為〕

Contrat de transport 民法 商法 **運送契約**　報酬と引換えに，運送人が，ある物またはある者を，一定の条件で，一定の行程移動させることを引き受ける契約。
▷民法典1782条以下；商法典L133-1条以下（旧103条以下）

Contrat de travail 労働 **労働契約**　ある者，すなわち労働者〔salarié〕が自己の職業活動を，他の者，すなわち使用者〔employeurまたはpatron〕の指揮命令のもとに置く合意であって，使用者はその対価として労働者に賃金を支払い，労働者に対して権限を行使する。
▷労働法典L120-1条以下

Contrat de travail à durée déterminée　期間の定めのある労働契約：期限の付された労働契約。法律により限定列挙されている場合にしか締結することができない。
▷労働法典L122-1条以下

Contrat de travail à durée indéterminée　期間の定めのない労働契約：期限の付されていない労働契約，すなわち，普通法上の労働契約。この契約は，一方当事者の意思によりいつにても解約することができる。ただし，使用者が解約する場合には，解約についての現実かつ重大な事由〔cause réelle et sérieuse〕が存在しなければならず，解雇手続きが遵守されなければならない。
▷労働法典L121-5条以下

Contrat de travail entre époux　配偶者間の労働契約：この契約は，家族間の相互援助〔entraide familiale〕とは以下の点で区別される。すなわち，賃労働者たる配偶者が他方の配偶者が行う活動に職業として恒常的に参加すること，そして少なくとも最低賃金に等しい賃金が存在することである。
▷労働法典L784-1条以下

Contrat de travail temporaire　派遣労働契約：書面による特別な型の労働契約であって，労働者を派遣労働企業に結びつける。派遣労働企業とは，自らがそのために雇入報酬を支払う労働者を，合意された資格に応じてもっぱら利用者の一時的な使用に供することをその活動とする，すべての自然人または法人である。
▷労働法典L124-1条以下

Contrat-type 一般 **標準契約**　附合契約の一種であり，交渉を排除する点では同じであるが，その作成主体という点で附合契約と区別される。すなわち，雛型の作成は，個々の企業が行うのではなく，当該職業を代表する機関が行うのであり，その結果，個々の場合すべてにそれを適用することが可能となる。例えば，標準契約は，定額小作または分益小作において個別的な取決めがない場合，賃借人と賃貸人の地位を規定する。

Contrat unilatéral 民法 **片務契約**　当事者の一方しか給付を負担しない契約（例：贈与）。
▷民法典1103条
►Contrat synallagmatique〔双務契約〕

Contrats de projet 行政 **計画契約**　2006年まで用いられていた従来の国＝州間のcontrats de plan〔計画契約〕の現在の形式。国と州〔►Région〕の間で署名される合意であり，州が優先的と認める活動および整備計画を実現するための国の財政的援助を定める。この計画契約は，2007年から2013年までの時期を対象とする。

Contrats de ville 行政 **近郊都市開発契約**　国と，社会問題を抱える市町村との間で締結される契約であって，第12次計画〔►Plan (de développement économique et social)〕（2000年-2006年）の期間に，社会的差別の危険を予防し住民の日常生活を改善するための事業の共同実施および共同の財源調達を行うことを目的とするもの。

Contravention 刑法 **違警罪**　違警罪の刑罰によって処罰される，重罪と軽罪に次ぐ最も軽い犯罪。
　違警罪の刑罰は，罰金刑，一定の権利剥奪

刑または権利制限刑，補充刑および損害賠償制裁〔►Sanction-réparation〕である。罰金刑の最高額は，自然人については3000ユーロ，法人についてはその5倍となる。
▷刑法典111-1条，131-12条以下および131-40条以下

Contravention de grande voirie 行政 **重要公物管理違反罪** 公物に対する侵害罪。地方行政裁判所または刑事裁判所の管轄に属する。

Contredit 民訴 **異議の申立て** 裁判官が，本案について裁判することなしに管轄権限についてなした裁判に対して提起される特別の不服申立ての方法。裁判所が管轄権限を有すると宣言した場合，訴訟手続きは，異議の申立てをなすための期間(15日)の満了まで停止され，かつ，異議の申立てがなされた場合には，控訴院が裁判をするまで停止される。
▷新民事手続法典80条，81条および94条

Contre-enquête 民訴 **対抗尋問** 証人尋問〔►Enquête〕の一段階で，訴訟当事者が裁判官の許可なしに相手方当事者の個々の主張について自己の証人を尋問させる手続き。これにより，訴訟当事者は自己の主張を証言により証明することができる。
▷新民事手続法典204条

Contre-expertise 民訴 **再鑑定** 先に行われた鑑定〔►Expertise〕の結果を他の専門家に調査させるための証拠調べ。

Contrefaçon 商法 刑法 **知的所有権の侵害；偽造** 知的所有権者またはその独占権の実施を知的所有権者から認められた者以外の者が，知的所有権者の権利を侵害する行為。
知的所有権の侵害は，軽罪である。また，民事責任の発生原因となる。

Contre-lettre 民法 **反対証書；反対行為** 表見行為(証書)〔►Acte apparent〕の内容またはその効果を変更するための，当事者間の秘密文書。
▷民法典1321条
►Simulation〔虚偽表示〕

Contremaître 労働 **職工長** ►Agent de maîtrise〔職長〕

Contre-passation 商法 **反対記帳** 先行して行われた会計上の処理を，これと反対の記帳によって消去する技術。例えば，交互計算において，顧客の債務としてその金額が記載されている商業証券の支払いがない場合は，反対記帳で処理する。

Contreseing ministériel 憲法 **大臣の副署**
①国家元首の署名に添えて，1人または複数の大臣が文書に行う署名。その目的は，国家元首の署名を公署すなわち証明することである。
②議院内閣制においては副署は異なる意味を有した。すなわち執行府を構成するものの，政治責任は負わない国家元首が名目上の主体にすぎない行為に関して，内閣が政治責任を負うための手続きであった。(第五共和制のように)国家元首が憲法典によって与えられた権限を実際に行使する体制においては，副署は若干の行為について共和国大統領と政府の間に必要な合意(または首相の行為に関する副署の場合は政府内部における合意)を表す。

Contribution 民訴 **按分** 按分による配当手続きは，抵当債権者もしくは先取特権債権者がいない場合，またはそれらの者が弁済をうけた後に，一般債権者間に，その債権に比例して動産差押えまたは不動産差押えから生じた金銭を配当する手続きである。
1992年7月31日のデクレ第755号(283条から293条)は，按分による配当に関する旧民事手続法典の規定を廃止した。
競売吏は配当案を準備し，債権者間の調整に努める。債権者間の合意が得られると，配当が行われる。他方，あらゆる付帯申立ては競売地の執行裁判官に対してなされる。
►Marc le franc〔按分比例〕

Contribution à la dette 民法 **負担の割振り** 債権者が満足した(仮払義務〔►Obligation à la dette〕の問題)後に，支払者と真の債務者，または，支払者とその共同債務者との間でなされる最終的決済手続き。一定の消極財産の決済手続きにおける第2段階を示している。すなわち，仮の消極財産が支払義務者によってその一部または全部について支払われた後に，真の義務者に対し債務を負担させる最終的計算が行われる。例えば，損害賠償については，共通財産に対して追及を受けるが，終局的には，夫の固有財産のみが，夫自身の損害賠償金を負担する。また，全額を支払った連帯債務者は，各共同債務者の負担部分を各共同債務者に対して求償する。
▷民法典1485条および1486条

Contribution exceptionnelle et temporaire 社保 **(年金保険の)臨時特別税** 1997年1月1日以後，管理職退職年金制度総連合(AGIRC)の制度のもとで徴収されている税。年金受給

121

権を発生させない。2001年1月1日以後廃止された定率保険料および定率補償の制度の財源調達のために，以前に集められた資金の全体的な維持を可能とする。

Contribution pour le remboursement de la dette sociale 社保 財政 **社会保障債務償還目的税** 所得の総体，すなわち，職業所得，代替所得，資産所得および運用益を課税標準とする課税。社会保障の累積赤字の補填を目的とする。社会保障債務償還目的税は，2023年から2024年と見積もられている累積赤字の解消まで徴収される。
▷租税一般法典1600-OG条

Contribution sociale généralisée (CSG) 財政 社保 **社会保障一般税** 1991年に創設された，複合的構造を有し，租税の性質をもつ賦課金。各納税義務者の活動または資産から得られた所得全体に対して比例税率によって賦課され，全国家族手当金庫の財源にあてられる。活動により得られた所得に対して賦課されるCSGは，その租税的性質にもかかわらず，直接，社会保障の徴収機関（社会保障家族手当保険料徴収組合連合〔URSSAF〕）によって徴収される。CSGは，伝統的な累進的所得税（CSGの収入はその額を上回る）がいまや潜在的納税義務者の半数によってしか支払われていないという事態に対応した，所得に対する租税徴収基盤の拡大と，社会保障の保険料が負担困難な程度にまで増加することを避けるための社会保障財源の租税化という二重の現象を表している。
▷租税一般法典1600-0条C以下；社会保障法典L136-1条以下

Contribution sociale de solidarité 社保 **社会保障連帯拠出金** 非農業非労働者の老齢保険および疾病・母性保険制度を援助するための年次拠出金であって，売上高を算定基礎として会社によって払い込まれる。
▷社会保障法典L651-1条以下

Contrôle administratif 行政 **行政監督** ►Tutelle〔後見監督〕

Contrôle budgétaire 行政 財政 **財政監督** ►Chambre régionale des comptes〔州会計検査院〕

Conrtôle budgétaire et comptable ministériel 財政 **各省財務監査局** 中央官庁レヴェルで行われる国の支出と徴収の監査および執行を担当する各省内の機関。予算法律に関する2001年8月1日の組織法律（LOLF）により導入された新たな公金管理の実施の帰結として，2005年に設置された。各省財務監査局は，公会計官〔►Comptables publics〕の資格を有する各省財務監査局長〔conrtôleur budgétaire et comptable ministériel〕によって指揮される。各省財務監査局長は，予算大臣の権限のもとにあり，主に地方財務局長〔►Trésorier-payeur général〕および財務監査職団〔►Contôle général économique et financier（Corps du）〕の構成員の中から採用される。各省財務監査局は，2つの部を含む。

・予算監査部〔département de contrôle budgétaire〕。公的支出の抑制を目的として，認証または意見の方法により，省の予算の予測および執行に対する監査を行うことを任務とする。この監査の内容は，予算大臣のアレテにより各省ごとに明示される。

・会計部〔département comptable〕。省の支出と徴収を担当する支払担当会計官〔►Comptable assignataire〕がこれにあたり，省の支出と徴収について帳簿を作成する。

これらの部の長は，財務監査職団の構成員および地方財務局長補佐〔►Receveur des finances〕の中から選ばれる。省の規模が小さい場合，各省財務監査局の組織は簡略化される。

Contrôle des changes 財政 **為替管理** 外国との金融関係の自由という原則に対する適用除外措置の総体であり，外国への資本と支払手段の移転および自国民による外貨建て資産の所有を制限または許可のもとに置くものである。ヨーロッパ共同体に対するフランスの義務の履行により，1990年1月1日に全面的に廃止された。

Contrôle de l'emploi 労働 **雇用統制** ►Emploi〔雇用〕

Contrôle financier déconcentré 財政 **事務分散化された財務監査** 省のレヴェルで行われる国の支出は，各省財務監査局〔►Contrôle budgétaire et comptable ministériel〕による財務監査の対象となる。事務分散化された国の行政機関のレヴェルで行われる国の支出は，州についても兼務する地方財務局長〔►Trésorier-payeur général〕によって行われる財務監査の対象となる。この財務監査は，主に，支出の事後監査および公会計官〔►Comptables publics〕と支払命令官〔►Ordonnateurs〕との協力に基づいて行われる。

Contôle général économique et financier (Corps du) 財政 財務監査職団　2005年に，国，その公施設法人〔►Établissement public〕および公企業〔►Entreprises publiques〕の機関を担当する既存の4つの監査職団，すなわち，公営企業監査職団〔contrôle d'État〕，財務監査職団〔contrôle financier〕，商工業監察職団〔inspection de l'industrie et du commerce〕，郵便・電気通信監察職団〔inspection générale des postes et télécommunications〕の合併によって生じた監査職団〔►Corps〕。この合併は，予算法律に関する2001年8月1日の組織法律（LOLF）により導入された新たな公金管理の帰結として，規制に関する厳格な監査（いまやこれは対象機関内部の検査手続きによって行われなければならない）よりも対象機関の決定に対する援助を優先するという新たな監査の論理への移行に伴って行われた。

Contrôle d'identité 刑訴 同一性検査　司法警察員または司法警察補助員によって行われる，人の同一性を証明する性質をもつ文書の検査。路上または公の場所で行われる。同一性を明らかにする活動の最初の段階。
▷刑事手続法典78-1条から78-5条
►Officiers (et agents) de police judiciaire〔司法警察職員〕►Vérification d'identité〔同一性の確認〕

Contrôle judiciaire 刑訴 司法上の統制　予審対象者（予審被告人）または軽罪・違警罪被告人を，法律上定められた義務に従わせる自由制限処分。この義務は，予審上の必要性または保安上の理由に基づいて選択される。
▷刑事手続法典137条以下およびR16条以下

Contrôle de légalité 行政 適法性の監督　1982年における分権化の拡大の結果，地方公共団体〔►Collectivités territoriales〕に対する従来の行政上の後見監督〔►Tutelle〕は，適法性の監督に取って代わられた。適法性の監督は，従来よりもはるかに地方公共団体の自治に重きをおき，とりわけ，国が地方公共団体の一定の行為に承認を与えることをもはや認めていない。県知事（または副知事）が，地方公共団体によりなされた行為を違法と判断した場合，県知事は，その行為に対し裁判上の不服申立てをなすことができるのみであり，自らその行為の取消しを言い渡すことはできない。
　適法性の監督に加え，地方公共団体の予算に関して，財政監督〔►Contrôle budgétaire〕が創設された。

Contrôle partenarial et hiérarchisé (de la dépense publique) 財政 最新型監査　公的支出の執行の様々な局面に対する近年の（予算法律に関する2001年8月1日の組織法律（LOLF））監査方式。公的支出の執行の迅速化を目的とする。支払命令官〔►Ordonnateurs〕の任務を，本来公会計官〔►Comptables publics〕のみによって行われるべき監査と一体化すること，および，公的支出の額もしくは性質または支払命令官の実務に起因するリスクに応じて監査内容を調整することを内容とする。

Contrôle des structures 農事 農業経営構造監督　農業経営構造監督は，農業財産経営〔exploitation du fonds agricole〕（農地保有のことではない）の変更を監督するための農業基本政策を適用する手段である。若年農業者の就業および中規模農業経営体の育成を優先課題とする。農業経営構造監督は，若干の土地集中行為の禁止を意図していた1980年の《農地併合規制》に取って代わっており，持続力ある農業経営体の細分化を防ぐことを目的としている。
▷農事法典L331-1条以下

Contrôleur financier 財政 財務監査官
►Contrôle général économique et financier (Corps du)〔財務監査職団〕

Contumace 刑訴 （重罪被告人の）欠席判決（手続き）　►Défaut en matière criminelle〔重罪欠席手続き〕

Convention 民法 合意　ある法律効果を生じさせることに向けられた意思の合致。
　契約〔►Contrat〕と対比すると，合意は契約の上位概念である。なぜなら，契約は合意の一種でしかなく，合意の効果は契約から生ずる効果と異なりうるからである。それにもかかわらず，日常用語において，これら2つの用語は，しばしば混同して用いられる。
▷民法典1101条

憲法 **国民公会；党大会**
　①国民公会//►Assemblée constituante〔憲法制定議会〕
　②党大会//アメリカ合衆国における，大統領選挙の候補者を指名するための各政党の代議員大会。州の党員集会または予備選挙で全国大会への代議員を指名し，各党の全国大会が大統領選挙におけるそれぞれの候補者を指

Con

[国公] **条約；協約**　accordまたはtraitéの同義語。
►Traité〔条約〕

Convention pour l'avenir de l'Europe　[EU] ヨーロッパの将来のための代表者会議　2001年12月にラーケン〔Laeken〕のヨーロッパ理事会によって創設され，拡大ヨーロッパ連合のヨーロッパ憲法を準備することを任務とした。加盟国および候補国（すなわち，政府，議会，ヨーロッパ議会，ヨーロッパ委員会）を代表する105名で構成される。議長はヴァレリー・ジスカールデスタン。2003年6月に代表者会議草案を全会一致で提出することができた。

Convention collective　[労働] 労働協約　一方の使用者または使用者団体と，他方の1または複数の代表的労働組合組織との間に締結される合意であって，労働者の雇用条件，労働条件および福利厚生条件の総体を決定することを目的とする。2004年5月4日の法律第391号は，労働協約の有効性を，過半数の要請に基づくいくつかの条件のもとに服せしめている。それらの条件は，協約の適用領域の大きさ（職際，部門または企業）に応じて異なった態様で定められている。過半数の要請は，消極的（反対過半数。その場合，協約は書かれなかったものとみなされる。）または積極的（協約文書への賛同過半数）な形態で現れる。
▷労働法典L132-1条以下，L136-1条以下およびR136-1条以下
►Accord atypique〔非典型協定〕►Commission nationale de la négociation collective〔団体交渉全国委員会〕►Droit d'opposition〔反対権〕►Syndicat professionnel〔職業組合〕

Convention européenne des droits de l'Homme　[国公] ヨーロッパ人権条約　ヨーロッパ人権条約（正式名称は《Convention européenne de sauvegarde des droits de l'Homme et des libertés fondamentales》であるが通常は簡略表現の方が用いられている）は，ヨーロッパ審議会〔►Conseil de l'Europe〕の構成国により1950年11月4日にローマにおいて採択された。締結国に対して重要な基本権の尊重を義務づけている。人権保障の仕組み（ヨーロッパ人権委員会〔Commission euroéenne des droits de l'Homme〕とヨーロッパ人権裁判所〔►Cour européenne des droits de l'Homme〕）を備えた模範を示す実定法である。1994年に採択され1998年11月1日に発効した第11議定書により，ヨーロッパ人権委員会が廃止され，ヨーロッパ人権裁判所のみに権限を集中する審査制度が組織された。2004年5月13日に署名された第14議定書により，ヨーロッパ人権裁判所の運営の改善がはかられ，（年間700件余りの判決に対して約40000件の）申請の受理性審査手続きが簡略化された。
►Charte des droits fondamentaux de l'Union européenne〔ヨーロッパ連合基本権憲章〕►Pactes internationaux des droits de l'Homme〔国際人権条約〕

Convention internationale du travail　[国公] [労働] 国際労働条約；ILO条約　労働法を対象とした条約であり，国際労働総会（国際労働機関において行われている三者構成に基づいて構成されているILOの総会）で採択される。160以上の条約が採択されたが，そのうちの一部は，多数の国家によって批准されている。条約の適用監視の構造は，十分満足に機能しており，まれで独特の例となっている。

Convention matrimoniale　[民法] 夫婦財産に関する合意　►Contrat de mariage〔夫婦財産契約〕

Convention de reclassement personnalisé　[労働] 個人別再就職協定　2004年6月24日のオルドナンスによって廃止されたこれまでの職業転換協定〔convention de conversion〕を引き継ぎ，2005年1月18日の法律第32号により定められた個人別再就職協定は，1000人未満の労働者を雇用する企業において経済的理由による解雇を言い渡すことを企図する使用者によって，解雇の対象となるすべての労働者に対して提案されなければならない。この協定は，労働契約の破棄の後に，労働者が精神的援助を受け，指導され，支援され，職業能力を評価され，また職業教育を受けることを可能とするものでなければならない。労働者は一定の期間内に提案に対する諾否を表明する。承諾した場合は，労働契約は使用者との一致した合意により解約される。この解約の法的効果は折衷的であって，解約予告期間に対する権利は失われるが，解雇補償金に関する利益は失われない。
▷労働法典321-4-2条

Conventions　[社保] 医療協約　初級疾病保険金庫と臨床医または医療補助者との関係を規制

する全国協定であり，全国レヴェルにおいて，関係する職業のおのおのにつき，種々の疾病保険制度の全国金庫と当該職業の1または複数の代表的組合組織との間で締結される。
▷社会保障法典L162-5条

Conventions de Lomé [EU] **ロメ協定** ヨーロッパ連合とアフリカ，カリブ海および太平洋諸国（ACP諸国）77カ国との間の経済関係に関する諸協定。最初の協定は1975年2月18日に署名された（第一次ロメ協定）。現在の協定は，2000年にCotonouで署名された第5次協定である。これは，発展途上国との間にヨーロッパ諸国が結んだ関係であり，南北対話の一例とみなされる。

Conventionnalité (Contrôle de) [一般] **条約適合性の審査** 行政裁判所または司法裁判所の訴訟手続き〔►Instance〕において，一方当事者の援用する法律に対して当該裁判所が行う審査。その法文が，国際条約，またはこれに等しい法的強制力を有する，共同体法の法文のような国際法の法文に違反していないことを確かめることを目的とする。違反の場合には，国内法の法文は裁判官によって退けられる。国際法の規範が直接効果〔►Effet direct〕を有する場合でなければ，裁判対象者はこの攻撃防禦方法〔►Moyens〕を援用することができない。
►Constitutionnalité des lois (Contrôle de)〔法律の合憲性の審査〕

Conversion de la dette publique [財政] **公債の低利借換え** 債権者に支払われる金利の引下げを目的とする公債の管理上の措置。

Conversion de rente [社保] **年金の一時払い** 年金を一時払いの補償金に転化すること。

Convocation par procès-verbal [刑訴] **調書による召喚** 軽罪裁判所における略式の訴追手続き。Rendez-vous judiciaire〔調書による召喚〕に取って代わったものであり，迅速に裁判されうる簡易な事件に適用される。収集された証拠が十分で，かつ事件が裁判に適状である場合，軽罪被告人は，10日から2ヵ月までの期間内に軽罪裁判所へ出頭することを求められる。公判の日時などを記した調書の原本の一が訴追された者に交付される。この交付は判決裁判所への召喚に相当する。
▷刑事手続法典388条，393条および394条

Coobligé [民法] **共同債務者** 1または複数の者とともに，ある負債の支払いにつき，あるいは分割で，あるいは連帯して義務を負う者。通常は，codébiteur〔共同債務者〕という。

Coopération décentralisée [行政] **地方公共団体の対外的協力** 地方公共団体〔►Collectivités territoriales〕が，自己の権限の範囲内で外国の地方公共団体との間で取り結ぶことのできる協力のこと。当該協力は，条約の形式，または，地方公私資本混合会社もしくは公益団体への資本参加の形態をとる。
　この表現は，また，発展途上国の地方公共団体のためにフランスの地方公共団体によってなされる協力活動を指すために用いられることもある。

Coopération politique européenne [EU] **ヨーロッパ政治協力** 1970年10月27日のダヴィニョン合意により設けられた。ヨーロッパ共同体加盟国の外交政策の協議のメカニズムを組織する。政治協力としての会議は増加し，有益な結果がみられたが，いまだ共通外交政策に達しえていない。単一ヨーロッパ議定書により基本条約に取り入れられたことにより，ヨーロッパ政治協力は，マーストリヒト条約および共通外交安全保障政策（PESC）の創設に伴って大きな進展をみるであろう。

Coopératives [一般] **協同組合** 組合員のために，できるだけ安い価格で最良のサーヴィス（生産，消費生活，農業，手工業，小売業，住宅，建替，信用等）を追求する企業。その活動は，協同組合全体としては社会的性格をもち，徹底した利益の排除という原則ではなく，利益のもつ役割の縮小と，とりわけ組合員間の利益の配分という原則に基づいて行われる。組合員は組合の運営について平等であり，（わずかな例外を除いて）出資口数および加入年数は考慮されない。ごく最近の経験が示すところによれば，協同組合は，その組合員の一部でさえも協同組合を通常の資本主義型企業と区別することが難しいという問題に直面している。

Coopérative ouvrière de production [労働] **労働者生産協同組合** 株式会社または有限会社の形式をもつ可変資本会社であって，生産またはサーヴィスの活動を協同して行うために労働者によって設立される。資本を獲得するために，非組合員たる加入者に援助を求めることができる。ただし，非組合員たる加入者は，管理機関において半数未満でなければならない。
▷労働法典L442-7条およびL442-9条

Coopérative d'utilisation de matériel agricole

(CUMA) 農事 農業機械利用協同組合　耕作機械の共同買入れおよび共同利用のための農業者団体。小規模土地所有者が個人的に買うことのできないような機械を利用できるようにする協同組合の形態。
▷農事法典L521-1条以下

Cooptation 憲法 後任指名　現職の者が新しい政権担当者を指名する政権担当者の採用方法。

後任指名は独裁制において行われるものであるが，政党内部においても同様に重要な役割を果たす（民主制においてさえそうである）。

行政 現構成員による新構成員の指名　会議体（たいていの場合，裁判的または学術的性質の会議体である）の構成員の一部または段階的にその全部を当該会議体の構成員自身が選出する手続き。選出における独立性および選出される人の特別な資格を確保することを目的とする。

Coordonnateur 社会 地方社会福祉活動統括者　地方レヴェルで，退職者および老齢者に関する，保険および社会福祉の性格を有する種々のサーヴィスおよび施設の間の有効な連携を促進することを職務とする者のこと（1982年4月7日の通達第13号）。

Copie 民法 写し　当事者の署名がされていない，原本たる証書の忠実な複製。写しが証拠力を有するのはもっぱら原本がもはや存在しない場合である。証拠力の強さは写しが交付された状況による。
▷民法典1334条以下および1348条

Copie certifiée conforme (du jugement) 民訴 （判決の）認証謄本　原本〔►Minute〕と同一であると認証された判決の単なる写し。首席書記により交付され，執行文は付与されていない。
►Copie exécutoire〔執行正本〕

Copie exécutoire 民訴 執行正本　原本の保管者（裁判所書記課，公証人）によって貼付された執行文のついている判決または公署証書の謄本。

判決の執行正本の再度の交付は，正当な理由のある場合には可能である。公署証書の再度の交付は，大審裁判所所長の許可を必要とする。
▷新民事手続法典465条，502条および1439条
►Expédition〔謄本〕►Grosse〔執行正本〕

Copie exécutoire à ordre 民法 民訴 指図式執行謄本　原本として保存されている公証人証書の写しで，執行文が付与されており，指図式でいくつかの条件に従って裏書〔►Endossement〕により移転可能なもの。

Copropriété 民法 共同所有（権）；区分所有（権）

①共同所有（権）//1つの物について権利者が複数いることに由来する所有権の態様。その結果，各人の所有権は，持分（2分の1，3分の1，4分の1）に帰着する。持分について，共同所有者は，自由に処分しうるが，共有物自体の管理は，共同所有者全員の一致に従う。なぜなら，共同所有権は，物質的に，物全体におよぶからである。

②区分所有（権）//この用語は，しばしば実務において，一定の人々にも私有物として割り当てられた部屋に分割され，建造された建物の状態を意味することがある。すなわち，共同所有は，この場合，共用部分と骨核部分にのみ関わっている。

区分所有規約〔règlement de copropriété〕は，強制的に，共用部分および専有部分，負担部分，共用部分および専有部分の享有条件を定め，また，共用部分の管理に関する規定を定めなければならない文書である。
▷1965年7月10日の法律第557号
►Indivision〔不分割〕►Méthode de Grenoble〔グルノーブル方式〕►Méthode de Paris〔パリ方式〕

Corps certain 民法 特定物　その物の還元されえない個性によって特徴づけられている物。したがって，支払いにおいて他の物によって代替されえない。
►Choses fongibles〔代替物〕

Corps diplomatique 国公 外交団　一国に駐在する各国外交官の総体。外交団には外交団長がおり，これは最先任の外交使節団の長がなる（当然にローマ法王大使とする国家もある）が，儀礼的役割または精神的権威しかもたない。

Corps électoral 憲法 選挙人団　投票権を有する市民の総体。

Corps (de fonctionnaires) 行政 官吏職団　同一の身分規程〔►Statut〕に服し，同一の職階へ昇進する資格を有する官吏〔►Fonctionnaire〕の総体。各職団は，職務および採用にあたり要求される資格に応じて，4つのカテゴリー（上から順にA，B，C）に分けられている。

Corps humain 一般 人体　肉体的側面からみ

た人間〔►Être humain〕。原則として不可侵であり（ただし，本人にとっての医療上の必要性がある場合，または例外的に他人の治療上の利益がある場合，とりわけ，非常に厳格な条件のもとでの臓器摘出の場合を除く），その諸要素および生成物は財産権の対象となりえない。裁判官は，人体に対する違法な侵害，またはその諸要素もしくは生成物を対象とする違法行為を，妨げまたは停止させるために適切なあらゆる措置を命じることができる。その形成および発達の諸段階における人体，ならびに，その諸要素（遺伝子の塩基配列の全部または一部を含む）の単なる発見の段階における人体は発明特許となりえない。
▷民法典16条以下；知的所有権法典L611-18条

►Hors du commerce〔取引対象外〕

《**Corpus**》 民法 **体素** 体素は，占有の客観的要素であり，物に対して行使される事実上の支配を意味する。

►《Animus》〔心素〕

Corréalité 刑法 **共同実行** ►Co-activité〔共同実行〕

民法 商法 **連帯** solidarité〔連帯〕の同義語。

Correctionnalisation judiciaire 刑訴 **裁判上の軽罪化** 訴追機関または予審機関が，重罪を構成する犯罪を軽罪裁判所に付託する慣行。特に加重事情の存在を無視することにより行われる。

Correspondant du Trésor public 財政 **国庫預託元** 自己の流動資産の全部または一部を，義務的にまたは任意に，国庫に預託する組織または個人。例えば，地方公共団体〔►Collectivités territoriales〕。

►Régie d'avances, Régie de recettes〔支出事務の代行，徴収事務の代行〕

Corruption (Délit de) 刑法 **贈収賄（の罪）；腐敗行為** ある行為を行いもしくは差し控えまたは優遇的な取扱いもしくは特別のはからいを得る目的で，申出，約束を要求もしくは承諾し，または贈与，贈り物を要求もしくは収受する犯罪行為。買収される者の行為を受動的腐敗行為（収賄）といい，買収する者の行為を能動的腐敗行為（贈賄）という。
▷刑法典432-11条，433-1条および433-2条

Corse 行政 **コルシカ** コルシカ地方公共団体〔collectivité territoriale de Corse〕は，かなり広範な権限およびコルシカ執行評議会の存在によって示される特別な組織を付与された州〔►Région〕である。
▷地方公共団体一般法典L4421-1条以下

Cosac EU **ヨーロッパ連合議会同盟** アムステルダム条約の付属議定書によって承認されたヨーロッパ連合議会同盟〔Conférence des organes spécialisés pour suivre les questions relatives à l'Union européenne dans chaque parlement national〕は，年に2回，加盟国議会（各国6名の代表）間で経験と意見を交換することを可能としている。ヨーロッパ議会の代表団もヨーロッパ連合議会同盟の討論に参加している。

Cote boursière 商法 **相場表** 取引所において取引される有価証券および商品の相場に関する公式の一覧表。

Cote d'impôt 財政 **税額** 行政実務において，何らかの直接税についての個人の税金という意味で用いられる語。例えば，納税義務者が1年度分として支払わなければならない租税の総額を指して，納税義務者の所得に対するcote d'impôtという。

Cotation des actes médicaux 社保 **医療行為集** 職業的行為および医療生物学的行為の分類表であって，疾病保険金庫による払戻しのために，各々の医療行為について分類記号と係数とが付けられている。分類記号〔lettre-clé〕は，当該医療行為のカテゴリーを示すとともに，臨床医，医療補助者および生物医学者の診療報酬についての規制に従って設定かつ改訂された価額が，可変ユーロで表される。係数〔coefficient〕は，おのおのの医療行為について，その難易度に応じた価額を示す。

Cotisations de Sécurité sociale 社保 **社会保障の保険料** 職業収入を基礎とし，社会保障の財源にあてられる，被保険者およびその使用者から支払われる金銭のこと。

農業制度においては，給付支出にあてられる基本保険料〔cotisations techniques〕と管理支出，保健社会福祉活動支出および医療管理費支出にあてられる補足保険料〔cotisations complémentaires〕とが区別される。
▷社会保障法典L241-1条

Coup d'État 憲法 **クーデター** 政権担当者の一部または公務員，とりわけ軍人（後者の場合はputschまたはpronunciamientoとも呼ばれる）が公権力に対して決行する実力行動のことで，既存の体制を転覆させようとするもの（例外的に，既存の体制を防衛しようとするものもある。例：しばしば破られた公権力

間の均衡を回復させるために総裁政府が行った《連続》クーデター）。

Coups et blessures par imprudence 刑法 **過失傷害** ►Atteintes involontaires〔過失による人に対する侵害〕►Homicide〔殺害〕

Cour administrative d'appel 行政 **行政控訴院** 第二審の行政裁判所。全部で8つ（ボルドー，ドゥエ，リヨン，マルセイユ，ナンシー，ナント，パリ，ヴェルサイユ）存在する。地方行政裁判所〔►Tribunal administratif〕が始審〔►Premier ressort〕としてなした判決に対して提起された控訴を審理する管轄権限を有する。ただし，適法性審査訴訟ならびに市町村会議員および県会議員の選挙訴訟を審理する管轄権限はない。これらの審理は，依然として控訴審としてのコンセイユ・デタ〔►Conseil d'État〕の権限に属する。行政控訴院の判決は，コンセイユ・デタへの破毀申立ての対象となりうる。
▷行政裁判法典R221-7条以下

Cour d'appel 民訴 刑訴 **控訴院** たいていは数個の県を含むその管轄区域内の大審裁判所，小審裁判所，商事裁判所，労働裁判所，農事賃貸借同数裁判所によりなされた判断に対する控訴について裁判する，司法系統の普通法上の裁判所。
▷司法組織法典L212-1条以下およびR211-1条以下

Cour d'assises 刑訴 **重罪院** 第一審または控訴審として，重罪を裁判する管轄権限を有する刑事裁判所。県ごとに1つの割合で置かれ，2種の構成員からなり，一緒に評議を行う。一方は，法院本体を構成する3名の職業裁判官であり，他方は，重罪院が第一審として裁判する場合には9名，控訴審として裁判する場合には12名の，職業裁判官ではない陪審を構成する判決陪審員である。陪審員はすべて選挙人名簿から抽選によって指名される。

各控訴院の管轄区域には，重罪院の特別構成体がある。この構成体は，軍事裁判法典上の重罪，国防上の秘密漏洩の危険がある場合に軍人が役務の遂行中に犯した普通法上の重罪，国益〔intérêts fondamentaux de la nation〕に対する一定の重罪，テロ行為，および，刑法典の改正以来，麻薬取引に関する重罪を裁判することを任務とする。裁判長1名と，重罪院が第一審として裁判する場合には6名，控訴審として裁判する場合には8名の陪席裁判官で構成される。全員が職業裁判官であり，陪審員を欠く重罪院である。
▷刑事手続法典231条以下および698-6条

Cour de cassation 民訴 刑訴 **破毀院** 司法系統の民事および刑事裁判所について，階層構造の頂点に位置する裁判所。

5つの民事部と1つの刑事部から構成されているが，混合部〔►Chambre mixte〕として，また大法廷〔►Assemblée plénière〕として裁判をすることもある。法規範の解釈の統一を促進することを任務とするため，破毀申立てを提起された破毀院は，法律問題についてしか審理することはできず，事実審裁判官の専権的判断に委ねられている事実問題については審理することはできない。
▷司法組織法典L411-1条以下およびR121-3条

1991年5月15日の法律は，民事事件について，裁判所が破毀院に照会し〔saisine pour avis〕，解釈が特別困難でかつ多くの訴訟において存在する新たな法律問題についての意見を得ることを認めた。破毀院の意見は事実審裁判官を拘束しない。
▷司法組織法典L411-1条以下；新民事手続法典1031-1条以下

Cour des comptes 財政 **会計検査院** 国，国の公施設法人，社会保障機関および国の財政的援助を受ける私的機関の財務に関する書類検査または実地検査を行うことを任務とする行政裁判所。その判決は，コンセイユ・デタによる破毀の審査の対象となりうる。主要な権限は以下の通りである。

①国および国の公施設法人〔►Établissement publics〕の公会計官〔►Comptables public〕または事実上の会計官〔►Comptable de fait〕に関しては，これらの者が会計を行う公法人に対して決算済みかまたは決算時欠損〔►Débet〕を与えているかどうかを決定するために，その会計報告書〔►Compte de gestion〕またはそれに代わる書類について判決をなす。

②前記公法人の支払命令官〔►Ordonnateurs〕に関しては，その公金管理の適式性と効率性について意見を表明する。この意見は裁判的性格をもたない。意見のうち特に重要なものは，会計検査院年次報告書において公表される。この報告書は官報〔Journal officiel〕によって公刊される。2006年から適用された国家予算改革（目標ごとの予算への計上）は，会計検査院の，費用対効果比の監査役たる役割を大いに強化することになるも

のと思われる。

　③公企業の会計の適式性の検査および公企業の管理の評価を行う。この調査も裁判的性格をもたないが，関係大臣に報告され，2年ごとに報告書として公表される。

　④州会計検査院〔►Chambre régionale des comptes〕の終局判決に対する控訴を管轄する。

　⑤より一般的に，会計検査院は，憲法典上，予算法律〔►Loi de finances〕の執行の政府および国会による監督を補佐することを任務とする。とりわけ，会計検査院は，国会に対して，多くの情報提供のための文書，ならびに，国の会計の誠実性および合目的性の証明を提出する。

▷財務裁判所法典L111-1条以下
►Commission de vérification des comptes des entreprises publiques〔公企業会計検査委員会〕►Performance (publique)〔費用対効果比〕

Cour des comptes européenne ［EU］ **ヨーロッパ会計検査院**　1975年7月22日のブリュッセル条約によって創設され，1977年10月に設置された（所在地：ルクセンブルク）。ヨーロッパ共同体の収入および支出の合法性，適式性，および健全な財務運営を監督する。

Cour constitutionnelle ［憲法］ **憲法裁判所**　憲法の尊重を監視することを任務とする裁判所。とりわけ法律の合憲性を審査し，基本的諸権利の尊重を監視する。その構成（執行権，立法権，または両者による指名）と提訴の態様（訴えによるか，抗弁によるか，または両方認めるか）は国によって異なる。
►Conseil constitutionnel〔憲法院〕

Cour de discipline budgétaire et financière ［財政］ **予算財政懲戒法院**　国，地方公共団体および公施設法人の予算執行職員に対して罰金刑を科すことによって，予算にかかわる違法行為を処罰することを主たる任務とする行政裁判所。地方議会議員（若干の場合を除く）と大臣は，予算財政懲戒法院の裁判客体とならない。予算財政懲戒法院は，同法院にかけられた期待に沿うようには運営されていない。
▷財務裁判所法典L311-1条以下

Cour européenne des droits de l'Homme ［国公］ **ヨーロッパ人権裁判所**　人権および基本的自由の保護に関するヨーロッパ条約〔Convention européenne de sauvegarde des droits de l'Homme et des libertés fondamentales〕の枠の中で設立された裁判所。条約遵守の審査を確保する。所在地：ストラスブール。
►Convention européenne des droits de l'Homme〔ヨーロッパ人権条約〕

Cour internationale de justice ［国公］ **国際司法裁判所**　国際連合の主要な司法機関。国際連合憲章に付属する国際司法裁判所規程に従って運営される。その任務は，国家間の法律的紛争を判決によって解決すること，ならびに，国際連合の機関および専門機関へ勧告的意見を与えることである。所在地：ハーグ。国際連盟時代の常設国際司法裁判所〔Cour permanente de justice internationale〕を引き継いだ。国家が仲裁裁判の方を好むがゆえに，ほとんど事件が付託されず，その活動の衰えを嘆かざるをえない時期が最近まで続いた。

Cour de justice des Communautés européennes (CJCE) ［EU］ **ヨーロッパ共同体裁判所**　条約の解釈と適用に関し，法規の遵守を確保することを任務とする裁判機関。加盟国政府の一致した合意により任命され政府から独立している25名の裁判官と8名の法務官〔avocat général〕から構成され，多くの権限を有する（例えば，ヨーロッパ共同体閣僚理事会またはヨーロッパ委員会の行為を取り消し，加盟国に課された義務の不履行を認定し，国内裁判所からの判断付託問題の付託に基づいて条約および派生的法規を解釈することができる）。ルクセンブルクに所在し，現在1年におよそ200の判決をなし，特に，ヨーロッパ共同体第一審裁判所〔►Tribunal de première instance des Communautés européennes〕の管轄権ం拡張されたことに伴い，一種のヨーロッパ最高裁判所になった。ヨーロッパ共同体裁判所は，しばしば行うヨーロッパ連合の権限の拡大解釈により，裁判所が確保する共同体法の一体性により，および場合により共同体法違反の制裁により，共同体建設の推進力の役割を果たしてきた。
►Chambres juridictionnelles〔（ヨーロッパ共同体第一審裁判所）付属簡易法廷〕

Cour de justice de la République ［憲法］ **共和国法院**　1993年7月27日の憲法的法律によって創設され，高等法院〔►Haute cour de justice〕に代わり，政府構成員の刑事責任を審理する。15名の構成員からなり，うち12名は国民議会および元老院から同数で選出される国会議員であり，3名は破毀院裁判官であ

る。この3名の破毀院裁判官のうちの1名が主宰する。この憲法改正は，共和国法院は政治権力の独立性の保障者とされる特別裁判所であるという原則を維持しつつも，HIV汚染血液事件を受けて，閣僚の責任追及を容易にし，裁判化することを意図するものであった。すべての市民が審査委員会〔Commission des requêtes〕に対して告訴することが可能となり，もはや，その提訴権は国会が独占するものではない。

▷憲法典68-1条

Cour nationale de l'incapacité et de la tarification des accidents du travail (ancienement Commission nationale technique) 社保 **全国労働不能控訴院(旧全国労働不能争訟専門委員会)**　第一審としてなされた労働不能訴訟裁判所〔►Tribunal du contentieux de l'incapacité〕の判決に対する控訴を裁判する権限を有する裁判所。労働災害の保険料率について地方疾病保険金庫〔caisses régionales d'assurance maladie〕が下した決定を審理する権限も有する。

▷社会保障法典L143-3条

Cour pénale internationale 国公 **国際刑事裁判所**　国際刑事裁判所は，1998年7月17日にローマにおいて設立の規程が採択され，戦争犯罪，人道に対する罪およびジェノサイドの罪について責任のある者を訴追することを任務とする。設立条約は，60カ国が批准した後2002年7月1日に発効した。国際刑事裁判所への告訴は，条約発効の日付の後に生じた事実についてでなければ受理されない。アメリカ合衆国は，国際刑事裁判所設立条約の批准を拒否し，（国際刑事裁判所への犯罪人引渡拒否を内容とする二国間協定を締結することに努めることによって）設立条約に対する激しい敵意を示している。所在地：ハーグ。

Cour permanente d'arbitrage 国公 **常設仲裁裁判所**　国際紛争を仲裁裁判により解決することを促すため，第1回ハーグ会議（1899年）により創設された制度。常設仲裁裁判所は，常置される法律家の名簿（法律家は各国が4人以下の数で任命する）からなり，当事者はその法律家の中から1人または複数の仲裁裁判官を選ぶ。所在地：ハーグ。

Cour permanente de justice internationale 国公 **常設国際司法裁判所**　►Cour internationale de justice〔国際司法裁判所〕

Cour supérieure d'arbitrage 労働 **高等仲裁院**　越権または法律違反を理由として仲裁裁定に対して当事者が提起した申立てを審理する例外裁判所。

▷労働法典L525-5条以下およびR525-2条以下
►Arbitrage〔仲裁〕

Cour de sûreté de l'État 刑訴 **国家保安法院**　1963年1月15日の法律により設置された例外裁判所。平時において国家の対内的および対外的安全に対する犯罪のすべてを裁判することを任務としていた。1981年8月4日の法律により廃止された。

Courrier électronique 一般 **電子メール**　電子メールとは，文章，音声または映像の形で公衆通信回線で送られ，受信者が回収するまでネットサーバー上にまたは受信者の端末装置中に保管されているメッセージすべてのことである。

Cours de bourse 商法 **取引所相場**　1日の取引所の立会いにおいて成立する，有価証券または商品の価格。この価格は，ある銘柄の証券または商品の需要および供給のそれぞれの量によって決まる。

Cours forcé 民法 商法 **強制通用力**　貨幣の強制通用力は，フランス銀行に銀行券の兌換を要求できないことを意味する。強制通用力制度は，法定通用力〔►Cours légal〕の成果をひどく悪化させている。

Cours légal 財政 商法 民法 **法定通用力**　債権者がある通貨による支払いの受領を義務づけられている場合，その通貨は法定通用力を有している。ユーロ圏諸国の中央銀行が発行するユーロ銀行券がこれにあたる。

ただし，一定の場合にはこの義務に部分的な制限が加えられる。特に，脱税〔►Fraude fiscale〕およびマネー・ロンダリング〔►Blanchiment (de capitaux illicites)〕対策として，一定額（非商人については3000ユーロ）を超える支払いについては，小切手，銀行カードまたは振替えによることが義務づけられている。さらに，破毀院判例が法定通用力の原則よりも釣銭不要支払い〔►Appoint〕の義務を優先させた（破毀院刑事部2005年12月14日マルシャン〔Marchand〕判決）ことによって，高額紙幣の法定通用力は事実上制限されるようになった。

▷租税一般法典1649条4B；通貨金融法典L112-8条およびL141-5条

►Cours forcé〔強制通用力〕►Euro〔ユーロ〕

Courtage 商法 **仲立**　仲立人〔courtier〕と

呼ばれる者が，契約の締結を望む2当事者を結びつけることを内容とする契約。仲立は商行為に当たる。
▷商法典L110-1条

Courtage matrimonial 民法 **婚姻仲介** 婚姻を容易にするため，報酬と引換えに，一定の者の仲をとりもつ職業。

Courtier 商法 **仲立人** ▶Courtage〔仲立〕

Courtoisie internationale (comitas gentium) 国私 国公 **国際礼譲** 単に相互の敬意を理由として国際関係において守られる，義務的性格をもたない慣行。

Coutume 民法 **慣習法** 公権力による命令の形で制定されたものではなく，一般的かつ継続的な慣行〔《repetitio》〕，および，この慣行の尊重に対して承認が存在するという確信〔《opinio necessitatis》〕から生ずる規範。慣習法は，法律に抵触しない限り，1つの法源である。

労働 **慣習** ▶Usage〔慣行〕

Coutume constitutionnelle 憲法 **憲法慣習** 一致した先例に由来し，一国の公権力によって尊重されている不文の規範。イギリスおよびイスラエルは，成文憲法典ではなく，慣習憲法〔constitution coutumière〕を有している。より一般的には，憲法慣習は成文憲法典を補完するものであり，成文憲法典を解釈し，補充し，または例外的に変更する。

Coutume internationale 国公 **国際慣習法** 《法として認められた一般慣行》（国際司法裁判所規程38条1項b）。これは客観的要素（先例が反復されることにより継続的かつ一般的な慣行となる）および心理的要素（《法的信念》〔opinio juris〕，すなわちその慣行に従うことが法規範に従うことであるとする国家の確信）を含む。
▶Codification〔法典化〕

Couverture maladie universelle (CMU) 社保 **疾病保険補足保険** 安定的かつ正規にフランスまたは海外県に居住し，かつ，他の疾病母性保険制度に属していないすべての者およびその被扶養者が享受する疾病母性保険制度。個別加入保険制度に取って代わった。
▷社会保障法典L380-1条

Crainte révérencielle 民法 **親に対する畏怖** 子が決断するのを損なう余地のある，親の力に対して抱く愚直なまでの敬意。もっぱら親に対する畏怖ゆえに不服従を恐れることは，契約の取消しの原因とはならない。なぜなら，その恐れは精神的な強迫を構成するとは評価されていないからである。
▷民法典1114条

Créance 民法 **債権** droit personnel〔債権〕の同義語。一般的には，金銭の引渡しを請求する権利を指すときに用いられる。
▶Dette〔債務；負債〕▶Obligation〔債権債務関係；債務〕

民訴 **債権** 差押えの条件。原則として債権者は，債権の「存在が確定し」〔certaine〕（現実の，かつ，争いのない存在を有する），「数額が確定し」〔liquide〕（金銭で評価される），「請求が可能な」〔exigible〕（停止期限のない）場合にしか，差押手続きを開始することができない。
▶Saisie-attribution〔（金銭債権の）差押え=帰属〕▶Saisie-appréhension〔差押え=獲取〕
▶Saisie-vente〔（有体動産の）差押え=売却〕

Créancier 民法 **債権者** 債権の名義人。

Créancier chirographaire 民法 **一般債権者** 自己の債権の取立てについて，なんら個別的な担保をもたない金銭債権者。

したがって，一般債権者は，支払不能債務者の財産の競売による売却代金の分配において他の債権者と競合する。
▷民法典2285条
▶Créancier hypothécaire〔抵当債権者〕
▶Créancier privilégié〔先取特権債権者〕
▶Marc le franc〔按分比例〕

Créancier hypothécaire 民法 **抵当債権者** 債務者の不動産に抵当権〔droit d'hypothèque〕を有する債権者。

抵当権は，抵当債権者が，他の債権者に優先して，差押えに基づく不動産の競売による売却代金の交付を受けることができる担保である。
▷民法典2393条以下

Créancier privilégié 民法 **先取特権債権者** 債権の性質を理由として，他の債権者に優先して弁済を受けることができ，かつ，法律によって定められている順位の利益を享受する債権者。
▷民法典2324条以下

Crédirentier 民法 **定期金債権者** 定期金の支分金〔▶Arrérages〕の債権者。
▶Débirentier〔定期金債務者〕

Crédit (Opérations de) 商法 **与信(取引)** 資金を他人の利用に供しもしくは供することを予約し，または，手形保証〔▶Aval〕，保証

〔►Cautionnement〕もしくは担保〔►Garantie〕のように、他人の利益のためにする債務負担行為を、与信取引と総称する。
▷通貨金融法典L313-1条

Crédit-bail 商法 ファイナンスリース　中期信用のための現代的な契約上の技術（アメリカで考案され、leasingの名で呼ばれている）。これにより、いわゆるファイナンスリース会社が、顧客の求めに応じて、職業上の設備として利用される動産または不動産の所有権を取得し、これを、使用料または賃料と引換えに、顧客に一定の期間賃貸する。所定の期間が経過すると、賃借人は選択権を有し、ファイナンスリース会社にこの財産を返還するか、契約の更新を請求するか、あるいは、賃料として支払われた額を少なくとも部分的に考慮して定められる価格を支払ってこの財産を取得することができる。

　ファイナンスリースは、本来動産の設備について考え出されたものであるが、職業上利用される不動産を取得し、または、建設する場合にも用いられうる。この場合のファイナンスリースは、商工業不動産会社〔sociétés immobilières pour le commerce et l'industrie (SICOMI)〕と呼ばれる特別な機関によって行われる。この機関は、税法上有利な地位が与えられており、各年度その利益の大部分を株主に分配しなければならない。
▷通貨金融法典L313-7条からL313-11条
　►《Lease-Back》〔リース・バック〕

Crédit budgétaire 財政 予算（額）　公法人〔►Personne publique〕の予算〔►Budget〕に記載された支出の承認であり、支出はその額に限定され、その目的のためにしか行うことができない。原則として、公法人が特定の目的のために当該予算年度に行うことのできる支出の上限を表す。

　国の予算については、予算額はそれぞれ2つに分けて承認される。この2つの承認は、関連するとはいえ別個のものである。支出負担行為の承認〔►Autorisations d'engagement〕と年割額〔►Crédits de paiement〕がそれである。

　その他の予算においては、予算支出プログラムの承認〔►Autorisations de programme〕が存在する場合もあるが、原則として、それぞれの予算額について、支出負担行為〔►Engagement〕と支出の支払いが可能である。

Crédit documentaire 商法 荷為替信用取引　銀行取引の一種。船舶で運送中の商品の売主が、買主を支払人とする為替手形を振り出し、担保として運送中の商品を代表する船荷証券〔►Connaissement〕を含めた各種の船積書類を添付して銀行に交付することにより、この手形の割引きを容易にする。

Crédit d'heures 労働 代表活動時間　従業員を代表する者〔représentant du personnel〕または組合代表委員〔délégué syndical〕がその任務の遂行のために有する時間。《heures de délégation》ともいう。この時間は、労働時間として支払対象となり、実労働時間として算入される。
▷労働法典L412-20条、L424-1条およびL434-1条

Crédit d'équipement des petites et moyennes entreprises 財政 中小企業設備投資信用金庫　全国政府契約金庫〔Caisse nationale des marchés de l'État〕、商工業ホテル業信用金庫〔Crédit hôtelier commercial et industriel〕および中小企業職際連合〔Groupement interprofessionnel des petites et moyennes entreprises〕を再編して創られた金融会社。1981年から活動を開始し、中小企業が貸付け（融資、公法人の発注に関する資金調達およびファイナンスリース）を受けやすくすることを目的とする。

Crédit foncier de France 財政 フランス不動産銀行　株式会社の形態をとる信用制度であるが、その経営者は国によって任命され、民間資金と公的資金によって維持される。当初は、不動産所有者に抵当貸付けを行うために設立された。今日では、不動産銀行は、これに加えて地方公共団体の投資に資金を融通し、さらに、不動産開発銀行〔Comptoir des Entrepreneurs〕と協力して民間の建設業の資金調達に重要な役割を果たす。不動産開発銀行は、国の監督下に置かれ、国と関係をもつもう1つの金融機関である。

Crédit immobilier 民法 不動産信用　この類型の貸付けは、金融機関（銀行、その他の金融機関）が同意した、住宅の購入または建築を目的とする貸借を対象とする。この貸付けは、住宅の購入契約または建築契約と貸借契約の組合わせとなる。立法者は、この貸付けを規制することにより、借主を保護することを目指していた。
▷消費法典L312-1条以下

Crédit d'impôt 【財政】税額控除　固定所得をもたらすフランスの有価証券（債券）の所持人に利子が支払われるときになされうる源泉徴収〔►Retenue à la source〕と，あらゆる所得は1度しか租税の対象にならないという租税単一性の原則とを調整する技術を当初は指した。

　この目的に沿って，この源泉徴収額は，フランスの債券の所持人にとって国に対する債権を構成し，税額控除と呼ばれる。これは，所持人の所得から控除されるが，所持人が課税対象者ではない場合には還付される。

　より一般的な意味においては，支払われるべき総租税額から，さまざまな租税法令の適用によって控除されるすべての金額を指す。
►Avoir fiscal〔配当税額控除；配当税還付金〕

Crédit local de France 【財政】フランス地方開発銀行　1987年設立で，前身は地方公共団体設備投資援助公庫〔Caisse d'aide à l'équipement des collectivités locales (CAECL)〕。国と預託供託金庫〔►Caisse des dépôts et consignations〕が過半数の資本を保有する株式会社の地位をもつ。この銀行は，借り入れた資金をもとに地方公共団体〔►Collectivités territoriales〕に融資を行う機関として重要な役割を果たす。

Crédit municipal (Caisses de) 【財政】公営質屋　monts-de-piété〔公営質屋〕の現代的形態。当初の使命は，有体の担保物をもとに優遇金利で貸付けを行うことによって，非常に小額の金銭の借り手を高利貸しから保護することであった。

　今日では，有価証券および給与，公的年金に基づく貸付制度のおかげで，その業務は非常に広範な利用者を対象とするものになっている。

　現在，公営質屋の活動は，その資金量の乏しさゆえ発展を阻まれている。

Crédits de paiement 【財政】年割額　国の予算においては，予算の承認は，支出負担行為の承認〔►Autorisations d'engagement〕と年割額〔►Crédits de paiement〕の2つに分けられている。年割額とは，支出負担行為の承認の枠内で支出負担行為が行われ，当該年度に支払われ（専門用語では，支払命令が出されまたは支出され）ることのできる支出の上限額である。予算の均衡は，年割額のみを考慮して評価される。
►Engagement〔支出負担行為〕►Ordon-nancement〔支払命令官〕

Criées 【民法】【民訴】競売期日　強制または任意の不動産競売が行われる大審裁判所の期日のこと。ちなみに，vente à la criéeとは，あらゆる競売を意味する。
►Adjudication〔競落；競売〕【民法】【民訴】
►Enchère〔競り；競売〕

Crime 【刑法】重罪　自然人については，無期または有期の懲役または禁錮，罰金および補充刑で，法人については，罰金および法律に定める場合の権利剥奪刑または権利制限刑で制裁される犯罪。普通法上の犯罪と政治犯罪とがある。
▷刑法典111-1条，131-3条以下および131-37条以下

Crime contre l'espèce humaine 【刑法】人という種に対する罪　人道に対する罪〔Crime contre l'humanité〕とは法的に別物である。優生選別〔►Eugénisme〕およびクローン化による複製〔►Clonage reproductif〕を参照のこと。
▷刑法典214-1条および214-2条

Crime contre l'humanité 【刑法】人道に対する罪　強制収容所に収容すること，奴隷状態にすること，または，裁判ぬきの処刑（略式処刑ともいう），失踪を装った誘拐，拷問・非人道的行為を大量かつ組織的に行うこと。これらは，政治，哲学，人種差別または宗教上の動機から行われ，文民の集団に対し，またはイデオロギー的体制（これを名目として本罪が行われる）と闘う者に対して，熟考された計画を遂行するため組織される。

　新刑法典では，人道に対する罪は，1編をなし，ジェノサイド〔►Génocide〕を含む。法人についても，刑事責任を負うと宣告することができる。
▷刑法典211-1条以下

Criminalistique (La) 【刑法】犯罪科学　警察，検察および裁判所が犯罪の行われた正確な状況を究明し，その行為者を識別することに寄与する学問分野の総体（例：法医学，指紋識別法，指紋に関する技術，DNA捜査など）。

Criminalité 【刑法】犯罪（性）　一定の国において，一定期間中（通常は1年）に行われた犯罪の総体。法的に確定された犯罪（刑事裁判所によって制裁を科された犯罪の総体），認知された犯罪（公的機関に認知された，犯罪を構成すると思われる事実の総体）および現実に行われた犯罪（認知されていない犯罪の推

定数も含む，現に行われた犯罪の総体）とが区別される。

Criminalité et délinquance organisées 刑法 **組織犯罪** 複数の関与者との綿密な準備によって特徴づけられ，一般に国際的規模を有する重罪および軽罪の総体。そのリストは刑事手続法典706-73条および706-74条に規定されている。これらの犯罪は，捜査，訴追，予審および本案審理の強化された態様に服する。

《Criminel tient le civil en état (Le)》 訴訟 **刑事が民事を停止させる** 犯罪から生じる損害賠償の訴えを受けた民事裁判官は，刑事裁判官が公訴に対し終局的に判決をなすまで裁判を停止しなければならないという訴訟法上の原則。

Criminologie 刑法 **犯罪学** 狭義では，犯罪の原因（犯罪発生過程〔criminogènese〕）を明らかにすることを目的とする学説および調査の総体。広義では，刑法規範，犯罪，社会的反作用の3つの構成要素において，犯罪現象を科学的に研究すること。

Crise ministérielle 憲法 **内閣の危機** 議院内閣制において，政府の辞職の原因となる事件と，辞職した政府に代わる新政府が樹立されていない期間とを意味する。

Croît 民法 **増殖分** 仔の誕生による畜群の増殖から生ずる天然果実。
►Bail à cheptel〔家畜賃貸借〕

Culpabilité 刑法 **有責性** 保護されている社会的価値基準に対する敵意から，故意による場合であれ，そのような価値基準に対する無関心から，故意によらない場合であれ，犯罪の主観的要素を有すると非難されている立場。有責性は帰責性〔►Imputabilité〕の存在を前提とする。
▷刑法典121-3条

Cumul 行政 **競合**
①*Cumul de responsabilités* 責任の競合：公法人と当該公法人の公務員の1人の個人過失とに同時に帰責すべき損害を受けた被害者に行政判例上承認されている手段。当該公務員の過失が公役務の運営とまったく関係がないわけではない場合に，公法人の責任または当該公務員の個人責任を区別することなく問うことができる。行政および公務員が犯した別個の過失の競合が問題となることもあれば，また，法的に両者の責めに帰すべきただ1つの過失が問題となることもある。

②*Cumul d'emplois* 兼職：複数の公職，または，公職と私的職業に同時に就いているという事実。一般的には禁止または制限されている。

③*Cumul de rémunérations* 報酬の二重取得：兼職が許されている場合に複数の公的報酬または私的報酬を同時に受け取ること。一般的には禁止または制限されている。

刑法 **併科** ►Concours réel d'infractions〔犯罪の実在的競合〕►Conflit de qualifications〔罪名決定の抵触〕►Non-cumul des peines〔刑の不併科（の原則）〕

Cumul de mandats 憲法 **兼職** 複数の公選による職務を同時並行的に遂行すること。外国においてはきわめてまれなことだが，フランスでは日常的である。1985年に表決された法律は，以後，兼職が認められる場合を制限している（原則として2つの職務を兼ねることのみを認めるが，さまざまな調整措置が存在する）。兼職の禁止，または少なくとも一層厳格な制限について議論されている。

Curatélaire 民法 **被保佐人** 保佐制度のもとにおかれた成年者。
▷民法典508条，508-1条および510条

Curatelle 民法 **保佐；法主体不存在の相続財産の管理**
①保佐//ある者が，自ら行為することができないわけではないが，精神的または身体的能力の低下〔►Altération des facultés mentales ou corporelles〕ゆえに自分だけでは自己の利益を弁ずることができない場合に，その者を補佐することを可能とする成年者保護制度。保佐は，裁判上の保護〔►Sauvegarde de justice〕では十分な保護を行うことができないことが証明された場合にのみ言い渡されうる。反対に，その者が市民生活上の行為について継続的に代理されなければならないときには，その者は後見〔►Tutelle〕に付されなければならない。その反面，怠惰〔oisiveté〕および浪費〔prodigalité〕は，もはや保佐開始事由とはならない。
▷民法典508条（2009年1月1日より440条以下）

②法主体不存在の相続財産の管理//公産管理を担当する行政機関であって，裁判官の命令により指定されたものによる，法主体不存在の相続財産の管理方法。
▷民法典809条以下；新民事手続法典1342条

Curateur 民法 **保佐人；法主体不存在の相続財産の管理者**
①保佐人//保佐制度のもとにおかれた成年

者を補佐する任務を負う者。
▷民法典509-1条（2009年1月1日より446条以下）
　②法主体不存在の相続財産の管理者//法主体不存在の相続財産の管理を任務とする行政機関。
▷民法典810条以下，新民事手続法典1343条以下
►Curatelle〔保佐；法主体不存在の相続財産の管理〕

Curateur《ad hoc》 民法 **特別保佐人**　保佐監督人が不在の場合であって，保佐人が任務の制限ゆえに，または単独もしくは一連の行為の際に被保護者との間で利益対立を生ずるゆえに被保護者のために行為することができないときに，裁判官または家族会が，保佐人，共和国検事もしくは利害関係人の請求に基づきまたは職権で選任する者。
▷民法典455条（適用は2009年1月1日より）
►Tuteur《ad hoc》〔特別後見人〕

Cure de désintoxication 刑法 **解毒治療**　治療的性格をもつ保安処分。対象者（他人に危害を及ぼすおそれのあるアルコール中毒者と麻薬中毒者）が，毒として作用する製品から徐々に習慣性をなくすことを目的とする。

Cybersignature 民法 商法 **電子署名**　►Signature électronique〔電子署名〕

D

《Damnum emergens》 民法 **積極的損害**　積極的損害〔perte éprouvée〕。民事責任に関しては，財産的損害の範囲およびこれに対応する損害賠償の額は，必ず生ずる積極的損害，および場合によって生ずることのある逸失利益〔►《Lucrum cessans》〕という2つの要素によって決定される。

Date certaine 民法 **確定日付**　第三者，特に合意した当事者の一方の特定名義の承継人によって異議を申し立てられることのない，法的証書の日付。
　確定日付は，証書の登録，公署証書になされた名義の記載，当事者の一方の死亡から生ずる。
▷民法典1328条
►Certain〔確定した；特定した〕

Date de valeur 民法 商法 **評価日**　金融機関が，口座に登録される取引を，将来の利息の算定との関係で考慮することになる日付。現金の預入れまたは引出しの場合には，口座への登録の日付は，取引の実際の日付と一致しなければならない。小切手による預入れまたは引出しの場合には，口座への登録の日付は遅らせまたは早めることができる。

Dation en paiement 民法 **代物弁済**　債務の目的であった物とは異なる物を，両当事者の合意により弁済として引き渡すこと。
▷民法典2038条

Dauphin 民訴 **次期弁護士会長予定者**　弁護士会〔►Barreau〕の慣行にしたがって，弁護士会長〔►Bâtonnier〕の選挙の1年後に選挙され，その1年後に，新たな票決により選出が確定したのち自ら弁護士会長となる弁護士に与えられている名称。bâtonnier désignéともいう。

Déballage 商法 **臨時販売**　►Vente au déballage〔露店販売〕

Débat d'orientation budgétaire 財政 **予算方針に関する審議**　人口3500人以上の市町村，県および州において，次年度予算の審議の2ヵ月前までに市町村会が必ず行わなければならない，当該予算の一般方針に関する審議。
　国会においては，同様の審議が春に行われる。この審議は，政府によって提出される景況・予算方針報告書〔rapport d'information et d'orientation〕に基づいて，次年度予算法律〔►Loi de finances〕案の政府最終調整を行うことを目的とする。
▷地方公共団体一般法典L2312-1条およびL3312-1条およびL4311-1条

Débats 訴訟 **弁論**　準備手続きの後，当事者の陳述〔►plaidoirie〕にあてられる訴訟の段階。
　弁論は，ときには指名された裁判官の報告で始まり，つづいて原告の陳述，さらには被告の陳述がなされる。
　民事訴訟手続きについて，検察官〔►Ministère public〕は，関与当事者〔►Partie jointe〕である場合には，最後に発言する。
　刑事訴訟手続きについては，最後に発言するのは被告人である。

行政訴訟手続きについては，陳述の後，論告担当官〔►Commissaire du gouvernement〕が論告〔conclusions〕を行う。

裁判長は，弁論が終了すると弁論の終結を宣言し，事件を合議に付す。

►Partie principale〔主たる当事者〕

弁論は公開される。ただし，法律により非公開で行われることが要求される場合または許される場合を除く。

▷新民事手続法典433条以下；刑事手続法典306条以下および458条以下；行政裁判法典L6条およびR731-3条

Débauchage 〔労働〕 **引抜き** この語が意味するのは，労働法典が対象とする策動および不誠実な行為である。新しい使用者は労働契約の濫用的破棄をした労働者と連帯して責任を負う。

▷労働法典L122-15条

Débet 〔財政〕 **決算時欠損** 会計検査の後，行政庁の決定（《決算時欠損アレテ》）または裁判所の決定（《決算時欠損判決》）によって公法人に対する債務者とされた公会計官（または，若干の場合における私人）の状態を指す公会計上の用語。その債務自体も指す。決算時欠損状態にある者は，その債務の免除（《remise de débet》）を受享することがある。

►Remise de dettes〔債務免除〕

〔私法〕**差引不足額** ►Reddition de compte〔収支計算報告〕

《**Debellatio**》 〔国公〕 **征服** ►Conquête〔征服〕

Débirentier 〔民法〕 **定期金債務者** 定期金の支分金〔►Arrérages〕の債務者。

►Crédirentier〔定期金債権者〕

Débiteur 〔民法〕 **債務者** ある者に対して給付を履行する義務を負う者。

►Créancier〔債権者〕

Débits de tabac 〔財政〕 **たばこ販売所** 税収を目的とした専売品であるたばこの販売を許可される販売所のことで，そこでしかたばこを販売できない。販売者は複雑な法制度のもとに置かれ，行政の受託者となり，その懲戒権に服する。

許可された販売所以外でのたばこの販売は，たとえ無料であっても，国によるたばこの生産および販売の独占に対する侵害であり，重い刑罰を受ける。若干のたばこ販売所は，付随的に，道路交通および駐車に関する違警罪による罰金の支払いのための罰金印紙〔timbre-amende〕の販売にあたる。さらに，たばこ販売者は，たばこの販売の他に，商業的性質を有する販売活動に従事することができ，また，実際に従事している。

Débours 〔民訴〕 **立替金** 弁護士，裁判所補助吏または公署官が当事者のために立て替え，後に償還されるべき費用（例えば旅費，事務用品費，通信費，公示費用）。訴訟において，これらの立替金は訴訟費用〔►Dépens〕の一部をなす。

▷新民事手続法典695条

►Émolument〔公定報酬〕

Débouté 〔民訴〕 **棄却；却下** 第一審においてであれ不服申立てに基づくもの（例えば控訴の棄却）であれ，裁判官が，請求の理由が不十分または無いと宣言する裁判。転じて，不受理〔irrecevabilité〕または手続違反〔irrégularité〕を理由として原告の申立てを排斥する場合にも用いられる。

Débrayage 〔労働〕 **時限ストライキ** ストライキに入ることまたは短時間のストライキ。

Débudgétisation 〔財政〕 **予算からの分離** 国の予算に現れる支出の総額を圧縮するために，若干の支出（公企業または公共団体への財政援助など）を他の公的融資機関，なかでも長い間重要な地位を占めてきた預託供託金庫〔►Caisse des dépôts et consignations〕の負担とする慣行を指す新語。

Décentralisation 〔行政〕 **分権化** 人的団体（地方分権化）または公役務（専門的分権化）に法人格，固有の権限および財源を与えることによって，それらが国の監督のもとで自ら行政を行うことを可能とする行政制度。

2003年の改正から憲法典は，（地方）分権化がフランスの組織原理であると規定する（1条）。

Décentralisation industrielle 〔行政〕 **産業の地方分散（化）** 国土整備の一環として，工業化の遅れている地域への企業の進出を促進することを目的とする経済政策。

Décès 〔民法〕 **死亡** 自然人の死〔►Mort〕。法主体性を終了させる。ただし，死者の最期の意思，肖像，遺体および追憶は死後も保護される。

▷民法典78条以下，227条，515-7条および720条以下；公衆衛生法典L1231-7条およびR671-7-1条以下

Déchéance 〔民法〕 **失権** 制裁としての，または，権利の行使条件の不遵守を理由とする，権利の喪失。

▷民法典378条以下，618条および800条

[憲法] **被選挙資格の喪失**　制裁として被選挙欠格〔►Inéligibilité〕を受けている状態。国会議員の被選挙資格の喪失は憲法院によって認定される。

Déchéance et forclusion　[民訴] **失権**　訴訟手続を開始し，行為をなし，不服申立てを行う期間が定められているときに，期間の満了はたいてい，当事者に対して失権，すなわち訴えを提起し，不服申立てをする等の権能の喪失をもたらす。
▷社会保障法典R142-18条；新民事手続法典125条および528-1条
►Relevé de forclusion〔失権の免除〕

Déchéance professionnelle　[刑法] **職業上の失権**　有罪判決を受けた者に対し，主刑〔►Peine principale〕（拘禁刑の代替），補充刑〔►Peine complémentaire〕または付加刑〔►Peine accessoire〕の名目で，一定の職業活動を禁じることからなる制裁。

　新刑法典は，付加刑を廃止したので，裁判所が明示的に失権を言い渡したのでなければいかなる職業上の失権も適用されない。ただし，このような扱いがなされる範囲は，刑法典だけに限られ，他の法令ではこれが付加刑としてそのまま残されている。刑事手続法典で定められた条件に従って，有罪判決または上級審の判決がその全部または一部について免除するという留保が付されている。
▷刑法典132-21条；刑事手続法典702-1条および703条

Déchéance quadriennale　[財政] **4年の消滅時効**　►Prescription quadriennale〔4年の消滅時効〕

Décision　[訴訟] **裁判；判決；判断；決定；決議**
　①裁判；判決；判断//合議制の裁判所または単独裁判官の行う行為を表すため，手続上用いられる一般的用語。
　②判決//裁判所の行う裁判行為〔actes juridictionnels〕にもdécisionの名が与えられている。
　③決定；決議//この語はまた，合議機関の審議の結果にも用いられる。
►Assemblée générale dans certaines juridictions de l'ordre judiciaire〔司法系統の裁判所における裁判所会議〕►Délibération〔審議；決議〕

[憲法] **大統領決定**　共和国大統領が憲法典16条に基づいて（大臣の副署なしで）講じる措置の正式名称。
►Pouvoirs exceptionnels〔非常事態権限〕

Décision gracieuse　[民訴] **非訟事件決定**　係争が存在しない場合に，審理を促進し，一定の人を保護し，一定の文書を検真または公署し，一定の緊急の問題を解決するため，裁判官が，《裁判権》〔►《Jurisdictio》〕の権限と対比される）《命令権》〔►《Imperium》〕によってなす決定。

　非訟事件決定は裁判官の事件関与を解除せず，原則として既判力はない。不服申立てができる。
▷新民事手続法典25条および543条
►Acte juridictionnel〔裁判行為〕►Mesure d'administration judiciaire〔裁判所運営上の措置〕

Décision implicite d'acceptation　[行政] **黙示の認容決定**　デクレの定める場合において，行政庁に迅速な判断を促すために，申請に対する行政庁の沈黙が原則として2ヵ月間継続した場合，その沈黙は申請に対する認容とみなされる。

　社会保障に関する場合を除き，財政的性格を有する申請は対象とはなりえない。

Décision implicite de rejet　[行政] **黙示の拒否決定**　例外を除き今日では2ヵ月の期間の経過後に，行政庁への申請および不服申立てに対する行政庁の回答のない場合には，拒否決定とみなすという行政訴訟手続上の原則。この拒否決定によって，申請者および不服申立人は行政裁判所に出訴することができる。

　しかしながら若干の場合に，回答のないことは黙示の認容決定〔►Décision implicite d'acceptation〕とみなされる。

Décision préalable (Règle de la)　[行政] **決定前置主義**　原則として，申立人の利益に反する明示または黙示の行政決定に対して提起された訴訟でなければ行政裁判所は受理しないとする訴訟手続きの原則。
►Silence de l'Administration〔行政庁の沈黙〕

《Decisoria litis》　[国私] **訴訟の実体（に関して）**　係争の実体的要素をいい，手続的要素と対置される。
►《Ordinatoria litis》〔訴訟の手続き（に関して）〕

　この区別は，中世のイタリア学派によって明らかにされた。

Déclarant　[一般] **届出人；申告者；申述者**　あ

137

る事実（出生，死亡），本人性（真の受益者），債務（債務存在承認）を法律上定められた機関に知らせる者。通知を懈怠したことまたは通知内容が不正確であることを理由として，その責任を問われることがある。

Déclaratif 民法 民訴 **宣言的な** ►Effet déclaratif〔宣言的効果〕►Jugement déclaratif〔宣言的裁判〕

Déclaration 行政 **届出** 若干の活動を行うにあたり，私人に行政への通知を義務づけることによって，その活動を監督することを可能とする警察上の手続き（例：行商人の届出義務）。

Déclaration annuelle des données sociales (DADS) 社保 **支払賃金総額の年次申告** 暦年にしたがった営業年度の1月31日以前に，使用者が社会保障家族手当保険料徴収組合連合（URSSAF）および租税徴収機関に提出しなければならない申告。支払賃金総額の年次申告は，報酬および保険料の算定基礎に関する若干の情報を含むものでなければならない。
▷社会保障法典R243-14条以下

Déclaration d'appel 民訴 **控訴の申立て（書）** 訴訟当事者が控訴する意図を表明する行為（文書）。控訴の申立ては事件簿への登載〔inscription au rôle〕請求に相当する。
▷新民事手続法典901条
►Mise au rôle〔事件簿への登載〕►Requête conjointe〔共同申請（書）〕

Déclaration des créances 商法 **債権の届出** 債権者側受任者（保護または裁判上の更生）または清算人への，開始判決人に生じた，一定金額の債権，または開始判決以後の適法であるが優先的ではない債権を保有するすべての債権者（従業員を除く）による届出。
債権の届出は，債権の存在および数額を証明する主たる要素を記載しなければならない。歴史的には，債権の届出は，開始判決以前の負債額の算定を目的としてきた。
▷商法典L622-24条およびL641-3条
►Admission des créances〔債権の確定〕

Déclaration des droits 憲法 国公 **権利宣言** 国家に対する個人の権利および個人の権利の保障に必要な基本原則を表明した文書。通常は憲法典の前に置かれる。若干の憲法典の前には簡単に《前文》だけが置かれている（例，1946年および1958年のフランス憲法典）。
人権の承認は，1948年に国際連合によって採択された世界人権宣言〔►Déclaration universelle des droits de l'Homme〕，国際人権条約〔►Pactes internationaux des droits de l'Homme〕および1950年にヨーロッパ審議会によって採択されたヨーロッパ人権条約〔►Convention européenne des droits de l'Homme〕とともに，国際レヴェルにまで拡大した。

Déclaration au greffe 民訴 **裁判所書記課への申請** 一定の例外裁判所（小審裁判所，労働裁判所，農事賃貸借同数裁判所）において現に行われている簡素化された提訴手続き。裁判所書記課に口頭または書面により請求の目的およびその理由を提示する。
▷新民事手続法典54条，847-1条以下

Déclaration de jugement commun 民訴 **（第三者に対する）判決共通の宣言** 強制参加の目的の1つ。第三者が訴訟に引き込まれるのは，その者に判決を対抗させ，それにより既判事項の相対性の抗弁および第三者異議の訴えを封じるためである。
►Intervention〔参加〕

Déclaration de politique générale 憲法 **一般政策表明** 首相が，職務の執行期間中に国民議会に政策案を提示する表明。場合によっては，政府の政治責任をかけて行われる（1958年憲法典49条1項）。首相は，一般政策表明について，元老院の承認を求めることもできるが，その場合には，承認の拒否が政府の辞職をもたらすことはない（49条4項）。

Déclaration préalable à l'embauche 社保 **雇入事前申告** 労働者を採用しようとする使用者はすべて，労働者の雇入れに先立って，社会保障諸機関にそれを申告しなければならない。この手続きは，単一雇入申告〔►Déclaration unique d'embauche (DUE)〕として行われなければならない。

Déclaration de soupçon 刑法 **資金洗浄疑惑の届出** 金融機関および若干の職業者（公証人，弁護士，古物商など）に義務づけられた，経済担当大臣のもとに設置されたTRACFIN（違法資金特別対策室）への届出。出所が違法で資金洗浄行為の疑いのある取引および資金の存在を通知することを目的とする。
▷通貨金融法典L562-1条以下

Déclaration unifiée des cotisations sociales individualisées (DUESI) 社保 **個人別社会保険料電子申告** 保険料の申告および払込みの電子手続き。
▷社会保障法典L133-5-1条

Déclaration unique d'embauche (DUE)　社保
単一雇入申告　単一雇入申告の仕組みは，使用者が単一窓口，すなわち社会保障家族手当保険料徴収組合連合〔URSSAF〕に対して1種類の書類を提出するだけで，労働者の雇入れに必要とされる若干の手続きを済ませてしまうことを可能にしている。
▷1998年4月1日のデクレ第252号

Déclaration universelle des droits de l'Homme　国公　世界人権宣言　1948年12月10日，国際連合総会によって採択された決議。個人に対し相当数の権利および自由を認める。
　この文書は，達成されるべき理想を掲げたものでしかなく，その後国際人権条約〔►Pactes internationaux des droits de l'Homme〕が採択された。

Déclaration d'urgence　憲法　緊急性の宣言
1958年憲法典によれば，立法手続きにおいて各院における1回の読会を行っただけで（通常は2回），首相が両院合同同数委員会〔►Commission mixte paritaire〕の開催を要求することを可能とする政府の宣言（45条）。または，憲法院の審理期間を8日間（通常は1ヵ月）に短縮する政府の宣言（61条）。

Déclaration d'utilité publique　行政　公益宣言
公用収用〔►Expropriation pour cause d'utilité publique〕のように公法人〔►Personne publique〕によって計画される土地事業の前段階に当たる行政行為。公用収用では，住民の意見を聴いた後に（これは当該手続きを実施するための条件である），その公益性が認定される。
▷公用収用法典L11-1条以下

Déclassement　行政　公用廃止　ある財産を公産〔►Domaine public〕から除外し，それを当該公法人〔►Personne publique〕の私産〔►Domaine privé〕へと移すことを目的とする行政行為。
▷公法人財産一般法典L2141-1条

Déclinatoire de compétence　行政　管轄否認申立て　積極的権限争議の手続きを開始する行為。県知事が，無権限であると考える司法裁判所に対して行い，訴訟を却下することを求める。
民訴　**無管轄の抗弁**　受訴裁判所の管轄権限を争う抗弁。無管轄の抗弁は，本案に関するすべての申立ての趣意およびすべての訴訟不受理事由より先に提出されなければならず，かつ，管轄権限を有すると訴訟当事者が考える裁判所を示さなければならない。
▷新民事手続法典75条
►Connexité〔関連性〕►Litispendance〔事件係属〕

Décolonisation　国公　非植民地化　植民地が独立国の地位を獲得する（平和的なまたは暴力的な，急激なまたは段階的な）過程。
►Colonisation〔植民地化〕

《De commodo et incommodo》(Enquête-)　行政　《得失》調査（聴聞調査手続き）　公益宣言に先立って行われる調査の伝統的な名称。公用収用手続きにおける第1段階の行為であり，すべての利害関係人が，計画の公益性および計画によってもたらされると思われる不都合に関する意見を調査簿に記入することができるようにすることを目的とする。
▷公用収用法典R11-4条

Déconcentration　行政　事務分散　►Centralisation〔中央集権〕

Déconfiture　民法　民訴　支払不能(状態)　民事の債務者の公知の支払不能状態。負債の支払いの集団的手続きを開始させるものではなく，負債を抱えた債務者と個々の債権者との関係についてのみ効果を生ずるにすぎない。例えば，期限の利益の喪失，人的会社の解散，信用売買における引渡しの拒絶，猶予期間の付与，競り手となることの禁止など。唯一の《集団的》効果は，配当されるべき金銭の不足を理由とする，一般債権者間での按分による配当手続きの開始である。
　支払不能状態が存在することにより，個人破産制度の適用条件たる過剰債務〔►Surendettement〕状態が認定される場合がある。支払不能が決定的である場合には，債務者の個人財産の清算に取りかかることができる。
▷民法典1276条，1613条，1913条，2003条，2285条および2309条；消費法典L330-1条以下
►Rétablissement personnel（Procédure de）〔個人更生（手続き）〕

Déconventionnement　社保　医療協約からの除外　医師の最も代表的な組合組織と全国疾病保険金庫との間で締結された全国協約の規定を遵守しない協約医を医療協約から除外すること。例えば，協約上の診療報酬料金表よりも高額の診療報酬を適用した場合は，協約違反となる。協約に違反する協約医〔médecin conventionné〕の診療を受けた被保険者は，共同大臣アレテによってきわめて少額に設定された診療報酬料金表に基づいて払戻しを受

ける。6ヵ月の医療協約からの除外によって，この期間中，医師は社会保障上の優遇措置を失う。

Décote [財政] **限界控除** 支払うべき租税のない状態から一挙に正規の税率による課税に移行することを避けるために，少額の納税義務者に対して認められる租税額の軽減。一般的には段階的に行われる。
►Franchise (d'impôt)〔免税〕

[社保] **退職年金減額** すべての制度を合計しても加入期間が160四半期に達しないのに65歳未満で退職する被保険者についての年金支給額の減額。
▷社会保障法典R351-27条

Découpage électoral [憲法] **選挙区割り**
►Circonscription électorale〔選挙区〕

Découvert (de la loi de finances) [財政] **歳出予算超過** 予算法律に記載された歳出の総額が歳入の総額を超過すること。
►Déficit budgétaire〔歳出予算超過〕

Décret [行政] [憲法] **デクレ** 共和国大統領または首相によって署名された，一般的効力を有する（►Règlement〔行政立法〕）または個別的効力を有する執行的決定。

①共和国大統領は，憲法典または組織法律によってその権限に属するデクレと，閣議決定されたすべてのデクレに署名する(13条)。これらのデクレは首相，《場合により，責任を負う大臣によって》副署される（ただし，副署を要しない例外的な場合は除く。19条)。

②首相は他のすべてのデクレに署名する。それらは《場合により，その執行の任に当る大臣によって》(22条)副署される。第五共和制の初めから，首相の権限に属するデクレは，共和国大統領によっても署名されている（コンセイユ・デタはこの慣行を違法とはみなしていない)。

③*Décret en Conseil d'Etat* コンセイユ・デタの議を経たデクレ：コンセイユ・デタの意見を聴いた後に採択されるデクレ。

Décret d'avances [財政] **追加予算デクレ** 限定列挙されている場合だけに，かつ，事後的に国会の承認を得るという条件で，政府が例外的に自ら追加できる予算。

Décret-loi [憲法] **デクレ・ロワ** 法律の授権に基づき，通常は国会の権限に属する領域において制定される政府のデクレ。法律と同等の効力をもち，現行の法律を改正することができる。

第三および第四共和制期には，多くのデクレ・ロワによって，政府は必要な改革を（多くの場合国民に不評であったにもかかわらず）迅速に実施することができた。
►Ordonnance〔オルドナンス〕

Décrets de répartition [財政] **予算配分デクレ** 各年度の予算法律〔►Loi de finances〕または補正予算法律が表決された後，予算総額を各省に配分するためにとられるデクレ。
►Crédit budgétaire〔予算(額)〕

《**De cujus**》 [民法] **被相続人** 《de cujus successione agitur》〔その者の相続が問題となっている者〕という表現の冒頭の語。今日では，相続の主体たる被相続人を示すために使われる。

Dédit [民法] **一方的解除権；解除金**
①一方的解除権//契約の一方当事者が有する，債務を履行しない権能。
②解除金//この語は，当該権限を行使する場合に債務者が支払うべき金銭を示すこともある。
▷民法典1590条
►Arrhes〔手付金〕

Dédoublement fonctionnel [公法] **二重機能** 当初は，G.Scelleによって国際公法において用いられ，後に，公法の他の分野に移植された表現。公権力がときとして2つの異なる公法人の名において行動する現象を指す。例えば，市町村長が，行使する権限に応じて，あるときは市町村の名において，またあるときは国の名において行動するそれぞれである。

《**De facto**》 [一般] **事実上(の)** ►《De jure》〔法(律)上(の)〕

Défaut [民訴] **欠席** 訴訟当事者が出頭しないことから生じる状態。必ずしも欠席判決〔►Jugement par défaut〕に至るとは限らない。原告が出頭しない場合は，被告は本案について対審となる判決を要求することができる。呼出状が被告本人に対して交付されておらず，被告が出頭しない場合は，被告は改めて出頭するように促され，その後，本案について裁判される。被告が不在のままでなされた判決は，その裁判が終審としてなされ，かつ，呼出状がその名宛人に直接交付されなかった場合でなければ，欠席判決とならない。
▷新民事手続法典468条以下
►Jugement dit contradictoire〔法律上対審とされる判決〕►Jugement réputé contradictoire〔対審とみなされる判決〕►Opposi-

tion〔故障の申立て〕

Défaut de base légale　民訴　**法的基礎の欠如**
理由付けの瑕疵。法律が正しく適用されたか否かを判断するために確認することが必要とされる事実に関する十分な記載がない判決についていう。法的基礎の欠如は破毀申立事由〔cas d'ouverture à cassation〕となる。

Défaut-congé (Jugement de...)　民訴　**欠席解放判決**　要求された期間内に原告が手続行為をなさないときに，被告の請求により裁判所がなすことのできる判決。裁判官は，本案については審査せずに，呼出しの失効を宣言する。裁判官は，被告に対して開始された訴訟手続きから被告を解放し，その拘束を解く。
▷新民事手続法典468条

Défaut en matière criminelle　刑訴　**重罪欠席手続き**　開廷時に正当な免除事由なく欠席した重罪被告人に対する判決を目的とする手続き。重罪被告人の欠席が弁論中に認定され，その者が戻るまで弁論を停止することができない場合にも用いられる。勾引勾留状の交付後に事件を後の開廷期に送る場合を除き，重罪院は陪審員の出席なしに裁判する。ただし，重罪被告人の欠席が弁論の開始後に認定された場合または同時に裁判を受ける他の重罪被告人が出席している場合はこの限りでない。

　有罪判決がなされた場合，重罪被告人には控訴の途が閉ざされる。刑の時効〔►Prescription de la peine〕前に重罪被告人が自首した場合，または逮捕された場合には，重罪院のなした判決はすべての事項についてなかったものとされ，重罪被告人に対し事件審理が改めて通常の手続きに従って行われる。

　この欠席手続きは，2004年3月9日の法律第204号（PerbenⅡ法）から，従来の重罪被告人の欠席判決手続き〔►Contumace〕に取って代わった。
▷刑事手続法典379-2条以下
►Procédure par défaut〔欠席手続き〕

Défaut de motif　民訴　**理由の欠如**　判決の形式上の瑕疵。理由の完全な欠如，理由の矛盾または申立趣意書に対する回答の欠如からなり，破毀申立事由〔cas d'ouverture à cassation〕となる。
▷新民事手続法典455条

Défendeur　民訴　**被告**　原告〔►Demandeur〕が訴訟を開始する相手方。

Défenses à l'action　民訴　**訴えに対する防禦**
《防禦》〔défenses〕という語は，被告が自己に向けられた裁判上の攻撃に対して反撃することのできるすべての方法を指す。
►Défense au fond〔本案に関する防禦〕
►Demande reconventionnelle〔反訴（請求）〕
►Exception〔抗弁〕►Fin de non-recevoir (de non-valoir)〔訴訟不受理事由〕

Défense au fond　民訴　**本案に関する防禦**　被告が原告の申立て〔prétention〕を直接争う防禦方法。
　第一審および控訴審において，訴訟のいかなる段階においても提出することができる。
▷新民事手続法典71条

Défense（Liberté de la）　民訴　**防禦の自由**
防禦の自由の原則は，対審の原則〔►Contradictoire (Principe de)〕に密接に関連し，訴訟当事者により相手方に対して尊重されなくてはならないのと同様に，裁判官によっても尊重されなくてはならない。これは，手続全体の基本的な要請である。防禦の自由は，対審の尊重に加えて，当事者が自ら口頭で意見を述べ，いかなる制約も受けずに弁護人を選ぶ自由を前提とする。この原則は，場合により，弁論の再開の根拠となるほど強力なものである。しかし，民事訴訟手続きにおいては，この原則に限界があり，裁判官が心証を得たと判断する場合，訴訟当事者の陳述をやめさせ，または説明を終わらせる権限が，裁判官に認められている。
▷新民事手続法典14条から19条；ヨーロッパ人権条約6条
►Contradiction〔対審〕►Droits de la défense〔防禦権；弁護権〕►Égalité des armes〔武器対等〕►Procès équitable〔公正な裁判〕

Défenseur　民訴　**弁護人**　訴訟当事者を補佐する，すなわちその者に助言しかつその者のために弁ずる任を受けた者。その典型は弁護士であって，両最高裁判所（破毀院，コンセイユ・デタ）を除いてすべての裁判所において陳述する権限を有する。
►Assistance des plaideurs〔訴訟当事者の補佐〕►Représentation en justice des plaideurs〔訴訟当事者の裁判上の代理〕

Défenseur des enfants　民法　行政　**児童擁護官**　6年の任期で任命され，法律または国際条約によって認められた子どもの権利を擁護し，かつ推進することを任務とする独立行政機関〔►Autorités administratives indépendantes〕。この目的のため，児童擁護官は，一

連の個人または機関，とりわけ，未成年の子どももしくはその法定代理人，医療および社会機関または若干の非営利社団からの申立てを受けることができる。児童擁護官は，国会議員の求めに応じて関与したり，一定の場合において自ら事件を取り上げたりすることもできる。児童擁護官は，未成年者が危険な状態にあると思われる場合には裁判を提起しなければならない。さらに，子どもの権利に関する領域において，児童擁護官は自ら改革を提案することができる。児童擁護官は，公開年次活動報告書を作成する。

Déféré d'appel 民訴 **控訴院内控訴付託** 控訴院の準備手続裁判官の命令が，訴訟手続きを終了させる効力を有する場合，訴訟手続きの消滅を確認する場合，訴訟手続きを終了させる手続上の抗弁または付帯の申立てについて裁判する場合などに，その命令についての争いを控訴院に提訴すること。
▷新民事手続法典914条

Déféré (préfectoral) 行政 **(県知事による)付託** 市町村，県および州の法的活動に対する国の行政監督〔►Contrôle administratif〕の一環として，県知事が，違法であると考える地方公共団体の決定を行政裁判所に付託する行為。
▷地方公共団体一般法典L2131-6条，L3132-1条およびL4142-1条

Déficit budgétaire 財政 **歳出予算超過** 2006年に確定的財政負担と暫定的財政負担の区別が消滅して以来，この表現はもはや専門的意味をもたなくなった。ただし，今なおdécouvert de la loi de financesの同義語として使われることがある。
►Découvert (de la loi de finances)〔歳出予算超過〕

Défiscalisé 財政 **非課税化** 課税の免除と同義の新語（一般に，所得および利益に対する課税に関して使われる）。しばしばマスコミで使われる《投資の非課税化》という用語は，利息への課税が免除される金銭運用（例えば，貯蓄金庫A通帳の利息）または所得の一部を元本とした場合に，その元本相当額に対する課税の全部または一部が免除されるような投資を指す。

Déflation 財政 **デフレーション** 能動的な意味（デフレ政策）では，ある特定時において供給されている（あらゆる形態の）通貨の量の縮小を目的とする活動をいう。デフレーションは財とサーヴィスに対する需要の低下となって現れる。供給に対する需要の不足を示す局面を指してデフレ状態ということもある。

Dégradation civique 刑法 **公民権剥奪** 有罪判決を受けた者が，すべての公務，公職，公官の職を解任および排除され，ならびに公民権・政治的権利のすべて，および家族法上の一定の権利を剥奪される刑罰。
この刑罰は，新刑法典で廃止された。

Degré de juridiction 訴訟 **審級** 審級は裁判階層における位置を示す。
1958年以降，司法系統においては控訴院のみが第二審の裁判所である。ただし，2000年6月15日の法律第516号以降，始審としてなされた重罪院判決は，破毀院刑事部により指定される別の重罪院に提起される控訴の対象となりうる。その場合，陪審員の数は増加する。
▷司法組織法典L311-1条およびR211-1条；刑事手続法典380-1条以下
行政法においては，控訴裁判権は，行政控訴院または若干の場合においてコンセイユ・デタにより行使される。

Degré de parenté 民法 **親等** おのおのの世代が親等である。2人の者の間の親等を知るためには：直系血族（すなわち，1つの系を一直線に下る者）の間では，世代を加算すれば良い。たとえば，父と息子は相互に1親等である。傍系血族（共通の始祖から下る者）の間では，親等は，まず一方の血族の系から両血族に共通の始祖まで遡り，次にその者との関係で親等の隔たりを確定しようとする他方の血族に至るまで他方の系を下ることによって数えられる。
▷民法典741条以下
►Ascendant〔直系尊属〕►Collatéral〔傍系；傍系血族〕►Descendant〔直系卑属〕►Enfant〔子〕►Ligne〔系〕

Dégrèvement 財政 **還付** 法律上の理由または特別な配慮により，租税行政機関が行う，租税の全体的または部分的払戻し。

Déguerpissement 民法 **委付** 物権の名義人が，不動産に課せられる土地利用上の負担または物権から生ずる義務を免れるために，一方的意思により不動産の所有権または占有を放棄する行為。例えば，互有の壁の修繕または復旧の分担を免れることを目的とした壁の互有権の放棄。
▷民法典656条，667条および699条
►Délaissement〔委付〕

Déguisement 民法 偽装行為　その性質を変更することによって（売買を隠れ蓑にした贈与），またはその条件の1つを変更することによって（登録税を減額するための価格の偽装），表面上の行為を変更することを目的とする虚偽表示。
►Contre-lettre〔反対証書；反対行為〕

《De jure》 一般 法（律）上（の）　《De jure, de facto》〔（ラテン語で）法（律）上（の），事実上（の）〕。これらの表現により，法的地位と単なる事実上の地位とを対比することができる。
►《Juris et de jure》〔反証を許さない〕

Délai 一般 期間　法生活上の若干の手続き，訴訟手続上の行為および手続きは，通常，一定の期間内になされなければならない。期間の不遵守は，程度の異なるさまざまな結果をもたらす（►Prescription de l'action publique〔公訴時効〕►Prescription civil〔民事時効〕►Forclusion〔失権〕►Déchéance〔失権〕►Caducité〔失効〕）。

Délai de carence 社保 保険外期間　労働不能が生じたときから疾病保険を適用してその補償金が支払われるまでの3日の期間。
▷社会保障法典L323-1条

Délai-congé 労働 解約予告期間　期間の定めのない労働契約の一方の当事者による，契約を終了させることの決定の告知と，契約の実際の終了との間に置かれなければならない期間。
▷労働法典L122-5条，L122-6条以下およびL122-14-1条

Délai franc, délai non franc 訴訟 満で計算される期間，満で計算されない期間　►Délai〔期間〕►Délai de procédure〔手続期間〕

Délai de grâce 民法 猶予期間　債務者の状況および債権者の必要性を考慮して，裁判官が2年を限度として与えることができる支払いの猶予または分割。
　また，裁判官は，猶予された期間の利息を法定利息を下回らない範囲で軽減すること，および，支払いがまず元本に充当されることを定めることができる。
▷民法典1244-1条

Délai préfix 民法 民訴 除斥期間　ある行為をなすにつき与えられる期間。その満了により権利を喪失する。
　除斥期間は，原則として，中断することも停止することもない。
▷新民事手続法典122条

►Prescription civile〔民事時効〕

Délai de procédure 訴訟 手続期間　適切な手続き（事件簿への登載，不服の申立てなど）をなすために手続主体のいずれか一方に与えられる期間。

　民訴 手続期間　訴訟手続き（申立趣意書の交換，鑑定報告書の提出）の適切な進行に必要な期間。《訴訟のための》〔ad litem〕期間とも呼ばれる。裁判官がこの期間を定め，また延長することができる。

　民事手続期間は満で計算されない期間〔délai non francs〕である。

　《起算日》〔Dies a quo〕は，期間〔►Délai〕が月または年で計算されるときには，期間の最初の日である。
▷新民事手続法典3条および640条以下
►Déchéance〔失権〕►Forclusion〔失権〕►Mise en état〔弁論状況におくこと〕►Relevé de forclusion〔失権の免除〕

　刑訴 手続期間　刑事手続きにおける期間の計算については，《起算日》を算入しないことが一般に認められている。したがって期間は，問題となる行為，事件または裁判の翌日から進行する。

　原則として，期間は終了日の午前0時に満了する。計算上，土曜日，日曜日，祝日または休業日に満了する期間は，次の最初の就業日まで延長される。

　例外として，破毀申立期間は満で計算される。
▷刑事手続法典568条および801条

　行政 手続期間　期間を満で計算する原則が廃止されたにもかかわらず，行政判例上，実際にはそれと同一の原則に従って計算される。1月10日に通知された行為について，2ヵ月という一般的な出訴期間は，3月11日の夜に満了する。もし，その日が土曜日，日曜日，祝日または休業日であれば，期間はその後の最初の就業日まで延長される。黙示の拒否決定〔►Décision implicite de rejet〕に対する訴えの場合，期間は，黙示の拒否決定が成立する日の翌日から進行し，終了日〔►《Dies a quem》〕に満了する。例えば，申請が1月10日に行政庁に到達した場合，黙示の拒否決定が成立するのは3月10日の夜であり，出訴期間は11日から進行し，5月11日の夜に満了する。

Délai raisonnable 訴訟 刑訴 合理的な期間　法文上定められているか否かにかかわらず，

裁判官が訴訟について終局的に裁判するために裁判官に認められる正当な期間。合理的な期間は適正な裁判の基本的な保障であり，これに対する侵害は裁判公役務の瑕疵ある運営を理由とする国の責任を生じさせる。
▷司法組織法典L781-1条；ヨーロッパ人権条約6条1項；刑事手続法典前加条

Délai de viduité 民法 待婚期間　寡婦〔veuve〕または離婚した女性が，再婚する前に遵守しなければならない期間。この期間は，嫡出関係の不明確さ，すなわち生まれてくる子の父子関係に関する不明確さを回避するためのものである。
▷民法典228条
►Part (Le)〔新生児〕

Délaissement 民法 委付　抵当不動産の取得者が，追及権を行使する抵当債権者に当該不動産を委譲する行為。
▷民法典2463条および2467条
►Déguerpissement〔委付〕

海法 保険委付　重大な損害が生じた場合に，保険の目的物またはその残存物を保険者に委付することにより，被保険者が保険金の全額を受け取る権利。

刑法 置去り　15歳未満の者，または年齢，身体もしくは精神の状態のために自らを保護することのできない者を，何らかの場所に遺棄する行為。事情に応じて重罪または軽罪となる。
▷刑法典223-3条以下および227-1条以下

Délation de serment 民訴 刑訴 宣誓の要求　裁判官または訴訟当事者により事実の真実性または約定の実在性を宣誓するように促された当事者の善意に，訴訟の判断が委ねられる行為。
▷民法典1357条；新民事手続法典317条以下
►Relation de serment〔宣誓の回避〕►Serment probatoire〔立証的宣誓〕►Serment promissoire〔誓約的宣誓〕

Délégalisation 憲法 行政立法事項確認手続き　1958年憲法典37-2条に規定されている手法。行政立法事項に属するにもかかわらず，誤って若干の法律規定が制定された場合に，当該法律規定を行政立法によって変更することができる旨の宣言を憲法院に要求することを可能とする手続き。

Délégation 行政 委任
①権限委任〔►Délégation de pouvoir (ou de compétence)〕

②署名委任〔►Délégation de signature〕

民法 指図　ある者（指図人〔délégant〕）が，他の者（被指図人〔délégué〕）に対して，前者の名において第三者（受取人〔délégataire〕）に債務の支払いをなすよう要請すること。

憲法 権限の委任；表決の委任
①*Délégation de pouvoirs*　権限の委任：立法権行使の一部を政府に委譲すること。
►Décret-loi〔デクレ・ロワ〕►Ordonnance〔オルドナンス〕
②*Délégation de vote*　表決の委任：国会議員が，他の国会議員に，自己に代わって表決することを認めること。この手続きは，欠席を助長するので，1958年憲法典(27条)は表決権の一身専属原則を定めた。すなわち，表決の委任は6つの場合にしか認められておらず，さらにいかなる者も1つの委任しか受けることができない(1958年11月7日のオルドナンス)。

Délégation à l'emploi 労働 雇用局　労働省の中央行政機関の1つであって，雇用問題を担当する。雇用局は，その目的のために，国立雇用センター〔Agence nationale pour l'emploi〕および成人職業教育協会〔Association pour la formation professionnelle des adultes〕を傘下に有している。

Délégation de gestion 行政 役務管理の委任　国の機関の間での協力の枠内で，1または複数の機関が，その任務の遂行に資する法律行為または特定の給付を，自らの代わりに実行することを国の機関の1つに委託することを可能とする法技術。期間は限定的であるが，更新可能である。この委任は，書面行為によることを要する。例：機材または車両の共同利用の場合，利用者たる機関の1つが，その維持を単独で行うための委任を受けることができる。

Délégation de pouvoir 刑法 権限の委任　企業長の刑事責任免除の態様。企業長は，自己が任命した担当者に自分の権限を委任し，担当者が現行規定の遵守を監視するために必要な権限，権威および手段を有していることを証明することによって，責任が受任者に移転する。
►Délégation de signature〔署名委任〕

Délégation de pouvoir (ou de compétence) 行政 権限委任　行政庁が，法律の範囲内において，その1または複数の権限を(その権原によってのみ指定された)他の行政庁に移転

すること。受任行政庁は，受任期間中，当該権限の行使について委任行政庁に取って代わり，委任行政庁は，その権限の行使を停止する。
　►Délégation de signature〔署名委任〕

Délégation de service public 行政 **公役務の委任**　ある公役務〔►Service public〕を法律上その任務とする公法人（一般的には地方公共団体〔►Collectivités territoriales〕）が，他の（たいていの場合は私法上の）法主体と期限付きで締結する契約により後者にその運営を委任する，公役務管理の手法。公役務の委任が存在するためには，その契約は，当該役務の経営の成果と実質的に見合う報酬を定めなければならない。受任者は工作物の建設または役務に必要な財産の取得を義務づけられることがある。この手法は商工業的公役務，例えば給水などの領域において頻繁に用いられるが，若干の行政的公役務においては禁止されている。後者の公役務は，その性質上，または法文を理由として，法律上それを任務とする地方公共団体以外によっては確保されえない公役務（例えば，警察または身分職）である。
　▷地方公共団体一般法典L1411-1条以下
　►Affermage〔公役務管理の委託〕►Concession〔特許〕

Délégation de signature 行政 **署名委任**　行政庁が，法律の範囲内において，当該決定を委任行政庁の名において対応する決定に署名することによって行われる，指名された公務員に対し，当該行政庁と競合的に，その1または複数の権限を行使することを認めること。委任行政庁は，この場合はその権限を失ってはいないので，依然としてその決定について責任を負うことになる。
　►Délégation de pouvoir（ou de compétence）〔権限委任〕

Délégation à l'Union européenne EU **ヨーロッパ連合担当議員団**　ヨーロッパ連合の立法事情を担当する国民議会および元老院の機関。国民議会では，会派を代表する36名の国民議会議員により構成されている。

《**De lege ferenda**》一般 **制定されるべき法律に関して；立法論として**　制定が望まれている法律に関して。

《**De lege lata**》一般 **制定された法律に関して；解釈論として**　現に存在する法律に関して。

Délégués consulaires 商法 民訴 （**商事裁判所の）選挙代理人**　商事裁判所構成員の選挙は，2段階の投票によって行われる。
　第1段階選挙人団は選挙代理人から構成される。選挙代理人の人数は，60名から600名であるが，商工会議所の管轄区域内の選挙代理人を選ぶ選挙体の員数，選出された商工会議所構成員の員数，および商工会議所の管轄区域に含まれる商事裁判所の数に応じて定められる。
　選挙代理人の選挙は，特に，以下の者により行われる。
　①個人として，商業登記簿に登記された商人，手工業者名簿に登録された企業長，これらの者の協力配偶者〔conjoints collaborateurs〕であり，②代表者を介する場合として，商事的性格を有する会社であり，③営業，技術または管理部門の職務を有する管理職である。
　これらの選挙代理人が，商事裁判所構成員ならびに選挙人名簿への登録を請求した元裁判所構成員とともに，商事裁判所裁判官を選出する。
　▷商法典713-6条以下，723-1条および723-2条

Délégué aux prestations familiales 民法 社保 **家族給付代理人**　少年係裁判官が，裁判所による家計管理援助措置〔►Mesure judiciaire d'aide à la gestion du budget familial〕をとる場合に，家族給付の全部または一部の管理のために選任する自然人または法人。家族給付代理人は，子の生計維持，健康および育成の必要に応じた家族給付の管理を行う。ただし，家族給付の受益者の同意を得るよう努めなければならない。さらに，家族給付代理人は，両親が家族給付の管理を適切に行えるよう，教育的指導も行う。
　▷社会福祉法典L474-1条以下；民法典375-9-1条；社会保障法典L552-6条およびL755-4条

Délégué syndical 労働 **組合代表委員**　1968年12月27日の法律により組合支部〔section syndicale〕を作る権限を認められた組合を企業長に対して代表する者。組合代表委員を企業委員会組合代表〔►Représentant syndical〕と混同してはならない。
　▷労働法典L412-11条以下およびR412-1条以下

Délégués du personnel 労働 **従業員代表委員**　事業所の従業員の選挙によって選任された代表者。その任務は，労働条件を遵守させること，従業員の要求を使用者に伝えること，そ

Délibératif 〔訴訟〕〔行政〕**議決の** ►Voix délibérative, Voix consultative〔議決権，発言権〕

Délibération 〔行政〕〔国公〕**審議；議決**
①審議//複数の構成員からなる機関が，決定を下す前に行う，事案の検討および討議。
②議決//この討議の結果。すなわち下された決定のこと。この語は，地方公共団体の議会によって下された決定を指すために特に用いられる。
►Vœu〔要望決議〕

Délibération de programme 〔行政〕**地方予算支出プログラムの議決** 次年度以降に関して，地方公共団体が計画する投資支出の予測プログラムであり，地方公共団体の議会によって表決され，各年度の支出計画が示される。

Délibéré 〔行政〕〔民訴〕〔刑訴〕**合議** 一件記録が審理され，口頭弁論が行われた後，裁判官が多数決によって判決をなす前に協議を行う訴訟の一段階。合議はつねに非公開である。
▷新民事手続法典447条以下

Délimitation des frontières 〔国公〕**境界画定** 2国間の境界を決定する行為。
画定は，条約または仲裁でなされ，境界画定を行う専門家による画定委員会によって実際に行われる。
►Bornage〔境界画定〕

Délinquant 〔刑法〕**犯罪者** 犯罪の正犯または共犯。その犯罪事実につき，訴追の対象となりうる。

Délinquant primaire 〔刑法〕**初犯者** 累犯〔►Récidive〕の状態にない，犯罪の正犯または共犯。

Délit 〔刑法〕**犯罪；軽罪** 広義では，犯罪〔►Infraction〕の同義語。
狭義では，行為者が軽罪の刑罰で処罰される犯罪。
自然人に科される軽罪の刑罰は，（上限を10年とする）拘禁刑，（3750ユーロ以上の）罰金刑，日数罰金，市民意識啓発研修，公益奉仕労働，権利剥奪刑または権利制限刑，補充刑および損害賠償制裁〔►Sanction-réparation〕である。法人〔►Personne morale〕に対して科される刑罰は，自然人について定められる額の5倍を上限とする罰金刑，法律に定める場合の一定の権利剥奪刑または権利制限刑および損害賠償制裁である。
▷刑法典111-1条以下，131-3条以下および131-37条以下

Délit d'audience 〔民訴〕〔刑訴〕**法廷における犯罪** 法廷において行われる犯罪。その制裁について裁判長および裁判所は例外的な権限を有し，その効果はただちに発生する。
▷新民事手続法典439条；刑事手続法典675条以下

Délit civil 〔民法〕**不法行為** 広義：民事責任を生じさせる違法行為（不法行為は刑法上の犯罪〔délit pénal〕と対置される）。
狭義：故意のフォートにより民事責任を生じさせる行為（これは，故意によらないフォートによる準不法行為〔quasi-délit〕と対置される）。
▷民法典1382条および1383条

Délit-contravention 〔刑法〕**違警罪の性質をもつ軽罪** 軽罪と違警罪の双方に関連する混合的性格をもつ犯罪。科される刑罰の点では軽罪であるが，故意・過失の有無を問わない無過失犯罪としての性格をもち，刑の併科が可能であることから，適用される制度の点で違警罪でもある（狩猟，都市計画，環境，労働法に関する軽罪）。
新刑法典は，心理的要素がなければ重罪も軽罪も存在しないという原則を掲げているため，法律上明示的には定められていないが，この刑法典改革の論理に従って，違警罪の性質をもつ軽罪は消滅する運命にある。
▷刑法典121-3条

Délit de fuite 〔刑法〕**現場逃走罪** 車両または陸上，河川，海上用の運送手段を運転するすべての者が，事故を起こしたことを知りながら停止せず，事故に対して負担する可能性がある刑事責任または民事責任を免れようとする行為からなる犯罪。
▷刑法典434-10条

Délit non intentionnel 〔刑法〕**故意によらない軽罪** 多かれ少なかれはっきりした反規範的態度を心理的要素とする犯罪。不注意〔imprudence〕，怠慢〔négligence〕，または法律もしくは行政立法により規定された注意義務もしくは安全義務違反〔manquement à une obligation de prudence ou de sécurité〕という反規範的態度，他人の人身を危険にさらすという意識的な反規範的態度〔faute délibérée〕，無視することができないほど特別に重大な危険に他人をさらしたという明白な反規範的態度〔faute caractérisée〕がこれ

に当たる。
　故意によらない軽罪の定義を定めた2000年7月10日の法律第647号からは，因果関係は故意によらない軽罪においてもまた自然人の刑事責任の判断基準のひとつとなり，これらの反規範的態度の範疇と組み合わされることとなった。
▷刑法典121-3条
►Causalité〔因果関係〕

Délit praeter-intentionnel　刑法　**結果的加重犯**
►Infraction praeterintentionnelle〔結果的加重犯〕

Délivrance　民法　**引渡し**
　①証書(例えば，判決の執行正本)または物を，ある者に手渡すこと。動産に関しては，引渡し〔traditionまたはlivraison〕によって行われる。
　②売主に課される義務。これにより，売主は，売却物を買主の支配下に置くことを義務づけられる。
▷民法典1604条
►Tradition〔引渡し〕

Demande additionnelle　民法　**追加の訴え(請求)**　原告が訴訟手続中になす，主たる訴え(請求)と関連性〔►Connexité〕を有する新たな申立て〔prétention〕。
▷新民事手続法典65条

Demande incidente　民訴　**付帯の訴え(請求)**　訴訟手続きを開始するのではなく，すでに開始されている訴訟中になされるすべての訴え(請求)。付帯の訴えは原告が提起し(追加の訴え〔►Demande additionnelle〕)，または，被告が提起する(反訴〔►Demande reconventionnelle〕)。付帯の訴えはまた，第三者が提起することも(任意参加〔intervention volontaire〕)，第三者に向けられることもある(強制参加〔intervention forcée〕)。
▷新民事手続法典63条
►Intervention〔参加〕

Demande indéterminée　民訴　**訴額不定の訴え(請求)**　その目的を金銭により評価することができず(例えば人の身分に関する問題)，または，その価額を容易には決定することができない(例えば家宝となっている絵)訴え(請求)。
　控訴禁止額〔taux de ressort〕が訴額により定まる場合，訴額の不定は控訴をつねに可能にする。
▷新民事手続法典40条

Demande initiale　民訴　**主たる訴え(請求)**　申立て〔prétention〕を裁判所に提出し，かつ，訴訟手続きを開始する行為。すでに開始されている手続きに付加される付帯の訴え〔►Demande incidente〕と対置される。
　主たる訴えは次のように提起される。訴訟事件においては相手方の呼出し〔assignation〕，あるいは両当事者の共同申請〔requête conjointe〕による。非訟事件においては裁判所書記課へ提出される単独申請書による。法律により，単なる申告または裁判所への両訴訟当事者の任意出頭でもよいとされる場合もある。
　主たる訴え(請求)により訴訟の目的が決定され，それにより裁判官の権限の範囲が定まり，付帯の訴え(請求)の受理性が判断されることになる。
▷新民事手続法典53条および54条
►Connexité〔関連性〕

Demande en intervention　民訴　**参加の訴え(請求)**　当事者の一方が第三者，例えば担保義務者〔garant〕に向ける付帯の訴え(強制参加)，または，第三者が自発的に訴訟当事者の一方に提起する付帯の訴え(任意参加)。参加〔►Intervention〕は控訴審において新たになすことが認められる。裁判官は第三者の有責判決を得るためにも，訴訟当事者の一方を介して第三者を参加させる権限を有する。
▷新民事手続法典325条以下
►Mise en cause〔訴訟引込み〕

Demande introductive d'instance　民訴　**訴訟手続開始の訴え(請求)**　旧手続きの表現。
►Demande initiale〔主たる訴え(請求)〕

Demande en justice　民訴　**裁判上の訴え(請求)**　ある者が申立て〔prétention〕を裁判所の判断に委ねる行為。通常，原告によりなされる。
►Demande additionnelle〔追加の訴え(請求)〕►Demande incidente〔付帯の訴え(請求)〕►Demande en intervention〔参加の訴え(請求)〕►Demande reconventionnelle〔反訴(請求)〕

Demande nouvelle　民訴　**新たな訴え(請求)**　訴え(請求)の構成要素，すなわち当事者，目的または原因のうちの1つが訴訟手続開始の訴え(請求)とは異なる訴え(請求)。原告によっても，被告によっても，第三者によっても提起される。訴訟不動性の原則〔principe d'immutabilité du litige〕は，すべての新た

な訴え(請求)の不受理を宣言しようとするものである。

　新たな訴え(請求)の不受理の原則は,控訴の段階では,厳格に適用されることはない。なぜならば申立て〔prétention〕は,もとの訴え(請求)とその法的根拠が異なっている場合であっても,それと同一の目的〔fin〕を有するときには,新たなものとはならないからである。第一審においては,新たな訴え(請求)の不受理の原則は,主たる訴え(請求)と新たな訴え(請求)の間に関連性〔►Connexité〕が存すれば,より一層寛大に適用される。
▷新民事手続法典564条
►Demande additionnelle〔追加の訴え(請求)〕►Demande en intervention〔参加の訴え(請求)〕►Demande reconventionnelle〔反訴(請求)〕

Demande reconventionnelle 民訴 **反訴(請求)**　被告が提起する訴え(請求)。被告は防禦方法の提出にとどまらず,自らも攻撃し,請求項目を裁判所に提出する。
▷新民事手続法典64条

Demandeur 民訴 **原告**　訴訟を開始する者。この資格において,事実の主張〔►Allégation〕,その適切性〔►Pertinence〕およびその証明〔►Preuve〕という3つの負担を負う。

Démarchage 商法 刑法 **訪問販売**　住居への訪問により,企業のために顧客を探し,または,注文を誘引する行為。
　有価証券投資のための,いわゆる金融訪問販売は厳しく規制されている。
▷消費者法典L121-21条;通貨金融法典L342-1条以下およびL353-3条以下

Dématérialisation (des valeurs mobilières) 商法 **(有価証券の)券面廃止;非物質化**　記名証券の場合には発行会社またはその受任者,無記名証券の場合にはシコバム(SICOVAM)に加盟する機関が開設する口座に,証券をその権利者の名義で登録する手続き。これによって,権利を物理的に表章する手段(名簿〔registre de transfert〕,書面〔support écrit〕)が廃止された。
►Tradition〔交付譲渡〕

Démembrement de propriété 民法 **所有権の分肢(設定)**　►Droit réel〔物権〕

Démembrements de la puissance publique 行政 **公権力の分肢**　地方公共団体と公施設法人の総体を指すためによく用いられる表現。行政法と公会計の規範の適用を受けずに活動を遂行するために,行政庁によって設置された表面上は私的な機関がそれに加えられることもある。

Démence 刑法 **心神喪失**　行為時に,犯罪の正犯または共犯の精神的能力が損なわれていること。その刑事責任は阻却または軽減される。
　新刑法典では,特有の概念である心神喪失はなくなり,これに代わって,行為者の弁別能力を失わせまたは変質させる精神障害または神経性精神障害〔►Trouble psychique ou neuropsychique〕の概念を用いる。
▷刑法典122-1条
►Aliénation mentale〔精神病〕►Altération des facultés mentales ou corporelles〔精神的または身体的能力の低下〕►Majeur protégé〔被保護成年者〕►Protection des majeurs〔成年者保護〕

Demeure 民訴 **居住地**　係争の位置決定に関する人的基準で,裁判所の土地管轄を決める。居住地は,自然人についてはその者の住所〔domicile〕,それがなければ居所〔résidence〕,法人についてはその設立の地である。
▷新民事手続法典42条

Démission 公法 **辞職**
①ある職務またはある公選職を辞める行為。
②*Démission d'office*　法律上当然の辞職:現行の法文によって定められた一定の場合に強制される辞職。
③*Démission en blanc*　白地辞表:署名はされているが,日付の記されていない書面の形式で示される辞職願。それは,公約を忠実に執行する保障として,立候補者によって選挙人に預けられる。
　これは命令的委任の禁止という原則に反する慣行である。
►Mandat politique〔政治的委任〕
労働 **辞職**　労働者による労働契約の破棄。
►Congédiement〔解雇〕

Démocratie 憲法 **民主制**　語源的には,人民による人民の政治のことで,理論的には,統治者と被治者の同一性を前提とする。
　より具体的には,すべての市民が権力に対して参加の権利(投票)と異議申立ての権利(異議申立て・野党結成の自由)を有する体制のこと。もっとも,異議申立て・野党結成の自由は,自由主義的民主主義〔►Démocratie libérale〕のもとでのみ認められ,権威主義的民主主義〔démocratie autoritaire〕のもと

では認められない。
　►Démocratie économique et sociale〔経済的社会的民主主義〕►Démocratie politique〔政治的民主主義〕

Démocratie directe 憲法 **直接民主主義**　市民が権力を自ら直接行使する民主制。

　古代ギリシャの都市国家において行われていた直接民主制は，現代では若干の共同体（例えば，スイスの若干の州）においてしか存続していない。

　このように定義された直接民主制は，代表民主制と対比される。しかしながら，学者のなかには，直接民主制という表現を，政府（少なくとも政府の長）を市民が自ら選ぶ制度を指すという新たな意味で用いる者もいる（M.Duverger）。例：アメリカ合衆国（普通選挙による大統領選挙），イギリス（二大政党制のもとで市民は下院選挙を通じて首相（多数政党の党首）を選出する）。このように理解すると，直接民主主義は《間接化された》民主制〔►Démocratie médiatisée〕と対置される。

Démocratie économique et sociale 憲法 **経済的社会的民主主義**　実際に市民が自由であるのは，権力への市民の参加が，経済的社会的不平等から市民を解放しようとする権力自体の行為を伴う場合でしかない，という民主主義に関する考え方。

　経済的社会的民主主義は，（《西欧》民主主義諸国では）政治的民主主義の延長，すなわち，現在の自由を尊重しつつ段階的に社会化すること（経済運営への市民の参加，経済的権力からの市民の保護および経済条件の平等化）によって，（マルクス主義的民主主義諸国においては）プロレタリア革命によって，実現される。マルクス主義諸国にとって個人の解放とは，資本主義的ブルジョアの排斥による社会の変革の結果でしかありえない。

Démocratie libérale 憲法 **自由主義的民主主義**　権力と自由の対立（少数派を支配しようとする多数派が存在することに起因する対立）を，調停および均衡をはかるさまざまな手段，すなわち，国家に反対する権利（特に異議申立て・野党結成の自由）を個人に認めること，政治的権力を制限するように国家の機構を構成すること（合憲性の原則，権力分立，司法権の独立など）によって解決しようとする民主主義。

Démocratie médiatisée 憲法 **間接化された民主制**　政党が多数存在するために，市民が国会議員選挙を通じて首相を直接選出することのできない民主制。首相の選出は政党首脳部間の水面下の取引および《国会の駆引き》に依存する。

Démocratie pluraliste 憲法 **複数政党制民主主義**　現実の複数政党およびこれら政党の政権交替の正当性の承認に基づく民主主義。民主主義に関するこの考え方は《西欧諸国の》自由主義的民主主義〔►Démocratie libérale〕と人民民主主義〔►Démocratie populaire〕（およびソ連）との間の根本的な相違の1つであった（少なくとも，おそらくは，1989年の終わりから人民民主主義諸国で改革が始まるまで）。
　►Parti dominant〔支配政党〕►Parti unique〔独裁政党〕

Démocratie politique 憲法 **政治的民主主義**　市民は政治に参加するものの，権力に対して給付またはサーヴィスを要求する権利を何らもたないという民主主義に関する考え方。政治的民主主義は，自由が人間にとって生来のものであり，それゆえ，国家は自由を《創りだすこと》に関与する必要はなく，自由を承認し，かつ，自由が妨げられずに行使されることを可能とするにとどめなければならない，という考えに発する。

　実際，純粋に政治的な民主主義は，多かれ少なかれ形式的性格を帯びる。というのも，市民はすべて投票権を有するが，政治的決定にすべての市民が等しい影響力をもつわけではなく，経済的自由主義が，財産または社会的条件によって優遇されている少数者に有利に働くことが非常に多いためである。

Démocratie populaire 憲法 **人民民主主義**　マルクス主義的かつ全体主義的な政治体制（►Totalitarisme〔全体主義〕）であり，ソ連の支配圏にあった中央ヨーロッパおよび東ヨーロッパ諸国において第二次世界大戦直後に設立されたもの。

　この制度はソ連をモデルとして創られたが，多かれ少なかれ，明らかな独自の要素を伴っている。

　1989年の終わりにこれら諸国のほとんどにおいて生じた出来事は，この政治体制の終焉および（若干の困難はあったが）複数政党制民主主義〔►Démocratie pluraliste〕の実施をもたらした。

Démocratie représentative 憲法 **代表民主制**　市民が市民のある者に対し，市民の名におい

てかつ市民に代わって権力を行使するよう委任する民主制。
▶Mandat politique〔政治的委任〕

Démocratie semi-directe 憲法 **半直接民主制**
代表民主制と直接民主制を組み合わせた民主制。権力は，普通，代表者によって行使されるが，市民はいくつかの条件のもとに権力の行使に直接参加することができる。
▶Initiative populaire〔国民発案〕▶Référendum〔国民投票〕▶Révocation populaire〔リコール〕▶Veto〔拒否権〕

Démocratisation du secteur public (Loi de) 行政 **公共部門の民主化(に関する法律)**
1983年7月26日の法律の名称。この法律は，公共経済部門に属する大部分の企業の取締役会または監査役会のなかに，選挙によって選出される従業員の代表を参加させる制度を普及させた。

Dénaturation 民法 訴訟 国私 **変性** 変性とは，物の性質を変えること，物に異なった性格を与えること，物に変化を導入すること，である。法的には：
①変性とは，狭義では，事実審裁判官が，提出された文書の明瞭かつ明確な条項を，まさにその明瞭さおよび明確さゆえに解釈が許されないにもかかわらず，解釈し，または，その適用を拒否する行為である。
②より広い意味においては，変性は，事実審裁判官が法律行為，契約または外国の法律の曖昧な条項に誤った解釈を与えることである。変性は，破毀申立理由となる。
▷民法典3条および1134条

Dénégation d'écriture 民訴 **文書の否認**
▶Vérification d'écriture〔文書の検真〕

Déni de justice 訴訟 **裁判拒否** 裁判所が，自己の判断に委ねられた事件の審理および判決の言渡しを拒否すること（ただし，無管轄を宣言する場合を除く）。裁判官は，法を述べるという自己の任務を免れることはできない。裁判拒否は刑事上の軽罪となる。より新しい，拡張的用法では，裁判拒否とは，例えば弁論期日を定めるのを異常に遅らせることによって，国がその裁判上の保護義務を怠ることと解されている。
▷ヨーロッパ人権条約6条1項；民法典4条；新民事手続法典366-9条；司法組織法典L141-1条；刑法典434-7-1条
▶Prise à partie〔裁判官相手取り訴訟〕
▶Responsabilité du fait du fonctionnement défectueux de la justice〔裁判の瑕疵ある運営に起因する責任〕
相次いで提訴された司法系統の裁判所および行政系統の裁判所が，ともに無管轄を宣言することから生じる状態も裁判拒否という。
▶Conflit〔争議〕の②

Deniers publics 財政 **公金** かつては財政学において基本的なものと認められていた観念の1つであるが，公金という概念は実定法において公役務の衰退と類似の衰退を経験した。この衰退は，公金の概念の確定が次第に困難になることによってもたらされた。
今日，立法者は公金という概念を使用することを一貫して避けているが，この観念は財政法の判例においてある意味をもっており，学説では最近でもなお，この観念を用いて財政学の一般的説明を行い，次のような区別を行っている。法的観念としては，公的機関に帰属し，または委託される資金に相当する。政治的観念としては，公役務の任務の範囲内において用いられる資金に相当し，用いる機関の法的性質を問わない。

Dénomination sociale 商法 **会社の商号** 定款において定められている会社の名称。
▷商法典L210-2条

Dénonciation 国公 **廃棄** ある条約の当事国が，その条約を終了させ（二国間条約），またはその条約から免れる（多数国間条約）行為。
廃棄は，その条約自身が廃棄について規定している範囲および形式においてのみ有効である。
▶Révision des traités〔条約の再審議〕

労働 **破棄通告** 期間の定めのない労働協約のいずれかの当事者の行為であって，その合意から免れることを目的とする。使用者側または労働者側の署名当事者のすべてによる破棄通告であるか，それともその一部による破棄通告であるかによって，破棄通告の効果の及ぶ範囲は異なる。
▷労働法典L132-8条

刑訴 **告発** 警察，司法または行政機関に対し，他人の行った犯罪を市民が届け出る行為。告発は，一定の場合，法律によって命じられる。
▷刑事手続法典91条，337条および451条

民訴 **差押え＝帰属通告** 手続文書の名宛人ではないが，それを知る利益を有する者への手続文書の送達。例えば，第三差押債務者に直接送付される差押え＝帰属証書〔acte de saisie-attribution〕の場合。訴求される債務

者は，自己の口座の預金が，差押えの原因である債権の限度で差押債権者〔saisissant〕に手続上帰属したことを知る必要がある。したがって，差押債権者は差押債務者に対して差押調書を（その作成から8日内に）通告しなければならない。通告がなかった場合には，差押えは失効する。

Dénonciation calomnieuse 刑法 **虚偽告訴・告発** 裁判所職員，行政警察職員または司法警察職員，告発を処理する権限のあるすべての機関または被告発者の上司もしくは使用者に対し，特定の人についての虚偽の弾劾を行う軽罪。

▷刑法典226-10条

Dénonciation de nouvel œuvre 民法 民訴 **占有保全の訴え** 不動産の占有者〔possesseur〕または単なる所持者〔détenteur〕が，完成するとその者に損害が生ずることになる工事を行っている隣接地の所有者に対して行使する占有訴権〔►Action possessoire〕。占有保全の訴えは，一般的な占有訴権たる占有保持の訴え〔►Complainte〕の1類型であるにすぎず，制裁されるべき侵害がいまだ現実のものではなく将来発生しうるものでしかないことを前提とする。

▷民法典2282条および2283条；新民事手続法典1246条から1267条

►Réintégrande〔占有回復訴権；占有回復の訴え〕

Déontologie 一般 **職業倫理** 職業倫理とは，若干の公的または私的活動に従事する者にとって，その者が遵守すべき義務を負う法的および道徳的規範の総体である。

官吏，裁判官（例えば，慎重義務〔obligation de réserve〕，合議の秘密〔secret du délibéré〕）および規制を受ける自由職に従事する者（例えば，弁護士，裁判所補助吏，医師）についていわれる。

職業倫理規範は職務ごとにまたは職業ごとに異なるが，この規範に対する違反は懲戒訴追〔►Poursuite disciplinaire〕の対象となりうる。

►Discipline〔懲戒〕►Pouvoir disciplinaire〔懲戒権〕

Département 行政 **県** 国の行政機関にとっての行政区画を構成すると同時に，州〔►Région〕と市町村〔►Communes〕の中間に位置する地方公共団体〔►Collectivités territoriales〕を構成する領土の一部。フランス本土は96の県に分かれている。

▷地方公共団体一般法典L3111-1条以下

►Conseil général〔県会〕►Décentralisation〔分権化〕►Départements d'outre-mer（DOM）〔海外県〕►Paris（Ville de）〔パリ（市）〕►Préfet〔県知事〕

Départements d'outre-mer（DOM） 行政 **海外県** フランス本国と4つの旧植民地（ギアナ，グアドループ，マルティニックおよびレユニオン島）との間に存在する法的関係を強化するために，1946年に創設された地方公共団体。海外県は法制度の同化〔assimilation législative〕という制度のもとに置かれ，（一定の適応措置をとることを条件として）本土の法が適用されていた。この制度は，着想としてはよかったが，結果的に適正とはいえず，2003年に可決された憲法典73条の改正により大幅に柔軟化された。

▷地方公共団体一般法典L3441-1条以下

►Territoire d'outre-mer（TOM）〔海外領土〕

Départiteur 民訴 **決裁裁判官** ►Conseil de prud'hommes〔労働裁判所〕

Dépénalisation 刑法 **非刑罰化** ある行為から刑法上の犯罪としての性格を取り去ること（非犯罪化の意）。限定的には，対象となる行為を古典的刑法の領域から行政刑法の領域に移すことを意味することもある。

Dépendance（du domaine public） 行政 **公物** 公産〔►Domaine public〕を構成する財産。

Dépendance économique 労働 **経済的従属** （賃労働者か否かを問わず）労働者が，自己を雇用する者のために行う労働から主たる生活手段を得ている場合の，雇用する者に対しての労働者の状態。

►Abus de domination〔支配の濫用〕

Dépens 民訴 **訴訟費用** 訴訟費用は訴訟により生じた費用〔frais〕の一部であり，勝訴者はこの費用を敗訴者に償還させることができる。ただし，裁判所が別に定める場合はこの限りではない。

訴訟費用には以下のものが含まれる。

①裁判所書記課または税務署によって徴収される各種の税，手数料または公定報酬。

②証人への手当。

③専門家への報酬。

④公定立替金。

⑤公署官または裁判所補助吏への公定報酬。

⑥公定陳述料〔droits de plaidoirie〕を含む公定されている弁護士報酬。

⑦手続文書の外国への送達費用。
⑧ヨーロッパ連合の標準的訴訟手続指針に副った通訳・翻訳の費用。
▷新民事手続法典695条および696条
►Débours〔立替金〕►Gratuité de la justice〔裁判の無償〕►Liquidation des dépens〔訴訟費用額の確定〕►Ordonnance de taxe〔訴訟費用額確定命令〕►Vérification des dépens〔訴訟費用の確認〕

Dépenses en capital 財政 **資本支出** 国の歳出の経済的分類のカテゴリーであり，国が直接行う，または，国がさまざまな形で助成を行う投資にあてられる予算額をまとめたもの。
　この用語は投資支出〔dépenses d'investissement〕（または建設整備費〔dépenses d'équipement〕）の同義語である。

Dépenses fiscales 財政 **租税支出** 個人または企業が，公権力が促進しようと考える若干の行動に誘導すること（例えば，貯蓄，住宅建設および産業投資の奨励）を目的として，公権力によって与えられる多様な租税の免除または軽減措置を指す総称的用語。このような誘導の形式は，直接的な助成金と同様に，予算の負担（税収減少）となるが，これが租税支出という名称の由来である。租税支出は予算法律案に添付される文書のなかで年次評価の対象となるが，その評価は困難である。

Dépenses de transfert 財政 **移転支出** 国の歳出の経済的分類のカテゴリーであり，受益者の側の直接的代償なくして行われる支払いにあてられる予算額をまとめたもの。
　基本的には，経済的助成金，社会援助費および公債の利息が移転支出であるが，この利息は国の会計においては移転収支に分類されない。

Déplacement 社保 **出張**
　Petit déplacement 近距離出張：労働として行われる出張であって，遠距離出張の基準に達しないもの。この出張のために労働者が要した費用は，職業費〔frais professionnels〕と見なされる。
　Grand déplacement 遠距離出張：労働者が自己の居所地に毎日帰ることができず，したがって，食事と宿舎のための補足的な費用を要する出張のこと。
▷2002年12月20日のアレテ

Déport 訴訟 **回避** ►Abstention〔回避〕►Arbitre〔仲裁人〕►Récusation〔忌避〕

Déposition 民訴 刑訴 **供述** 第三者が，資格を有する機関（裁判所，警察）に，自己が係争事実または犯罪事実に関して見たり，聴いたり，情報を得たりしたことを知らせる申述。
▷新民事手続法典208条以下

Dépôt 民法 **寄託** ある者（寄託者〔déposant〕）が他の者（受寄者〔dépositaire〕）に動産を引き渡し，受寄者はこれを保管することを承諾し，請求がなされた場合にこれを返還することを約する契約。
▷民法典1915条以下

Dépôt de bilan 商法 **貸借対照表の提出（裁判上の更生手続開始の申請）** 支払停止の状態にある債務者につき，裁判上の更生手続きの開始のために，管轄権を有する裁判所（商事裁判所または大審裁判所）に係属させるための手続きであり，貸借対照表を含む一定の会計書類を裁判所に提出する。
▷商法典L621-1条，1985年12月27日のデクレ第1388号6条
►Cessation des paiements〔支払停止〕

Dépôt légal 行政 **法定納本** 印刷業者，発行者および輸入者，ならびに製作者に法律上課される，これらの者が販売するあらゆる種類の印刷物，映画，音楽，写真および録音関係の作品を行政庁に一定数提出する義務。書籍はフランス国立図書館（BNF）に納められ，新聞および定期刊行物は内務省に納められる。
　2006年6月13日のデクレ第696号以来，特許および意匠，新聞記事の複写および複製の集録，ならびに1度納本された書籍の再版本はフランス国立図書館への納本義務を免れることとなった。納本を簡略化するため，フランス国立図書館は，印刷資料，図表資料または写真資料の代わりにデジタルファイルを提出するよう求めることができる。その反面，法定納本制度は，人工知能に関するあらゆる研究成果を対象とするようになった。
▷文化遺産法典L131-1条以下

Député 憲法 **国民議会議員** 選挙によって選ばれた国民議会の構成員。

Déréglementation 一般 **規制撤廃** 大多数の主要国によって行われている経済的自由主義の枠内において，経済主体に拘束を課す規制，例えば，最低価格の設定または競争における規律などを可能なかぎり廃止する政策。dérégulationともいう。

《Derelictio》 民法 **放棄** 放棄を表すラテン語。今日では動産の放棄についていう。
▷民法典539条，656条，667条，699条，713条，

717条および802条
►Abandon〔放棄〕

Dérisoire 民法 あまりに安い　あまりに低額であり，法的に有効とされないこと。売買において，過度に低い価格は価格を欠くものとみなされる。過怠約款において，明白に過度に低額な違約金は裁判官によって増額されることがある。
▷民法典1152条

Dernières écritures 民訴 最新の文書
►Conclusions récapitulatives〔要点再録申立趣意書〕

Dérogation 民法 適用除外　個別のケースにおける普通法の排除。この用語は，契約に関して当事者が強行法規でもなく公序にも関わらない法律の適用を排斥する約定を指すためにとくに用いられる。

Désaffectation 行政 公用廃止　déclassementの同義語。
►Affectation〔公用開始〕►Déclassement〔公用廃止〕

Désaveu de paternité 民法 父子関係否認の訴え　夫が，自分は妻の子の父ではないことを証明しようとする裁判上の訴え〔►Action en justice〕。この訴えは父子関係の推定〔►Présomption de paternité〕を争うものである。

　嫡出否認の訴え〔action en désaveu〕は父子関係を争う訴え〔action en contestation de paternité〕に置き換えられた。父子関係を争う訴えは，出生証書と合致した身分占有を欠く場合には，すべての利害関係人に10年間開かれており，身分占有が5年を下回る期間継続した場合には，子，子の父母および血族を主張する者に留保される。
▷民法典312条，314条，332条および333条

Désaveu d'avocat (d'officier ministériel) 民訴 弁護士（裁判所補助吏）の否認　弁護士または裁判所補助吏がその委任の範囲を越えたと訴訟当事者が主張する訴え。否認に理由があれば，当該手続行為は無効となる。

　新民事手続法典により否認は，（コンセイユ・デタ・破毀院付弁護士の場合を除いて）権限を逸脱した代理人に対する損害賠償の訴えへと代わった。
▷新民事手続法典417条，697条および698条；民法典2277-1条

Descendant 民法 直系卑属　世代の連鎖において先立つ者と直系血族関係にある者。この直系血族関係は，優先的な相続権利関係を生じさせ,相互的な債権債務関係または障害（扶養料，証言，婚姻など）を発生させる。
▷民法典205条，207条および734条以下
►Ascendant〔直系尊属〕►Collatéral〔傍系；傍系血族〕►Degré de parenté〔親等〕
►Enfant〔子〕►Ligne〔系〕

Descente sur les lieux 民訴 現場検証　►Vérifications personnelles du juge〔裁判官自身による検証〕

Déshérence 民法 相続人の不存在　相続人，すなわち相続権のある親等の血族，配偶者または包括受遺者が存在しないという相続財産の状態。相続人不存在の相続財産は国によって取得される。
▷民法典539条，724条および811条以下；新民事手続法典1354条

Désistement 憲法 立候補の辞退　他の立候補者の利益を考慮して，第1回投票後に行う立候補の辞退。

民訴 取下げ　原告による，現に進行中の訴訟手続き〔instance〕の放棄（したがって再度，訴えをなすことができる），あるいは，控訴〔appel〕または故障の申立て〔opposition〕の放棄（したがって判決は確定力を獲得する），あるいは，1または複数の手続行為〔actes de procédure〕の放棄（したがって取り下げられた行為を除いて訴訟手続きは続行される），あるいは，訴権〔faculté d'agir〕の放棄（したがって実体権は消滅する）。
▷新民事手続法典394条以下

Désistement volontaire 刑法 任意の中止　外部的な圧力がまったくないのに，重罪または軽罪が既遂に達する前に，その行為者が自らの犯罪計画を放棄すること。これにより，その行為者は刑事責任をすべて免れ，不処罰が保障される。
▷刑法典121-5条
►Tentative〔未遂〕

Déspécialisation 商法 目的外利用　商事賃貸借の賃借人が，その主たる営業活動に加えて，付帯的または補完的活動を行うこと，または，契約に定められた営業活動と異なる活動を行うこと。1965年5月12日の法律と1971年7月16日の法律は，目的外利用の条件を緩和した。
▷商法典L145-47条

Dessaisissement du juge 訴訟 裁判官の事件関与の解除　裁判官が裁判的性質を有する判決をなすとき，原則として裁判官は事件関与

Des

を解除される。
　ただし判決を解釈し，実質的な誤りまたは脱漏を修正する権限は残されている。
　民事手続きにおいては，新法典によると，(《請求の一部を落として》[infra petita])裁判を脱漏した場合はその補完，請求されていない事項について(《請求の範囲をこえて》[ultra petita, extra petita])裁判した場合はその訂正をすることができる。
　裁判官が事件を再審理できるのは，原判決取消しの不服申立て(例えば，故障の申立て，再審の申立て)の対象となった場合に限られる。
▷新民事手続法典461条から464条および481条

Dessins et modèles [商法] **意匠** 形状，模様または色彩に関する創作物であって，新規かつ独創的であることを条件に，その創作者に一定期間の利用独占権が付与されるもの。意匠は，意匠に関する特別規定および著作権制度による保護を受ける。
▷知的所有権法典L111-1条以下およびL511-1条以下

Destination [民法] **用途** ある財産を，適切な法制度を作動させる用途に当てること。不動産の賃貸借は，企図された目的に従って，商事賃貸借，農事賃貸借，居住賃貸借などになる。土地の用益および経営のためにその土地に設置されている動産は，不動産のカテゴリーに属するものとみなされる。
▶Affectation [割当て] ▶Immeuble par destination [用途による不動産]

Destination du père de famille [民法] **家父の用法指定** 2つの土地を所有する者が，この2つの土地が別々の所有者に帰属することになった場合に地役が設定されるようにしておくとき，地役権の取得に関していわれる(例えば，第2の土地のための第1の土地上の通路)。この事実上の関係は，特に遺産分割の結果2つの遺産が異なる2人の所有者に帰属するに至ったときに，地役となる。
▷民法典692条以下

Destitution [民訴] **罷免** 懲戒処分。
▶Poursuite disciplinaire [懲戒訴追]
[民法] **解任** 公民としての責務を負っていた者(例えば，後見人)をその職務から解くこと。

Désuétude [民法] [公法] **空文化** 法規が実際には適用されていない状況。
　空文化が黙示の廃止に相当すると考える法律家もいる。

Détachement [行政] **在籍出向** (一般に)他の行政機関において職務を遂行するために本来の職団を離れるが，この本来の職団において継続的に昇進および恩給に対する権利を受ける官吏の行政上の地位。
▶Corps (de fonctionnaires) [官吏職団]
▶Hors cadres [移籍出向]
[労働] **在籍出向** 一時的に他の企業で働く労働者の地位のこと。在籍出向している労働者は，出向元企業の員数に数えられ，出向元企業は当該労働者に対して報酬を支払うことがある。
▷労働法典L122-14-8条
▶Mutation [配置転換] ▶Transfert [転籍]
[社保] **国外派遣** 一定の限定された期間そこで賃労働に従事するために，使用者によってフランスから国外へと派遣され，かつ，その期間依然としてフランスの社会保障制度に加入し続けている労働者の法的地位のこと。この加入関係の維持は，国際的取極めまたは社会保障についての2国間条約による場合もあるし，フランス国内法の規定による場合もある。
　国外派遣は，労働者と派遣元の企業との間に従属関係が存続していること，すなわち，少なくとも企業がフランスの社会保障制度に保険料を支払っていることを前提としている。
　国外派遣された労働者は，フランスの社会保障制度の給付を受ける権利を有する。
▷社会保障法典L761-1条およびL761-2条

Détention [民法] **所持；容仮占有**
　①所持//支配を正当化する権原とは関係のない，物に対する現実的支配。
　②容仮占有//狭義では，détentionとは，所有権から分肢された権原に基づいて物を支配することである。《détention》[容仮占有]と《possession》[自主占有]が対置される。
▷民法典2236条
▶Possession [占有；自主占有]

Détention criminelle [刑法] **禁錮** 政治犯罪について有罪とされた者を拘禁することを内容とする，重罪の自由剥奪刑。その行刑制度は，普通法上の犯罪に適用されるものとは異なる。この制度では，対象となる犯罪の性質そのものを考慮して，受刑者には必然的に優遇措置が与えられる。
▷刑法典131-1条以下
▶Infraction politique [政治犯罪]

Détention provisoire 〔訴訟〕**勾留** 予審が行われている間予審対象者を収容し，または即時出頭の範囲内で軽罪・違警罪の被告人を収容する措置。例外的性格を有し，特定の場合に，かつ，対審による弁論を経た上で裁判官によってでなければなされえない。弁論の間，裁判官は，検察官の意見，次いで予審対象者の意見および必要があれば弁護人の意見を聴取する。
▷刑事手続法典137条および144条以下

Détournement de fonds ou d'objets 〔刑法〕**財産の横領** 物または金銭に対する他人の権利を，他人によって与えられた信頼を濫用して，必要な場合には領得によって侵害すること。例えば，質物の横領，または受託者による公金の横領。

Détournement de mineur 〔刑法〕**未成年者誘拐** 未成年者が服しまたは委託されている者の支配または監督下から，その未成年者を連れ出す犯罪。新刑法典は，この犯罪類型をなくし，未成年者が被害者となりうる侵害について多様な類型を設けた。
▷刑法典221-3条以下および222-15条以下
►Soustraction de mineurs〔未成年者誘拐〕

Détournement de pouvoir 〔行政〕**権限濫用** 行政庁が自己の権限の1つを，それが付与された目的以外の目的で行使するという違法。

Détournement de procédure 〔行政〕**手続きの濫用** 適法な手続きに代えて，当該活動に適用されない，行政庁にとってより都合が良くより迅速な他の手続きを用いるという違法。
〔刑法〕**手続きの濫用** 警察機関または司法機関が，刑事手続きを安易にまたは効率的に進めるために自己の管轄権限を自己に課された手続きを逸脱する違法な慣行。例えば，専門特化公務員は自己の管轄権限に属さない犯罪について関与することができない。その例として，共和国治安機動隊員は関税犯罪について関与することができない。手続きの濫用に対する制裁は当該行為の無効である。ただし，行為者に対する懲戒上の手続きの行使，さらには刑事訴追（►Abus d'autorité〔権限の濫用〕）を伴うことがある。

Dette 〔民法〕**債務；負債** 《obligation》の同義語。支払われるべき金銭を内容とする給付を示す際によく用いられる用語。
►Obligation〔債権債務関係；債務〕

Dette publique 〔財政〕**公債** 最もよく用いられる意味では，国が借り入れ，または国に預託されている資金の総体。
　公債の主たる分類として，特に以下のものを挙げることができる。

Dette flottante 流動公債：主として短期国債〔►Bons du Trésor〕，長期国債〔►Obligations assimilables du Trésor〕および国庫預託元〔►Correspondant du Trésor public〕の預託金からなる債務。流動公債の額は常時変動する。流動公債には，金融市場において取引されうる有価証券の形式をとる流通公債（短期国債および長期国債）と非流通公債（国庫預託元の預託金など）がある。

Dette inscrite 登録公債（これは公債登録簿に当然に登録される）：中期または長期の借入れ（今日ではごくまれにしか利用されない）からなる債務。登録公債は，ときとして借換公債〔dette consolidée〕とも呼ばれる。
►Consolidation de la dette publique〔公債の中長期公債への借換え〕

・このような厳密な意味での公債と終身年金公債〔dette viagère〕とを区別しなければならない。もっとも，終身年金公債は，ときとして公債に含められることがある。終身年金公債は借入金または預託金からなるものではなく，国が，退職したまたは現職の公務員に支給するさまざまな年金（退職年金，廃疾年金など）のことである。

・《Dette au sens de Maastricht》《マーストリヒト条約の意味における公債》：商事的性質の与信を除く，行政機関（国，地方公共団体，社会保障機関）全体の債務。これらの機関の間で生じた債務は除外して計算される。この概念は，安定と成長に関する協定〔►Pacte de stabilité et de croissance〕に基づく義務との関連でフランスの財政赤字を評価するために用いられる。

Dette de valeur 〔民法〕**価値債務** 通貨の変動に対処するために，あらかじめ定められた金額ではなく，請求可能時の評価価値を対象とする金銭債務。例えば，相続財産への持戻し〔►Rapport à succession〕は，相続人に，贈与時ではなく，分割時における贈与財産の評価価値を返還するよう義務づけている。
▷民法典860条および924-2条

Dévaluation 〔財政〕**平価切下げ** （いまや存在しない）固定為替相場制において，公的機関の決定によって自国の通貨の交換レートを下げること。厳密な語法では，現在の変動為替相場制には固定基準がないので，平価切下げ

は考えられないはずだが，他国の通貨との関係において自国の通貨の価値が減少することはありうる。公的機関がこのことを認めることはあり，その場合，報道機関は相変わらずこれを平価切下げと呼んでいる。

Devis [民法] **見積書** 請負契約における，将来行われる仕事の明細書。使用される材料および各品目の価格の表示を内容とする。
▷民法典1787条以下

Devise [財政] **通貨；外貨** monnaieの同義語。国内の通貨単位（アメリカ合衆国の場合はドル）を指す場合にdevise nationaleということもあるが，この用語は，ほとんどの場合，複数形でかつ形容詞を付されずに用いられる。その場合，この用語は国内通貨と対置され，外国通貨の総体を集合的に指す（例えば，フランスの外貨建て資産）。

Devoir conjugal [民法] **夫婦間の性的義務** 婚姻〔►Mariage〕から生ずる義務であって，夫婦のおのおのは配偶者と性的関係を維持することを受け入れなければならないとするもの。
▷民法典215条
►Communauté de vie〔生活共同〕

Devoir juridique [民法] **法的義務** ある者に課せられる義務。義務の尊重は，裁判上の訴えの助けを借りることによって，その受益者により獲得されうる。個人に課される義務の根源は，ほとんどの場合，法学者ウルピアヌスのいう3つの法の一般原則（誠実に生きなければならない，第三者を害してはならない，各人にその有すべきものを与えなければならない（honeste vivere, alterum non laedere, suum cuique tribuere））にある。法の一般原則のカテゴリーは，古代ローマ以来増える一方である。

Devoir moral [一般] **道徳上の義務** 裁判上その履行を求めることができない義務であり，義務者は良心上の義務しか負わない。道徳上の義務という概念は法と無関係ではない。それは，そうした義務の履行が，無償譲与ではなく，弁済であり，非債弁済に基づく返還請求を排除するという意味においてである。
►Obligation naturelle〔自然債務〕

Dévolutif [民訴] **移審的（帰属的）** ►Effet dévolutif des voies de recours〔不服申立ての移審的（帰属的）効果〕

Dévolution [民法] **移転；（権利義務の）割当て**
①移転//広義では，相続財産が相続権者に移転されること。
②（権利義務の）割当て//狭義では，ある順位〔degré〕または一方の系〔ligne〕が存在しない場合に，次の順位または他方の系に相続する資格が移ること。
▷民法典734条以下および741条以下

Diagnostic prénatal [民法] **出産前診断** 出産前診断とは，生体内の胚または胎児に特別に重い病気がないか検査することを目的とする医療行為のことである。この診断は，当該病気の専門医の診察を受けた後に行われなければならない。
▷公衆衛生法典L2131-1条

Dialogue compétitif (Procédure de) [行政] **競争的交渉手続き** 例外的に複雑な計画の実現のための，公契約〔►Marchés publics〕締結の特別かつ非常に規制された手続き。公法人だけでは，計画の実現に必要な技術的手段または法的もしくは財政的組立てを定めることができない場合に限定される。競争的交渉手続きは，手続きの追行のため，計画の実現に最適と思われる提案を示す企業の採用を目的として，競争入札を経て事前に選抜された企業のおのおのと，交渉を行うことによって開始する。
▷公契約法典36条および37条

Dialogue Nord-Sud [国公] **南北対話** 先進国と発展途上国の間の新たな経済関係の樹立（《新国際経済秩序》（NOEI）の構築）について，両者間で行われた交渉を性格づけるために用いられる表現。この交渉は，特別会議の枠内や国際連合体制内で行われた。今のところ，目立った成果は見られない。

Dictature [憲法] **独裁** 多くの場合，武力（クーデター，革命）によって権力を奪取した権力保持者が，国民の真の参加も反対派を許容することもなしに権威主義的に権力を行使する体制。

独裁は，民主主義によっては十分に保護されない既存秩序の防衛反応（反動的または保守的な独裁。例えば，ファシストの独裁）の場合もあれば，社会変革の道具（革命的独裁。例えばプロレタリアート独裁）の場合もある。

《**Dies ad quem**》 [一般] **終了日** ある日付までを指すラテン語の表現。
期間の終了点。
►Délai〔期間〕►Délai de procédure〔手続期間〕►《Dies a quo》〔起算日〕

《**Dies a quo**》 [一般] **起算日** ある日付からを

指すラテン語の表現。
　　期間の起算点。
　▶Délai〔期間〕▶Délai de procédure〔手続期間〕》《Dies ad quem》〔終了日〕
Diffamation 刑法 **名誉毀損**　人または国家機関の名誉または敬意を侵害する事実の主張または糾弾。公然性の有無により，軽罪または違警罪を構成する。
　▷刑法典1881年7月29日の法律
Difficultés d'exécution 民訴 **執行上の障害**
執行名義の履行に対して，当事者または第三者が主張する法的な障害。執行裁判官〔▶Juge de l'exécution〕は公序の名においてこれに対する管轄権限を有する。
　▷司法組織法典L213-6条
Diffusion 刑法 **公告**　一定の重罪および軽罪について裁判所により言い渡されることのできる補充刑。有罪判決を公示することを内容とする。その費用は，有罪判決を受けた者が負担する。公示の媒体（官報〔▶Journal Officiel〕または電子的媒体を含む他のすべての刊行物）は，裁判所自身によって指定される。
　▷刑法典131-10条，131-35条および131-39条
　▶Affichage〔掲示〕
Dignité de la personne 刑法 **人間の尊厳**
　▶Atteinte à la dignité de la personne〔人間の尊厳に対する侵害〕
Dilatoire 民訴 **引延し的**　時間を稼ごうとすること。引延し的攻撃防禦方法〔moyen dilatoire〕は，適法でありうる。相続人が，熟慮するため4ヵ月の期間を抗弁として援用し，自らに向けられた手続きをその期間中停止しようとする場合がこれにあたる。しかし，たいていの場合，引延し的手法は，非難の対象となる。なぜなら，引延し的手法は，裁判の進行を不当に遅らせること以外に目的を有しないからである。例えば，明白に理由づけに欠け，その唯一の目的が判決の執行を回避することである控訴がこれにあたる。
　▷新民事手続法典32-1条，559条，581条および628条
Diplomatie 国公 **外交；外交官職；外交術**
　①外交//国家が自国の対外政策を行うための方法および活動の総体。
　②外交官職//外交官の職。
　▶Agent diplomatique〔外交官〕
　③外交術//国家間の交渉技術。
　▶Relations diplomatiques〔外交関係〕
Dire 民訴 **（競売条件に関する）異議申立書**

競売の条件に関する異議を申し立てる申述書。不動産競売の競売条件明細書〔cahier des conditions〕に添付される。この異議申立ての裁判は，執行裁判官が，不動産差押進路決定法廷〔audience d'orientation〕において行う（2006年7月27日のデクレ第936号45条，49条，52条）。
Direction du procès 民訴 **訴訟の主宰**　フランスの伝統において，民事訴訟の主宰は訴訟当事者およびその弁護人に属する。1935年，1965年，1971年の改革を経て，準備手続裁判官に，大審裁判所および控訴院において主宰する一定の権限が与えられ，準備手続裁判官は訴訟手続きの進行および事件の準備手続きを支配する者となった。同一の傾向は，新民事手続法典において，例外裁判所で行われる手続きについて見られる。
　▷新民事手続法典763条以下および910条以下
　▶Mise en état〔弁論適状におくこと〕
　▶Principe dispositif〔処分権主義〕
Directives 行政 **裁量基準**　行政庁が，裁量権限（▶Pouvoir discrétionnaire, Pouvoir lié〔裁量権限，覊束権限〕）の自己制限を行うために，一定の領域においてその活動を根拠づけることになる原則をあらかじめ定める一般的行為を指す新語。行政庁の評価権限は失われない。裁量基準の法制度は統一されていないが，裁量基準が適用される領域において行政庁が個別行為を行う場合に，当該裁量基準をもって行政庁に対抗しうることが認められる点は，裁量基準に共通する性質である。
　憲法 **指令**　第五共和制下で，共和国大統領が目標（ときとして作業日程を伴う）を定めるために首相（さらには大臣）に発する指示をいう。1974年以降，若干の指令は公表され，これによってその拘束力はさらに高まった。首相自身もまた，各省に指令を発する。
　EU **指令；命令**　共同体法（▶Communautés européennes〔ヨーロッパ共同体〕）において，達成されるべき結果について，これが向けられたすべての加盟国を拘束するが，方法および形式の選定については加盟国に任せる行為（ヨーロッパ石炭鉄鋼共同体では《recommandation》〔勧告〕）。
　▶Règlement〔規則〕
Directoire 商法 **執行役会；（新型株式会社の）取締役会**　いわゆる《新型の株式会社》〔société anonyme de type nouveau〕の業務執行に関して，会社の他の機関に付与されて

いる権限を除いて最も広範な権限をもつ機関。1人ないし5人によって構成される。
▷商法典L225-57条

憲法 **総裁政府；総裁制**
①総裁政府//フランスにおいて，共和暦3年憲法典が設けた統治機関に与えられた名称。
②総裁制//転じて，多数決で決定を下す少人数の対等な人々からなる集団形式の統治機関（例えば，スイスの連邦参事会）。

Dirigisme 公法 経済指導主義；ディリジスム
第二次世界大戦直後のフランスで実行され，国家が経済社会活動を直接的または間接的関与（計画化，国有化，補助金など）によって方向づけ，かつ監督していた経済管理体制に与えられた名称。侮蔑的なニュアンスを有する。

Dirimant 民法 一般 **絶対的；決定的**
①絶対的//本来の法的な意味においては，absolu〔絶対的〕の同義語。例えば，直系血族関係は，絶対的婚姻障害〔empêchement dirimant au mariage〕である。すなわち，この障害は，どのような許可によっても解除されえない。
②決定的//より一般的な意味において，決定的な反論〔objection dirimante〕とは，相手方の推論を崩す反論である。

Discernement 刑法 **弁別能力** 自己の行為の重大性を理解する能力。帰責性として刑事責任に影響を及ぼす。
未成年者については，法律は，弁別能力を有する場合には，行為時の年齢を考慮することなく刑事責任ありとしている。《制裁》のある場合にのみ，その性質および額が年齢を考慮して定められる。
▷刑法典122-8条
►Minorité pénale〔刑事未成年〕►Imputabilité〔帰責性〕

Discount 商法 **安売り** 競争業者が市場において同一製品に付している価格と比べて，異常に低い価格による販売。

Discrédit 刑法 **裁判所誹謗** あらゆる性質の行動，言葉，文書または映像によって公然と裁判所の行為または裁判を誹謗し，裁判の権威またはその独立を侵害することからなる犯罪。
▷刑法典434-25条

Discrétionnaire 民法 **裁量的** 濫用に親しまない，したがってその行使が他人に対して有害な結果を引き起こしうる場合であってもあらゆる責任を免れる権利（未成年の子の婚姻に同意することの拒否，相続の承認または放棄など）を形容する語。

民訴 **裁量的** 事実審裁判所の評価が破毀院の審査を免れる場合に，事実審裁判所の権限〔pouvoir〕に冠せられる。

行政 **裁量的** ►Pouvoir discrétionnaire, Pouvoir lié〔裁量権限，覊束権限〕

Discipline 行政 **懲戒** ►Pouvoir disciplinaire〔懲戒権〕

民訴 **懲戒** 司法官，弁護士，裁判所補助吏，若干の裁判補助者は，一定の職業倫理〔►Déontologie〕規定を遵守する義務がある。倫理規定に違反すると，懲戒上の訴追の対象となる。懲戒上の訴追制度は，各職団（司法官職高等評議会，弁護士職団評議会など）ごとに設けられている。

Discipline de vote 憲法 **党議拘束** 投票の際に会派の構成員に一致した行動を課すこと。

Discrimination 商法 **差別** ►Pratiques discriminatoires〔差別行為〕

刑法 **差別罪** 出身，性，家族状況，妊娠，外見，氏，健康状態，障害，遺伝子的特徴，素行，性的傾向，年齢，政治的見解，組合活動，真偽は別として，特定の民族，人種または宗教に属しまたは属していないことを理由に自然人の間でなされるあらゆる区別のこと。
法人の構成員の全部または一部に関する同様の理由に基づいて法人の間でなされるあらゆる区別も，差別罪となる。
▷刑法典225-1条以下

労働 **差別** 人種，宗教，性，政治的見解，民族的出自または社会的出身に基づいてなされる区別，排除または優先であって，雇用または職業における機会または待遇の平等を失わせるまたは害する結果となるすべてのもの。ILOの111号条約は，差別を禁止している。社会的に侵害されていた平等を回復する（例えば，女性の雇用を奨励する）ことのみを目的として，前記のカテゴリーの1つに含まれる人々の有利になるように差異を設けることを，積極的差別という。この種の差別は，必ずしも禁止されていない。
▷労働法典L122-45条およびL123-1条以下
►Haute autorité de lutte contre les discriminations et pour l'égalité（HALDE）〔差別撤廃平等促進高等機関〕

Discussion 民法 **検索** ►Bénéfice de discussion〔検索の利益〕

Disjonction d'instance 民訴 **訴訟手続きの分**

離 裁判所が，1つの訴訟手続きを複数の訴訟手続きに分離することを決定する裁判。同一の手続きにまとめられた係争中の問題相互の間に十分な関連性〔connexité〕を欠くため，それらを別々に審理，裁判しなければならないからである。

分離は実際には請求の分離として現れ，裁判所はただちに主たる請求について裁判し，反訴請求の審理を延期する。

▷新民事手続法典367条および368条

►Jonction d'instances〔訴訟手続きの併合〕

Disparition 民法 **失踪** 諸事情を理由に，ある者の生存を疑わせる出来事。生命の危険に遭遇した結果姿を現さなくなった場合には，短期間のうちに死亡宣言判決がなされる。

▷民法典88条以下および112条以下

►Absence〔生死不明〕

Dispense 民法 **免除** 公権力または法律が，ある者に対して，証書の作成，地位または権能の付与前に，その実質的または形式的条件を免れさせること。例えば，未成年男子は，共和国検事によって与えられる免除がなければ満18歳前に結婚することはできない。条件に加えて，債務または負担を免れさせることも対象としている。例えば，租税，後見などである。

▷民法典144条および145条

Dispense de peine 刑法 **刑の任意的免除** 被告人の有責性を認めた軽罪裁判所または違警罪裁判所が，被告人の社会復帰が得られ，損害が賠償され，犯罪に起因する社会的混乱が終息したと思われる場合に，制裁の言渡しを取りやめる措置。

▷刑法典132-58条および132-59条

►Ajournement du prononcé de la peine〔刑の宣告猶予〕

Disponibilité 行政 **休職** 在籍する職団を一時的に離れた官吏の地位。昇進および恩給に対する権利と，ほとんどの場合には，俸給の全部または一部が停止される。

Disponible 民法 **処分可能な** ►Quotité disponible〔処分可能分〕

Disposer 民法 **処分する** 所有権の属性たる権利のひとつを表す動詞：所有権者は，法律行為（売却，贈与など）または事実行為（変形または破壊）を通じて財産を《処分する》。

►《Abusus》〔処分権〕─《Fructus》〔収益権〕─《Usus》〔使用権〕

Dispositif (Principe) 民訴 **処分権主義**

►Principe dispositif〔処分権主義〕

Dispositif du jugement 民訴 **判決の主文** 係争の解決を内容とする判決の部分で，この部分に既判力が伴う。

既判力は原則として，主文を補強する判決理由〔►Motif〕については存しない。

▷新民事手続法典452条，455条および480条

Disposition à titre gratuit 民法 **無償の処分** 無償譲与の意図〔intention libérale〕に基づき，第三者のためになされる財産の移転。生前の贈与または遺言によってなされる。

▷民法典893条以下

►Acte à titre gratuit〔無償行為〕

Dissimulation 民法 商法 **隠匿** 隠匿とは虚偽表示の裏面であり，真の法的取引を隠し，そのために表面上の行為の性質を変え，変更またはそれをなくし，あるいは真の受益者の本人性を偽ることである。

▷民法典1321条

Dissolution 憲法 **解散** 国家元首または政府が任期終了前に国会議員全体の任期を終わらせる行為。

解散権は議院内閣制に必要不可欠な要素である。なぜならば議院内閣制においては，解散権は国会が政府の政治責任を問う権利に対応するものだからである。解散は，次の目的で宣言することができる。

a) 国会と政府の間の対立を国民に裁定させる。

b) 重要な問題を国民の判断に委ねる（例えば，イギリスのように，国民投票のない国においては，国民投票と同等の役割を果たす）。

c) 選挙人の意見を聴くにふさわしい時機を政府が選択することができるようにする。

d) 立法期の終了が見え始めた議員が，自分の再選を気遣い，国民に媚びを売りがちになることで政治に空白が生じるのを避ける。

解散は，任意になされることもあれば（例えば，1958年憲法典12条では，国家元首または首相の自由なイニシアティヴに委ねられている），条件づけられていたり（例えば，危機の頻度に結びつけられる場合。1946年憲法典51条を参照），自動的になされることもある（内閣の危機が始まると必然的に解散となる）。

刑法 **解散** 法人に対して言い渡しうる《極》刑。

▷刑法典131-39条1号

私法 **解消；解散** 一定の出来事の発生によって引き起こされる，組織の消滅。解消または

解散の原因は、組織の型によりさまざまである。例えば、夫婦の一方の死亡により婚姻は終了するが、株式会社の社員の1人が死亡しても会社は存続する。

Distinction des contentieux　行政　訴訟の区別
▶Contentieux administratif〔行政訴訟〕

Distraction des dépens　民訴　訴訟費用の直接取立て　勝訴者の弁護士または（控訴においては）代訴士に付与されている権利で、これらの者は敗訴者に、勝訴した依頼人のために支出した費用を自己に直接支払わせることができる。
▷新民事手続法典699条

Distraction de saisie　民訴　差押異議　第三者が差押財産の全部または一部が自己の所有に属すると主張する、差押えに関する異議申立て（2006年7月27日のデクレ第936号9条）。
▶Saisie-revendication〔返還目的の保全差押え〕

Distributeur agréé　商法　指定流通業者
▶Distribution sélective〔選択流通制〕

Distribution par contribution　民訴　按分による配当　▶Contribution〔按分〕

Distribution des deniers　民訴　（民事執行手続外の）配当手続き　あらゆる民事執行手続きの外において債務者の財物が換価される場合にはたらく負債整理の仕組み。大審裁判所所長が指名する者が、申出債権者間の資金配当案を作成し、支払いを行う。配当案についての争いのある場合には、この指名された者が和解を勧試する。勧解不調の場合には、対象となる金額を配当するのは、大審裁判所である。
▷新民事手続法典1281-1条以下

Distribution sélective　商法　選択流通制　供給業者が、質的基準に基づいて選択された一定数の流通業者と契約を結び、独占権は与えないが、流通業者による一定の義務の遵守を条件として、これらの流通業者だけにその製品を販売する流通制度。
▷商法典L330-3条

Distributive (Justice-)　一般　配分的（正義）
▶Justice〔正義〕

District　行政　市町村連合区　市町村間協力公施設法人〔▶Établissement public de coopération intercommunale（EPCI）〕のかつての一形態。遅くとも2001年末には、市町村共同体〔▶Communauté de communes〕または中規模都市共同体〔▶Communauté d'agglomération〕（人口50万人を超えるものについては場合により都市共同体〔▶Communauté urbaine〕）に再編された。

Divertissement　民法　横領　相続人または夫婦の一方が、相続財産または共通財産中の財産を不正に横取りする行為。
▷民法典778条および1477条

Dividendes　民法　商法　配当金；利益配当　会社が実現した利益のうち、営業年度末に、年次総会の決議に基づいて社員に分配される部分。
▷民法典1844-1条

《Dividende fiscal》　財政　租税に対する配当金（＝税収の自然増）　経済の成長期における所得額および経済活動の増加によって自動的にもたらされる税収の増加現象を指すためにときとして用いられる語。この増加は、一般に経済活動に比例するというよりもそれ以上に増加する。それは、特に所得税の税率の累進性、および購買の対象がより高価な、したがって高い間接税率（TVA）に服する製品またはサーヴィスの購入へと変化することに起因する。

Division　民法　分別　▶Bénéfice de division〔分別の利益〕

Divorce　民法　離婚　婚姻の解消に至る夫婦関係の断絶。離婚は必ず家族事件裁判官の裁判により言い渡されなければならない。離婚の請求原因は以下の4つである。第1に、夫婦が婚姻の解消とその効果について意見が一致している場合（相互の同意による離婚）。夫婦の共同申請〔requête conjointe〕による。第2に、夫婦がその原因については触れずに婚姻の解消を原則的に承認しているが、離婚の具体的効果については裁判所の判断に委ねる場合（承諾離婚）。夫婦の一方の請求を他方が承諾するか、または共同の請求による。第3に、夫婦間の生活共同が終わっていること、または、呼出状〔▶Assignation〕の時点で少なくとも2年以上別居していることによって夫婦関係が決定的に損なわれている場合（夫婦関係の決定的悪化による離婚）。夫婦の一方の請求による。第4に、婚姻上の義務の重大または度重なる違反を構成する行為が配偶者の責めに帰すことができ、かつ、共同生活の維持を耐え難いものにしている場合（有責離婚）。夫婦の一方の請求による。
▷民法典229条以下；新民事手続法典1070条以下

Divulgation [刑法] 漏示行為 署名，約束もしくは放棄，秘密の開示，または現金，有価証券もしくは何らかの財物を得るために，人の名誉または敬意を侵害する情報を暴露すること。このような暴露は，恐喝罪の構成要素となる。同様の目的で同様の事実を暴露すると脅すだけで，刑法典上恐喝となる。
▷刑法典312-10条
▶Secret professionnel〔職業上の秘密〕
▶Vie privée〔私生活〕

Dockers [労働] 港湾労働者 いくつかの港で船舶の荷積みおよび荷降ろしに継続的に使用されている労働者。
　1992年6月9日の法律は，港湾労働者の法的地位を大きく変更した。特に，多数の港湾労働者が月給制化され，組合は労働者採用における準独占的な役割を失った。
▷労働法典L743-1条，R743-6条以下；港湾法典511-3条

Doctorat [行政] 博士 ▶Licence-Master-Doctorat (LMD)〔学士＝修士＝博士〕

Doctrine [一般] 法学説 法律家の見解。転じて，法律家の（著作の）総体。

Documents [民訴] 文書 訴訟上の事実の証明に資する書面。文書は当事者が自発的に提出することができる。文書の伝達は，裁判官が，または，専門家が必要ならば裁判官の関与を伴って，当事者または第三者に要求することができる。
▷新民事手続法典132条以下
▶Communication de pièces〔書証の伝達〕
▶Pièces〔書証〕

Documents administratifs [行政] 行政文書 官吏は，職務上知ることができた情報について守秘義務〔obligation de discrétion〕を負う。ときに，この守秘義務は，刑事上の制裁を受ける職業上の秘密〔▶Secret professionnel〕にまで強められることもある。しかし，情報が行政文書に含まれている場合については，行政文書開示〔▶Accès aux documents administratifs (Droit d')〕の自由の原則を定めた法文によって，官吏の守秘義務に対する重要な適用除外が設けられた。

Doit [民法] [商法] 借方 ▶Actif〔資産；（貸借対照表の）借方〕▶Avoir〔総財産；貸方〕
▶Passif〔負債；（貸借対照表の）貸方〕

Dol [民法] 詐欺；故意
　①詐欺//同意を得るために法律行為の当事者の一方を欺くことを目的とする欺罔行為。ときに，虚偽〔mensonge〕または非難さるべき沈黙〔réticence blâmable〕も詐欺を構成することがある。
▷民法典887条，1116条，1147条，1150条および1967条
　②故意//不法行為においては，他人に損害を生じさせる故意によるフォートのこと。
[刑法] 故意 犯罪者の心理的態度。その者が犯罪を行うことを望んだことを内容とする。行為者が，侵害を生じさせる結果を望まなかったが，そのようになるかも知れないと思っていた場合には，未必の故意〔dol éventuel〕がある。この場合，行為者は単なる故意によらない反規範的態度〔faute non intentionnelle〕について責任を負う。非常に重い故意によらない反規範的態度は故意そのものと同一視されるべきである（スピードの出し過ぎを続けることなど）という理論は，それが類推による推論を認めるものであるため，判例上も法律上も採用されることはなかった。それゆえ，意識的な反規範的態度〔faute délibérée〕は，その意図的性質にもかかわらず，依然として故意によらない反規範的態度である。ただし，これはより厳格に処罰される。
▷刑法典121-3条
　行為者が故意をもって行動したが具体的な結果を認容してはいなかった場合には，不確定的故意〔dol indéterminé〕がある。行為者は実際に生じた結果に責任を負う。というのも，故意は達成された結果に常に従うものと法が推定しているからである。このことを，故意ははじめは不確定であっても達成された結果によって確定的となる，という。（《Dollus indeterminatus determinatur eventu》〔不確定的故意は達成された結果によって確定される〕）。
▶Faute〔反規範的態度〕[刑法]

Domaine privé [行政] 私産 公産以外の公法人の財産。法制度上，原則として，私法上の実体規範および司法裁判所の管轄に服する。
▷公法人財産一般法典L2211-1条およびL2212-1条

Domaine public [行政] 公産 公法人〔▶Personne publique〕の財産のなかで，手厚い保護を定める行政法制度に服する部分。公産のカテゴリーに分類された財産は（それが公産であるかぎり）時効にかかることも譲渡されることもない。ある財産を公産から除外する

には，いわゆる公用廃止〔►Déclassement〕の手続きによらなければならない。公産は，以下のものを含む。

・不動産たる公産。これは，公衆の直接の使用に割り当てられる財産，および，《当該公役務の任務の実施に不可欠な整備の対象となる》ことを条件に公役務に割り当てられる財産（例：兵舎，刑務所）からなる。原則として役所として使用されるものとして明示的に私産に分類される財産もある。公産の経済的利用を促進するために，公産上に建造物を建てる許可を得た私人に対し，その建造物を対象とする（制限）物権〔►Droit réel〕が認められる。

・動産たる公産。これは主として文化財であり，歴史，美術，考古学，科学または技術の観点からみて公益性を有する財産からなる。例：美術館のコレクション。

▷公法人財産一般法典L2111-1条以下，L2112-1条およびL2122-6条

Domaine réservé 国公 （国内管轄権の）留保事項 ►Compétence nationale (Domaine de la)〔国内管轄権(国内管轄事項)〕

Domicile 民法 住所 ある者が永続的に居住するとみなされる地。これにより，その者の住所に対してなされる裁判上の行為は，その者に対抗できる。実定法においては，住所は本拠を有する地に設定される。

▷民法典102条以下
►Demeure〔居住地〕
刑法 住居 ►Violation de domicile〔住居侵入〕

Domicile élu 民法 民訴 選定住所 法律行為を執行するために行為の両当事者によって選定された，現実の住所以外の地。住所が選定された場合，当該行為に関する請求は選定住所においてなされることができ，場合により，裁判上の手続きは選定住所地の裁判所において追行されることができる。

▷民法典111条
民訴 選定住所 ►Élection de domicile〔住所の選定〕

Domiciliataire 商法 支払担当者 商業証券の支払呈示がなされるべき場所に住所をもつ第三者。

Domiciliation 商法 支払場所 商業証券の支払のために指定された場所の表示。

▷通貨金融法典L131-9条，L134-1条およびL134-2条；商法典L511-2条およびL512-3条

Dominion 国公 自治領 かつてのイギリス植民地に対して付けられた名称。これらの植民地は本国から内政上の自治および国際法人格を獲得し，さらにコモンウェルス〔►Commonwealth〕の構成国としての地位も得た。

この用語はブリティッシュ・コモンウェルスがコモンウェルスとなって以降はもはや使用されない。

Dommage 民法 社保 損害
①最も一般的に受け入れられているところでは，損害〔préjudice〕と同義。
►Préjudice〔損害〕►Préjudice d'agrément〔生の享受についての損害〕►Préjudices de caractère personnel〔人的な性質を有する損害〕►Préjudice esthétique〔美的損害〕
②著者によっては，人に対してなされた侵害〔lésion〕の原因たる事実そのもの。この場合，損害〔préjudice〕は侵害〔lésion〕の結果部分に相当する。

Dommages et intérêts 民法 損害賠償金 契約の相手方が債務を履行しなかったり，第三者が法的義務を適切に果たさなかったりしたために，ある者が被った損害を塡補するための金額。これを塡補賠償金〔dommages et intérêts compensatoires〕という。損害が履行遅滞によるものである場合には，遅延賠償金〔dommages et intérêts moratoires〕という。

▷民法典1142条以下，1226条以下および1382条

Dommage par ricochet 民法 間接損害 直接被害者と血族関係，姻族関係，愛情関係，職業関係その他の関係にある近親者（子，配偶者，内縁の配偶者，使用者，社員など）が直接被害者の受けた損害の影響により被る，財産的または精神的損害。

►Victime par ricochet〔間接被害者〕

Donataire 民法 受贈者 贈与の受益者である者。

Donateur 民法 贈与者 贈与をなす者。

Donation 民法 贈与 ある者（贈与者〔►Donateur〕）が，ある財産の所有権またはその分肢のひとつ（虚有権〔►Nue-propriété〕または用益権〔►Usufruit〕）を，この契約を承諾する他の者（受贈者〔►Donataire〕）に対して，無償譲与の意図〔intention libérale〕をもってただちにかつ確定的に，反対給付なく移転する契約。

▷民法典893条以下

Donation de biens à venir 民法 将来財産の

贈与　►Institution contractuelle〔契約による相続人指定〕

Donation déguisée　[民法] **偽装贈与**　外形上，異なる性質の契約，特に有償契約の外観を帯びている贈与。
▷民法典911条

Donation entre époux　[民法] **夫婦間贈与**　夫婦間贈与は，かつては随時の〔►《Ad nutum》〕撤回の制度のもとにあったが，今日では贈与に関する普通法に接近しており，子の出生を理由に撤回されるようなことはなくなった。将来財産の贈与〔donation de biens à venir〕の場合には，夫婦間贈与は，（子の出生を理由とするのでない限り）いつでも撤回することができる。現在財産の贈与〔donation de biens présents〕の場合には，夫婦間贈与は，付加された条件の履行不能または不履行を理由としてでなければ撤回することができない。
▷民法典1091条以下
►Institution contractuelle〔契約による相続人指定〕

Donation indirecte　[民法] **間接贈与**　性質上は必ずしも無償譲与を含まず（例：債務免除），かつ，いかなる偽装行為も含まない行為の結果生じる贈与。

Donation mutuelle　[民法] **相互的贈与**　相互性によって特徴づけられる贈与。この相互性は，無償譲与の意図においては必要であるが，履行においては必要でない。
　他人間でこの無償譲与が行われるとき，相互性は，その完全な効力を生じさせる。すなわち，おのおのが同時に，贈与者かつ受贈者になる。
　相互的贈与が夫婦間で合意され，その贈与が将来財産を対象としている場合には，一方的にしか効力を生じない。すなわち，この無償譲与は，生き残った方にしか利益を与えない。

Donation-partage　[民法] **贈与分割**　ある者が，生前にその現在の財産を推定相続人に移転し（贈与〔►Donation〕），彼らの間で分割する（分割〔►Partage〕）行為。推定相続人は，その贈与が所有権〔►Propriété〕を対象とするか，虚有権〔►Nue-propriété〕を対象とするか，または用益権〔►Usufruit〕を対象とするかに応じて，ただちにかつ確定的に所有権者，虚有権者または用益権者となる。贈与分割は，有利な法制度および税制の適用を受ける。
　民法典は，卑属に対する贈与分割しか認めていなかった。1988年1月5日の法律は，贈与分割が行われる可能性を，卑属以外の者にまで広げた（個人企業の移転）。
　今日では，すべての推定相続人に対して贈与分割を行うことができる。2006年6月23日の法律第728号は，《隔世的》贈与分割を認めた。これにより，尊属から贈与分割を受けた子は，自己の卑属が，対象財産の全部または一部について自己の代わりに分割を受けることに同意することができる。
▷民法典1075条，1075-1条，1075-2条および1078-4条以下
►Testament-partage〔遺言分割〕

Donation《propter nuptias》　[民法] **婚姻のための贈与**　将来の配偶者または第三者によって，受益者の婚姻のためになされる，生前の無償譲与。
▷民法典1081条以下

Don manuel　[民法] **手渡し贈与**　有体動産を対象とする，手渡しによる贈与。
▷民法典931条および2279条

Donné acte　[民訴] **認定**　►Jugement de donné acte〔認定判決〕

Donner (Obligation de)　[民法] **与える（債務）**　専門的な意味においては，所有権を移転する債務。
▷民法典1136条および1602条以下

Dopage　[刑法] **ドーピング；興奮剤の使用**　スポーツ連盟が主催する競技会および催しの最中に，またはそれに参加する目的で，自己の能力を人工的に改変する性質をもつ物質もしくは方法を用いること，または，そのような物質もしくは方法を用いたことを隠すことからなる軽罪。
▷公衆衛生法典L3631-1条以下

Dossier　[民訴] **一件記録**　民事裁判所，商事裁判所または社会事件に関する裁判所において開始された訴訟に関する，文書，手続文書，判決を集めたもの。一件記録にはまた，手続上なされた事柄が記載されている。
　一件記録は電子媒体上に保存されることもできる。
▷新民事手続法典727条および729-1条
►Mention au dossier〔一件記録への記載〕►Registre d'audience〔弁論期日記録〕
►Répertoire général〔事件簿〕

Dossier médical personnel　[社保] **個人医療記**

録 医療倫理規定に則り作成される記録で，医療追跡調査を可能とする情報を含む。
▷社会保障法典L161-36-1条

Dot 民法 婚資；嫁資
①婚資//広義では，婚姻のために贈与された財産。
▷民法典1081条以下
②嫁資//狭義では，嫁資制度のもとにおいて，妻が持参した財産。この財産は，譲渡および差押えができず，夫の管理下に置かれる。
　立法者は，嫁資制度を将来に向かって廃止した（1965年7月13日の法律）。
►Biens dotaux〔嫁資財産〕

Dotation 財政 歳費　2006年から一般予算に設けられた，費用対効果比目標を設定することができない歳出を賄うための予算額〔►Crédit budgétaire〕からなる，原則の適用を除外する限定単位（例：共和国大統領官邸，国民議会，元老院）。

Dotation générale de décentralisation（DGD） 行政 地方分権化一般交付金　1983年1月7日の法律の適用により国から委譲された新たな権限に伴って予算上追加された財政負担を（その他の収入とともに）補うために，国から市町村，県および州に交付される補助金。

Dotation globale d'équipement（DGE） 行政 財政 建設整備費総合交付金　国から市町村および県に交付される補助金。市町村および県は，建設整備費（投資支出）として，それを自由に使用することができる。
▷地方公共団体一般法典L2334-32条，L3334-10条およびL3413-1条

Dotation globale de fonctionnement（DGF） 財政 経常費総合交付金　国が州以外の地方公共団体に交付する補助金。物価の上昇および国内総生産（PIB）の増加を考慮する混成指数に応じて変動し，これら地方公共団体にとっては経常費に割り当てられる，地方直接税に次いで最も重要な収入である。
▷地方公共団体一般法典L2334-1条，L3334-1条およびL4414-5条

Douane（Droits de） 財政 関税　国内の産業の保護を主たる目的として輸入品に課せられる税。国内における消費税の適用は妨げない。
　例外的に，関税は輸出品に対して課されることがある。ヨーロッパ共同体加盟国間の貿易については，もはや関税は存在しない。

Double（Formalité du） 民法 （複数）原本（方式）　私署証書によって確認された双務契約の証拠として，対立する利益が存在する数だけ原本を作成することが法的に必要とされること。通常，利害関係人は2人であるため，証書は2通作成される。
▷民法典1325条

民訴 （複数）原本（方式）　►Double original〔（複数）原本〕►Exploit d'huissier de justice〔執行吏執達書〕

Double degré de juridiction 訴訟 二審制　二審制とは，第一審判決の後，控訴を提起することができる場合を指す。
►Degré de juridiction〔審級〕

Double original 民法 民訴 複数原本　証書を複数作成することが要求される手続き。例えば，私署証書によってなされる合意においては，原本は別個の利害を有する各当事者に交付されなければならない。執行吏執達書〔►Exploit d'huissier de justice〕については，原本の1通は執行吏のため，もう1通は申請者のために作成される。
　証書，執行吏執達書および執行吏調書の複数原本の作成における電子技術の使用は，法文により規制されている（1956年2月29日のデクレ第222号24条以下，2005年8月10日のデクレ第972号）。
▷民法典1325条

Double peine 刑法 二重処罰　日常語に由来する非法律的表現であって，フランス領土内で犯罪を犯し拘禁刑または罰金刑を受け，この刑罰を隔離措置によって《2倍にされた》，フランスに居住する外国人の地位を指す。隔離措置とは，国外強制退去（刑事裁判官によって言い渡される補充刑），追放（内務大臣または県知事によって言い渡される行政警察上の措置）またはその両方のことである。
►《Non bis in idem》〔一事不再理〕

Doute（Bénéfice de） 刑訴 疑いの利益　刑事手続きの一般原則。裁判官は，訴追の対象たる事実，犯罪の成立条件の充足，さらには被告人の犯罪への関与について不明確さが残る限り，無罪判決を言い渡さなければならない。
►《In dubio pro reo》〔疑わしきは被告人の利益に〕

Douzièmes provisoires 財政 12分の1暫定執行予算　第三，第四共和制のもとで，予算法律の表決が遅れた場合に，1ヵ月に限って有効な予算の承認に与えられた名称。行政は，これによって暫定的に前年度予算のおよそ12分の1を限度として租税を徴収し，支出を行

うことができた。

Doyen 行政 **学部長** 学部の理事会によって選出され，学部を代表する地位にある教員。任期5年で，1度だけ再選可能である。教育研究単位〔►Unités de formation et de recherche (UFR)〕が学部という名称を採用した場合には，学部長という呼称が用いられる。

▷教育法典L713-3条

一般 **最古参者；最年長者** 一定の職務における最古参の成員（例えば，破毀院各部の最古参裁判官）または会議体における最年長の構成員（例えば，国民議会の最年長議員）。

Drogue 刑法 **麻薬** ►Dopage〔ドーピング；興奮剤の使用〕►Stupéfiants〔Trafic et usage de〕〔麻薬（の取引および使用）〕

Droit 一般 **法；権利**
①*Droit objectif* 客観的法＝法：社会生活を規律し，かつ，公権力によって承認された規範の総体。
②*Droit subjectif* 主観的法＝権利：個人に与えられ，その者の利益において物もしくは価値を使用収益し，または他人に対して給付を要求することを可能とする特権。

財政 **税** impôtの同義語であり，しばしば，最も古い若干の間接税を指すときに用いられる。例えば，droits de douane〔関税〕，droits de timbre〔印紙税〕という形で用いられる。

Droit absolu 民法 **絶対的権利** 所有権のように，すべての者に対して対抗しうることを特徴とする権利のこと。裁量の権利〔droit discrétionnaire〕，すなわち，その行使が濫用を理由とする責任を生じさせることのない権利についてもいう。

►《Erga omnes》〔対世的に〕

Droit acquis 民法 **既得権** 連続する2つの法律の間に抵触がある場合に，以前の規則のもとにおいて与えられていた権利をいう。この権利は，その規則と反対の新たな法文の規定の存在にもかかわらず維持される。

（単なる期待と比べた場合）権利のうちのいかなるものが既得のものといえるのかを決定することが困難であるために，既得権の理論は，今日批判されている。

►Conflits de lois dans le temps〔法律の時間的抵触〕

Droit administratif 公法 **行政法** 広義では，行政法は，公役務の管理および私人との関係において行政に適用される私法規範および公法規範の総体に相当する。一般に認められている限定的意味においては，行政法は，それらの規範の中でも，私法の適用を除外し，したがって，行政裁判所によって通常適用される規範だけを指す。

Droit administratif pénal 刑法 行政 **行政刑法** 行政庁（環境，租税などに関する場合）または独立行政機関（金融市場機関〔►Autorité des marchés financiers〕，競争評議会〔►Conseil de la concurrence〕など）が適用し，ときには作成にも関わる刑法の分野。このような法分野においても，それがヨーロッパ人権条約の意味における《刑事事件》に関わる限りは，刑法の基本原則が尊重されなければならない。

Droit d'alerte 労働 **警告権** ひとつには，重大かつ切迫した危険が存在することをただちに使用者に知らせる権限であって，労働者または安全衛生労働条件委員会委員に認められている。もうひとつは，複雑な手続きに従って，企業の経済状態に懸念すべき影響を与える性質の事実を会社の指揮者または人的会社の場合にはその社員に知らせる権利であって，従業員を代表する者〔représentants du personnel〕に認められている。

▷労働法典L231-9条，R236-9条，L432-5条およびR432-17条以下

►Procédure d'alerte〔警告手続き〕

Droit d'auteur 民法 **著作権** 精神的な創作による著作物（文書，講演，演劇，振付け，映画，図形，音楽，ソフトウェアなど）の著作者に与えられた権利。

著作権は，著作財産権（著作物から利益を引き出す権利）および著作者人格権〔►Droit moral〕を含む。

▷知的所有権法典L111-1条以下およびL121-1条以下

Droit cambiaire 商法 **手形法** 商業証券〔►Effet de commerce〕に適用される諸規則の総体。これらの規則は商業証券に固有のものであり，一般債務法の諸規則から区別されるものである。

▷商法典L511-1条以下

Droit canonique 一般 **カノン法；教会法** ローマ・カトリック教会の法であり，今日では，教皇ヨハネ＝パウロ2世によって公布された『カトリック教会法典』〔Codex juris canonici〕（1983年）に収録されている。

Droit civil 一般 民法　通常適用される私法〔►Droit privé〕規範の総体。特別な状況に対応し，固有の規律を構成している規範（商法，農事法，社会法など）との関係において，民法は一般法〔►Droit commun (Régime, Règle de)〕である。

Droit de clientèle 一般 顧客権　債権よりも物権により近い，二重の性質を有するカテゴリー。その特性は，次の3点に現れる。すなわち，顧客権は，人の労働の成果であり（発生源），その実体は無体であり（客体），その対抗力は絶対的である（効果）。例えば，裁判所補助吏の後継者推薦権，作家の自己の作品に対する権利，発明者の特許に対する権利，生産者の原産地呼称についての権利などがある。これらの権利に顧客〔clientèle〕という共通の名称が付されているのは，これらの権利が顧客を作り上げ，顧客を広げる可能性を与えるからである。
►Droits intellectuels〔知的財産権〕

Droit commercial 私法 商法　商人が職業上の活動を行う際に適用され，より例外的にではあるが，商業活動さらにはあらゆる人によって遂行される商行為を規律する規範の総体。

Droit commun (Régime, Règle de) 一般 普通法；一般法　広義では，ある法的地位〔►Situation juridique〕または自然人もしくは法人間の法的関係に，その法的地位または法的関係に特別な規範が適用されることが定められていない場合に適用される規範。

　普通法上の法制度を，大多数の場合に適用される法制度と同一視してはならない。なぜならば，特別な規範がほぼすべての状況に適用されることがあるからである（例えば，租税手続法典L169条の10年という普通法上の租税時効期間は稀にしか適用されない）。普通法上の規範とは，法律用語として用いられるとき以外では，「端数を切り捨てて」〔par défaut〕用いられる規範のことである。

　狭義では，私法において通常適用される規範。民法は一般法である。

Droit communautaire EU 共同体法　ヨーロッパ連合の法。その後の変更を含む諸条約（第一次的法〔droit primaire〕），閣僚理事会またはヨーロッパ委員会によってとられる行為（派生的共同体法〔droit communautaire dérivé〕，すなわち，規則〔règlement〕，指令〔命令〕〔directive〕，決定〔décision〕，意見〔avis〕および勧告〔recommandation〕。ヨーロッパ経済共同体条約189条参照），および第三国または第三者たる国際組織と締結した対外的協定から生じる法からなる。ヨーロッパ連合加盟国間の協定によって，および，ヨーロッパ連合の発展に大きな役割を果たしてきたヨーロッパ共同体裁判所の判例によって補完される。

　共同体法は，即時適用性の概念（加盟国国内で適用されるために受容または変型の手続きに服さないこと），直接適用性または直接効果の概念（個人に対して直接適用され，個人は国内裁判所の裁判官にそれらの法の適用を要求できる），および優位性の概念（抵触が生じた場合，国内法規範に優位する）によって特徴づけられる。

　訴訟手続きの総体が，共同体法の実施に寄与している（取消しの申立て，不作為の認定の申立て，義務不履行の認定の申立て，契約外責任の申立て，違法性の抗弁または先決問題付託）。

Droit de communication 財政 税務資料提示要求権　税務調査の分野において，他の行政庁および公的または私的機関（銀行または金融もしくは貯蓄機関など）から必要な情報を伝達させる，税務当局の法律上の特権。
▷租税手続法典L81条以下

Droit de la concurrence 商法 競争法　狭義では，カルテル〔►Entente〕を形成し，または支配的地位〔►Position dominante〕を利用し，あるいは他の各種の方法で，競争の自由な作用を妨げる者を処罰するための規則の総体。

　広義では，顧客を獲得し維持するための経済主体間の競合関係を規律する法規範の総体。

Droit de la consommation 民法 消費（者）法　消費者と業者との間の諸関係を規律する法。その一般的な法文は消費法典に集められている。消費法典は，消費者への情報および契約の成立（第1編），製品およびサーヴィスの適合性および安全性（第2編），負債（第3編），消費者団体（第4編），諸組織（第5編）を扱う。

Droit constitutionnel 憲法 憲法　《国家の内部における権力の樹立，委譲または行使に関わる制度》（M. Prélot）に関する法規範の総体。

　constitutionnelという付加形容詞は，この法の基本的な規範が，憲法典〔Constitution〕という特別な文書に含まれることに由来する。

Droit corporel 民法 有体財産権　有体物を対

象とする権利をいう。
▶Droit incorporel〔無体財産権〕

Droit de créance 民法 債権 ▶Créance〔債権〕

Droits de la défense 訴訟 防禦権；弁護権
　①防禦権//民事手続きおよび行政訴訟手続きにおいては（もっとも，防禦権という表現は刑事的な意味合いをもつという理由により法典ではすでに破棄されている），訴訟当事者が自己の諸権利を自由にかつ対審によって主張できることを確保する基本的な保障を意味する。
　②防禦権；弁護権//刑事手続きにおいては，訴訟引込対象者，予審対象者，軽罪・違警罪被告人または重罪被告人が自らに関する予審および訴訟において自己の防禦を効果的に確保できるようにする保障の総体を意味し，一定の条件のもとに，手続きの無効によって制裁される。防禦権は，国際的人権諸規定，憲法院および刑事手続法典によって確立されており，弁護士の補佐を受ける権利，対審の原則および武器対等の原則，不服申立ての方法の行使にほぼ帰着する。
▷市民的および政治的権利に関する国際条約14条；ヨーロッパ人権条約6条2項および3項；刑事手続法典前加条
▶Contradiction〔対審〕▶Défense (liberté de la)〔防禦の自由〕▶Égalité des armes〔武器対等〕▶Procès équitable〔公正な裁判〕

Droits dérivés 社保 切替受給権　被保険者の保険料納入によって生じる年金受給権であって，被保険者が死亡したときに，その生存配偶者が取得するもの。例えば，切替年金〔▶Pension de réversion〕がある。

Droits de douane 財政 関税　▶Douane (Droits de)〔関税〕

Droits économiques et sociaux 社会 経済的社会的権利　1946年憲法典前文に定められた諸権利のこと。

Droit éventuel 民法 将来の権利　その発生が不確実な出来事に依存し，かつ，その出来事の実現の日からでなければ存在しない権利。例えば，推定相続人のいまだ開始されていない相続に対する能力〔vocation〕。
▶Expectative〔期待〕

Droit extrapatrimonial 一般 非財産権　直接的には財産に含まれず，したがって，法的取引の対象とならない権利。
　非財産権は，譲渡も差押えもできない。非財産権は，数が少なく，権利は財産的なものであるという原則の例外である。例えば，氏名権，著作者人格権がある。誤って非財産的《権利》と呼ばれているものの多くは，自由でしかない（私生活の尊重に対する権利，名誉権など）。
▷民法典1128条

Droit et fait（dans le procès） 訴訟 （訴訟における）法および事実　訴訟において，当事者は自己の法的申立て〔prétentions juridiques〕を基礎づける事実，出来事，具体的な状況を主張しなければならない。裁判官は，当事者にそれについての証明を要求する権能を有する。
　さらに，当事者は，呼出状においても第一審および控訴審の申立趣意書においても，法的攻撃防禦方法を示さなければならない。
　裁判官の任務は，訴訟における事実に対し，それについて定める法規範を適用することである。裁判官は，訴訟当事者による性質決定〔qualification〕の主張を審査しなければならず，また，純粋な法的攻撃防禦方法を職権で指摘することができる。
　事実審裁判所は訴訟における事実を専権的に評価する。法的問題のみが破毀申立てを審査する裁判所（破毀申立てを提起された破毀院およびコンセイユ・デタ）の審査に委ねられる。
▷新民事手続法典6条，8条，12条，56条，753条および954条
▶Allégation〔主張〕▶Fond〔実体〕▶Forme〔形式〕▶Pertinence〔適切性〕

Droits fondamentaux 一般 基本権　その重要性ゆえに，立法者と行政立法権に課されているとみなされている諸権利の総体である。それはつねに発展している。現在のところ，主として（自由権的）人権〔▶Droits de l'Hommeの①〕，およびストライキ権のような社会権である。ある国家による，生命への権利のような基本権のうちすべての人間に不可欠とみなされる若干の権利に対する重大かつ継続的な侵害がある場合，その権利の回復は，今日では，多くの政府によってその国境内への国際的な干渉を正当化するに十分な差し迫った〔impérieuse〕必要性があるものとみなされている。
▶Charte des droits fondamentaux de l'Union européenne〔ヨーロッパ連合基本権憲章〕
▶Convention européenne des droits de

l'Homme〔ヨーロッパ人権条約〕► Pactes internationaux des droits de l'Homme〔国際人権条約〕► Ingérence humanitaire〔人道的干渉〕

Droit de gage général 民法 **一般担保権** すべての債権者が法律上有している，債務者の財産全体に対する権利。一般担保権があるために，債権者は，債務者の財産の構成要素のうちの任意の1つを差し押さえることによって，弁済を求めることができる。物的担保を意味する場合のgageと混同してはならない。
▷民法典2285条
► Gage〔(有体)動産質〕

Droit de garde 民法 **監護権** ► Garde〔監護〕

Droit des gens 国公 **国際法** Droit international publicと同義の表現。
► Droit international public〔国際法；国際公法〕

Droit d'habitation 民法 **居住権** ► Habitation (Droit d')〔居住(権)〕

Droits de l'Homme 憲法 **人権**
①自由主義的民主主義の考え方によれば，人間の本性に固有の権利であり，したがって国家に先行し，かつ，国家に優越する権利であって，国家は目的においてのみならず手段においてもこれを尊重しなければならない。
▷民法典7条以下
► Convention européenne des droits de l'Homme〔ヨーロッパ人権条約〕► Déclaration des droits〔権利宣言〕
►《Habeas corpus》〔人身保護法〕► Pactes internationaux des droits de l'Homme〔国際人権条約〕
②(マルクス主義的な)権威主義的民主主義の考え方によれば，階級のない，それゆえ人による人の搾取のない社会が建設された結果として，人が勝ち取る権利。この解放に資するすべてのものは独裁でさえ善である。重要なのは，(抽象的で，形式的な)現在の権利・自由ではなく，唯一真である将来の権利・自由だからである。

Droits hors du commerce 民法 **取引対象外権利** 合意の対象とすることができない権利。
▷民法典1128条

Droit immobilier 民法 **不動産権** 不動産〔► Immeuble〕を対象とする権利。
▷民法典516条以下

Droit incorporel 民法 **無体財産権** 債権〔► Droit personnel〕，知的財産権〔► Droits intellectuels〕のように，有体物を対象としない権利。
► Droit corporel〔有体財産権〕

Droit d'ingérence humanitaire 国公 **人道的干渉の権利** 主権から発生し国際連合憲章によって確認されている国内問題への不干渉の原則にもかかわらず，この権利は，人々の生存自体が重大な脅威にさらされている場合に国際的な行動を認めようとするものである。
　旧ユーゴスラヴィアとソマリアにおける国連の干渉を正当化するために，1992年に初めて援用された。

Droits intellectuels 一般 **知的財産権** 顧客権の一種であり，この権利固有の特徴は，顧客を作り出す作用が知的活動に基づいている点にある。著作者の権利，芸術家の権利，発明者の権利がある。

Droit international privé 一般 **国際私法** 国際関係において私人に適用される規範の総体。
　この法分野は，伝統的には国内法に基づいてきたが，国際化されてきており，ヨーロッパ連合においては，とりわけアムステルダム条約以降，共同体化がなされている。

Droit international public 一般 **国際法；国際公法** 国家(間の関係および)その他の国際社会の主体の間の関係を規律する法規範の総体。

Droit judiciaire 訴訟 **裁判法** droit de procédure〔訴訟法〕という非常に狭い用語にとって代わる傾向にある用語で，司法系統に属する民事裁判所および刑事裁判所の組織および運営について定める規定全体を表す。民事裁判法〔droit judiciaire privé〕という名称で民事手続きを表す学者(Solus - Perrot)もいる。droit procédural〔手続法〕と呼ばれることもある。

Droit au logement opposable 行政 **住宅割当請求権** 法律により定められた，フランスに合法的に永続的に居住している者に対して，2007年に認められた権利。その者が自らの資力で住宅に入居し，そこにとどまることができない場合に，国を介して，《見苦しくないかつ独立の》住宅を割り当てられることを内容とする。この権利の実効性(《対抗可能性》)は，まず合意によるものとして，事案の選別と解決方針の決定の役割を果たす調停委員会を関与させる手続きによって，国により保障される。一定期間内に，適切な住宅または宿泊所が与えられない場合，請求人は地方行政裁判所〔► Tribunal administratif〕に申立

をなすことができる。所長は，場合により罰金強制〔►Astreinte〕を付して当事者への住宅の割当てを命ずる。必要な住宅数を確保しまたは建設することができるように，この申立て(それだけで権利の実効性を確保する)は，もっとも不利な立場にある請求人(例；ホームレス)に対しては2008年12月1日から，その他の法律の受益者に対しては2012年1月1日から開かれる。

▷建設・住居法典L300-1条，L441-2-3条およびL441-2-3-1条

Droit au logement temporaire 民法 **住宅に対する一時的な権利** 住宅が夫婦に帰属していた場合または相続財産に完全に属していた場合に，他方配偶者の死亡時に主たる住居としてその住宅を実際に占用していた相続権のある配偶者に対して，1年間，法律上当然に与えられるその住宅および住宅備付けの家具の無償の使用収益権。その者の住居が建物賃貸借〔bail à loyer〕または不分割の部分について故人に属する住宅により確保されていた場合には，家賃または占用補償金〔indemnité d'occupation〕は，1年間，相続財産から相続権のある配偶者に対して償還される。

▷民法典763条

►Droit à pension〔定期金に対する権利〕
►Droit viager au logement〔住宅に対する終身の権利〕

Droits litigieux 民法 **係争中の権利** 裁判上の争いの対象となっている権利であり，たいていは債権である。権利が《係争中である》ということの主たる利益は，債権譲渡に関して存在する。すなわち，被譲渡債権の債務者は，譲渡の代金を支払うことによって自己の債務から免れる。その額は，つねに，移転された債権の額よりも少額である。この場合，債務者が係争中の権利の買戻権〔retrait litigieux〕を行使するという。

▷民法典1597条および1699条

Droit maritime 商法 **海法** 海上航行，海上旅客運送および海上物品運送に関する法規の総体。

Droit matériel 国私 **実質法** ►Formel, Matériel〔形式的，実質的〕 国私►Substantiel〔実体的な〕

Droit mobilier 民法 **動産権** 動産〔►Meuble〕に関する権利。

▷民法典527条以下

Droit moral 民法 **著作者人格権** 文芸的，芸術的または学術的著作物の著作者が有する，著作物を公表し，その利用条件を定め，その完全性を保持する権利。

著作者人格権は，著作物の利用によって獲得される利益を対象とする著作者財産権〔droit pécuniaire〕と対置される。

▷知的所有権法典L121-1条以下

Droit naturel 一般 **自然法** きわめて多様な意味をもちうる表現。

①社会的現実に関する理性的かつ具体的な分析による正義の追求。人間および宇宙の合目的性を考察することによって導かれるもの。

②理性によって発見される不変の原則であり，この原則により，客観的法によって認められる実定の行為規範の価値をはかり知ることができる。

Droit objectif 一般 **客観的法；法** ►Droit〔法；権利〕►Règle de droit；Règle juridique〔法規範〕

Droit d'opposition 労働 **反対権** 反対権とは，協約文書(労働協約〔►Convention collective〕または集団協定〔►Accord collectif〕)の署名者でない1または複数の代表的組合に認められる権能であり，協約文書が署名された後，短期間内に当該協約文書に反対を表明することを内容とする。反対の表明が過半数である場合，当該労働協約または集団協定は書かれなかったものとみなされる。要求される過半数は，当該協約文書の種類に応じて別様に定められている。協定の適用領域における代表的組合の過半数である場合(組合数の過半)もあれば，1または複数の反対する組合に，企業委員会委員選挙またはこれを欠く場合には従業員代表委員選挙の第1回投票の際の獲得票数に照らした過半数を有している場合(代表過半)もある。

▷労働法典L132-2-2条

Droit patrimonial 民法 **財産権** 財産に含まれる権利。財産権は，法的取引の対象となり，譲渡が可能であり，時効にかかる。

原則として，すべての権利は財産権である。

►Droit extrapatrimonial〔非財産権〕

Droit pénal 刑法 **刑法** 犯罪およびそれに適用される制裁を定めることを目的とする法規範の総体。《droit criminel》ともいう。広義では，犯罪者の危険性に対する制裁に向けられる規範をも含む。

►Procédure pénale〔刑事手続き〕

Droit à pension 民法 **定期金に対する権利**

その必要のある相続権のある配偶者に，本人の請求にもとづいて与えられる扶養定期金〔pension alimentaire〕。この扶養定期金は，遺産〔hérédité〕から先取りされる。
▷民法典767条
▶Droit au logement temporaire〔住宅に対する一時的な権利〕▶Droit viager au logement〔住宅に対する終身の権利〕

Droits de la personnalité 民法 **人格権** 法律がすべての人間に認めている権利の総体（生命への権利，身体の完全性への権利，名誉権および肖像権など）。法的取引の対象とならず，絶対的な対抗力を有している。
▷民法典9条，9-1条，16条および16-1条以下

Droit personnel 民法 **債権** droit de créance の同義語。
▶Créance〔債権〕
債権とは，ある者に給付〔▶Prestation(s)〕を請求する権利である。
▶Action personnelle〔対人訴権；対人の訴え〕

Droit des peuples à disposer d'eux-mêmes 国公 **民族自決権** 民族が自らの政体を決定し，および自分で選んだ国に自らを結びつける権利（分離する権利および交換または割譲の場合に意見を求められる権利）。
国際連合憲章（1条2項）および，最近の多くの条文により容認された権利。

Droit positif 一般 **実定法** 実定法とは，国家または国際社会において，その源が何であれ，ある時点で現に行われている法規範の総体である。実定法は《定められた法》，すなわち実際に存在する法である。

Droit de préemption 行政 **先買権** ▶Préemption（Droit de）〔先買(権)〕

Droit de préférence 民法 **優先（弁済）権** 差し押さえられた財産の競売代金から，通常は一般債権者〔▶Créancier chirographaire〕である他の債権者に優先して支払いを受けるという，一定の債権者（抵当債権者，先取特権債権者）の権利。
先取特権および抵当権は，民法典の規定する順位付けの対象となる。例えば，債権者の間では，抵当権の順位は抵当権保存所〔conservation des hypothèques〕での登記の日付によってのみ定まり，複数の登記が同日に申請された場合は，最も古い日付を有する証書に基づいて申請された登記が先順位を有するものとみなされる。
▷民法典2323条，2324条，2332-1条以下，2376条および2425条
▶Privilège〔先取特権〕▶Hypothèque〔抵当権〕

Droit de prélèvement 国私 **先取権** 外国人の共同相続人とフランス人の共同相続人の間で同一の相続財産の分割がなされる場合，フランス人の共同相続人は，現地の法律および慣習によっていかなる名義においてであれ自己が外国所在の財産から排除されるときには，当該財産の価額に等しい部分をフランス所在の財産から先取りすることができる。

Droit prétorien 一般 **法務官法；判例法** ローマでは，法務官〔préteur〕の法的活動に由来する法であって，法律および慣習法から生じた市民法〔droit civil〕と対置される。今日では，判例から引き出される法規範。

Droit privé 一般 **私法** 私人間の関係および，行政庁と私人との間の法的関係が普通法の適用を除外しない場合に，その関係を定める規範の総体。
▶Droit commun（Régime, Règle de）〔普通法；一般法〕▶Droit public〔公法〕

Droit processuel 訴訟 **訴訟法** 種々の手続き（民事，懲戒，刑事，行政）についての一般的問題の研究およびそれらの比較を対象とする，裁判法〔▶Droit judiciaire〕の一部。国際規範，ヨーロッパ規範および憲法規範を淵源とする訴訟普通法をも意味する。
訴訟 **訴訟権** 訴権の行使から生じる手続上の権利で，実体的権利〔▶Droit substantiel〕と重なり合うが，それにとって代わるものではない。
▶Forme〔形式〕

Droits propres 社保 **固有受給権** 被保険者による保険料の支払いから生じる被保険者本人の年金受給権。
▶Droits dérivés〔切替受給権〕

Droit de propriété 民法 **所有権** ある物について有しうるすべての権能を付与する物権。伝統的にこの権能は3つに区別されている。すなわち，〈usus〉〔使用権〕，〈abusus〉〔処分権〕および〈fructus〉〔収益権〕である。
▷民法典544条以下
▶《Usus》〔使用権〕▶《Abusus》〔処分権〕
▶《Fructus》〔収益権〕

Droit public 一般 **公法** 国家，地方公共団体およびその他の公的機関を組織する規範ならびに公権力と私人との関係を定める規範の総体。

►Droit privé〔私法〕

Droit réel 〔民法〕**物権** 直接的に物を対象とする権利。物権は，債権〔►Droit personnel〕と対置される。主物権〔droit réel principal〕は，所有権およびその分肢である。所有権は3つの権能，すなわち，その物を使用する権利，その物の果実を収取する権利，および，その物を処分する権利を含んでいる。

若干の物権は，その名義人に，これらの権利の一部しか与えない。このような物権は，所有権の分肢〔démembrements du droit de propriété〕と呼ばれる（例：地役権〔servitude〕，用益権〔usufruit〕）。

主物権と対になるものとして，従物権〔droit réel accessoire〕がある。従物権は，債権の存在と結び付いており，債権の回収を担保する（例，抵当権〔hypothèque〕）。

▷民法典544条以下

►Action réelle〔対物訴権；対物の訴え〕

Droit de repentir 〔民法〕〔商法〕**撤回権** 約束の撤回不能の原則にもかかわらず，一方的に約束を撤回する権利（例：買戻し，文芸的・芸術的所有権，見積請負，請負，訪問販売など）。法律または契約によって認められる撤回権は，手付の約定がある場合を別にすれば，対価なくして行使される。

▷消費法典L121-16条，L121-25条，L121-64条，L311-15条，L311-16条およびL311-28条；保険法典L132-5-1条およびL211-16条；知的所有権法典L121-4条およびL121-7条

Droit de réponse 〔民法〕〔刑法〕**反論権** 刊行物において明示的であると否とを問わず名指しされた者に認められる権利。そのいきさつについての見解，釈明または異議を知らせることを内容とする。反論権を行使された刊行物の編集者は，反論を受け取った日から3日内にその反論を刊行物に掲載しなければならない。反論は，その原因となった記事と同一の箇所に同一の大きさの活字で掲載されねばならず，いかなる付加もされてはならない。

▷1881年7月29日の法律13条

Droit de rétention 〔民法〕**留置権** 債務者の所有する物を所持または占有する債権者が，その債務が支払われるまでその物の返還を拒絶する権利。

▷民法典2286条

Droit de retrait 〔労働〕**危険作業放棄権** 労働状況に自己の生命または健康に対する重大かつ急迫の危険が存在すると考える合理的理由がある全ての労働者は，賃金を減額されることなく一時的に作業を中止することができる。

▷労働法典L231-8-1条

Droit rural 〔一般〕**農事法** 農地，農地の移転，地主と小作人との間の契約を規律する法規の総体。農業経営者の地位に関する法規定なども含まれる。今日の農事法は，環境を尊重する農業の近代化を目指している。

Droits simples 〔財政〕**本税** 納税通知〔►Avis d'imposition〕において，課税対象所得に対して所得税額表を適用して決定される所得税の総額を指す用語。これは支払うべき額を減少（または増加）させる調整を行う前のものである。

Droit subjectif 〔民法〕**主観的法；権利**
►Droit〔法；権利〕►Faculté〔選択権；自由〕►Fonction〔職務〕►Liberté civil〔民事的自由〕►Pouvoir〔権限〕►Situations juridiques objectives〔客観的法的地位〕►Situations juridiques subjectives〔主観的法的地位〕

Droit substantiel 〔一般〕〔民訴〕**実体的権利** 訴訟〔litige〕の対象となる権利（所有権，債権，用益権など）。民事訴訟〔contentieux privé〕において，実体的権利はすべての裁判上の演繹の必要な支えとなっており，実体的権利を実行するためにはさらに訴訟権〔►Droit processuel〕と呼ばれる訴権が必要とされる。
►Fond〔実質〕

Droits successifs 〔民法〕**相続権；相続分** 相続が開始されている相続財産のなかの相続持分であり，譲渡の目的となりうる（将来の相続財産に関する合意〔pacte sur succession future〕ではない）。ただし，各共同相続人には，（相続持分の）すべての取得者に取って代わることができる先買〔préemption〕が認められている。

▷民法典793条，891条および1696条以下

Droit de suite 〔民法〕**追及権** 抵当権債権者または先取特権債権者が，債務の弁済を担保する不動産を，それがいかなる者の手にあろうとも，たとえ第三取得者の手にある場合であっても，差し押さえることを可能にする権利。

より一般的には，物権の名義人が，その目的物を，その占有者がいかなる者であっても差し押さえることができる権利。

▷民法典2393条，2398条および2461条

Droit de superficie 〔民法〕**地上権** 他人の土地上に存在する建築物および植栽の所有権。

▷民法典552条および553条

Droit des transports [一般] **運送法** 旅客運送契約および物品運送契約（鉄道運送，航空運送，河川運送，海上運送，道路運送）に適用され，ならびに，人員および機材（自動車または船舶）の規定を含む法規の総体。

Droit du travail [一般] **労働法** 法分野としての労働法は，民間部門における使用者と労働者との間に存する労働関係を対象とし，雇用関係（就職，労働契約，解雇など）および集団的側面をもつ職業関係（ストライキ，団体交渉および労働協約，労働組合，従業員代表制度など）を規律する法規範の総体を含む。伝統的に私法の一分野としてみなされてきた労働法は，労働関係への国およびその機関の関与を組織することにより，私法の範囲を大幅に超えている。さらに労働法には，その一般性によって公共部門へ浸透している原則がいくつか含まれている（組合の自由，ストライキ権）。

Droit d'usage [民法] **使用権** ▶Usage〔使用〕

Droit viager au logement [民法] **住宅に対する終身の権利** 相続権のある配偶者が他方配偶者の死亡時に主たる住居としてその住宅を実際に占用し，かつ，夫婦に帰属していたまたは相続財産に完全に属していた住宅および住宅備付けの動産に関して，相続権のある配偶者に与えられる居住権および使用権。ただし，被相続人の反対の意思がある場合を除く。この二重の権利は，その配偶者が死亡するまで与えられる。
▷民法典764条以下
▶Droit au logement temporaire〔住宅に対する一時的な権利〕▶Droit à pension〔定期金に対する権利〕

Droit de visite [民法] **子と会う権利** 当初は直系尊属に認められていた，一方の親または第三者の監護に委ねられている自分の直系卑属たる未成年者（子または孫）と会う権利。2002年3月4日の法律は，より一般的に，子が自分の直系尊属と個人的関係を保つ権利を有することを規定している。
　一方の親が子と会う権利を行使しようとしており，かつ，その親との関係が継続的でかつ感情的に密であるのでそうする必要性が高いと判断するとき，家族事件裁判官は，子と会う権利が実現される出会いの場を設定することができる。
▷民法典371-4条，373-2-1条，375-7条，375-2-9条および490-3条

Droits voisins [民法]（著作）**隣接権** 実演家，レコード製作者またはビデオ製作者，および放送事業者に認められる権利。著作権との顕著な類似性を有するため，このように呼ばれる（正確な表現：著作権の隣接権）。
▷知的所有権法典L211-1条以下

Dualisme [国公] **二元論** 国内法と国際法は2つの異なる法秩序であって対等の価値を有し独立なものであるとする，学説上の考え方。
▶Monisme〔一元論〕

Dualisme juridictionnel [一般] **裁判所の二元性**
▶Dualité de juridictions〔裁判所の二元性〕

Dualité de juridictions [一般] **裁判所の二元性** フランス裁判制度の構成原理であり，憲法的価値を有する。この原則のもとに，2つのカテゴリー（《ordre》〔系統〕といわれる）の裁判所が存在する。
　・行政裁判所。国またはその他の公共団体が関わる係争の大部分について，それを審理することを任務とする。行政系統の最高裁判所はコンセイユ・デタである。
　・司法裁判所。前者以外のものについて審理することを任務とする。司法系統の最高裁判所は破毀院である。
　2系統の裁判所間に生じうる権限争議は，権限裁判所〔▶Tribunal des conflits〕によって裁判される。
▶Ordre de juridictions〔裁判所の系統〕

Ducroire [商法] **履行担保** 取次業者〔commissionnaire〕が，委託者の計算において取引する相手方である第三者による債務の履行を，委託者に対して担保する合意。
▷商法典L132-1条

Due process of law [訴訟] **法の適正な過程** 適正な手続きの形式を遵守してはじめて有効な裁判がなされるというアングロ＝サクソンの原則。刑事訴追の対象となっている市民の権利を保障しなければならない刑事手続きの指導原則のひとつである。
▶Procès équitable〔公正な裁判〕

Dumping [商法] **ダンピング** 本来は，外国市場において，国内市場での価格を下回る価格で販売する行為をいう。
　一般的には，競争者を排除して市場を独占するために，製品またはサーヴィスをその原価を下回る価格で販売する行為をいう。
▶Vente à perte〔不当廉売〕

Dumping fiscal [財政] **税制ダンピング**

►Concurrence fiscale dommageable〔税制の不公正競合〕

Dumping social 〔労働〕ソーシャル・ダンピング　自国の領土への企業の進出を誘致する目的のもとに，経済競争の相手とみなされる国よりも低い水準の報酬ならびにより緩やかな労働法上および組合権上の規定を実施することを容認する立法を行う，いくつかの国家の政策を意味する新語．

Duplique 〔行政〕再反論　原告の反論〔►Réplique〕に対する被告の応答．弁論中にまたは補充的な申立趣意書という形式で提出される．

Durée du travail 〔労働〕労働時間　労働者が，使用者のために活動する時間．法定労働時間は，実定法上は常用週単位（月曜日の0時から日曜日の24時まで）で定められている．ただし，当該年度の全部または一部について他の基準期間を定める変形労働時間制協定または年単位調整協定が締結されている場合はこの限りではない．1998年6月13日および2000年1月19日のいわゆる《オブリ〔Aubry〕》法により，週の法定労働時間は，2000年1月1日（労働者が20名以下の企業については2002年1月1日）から，35時間（それ以前は39時間）と定められた．法定労働時間を超える労働時間は超過勤務時間といわれ，これについては割増賃金が支払われ，または一定の休息の権利が与えられる．したがって，法定労働時間は必ずしも実労働時間に対応するものではない．

　週単位では，労働時間は場合に応じて，4日，5日または6日に配分することができる．1日の労働時間は10時間を超えることができず，また，週の労働時間は，原則として48時間を超えることはできず，かつ，任意の連続する12週間を平均して，44時間を超えることはできない．

　労働時間は，それ自体実労働時間〔temps de travail effectif〕および拘束時間〔amplitude〕とは区別される生産労働時間に必ずしも対応するものではない．実労働時間とは，労働者が使用者の支配下にあり，その指揮命令に従わなければならず，個人的な仕事に自由に従事することができない時間をいう（機械の停止している間，生産労働は存在しないが，実労働中である）．拘束時間とは，労働日の始まりから終わりまでの時間をいい，休息に充てられている時間を含むものである．
▷労働法典L212-1条，L212-4条，L212-5条およびL212-7条

►Annualisation〔年単位調整〕►Astreinte (Période d')〔特別拘束（時間）〕►Heures supplémentaires〔超過勤務時間〕►Modulation〔変形労働時間制〕

Dyarchie 〔憲法〕二頭政治　2人の人間が共同して行う統治（しかし，両者が必ずしも同じ権限をもっているわけではない）．第五共和制下の大統領と首相との組合せが，ときに二頭政治であるといわれる．

E

Eaux intérieures 〔国公〕内水　領海〔►Mer territoriale〕の基線の陸地側の海域であり，この海域に対し，沿岸国は完全な主権を行使する（港，停泊地，狭い湾口をもつ湾など）．

Eaux pluviales 〔民法〕雨水　雨水は共同物〔res communis〕である．すべての土地所有者は，自己の土地に降った雨水を使用し処分する権利を有する．ただし，雨水の流れ込む下方の土地の状態を損なってはならない．
▷民法典641条

Échange 〔民法〕交換　他の財産の引渡しと引換えに，財産を譲渡する契約．交換は，売買と類似しているが，売買は，ある特定の財産ではなく，完全な代替性を有する金銭を対価としている．
▷民法典1702条以下

Échéance 〔民法〕履行期　債務者が債務を履行しなければならない期日．
▷民法典1186条

Échec à l'exécution de la loi 〔刑法〕法律執行妨害　公権力の受託者であって公務執行中の者が，法律の執行を妨げる措置をとることを内容とする犯罪．この犯罪は，単独でかつ個人として行動する公務員によって実行されうるのであるが，旧規定では，複数の個人の一致した行動を前提とする《コアリシオン》〔coalition〕の概念が用いられていた．ストライキ権の違法な行使がその例とされるであろう．

▷刑法典432-1条

Échelage 民法 足場用隣地使用権 ►Tour d'échelle〔足場用隣地使用権〕

Échelle mobile des salaires 労働 賃金スライド制 賃金を物価の一般的水準にあわせてスライドさせること(単式スライド制)、または物価および国民所得の双方に応じてスライドさせること(複式スライド制)。最低賃金(SMIC、それ以前はSMIG)に関する場合を除いて賃金のスライド制は一般的に禁止されている。
▷労働法典L141-9条
►Salaire minimum de croissance (SMIC)〔最低賃金〕►Salaire minimum interprofessionnel garanti (SMIG)〔最低賃金〕►Clause d'échelle mobile〔スライディング・スケール条項〕►Indexation〔物価スライド方式〕

Échevinage 訴訟 参審制 裁判所の構成形態のひとつであって、1人または複数の職業裁判官と一定の職業に就いている者を組み合わせた裁判所(例えば農事賃貸借同数裁判所)、または、職業裁判官と全市民を代表する者とを組み合わせた裁判所がある(例えば重罪院)。

École classique 刑法 古典学派 18世紀に現れた思想的潮流。刑法では刑罰権の基礎を社会契約説におき、刑罰目的を厳密な功利性に求める。この学派は、処罰による犯罪の解決を試み、2つの基本的立場を前提とする。すなわち、人間には自由意思それゆえ責任があること、刑罰には犯罪現象との闘いに効果があることである。

École de la défense sociale 刑法 社会防衛学派 刑法において、刑罰権の基礎を危険性を示す個人から社会を守る必要があるという考え方に求める思想的潮流。19世紀末に登場した。元来の社会防衛学派は、犯罪者にはほとんど関心をもたなかったが、現在の社会防衛運動(特に新社会防衛論)は、明確な個別化の精神を特徴とする。すなわち、社会の保護を達成するには、必然的に犯罪者の社会復帰によるべきであり、犯罪者人格を考慮に入れて、最も適した制裁(刑罰または保安処分)を適用するべきであるとする。

École nationale d'Administration (ENA) 行政 国立行政学院 1945年以来、省、行政裁判所(コンセイユ・デタ、会計検査院、行政控訴院、州会計検査院、地方行政裁判所)などの国家における最高の官吏職団に属する上級公務員の採用と養成を行ってきた教育機関。

École nationale de la magistrature (ENM) 一般 国立司法学院 国立司法学院(ENM)は、国立司法研修所〔Centre National d'Etudes Judiciaires〕の後身である。(選抜試験または資格に基づいて採用された)司法官試補の職業訓練および継続職業教育を行うことを目的とする。司法系統における一定の裁判職務(直近裁判所裁判官)または裁判外職務(共和国検事受任者、調停者、勧解人など)に従事しようとする(司法職団には所属していない)者の育成を担当することもある。

École positiviste 刑法 実証学派 絶対的決定論の立場、すなわち、自由意思と主観的責任の否定を基礎として、刑法のまったく新しい構成を提案したイタリアの犯罪学者によって19世紀に展開された学派。刑法とは、犯罪の程度にではなく、犯罪者の危険性に応じて、すなわち犯罪学的研究によって明らかにされる具体的な犯罪者人格に応じて選択される社会防衛処分(保安処分)を通じてなされる犯罪との闘いであるとする。

Écoles de la deuxième chance 民法 若年労働者技能研修所 18歳またはそれを上回り25歳を下回るものであって、職業資格または免状を有していない者に研修をほどこす教育施設。個人別の養成コースをもつ。修了者には、就職または職業資格取得を支援する、習得能力を示す修了証書が交付される。
▷教育法典L212-14条

Économats 労働 従業員用購買店 使用者が経営する従業員を対象とする信用販売の店舗。 従業員用購買店は、原則として禁止されている。
▷労働法典L148-1条以下およびL154-3条

Économie concertée 一般 協調経済体制 国家と民間経済との関係に関するひとつの体制。そこでは、公権力が、決定を下す前に、その決定の名宛人との対話を始めようと努める。 協調経済体制は権威主義的な経済指導主義に対置される。

Économie mixte 一般 混合経済体制 私企業と公企業、または国の監督に服する企業が共存する経済体制をいう。より広い意味では、この表現は、企業の重要なカテゴリーがその事業活動において公共部門の発注に依存する経済体制にも用いられる。実際は、政治的理由からこの呼称を放擲している国であっても、

ほとんどすべての経済体制は混合経済体制である（例えば，アメリカ合衆国では，航空機産業部門において国の発注が大きな役割を果たしている）。

Écoutes téléphoniques 〔刑訴〕**通信傍受** ►Interceptions〔通信傍受〕

Écrit 〔一般〕**文書** 文書は，それが記されている紙（またはその謄本）と同一視されているが，今日では，電子媒体を含めて，その媒体および伝達方法のいかんを問わない，文字，記号，数字，または，理解可能な意味を有するその他すべての符号もしくは記号の列と定義される。
▷民法典1316条

Écrit électronique 〔民法〕〔商法〕**電子文書** インターネットによって伝達される文書（Eメール，オンライン・ショッピングなど）であり，紙媒体の文書と同じく証拠として認められる。ただし，文章の送信者の同一性が正しく確認され，この文書の作成・保存方法がその真正性を保証するという2つの条件を満たさなければならない。
▷民法典1316-1条
►Preuve littérale〔書証〕►Signature électronique〔電子署名〕

Écrou 〔刑法〕**受刑者名簿** 受刑者の刑務所への出入りを公式に確認し，この受刑者のその時点での正確な受刑状況を証明する加除式の登録簿。
▷刑事手続法典724条およびD148条以下
►Levée d'écrou〔釈放〕

Écu 〔EU〕**ヨーロッパ通貨単位（エキュ）** European Currency Unitの略号。1999年1月1日のユーロ〔►Euro〕発効以前にヨーロッパ共同体において用いられていた通貨計算単位。エキュは，加盟国の通貨「バスケット」〔panier〕に相当し，ヨーロッパ共同体の財政運営上計算貨幣として用いられ，特に，各国通貨間の為替レートのメカニズムにおける計算単位として，および，ヨーロッパ共同体の通貨当局間の決済方式としての役割を果たしていた。

Éducateur spécialisé 〔社会〕**特別育成士** 非行の有無にかかわらず，社会に適応できない児童および青年の再教育および《社会復帰》〔resocialisation〕を促進することを職務とする国家資格者。

Éducation ouvrière 〔労働〕**労働者教育** 現在の社会経済組合教育〔formation économique, sociale et syndicale〕を指す旧い表現。
►Congé〔解雇；休暇〕

Éducation permanente 〔一般〕〔労働〕**生涯教育** 学校教育および職業教育を目的とする手段および活動の総体。生涯教育には，準備段階教育（義務教育，中等教育，大学教育），見習制度〔apprentissage〕，そして，職業活動に就いてからの継続職業教育〔formation professionnelle continue〕が含まれる。
▷労働法典L900-1条

Éducation surveillée 〔刑法〕**監督教育** 犯罪少年および精神的に危険な状態にある児童が起こす問題に取り組む司法省の職務の総体。

Effectivité（Principe d'）〔国公〕**実効性の原則** 実際に確定された状況または事実の，承認または対抗性を正当化するために援用される原則（国家承認または政府承認は，国家または政府の成立の事情がどのようなものであっても，国家が実効的に存在し，または政府が実効的な権力を行使している限りにおいて正当化される。国家の与えた国籍の対抗性は，この国籍が実効的な関係を確立している限りにおいて正当化される，など）。

Effet de commerce 〔商法〕**商業証券** 所持人が一定金額の短期の債権を有していることを確認し，その支払いに役立てられる流通証券。
為替手形〔►Lettre de change►Traite〕，約束手形〔►Billet à ordre〕，小切手〔►Chèque〕および質入証券〔►Warrant〕に区分される。
▷商法典L511-1条以下

Effet de complaisance 〔商法〕**融通手形** 振出人が，支払人との間の詐欺的合意に基づいて，手形資金〔►Provision〕が欠如したまま支払人に宛てて振り出す為替手形〔►Lettre de change〕。振出人に，人為的な信用を獲得させ，振出人の外見上の支払能力を持続させる目的で振り出される。前の融通手形を決済することができるように，同じ操作が繰り返されるようになると，この場合を，《手形騎乗》〔effets ou traites de cavalerie〕と呼ぶ。資金繰りの苦しい2人の商人が，互いに宛てて融通手形を振り出すよう便宜をはかり合う場合には《交換手形》〔effets croisés〕となる。

Effet constitutif 〔民訴〕**形成的効果** ►Jugement constitutif〔形成的裁判〕

Effets croisés 〔商法〕**交換手形；書合手形**
►Effet de complaisance〔融通手形〕

Effet déclaratif 〔民法〕**宣言的効果** 宣言的行

為(証書)〔►Acte déclaratif〕に付与される効果.

特に,宣言的行為は遡及効を有する.

[民訴] **宣言的効果** ►Jugement déclaratif〔宣言的裁判〕

Effet dévolutif des voies de recours [民訴] **不服申立ての移審的(帰属的)効果** 不服申立ては通常,係争が事実および法の双方の問題を伴って,不服申立てを提起された裁判所(故障の申立てについては第一審の裁判所,控訴については第二審の裁判所)にもち込まれるという意味で,移審的(帰属的)効果を有する.新民事手続法典は旧法典に比べ,控訴院への移審的(帰属的)効果を広げた.

破毀院は法の問題しか審理しないので,破毀申立てに移審的効果はない.
▷新民事手続法典561条および572条
►Demande nouvelle〔新たな訴え(請求)〕
►Prétentions nouvelles〔新たな申立て〕►《Tantum devolutum quantum appellatum》〔控訴されている限りでしか移審しない〕

Effet direct [国公] **直接効果** 国際機構〔organisation internationale〕または国際条約によって採用された規定が国家の国内法において直接的に適用される原則.この場合,国家は法律または議会の決議によってあらかじめこの規定を国内法に組み込む必要はない.直接効果は共同体法においては古典的なものであるが,国際公法においては依然として例外的なものである.
►Applicabilité directe〔直接適用性の原則〕

Effet immédiat de la loi (Principe de l') [一般] **法律の即時効(の原則)** 新法は,公布後に生じた法的地位について,および継続中の地位については将来の効果について,ただちに効力を有するという原則.通常,新法には即時効が備わっている.
►Non-rétroactivité〔不遡及性〕►Rétroactivité de la loi〔法律の遡及性〕

Effet relatif des contrats [民法] **契約の相対効** 契約は,積極的にも消極的にも,その当事者間にしか効果を生じないとする原則.
▷民法典1165条以下
►《Res inter alios acta, aliis nec prodesse, nec nocere potest》〔他人間でなされたことは,それ以外の者に対し損害も利益も与えることはない〕

Effet rétroactif [民訴] **遡及効** ►Rétroactivité〔遡及性〕

Effet suspensif des voies de recours [民訴] **不服申立ての停止的効果** 通常の不服申立て(故障の申立ておよび控訴)は,仮執行が命じられたときまたは当然に行われるときを除き,判決の執行を停止する効果を有する.執行は,故障の申立期間中または控訴期間中停止される.執行はまた,これらの不服申立てのうちのいずれかがなされた場合に,提起された不服申立ての解決に必要な期間中停止される.

特別の不服申立ては原則として停止的効果をもたない.

[行政] **控訴の停止的効果** 行政訴訟において,一審でなされた判決に対する控訴は停止効をもたない.ただし,(まれに)条文が例外を定める場合がある.この原則の不備を埋め合わせるために,控訴の対象となった判決の執行停止〔►Sursis à exécution〕を命じる権限が控訴裁判所に認められている.

Effet utile [EU] **実効性の原則** 法的行為の規定に一定の意味と効果を付与することを目的とした解釈上の原則.その意味と効果を付与することによって,その規定は無用なもの,すなわち実際の適用を伴わないものではなくなる.固有の法秩序の存在と共同体法の権威を強固にするためにヨーロッパ共同体裁判所によって拡張されて用いられている.

Effraction [刑法] **錠前破り** 錠前をこじ開けて侵入すること.一定の犯罪の加重事情.
▷刑法典132-73条

Égalité des armes [刑訴] **武器対等** ヨーロッパ人権条約(6条)に直接由来する手続上の原則.刑事手続法典の前加条(2000年6月15日の法律第516号)に導入された.弾劾と防禦の手続上の均衡を確保することを目的とする.
►Contradiction〔対審〕►Défense (Liberté de la)〔防禦の自由〕►Droits de la défense〔防禦権;弁護権〕►Procès équitable〔公正な裁判〕

Égalité fiscale [財政] **租税の平等** 納税義務者の租税負担はその所得(ある者についてはその財産)に比例して配分されなければならないという租税政策の原則.この原則は,今日では,租税率の平等(所得に比例した租税)ではなく,所得に応じた累進性を意味するものと解釈される.

経済的社会的国家関与がこの原則の有効性を著しく減じている.

Élargissement [EU] **拡大** ヨーロッパ連合の加盟国数の漸進的増加への過程.最初の拡大

は，6カ国の原加盟国に，1973年1月1日にイギリス，デンマークおよびアイルランドが加わったことである。第2の拡大は，2回にわたって，南ヨーロッパが関わった（ギリシャが1981年，スペインおよびポルトガルが1986年に加盟）。第3の拡大によって，1995年1月1日，オーストリア，フィンランドおよびスウェーデンの加盟が認められた（ノルウェーは，1972年のときと同様に，国民投票によって加盟を再び否決した）。第4の拡大は，2004年5月1日，新たな10カ国の加盟により実現された。すなわち，中央ヨーロッパまたは東ヨーロッパ諸国（エストニア，ラトヴィア，リトアニアのバルト三国，ハンガリー，ポーランド，チェコ共和国，スロヴァキア，スロヴェニア）と地中海諸国（キプロス，マルタ）である。ブルガリアとルーマニアが2007年1月1日，ヨーロッパ連合に加盟したことにより，加盟国は27カ国となった。クロアチアおよびトルコとの間に加盟交渉がすでに開始されている。

このような絶えざる拡大は，ヨーロッパ連合にとって，制度的ならびに経済的影響の大きさからして，真の挑戦となっている。

Élargissement d'une convention collective 労働 **労働協約の拡大** 労働大臣は，一定の条件のもとで，労働協約を，その職業的または地域的適用範囲を越えて適用することができる。
▷労働法典L132-12条以下およびL153-1条
▶Extension d'une convention collective〔労働協約の拡張〕

《Electa una via, non datur recursus ad alteram》 刑訴 **ある方法を選んだならば，別の方法を採用することはできない** 今日では刑事手続法典において認められている伝統的な法諺。恐喝に利用されることを防ぐために，管轄権限を有する民事裁判所に損害賠償の訴えを提起した犯罪被害者が後に意見を変えて刑事裁判所に訴えを提起することを禁止する。ただし，民事裁判所の本案判決の前に，検察官が刑事裁判所に提訴した場合を除く。
▷刑事手続法典5条
▶Action civile〔私訴；私訴権；犯罪被害者の損害賠償の訴え〕

Électeurs inscrits 憲法 **登録選挙人** 選挙人名簿にその氏名が記載され，それゆえ投票に参加することができる選挙人。

Élection 憲法 **選挙** 公共の事柄の管理のために市民が自分たちの間で若干の者を選び出すこと。この手続きによって選挙人は政治の方向性を間接的に選択することもできる（直接投票〔▶Votation〕と混同しないこと）。

①*Élections générales* 総選挙：議会の任期が全体として終了する場合に行われる選挙（通常の任期満了または解散による）。

②*Élection partielle* 補欠選挙：議席の個別的な空白の場合に行われる選挙。1958年憲法典は補欠選挙を補充議員〔▶Suppléant〕の制度によって限定している。辞職と憲法院による選挙の取消しが2つの主要な場合である。

行政 **選挙** 行政法においては，さまざまな議決機関または諮問機関において選挙が行われる場合が非常に多い。
▶Conseil général〔県会〕▶Conseil municipal〔市町村会〕▶Conseil régional〔州会〕

Élection de domicile 民法 **住所の選定**
▶Domicile élu〔選定住所〕

民訴 **住所の選定** 訴訟当事者が実際の住所とは異なる場所を住所地とする申告で，それにより手続文書は有効に選定住所に送達される。

例えば，弁護士を選任すると，その弁護士の住所に住所の選定がなされる。
▷新民事手続法典689条，751条，836条，855条，899条および973条

Électorat 憲法 **選挙資格** 選挙人の権利または公務。

①*Électorat-droit* 権利としての選挙資格：人民主権〔souveraineté populaire〕から生じる概念で，それによれば選挙はすべての市民に固有なものとして属する権利であり，その行使または不行使は自由である。

②*Électorat-fonction* 公務としての選挙資格：国民主権〔souveraineté nationale〕の理論から生じる概念で，それによれば選挙は公務であり，主権者たる国民〔Nation〕は最もふさわしい者だけにその行使を限定することができる。

実際，1789年の革命時には非常に重要であったが，選挙資格の概念に関する議論はもはや理論的な意味しかなく，民主主義の進歩によって，選挙資格は国民主権に依拠しているけれども，権利として考えられるようになった。

Élément constitutif de l'infraction 刑法 **犯罪の構成要素** 法律により処罰される態度を構成する客観的または主観的要素。犯罪の構成要素がすべて存在する場合に，法律を適用す

ることができる。
►Condition préalable〔前提条件〕►Intention〔故意〕

Éligibilité 憲法 行政 **被選挙資格** いくつかの条件から構成される被選挙人たりうる能力。

Émancipation 民法 **解放** 未成年者に完全な行為能力を取得させる法律行為。その結果,その未成年者は,成年者とみなされる。

解放は,法律によって直接に認められている場合(例:婚姻は法律上当然に解放を生じる)には法定解放〔émancipation légale〕であり,親権者および利害関係人の意思の表明によって生じる場合には,任意解放〔émancipation volontaire〕である。

解放は満16歳から可能である。

1974年7月5日の法律以降,解放は裁判によるものとなり,後見裁判官の決定により生じる。

▷民法典476条以下(2009年1月1日より413-1条以下)

Émargement 民訴 **欄外署名** 手続きが遂行されたことを証するために,手続行為(文書)の名宛人がこの文書の原本の欄外に付す署名。時にそのための記録簿に付されることもある。

▷新民事手続法典667条

Embargo 国公 **出港禁止;輸出禁止**
①出港禁止//外国船舶に対して,ある国家が,その国の港を離れることを禁止すること。
②輸出禁止//特定の国家への一定の商品(特に武器弾薬)の輸出の禁止。

Embauchage 労働 **雇入れ** 労働者と労働契約を締結すること。

▷労働法典L121-6条以下

Embryon humain 民法 **人の胚** 人の胚とは,子宮内生活の最初の3ヵ月間の人の受胎,すなわち,精子と卵母細胞の融合,の産物のことをいう。4ヵ月目からは,胚は胎児〔fœtus〕となり,人という種の固有の特質を示しはじめる。人の胚についての研究は原則として禁止されている。研究目的で生体外〔►In vitro〕で胚を生成することまたはクローン化により胚を形成することも同様に禁止されている。商業的または工業的目的で,人の胚を生成することも,クローン化により人の胚を形成することもできない。最後に,治療目的で人の胚をクローン化により形成することは全面的に禁止されている。人の胚および胚細胞についての研究の実施は厳格に規制されている(特別に重いもしくは不治の病気の治療または胚もしくは胎児の病気の治療のために行われ,かつ,治療目的上の顕著な成果の見込まれるものでなければならない)。研究目的で胚組織もしくは胚細胞または胎児組織もしくは胎児細胞を輸入することおよび輸出すること,ならびに,学術目的で胚性幹細胞を保存することも同様に厳格に規制されている。

▷公衆衛生法典L2151-2条からL2151-5条およびR2151-2条以下

►Accueil de l'embryon〔第三者による胚の受入れ〕►Fœtus〔胎児〕►Surnuméraire〔余った胚〕

Embuscade 刑法 **公務執行者待伏せ** 国家警察,憲兵隊,行刑施設の構成員またはその他すべての公権力の受託者,ならびに消防機関または公共旅客運送機関の構成員を,その職務の遂行中に,武器の使用または威嚇により暴行する目的で,一定の間,特定の場所で待ち受ける行為。この目的は,1または複数の客観的事実によって特徴づけられる。

公務執行者待伏せは,5年の拘禁刑および75000ユーロの罰金刑により処罰される。

行為が集団で遂行される場合,刑罰は7年の拘禁刑および100000ユーロの罰金刑にまで引き上げられる。

▷刑法典222-15-1条

►Guet-apens〔待伏せ〕►Préméditation〔予謀〕

Émender 民訴 **一部変更する** 原審判決を維持する判決をなす控訴院が,第一審裁判所の判決の特定部分を変更すること。

Émeritat 行政 **特任教授** 退官を認められた高等教育機関の教授に一時的に与えられることがある名称。無報酬であるが,博士課程の演習と博士論文の指導を行い,博士論文の審査員になることが認められる。

►Honorariat〔名誉職〕

Émission 民法 商法 **発信** 支配的見解によれば,隔地者間で締結される契約において意思の合致があるとされている時点。承諾は,申込者が(相手方の承諾の意思を)知った日付ではなく,申込みの名宛人が何らかの形で承諾の意思を外部に表した時に与えられるものとされる。

Émolument 民法 **取得分** 広義では,ある物またはある地位から引き出される利得,利益。負担のない取得分はない,という法格言がある。

狭義では，積極財産のうち，ある共同分割者に割り当てられる部分。
►Bénéfice d'émolument〔取得分限度負担の利益〕

民訴 **公定報酬** 裁判所補助吏（代訴士，執行吏など）および弁護士がなす行為の報酬。その額は公的機関によって定められている。
►Débours〔立替金〕

Empêchement 民法 **障害**
①ある任務（例えば鑑定人の任務）の遂行に対する障害。障害がある義務の不履行を正当化する場合，正当な障害という。
②とくに，婚姻の成立に対する法的な障害。法律を無視して挙式された婚姻が無効とされる場合は，絶対的（婚姻）障害〔empêchement dirimant〕である。
障害をみつけた身分吏はその結婚式を挙行してはならないという義務を負うが，身分吏が見過ごしても，それを理由として婚姻を取り消すことができないとされている場合は，単なる禁止的（婚姻）障害〔empêchement prohibitif〕である。
▷民法典144条以下および342-7条

憲法 **障害** 統治者がその職務を行うことができないと公式に認定された状態。
障害が確定的な場合は交代しなければならない。障害が一時的である場合は代行が規定されている（1958年憲法典7条を参照）。

Emphytéose 民法 農事 **永代賃貸借** 不動産を対象とする，長期の賃貸借契約。99年まで可能であり，賃借人には物権が付与される。
▷農事法典L451-1条以下

Empire 憲法 **帝国；植民地；覇権国**
①帝国//1人の皇帝の権威のもとにある国家または国家の総体（ローマ帝国，フランス第一および第二帝政など）。
②植民地//本国によって支配されている植民地の総体。
③覇権国//転じて，経済的または軍事的権力のゆえに，他国に対して自国の覇権を及ぼしている国家のこと（この意味でアメリカとソ連は《empire》と呼ばれた）。

Emploi 行政 **官職** 公務員法において，予算に規定され，その担当者の報酬に必要とされる予算額を与えられた職を指す用語。

民法 **運用** 処分可能な資金による財物の購入。
購入に先立って，新たな取得に必要な資金の獲得を可能にする財物の売却がなされている場合には，remploi〔再運用〕となる。
夫婦財産契約は，より有利な財産の管理のために，しばしば，運用または再運用に関する条項を含んでいる。
▷民法典455条，1434条以下および1541条
►Remploi〔再運用〕►Subrogation〔代位〕

労働 **雇用** 企業における連続的な，かつ内容の決められた仕事，より一般的には賃労働のこと。

Agence nationale pour l'emploi 国立雇用センター：雇用の供給と需要とを調整し，職業紹介を円滑化するために，1967年に創設された公施設法人。
▷労働法典L311-1条以下

Contrôle de l'emploi 雇用統制：地域的なまたは全国的な雇用政策の実施を目的として労働監督官の行う労働力の受給関係に対する行政的統制。
▷労働法典L320条およびL320-1条
1986年12月30日の法律以来，行政庁は，もはや雇入れまたは解雇の許可権限をもたなくなった。
▷労働法典L321-7条

Emplois réservés 優先雇用：適切であると判断された一定の人に対して排他的にまたは優先的に付与される公的機関によるまたは準公的機関による雇用。
▷労働法典L323-5条

Plein emploi 完全雇用：労働力資源と雇用との間の均衡状態のこと。

Employé 労働 **ホワイトカラー；職員；労働者** 管理的または渉外的職務を行う労働者。
►Cadre〔管理職〕►Ouvrier〔ブルーカラー〕

Employé de maison 労働 **家事使用人** 家庭すなわち個人に仕え，家事労働を行う労働者。
▷労働法典L772-1条以下

Employeur 労働 **使用者** 労働者との間で締結する労働契約の当事者たる自然人または法人。使用者は，指揮命令権と懲戒権を行使する。使用者は，労働の供与および賃金の債務者である。使用者は，自己の名において固有の権限を行使する自然人たる企業長とは区別される。1つの企業が複数の会社に分かれる場合，ときとして使用者の決定は難しい問題である。このような場合には，法律上の使用者（契約当事者）と事実上の使用者（労働給付の直接の受益者）とが区別される。
▷労働法典L127-1条以下

Empoisonnement 刑法 **毒殺** 致死性の物質

の使用または投与によって，他人の生命を故意に侵害する行為。
▷刑法典221-5条および121-3条

Empreinte génétique 刑法 **遺伝子情報** ある生物の同一性を決定する遺伝子的特徴。その検査は，裁判手続きにおいて，人の同一性を確認することを可能にする。裁判上行われるのでない場合，遺伝情報の検査は，医療または科学研究を目的とし，かつ本人の事前の得心した同意を得ているときでなければ実施されることができない。これらの規則に反することは，刑法により処罰される。

遺伝子情報は，指紋がそうであるのと同じく個人に固有のものである遺伝子パターンを作成するのに役立つ。遺伝子情報は，微量の血液，精液，毛髪などに精密技術を用いることにより得られる。これによって，遺伝的形質を伝達する主要因であるDNA（デオキシリボ核酸）の塩基配列が明らかとなる。
▷民法典16-10条以下；公衆衛生法典L1131-1条；刑法典226-25条以下；刑事手続法典706-54条
►Examen des caractéristiques génétiques〔遺伝子的特徴の検査〕►Expérimentation sur la personne humaine〔人体実験〕►Identification génétique〔遺伝子情報による同一性確認〕

Emprise 行政 **不動産侵奪** 行政が私人から不動産を，一時的または終局的に，行政または第三者のために奪う行為。適法な場合も，違法な場合もある。

「違法な」不動産侵奪を構成する行為の補償の問題は司法裁判所の管轄のみに属する。

Emprisonnement 刑法 **拘禁刑** 軽罪刑の性質をもつ自由剥奪刑。法定刑の枠内で裁判官が定める一定の期間，有罪判決を受けた者を収容する。

刑法典131-12条の適用により，違警罪についての拘禁刑はなくなった。
▷刑法典131-3条

Encan 民法 **競売** ►Vente à l'encan〔競売〕

Enchère 民訴 刑法 **競り；競売** 競売中に，一般的には当初の最低設定価格または後に変更された設定価格を上回る金額の一定の代金での買入れを申し出ること。設定価格では競る者がいなかった場合には，最も高い値を申し出た者が財物を競落することができる。さもなくば順次設定価格を下げて競りが行われる。

▷民法典1686条；商法典L320-1条以下；新民事手続法典1272条以下
►Adjudication〔競落；競売〕►Folle enchère〔空競り〕►Surenchère〔増競り〕

刑法典313-6条は，競売において競りの仕組みを妨げる行為を犯罪としている。

Enclave 民法 **袋地** 他人の所有地に周囲をすべて取り囲まれた土地であって，公道への通路をまったくもたないかまたはその利用にとって不十分な通路しかもたないもの。袋地の所有者は，その土地を囲んでいる他の土地の所有者に対し，補償金と引換えに，自己の土地からの交通連絡のための通り道を求めることができる。
▷民法典682条以下

国公 **飛び領土；内陸国** 他の一国の領域により囲まれている国家の領域または領域の一部。État sans accès à la mer〔海への出入りのない国家すなわち内陸国〕もenclaveという。

Endossement 商法 **裏書** 証券の裏面（または証券に付される《補箋》〔allonge〕と呼ばれる紙片上）になされる署名をもってする，商業証券〔►Effet de commerce〕の通常の譲渡方法。この署名により，譲渡人（裏書人〔endosseur〕）は，債務者に向けて，譲受人（被裏書人〔endossataire〕）への手形金額の支払いを指図する。
▷商法典L511-8条およびL512-3条；通貨金融法典L131-16条以下，L134-1条およびL134-2条

1976年6月15日の法律により，公証人証書に関して，指図式執行謄本〔Copie exécutoire à ordre〕の制度が作られている。

Enfant 民法 **子** 狭義では，1親等の卑属。広義では，法律によって保護されるすべての未成年者（被遺棄子〔enfant abandonné；enfant délaissé〕，被扶助子〔enfant assisté〕など）。
▷民法典58条および371条以下
►Ascendant〔直系尊属〕►Collatéral〔傍系；傍系血族〕►Degré〔親等〕►Descendant〔直系卑属〕►Filiation〔親子関係〕►Ligne〔系〕

労働 **年少者** 労働法においては，学齢（16歳）を過ぎていない少年を年少者として扱う。年少者の労働は禁止されている。ただし，一定の条件のもとで，15歳を超える年少者は，見習労働者〔apprenti〕になることができる。年少者は，学校の休業期間中にも，軽い労働に従事することができる。年少者は，知事の

許可を得て，興行に出演することができる。
▷労働法典L211-1条以下；農事法典983条以下

▶Minorité pénale〔刑事未成年〕
　年少者に関わるすべての決定は，年少者の利益，基本的，身体的，知能的，社会的および情緒的な必要，ならびにその権利の尊重を考慮してなされなければならない。年少者は，6歳，9歳，12歳さらに15歳のときに，身体的および精神的な健康状態の診断表を作成する目的で，義務的検診を受けなければならない。また，6歳の検診では，言語および能力に関する，特別な障害についての検診が行われる。これらの検診に続いて，育成チーム，医療専門家および両親が，適宜養育および継続調査を行う。15歳を超えた年少者に対しても，定期的健康診断が，就学期間を通じて実施される。
▷社会福祉法典L112-4条；教育法典L541-1条
▶Mesure judiciaire d'aide à la gestion du budget familial〔裁判所による家計管理援助措置〕▶Observatoire départemental de protection de l'enfance〔児童保護県監視センター〕▶Protection de l'enfance〔児童保護〕

Enfant à charge 財政 **被扶養子**　所得税の計算において，家族係数方式における除数〔parts〕を決定する場合，または課税対象所得から定額控除を受ける場合に考慮されうる子ども。原則として，課税されるべき所得から租税が徴収される年度の1月1日の時点で21歳未満の嫡出子，自然子，養子または引き取られて養育されている子〔enfants recueillis〕を指す。所得があってもよい。
▷租税一般法典6-3条，194条以下
社保 **被扶養子**　受給権者〔▶Allocataire〕が実際にかつ永続的に扶養する子，すなわち，受給権者が一般的に住居，食事および育成を保障する子のこと。扶養する子と受給権者との間に法的な意味での血族関係が存在することは要しない。したがって，認知されていない自然子および引き取られて養育されている子も被扶養子たりうる。

Engagement 財政 **支出負担行為**　財政上の負担を生じさせる債務〔▶Obligation〕を公法人〔▶Personne publique〕に対して発生させる法律行為〔▶Acte juridique〕または法律事実〔▶Fait juridique〕。
　支出負担行為の例として，公務員の任用，公契約〔▶Marché public〕の署名を挙げることができる。

Engagement à l'essai 労働 **試用契約**　▶Essai〔試用〕

Engagement d'honneur 民法 **名誉上の義務**　義務的効力を欠き，交渉する意思を表明するにとどまる義務。
▶Lettre d'intention〔支援状〕

Engagement par volonté unilatérale 民法 **単独の意思による債務負担**　債務を発生させるためには，義務を負う一方当事者の意思があれば足りるとする理論。
▶Acte unilatéral〔一方的行為〕

Engineering 商法 **経営エンジニアリング**
▶Ingénierie〔エンジニアリング〕

Énonciatif 一般 **例示的な**　限定的性格をもたない法文中の列挙について言う。その列挙を含む法文を他の場合へ適用することを可能とする。

Enquête 憲法 **国政調査**　▶Commission parlementaire〔国会の委員会〕の②
民訴 刑訴 **証人尋問**　証人〔▶Témoin〕による証明がなされる付帯のまたは主たる手続き。
▷新民事手続法典199条
国公 **審査**　国際紛争の原因である事実の実相を明らかにする目的をもつ手続き。当事国による当該問題の熱心でない調査による国際紛争の解決を助けるために行われる（紛争の継続が国際の平和および安全を脅かすか否かを明らかにするために安全保障理事会により行われる国際連合憲章34条の調査と混同しないこと）。

Enquête de flagrance 刑訴 **現行犯捜査**　重罪および拘禁刑で処罰される軽罪の現行犯に適用される特別の捜査。犯行の現在性を理由として，強制的方法を用いてすべての有用な情報を収集するために，予備捜査よりも拡大された権限が司法警察に与えられる。
▷刑事手続法典53条以下

Enquête de personnalité 刑訴 **人格捜査**　予審対象者の心理的，家族的および社会的な状態に関する捜査。重罪については義務的であり，軽罪については任意的である。
▷刑事手続法典81条
　人格捜査はまた，共和国検事により，その権限の範囲内で命令されることもある。
▷刑事手続法典41条以下

Enquête de police 刑訴 **警察捜査**　管轄権限を有する裁判所への提訴に先立って司法警察

職員によって行われる捜査活動の総体。犯罪の認定，証拠の収集および犯罪行為者の捜索を目的とする。

Enquête préliminaire 〔刑訴〕**予備捜査** 予審の開始前に，警察または憲兵隊が職権でまたは検察官の請求により行う捜査。検察官が訴追の理由があることについて情報を得ることを可能とする。
▷刑事手続法典75条以下

Enquête sociale 〔民法〕**家庭環境調査** この調査は，民事においてしばしば命ぜられる。主として，離婚手続きにおいて，子の育成扶助について監護する者を定める場合に行われる。この調査は，たいていの場合専門機関に委ねられ，専門育成者またはソーシャルワーカーによって行われる。

Enregistrement 〔民法〕〔財政〕**登録；登記** 登録簿に法律行為を記載し，その性質を分析する義務的または任意的な税務上の手続き。国による租税徴収の根拠となり，また，確定日付を欠く私署証書に確定日付を付与する。
▷民法典1328条；租税一般法典849条および1929条

Enregistrement des traités 〔国公〕**条約の登録** 国際連合の事務局の文書保管所に条約を登録すること。条約を国連の機関において援用することができるように，加盟国に対し課される（国際連合憲章102条）。

Enrichissement sans cause 〔民法〕**不当利得** 他人の損失と直接的な関係にあり，財産の不均衡が法的な理由によって正当化されない，ある者の利得。
　損失を受けた者は，《不当利得返還》訴権〔►Action《de in rem verso》〕を行使することができる。
▷民法典1371条
►Quasi-contrat〔準契約〕

Enrichissement des tâches 〔労働〕**作業内容の充実化** 流れ作業の廃止または流れ作業の影響の緩和を目的とする方法（作業内容の変更，多面的作業の遂行，ある作業を担当する自律的作業班の創設）の総体。

Enrôlement 〔民訴〕**事件簿への登載** ►Mise au rôle〔事件簿への登載〕

Enseigne 〔商法〕**看板** 商人の営業所に掲げられ，他の営業所から当該営業所を識別する標識。

Entente 〔商法〕〔刑法〕**カルテル；協定** 競争の作用を歪めまたは阻害することを目的としま たはそのような結果をもたらす共同行為。カルテルは合意により形成される場合と，単に協調行動により生ずる場合がある。カルテルは，国内法と共同体法において原則として禁止されている。ただし，特にカルテルが経済的な向上に貢献することが立証される場合のように，一部のカルテルは正当化されることがある。

Entente interrégionale 〔行政〕**州相互協力機構** 境界を接する（2ないし4つの）州の間で設けることのできる相互協力のための制度。公施設法人という法的形態をとり，これを構成する各州に代わって自らに帰属する権限を行使し，さらに各州の経済プログラムの統一性を確保する。
▷地方公共団体一般法典L5621-1条

Entente préalable 〔社保〕**事前の承認** 一定の診療または治療の払戻しについて，金庫が事前に与える承認のこと。

Entiercement 〔民法〕〔商法〕**担保のための預入れ** 他人のために財産を管理することを引き受けた第三者に，担保の目的で動産を引き渡すこと。この仕組みが最も用いられているのは，一般倉庫への寄託による担保権設定取引〔warrantage dans les magasins généraux〕や，裁判所による係争物寄託〔séquestre d'une chose litigieuse〕である。
▷民法典2076条
►Gage〔（有体）動産質〕►Warrant〔質入証券〕

《En tout état de cause》 〔訴訟〕**訴訟のいかなる段階においても**

①例えば，裁判官が明白な理由により（一方当事者が援用した）法文の適用を退けるときに用いる表現。その結果裁判官は，その法文の適用から生じる，おそらくより解決の困難なその他の問題を勘案する必要がなくなる。例えば，裁判官は日付を理由にその法文が当該事件の事実に適用されないと認定し，それゆえに《訴訟のいかなる段階においても》訴訟当事者にその法文を援用する理由はないと認定する。この場合，裁判官はその法文の規定に対する違反の有無を探求する必要はない。

②手続上，本来，この表現は，控訴審においてであれ第一審においてであれ手続きのあらゆる段階において，という意味である。
▷新民事手続法典72条

Entraide 〔農事〕**相互援助** 農業者間の相互援助または《手助け》〔coup de main〕とは，

農作業または農機具のやりとりのことである。その特徴は，無償，相互，同等の3点である。法律上は，相互援助は無償名義の契約である。
▷農事法典L325-1条

Entraide pénale internationale 刑法 刑訴 国際刑事共助 ►Eurojust〔ヨーロッパ連合検察団〕►Europol〔ヨーロッパ警察局〕►Interpol〔国際刑事警察機構；インターポール〕

Entrave 刑法 労働 妨害 従業員を代表する者〔représentants du personnel〕または組合代表委員〔délégué syndical〕の自由な指名または合法な職務執行を使用者が妨害する犯罪。
▷労働法典L481-2条，L482-1条およびL483-1条

刑法 妨害
①人を差し迫った危難から免れさせ，または人身の安全にとって危険な災害に対処するための救助の到達を故意に妨害することからなる軽罪。
▷刑法典223-5条
②意見表明，労働，結社，集会またはデモ行為の自由の行使を妨害することからなる一連の軽罪。例えば，組合代表委員の自由な指名またはその合法な職務執行を使用者が妨害すること。
▷刑法典431-1条以下

Entre vifs 民法 生前 贈与のように，行為者の生存中に効果を生ずる行為をいう。ラテン語では《inter vivos》〔生存者間の〕という。
►À cause de mort〔死因〕

Entrée en vigueur 一般 施行日 法律または行政立法がすべての者によってそのときから遵守されなければならなくなる日付。施行日は法文に定めがなければ官報〔►Journal officiel〕に公示された翌日である。緊急の場合，公示後すぐに発効することがあるが，法律については審署のデクレで，行政行為については特別の規定により政府が，それを定めている必要がある。
公示は，同日に，書面形式および電子形式で行われる。
▷民法典1条

Entremise 刑法 養子縁組の斡旋 養子縁組を手助けするために，子を遺棄することを望む両親と養子縁組をしたいと望む者との間を取りもつ行為は，刑法典227-12条に定める犯罪となる。

両親と，子を孕み引き渡すことを承諾する女性との間を仲介することも同様である。

Entrepôt de douane 財政 保税制度；保税倉庫
①保税制度//一時的に関税を支払うことなく輸入品を貯蔵もしくは加工することを認め，または，輸出向け国内産品に適用して，輸出品だけに認められる利益を国内産品に享受させる租税法上の制度を指す総称的用語であり，複数の法制度を包括する。
②保税倉庫//保税制度の適用を受ける商品が保管される場所。

Entrepreneur 民法 請負人 請負契約〔contrat de louage d'ouvrage et d'industrie すなわち contrat d'entreprise〕において，他方のために仕事を行うことを約束した当事者。不動産法においては，請負人は建築物を築造する義務を負っており，仲介者にすぎない不動産開発者とは異なる。
▷民法典1792条以下

Entreprise 民法 請負 ►Entrepreneur〔請負人〕►Louage d'ouvrage et d'industrie〔請負契約〕

商法 企業 既存の組織に基づいて，富の生産または流通のために人的手段および物的手段を稼動させる経済単位。

労働 企業 同一の使用者の指揮命令のもとで共通の活動を行う労働者の集団。法的には別個の会社が，労働法の観点からは1つの企業とみなされることもある。

Chef d'entreprise 企業長：企業において最高位の権限を保持する者。企業長とは，一般に個人企業の所有者であり，会社においては定款上の代表者である。
►Pouvoirs du chef d'entreprise〔企業長の権限〕►Responsabilité pénale du chef d'entreprise〔企業長の刑事責任〕

Entreprise agricole à responsabilité limitée (EARL) 農事 有限責任農業企業 農業経営を目的とする民事会社。有限責任農業企業は1人で設立することができる。複数人で設立する場合，有限責任農業企業の社員は10名を上限とし，その過半数は農業経営者でなければならない。農業共同経営集団と比べ，有限責任農業企業はより柔軟な制度に服する会社であり，行政機関による設立の承認を要せず，2名の配偶者のみをもって社員とすることができる。
▷農事法典L324-1条以下

►Groupement agricole d'exploitation en commun (GAEC)〔農業共同経営集団〕

Entreprise nationalisée 行政 労働 **国有化企業** ►Nationalisation〔国有化〕

Entreprises publiques 行政 **公企業** 国とは異なる法人格を有し、商工業的活動を行い、監督権限を有する公法人（ごく一般的には国）がその資本金の過半を保有する点で共通性を有する組織からなるカテゴリー。しかし、そのカテゴリーの独自性を否定する見解もある。その管理システムは民間部門と非常に近似している。このカテゴリーは、それを構成する個々の組織の地位が公施設法人から私法上の会社にまでわたる点、および公役務〔►Service publicの①〕を管理する公企業（例えば、フランス電力〔EDF〕、フランスガス〔GDF〕）もあれば、かつての国営ルノー工場の場合のように純粋に商業的性質を有する活動を管理する公企業もある点で、統一性を欠いている。なお、国営ルノー工場は1996年に私企業に戻った。

Entreprise unipersonnelle à responsabilité limitée 民法 商法 **有限責任一人企業** ►Société unipersonnelle〔一人会社〕

Enveloppe 財政 **包括予算** あるひとつの目的または特定の目的の総体に割り当てることを目的とする予算の総額（新語）。

Environnement 一般 **環境** 非常に頻繁に用いられる語であるが、明確な法的内容を欠く。この用語には、その中で人間が生活する自然的、都市的、産業的（ときとして、経済的、社会的および政治的）な環境〔milieu〕を指すというイメージがある。その環境によって引き起こされるニューサンス〔►Nuisances〕と汚染〔►Pollution〕から人間を保護するために、環境保護運動による（ときとして過度の）推進を受けて、きわめて多様な規制が、国家および国際レヴェル（特にヨーロッパ共同体）で行われるようになり、急速に発達してきた。2000年から2001年にかけて公示された環境法典は、広範な集成として多種多様な法規定を含んでいる。それらの規定は、自然的空間、資源および環境について、景観および風景について、動植物の種について、および生物界の均衡について述べている。この分野の法規定は予防原則、防止行動原則、汚染者負担原則、参加原則から着想を得ている。
▷環境法典L110-1条

Envoi en possession 民法 **占有付与** 裁判官が、一定の包括受遺者に対して、または、生死不明〔►Absence〕の場合においては推定相続人に対して、故人または生死不明者の財産を占有することを認める行為。国が相続人不存在の相続財産を受け取る場合にも、当該相続財産中の財物を獲取するためには占有付与を請求しなければならない。
▷民法典724条、811条および1008条
►Déshérence〔相続人の不存在〕

Épargne-logement 財政 **住宅積立貯金** 住宅建設を奨励するための長期融資制度。将来住宅を建設する予定の者が事前に貯蓄を行い、一定期間が経過すると、利息の額に基づいて加算される割増金を受けることができ、貯蓄先の貯蓄金庫または銀行から貯蓄期間と貯蓄額に比例して、特別利率で融資を受けることができる。

Épave 民法 **遺失物** 所有者不明の、遺棄された動産。
▷民法典717条

Épuisement des recours internes (Règles de l') 国公 **国内的救済完了の原則** ►Recours internes（Épuisement des）〔国内的救済の完了〕

Épuration 行政 **公職追放** 公役務にたずさわる者のなかでヒトラー体制またはヴィシー政府に対して積極的な共鳴を表した者の、公役務からの追放。第二次世界大戦後に行われた。

Équilibre des droits des parties 刑訴 **当事者の権利の均衡** ►Égalité des armes〔武器対等〕

Équilibre (balance) des forces 国公 **勢力均衡** 国家間の勢力関係は、いくつかの国の政治的、経済的または軍事的手段を結集することにより一国の優位を防ぐシーソー的作用によって、安定を保つであろうとする政治原理（その確立は、1648年のウェストファリア条約に遡る）。

Équipollent 民法 民訴 **等しい；同等**
①等しい//形容詞としては、2つの法概念が同じ法制度に従う、の意。例えば、重大な過失は故意に等しい〔équipollente au dol〕。
②同等//名詞としては、正式な語と同じ意味をもつ手続文書中の表現のこと。これにより形式に反することを理由とする無効を回避することができる。

Équité 一般 **衡平** 衡平とは、正義をこの上なく行うことであり、ときとして法律が定めていることに優先する。《愛と誠実が出会い、

正義と平和が互いに口づけする》（詩編85編10節）．

[国公] **衡平** 紛争の解決につき，実定法の欠缺を埋めるため，また，実定法を適用することがあまりに厳格な場合その適用を和らげるために，正義の原理を適用すること．国際司法裁判所は，当事者が合意した場合，衡平に基づいて（《ex aequo et bono》〔衡平および善によって〕）裁判をする権限を有する（国際司法裁判所規程38条）．

[民訴] **衡平** 新民事手続法典は，両当事者が自由に処分できる権利を対象とし，かつ訴訟当事者の明示の合意により裁判官が法によって裁判する義務を解かれる場合に，衡平によって判断する権限を司法系統のどの裁判所にも認めている．
▷新民事手続法典12条4項，58条および700条
▶Procès équitable〔公正な裁判〕

Équivalence [労働]（労働時間の）換算
▶Heures supplémentaires〔超過勤務時間〕

ERAP（Entreprise de recherche et d'activités pétrolières） [財政] **石油探査活動公社（エラップ）** 国の名において，エネルギー，製薬および電気通信の部門に属する企業（例：フランス・テレコム〔▶France Télécom〕）に資本参加することを任務とする商工業的公施設法人〔▶Établissement public〕．石油探査活動公社という名称は，1965年の設立時の状況（石油会社エルフへの国の資本参加．なお，1996年以降は完全に撤退した）によって説明される．

Érasmus [国公] **エラスムス計画** ヨーロッパ共同体の奨学金計画．1987年以降，大学の学生（その数は逐次増加している）に対し，他の共同体加盟国において一定の修学期間を過ごすことを可能とすることを目的とする．留学期間については，当該学生の出身大学により大学課程に算入されなければならない（単位認定互換制度すなわちECTS）．大きな成功を収め，今日では別の形で引き継がれている（例：Socrates 計画，Tempus 計画...）．
▶Licence-Master-Doctorat〔学士＝修士＝博士〕

《**Erga omnes**》 [一般] **対世的に；すべての者に対して** ある行為，ある決定またはある判決が，すべての者に対して効力を有するものであって，直接に関わる者に対してのみ効力を有するものではないことを意味するラテン語の表現．

▶《Inter partes》〔当事者間において〕

Erratum [一般] **誤植** 法文の再録における，正誤表で十分に訂正できる単純な誤りのこと．特に『官報』による公示について用いられる．

Errements [民訴] **常日頃のやり方** 手続きの諸段階，手続きの展開の段階を示す言葉．特に，《常日頃のやり方で手続きを再開する》〔reprendre la procédure sur ses derniers errements〕という言い方において用いられるが，これは，手続きを，最初からではなく，無効とされた手続行為からやり直すことを意味している．

Erreur [民法] **錯誤** ある事実の存在または性質，もしくは，ある法規範の存在または解釈についての不正確な評価．

事実の錯誤〔erreur de fait〕は，それが重大である場合には行為の無効を生じさせることがあるが，法律の錯誤〔erreur de droit〕は，通常は考慮されない．
▷民法典180条，887条，1110条，1376条以下および2052条
▶《Nemo censetur ignorare legem》〔何人も法律を知らないとはみなされない〕

Erreur de droit [刑法] **法の錯誤** 法律の内容を誤って表象すること，または法律の存在を知らないこと．法の錯誤は，被告人にとって回避不可能であった場合にのみ，刑事責任を否定する．法の錯誤は，刑法典によって認められている．
▷刑法典122-3条

Erreur de fait [刑法] **事実の錯誤** 客観的事実を誤って表象すること，または客観的事実の存在を知らないこと．事実の錯誤は，故意犯に関して，その犯罪類型の重要な事情に関するものである場合に刑事責任を否定する．

Erreur judiciaire [刑訴][民訴] **誤審** 裁判官による錯誤であって，裁判官の判断を誤らせ，不服申立ての方法の対象となるもの．刑事においては，ある者の，錯誤による有罪の確定判決は再審の申立ての対象となる．2000年6月15日の法律第516号は，ヨーロッパ人権裁判所による有責判断を承けて，刑事一件記録を再審理する手続きを導入した．
▷刑事手続法典622条以下および626-1条以下；新民事手続法典462条および595条
▶Pourvoi en révision〔再審の申立て〕
▶Recours en révision〔再審の申立て〕

Erreur manifeste [行政] **明白な過誤** 行政裁判所が，行政の裁量権限に対する審査を拡大

するために考案した判例理論。行政裁判所は、きわめて明らかな行政の過誤とみなすものに対して、行政が行った事実の評価を審査することができるとするもの。

《Error communis facit jus》 一般 共通の錯誤は法となる　法に反するとはいえ、共通に信じられていることから法的帰結が生じる場合がある。例えば、表見相続人の場合である。

Escompte　商法 割引き；割引手数料
　①割引き//債権の流動化〔►Mobilisation de créance〕の方法。譲受人である銀行は、商業証券〔►Effet de commerce〕の額から満期までの証券の金額の利息相当額を控除した額を、当該証券に定める満期前に、裏書人に支払う。
　②割引手数料//割引きに際して銀行が証券の金額から控除した、満期までの利息に相当する額。

Escroquerie　刑法 詐欺罪　虚偽の氏名または資格を用い、真実の資格を濫用し、または詐術を使用することによって、自然人または法人を欺罔し、それによって、現金、有価証券もしくは何らかの財物を引き渡し、役務を提供しまたは債務の履行もしくは免除をなすことに同意するよう決心させ、その者または第三者に損害を与える軽罪。
▷刑法典313-1条

Espace aérien　国公 空域
　①*Espace aérien approprié*　領空：国家の領土および領水の上空。国家はこの空域に対して主権を行使する。
　②*Espace aérien libre*　国際空域：公海〔►Haute mer〕の上空ならびに領海〔►Mer territoriale〕および内水〔►Eaux intérieures〕以外の国家海域の上空。国家は属地主義に基づくいかなる管轄権も行使しない（しかし国際空域の利用に関する一定の国際的規制が存在する）。

《Espace économique européen》 EU ヨーロッパ経済圏　1992年5月にヨーロッパ自由貿易連合諸国とヨーロッパ経済共同体諸国の間で署名された条約。単一市場の創設を目的としており、ヨーロッパ自由貿易連合諸国は共同体法の集積〔acquis communautaire〕すべてに加わるが、共通政策には拘束されない。スイスは、国民投票によりポルト条約〔traité de Porto〕批准を拒否したため、依然としてヨーロッパ経済圏には参加していない。

Espace extra-atmosphérique　国公 宇宙空間　空域〔espace aérien〕の外にある空間。その法制度の重要な部分は、1967年条約で定められている。それは、国家による取得の禁止、探査・利用の自由、軍事的利用の禁止である。しかし、空域と宇宙空間の境界線は、まだ条約では明らかにされていない。

Espace de liberté, de sécurité et de justice　EU ヨーロッパ連合共通刑事政策領域　フィンランドのタンペレで開催された閣僚理事会(1999年)の掲げた、いっそうの刑事協力（ヨーロッパ警察局およびヨーロッパ連合検察団）ならびに庇護権および移民に関する共通政策を並行して推進する意思を前面に押し出した呼称。マーストリヒト条約ならびにアムステルダム条約の定めていた第3構成領域（刑事協力）という表現に取って代わった。

Espaces de réflexion éthique　民法 生命倫理センター　保健衛生の領域における倫理問題について、研修、資料の収集、会合および学際的交流の場となる施設。大学病院センターと連係して、州レヴェルまたは州際レヴェルで開設されている。生命倫理センターはまた、州レヴェルまたは州際レヴェルで、倫理的観点から医療行為を監視するセンターの働きもしており、さらに、生命倫理問題について市民に知ってもらい相談にのるために公開討論会を組織することに協力する。
▷公衆衛生法典L1412-6条

Espace de rencontre　民法 出会いの場　►Droit de visite〔子と会う権利〕

Espace social européen　EU ヨーロッパ社会圏　ヨーロッパ共同体により実施される社会政策に付けられた名称。人の自由移動から、共同体の社会行動計画、ヨーロッパ社会基金、単一ヨーロッパ議定書(118A条および118B条)、マーストリヒト条約およびアムステルダム条約に至るまで漸進的に拡大してきた。両条約には社会政策に関する諸規定がまとめられている。
　ヨーロッパ憲法は、一部の人々が期待したほどには前進したわけではなかったが、ヨーロッパ連合のこのような行動領域を確認する新規定を含んでいる。

Espèce　一般 事案　事件、すなわち対象とされる個々のケース。例えば、本事案においては〔en l'espèce〕、本事案の事実〔les données de l'espèce〕、本事案に適用される法文〔les textes applicables à l'espèce〕などの用

例がある。

Espionnage [刑法]（外国人による）スパイ行為
フランス人以外のまたはフランスの兵役についている軍人以外の者が，外国の情報収集能力を強化しまたはフランスの国益を弱体化することからなる犯罪の総体。
　　同じ行為をフランス人またはフランスの兵役についている軍人が行えば，反逆〔►Trahison〕という罪名になる。
▷刑法典411-1条以下

Essai [労働] 試用　協約または契約により明確に定められた，労働契約〔►Contrat de travail〕の履行の初期段階のこと。その目的は，労働契約が両当事者を満足させるものかどうかを，経験に基づいて評価できるようにすることにある。使用者はこのようにして，労働者の能力および適性を知ることができ，労働者は，使用者からの要求および，与えられた労働条件を検討することができる。この期間中，労働契約の破棄は簡略化される。解雇しようとする使用者は，解雇〔►Licenciement〕に関する普通法上の諸原則（とりわけ普通法上の手続き，および解雇の現実かつ重大な事由の援用による契約破棄通知書の理由記載）を遵守しなくてもよく，辞職しようとする労働者は，（反対の条項がない限り）解約予告期間を遵守しなくてもよい。反対に，解雇事由のいくつかの類型（たとえば非行または差別的性質の事由）に基づいているか，あるいは保護を受ける労働者（労働災害または職業病の被害を受けた者，母性休暇中の者，選挙により又は労働組合により委任を受けた者）に関係する，解雇に適用される諸規定は，試用期間中も遵守されなければならない。

Essai professionnel [労働] 試験採用　応募者に実際に演じさせることまたは要求される資格に対応する仕事をさせてみることを内容とする労働者採用方法。契約としての性格をもつが，労働契約に包含されるものではなく，その点で試用契約〔►Engagement à l'essai〕とは区別される。

Ester en justice [民訴] 訴訟を行う　原告，被告または参加人として訴権の行使に関与すること。
　　►Capacité d'ester en justice〔訴訟を行う能力〕

《Estoppel》 [国公] 禁反言　訴えを失効させる異議であって，一方訴訟当事国はかつて自らが採り第三国が正当な信頼をおいた立場を否定することができる，ということを妨げるもの。

[民訴] 禁反言　訴訟当事者が訴訟の各段階で矛盾した行動をとることを禁ずるコモン・ロー〔►Common law〕上の概念。手続上の信義誠実を定めたものとして，フランス法上の訴訟不受理事由〔►Fin de non-recevoir (de non-valeur)〕に近い。

Établissement [国私] 居住　外国人の《établissement》とは，外国人が，報酬を受ける活動をその国の領域内で行う意図をもって，その領域内に実際に居住することをいう。

[労働] 事業所　技術上の生産単位であり，企業と一致することもあれば，反対に企業の一部を構成するにすぎないこともある。

Comité d'établissement 事業所委員会：事業所という枠内での，企業委員会〔►Comité d'entreprise〕に類似の機関。

Établissement de crédit [商法] 金融機関　平常の業務として銀行取引〔►Opérations de banque〕を行う法人。金融機関は，その業務に関連する取引も行うことができる（為替取引，金および貴金属取引，有価証券の売付け・引受け・買入れ・管理など）。その他，経済担当大臣の定める条件のもとで，既存のまたは新設の企業に資本参加することができる。
▷通貨金融法典L511-1条からL511-4条，L311-1条およびL311-2条

Établissement nouveau [社保] 新設事業所　開設の年とそれに続く2年の暦年の間，労働災害の保険料率に関して集合制保険料率の適用を受ける新たに開設された事業所。この期間の満了後は，従業員数に応じて集合制〔collectif〕，混合制〔mixte〕または実質制〔réel〕によるものとなる。
▷社会保障法典D242-6-13条

Établissement public [行政] 公施設法人　かつては，非常に強い独自性を示す行政法上の法的カテゴリーであった。すなわち，公施設法人とは，法人格を付与され，公役務活動をその限定された目的の範囲内で管理することを任務とする，地方公共団体とは別の公法上の存在を意味していた。例：大学。
　　この独自性は，いくつかの理由により薄らいできている。とりわけ，以下の理由が挙げられる。
　・無名公法人が伝統的公施設法人に付け加

・戦後の国有化によって，公役務の管理を任務としない公施設法人が登場した。

・市町村の物的財政的手段の再編が追求されることによって，領域的基盤をもち真の地方公共団体と非常に近い性格を有する多目的公施設法人が出現した。

以上の条件付きではあるが，一般には次のような区別がなされる。

①*Etablissements publics administratifs* 行政的公施設法人：伝統的公役務活動の管理を任務とするもの。行政法規範によって規律され，これに関する訴訟は行政裁判所の管轄に属する。

②*Etablissements publics industriels et commerciaux* 商工業的公施設法人：商工業的性質の活動を，私企業に類似する条件で管理する公施設法人のカテゴリーであるが，これに関する議論は多い。その運営とそれに関する訴訟に公法と私法のいずれをも借用している。

►Décentralisation〔分権化〕

Établissement public de coopération intercommunale（EPCI） 行政 市町村間協力公施設法人　公施設法人〔►Etablissement public〕のカテゴリー。大規模都市共同体〔►Communauté urbaine〕，中規模都市共同体〔►Communauté d'agglomération〕，市町村共同体〔►Communauté de communes〕および市町村組合〔►Syndicat de communes〕といった市町村間協力のさまざまな法律上の組織を総称する。

▷地方公共団体一般法典L5211-1条以下
►Intercommunalité〔市町村間協力〕

Établissement d'utilité publique 私法 公益施設　一般的利益を有する活動を管理し，それゆえ有利な法制度の適用を受ける（公法人たる公施設法人〔►Établissement public〕とは異なる）私法人。公益施設の資格が法文により係争中の法人に付与されていなかった場合の裁判所の判断は，公益施設という性質決定をすることはしばしば困難であるということである（►Jurisprudence〔判例；法学〕）。

Établissement stable 財政 恒久的施設　租税に関する国際条約において，A国の企業がB国で活動を行うときに用いる，事業のための固定的な施設（支店，工場，一定期間作業を行う建設現場など）を指す表現。恒久的施設と認定されると，この施設のもたらす利益に対する課税権がB国に付与される。

État 憲法 国公 国家
①社会学的観点：比較的同質な人的集合体の特定の領域への定着から生じ，組織化された強制力の独占（特に軍事力の独占）を伴う制度化された権力によって規制される特殊な政治社会。

►Nation〔民族〕

②法学的観点：主権の保有を認められた法人。

③より限定的かつ具体的な意味：被治者と対比される政治的機関，すなわち，統治者の総体（例えば，国家が侵略的であるといわれる場合，国家を改革しなければならないといわれる場合など）。

④マルクス主義的国家観：支配階級のための抑圧装置。資本主義体制においてはプロレタリアート搾取のためのブルジョワジーの道具（しかし，階級なき社会の創出に伴って国家の死滅は必至となる）。

État civil 民法 民事身分；身分職
①民事身分//特に家族関係における，人の私法上の地位。この地位は，その者に法的な権利を与えるために法によって考慮される諸要素に由来する。

②身分職//身分証書〔►Acte de l'état civil〕（出生証書〔acte de naissance〕，婚姻証書〔acte de mariage〕，死亡証書〔acte de décès〕）の作成および保存を任務とする公役務。

▷民法典34条以下，55条以下，63条以下および78条以下

►Officier de l'état civil〔身分吏〕

État dangereux 刑法 危険性　個人のもつ犯罪的傾向。しかし，危険性は必ずしも社会秩序への侵害ではない。

▷刑法典121-3条

►Mise en danger〔人を危険にさらすこと〕

État de droit 公法 法治国家　中央および地方の政治機関および行政機関の全体が，施行されている法規範に実質的に従って行為する国家を指すために用いられる表現。一般的に，法治国家においては，すべての個人は基本的な保障および自由を等しく享受するものと考えられている。フランス法において法治国家は，法技術上は適法性〔►Légalité〕の原則の中に組み込まれている。

法治国家は，アングロサクソンの法の支配〔rule of law〕に相当する。

►Libertés publiques〔公の自由〕

[一般] **法治** 小文字では，政治体〔corps politique〕および社会体〔corps social〕の組織またはそれらの構成員間の関係が，統治者にも被治者にも等しく課される法規範によって規律されている社会を指す。これに対し，人治〔état de fait〕においては，規範は法に準拠することのない裁量的決定から生ずる。

État estimatif [民法] **価格評価一覧表** 法律行為，特に贈与の対象となる動産について品目ごとに記した財産目録〔►Inventaire〕であって，価格評価〔►Prisée〕を伴うもの。
▷民法典948条

État exécutoire [行政] **徴収執行令書** ► Titre de perception〔徴収名義〕

État fédéral [憲法] [国公] **連邦国家** 複数の共同体（連邦を形成する国家）から構成され，その上に位置する国家。
　それゆえ，《二層》国家のことである。連邦国家の憲法典が，連邦とその構成国との間の権限配分を行う（一般的には，外交に関する事項を連邦に独占させる）。しかし，連邦の立法権が人民代議院とならんで構成国代表からなる代議院をもつという特殊な構造をとるために，構成国は連邦の決定に参加することが保障されている。
►Fédéralisme〔連邦制〕

État-gendarme [憲法] **夜警国家** ►Libéralisme〔自由主義〕

États généraux [憲法] **全国三部会** アンシャン・レジーム下のフランス社会に存在した3つの身分（聖職者，貴族，第三身分）を代表する議会。諮問に答え，または，御用金を表決するために国王によってときおり召集された。

État des inscriptions [民法] [民訴] **登記明細書** ►Conservation des hypothèques〔抵当権保存所〕►Publicité foncière〔土地公示〕

État des lieux [民法] **現状確認書** 借家の状態を記載した文書であり，一方では，賃借人が使用収益を開始する前に，所有者がすぐに使用可能でよく修繕された状態で建物を引き渡したことを確認する目的で作成され，他方では，賃貸借の終了時に，賃借人の負担に帰する毀損と老朽化から生じた毀損とを区別する目的で作成されるもの。
▷民法典1730条および1731条

État de nécessité [刑法] **緊急状態** 自分自身，他人または財産をおびやかす現在または急迫の危険に直面し，人身または財産の保護に必要な行為をなした者の刑事責任を否定する正当化事由。ただし，用いられた手段と脅威の大きさとの間に釣り合いが取れていない場合は認められない。
▷刑法典122-7条

État des personnes [民法] **人の身分** 個人の観点から（出生の日付および地，氏，性別），家族の観点から（親子関係，婚姻）および政治的観点から（フランス人であるか外国人であるか），人の法的地位を特徴づける要素の総体。
▷民法典3条

État-providence [憲法] **福祉国家** ►Dirigisme〔経済指導主義；ディリジスム〕

État de siège [憲法] [行政] **戒厳** 対外的脅威または反乱に際して，領土の全体または一部にデクレによって適用することのできる，公の自由を制限する法制。その特質は，通常の警察権限の内容の拡大，文民当局に軍事当局が取って代わる可能性，軍事裁判所の管轄権限の拡大である。
　1958年憲法典によれば，戒厳は政府によって発令されるが，12日を超えてそれを延長する場合には国会の承認が必要とされる。
►État d'urgence〔危急事態〕

État unitaire [憲法] **単一国家** 全領土において国民が一律に従属する唯一の政治的決定機関をもつ国家。その領土のいかなる区画にも政治的自律権は一切認められない。

État d'urgence [行政] [憲法] **危急事態** 国土の全体または一部につき法律によって適用することができる，公の自由を制限する制度。その特徴は，とりわけ文民当局の通常の警察権限の拡張である。
►État de siège〔戒厳〕

Éthique biomédicale [刑法] **生命倫理** 医学的研究活動を規律し，人という種に対する罪〔crime contre l'espèce humaine〕，特に優生選別〔►Eugénisme〕またはクローン化による複製〔►Clonage reproductif〕を防止することを目的とする倫理的および法的規定の総体。
▷刑法典214-1条以下および511-1条以下

Étranger [国私] [国公] **外国人** フランス法上，外国人とされるのは，外国国籍を有する者だけでなく，フランスと密接な関係にある国への帰属民（アンドラ人，モナコ人），さらにいかなる国籍ももたない者（無国籍者〔apatride〕）である。

Être humain [一般] **人間** （法人〔►Personne

morale〕と対置される）自然人。法人格〔►Personnalité juridique〕を付与されている。法律は，人間の尊厳に対するあらゆる侵害を禁じかつ生命の端緒からその尊重を保障することによって，法秩序における人間の優越性を確保する。
▷民法典16条

Être moral [民法] [公法] 法人 ►Personne morale〔法人〕

Étude d'impact [行政] 環境アセスメント；環境影響評価 その規模または自然環境に対する影響によって，自然環境を損なうおそれがある土地整備または建築の実施に先立って行われる調査。この調査は，環境に対して予測されうる影響に関する調査を含むものでなければならない。

Étudiants [行政] 学生 バカロレアまたはそれに相当する資格を取得した後に，大学，グランドゼコール，またはグランドゼコール準備学級において高等教育を受ける者。

[社保] 学生 学生は，社会保障の特別制度に服する。この特別制度から見て，以下の者が学生である。すなわち，被保険者でも被保険者の被扶養者でもない26歳未満の者で，高等教育施設，高等専門学校，グランドゼコールおよびその準備学級の生徒。
▷社会保障法典L381-3条

Eugénisme [刑法] 優生選別 人を遺伝子的に選別する行為。人という種に対する罪となる。
▷刑法典214-1条
　遺伝子病の予防および治療を目的とする研究は別として，人の子孫の形質変更を目的としては，遺伝子形質のいかなる組換えも行うことはできない。

Euratom [EU] ヨーロッパ原子力共同体 ►Communautés européennes〔ヨーロッパ共同体〕

Eureka [国公] ユーレカ計画 アメリカによって提案された戦略防衛構想（IDSまたはスターウォーズ計画）に対抗するために1985年にフランスにより提唱された。ヨーロッパ経済共同体の加盟国，ヨーロッパ委員会，ヨーロッパ自由貿易連合諸国，トルコ，および1992年からはハンガリーの参加を得ている。共同研究計画に企業と行政庁を結集し，すでに500を越す計画に資金援助が行われている。

Euro [EU] [財政] [刑法] ユーロ 1999年1月1日に導入された単一通貨の名称。各国の通貨は，2002年1月1日にユーロ硬貨およびユーロ紙幣が導入されたことにより最終的に消滅した。
・1ユーロ＝旧1エキュ
・1ユーロ＝6.55957フラン
・1フラン＝0.15245ユーロ
　ユーロの管理はヨーロッパ中央銀行〔►Banque centrale européenne〕に委ねられている。ユーロの価値はドルに対して著しく高められた。13ヵ国がユーロ圏に参加している（ヨーロッパ連合の旧加盟国15ヵ国のうちではデンマーク，イギリスおよびスウェーデンを除く12ヵ国）。2007年1月1日にスロヴェニアが参加した。2008年1月1日にはキプロスおよびマルタが参加できると見られている。

Eurojust [EU] [刑訴] ヨーロッパ連合検察団 重大な形態の犯罪に対する取締りを強化することを目的として2002年2月28日の理事会決定により創設された，ヨーロッパ連合の機関。法人格を付与されており，合議体としてまたは1名の加盟国代表を介して関与することができる。この機関は，ヨーロッパ連合加盟国の権限を有する機関の間の調整および協力を促進・改善することを任務としている。その管轄権限は，ヨーロッパ警察局が管轄権限を有する犯罪（違法麻薬取引，テロ行為，違法資金洗浄，情報犯罪および犯罪組織への関与）を対象とする。ヨーロッパ連合検察団は，将来，ヨーロッパ検事局となる可能性がある。
▷刑事手続法典695-4条以下
►Europol〔ヨーロッパ警察局〕

Euroland [EU] ユーロ圏 ►Euro〔ユーロ〕

Europol [刑法] ヨーロッパ警察局 1995年7月26日のブリュッセル条約で創設された組織（ヨーロッパ警察局〔Office européen de police〕）。ヨーロッパ連合加盟国間の協力の枠内で，一連のすべての重大かつ国際的な犯罪の取締りを改善することを目的とする（ブリュッセル条約2条を参照）。その職務は同条約3条に列挙されている。

Euthanasie [刑法] 安楽死 ギリシャ語の原義では《良き死》。耐え難い苦痛から解放するための死。苦痛が甚だしい不治の病に冒された者に対して，それに同情した第三者が死をもたらす行為。フランス刑法では，安楽死は謀殺である。

Évasion fiscale [財政] 租税の回避 法規またはその欠缺から生じ，租税を減少させるあらゆる可能性を徹底的に有効活用することによって，法文に違反する（この場合は脱税

〔►Fraude fiscale〕となる）ことなく，課税対象（所得，資産）を一般の租税法律または個別の税率表の適用から最大限回避させる行為。

国際的には，例えば，企業がその課税対象となる利益の一部または全部を，移転価格〔Prix de transfert〕の慣行によって，《タックス・ヘイヴン》〔►Paradis fiscaux〕に置くことが租税の回避となりうる。

Éviction 民法 **追奪** 同じ物に対して第三者の権利が存在することを理由に，その物に対する表見的な権利を喪失すること。物の売主は，取得者に生じうる追奪について担保する。
▷民法典884条以下，1626条以下，1705条および1725条以下

商法 **追奪** 賃貸人が商事賃貸借の更新を拒絶すること。賃貸人に，追奪を受けた賃借人に対し追奪補償金〔►Indemnité d'éviction〕を支払うことを義務づける。

Évocation 民訴 **移管** 控訴院が，証拠調べを命じた判決に対する控訴を提起されたとき，または手続上の抗弁により訴訟手続きを終結させた判決に対する控訴を提起されたとき，または管轄権限に関する異議の申立てを提起されたときに，控訴院が係争の本案を第一審裁判所から移す，すなわち第一審において判決されていない問題を判断する権限。控訴院は，事件に終局的な解決を与えることが正しい裁判であると判断する場合でなければこの権限を行使できない。

《Ex aequo et bono》 訴訟 **衡平と善により** ラテン語の成句。juger《ex aequo et bono》〔《衡平と善により》裁判する〕ということは，juger en équité〔衡平により裁判する〕ことである。
▷新民事手続法典12条4項
►Équité〔衡平〕

Examen des caractéristiques génétiques 民法 **遺伝子的特徴の検査** この検査は，医療または科学研究を目的とし，かつ，その実施前に書面で，検査の性質および目的を本人に知らせた上で，その者の明示の同意を得ている場合でなければ実施されることができない。この同意は，検査の目的に言及することを要する。この同意はまた，形式を問わずいつにても撤回することができる。これらの条件の不遵守は犯罪となる。
▷民法典16-10条；刑法典226-25条
►Empreinte génétique〔遺伝子情報〕
►Identification génétique〔遺伝子情報による同一性確認〕

Examen contradictoire de l'ensemble de la situation fiscale personnelle 財政 **納税義務者の租税状況全体の対審的検査** 納税義務者に対する租税調査方法。資産状況の対照表の作成に基づく一連の照合（支出と収入の比較）により，申告された所得と実際の資産の移動の間の一貫性を確かめることによって，年間の全所得の申告の真実性を確認することを目的とする。
▷租税手続法典L12条およびL47条

Examen de personnalité 刑訴 **人格調査** 予審被告人の人格に関する医学的，心理学的および社会的性格を有する調査で，重罪に関しては予審段階で義務的であり，軽罪に関しては任意的である。
▷刑事手続法典41条

Exception 訴訟 **抗弁** 被告が，訴訟が誤って開始されたことを理由に原告の申立てについて審理を拒否すること（裁判所の無管轄〔►Incompétence〕，手続行為の違法性），また，担保義務者〔garant〕の訴訟参加まであるいは財産目録の作成と熟慮のために相続人に与えられた期間の満了まで，裁判を停止することなどを裁判官に求める手段。抗弁は手続きに対してのみなされるため，一時的な障害でしかない。抗弁に対する決定がなされた後，訴訟手続きは，また同じ裁判所で再開され，または，同じ裁判所あるいは他の裁判所でやり直される。
►Appel en garantie〔担保のための呼出し〕
►Connexité〔関連性〕►Litispendance〔事件係属〕►Nullité〔無効〕►Ordre public〔公の秩序；公序〕

Exception d'illégalité 行政 刑法 **違法の抗弁** 当事者が自己に向けられた行政行為の違法性を審理の過程において主張する訴訟上の防禦手段。

行政立法行為に関して，訴えによる違法性の援用は2ヵ月以内になされなければならないという制約が課されるのが非常に一般的であるが，抗弁による違法性の援用には期間に関する制約が一切存在しない。裁判管轄の観点から見ると，《訴えの裁判官が抗弁の裁判官である》という原則は，行政機関と司法機関の分離という基本原則が刑事の場合を除き適用されるので，しばしば成り立たない。

刑法 **違法の抗弁** 刑事裁判所で，被告人が援用する防禦方法。訴追の根拠となる行政行

為が，上位規範に適合しないと主張するもの。
　権力分離の原則にもかかわらず，刑事裁判官はこの防禦方法について裁判する権限を認められているが，違法と判断された条文を弁論から排除するにとどまる。
　違法の抗弁を審査する刑事裁判官の権限は，刑法典111-5条で認められた。

Exceptions d'irrecevabilité 憲法 **不受理の申立て** 憲法条項に反する議員提出法律案または修正動議を審議することに反対するために政府が用いる手段。例えば，立法事項(1958年憲法典34条)に属さない議員提出法律案，政府に委任された事項(同38条)に関連する議員提出法律案，または結果として歳入の減少または公的負担の増大をもたらす議員提出法律案に対してなされる不受理の申立て(同40条)がある。
　国会議員もまた，同じ理由で不受理の動議を提案することができる。

《Exceptio non adimpleti contractus》；Exception d'inexécution 民法 **同時履行の抗弁** 契約の相手方が給付をなさない限り，自己の債務を履行しないという，双務契約における一方当事者の防禦方法。
▷民法典1131条，1146条および1728条

Exception préjudicielle 刑訴 **判断付託問題の抗弁** 判断付託問題〔►Question préjudicielle〕の同義語。

Excès de pouvoir 行政 **越権** 行政行為の瑕疵を構成しうる違法性のすべての形態を区別せずに指し示す総称語。
►Recours〔争訟〕
民訴 **越権** 司法系統の裁判所が，立法権もしくは執行権に属する権限を侵害するとき，または自らがもたない権限を不当に行使するとき，越権となる。
　越権は破毀申立てにより制裁される。

Excision 刑法 **性器切除** 暴力行為の結果，性器を切除しまたは性器に永続的障害をもたらすこと。刑法典222-9条以下に定められ，かつ罰せられる。

Exclusivité (Clause d') 商法 **排他条項** 当事者の一方が，同一の内容の別の合意を第三者とは締結しないと定める契約条項。
►Concession commerciale〔特約店契約〕
►Contrat de bière〔ビール契約〕►Contrat de licence〔ライセンス契約〕

Excuse 民法 **免除事由** それが正当であると認められた場合には，公民的義務(後見，証言)の軽減，および，しばしば法律上の要請(裁判所への本人出頭)の免除を導く減免事由。

Exécuteur testamentaire 民法 **遺言執行者** 遺言者により，遺言を執行する任務を負わされた者。遺言執行者は，あらゆる有用な保全措置をとる。遺言執行者は，相続財産の緊急な負債を弁済するために十分な流動資産がない場合には，動産の売却を促すことができる。遺言の条項の有効性または執行について争いのある場合には，遺言執行者は必ず訴訟に引き込まれる。
▷民法典1025条から1034条

Exécutif (Pouvoir) 憲法 **執行権；執行府**
①執行権//法律の執行を確保する作用。しかし実際には，執行は受動的ではない。執行作用は，国家の推進，促進および一般的指揮という積極的作用となった。
②執行府//政府とも呼ばれる機関(または，国家元首，内閣という機関の総体)。執行作用を遂行し，その構成員数が限定されている点で，議院または国会と区別される。
　執行府は，単独支配(国王，独裁者，大統領制においては共和国大統領というただ1人の人間に権力を委ねる)，合議制(またはローマの執政官にみられるように，対等な2人の個人のときもある)，総裁制(共和暦3年憲法典下の総裁政府や，スイスの連邦評議会のように小人数の集団に権力を委ねる)，または，執行二元制(議院内閣制における執行府に特徴的な構造であり，国家元首という1人の人間と内閣という委員会とに同時に権力を委ねる)などの体制をとる。

Exécution forcée 刑訴 民訴 **強制執行** 金銭の支払いをさせ，またはなす債務を履行させるためのさまざまなSaisie〔差押え〕の項を参照。
►Contrainte judiciaire〔滞納留置〕

Exécution d'office 行政 **職権執行** 行政庁がその決定の物理的執行を確保する権限。この権限は，若干の場合には法律によって，一般的には，緊急の場合または同一の目的を達成する他の法的手続きが一切存在しない場合に行政判例によって，行政庁に認められる。

Exécution provisoire 民訴 **仮執行** 通常の不服申立ての期間またはその行使による停止的効果にもかかわらず，判決が送達されたらすぐにそれを執行することができるという勝訴者の権利。
　多くの裁判は，その性質上，当然に仮の執

行力を有する。例えば，急速審理命令または申請に基づく命令，仮の措置または保全措置を命じる裁判，労働証明書の交付を命じる労働裁判所の裁判。控訴においては，第1審の敗訴者は，控訴の対象となった裁判を履行していなかった場合，または裁判官によって定められた金額を供託していなかった場合には，自身の訴えを審理してもらえないおそれがある。実際，控訴院院長は，このような場合には，控訴院の事件簿からの抹消を命じることができる。控訴院院長にとって，第一審判決の執行が明らかに行き過ぎの結果をもたらすおそれがあるか，または控訴人がその判決を履行することが不可能である，と思える場合は，その限りではない。

▷新民事手続法典514条および526条；労働法典R516-37条

Exécution sur minute 民訴 **原本に基づく執行** 緊急性を考慮して裁判（例えば申請に基づく命令，場合によっては急速審理命令）の原本を提示するだけで行われる執行。執行文を付与された裁判の謄本を勝訴当事者にあらかじめ送達する必要はない。

Exégèse 一般 **註釈** 法規範，とりわけ法律に含まれている法規範の解釈および説明のこと。

19世紀の《Ecole de l'Exégèse》〔註釈学派〕は慣習法および判例を無視し，法律に法源としてのほとんど排他的な役割を認めた。

Exemption de peine 刑法 **刑の任意的免除；刑の必要的免除**

①刑の任意的免除//広義では，軽罪・違警罪被告人に対する有責性の宣告が刑の言渡しを伴わない場合一般を指す。刑法典132-59条の定める刑の任意的免除〔▶Dispense de peine〕がその典型である。

②刑の必要的免除//狭義では，若干の犯罪（凶徒の結社，通貨偽造，テロ行為など）の告発に酬いることを目的とした寛大な措置を指す。それらの犯罪の実行に着手したが，行政機関または裁判機関に通報し，その既遂を回避し，場合により他の正犯または共犯の特定を可能とした者すべてがこの措置を受ける。

▷刑法典132-78条1項

▶Réduction de peine〔刑の短縮〕

Exequatur 国公 **執行命令** フランスの裁判機関によって外国裁判所のなした判決に与えられる執行力。同様に，執行力を認める（または認めない）手続きも指す。

原則として，外国裁判所のなしたいかなる判決も，執行命令がなければフランスにおいて執行されない。ただし，外国判決は，いかなる拘束力も伴わない一定の効果を生じさせることがある（例えば，証拠力）。

国公 **（外国領事）認可状** 外国の領事に対し，その公的資格を承認し，その任務の遂行を許可する文書。

民訴 **執行命令** 裁判所により与えられる，私的裁判機関によりなされた判断の執行命令。例えば仲裁判断執行命令。

▷民法典2412条；新民事手続法典509条から509-7条および1477条

▶Titre exécutoire européen〔ヨーロッパ執行名義〕

Exercice 商法 **営業年度** 通常は1年にわたる会社の営業期間。この期間が終了すると，会社の指揮者は一定の計算書類を作成して社員に提示し（財産目録，成果計算書，貸借対照表），報告書を作成して社員に会社の営業について報告し，経過した営業年度中に得られた成果とその処分の内容を知らせる。

財政 **会計年度** 予算年度〔année budgétaire〕の同義語。例：2007会計年度に帰属する支出。

Exercice (Comptabilité d') 財政 **発生主義（会計）** 公会計〔▶Comptabilité publique〕に関して，ある予算年度（《会計年度》〔exercice〕）の会計に，当該年度内に法的に発生した国のすべての債権債務を帰属させる収支の算入方式で，実際に債権債務が徴収または支出された年度がいつかを問わない（《権利確認主義》〔constatation des droits〕とも呼ばれる方式）。この原則は，例えば国の財政状況の真実公正な概観〔image fidèle〕を示すために，支払命令官〔▶Ordonnateur〕による支出負担行為〔▶Engagement〕があった時点で支出を記帳することを要請するものであり，予算法律に関する2001年8月1日の組織法律（LOLF）から，国の財務会計〔comptabilité générale〕に適用されている。この原則は，企業会計上の（営業年度の限定性，独立性と呼ばれる）慣行に一致している。これに対して，毎年度の予算法律の執行は，予算会計〔comptabilité budgétaire〕において，現金主義〔▶Gestion (Système de la)〕にしたがって記載される。

Exercice (Système de l') 財政 **間接税事業調査権** 間接税に関して，納税義務者を租税

行政庁の恒常的監視のもとに置く制度（アルコール醸造業の場合）。

Exhérédation 〔民法〕**相続排除（訴権；の訴え）** 遺言者が，相続人から相続権を奪う訴権（訴え）。相続排除は，被相続人と近親の血族関係にある一定の相続人が有している遺留分を対象とすることはできない。ただし，相続人が減殺訴権を事前に放棄している場合を除く。
▷民法典913条以下および929条

Exhibition sexuelle 〔刑法〕**性的露出** 性行為に関係する身体の部分を見せること，または他人の面前で性的なしぐさをすること。このように定義される性的露出は，公衆の目につきやすい場所において否応無しに他人の視線に触れる場合，刑事上処罰される。行為そのものの性質および他人に対する不快な効果ゆえに，軽罪であるが，故意による必要はないとされている。
▷刑法典222-32条

Exigibilité 〔民法〕〔民訴〕**請求可能性** ▶Créance〔債権〕

Expatriation 〔社保〕**国外出向** 国外派遣労働者の身分を享受することなく，国外でその活動を行う労働者の法的地位のこと。属地法主義の原則により，国外出向労働者〔travailleur expatrié〕は，その地の社会保障制度に属す。しかしながら，国外出向労働者は，一定の条件のもとに，国外出向労働者任意加入保険〔▶Assurance volontaire〕に加入することができる。
▷社会保障法典L762-1条以下
▶Détachement〔国外派遣〕

Expectative 〔民法〕**期待** 一般的には，不確実な事が不意に生じることの予想。法的には，期待〔expectative〕は，特に，いまだ生ぜずかつ生じるか否か分からない《未必の》〔éventuel〕と性質決定される権利の発生についていう。
▶Droit acquis〔既得権〕▶Droit éventuel〔将来の権利〕

Expédition 〔民法〕**謄本** 原本の保管者たる公署官によって，原本どおりであることの証明を付して交付される公署証書の写し。

Expédition de jugement 〔民法〕**判決正本** 裁判所主席書記によって，原本と相違ない旨の認証を付して交付される判決の一字一句原文どおりの写し。
判決正本に執行文を伴うとき，執行正本（grosse またはcopie exécutoire）と呼ばれる。

▷新民事手続法典502条，1435条以下
▶Copie certifiée conforme（du jugement）〔（判決の）認証謄本〕▶Copie exécutoire〔執行正本〕▶Grosse〔執行正本〕

Expérimentation sur la personne humaine 〔刑法〕**人体に対する臨床実験** 本人，親権者または後見人の自由な，得心した，かつ明示の同意を得ずに，生命医学的研究を人に対して行いまたは行わせる軽罪。ただし，この犯罪は，科学研究の目的で行われる人の遺伝子的特徴の検査〔examen des caractéristiques génétiques〕または遺伝子情報〔empreintes génétiques〕による同一性確認〔identification〕には適用されない。
▷刑法典223-8条
▶Empreinte génétique〔遺伝子情報〕

Expert 〔訴訟〕**鑑定人** 裁判官により，専門的な知識および複雑な調査を必要とする事実について意見を述べることを要求される専門家〔▶Technicien〕。
裁判官が鑑定人について情報を得るために名簿が作成される。
①破毀院事務局により作成される全国名簿。鑑定人は7年の任期で指名され，同一の期間で再登録されうるが，そのためには新たな立候補が必要となる。
②控訴院により作成される名簿。鑑定人は，適格性審査期間として2年間名簿に登録され，その後5年ごとに再登録されうる（1971年6月29日の法律第498号；2004年12月23日のデクレ第1469号）。
▷司法組織法典R225-2条およびR225-3条

Expert agréé par le Conseil des ventes volontaires de meubles aux enchères publiques 〔民法〕〔商法〕**動産任意競売制度運用会議認可鑑定人** 競売に供された財物の評価および真正性を保証してもらうために，動産任意競売会社〔▶Société de ventes volontaires de meubles aux enchères publiques〕，執行吏〔▶Huissier de justice〕，公証人〔▶Notaire〕，動産公売官〔▶Commissaire-priseur judiciaire〕が利用することのできる鑑定人。この鑑定人は，その事業に属することについて，競売を組織した者と連帯責任を負う。
▷商法典L321-29条以下

Expert en diagnostic d'entreprise 〔商法〕〔民訴〕**企業診断鑑定人** 1985年1月25日の法律第99号により制度化された専門家。その役割は，同意整理〔▶Règlement amiable〕の場合でも，

裁判上の更生〔►Redressement judiciaire〕の場合でも，企業の経営，財務および労働関係の状態に関する報告書を作成し，次いで，更生の措置および負債の弁済の措置を提案することである。

企業診断鑑定人は，裁判上選任され，鑑定人の全国名簿または地方名簿から選ばれる。

▷商法典L813-1条

Expert de gestion 商法 **業務鑑定人** 業務鑑定人は，有限会社または株式を発行する会社で行われた業務執行行為を調査し，報告書を提出する。業務鑑定人は，資本の一定割合を有する1人もしくは数人の社員，検察官，企業委員会または証券取引委員会の請求に基づいて裁判所が任命する。

▷商法典L225-231条およびL223-37条

Expertise 訴訟 **鑑定** 専門家〔►Technicien〕の助力を得て行う手続き。認定〔►Constatations〕または助言〔►Consultation〕では必要な情報が入手できないとき，専門家の意見を必要とする，訴訟のいくつかの側面について，裁判所に明らかにすることを専門家に要請する。

Expertise médicale 社保 **医療鑑定** 患者および労働災害の被害者の状態の評価に関する紛争の仲裁手続きであって，治療にあたった医師と金庫の顧問医師とが当事者となる。

鑑定は裁判官の判断を助けるための情報の一要素にすぎないとするフランス裁判法の原則に対する例外として，鑑定人の意見は，ここでは，すべての者を拘束する。

▷社会保障法典L141-1条

Exploit d'huissier de justice 民訴 **執行吏執達書** 執行吏が作成，署名する文書（例えば，催告状〔sommation〕，差押前催告状〔commandement〕，拒絶証書〔protêt〕，認定書〔constat〕，呼出状〔assignation〕）。原則として執達書の原本は2部作成される（その謄本が名宛人に交付される）。

▷新民事手続法典648条

Exposé des motifs 憲法 **提案理由** 法律の本文の前に置かれ，本文の解釈に役立ちうる立法趣旨を記載している文書。たいていの場合公表されない。

Expropriation pour cause d'utilité publique 行政 **公用収用** 公法人（国，地方公共団体，公施設法人）が，公益を目的として，正当かつ事前の補償と引換えに，私人に対してその不動産または不動産物権の譲渡を強制することを可能とする手続き。若干の場合においては公益目的の実現を目指して私法人のために実施されることがある。すべての場合において，国の機関が公益宣言を発する必要がある。

▷公用収用法典L11-1条以下

►Arrêté de cessibilité〔収用許容決定アレテ〕►Bilan（Théorie du）〔費用便益衡量理論〕►Juge de l'expropriation〔収用裁判官〕►Réquisition〔徴発〕

Expulsion 行政 民法 国私 **追放** 内務大臣が外国人に対してフランス領土を離れるよう命ずる命令。この命令は追放アレテに含まれる。

民訴 **強制退去** 権原のない占有者に，または，不動産賃貸借契約の終了時に，賃借人に立退きを強制する行為。この実行方法は1991年7月9日の法律により改正された。

債権者は裁判所の判決または和解調書を有していなければならない。占有者には差押前催告状を送達しなければならない。

居住用建物に関しては，2ヵ月の期間が遵守されなければならない（暴力行為により侵入した占有者については期間が短縮されまたは与えられない）。

急速審理裁判官または執行裁判官は補足期間を付与することができる。

毎年11月1日から3月15日までの間に居住用建物からの強制退去の手続きを行うことは禁じられている。

▷建設・住居法典L613-1条以下

Extension d'une convention collective 労働 **労働協約の拡張** 労働協約の，署名当事者たる使用者組織のいずれにも加入していない企業を含め，当該協約の職業的および地域的適用範囲にあるすべての企業に適用すること。労働協約の拡張は，労働大臣のアレテによって行われる。

▷労働法典L133-1条以下

►Élargissement d'une convention collective〔労働協約の拡大〕

Exterritorialité 国公 **治外法権** 免除を説明するために用いられてきた国際法上の擬制。免除とは，一定の人または一定の事物（特に外交官，外交公館）を本国の領域にあるかのように所在国の権限から免れさせるものをいう。この擬制は船舶にも作用するが，船舶の権利義務はその船舶が位置する海域により異なる。

Extinction de l'instance 訴訟 **訴訟手続きの消滅** 訴訟手続きは通常，判決の言渡しのときに終了する。

訴訟手続きはまた，訴訟手続きの減効〔►Péremption de l'instance〕，取下げ〔►Désistement〕または呼出しの失効〔►Caducité〕により当然に消滅する。

訴訟手続きは，認諾〔►Acquiescement〕，訴権が譲渡しえない場合の一方当事者の死亡，訴権の放棄〔désistement d'action〕，和解〔►Transaction〕により訴権が消滅したときにもまた，結果的に消滅する。
▷新民事手続法典384条および385条

Extorsion 刑法 **強要** 脅迫，暴力行為をするとの脅迫または強制によって，署名，約束もしくは権利の放棄，秘密の開示，または現金，有価証券もしくは何らかの財物の引渡しを得ることからなる重罪または軽罪。この犯罪は旧刑法典のchantage〔恐喝〕に相当する。
▷刑法典312-1条以下

Extradition 国公 刑法 **犯罪人引渡し** 被請求国が自国の領域にある犯罪者を他国，すなわち請求国に引き渡すことを受け入れる国際刑事協力手続き。請求国がその者を裁判できるようにするために，または，その者がすでに有罪判決を受けている場合は，刑に服させるために行われる。

Extrait 民法 **抄本** 証書の一部を再録したものであり，証書の保管者により交付される。例，身分証書の抄本。

Extranéité 民法 **第三者性** ある法律行為において，当事者でも代理人でもない者の地位の呼称。第三者〔►Tiers〕には，間接的な利害を有する通常の第三者（一般債権者〔créancier chirographaire〕）から，法的行為の行為者とはまったく無関係な第三者までの程度の差がある。
►《Penitus extranei》〔第三者〕

国私 **外国性；渉外性** 2または複数の国の法体系が接触し，法律の抵触〔►Conflit de lois〕，裁判管轄権の抵触〔►Conflit de juridictions〕，または両者の解決を必要とする法的状況の要素（例：家族法において国籍が異なること，財産の所在する外国の地，損害の発生した外国の地，契約の締結または履行がなされた外国の地）。
►Condition des étrangers〔外国人の法的地位〕

Extrapatrimonial 一般 **非財産的** 財産〔patrimoine〕には入らず，人の財物〔biens〕ではなく人に関わり，それゆえ譲渡も移転もできないこと。例：名誉権，尊厳に対する権利，無罪の推定に対する権利，私生活の尊重に対する権利など。
►Patrimonial〔財産的〕

Extra petita 民訴 **請求外の** 《請求された事項以外の》という意味のラテン語の表現。訴えられていない事項についてなした裁判官の判断についていう。
▷新民事手続法典5条および464条

《**Ex tunc, ex nunc**》 訴訟 **最初から，今から**
►Annulation〔取消し〕

F

Facilités de caisse 商法 **当座貸越し** 弁済期における支払いを可能とするため，銀行が顧客に対して行う，短期の貸付け（一般には1ヵ月以内）。

《**Factoring**》 商法 **ファクタリング** ►Affacturage〔ファクタリング〕

Facture 商法 **送り状；計算書** 商人が物品を販売し，物を賃貸し，またはサーヴィスを提供した諸条件を確認する，商人により作成された文書。

Faculté 民法 **選択権；自由**
①選択権：ある法的地位を選択できること。この選択権は，法律または合意によって認められ，受益者が複数の選択肢の中から選択を行い，ある法的地位を生み出し，または，ある法的地位を生じさせないようにすることを可能にする。この選択権は，例えば相続人の選択権のように，通常，条件付きである。
②自由：より広義においては，基本的自由を行使することを意味する。例えば，裁判上の訴えをなす自由，往来の自由。
③より狭義においては，所有者が自己の土地においてなす一定の行為を形容するのに用いられる。
►Actes de pure faculté〔随意行為〕

Facultés 行政 **学部** 1968年11月12日の法律により改革が開始される以前の高等教育機関の基本的要素。公施設法人〔►Etablissement public〕である学部は選挙によって選ばれる

評議会と学部長〔►Doyen〕とを頂点とし，また学部が複数集まって各大学区のなかでひとつの大学〔►Université〕を構成していた。現在では，多くの教育研究単位〔►Unités de formation et de recherche（UFR）〕が《学部》の名を採用しているが，この名称によって教育研究単位の地位に独自性が付与されるわけではない。
►Recteur〔大学区総長〕

民法 **資力** 特に夫婦間の関係における金銭的能力の同義語。
▷民法典214条および1481条

Faillite civile 民法 **民事破産** 過剰債務状態にある自然人を対象とする個人更生手続き〔►Rétablissement personnel（Procédure de）〕に与えられることのある名称。

Faillite personnelle 商法 **更生手続きにおける個人制裁** 裁判上の更生または清算手続きの枠内において，不誠実なまたは著しく不注意な行為につき有責とされた，法人の指揮者，商人，農業者または手工業者名簿登録者に対して言い渡される制裁。この任意の制裁は，自然人のみを対象として，手続きのいかなる段階においても言い渡すことができる。この制裁を受けた者は，少なくとも5年間，すべての商事または手工業企業，すべての農業経営体，および経済活動を行うすべての法人を直接または間接に指揮し，運営し，管理しまたは監督することを禁じられる。この制裁にはさらに若干の禁止および失権が伴う。ただし，裁判所は，商法典L625-8条に基づき，指揮，運営，管理または監督の禁止を一定の法人のみに限定することによって制裁を緩和することができる。
▷商法典L625-1条以下
►Liquidation judiciaire〔裁判上の清算〕
►Redressement judiciaire〔裁判上の更生〕

Fait générateur 民法 **発生事実** ある法的地位を発生させる事実。例えば，無能力の成年者の後見開始は裁判上の訴えにおけるその者の代理をもたらす。

財政 **発生事実** 租税の発生事実。税務当局の租税債権を発生させる行為または法律事実〔►Fait juridique〕のこと。税額算定〔►Liquidation〕はこれとは別の時点に行われる。例：賃金の受取り（所得税），人の死亡（相続税）。

社保 **発生事実** 保険料債務の発生事実を構成するのは，報酬の支払いである。その場合，報酬に対応する労働期間を考慮する必要はない。
▷社会保障法典R243-6条

Fait juridique 民法 **法律事実** 法的効果を生じさせる，人の意思から独立したすべての出来事（死亡，事故など）。
►Acte juridique〔法律行為〕►Délit civil〔不法行為〕►Faute〔フォート〕

Faits justificatifs 刑法 **正当化事由** なされた行為の犯罪性を阻却することにより刑事無責任事由となる，客観的事情または個人的地位（法律の命令，正当防衛，緊急状態，免責特権など）。

Faits du procès 訴訟 **訴訟における事実**
►Droit et fait（dans le procès）〔（訴訟における）法および事実〕

Fait du prince 行政 **君主の行為** 行政契約法において，公的機関によってとられ，契約上の給付の履行費用をつり上げるにいたるすべての措置を指す表現。
　この措置の中には，契約を締結した行政庁が行った場合に，君主の行為として契約の相手方が補償を請求できるものもある。

民法 **君主の行為** 不可抗力のひとつである，公権力の命令。例えば，収用〔expropriation〕，徴発〔réquisition〕がある。
▷民法典1148条および1382条以下

Famille 民法 **家族** 広義：共通の始祖の卑属であり，かつ，婚姻および親子関係によって結ばれている者の総体。
　狭義：両親とその卑属，より狭い意味においては，両親とその未成年の子から形成される集団。

Famille monoparentale 民法 **単親家族** 父母たる1組の男女にではなく，その一方にのみ基礎をおく家族。単親家族の成因は多様である（やもめ暮らし，離婚，事実上の別居など）。母子家庭の場合が多いが，単親状況には，父子家庭の場合もある。

Famille recomposée 民法 **再構成家族** もとの家族が消滅または分裂したのち，新たな家族が生まれることがある。親であれ子であれ，新たな家族の構成員の何人かが最初の家族から引き継がれている場合，その家族は再構成家族とも呼ばれる。構成員には，たとえば別の婚姻から生まれた子，認知された子，準正された子などの外部的要素が加わることもある。再構成家族は，再婚，内縁，パートナー契約などのさまざまな以前の状況の解体再編

から生まれる。
►Famille〔家族〕

Fascisme 憲法 ファシズム　カリスマ的指導者（ムッソリーニの場合は統領〔Duce〕，またはヒトラーの場合は総統〔Führer〕）を中心とする，人種の優越性の確保を目的とする独裁。

Faute 行政 過失
①**Faute du service public**　公役務の過失：行政庁の責任に関して，国民に対する行政庁の金銭的損害賠償責任を発生させる，公役務の運営の瑕疵すべてを指す表現。
②**Faute de service**　役務過失：公務員の責任に関して，個人過失の性格をもたず，行政庁に対するものであれ，国民に対するものであれ，原因行為者の民事責任を問うことができない過失すべてを指す表現。
③**Faute personnelle**　個人過失：公務員の責任に関して，司法判例および行政判例にかんがみて，原因行為者の金銭的損害賠償責任を問うにふさわしい性格を帯びる過失すべてを指す表現。この個人過失の観念は2つの意味で用いられる。すなわち，古典的個人過失と懲戒的性格を帯びる個人過失である。前者は，国民が原因行為者の責任を司法裁判所において問うこと（および行政庁が，責任の競合〔►Cumul〕の理論を適用されて被害者に賠償をしなければならなかった場合に，公務員に求償すること）を可能とするものである。後者は，公務員と行政庁の関係にもっぱらかかわり，行政庁に対して公務員が引き起こした損害の填補を，行政庁が公務員から獲得することを可能とするものである。
►Responsabilité du fait du fonctionnement défectueux de la justice〔裁判の瑕疵ある運営に起因する責任〕

民法 フォート　懈怠，不注意，悪意によって，契約上の約務（契約上のフォート〔faute contractuelle〕）または他人に対して損害を生じさせない義務（不法行為上のフォート〔►Faute délictuelle〕，準不法行為上のフォート〔►Faute quasi-délictuelle〕と呼ばれる）を果たさないという態度。
▷民法典1146条以下および1382条以下
►Délit civil〔不法行為〕

刑法 反規範的態度　故意によらない軽罪の主観的要素であり，以下からなる。
　行為者の任務，職務および権限の性質，ならびに行為者が有していた職務権限および手段を場合によっては考慮した上で，行為者が通常の注意〔diligences normales〕を怠ったことが証明された場合の，不注意〔imprudence〕，怠慢〔négligence〕，または法律もしくは行政立法により規定された注意義務もしくは安全義務違反〔manquement à une obligation de prudence ou de sécurité〕。
　法律または行政立法により規定された特別の注意義務または安全義務への明らかに意識的な違反〔violation manifestement délibérée d'une obligation paticulière de prudence ou de sécurité〕。
　無視することができないほど特別に重大な危険に他人をさらしたという明白な反規範的態度〔faute caractérisée〕。
▷刑法典121-3条
►Délit non intentionnel〔故意によらない軽罪〕

労働 非行
Faute grave　重い非行：労働者の重い非行は，事実審裁判所が審理し，破毀院が審査する。破毀院によれば，労働者の重い非行とは，労働契約または労働関係から生じ，重大な義務違反となる，労働者の責めに帰すことができる行為または行為の総体であって，その重大性のゆえに当該労働者を解雇予告期間中雇用し続けることを不可能にするもの。労働者に重い非行がある場合，使用者は解雇予告期間を置かず解雇補償金も支払わずに労働者を解雇することができる。
▷労働法典L122-6条およびL122-8条以下
Faute lourde　特別に重い非行：特別に重い非行とは，使用者を害する労働者の意思を表す非行である。特別に重い非行は，解雇の領域において，重い非行の場合と同様の効果を生ずるのみならず，さらに，有給休暇相殺補償金〔indemnité compensatrice de congés payés〕を労働者から奪うという効果も生ず る。特別に重い非行のみが，それを犯したストライキ参加労働者を懲戒解雇の危険にさらす。また破毀院によれば，特別に重い非行のみが，自らの義務の履行においてそれがゆえに有責とされた労働者に損害賠償責任を生じさせる。
▷労働法典L223-14条およびL521-1条

社保 フォート
Faute inexcusable　許しがたい過失：労働災害において，労働者がさらされていた危険について，使用者が認識していたか，また

は認識していたに違いない状態にあり，かつ，その労働者を危険から守るために必要な措置を講じなかった場合，許しがたい過失がある。使用者または使用者を代行して指揮命令を行う労働者の許しがたい過失によって，被害者は年金の増額を享受し，補足的補償金（身体的精神的苦痛，美的損害，生の享受についての損害，職業上の昇進の機会の喪失または減少についての補償）に対する権利を有する。死亡事故の場合，被害者の被扶養者〔►Ayant droit〕は，精神的損害について補償を請求することができる。

被害者の許しがたい過失は，被害者またはその被扶養者の年金の減額を生じさせる。

▷社会保障法典L452-1条以下およびL453-1条

Faute intentionnelle 害意：労働災害において，害意とは，損害を発生させる明確な意図をもって意識的に犯したフォートのことを意味する（殴り合い中に生じた打撲傷など）。

被害者の害意による事故は，労働災害に関する法制上は，いかなる給付を受給する権利も与えない。しかしながら，疾病保険の現物給付〔►Prestation(s)〕は支給される。事故が使用者または使用者を代行する者の害意による場合には，被害者は，労働災害について定められた通常の給付をすべて受けることができるとともに，加えて，被った損害について完全な補償を得るために，民事責任に関する普通法上の規定に従って，加害者に対し，補足的な補償を請求することができる。

▷社会保障法典L452-5条以下およびL453-1条

Faute contractuelle 民法 **契約上のフォート**
►Faute〔フォート〕

Faute délictuelle 民法 **不法行為上のフォート**
契約上のフォートとの対比では，契約の領域外に位置するフォート。

準不法行為上のフォートとの対比では，他人に損害を生じさせる意図をもってなされた違法な行為。

▷民法典1382条以下
►Délit civil〔不法行為〕

Faute quasi-délictuelle 民法 **準不法行為上のフォート** 意思をもってなされてはいるが，そこに含まれている意思が損害を生じさせる結果に向けられていないという点で，故意になされたとはいえない違法な行為。

▷民法典1383条
►Délit civil〔不法行為〕

Faux 民法 民訴 **偽造の申立て** 公署証書を対象とする主たる手続きまたは付帯的な手続き。その証書が，虚偽の記載によって変造，変更，補足されたこと，または捏造がなされたことを証明する。類似の手続きが，すでに文書の検真の対象となった私署証書に対して，主たる訴えまたは付帯申立てとして用いられる。それは，その証書が文書の検真後に実質的に変造されたことを当事者が主張する場合である。

▷民法典1319条；新民事手続法典286条，299条以下および303条以下

►Inscription de faux〔公署証書偽造の申立て〕►Vérification d'écriture〔文書の検真〕

刑法 **文書偽造** 権利または法的帰結をもたらす事実を証明することを目的とする，または結果として証明する文書（公文書，公署証書，私文書など）またはその他すべての表現媒体の真実性を，何らかの手段で不正に改変し，損害を与えることを内容とする重罪または軽罪。

文書偽造は，文書または表現媒体の形式に関わる場合には《有形》であり，文書または表現媒体の内容に関わる場合には《無形》である。

▷刑法典441-1条以下

Faux incident 民訴 **公署証書偽造の付帯申立て** 付帯的な証拠手続き。

公署証書に対してなされ，それが虚偽の表示によって変造，変更，補足されたこと，さらには捏造がなされたことを証明する。

►Faux〔偽造の申立て〕

Faux témoignage 刑法 **偽証** すべての裁判所または共助の嘱託を実行する司法警察員の面前で，宣誓のもとで虚偽を述べる軽罪。

偽証者は，予審裁判所または判決裁判所が手続きを終結させる裁判をなす前にその証言を自発的に撤回した場合には刑を免除される。

▷刑法典434-13条

Fédéralisme 憲法 国公 **連邦制** 複数の政治的共同体を1つに統合する方式。共同体おのおのの特殊性を尊重しつつ，その連帯を強化することを目的とする。（完全な国家的組織をもつ）構成員たる政治的共同体の政治的自律権とともに，連邦制は，連邦国家の統合の程度に応じて多かれ少なかれ広い権限をもつ連邦政府の構成に対して各政治的共同体が参加することを意味する。

►Confédération〔国家連合〕►État fédéral〔連邦国家〕

①*Fédéralisme international*　国際的連邦制：複数の国家を結びつけてより広い共同体を構成することを意図する連邦制であり，国際社会の組織化の方法を意味する。
②*Fédéralisme interne*　国内的連邦制：国家内の中間的な地理区分（州，地方など）を政治的組織とすることを意図する連邦制であり，それゆえ，一国内の地方分権化の推進手段を意味する。

Fédération　国公 連邦　連邦国家〔►État fédéral〕の同義語。
労働 産業別連合　►Syndicat professionnel〔職業組合〕

Femmes en couches　労働 妊産婦　労働法典は，妊娠中または最近出産した女性を妊産婦と名づけ，一定の保護措置を講じている。
▷労働法典L122-26条およびL224-1条以下

Fente successorale　民法 系分相続　相続財産を等分に2つに分割すること。一方は父系に帰属し，他方は母系に帰属するが，財産の出所は考慮されない。系分相続は，被相続人〔►De cujus〕が直系尊属または傍系血族しか残さない場合でなければ行われない。
▷民法典746条以下

Fermage　農事 定額小作；小作料　►Bail à ferme〔定額小作契約〕

Ferme　行政 （公役務管理の）委託　►Affermage〔公役務管理の委託〕

Fermeture d'établissement　刑法 事業所の閉鎖　一定の重罪または軽罪に科される，保安処分の性質を有する補充的制裁。特定の事業所において，犯罪遂行と関連する活動を行うことを禁ずることを内容とする。
▷刑法典131-10条および131-33条
►Sanctions administratives〔行政上の制裁〕

Fêtes légales　一般 法定の祝日　►Jours de fêtes légales〔法定の祝日〕

Feuille d'audience　民訴 弁論期日記録
►Registre d'audience〔弁論期日記録〕

Fiançailles　民法 婚約　男女が，互いに，近いうちに婚姻関係に入るという道徳上の約束を表明すること。法的強制力を有する契約上の義務を構成するものではないが，婚約が不当に破棄された場合は，破棄した側の不法行為責任が問われる。婚約者の一方が事故死した場合，婚約者の他方は，場合により，有責の第三者に対して損害賠償を請求することができる。
►Promesse de mariage〔婚姻の約束〕

Fichiers　行政 情報ファイル　1978年1月6日の法律は，私生活および自由を保障する目的で，電算処理されているか否かにかかわらず公的情報ファイルおよび私的情報ファイルの管理を規制し，かつ，利害関係人のために開示請求権および訂正請求権を整備した。情報処理と自由に関する全国委員会〔Commission nationale de l'informatique et des libertés (CNIL)〕は，この法律の遵守を監視する。

Fichier central des dispositions de dernière volonté　民法 遺言処分集中ファイル　公署証書による遺言，公証人役場に提出された私署証書による遺言および夫婦間贈与の集中ファイル。相続財産の清算に当たる公証人は，集中ファイルにより，故人がその財産の移転をはかって特別の処分行為を行ったか否かを知ることができる。

Fichier immobilier　民法 行政 不動産票函　土地台帳に記載されている不動産にそれぞれが対応する不動産票の総体。不動産票函は，土地公示の対象となる記載事項を，各不動産ごとにまとめている。

Fichier informatique　刑法 個人情報ファイル　コンピュータ処理された個人情報資料。関連する法律上の条件を守らずに個人情報の処理を行いまたは行わせることは，過失による場合であっても，刑法典226-16条の定める犯罪に当たる（その他の個人情報に関する犯罪については，刑法典226-17条以下を参照）。

Fiction　一般 擬制　事実に明らかに反する地位を実在するものとみなす法技術上の手法（例：相続法において，被相続人の人格が相続人の人格を通じて継続するという擬制）。擬制により，事実そのものを判断することから生じる帰結とは異なる法的帰結を引き出すことができる（前例において，被相続人の人格の《継続》という擬制によって，相続財産をなしている個々の財産に所有権が存在しているとする場合に生じるあらゆる齟齬を回避できる）。
►Représentation〔代襲〕

Fidéicommis　民法 信託遺贈　遺言者が，表見的受贈者に，遺贈する財産を他の者に帰属させる義務を負わせつつ無償譲与するという死因処分。
►Substitution fidéicommissaire〔信託遺贈上の指定〕

Fidéjusseur　民法 保証人　保証人〔caution〕を指すすでに廃れた用語。

Fiducie 民法 **譲渡担保；信託**
　①譲渡担保//債権者が，債務者から移転された財産の表見的な取得者になる契約において取得する担保。その財産は，債務が消滅したときには債務者に返還される。
　②信託//設定者〔constituant〕と呼ばれる法人が，現在または将来の財産，権利もしくは担保（または財産，権利もしくは担保の全体）を，1または複数の受託者〔fiduciaire〕に（契約締結から33年を限度として）暫定的に移転し，受託者が，これらの財産を自己の財産から分別し，1または複数の受益者〔bénéficiaire〕のために特定の目的で行為することを内容とする取引。信託は法律または合意に基づき成立するが，設定者たりうる者は，法律上当然にまたは選択に基づき法人税を負担する私法上の法人に限られている。信託は受託者の個人財産から分別された目的財産〔►Patrimoines d'affectation〕を形成するものであり，アングロサクソン法諸国のトラスト（信託）に着想を得ているが，フランスの信託は，受益者に対する相続または無償譲与として行うことはできない。この新たな法的枠組は，明示されることを要し，信託契約当事者の意思により財産管理手段となる場合もあれば担保手段となる場合もある。すなわち，設定者または受託者は信託契約の受益者となることができる。信託契約に別様の定めがない限り，設定者は，契約の履行の枠内で自己の利益が保持されることを確認する任務を負い，設定者に法律上認められたのと同様の権限を有しうる第三者をいつにても選任することができる。全国信託登記簿が設置されている。
　▷民法典2011条以下

Filiale 商法 **子会社**　資本の半分を超える部分が，別のいわゆる親会社によって所有されている会社。子会社は法的には親会社から独立しているが，経済上および財務上は親会社に従属している。
　子会社という語は，さらに多くの場合には，財務上の関係をもつ別の会社に従属している会社を指している。
　税法上の概念はさらに広範であり，親会社のための優遇措置は別の会社の10パーセント以上の資本を有する会社に認められ，場合によっては資本参加比率がそれを下回る場合にも優遇措置が認められている。
　▷商法典L233-1条

Filiation 民法 **親子関係**　親とその子との間の法的関係。2002年3月4日の法律第305号以降，その親子関係が適法に証明されているすべての子は，その父母との関係における同一の権利および同一の義務を有し，父母のおのおのの家族に入る。
　▷民法典310条
　►Ascendant〔直系尊属〕►Descendant〔直系卑属〕

Filiation adoptive 民法 **養親子関係**　►Adoption〔養子縁組〕

Filiation adultérine 民法 **姦生親子関係**　子の懐胎時に，その父または母が他の者と婚姻関係にあった場合の親子関係。このような親子関係の始まりは，今ではもはや相続に際しての劣位の原因とはならない。
　▷民法典334条および334-7条

Filiation incestueuse 民法 **近親姦生親子関係**　子が近親相姦から生まれたという特徴を有する親子関係。父母の婚姻についていかなる免除も許さない絶対的近親相姦（直系間または兄弟姉妹間）の場合においては，親子関係を父母双方に対して同時に立証することができない。
　▷民法典161条以下および310-2条
　►Inceste〔近親相姦〕

Filiation légitime 民法 **嫡出親子関係**　子が両親の婚姻中に懐胎されまたは生まれたという特徴を有する親子関係。2005年7月4日のオルドナンス第759号は，嫡出親子関係および自然親子関係の観念を明白に廃止したが，このような状況で懐胎されまたは生まれた子は相変わらず父子関係の推定〔présomption de paternité〕を受ける。母子関係は，子の出生証書に母の名が記載されていることによって証明される。
　▷民法典311-25条および312条以下
　►《Pater is est quem nuptiae demonstrant》〔父とは婚姻が示す者である〕

Filiation naturelle 民法 **自然親子関係**　子が婚姻外において生まれたという特徴を有する親子関係。親子関係は，子の懐胎時に両親が婚姻関係になかった場合には，姦生親子関係か単純自然親子関係となる。2005年7月4日のオルドナンス第759号は，自然親子関係の観念を明白に廃止したが，婚姻していない父は，親子関係を立証するためには，このような状況で生まれた子を相変わらず認知しなければならない。これに対して，母は，婚姻してい

Fil

るか否かに関係なく、また、認知の手続きをする必要なく、子の出生証書に自動的にその名を記されることになった（ただし、母が、分娩の際に自己の産院への受入れと自己の身元を秘すよう要求した場合を除く）。
▷民法典311-25条
▶Filiation adultérine〔姦生親子関係〕▶Reconnaissance de paternité〔父子関係の認知〕

Filière　商法 引換指図証　商品取引所において行われる連続した先物取引〔marchés à termes successifs〕の決済の目的で作成される、裏書によって譲渡しうる指図証券。この証券は、取引の最終的清算〔exécution finale〕まで同一量の同一商品を内容としている。

Filouterie　刑法 無銭受益罪　支払いがまったくできないと知り、または支払わないつもりなのに、飲食物を提供させまたは一定のサーヴィスを得ること。
▷刑法典313-5条
▶Grivèlerie〔無銭飲食〕

Fin de non-recevoir (de non-valoir)　民訴 訴訟不受理事由　本案についての弁論に触れずに、一方当事者が、相手方には訴権がなく、したがって相手方の請求は受理できないこと（利益または適格の欠缺、時効、失権、既判事項）を主張する、中間的な性質を有する防禦方法。

訴訟不受理事由は訴訟のいかなる段階でも提出することができ、それを援用する者が不利益〔grief〕を立証する必要はない。

Finances locales　財政 地方財政　地方公共団体〔▶Collectivités locales〕とその公施設法人の財政の総称。

Fin de vie　民法 終末期　現代の立法者は、この終末期という段階にある人に、必要とされる医療を与えようとしている。終末期医療は、人の尊厳、特に、瀕死の人の尊厳を尊重して行われなければならない。
▷公衆衛生法典L1110-5条、L1111-4条、L1111-9条およびL1111-13条
▶Affection grave et incurable〔重い不治の病気〕▶Atteinte à la dignité de la personne〔人の尊厳に対する侵害〕▶Soins palliatifs〔終末期医療〕

Finul II　国公 第二次国際連合レバノン暫定軍　イスラエルとヒズボラとの武力闘争の後、レバノン南部に駐留することを目的として2006年に設置された国際連合の部隊。

Fisc　財政 税務当局　租税の確定および徴収を任務とする部局の総体を指す用語。

Flagrant délit　刑訴 現行犯　現に行われつつある、または行われたばかりの重罪または軽罪。その犯罪は、その際、特別の捜査態様（現行犯捜査）の領域に属し、軽罪の場合、軽罪裁判所への即時出頭〔▶Comparution immédiate〕に至る場合がある。
▷刑事手続法典53条以下

Fœtus　民法 胎児　胎児とは、子宮内生活の最初の3ヵ月間が過ぎたのち、すなわち、人という種の固有の特質が示されるようになってからの人の受胎の産物のことをいう。破毀院によれば、胎児は自律的な法的実在ではない。
▶Embryon humain〔人の胚〕

Folle enchère　民訴 空競り　不動産の競売の際に、競落人が競落代金を支払わない場合、その競落人によってなされた競りをいう。代金の供託および費用の支払いがない場合、競売は法律上当然に遡及的に消滅する。不動産は再度競りにかけられる。代金を支払わなかった競落人は最初の競売と2度目の競売の間で差額が生じた場合、それを負担し、自己の支払った金額については、返還を主張することはできない。
▷民法典2212条；新民事手続法典1278条；商法典L321-14条
▶Réitération des enchères〔競りのやり直し〕

Fonction　民法 職務　ある者が、直接的に、または、私的または公的集団組織の枠内で、一定の仕事を行うにつき、自己の活動を公共に役立せるときに、fonctionという語が用いられる。

職務は、独立した態様で行われることもある（商人、実業家、裁判所補助吏、弁護士、医師）が、公共機関、非営利社団、民事会社または商事会社といった団体組織のもとにおいて、従属的な態様で行われるときもある。このときには、pouvoirといわれる。
▶Pouvoir〔権限〕

Fonction publique　行政 公務員(制度)
①最広義で、しかも非常に漠然とした意味においては、国および地方公共団体の常勤職員の総体。さまざまな法制度に服するいくつかのカテゴリーの公務員からなる。entrer dans la fonction publique〔公務員になる〕といった言い方がなされる。
②より狭い意味においては、官吏〔▶Fonc-

tionnaire〕の法的資格をもつ国および地方公共団体の公務員の総体の地位。法律用語としては，一般にこの意味で用いられる。

　国家公務員制度と地方公務員制度の一体性の原則が存在するため，同等の官職であれば理論的には一方から他方へ移動することが可能である。
▶Grille（de la fonction publique）〔俸給表〕

Fonctionnaire　[行政] **官吏**　さまざまな法文が，その適用範囲を画定するために用いる観念。その内容は法文ごとに異なる。

　国および地方公共団体の官吏の一般的身分規程に照らすと，常勤の官職〔▶Emploi〕に任命され，職階のなかのある等級に任官される者である。

Fonctionnaires de fait（Théorie des）　[行政] **事実上の公務員（の理論）**　行政行為に関する権限規範を緩和する判例理論。これによって若干の行為が行為者の客観的無権限にもかかわらず有効とされる。その根拠は，基本的公役務の運営の継続性が必要なこと（非常事態の期間であっても），または行為者の行為する資格が国民からみてもっともらしい外観をとったことに求められる。

Fonctionnaire international　[国公] **国際公務員**　継続的，専属的に国際組織のために職務を行う国際職員〔▶Agent international〕であり，その結果，特別の身分規程に服する（特に，当該組織以外のあらゆる機関に対する独立の義務）。

Fond　[一般] **実質**　伝統的に，法においては，実質は，法的地位を創設，維持もしくは消滅させる場合，または個別の法制度の運用を確保する場合，形式〔forme〕と対比される。実質とは，法または法的地位の内容，対象，実体を表す要素のことである。例えば，婚姻に関する夫婦またはその血族の同意，契約における目的または原因（コーズ）〔▶Cause〕。

[訴訟] **本案；実体**　手続きまたは手続上の形式〔▶Forme〕と対比される，訴訟の内容をなすもの。

　人的にまたは法的に訴訟を不可避なものとし，かつ，裁判官が解決しなければならない事実問題または法律問題。訴訟の本案は係争に関しては，この用語の一般的な意味での実質問題（合意の欠如に基づく婚姻の無効），または形式問題（婚姻の事前公示，挙式の公示の欠如）を対象とすることができる。

[民訴] **本案；実体**　▶Formalisme〔形式主義〕

▶Forme〔形式〕▶Nullité d'acte de procédure〔手続行為（文書）の無効〕

Fondation　[民法] **寄付；財団**
　①寄付/広義:《寄付とは，1または複数の自然人または法人が，財産，権利または資産を，全体の利益に属する非営利目的の事業の実現に終局的に割り当てる行為である》。
　②財団/狭義：この目的を実現するために設立された法人。
▷民法典910条2項
▶Affectation〔割当て〕

Fondé de pouvoir　[商法] **商業使用人；企業代理人**　企業とは労働契約で結ばれているが，その企業の受任者としての権限を有する者。

Fonds　[一般] **土地；営業財産；資本**　非建築不動産，個人商企業（営業財産〔fonds de commerce〕）および，より一般的には，資本を指すことのある日常用語。

　この語は，特別な法的意味を有しない。

Fonds agricole　[農事] **農業財産**　農業財産は営業財産〔fonds de commerce〕を範とするものであり，農業活動の実施を通じて経営される。農業財産は民事的性格を有し，無体動産質〔nantissement〕の対象となりうる。この新たな法的存在たる農業財産は，農業経営体が家産的・家族的思考法から企業的思考法へと移行することを可能にするはずである。
▷農事法典L311-3条
▶Agriculture〔農業〕

Fonds d'assurance formation　[労働] **職業教育保険基金**　普通は職業部門別の段階において集団協定によって創設され，職業教育の財源負担義務を負う使用者の分担金を集める。この基金に加入する企業の労働者の職業教育費は，この基金によって負担される。
▷労働法典L961-8条以下およびR964-2条以下

Fonds de bétail　[民法] **家畜資産**　▶Bail à cheptel〔家畜賃貸借〕

Fonds de commerce　[商法] **営業財産**　有体動産（機材一式，工具一式，動産財）および無体動産（賃借権，商号，営業商標）の総体。商人あるいは実業家は，顧客を獲得するために，これらの動産を1ヵ所に集め，有機的構造を与える。営業財産は，それ自体を構成する諸要素とは区別された法的存在をなす。

Fonds commun　[行政] [財政] **共同基金**　公役務または公共団体の間に財政的な連帯関係を設けるためにかなり頻繁に用いられる制度。富裕な公役務または団体が基金に払い込む歳入

上の黒字が，他の公役務または団体の赤字財政を埋め合わせるのに役立つであろうという期待のもとにこの制度は作られるが，たいていの場合その期待は裏切られる（有名な例：1914年の戦争の後に作られた鉄道網共同基金）。

Fonds commun de créances 民法 商法 **債権合同ファンド** 銀行債権を取得し，その債権を表章する持分証券〔part〕を一度だけ発行することを唯一の目的とする共同所有〔copropriété〕のこと。このような債権の財産化〔patrimonialisation〕によって，銀行に課せられている資産と負債の配分についての比率の遵守が容易になり（証券化された債権は貸借対照表からはずされる），債権合同ファンドが負う不償還の危険が軽減され，短期金融市場から中長期金融市場への移行が可能となる。
▷通貨金融法典L214-43条
▶Titrisation〔証券化〕

Fonds commun de placement (FCP) 商法 **投資合同ファンド** 有価証券と，短期または一覧払いで運用されている資金の共同所有〔copropriété〕のこと。投資合同ファンドは法人格がなく，会社契約〔contrat de société〕または不分割〔indivision〕に関する規定の適用を受けない。

Fonds de concours 財政 **寄付** 自然人または法人によって国の予算に払い込まれ，公益支出の補足的財源となる非租税的性質の金銭，ならびに，国に帰属する遺贈〔▶Legs〕および贈与〔▶Donation〕について予算法が用いる呼び名。寄付は，市町村の予算においても定められている。

Fonds dominant 民法 **要役地** 建築不動産または非建築不動産で，そのための地役権が設定されているもの。
▷民法典697条以下
▶Fonds servant〔承役地〕

Fonds européen de développement (FED) EU **ヨーロッパ開発基金** ヨーロッパ共同体の予算によってではなく，ヨーロッパ共同体加盟国の直接の分担金によって運営されており，ロメ協定によって共同体と関係を有する発展途上国のための活動に融資している。

Fonds européen de développement économique régional (FEDER) EU **ヨーロッパ地域開発基金** ヨーロッパ共同体加盟国の諸地域間の発展の格差を緩和することを目的とする活動にあてられる，ヨーロッパ共同体の予算枠。ヨーロッパ地域開発基金は1975年に設立され，その後予算額のかなりの増加が見られる。

Fonds européen d'orientation et de garantie agricole (FEOGA) EU **ヨーロッパ農業指導保証基金** 共通農業政策〔politique agricole commune〕の支出にあてられるヨーロッパ共同体の予算枠。ヨーロッパ共同体予算全体の約40パーセントに相当する。共同市場組織に対する支出（市場介入および払戻し）を扱う（最も重要な）《保証》部門，および農業構造改善を目的とする《指導》部門に分けられる。

Fonds de garantie automobile 民法 **自動車事故補償基金** 加害者が同定されない場合または被保険者でない場合に，原動機付陸上自動車両による人身事故の被害者に補償するための機関。自動車事故補償基金はまた，狩猟事故についても，加害者が同定されない場合もしくは被保険者でない場合，またはその保険者が支払不能の状況にある場合に，補償する。自動車事故補償基金は，現在は名称を変更し，強制損害保険補償基金〔fonds de garantie des assurances obligatoires de dommages〕となっている。
▷保険法典L421-1条以下

Fonds de garantie des assurances obligatoires de dommages 民法 **強制損害保険補償基金** ▶Fonds de garantie automobile〔自動車事故補償基金〕

Fonds de garantie des victimes des actes de terrorisme et d'autres infractions 民訴 刑訴 **テロ行為および他の犯罪の被害者補償基金** 以下の権限を有する機関。

①フランス領土において行われたテロ行為の被害者，および，外国におけるテロ行為の被害者でフランス国籍を有する者の身体的損害を補償するための補償金を決定し，その支払いを行う。

②犯罪被害者補償委員会〔▶Commission d'indemnisation des victimes d'infractions〕により認められた補償金を支払う。

この基金は，法人格を有し，（企業の締結する）財産保険契約からの分担金を財源とし，損害について責任のある者に対して被害者が有する権利につき被害者を代位して行使する。
▷保険法典L422-1条以下；刑事手続法典706-5-1条

Fonds marins 国公 **深海底** この区域は，国

際連合により《人類の共同遺産》と宣言され（1967年と1970年の決議），それに埋蔵されている莫大な資源ゆえに，第三次国連海洋法会議の結果1982年12月10日に署名されたモンテゴ・ベイ（Montego Bay）条約によって設立される国際海底機構の指揮のもとで，探査，開発が行われることが予定されている。この機構の実際の権限の範囲はいまだに問題となっており，その設立の際の状況次第となろう。

Fonds monétaire international [国公] **国際通貨基金（IMF）** 通貨に関する国際協力および国際貿易の拡大を促進することを目的として1945年に設立された国際連合の専門機関。外貨での支払いが一時的に困難となった加盟国に対して財政上の援助を提供する。所在地：ワシントン。

Fonds national de l'emploi [労働] **国立雇用基金** 1963年12月18日の法律の規定する《労働者が経済発展のもたらす変動を乗り越えて継続して職業活動を行うこと》，および，企業が根本的事業転換を行うことを促進する種々の施策についてあてられた予算の総体。その役割は，失業中の若干の労働者に支給される金銭的援助にまで拡大された。
▷労働法典L322-5条およびR322-11条

Fonds national de solidarité [社保] **国民連帯基金** 老齢の貧窮者に対して付加手当（▶Allocation supplémentaire du fonds national de solidarité〔国民連帯基金付加手当〕）を支給することを目的として1956年に設立された基金。
　国民連帯基金は，社会保障大臣によって運営され，預託供託金庫によって管理される。

Fonds propres [商法] **自己資本** 自己資本は，企業が外部から借入れをせずに活動する基礎となる財産の総額であり，これは，貸借対照表の貸方に掲げられる。
　自己資金は主に自己資本〔Capitaux propres〕によって構成されるが，ほかに劣後条件付貸付けと参加証券〔▶Titre participatif〕で調達した額とがこれに加えられる。

Fonds servant [民法] **承役地** 地役の負担を受けた，建築不動産または非建築不動産。
▷民法典699条以下
　▶Fonds dominant〔要役地〕

Fonds social européen (FSE) [EU] **ヨーロッパ社会基金** 労働分野における支出に関するヨーロッパ共同体の予算枠。ヨーロッパ社会基金の主要な目的として，失業対策があり，今日では若年者の雇用問題がある。数年来，予算額のかなりの増加がみられる。

Fonds sociaux [社保] **社会保障活動基金** 社会保障活動のための基金であって，おのおのの社会保障制度において，保険料直接控除からの援助により，または，利子収入により資金調達され，個別的な支援（応能援助）または集団的支援（障害者療養施設の財政支援）を目的とする。

Fonds de solidarité vieillesse [社保] **老齢者連帯基金** 国民連帯に属する老齢者への非拠出制の給付の財源となる基金。その支出は社会保障一般税（CSG）の一部から調達される。
▷社会保障法典L135-1条

Fonds structurels [EU] **構造基金** 目的に応じた若干の関与を促進するためのヨーロッパ連合の財源調達手段。国土整備にはヨーロッパ地域開発基金〔▶Fonds européen pour le développement économique régional (FEDER)〕，社会政策にはヨーロッパ社会基金〔▶Fonds social européen (FSE)〕，共通農業政策にはヨーロッパ農業指導保証基金〔▶Fonds européen d'orientation et de garantie agricole (FEOGA)〕が存在する。2005年に農業開発のためのヨーロッパ農業基金〔▶Fonds européen agricole pour le développement rural (FEADER)〕が創設され，ヨーロッパ農業指導保証基金は廃止された。
　▶Politique agricole commune〔共通農業政策〕

Fongibilité [民法] **代替可能性** 代替しうる〔fongible〕，すなわち，同種の他の物と取り替えることに何も問題がないという，物の性質。
　▶Choses fongibles〔代替物〕

Fongibilité asymétrique [財政] **事業計画内人件費充当禁止** 予算区分上の事業計画〔▶Programme〕の内部において，人件費に相当する予算〔▶Crédit budgétaire〕は，その管理者によって別の性質（例えば，設備または投資）の予算からの控除によって増額されることはできないという，従来の原則に対する例外規則に対して，予算法律に関する2001年8月1日の組織法律（LOLF）（7条）が与えた名称。これは，同一の事業計画の内部における予算配分は拘束力をもたないという原則に対する重要な例外である。この原則により，現実の必要に応じて予算を配分しなおす（代替

For

可能性）ことが可能となる（例えば，人件費予算または投資支出予算からの控除によって設備費予算の不足を埋め合わせる）。

《For》；《Forum》 [民訴] **裁判所；裁判権限** この語は，裁判所，および広義では，裁判所の（管轄）権限を表す。
► 《Actor sequitur forum rei》〔原告は被告の法廷に従う〕► 《Lex fori》〔法廷地法〕

Force de chose jugée [民訴][訴訟] **確定力** 執行を停止する不服申立てができず，または，（不服申立ての期間が満了し，または不服申立てがすでに行使されて）不服申立てができなくなり，それゆえ直ちに執行することができる判決の性質。
▷新民事手続法典500条および501条
►Chose jugée〔既判事項〕

Force exécutoire [民訴] **執行力** 訴訟事件または非訟事件に関する裁判所の裁判，公証人証書，および行政庁の一定の行為に付される効果。これによって，債務者に対して差押えを行うこと，または，必要であれば公の武力を用いて建物の占有者を強制的に立ち退かせることが認められる。
►Expulsion〔強制退去〕►Formule exécutoire〔執行文〕►Titres exécutoires〔執行名義〕

Force majeure [民法] **不可抗力；外因的不可抗力**
①不可抗力//広義では，債務者の債務の履行を妨げる，予見できず乗り越えがたいすべての出来事。不可抗力は，債務者の責任を免除する。
②外因的不可抗力//狭義では，force majeure は，cas fortuit と対置される。force majeure は外的事由に起因する出来事である。すなわち，出来事（自然の力，君主の行為，第三者の行為など）が，債務者個人とはまったく無関係なものでなくてはならない。
►Cas fortuit〔不可抗力；内因的不可抗力〕
破毀院はもはや，外在性〔extériorité〕を force majeureの条件とは考えていない。破毀院は，債務者が疾病により債務の履行を妨げられた場合であって，その出来事が契約締結時には予見できないものであり，契約の履行において抗しがたい障害となったときには force majeureがあるとしている。
▷民法典1148条および1382条以下
►Cause étrangère〔外在的事由〕

[刑法] **不可抗力** 行為者の余儀ない状態。その者の刑事責任を否定しうる。
►Contrainte〔強制〕

Force probante [訴訟] **証拠力** 証拠方法の効力。私署証書は，当事者間では証拠力を有する。ただし，文書の検真〔►Vérification d'écriture〕により，被告が実際に文書に署名したのではないという事実が裁判上認定される場合はこの限りでない。公署証書は，その真実性および公証官の認定についての偽造の申立てがなされない限りは証拠力を有する（公署証書偽造の申立て〔►Inscription de faux〕は，最近まで，費用のかかる危険な手続きだった）。したがって，公署証書の証拠力は私署証書に付与される証拠力よりも強い。
►Faux〔偽造の申立て〕

Force publique [行政][民訴][刑訴] **公の武力** 政府が秩序維持のために，他方，公署官が法律を遵守させ，裁判所の決定を執行し，また国外追放を執行し，不在のまたは立ち入りを拒む債務者の差押え＝売却の対象となっている住居に立ち入るために掌握する実力（警察，軍隊）の総体。

Force d'urgence des Nations-Unies [国公] **国際連合緊急軍** 特別な場合に，安全保障理事会または総会の勧告に基づき創設される国際軍。戦闘するためにではなく，敵対兵力の間に介在し，一定の地域での緊張を緩和させるためのもの。国家の領域への緊急軍の派遣は，その国家の同意を前提とする。緊急軍は，国際連合憲章7章において創設が定められているが安全保障理事会の常任理事国の合意を欠いたために創設できなかった国連軍と混同されてはならない。緊急軍はまた，同じ任務を有するが国連の枠外の国家間体制である多国籍軍と混同されてはならない。

Forclusion [民訴] **失権** ►Déchéance et Forclusion〔失権〕►Relevé de forclusion〔失権の免除〕

Foreign court theory [国私] **フォーリン・コート・セオリー** 反致〔renvoi〕の可能性が存する場合に裁判するとき，裁判所が外国裁判所のとったであろう立場を採用すること（二重反致〔double renvoie〕）を示す表現。

Forfait [財政] **見積課税；見積課税額**
①ごく小規模の企業のみを対象として，個人商工業経営利益〔bénéfices industriels et commerciaux〕（BIC）のカテゴリーに属する課税対象利益および付加価値税額を簡略に（概算的に）決定するために用いられていた方

法。この制度は，確認が容易な客観的要素（労働者数，仕入額および在庫額など）に基づき，場合により納税義務者との協議を経たうえで，租税行政庁が見積額を算定することを内容としていた。
　②この用語は，上記のように決定される利益額または付加価値税額のことも指していた（《X千フランの見積課税額》）。
　この制度は，1970年には全企業の86パーセントを対象としていたのに対し，1992年には全企業の20パーセント未満しか対象としなくなり，1999年，いわゆる零細企業課税制度〔régime dit des micro-entreprises〕に取って代わられた。なお，小規模農業経営者の個人農業経営利益〔bénéfice agricole〕を決定するための見積課税制度が存続しているが，その運用方法は①で述べたものとは非常に異なる。

Forfait de communauté 民法 **一括見積額との引換えによる共通財産の取得条項**　共通財産の清算の際に，夫婦の一方が，（あらかじめ定められた）一括見積額の支払いと引換えに，その共通財産の全体を取得することを認める，夫婦財産契約上の条項。
▷民法典1497条以下

Forfait journalier 社保 **入院費一部負担**　公立または私立の入院施設に，または，社会保障施設に，完全な入院または宿泊をした患者が支払う価額。
　この入院費一部負担は免除される場合がある。入院費一部負担は，社会援助〔►Aide sociale〕によって負担されることもあるし，共済組合によって負担されることもある。
▷社会保障法典L174-4条

Forfaiture 刑法 **瀆職**　公務員が職務執行中に行う重罪。
　新刑法典はこの犯罪類型を削除した。

Formalisme 一般 **形式主義；要式主義**　この法原則によると，行為が有効であるためには，法律上一定の形式（例：書面の作成）が要求される。
　►Acte consensuel〔諾成行為〕►Acte solennel〔厳粛行為〕《Ad solemnitatem》〔厳格な様式として〕►Consensualisme〔意思主義；諾成主義〕

民訴 **形式主義**　防禦の自由の保障のため法律によりその尊重が要請され，かつ，その不遵守が失権または無効を導く規定の総体。
　形式主義は，裁判官の行為（例えば，証人の尋問）および手続上の行為または文書（例えば，呼出状への，日付・管轄裁判所・執行吏の署名などの記載）について要請される。

Formation en alternance 労働 **交互制職業教育**　労働の場における活動と公的または私的施設における一般教育，技術教育および職業教育とを結びつけることによって，16歳から25歳までの若年者の職業資格の取得（職業資格取得契約〔contrats de qualification〕）または雇用への適応（雇用適応契約〔contrats d'adaptation〕）をはかる措置。この措置を取り決めた企業は，国の援助を受け，社会保障負担分を軽減される。
▷労働法典L980-1条以下およびL981-1条以下

Formation continue 一般 労働 **継続職業教育**　職業生活に入っている者を対象とする，学校教育修了後の職業教育であり，自主研修休暇〔►Congé〕という方法で実現される。
▷労働法典L900-1条以下

Formation de jugement 訴訟 **裁判構成体**　裁判を行うための裁判所の構成体。それを表すために，以下のような名称が用いられている。chambre, section, sous-section（コンセイユ・デタ〔►Conseil d'État〕），bureau（労働裁判所〔►Conseil de prud'hommes〕）。
►Cour de cassation〔破毀院〕

Forme 一般 **形式**　法における形式は，私人または行政庁によってなされた法律行為であれ，裁判機関のなす判断であれ，意思を外に表明することに結びついている。
　形式は，場合に応じて非常に異なった目的を追求するものであり，このことから形式を踏まない場合に，同一の結果が生じないことがわかる。
　すなわち，
・個人を保護すること（贈与または裁判を受ける者を保護すること（訴訟手続き））。この場合の制裁は無効である。
・第三者へ知らせること（不動産売買の公示）。この場合の制裁は対抗不能である。
・取引の安全を確保すること（商業証券）。この場合の制裁は当該証書が無効になることである。
・証明の方法を定めること。この場合の制裁は他の方法による証明を許さないことである。
・租税（印紙税，登録税）を納付すること。この場合の制裁は追徴金である。
　民事手続法において，手続行為および裁判

官の行為は若干の形式上の条件に服する。
▶Fond〔実質〕▶Formalisme〔形式主義〕

Formel, Informel 一般 形式的, 非形式的 法律行為は, 文書がその行為の存在を証明する場合には, 形式的性格を帯びる。そうでない場合(口頭, 黙示, 例えば態度から推測される場合)には, その法律行為は非形式的といわれる。

Formel, Matériel 一般 形式的, 実質的 法律行為の分類技術。

形式的分類は, 管轄権限を有する機関の間の区別および法律行為がなされる形式または手続きに注目する。

実質的分類は, 法律行為の内容の分析に基づく区別である。

国私 形式的, 実質的 準拠法を指定する抵触法規範は, 「形式的」〔formel, indirect〕規範と呼ばれる。

当該状況に適用される規定を含む法規範は「実質的」〔matériel, substantiel, direct〕規範と呼ばれる。

Formule exécutoire 民訴 執行文 証書または判決の謄本を交付する公署官(公証人, 主席書記)によって, それらの謄本に挿入される文言で, これにより, 謄本を交付された者は, 必要な場合には公の武力に訴えてでも, その執行をなすことができる。

執行文の末尾は以下のようになっている。《したがって, フランス共和国は, すべての執行吏に対しこの要請に基づき当該判決を執行するよう, 大審裁判所付の共和国検事に対しそれに手を貸すよう, 公の武力のすべての指揮者に対し法に従い要求されたときは協力するよう, 命じる…》。

▷新民事手続法典502条

▶Force exécutoire〔執行力〕

行訴 執行文 行政裁判所によってなされる判決には, 特別な書式がある。

Fortune de mer 海法 民法 海産；海難
①財産の単一性という伝統的概念の例外である, 目的財産〔patrimoine d'affectation〕の存在を認める海法の表現。船舶艤装(ぎそう)者は, 船上で, または航行と関係して損害が生じた場合, 契約の相手方または第三者に対して自己の責任を制限することができる。限度額は, 船舶のトン数および損害の性質にしたがい, 1976年11月19日のロンドン国際条約において定められた制限に服する。同一の事故から生じた債権の総額がこの限度額を超

える場合, 船舶艤装者が支払う賠償額は, 責任制限を対抗することのできる債権者に排他的に充てられる単一の制限基金〔fonds de limitation〕による。債権者は, 船舶艤装者の他の財産については, いかなる権利も主張することができない。

古法における船舶艤装者の海産と陸産〔fortune de terre〕の区別が復活したものである。

▷1984年12月21日の法律によって改正された1967年1月3日の法律第5号31条以下および58条以下。

▶Patrimoine〔財産；財産体〕▶Patrimoines d'affectation (Théorie des)〔目的財産(の理論)〕

②あらゆる海上の偶発的危険(難破, 拿捕, 火災)。

▷保険法典L172-11条

Forum actoris 国私 原告の法廷地 原告の裁判所の管轄(被告法廷地原則の例外。民法典14条参照)。

《Forum shopping》 国私 フォーラム・ショッピング ある法律の適用を免れるために, 訴訟当事者がその法律を適用する義務のないであろう外国裁判所に訴訟を提起する戦術。

▶Fraude〔(法律)回避〕

Foyer fiscal 財政 課税世帯 法律に基づいて年次所得申告書をひとまとめに作成する者の集団。婚姻した夫婦の場合の典型例は, 夫, 妻および2人の間の未成年の子である。子のない独身者の場合, 課税世帯は1人からなる。課税世帯によって支払われるべき所得税の計算は, 家族係数〔▶Quotient familial〕の手法を用いて行われる。

▷租税一般法典6条

Fractionnement de la peine 刑法 刑の分割 裁判所による制裁の個別化のための例外的処分。医学, 職業または家族その他社会上重大な理由がある場合, 宣告刑を分割して服させることができる。これは, 罰金, 軽罪・違警罪の拘禁刑および軽罪・違警罪に対する自由剥奪を伴わない刑罰について行われる。

Frais 民訴 費用 ▶Dépens〔訴訟費用〕

Frais d'atelier 社保 作業場費 家内労働者が, 家賃, 暖房費, 労働の場の照明費, 動力費, 生産手段の通常の減価償却費にあてられるものとして, 約した費用。企業には次の2つの選択肢がある。ひとつは, 一定のカテゴリーの労働者について定められた, 作業場費の定

額控除を考慮しないことである。この場合，保険料の算定基礎は，賃金から作業費としての手当のすべておよび作業費の償還分すべてを除いた額となる。もうひとつは，定額控除を適用することである。この場合，実際の作業費償還分または作業費としての付加金や手当は保険料の算定基礎に算入されなければならない。
▷社会保障法典L242-1条

Frais professionnels 社保 **職業費** 労働者に対して，その職務または雇用に固有の特別な負担にあてられるために支払われる金額。厳密には，固有の負担とは，個々の労働者の人的事情に関係する要素をすべて除外したもっぱら雇用または職務の性質に基づく負担のことのみをいう。職業費は社会保障の保険料の算定基礎から控除される。
▷社会保障法典L242-1条；2002年12月20日のアレテ

Franc 財政 商法 **フラン** 共和暦3年テルミドール28日（1795年8月15日）の法律による創設から，1999年1月1日にユーロ〔►Euro〕に取って代えられるまでのフランスの通貨単位（ただし，2002年初頭まで続いた移行期間中，フランは，ユーロ硬貨およびユーロ紙幣の発行および流通を待つ間，10進法ではないが，ユーロの単なる補助単位として存続した）。

1958年に，経済および通貨を再建する政策の一環として，象徴的かつ心理的な措置がとられ，それまで使われていた100フランが1フランに相当するようになった。このフランは，混同を避けるために，1963年1月1日まで「新フラン」〔nouveau franc〕（NF）と呼ばれていた。

Franc CFA 財政 商法 **CFAフラン**（CFA：旧，フランス領アフリカ植民地〔colonies françaises d'Afrique〕：現，アフリカ金融共同体〔Communauté financière africaine〕）

かつてのフランス海外領土〔►Territoire d'outre-mer（TOM）〕であり（ギニア・ビサウを除く），フランス（およびコモロ）とともにフラン圏〔►Zone Franc〕を形成するアフリカの約15の国々に共通する通貨単位。CFAフランとユーロ〔►Euro〕との為替レートは，フラン圏の構成国によって決定される。2002年になるまで1フランは100CFAフランに相当し，2002年1月1日に1ユーロ＝655.957CFAフランとなった。

類似の規則に服するコモロ・フランも存在し，2002年1月1日における為替レートは，1ユーロ＝491.96775コモロ・フランである。

Franc CFP 財政 商法 **CFPフラン**（CFP：旧，フランス領太平洋植民地〔colonies françaises du Pacifique〕：現，太平洋フラン為替レート〔change franc Pacifique〕）

ヨーロッパ共同体〔►Communauté européenne〕のみに参加し，ユーロ〔►Euro〕圏に属しない太平洋上の海外領土〔►Territoire d'outre-mer（TOM）〕（ヌーヴェルカレドニ，フランス領ポリネシア，ワリス＝エ＝フトゥナ〕で使われている通貨単位。フランスはこの通貨の発行を続けており，ユーロに対する為替レートはフランスが自ら決定している。2002年になるまで1フラン〔►Franc〕は18CFPフランに相当し，2002年1月1日に，1ユーロ＝119CFPフラン，1000CFPフラン＝8.38ユーロとなった。

他方，ヨーロッパ共同体および経済通貨連合〔Union économique et monétaire〕に属する海外県〔►Départements d'outre-mer（DOM）〕（ならびにマイヨットおよびサンピエール＝エ＝ミクロンの地方公共団体）では，フランス本土と同じく通貨単位はユーロである。

France Télécom 財政 **フランス・テレコム** 2004年9月現在，国が直接または（石油探査活動公社〔►ERAP（Entreprise de recherche et d'activités pétrolières）〕を通じて）間接に資本の42パーセントしか保有しなくなったにもかかわらず，いまだに《公》企業と呼ばれる電気通信企業。非常に長い間，当該分野において独占的地位を占めてきた。1998年以降，フランス・テレコムは電気通信分野における法律上の独占を享受しなくなるが（例えば，他の民間の電話事業者の出現），この分野において果たし続ける固有の役割の他に，この分野におけるあらゆる公役務〔►Service public〕，とりわけ電気通信の普遍的な公役務を確保することをその任務とする。その公役務とは，安価で良質な電話サーヴィスと緊急番号の通話回線接続をすべての者に保障しなければならないことである。

Franchise 商法 **免責** 保険法において，被保険者が自ら負担すべき損害の部分。これは，損害の程度を問わず被保険者によって負担される場合は，絶対的免責である。対象となった損害の一定限度を超えた部分について保険者により保険金が支払われる場合は，単純免

責である。

Franchise（Contrat de） 商法 フランチャイズ契約　►Franchisage〔フランチャイズ契約〕

Franchise（d'impôt） 財政 免税　理論的に支払われるべき税額が最低額を超えなければ租税を徴収しない租税免除の技術。
　►Décote〔限界控除〕

Franchisage 商法 フランチャイズ契約　一般に商標として登録された識別標識の権利者（フランチャイザー〔franchiseur〕）が独立の商人（フランチャイジー〔franchisé〕）にその利用を許諾する契約。これにより、フランチャイザーはフランチャイジーに商業上の助言と援助を行い、反対に、フランチャイジーはその総売上高に対するロイヤルティー〔redevance〕を支払い、フランチャイザーまたは一定の第三者より全部または一部の仕入れをなし、販売店の設置およびその管理のための一定の規律を遵守する義務を負う。
▷商法典L330-3条

Franchising 商法 フランチャイズ契約
　►Franchisage〔フランチャイズ契約〕

Francisation 海法 フランス船籍の登録　航海船にフランス国旗を掲げて航行する権利を付与する手続き。

民法 フランス語化手続き　外国人の氏または名にフランス語の言語的特徴を与える手続き。翻訳、反復語の除去または綴りの変更によってなされる。この手続きは、外国人にだけでなく、フランス国民自身にも適用される。

Francophonie 一般 国公 フランス語圏　フランス語を全体的または部分的に公用語として使用する国家の総体（56ヵ国）。フランス語圏はフランス語が可能なかぎり広い範囲で使用されるように維持するという政策の枠組としてだけではなく、世界におけるフランス語圏諸国の影響力の増大をより一般的に可能とするグループとして理解されている。
　さまざまな成果が見られるが、その中でも特に、1970年には文化技術協力局〔Agence de coopération culturelle et technique（ACCT）〕が創設されている。さらに、国家元首および首相による定例的な首脳会談が開催され（2006年には第9回首脳会談がブカレストで開催され、2008年には第10回首脳会談がケベックで開催されることが予定されている）、1997年のハノイ会談以降は事務総局が設置されるまでになっている。

Fratrie 民法 兄弟姉妹　兄弟および姉妹の総体。情緒および育成に関する共同体とみなされ、兄弟姉妹は、反対の利益のある場合をのぞき、別々にされてはならない。
▷民法典371-5条

Fraude 一般 詐欺；欺罔；詐害；不正行為　行為者が他人（配偶者、契約の相手方、共同分割者、訴訟当事者）を害する意思をもってなした行為、または、行為者が若干の法規範を回避する意思をもってなした行為（脱税〔fraude fiscale〕）。
　►Action paulienne〔詐害行為取消訴権；詐害行為取消しの訴え〕►Escroquerie〔詐欺罪〕►Prise à partie〔裁判官相手取り訴訟〕►Responsabilité du fait du fonctionnement défectueux de la justice〔裁判の瑕疵ある運営に起因する責任〕

国私（法律）回避　法律に反する目的に合法的手段を意識的に合わせること。法律回避〔fraude à la loi〕は、たいていの場合、法律の抵触に関する規則の適用の基礎となる事実状況を巧妙に変更することによりなされる。判例は、フランス法のみならず外国法に対して行われた回避をも考慮している。
　►《Forum shopping》〔フォーラム・ショッピング〕

Fraude fiscale 財政 脱税　租税法律が当然に適用される課税対象の全部または一部を租税法律の適用から違法に回避させること。
　►Évasion fiscale〔租税の回避〕

《Fraus omnia corrumpit》 民法 詐害の意思はすべてのものを腐らせる　詐害の意思をもってなされたすべての法律行為は、無効の訴えの対象となりうることを意味する。ラテン語の法格言。

Freins et contrepoids（Système des） 憲法 抑制と均衡（の制度）　英語では、《Checks and balances》といわれる。公権力が相互に均衡を保つように、公権力間の関係を調整することを内容とする憲法上の制度。

Fret 海法 運賃；傭船料　ある地点から他の地点への船舶による物品の運送のためになされる役務の対価。この語はまた、日常用語では、運送品を指して用いられる。この意味では、あらゆる運送形態（道路運送、航空運送など）の用語として用いられる。

Fréteur 海法 船主　船舶の所有者であり、傭船料〔fret〕といわれる金銭の支払いと引換えに、ある地点から他の地点への物品運送のため、自己の船舶を他人（傭船者）の利用に供

Front 憲法 戦線 複数の政党の団結（例えば、人民戦線〔Front populaire〕）。

Frontaliers 社保 越境労働者 ある国家の国境地帯に居所を保持し、原則的に毎日そこへ戻るのであるが、隣接する外国の国境地帯へ働きに行く労働者のこと。共同体法においては、労働者の居住する国と、職を得ている国とが隣接している必要はない。

Frontière 国公 国境 国家領域の境界。
Frontière artificielle 人為的な国境：観念的な1本の線からなるもの（緯線、2定点間の線）。
Frontière naturelle 自然の国境：地理的な起伏（河川、湖、海、山）によって形成されたもの。

《*Fructus*》 民法 収益権；果実収取権
①収益権//物に対する所有権の属性のひとつを指すラテン語。
②果実収取権//広義では、物から果実を収取する権利を指す。
▷民法典544条
►《*Abusus*》〔処分権〕►Fruits〔果実；産出物〕
►《*Usus*》〔使用権〕

Fruits 民法 果実；産出物
①果実//物の実体を変えることなく、その物から定期的に生み出される財物。
果実は以下のように区別される。
Fruits naturels 天然果実：土地からの自然の産出物および動物の増殖分〔croît〕を含む。
Fruits industriels 勤労果実：人の労働により獲得される産出物。
Fruits civils 法定果実：元物を対象とする契約から獲得されるもの。例えば、ある物から得られる賃料およびその他の金銭収入。
▷民法典582条以下
②産出物//拡張的に、（それを生み出す物の実体を傷つける限りにおいて）狭義の産出物ではあるが、果実と同様、定期的に生み出される財物についてもいう（例えば、定期伐採用の森林から伐り出される樹木；定期掘削用の採石場から切り出される石材）。
▷民法典591条および598条
►Produits〔産出物〕

Frustratoire 民訴 不用な ►Actes frustratoires〔不用な文書〕

Fuite (Délit de) 刑法 現場逃走（罪） ►Délit de fuite〔現場逃走罪〕

Fusion 商法 合併 複数の会社を1社にする法的な行為。
▷商法典L236-1条；民法典1844-4条

Fusion-regroupement de communes 行政 市町村の合併再編 ►Communes〔市町村〕

G

Gage 民法 商法 （有体）動産質
①（有体）動産質//設定者が、債権者に対し、現在または将来の有体動産の1つまたは全体から他の債権者に優先して弁済を受ける権利を認める合意。動産質は、もはや目的物の引渡しによって成立する要物契約ではない。この契約は、書面の作成のみによって有効に成立する。
有体動産質は、それについてなされる公示によって第三者対抗力を備える。設定者から債権者または契約上指定された第三者へと目的物の占有が移転された場合も同様である。
▷民法典2329条および2333条以下
②*Gage automobile* 自動車質//原動機付陸上車両を対象とする場合、動産質は、行政機関への届出によって第三者対抗力を備える。債権者には届出証が交付され、その所持は目的物の占有に相当する。したがって、自動車質は、擬制においてではあるが占有移転を伴う質である。
▷民法典2351条から2353条
►Antichrèse〔不動産質〕►Entiercement〔担保のための預入れ〕►Nantissement〔無体動産質〕►Warrant〔質入証券〕

Gain journalier de base 社保 基礎賃金日額 疾病および母性についての休業補償手当〔indemnité journalière〕を算定する基礎となる賃金のこと。
▷社会保障法典R323-4条

Gain manqué 民法 逸失利益 ►《*Lucrum cessans*》〔逸失利益；消極的損害〕

Galiléo EU ヨーロッパ測位システム計画 アメリカの独占であるGPS（汎世界測位システム）とは独立の、衛星による自前の測位システムをもつためにヨーロッパ連合によって目下推進中の計画の名称。

Gallodrome 刑法 闘鶏場　闘鶏が催される場所。闘鶏は、伝統的に昔から行われている地域でのみ認められているので、新たな闘鶏場の設置はすべて、動物に対する重大な虐待または残酷行為として処罰される。
▷刑法典521-1条

Garantie 民法 担保；担保責任
①担保//債務者の支払不能の危険からの債権者保護を可能にする法的手段。この意味においては、sûreté〔担保〕の同義語である。
►Sûreté〔担保〕
②担保責任//当事者の一方に引き渡される物に対する事実上および法律上の平穏な権利行使を確保するため、たとえその障害が他方の行為に基づかないときでも、その者に課される義務（例：物の隠れた瑕疵についての売主の担保責任、追奪についての売主の担保責任など）。
▷民法典884条、1628条、1641条、1705条、1721条および1725条

国公 保証；保障　1または複数の国家によってなされる約束で、第三国の国際的な義務の履行に責任を負い、または一定の法的状態を維持するもの。

Garantie（Appel en） 民訴 担保のための呼出し　担保義務者〔garant〕に求償する権能を有する訴訟当事者に帰属する訴権。
担保権利者〔garanti〕は、財産の所持者としてしか義務を負わないときには（厳正担保）、自身の訴訟脱退とともに、担保義務者が自己の代わりに主たる当事者となることを要求することができる。その場合でも担保権利者は、担保義務者に言い渡された判決が担保権利者に送達されたときから判決の執行に服する。
担保義務者は、本訴に呼び出されることもあるし（強制参加）、後の別訴においてその担保の実行が訴求されることもある。
▷新民事手続法典334条以下

Garantie autonome 民法 独立担保　第三者が同意した債務を考慮して、担保義務者が、請求払いまたは合意された態様で一定の金額を支払う義務を負う約定。この担保は、その存在と範囲が基本契約にではなく同意された約定の文言のみに従うという意味で独立している。
▷民法典2321条
►Garantie à première demande〔請求払担保〕

Garantie d'emprunt 財政 公保証　国または他の公法人がある組織に保証を与え、債務者である当該組織の債務の履行が不可能な場合に、債権者に利子の支払いと元本の償還を保証することによって、当該組織が借入れを行うことを容易にする契約。

Garantie minimale de points 社保 退職年金点数の最低保障　管理職退職年金制度〔régime de retraite des cadres〕のすべての補足制度加入者〔►Participant〕の持ち点に、保険料の対価として、最低限の退職年金点数を登録すること。この最低限の退職年金点数の登録は、支払われた賃金が社会保障の報酬限度額を下回る場合はもちろん、超過しても行われる。この最低保障の制度は、社会保障の報酬限度額が管理職の賃金よりも速く上昇することを考慮して、創設されたものである。

Garantie de passif 商法 負債保証（条項）　社員権の譲渡人が、譲受人に対して、両当事者が定める一定の会計上の価額の限度で、保証することを約する条項。または、譲渡人が、譲受人に対して、支払われた価格の全部または一部を返還することを約する条項（いわゆる価格修正条項）。

Garantie à première demande 民法 請求払担保　この担保は、債務者である委託者の求めに応じて、担保義務者である自然人または法人と受益者である債権者との間で締結される契約から生じる。担保義務者は受益者に対してその請求があり次第所定の金額を支払う義務を負い、異議はいかなる理由によるものであっても認められない。請求払担保は保証〔cautionnement〕とは区別される。すなわち、請求払担保は、債権者と債務者とを結びつけるもとの基本契約からは自律し、独立している。これら2つの仕組みは異なる目的をもち、担保義務者は他人の債務ではなく自身の債務を弁済する。特に、担保義務者は保証人〔caution〕がするようには債務者の抗弁を援用することができない。これが主たる利点である。
請求払担保はこれまで知られていなかったが、1970年以降次第に広まった。自律的で大胆な担保であり、しばしば債権者に好まれている。
►Garantie autonome〔独立担保〕

Garde 民法 監護；保管
①〔監護〕家族法：親権者に認められる、未成年の子に対してその家で生活すること

を強制し，かつその行動を監督する権限。
▷民法典371-3条および373-2条
　②〔保管〕債務法：契約当事者に課される，物を保管し，監視する義務（例：受寄者は保管義務を負う）。

人が利用する物に対する指揮監督権限。この権限は，物が損害の原因である場合の保管者の民事責任の存在条件である。

論者によっては，また，ときには判例においても，「構造」〔structure〕についての保管と「作用」〔comportement〕についての保管とが区別される。前者は物を構成する材料を対象とし（物の瑕疵についての監督権限），後者は使用から生ずる物の作用を対象とする。作用についての保管者は必ずしも構造についての保管者ではない。
▷民法典1384条および1385条
▶Responsabilité du fait des choses〔物の所為による責任〕

Garde républicaine　行政　共和国衛兵隊
▶Gendarmerie〔憲兵隊〕

Garde des Sceaux　一般　国璽尚書　国璽〔sceaux de l'État〕の保管者であることから司法大臣〔ministre de la Justice〕に与えられている呼称。
▶Sceau〔公印〕

Garde à vue　刑訴　警察留置　司法警察員が，法律に定める期間内，捜査の必要のため，警察の権限内に置かれるべきすべての者を警察署にとどめておく措置。この者は，捜査の必要のため，警察の権限内に置かれることになる。

警察留置の期間は，犯罪の性質によって異なる。組織犯罪（テロ行為，麻薬取引など）の場合，警察留置期間は長めになる。
▷刑事手続法典77条以下

Gardien　民法　監護者；保管者　▶Garde〔監護；保管〕
民訴　保管者　▶Saisie-exécution〔（有体動産の）差押え＝執行〕▶Saisie-vente〔（有体財産の）差押え＝売却〕▶Scellés〔封印〕

Garnissement　民法　家具の備付け（義務）　賃料に見合うように賃借物件に十分な家具を備え付けること。この義務を果たさない賃借人は，立退きを求められることがある。
▷民法典1752条

GATT (Accord général sur les tarifs douaniers et le commerce)　国公　ガット（関税及び貿易に関する一般協定）　貿易に関する国際協力（関税の引下げ，数量制限および差別的措置の廃止，国家間の貿易紛争の解決）を組織化する目的で1947年にジュネーヴで締結された協定。多国間貿易の新たな利益について交渉するために，ガットの枠内で会議が定期的に開かれた。1995年に世界貿易機関〔▶Organisation mondiale du commerce (OMC)〕に取って代わられた。

Gemmage　農事　松脂採取契約　松脂を採取するために，森林地の所有者が借主〔gemmeur〕に区分けされた松林の利用権を与えることを内容とする仕事の賃貸借契約（農事賃貸借に伴うことがある）。

Gendarmerie　行政　憲兵隊　国防省所属の軍事職団であって，多様な権限を有しているが，とくに行政警察〔▶Police〕および司法警察の任にあたる。

憲兵隊は，大多数の市町村に駐在する県憲兵隊〔gendarmerie départementale〕と，国土全域の秩序維持を確保する機動的な予備である機動憲兵隊〔gendarmerie mobile〕から構成される。共和国衛兵隊〔garde républicaine〕は，憲兵隊に統合されており，儀仗上の職務の他に，主要な公的機関〔▶Pouvoirs publics〕の置かれている施設（大統領府，首相官邸，国民議会，元老院など）の警護にあたる。

憲兵隊は，軍隊であるから，権限ある文官当局の《出動要請》〔réquisition〕によってでなければ出動できないが，実施方法については独自に判断する。
▶Compagnies républicaines de sécurité (CRS)〔共和国治安機動隊〕

Généalogiste　民訴　系図専門家　親子関係の証明される一連の先祖の系図を作成する者。相続人不存在または相続人皆無の制度に服する相続財産の場合を除いて，何人といえども，そのための委任状を有する者でないときは，開始された相続，または相続財産の清算の際に積極財産が除外された相続については，相続人の調査を行うことはできない。委任状を有していない場合，系図専門家はいかなる謝礼金も受け取ることができない（2006年6月23日の法律第728号36条）。

《**Genera non pereunt**》　民法　商法　種類物は滅失せず　ラテン語の格言。

種類物についての債務を負う場合，その履行を免れるために，引き渡そうとした目的物が滅失したことを口実とすることはできない。

債務者が，つねに，同種同等の財物を入手して債務を満足させることができるからである。

《Generalia specialibus non derogant》 一般 一般法は特別法を破らない 一般的効力を有する法律は特別な目的を有する法律の適用を除外しない。
► 《Specialia generalibus derogant》〔特別法は一般法を破る〕

Génocide 国公 ジェノサイド；集団殺害罪 国民的，民族的，人種的あるいは宗教的な集団の，またはその他のあらゆる恣意的な規準によって決定される集団の全部あるいは一部を破壊する意図で組織的に準備される計画を実行し，または実行させる犯罪。
▷ 刑法典211-1条

Gens du voyage 民法 移動生活者 その伝統的な居住形態が可動式住宅であり(2000年7月5日の法律第614号1条)，たえず移動している人々に対する呼称。県基本計画に記載されている市町村は，移動生活者の滞在のための常設受入地を整備しなければならない。

《Gentlemen's agreement》 国公 紳士協定 道徳的に当事者を拘束するが，法的効力のない国際的合意。

Gérance libre 商法 (営業財産の) 賃借人による経営 ►Location-gérance〔営業財産賃貸借〕

Gérance salariée 商法 (営業財産の) 使用人による経営 営業財産の所有者が，その経営の支配権を留保し危険を負担して，契約署名時に定められた報酬を支払うことを条件として，《gérant salarié》〔支配人〕といわれる第三者に経営を委ねる契約。

Gérant majoritaire 商法 社保 多数資本保有業務執行者 会社資本の半数より多い資本を，単独で，または他の業務執行者とともに，保有する業務執行者。多数資本保有業務執行者は，社会保障の非労働者制度に属する。
▷ 社会保障法典D632-1条

Gérant-mandataire 商法 営業財産管理受任者 売上高に応じた手数料の支払いと引換えに，他人の営業財産または手工業財産を管理することを任務とする自然人または法人。

営業財産管理受任者は，商業・会社登記簿または手工業者名簿に登記され，賃労働者たる地位を有しない。委任者は引き続き営業財産の所有者であり，その経営上のリスクを負担する。

営業財産管理受任契約〔contrat de gérance-mandat〕は，管理受任者の任務および権限を詳細に定める。
▷ 商法典L146-1条

Gérant minoritaire ou égalitaire 商法 社保 少数資本保有業務執行者 会社資本の半数より多い資本を保有しない有限責任会社の業務執行者。所有権として，または，用益権として配偶者または解放されていない未成年の子に帰属する持分は，少数資本保有業務執行者が保有するものとみなされる。少数資本保有業務執行者は，報酬を受けている場合，社会保障の一般制度に属する。
▷ 社会保障法典L311-3条11号

Gérant de société 商法 (会社の) 業務執行者 人的会社または有限会社を指揮する者。業務執行者は，会社の他の機関に付与されている権限を除いて，会社の名において行為する最も広範な権限を有している。

Germains 民法 同父母兄弟(姉妹) ラテン語 germanus(真の)から。
　①同一の父母をもつ子をいう。
►Consanguins〔異母兄弟(姉妹)〕 ►Utérins〔異父兄弟(姉妹)〕
　②少なくとも1人の共通の始祖をもつといとこ(4親等の傍系血族)についてもいう。

Gerrymandering 憲法 ゲリマンダ 現政権の候補者に有利なように選挙区の区割りを行うこと(この呼称は，19世紀初頭のマサチューセッツ州知事，エルブリッジ・ゲリー〔Elbridge Gerry〕に由来する)。

Gestation pour autrui 民法 他人のための妊娠 他人のためにのみ子を宿し，出産後に子を手放すことを承諾したうえで，不妊女性の夫の精子を人工授精された女性の地位。代理母〔mère porteuse〕の合意は，人体および人の地位の不可処分性に反し無効である。
▷ 民法典16-7条

Gestion (Système de la) 財政 現金主義 公会計〔►Comptabilité publique〕に関して，ある予算年度の会計に，当該年度内に公法人によって行われたすべての徴収および支出を帰属させる収支の算入方式で，対応する債権債務が法的に発生した年度がいつかを問わない(現在の場合も過去の場合もある)。企業会計においては，この方式は，現金主義会計〔comptabilité de caisse〕と呼ばれていたものに相当する(なお，企業会計ではこの方式はもはや用いられない)。この方式は，年度予算法律(《予算会計》〔comptabilité

budgétaire〕)の執行を追跡調査するために国によって用いられる。ただし，実際上の理由から，年度末には一定の緩和が認められる。
►Exercice (Comptabilité d')〔発生主義(会計)〕

Gestion d'affaires 民法 **事務管理** ある者(管理者〔gérant〕)が，第三者(被管理者〔géré〕または事務の本人〔maître de l'affaire〕)のために，その者に対して義務を負っておらず，法律上または裁判上認められた権限も有していなかったにもかかわらず，管理行為をなすこと。管理者のなした約定は第三者を拘束し，さらに，管理者のなした管理行為が有益なまたは必要なものであった場合には，第三者は管理者に対してその費用を返還しなければならない。
▷民法典1372条以下
►Quasi-contrat〔準契約〕

Gestion déléguée 行政 **委任された管理**
►Délégation de service public〔公役務の委任〕

Gestion de fait 財政 **事実上の公金管理** 公会計官の資格をもたないあらゆる者が行う違法行為。公法人〔►Personne publique〕に支払われるべき資金，または公法人の会計から不法に引き出された資金の直接的または間接的な取扱いがそれを構成する。実行犯は罰金を科され，公会計官〔►Comptables publics〕と同一の義務と責任に服する。
►Comptable de fait〔事実上の会計官〕

Gestion privée, Gestion publique 行政 **私管理，公管理** 役務管理において行政庁が利用する法的手法のなかでなされる区別。2つの裁判所の系統〔►Ordre de juridictions〕のおのおのの管轄権限を画定する基準として，学説の一部によって長い間維持されてきた。
　行政庁が私人と同一の法的手段を用いる場合は私管理，公権力固有の手法に訴えるときは公管理と呼ばれる。裁判所の管轄権限は，前者の場合は司法裁判所に属し，後者の場合は行政裁判所に属する。

Glose 一般 **註釈** 法文を説明するための註解。

Glossateurs 一般 **註釈学派** イルネリウスによって12世紀にボローニャで創られたローマ法学者からなる学派。原典に註釈を行うという方法でユスティニアヌス法典の研究を行った。
►Post-glossateurs〔後期註釈学派；助言学派〕

Gouvernement 憲法 **政府**
①広義：(例えば，gouvernement républicain〔共和制〕, gouvernement parlementaire〔議会制〕, gouvernement présidentiel〔大統領制〕という表現にみられる)政治権力を授けられた機関(個人，委員会，議会)の総体。
②狭義：執行の作用を担当する機関の総体。
►Exécutif (Pouvoir)〔執行権；執行府〕

Gouvernement de fait 憲法 **事実上の政府** 権力奪取が非合法に行われた(クーデター，革命)ため，法的資格を欠く政府。
　事実上の政府は，原理上一時的なものであり，正統性に関する既存の理念に合致する承認手続きを実施することによって，または，正統性に関する新たな理念を国民に徹底することによって，さらには，その成立の非合法性を忘却させるに至る期間の経過によって，法律上の政府へと転換する。国際的には，不承認という方法によって事実上の政府を制裁するための努力がなされた。
►Tobar (Doctrine de)〔トバール主義〕
国公 **事実上の政府**

Gouvernement de fait international 事実上の国際政府：いくつかの国家(特に大国)が国際社会の立法機関または執行機関を自任するような場合，その行動に対し与えられる名称(例：19世紀のヨーロッパ協調，2つの世界大戦中および大戦末期の大国による政治主導)。

Grâce 憲法 刑法 **恩赦** 元首が憲法上の権限を用いて決定する，慈悲に基づく処分。これにより，刑の言渡しを受けた者は，申立て(恩赦の訴え)によって，刑の全部または一部を免除され，または当初言い渡された制裁よりも軽い制裁を執行されることになる。
▷刑法典133-7条以下
►Commutation de peine〔大統領恩赦による減刑〕

Grâce amnistiante 憲法 刑法 **大赦の効果をもつ恩赦** 恩赦〔►Grâce〕と大赦〔►Amnistie〕を兼ね備えた制度。刑の言渡しを受けた者のうちある種の者に対して認められる大赦を，立法府が，一定期間に行政権(共和国大統領または首相)が行う恩赦のデクレを受けた特定の個人についてのみ与えること。

Gracieuse (Décision) 訴訟 **非訟事件決定**
►Décision gracieuse〔非訟事件決定〕

Grade 行政 **等級** 公務員法における公務員の職務上の資格。それによって，公務員は，ある特定の職務に就く資格を与えられ，また，行政の階層制の内部に位置づけられる。

Grades et titres universitaires 行政 学位および准学位　すべての学問分野において，学位は，ヨーロッパ高等教育領域の内部での様々な知識習得レヴェルを証明する。学位とは，バカロレア，学士〔►Licence〕，修士〔►Master〕および博士〔►Doctorat〕である。

准学位は，学位間の中間レヴェルがある場合にこれを示す（例：修士第1学年修了時にmaîtrise〔旧修士〕の授与を請求する学生の場合）。

Graffitis 刑法 落書き　事前の許可を得ずに，壁面，車両，公道または街路設備上に，文字，記号または絵模様を書き記すこと。その実現は，軽度の破壊，損壊または損傷として，軽罪の罰金刑の下限によって処罰される。

▷刑法典322-1条

Grands corps (de l'État) 行政 高級官僚職団　官吏，より一般的には公務員〔►Agent public〕の職団とは，特定の同一の身分規程に服し，かつ，同一の等級〔►Grade〕へ昇進する資格を有する公務員の総体をいう。これらの職団のいくつか，および，その構成員が属する機関は，その権威，それが国家運営の中で果たす主要な役割，および，その出身者の多くが国の経済および政治生活において占める重要な地位のゆえに，一般に《grands corps》と呼ばれる。通常，高級官僚職団に数え上げられるのは，コンセイユ・デタ，会計検査院，財政監察団である。これらの行政高級官僚職団に加え，理工科学校，パリ国立高等鉱業学校，国立土木学校出身の技師からなる技術高級官僚職団がある。

Gratification 労働 特別手当　なされた労働への使用者の満足を示すために，または家族関係上の出来事に際して，使用者が従業員に支給する金銭。

特別手当は，通常は無償譲与〔libéralité〕である。例外的には，賃金を補足する給付であることもあり，その場合は賃金としての法的性質をもつ。

Gratuité de la justice 行訴 民訴 裁判の無償　1978年から，裁判の無償が民事および行政裁判所において導入された（刑事裁判所においては導入されなかった）。

それ以来これらの裁判所においては，訴訟当事者は，かつては裁判上の費用とされたもののかなりの部分をもはや負担する必要がなくなった。この費用は国の負担とされる。特に以下のものが廃止された。すなわち，証本の印紙代，証書および判決の登録料，裁判所書記課の手数料（商事裁判所は除く），裁判所書記課の郵送費用である。

しかしこの改革にもかかわらず，裁判に訴えることは完全には無償ではなく，依然として以下のように多くの費用がかかる。

訴訟当事者は実際，以前と同様に裁判所補助吏（執行吏，代訴士）によってなされる行為および送達の費用，弁護士への謝礼，コンセイユ・デタおよび破毀院における趣意書（申立理由書〔mémoire〕）の作成費用，証人尋問および鑑定の費用を支払わなければならない。その負担は，法律援助〔►Aide juridique〕により部分的にまたは全面的に免除されうる。

手続規定に基づいて作成され，訴訟手続きまたは判決の執行に直接に関係する執行吏文書の登録料が1992年1月15日から再び導入されたが，それはこの文書が，全面的または部分的な法律援助を享受しない者の申請により作成される場合に限られる。

▷司法組織法典L111-2条

►Dépens〔訴訟費用〕►Émolument〔公定報酬〕►Honoraires〔謝礼〕►Taxes〔(公定の)手数料；(証人の)手当〕

Gré à gré (Marchés de) 行政 随意契約　Marchés négociésの旧称。

►Marchés négociés〔随意契約〕

Greffes 民訴 刑訴 裁判所書記課　►Greffier〔裁判所書記〕►Greffier en chef〔首席書記〕►Secrétariat-greffe〔裁判所書記課〕

Greffier 訴訟 裁判所書記　フランスの伝統において，裁判所書記は裁判所書記課の長たる地位にある公署官かつ裁判所補助吏である。

現在は，商事裁判所のみが，官職株〔charge〕の名義人たる裁判所書記によって指揮される裁判所書記課をもっている。

破毀院，控訴院，大審判所，小審判所，労働裁判所においては，裁判所書記課〔►Secrétariat-greffe〕は，公務員である首席書記によって指揮される（1966年の改正）。首席書記は，公務員である裁判所書記によって補佐される。

▷司法組織法典L123-1条およびL123-2条およびR811-1条以下；行政裁判法典226-1条以下；商法典L741-1条およびL743-12条

Greffier en chef 民訴 刑訴 首席書記　裁判所書記課〔►Secrétariat-greffe〕の長で，裁判所の運営業務の指揮および財務管理を任務とする。

▷司法組織法典R812-1条以下

Greffier du tribunal de commerce 民訴 **商事裁判所書記** 商事裁判所書記は，個人としてまたは自由職業会社〔►Société d'exercice libéral (SEL)〕の枠内で，商事裁判所において書記の職務を行う公署官かつ裁判所補助吏である。

▷司法組織法典R821-1条以下；商法典L741-1条およびL743-12条

Grève 行政 労働 **ストライキ** 職業上の要求を支持することを目的として，労働を協議して集団的に停止すること。

公務員のストライキ権は，かつては明確に学説および判例によって否定されていたが，1946年の憲法典以来，特に定められかつ限定的な禁止の場合を除いて，承認されている。

Grève perlée 怠業：労働を完全に止めることなく，労働のテンポを緩めること。怠業を判例は認めていない。

Grève politique 政治スト：職業上の要求をもたず，公権力に働きかけることを目的とするストライキ。

Grève sauvage 山猫スト：労働組合の指令を待たずに開始されるストライキ。

Grève de solidarité 連帯スト：ストライキ参加者自身にとって固有の問題ではない要求事項を支持して行われるストライキ。

Grève surprise 抜打ちスト：予告も告知もなしに行われるストライキ。

Grève sur le tas 職場スト：所定の労働時間に労働の場で行われるストライキ。

Grève 《thrombose》 ; Grève 《bouchon》 拠点スト：1つの部署，作業場または職種に限定してストライキを行って，企業全体を麻痺させるもの。

Grève mixte 混合スト：その対象および性格が職業的であると同時に政治的でもあるようなストライキ。

Grève tournante 波状スト：企業における複数の作業場または複数の職種について連続的に業務を阻害するストライキ。

▷労働法典L521-1条以下

Grevé 民法 **転譲与義務者；負担者；負担付受益者**
①転譲与義務者//狭義においては，信託遺贈という仕組みにおいて，無償譲与された財産を保存し，かつ，転譲与する義務を負う，無償譲与を受けた者を指す。

②負担者；負担財産//広義においては，負担している者((負担付贈与における)受贈者)

または財産(抵当権)を指す。
►Appelé〔被指定者〕►Libéralité graduelle〔順位付無償譲与〕

Grief 民訴 刑訴 **不利益** 手続行為(文書)の形式的瑕疵により訴訟当事者が被る損害。その当事者は裁判所にその行為(文書)の無効を言い渡させることができる。

▷新民事手続法典114条

►Nullité d'acte de procédure〔手続文書の無効〕

手続行為(文書)の実体的無効または訴訟不受理事由〔►Fin de non-recevoir (de non-valoir)〕を成立させるためには，不利益の存在は必要とされない。

▷新民事手続法典119条および124条

Grief (Actes faisant) 行政 **不利益(を生じる行為)** 越権訴訟の用語法において，それ自身で法的効果を生じる性質を有するがゆえに，それに対する越権訴訟が受理される行政行為を指す表現。

Grille (de la fonction publique) 行政 **俸給表** 国家公務員と地方公務員の俸給額を理論上決定するにあたって，これら公務員の総体は，一種の《一覧表》〔grille〕における区分の対象となる。この一覧表のなかで，公務員は俸給の指数を割り当てるために等級〔►Grade〕に分類される。したがって，公務員の階層制が，《俸給格付け》〔échelle des traitements〕を構成する。手当の増加，およびいわゆる《格付け外》〔hors échelle〕(または《文字による格付け》〔échelles-lettres〕)俸給の創設によってこの制度は変質している。

Grivèlerie 刑法 **無銭飲食** 支払いがまったくできないと知り，または支払わないつもりの者が，販売に供された飲食物を提供させ，またはさらに，給油業者に，燃料もしくは潤滑油を車両のタンクに満タンと否とを問わず補給させる，無銭受益罪。

▷刑法典313-5条

►Filouterie〔無銭受益罪〕

Gros ouvrage 民法 **骨核部分** 不動産の建築に関して，骨核部分とは，建造物の安定性および耐久性に寄与する要素，ならびに，土地造成，土台，骨組，囲壁または屋根と不可分の一体をなす設備要素をいう。請負人，建築家，不動産開発者は，10年間，骨核部分に影響を及ぼす瑕疵について責任を負う。

▷民法典1792条および1792-2条

Grosse 民訴 **執行正本** 公署証書または判決

217

の，執行文を付与された謄本〔►Expédition〕を示す使われなくなった古い用語。
▷新民事手続法典1439条
►Copie exécutoire〔執行正本〕

Groupe parlementaire 憲法 会派　同じ政治的な意見を共有する，国会の一院の構成員からなる団体（特定の政党と必ずしも完全には符合しない）。
　　会派への加入は義務ではない。いかなる会派にも所属していない国会議員は《無所属》〔non-inscrits〕と呼ばれる。会派の結成は，最少限の所属議員数（国民議会は20名，元老院は15名）という条件に従うことがある。
►Apparentement〔政策連合〕

Groupe de pression 公法 圧力団体　団体構成員の利益に，または一般的利益の主張に有利な方向で公的機関に対して影響を及ぼすために組織化された団体。議院の廊下，玄関の広間を意味する英語のロビー〔lobby〕（複数形はlobbies）という語は，groupe de pressionと同義で用いられる。ところで，ロビー活動（ロビイング〔lobbying〕）は，議院の廊下を議会とし，控え室を内閣とすることを内容とする活動である。当初，ロビー〔lobbies〕は，圧力団体のための専門的な執行機関であったが，今日では，しばしば圧力団体そのものを指すために用いられている。

Groupe de sociétés 商法 会社グループ　法的には独立しているが，財務上の緊密な関係によって単一の経済単位を構成している会社の総体。

Groupement agricole d'exploitation en commun（GAEC） 農事 農業共同経営集団　農業活動を共同して行うことを目的とする農業経営の特殊民事会社。この中では社員は個別の農業経営者たる社会的かつ経済的地位を維持しつつ働く義務を負う。農業共同経営集団の設立は行政機関の承認に服する。夫婦2人のみで設立することはできない。また，社員の数は10人を超えることはできない。
▷農事法典L323-1条以下

Groupement européen d'intérêt économique 商法 ヨーロッパ経済利益団体　フランス法上の経済利益団体（GIE）の強い影響を受けて制度化された団体であり，共同市場の内部における企業間の協力関係を発展させることを目的としている。
　　ヨーロッパ経済利益団体（GEIE）はいずれかの構成国において登記され，この登記によって，すべての構成国において権利能力を有することになる。
▷商法典L252-1条

Groupement foncier agricole（GFA） 農事 農地管理集団　1または複数の農場を創設または維持することを目的とする不動産民事会社である農地管理集団は，自己の所有する農場の経営を，直接運用によってであれ，農場を賃貸すること（間接運用）によってであれ行う。農地管理集団は，もっぱら，家族経営の農場がその無償名義の移転の際に分割されることを避けることを可能にする手段として利用されている。大規模な減税措置の対象となっている。
▷農事法典L322-1条以下

Groupement foncier rural 農事 農林業土地管理集団　農林業土地管理集団は，農業と林業の混合的性質をもつ土地のために考案された。以前であれば農地管理集団〔►Groupement foncier agricole（GFA）〕と森林管理集団〔►Groupement forestier〕を併設して行われたような農地管理を合理化することを目的としている。
▷農事法典L322-22条

Groupement forestier 農事 森林管理集団　森林の形成または保持を目的とする民事会社。
▷農事法典L126-2条以下

Groupement d'intérêt économique 商法 経済利益団体　会社〔société〕および非営利社団〔association〕とは区別される，固有の法的性格をもつ団体であり，自然人または法人を構成員とする。経済利益団体は，販売部門，輸入または輸出の業務，研究部門など，構成員の経済活動の一部分を共同で行うことによって，構成員の経済活動の便宜をはかることを目的としている。経済利益団体は，法人格を有する。
▷商法典L251-1条

Groupement d'intérêt public 行政 公益団体　公法上の法人間で，および（しばしば）公法上の法人と私法上の法人との間で設立されうる，既存の分類に属さない〔►《Sui generis》〕公法上の法人。法文によって規定されている部門における非営利目的の活動を共同で行うことを目的とする。それらの部門は，例えば，研究，保健社会福祉活動，さらには地方行政（特に情報設備の共同管理）のように多様である。

Groupement de prévention agréé 商法 認可

予防団体　►Procédure d'alerte〔警告手続き〕

Guerre 公法 戦争
　①少なくとも一方の当事国がそれを望み，かつ，国益のために仕掛ける国家間の武力紛争。
　②広義で用いられる場合：
Guerre civile　内戦：一国内で勃発した武力紛争であるが，その規模が拡大し，かつ長引くことによって，単なる反乱を上回ったもの。
Guerre froide　冷戦：イデオロギー的に対立する国家同士が，互いに相手国を弱体化させようと努めるが，世界大戦の口火を切るまでには至らない，政治的緊張状態（第二次世界大戦後に，西側諸国と共産主義諸国との間の敵対関係を特徴づけるためにつくられた表現）。
Guerre juste, Guerre licite　正戦，合法的な戦争：目的が正当な戦争。それは，自衛戦争および国際連合が行う制裁措置としての戦争の場合をいう。
Guerre psychologique　心理戦：宣伝戦。そこでとられる手段は，相手国（民衆および軍隊）の士気をそぎ，戦意を弱め，喪失させることさえも狙いとする。
Guerre révolutionnaire ; Guerre subversive　革命戦争：一国内において既存の政治権力に対して民衆の一部が展開する戦争。この闘いは，権力を奪取し，かつ，新しい政治的社会的秩序を確立することを目的とする。これを契機に，外国が介入し，国際的な広がりをもつようになることもある。
Guerre totale　総力戦：国のすべての力を投入する戦争であり，非戦闘員を含むすべての者を巻き込む。

Guet-apens　刑法 待伏せ　1または複数の者に対して1または複数の犯罪を遂行する目的で，一定の間，特定の場所で待ち受ける行為（刑法典132-71-1条）。
　犯罪の予防を目的とする法律によって設けられた，刑法典222-14-1条の定める公務を執行中の者に対する暴力行為罪の加重事情。
▷刑法典132-71-1条
►Embuscade〔公務執行者待伏せ〕►Préméditation〔予謀〕

Guichet unique　社保 雇入単一窓口　使用者に対して，臨時労働者の雇入れおよび職に関するすべての手続きを1つの同じ機関のもとで行う手段を与える仕組み。

H

《**Habeas corpus**》 一般 **人身保護法**　語源：汝が自己の身柄を有すべし。《ad subjiciendum》〔裁判所にそれを提出するために〕が省略されている。1679年にイギリス議会によって採択された法律の名称。自由の歴史の中で最も有名な法律のひとつである。
　この法律によって，拘禁されたすべての者は，逮捕の有効性について裁判を受けるために，裁判官の前に出頭させられる権利をもつ。

《**Habilis ad nuptias, Habilis ad pacta nuptiala**》 民法 **婚姻について能力を有する者は夫婦財産契約について能力を有する**　婚姻をする能力を有する者は，自己に関する夫婦財産契約に同意する能力もまた有する。

Habitation (Droit d')　民法 **居住（権）**　特定人に対して認められる，本人およびその家族に必要な範囲内で住居を使用する権利。
　居住権は物権である。
▷民法典625条以下
►Usage (Droit d')〔使用（権）〕

Halage (Servitude de)　民法 行政 **曳船道地役**　公有河川の河岸の一方の沿岸住民に対し，曳船道〔chemin de halage〕とするための一定の空間を設け，その道沿いの一定幅の土地においては建築，作付けまたは囲いをしないことを義務づける法定地役。
▷民法典556条2項および650条；河川法典15条；公法人財産一般法典L2131-2条
►Marchepied (Servitude de)〔曳船道対岸歩道地役〕

Handiphobie　刑法 **弱者暴行**　2004年12月30日の法律の定める，故意による人に対する侵害〔atteinte volontaire〕の加重事情。その侵害が，不利な状態のためとりわけ脆弱な者に対して行われる場合に適用される。
▷刑法典222-3条2号および6号；222-8条2号および6号

Harcèlement moral　刑法 労働 **精神的嫌がらせ**　精神的嫌がらせは，2002年1月17日の法

律第73号以後,軽罪を構成し,労働法典によって禁止されている。立法者はその内容を定義しておらず,精神的嫌がらせの反復行為が,労働者の権利およびその尊厳を侵害し,その肉体的もしくは精神的健康を害し,または労働者の職業上の将来性を損なう可能性のある労働条件の屈辱化を目的としまたはそのような結果をもたらす場合に,そのような行為を非難している。法律は黙示的にこの行為が懲戒上の非行〔faute disciplinaire〕を構成するものとしている。これらの行為の証明に関する難問に対処するために,この証明の仕組みは手直しされ,刑事上の訴追の場合は別として,労働者は精神的嫌がらせの存在を推定しうる事実を証明するだけでよいこととなった。すべての労働者が性別または職務の違いには関係なくこの規定によって保護されること,および,精神的嫌がらせはいかなる権力関係または上下関係とも関わりなく生じうることに留意すべきである。

▷労働法典L112-49条以下；刑法典222-33-2条

Harcèlement sexuel 〔刑法〕〔労働〕 **セクシャル・ハラスメント** 自己または第三者のために,性的性質の好意を得る目的でなされる,あらゆる人の行為。セクシャル・ハラスメントは軽罪とされ,労働法典の規定の対象ともなっている。使用者が,労働関係についてなすことになる本人に関する決定に際して,そのような行為に対する労働者の受忍または受忍を拒む態度を考慮することは禁止されている。証明についての法制度は,精神的嫌がらせ〔harcèlement moral〕についての制度と類似している。

▷労働法典L122-46条以下；刑法典222-33条

Harmonisation fiscale (CEE) 〔財政〕 **(ヨーロッパ経済共同体の)税制の調和** 共同市場の適正な運用のために,特に多様な加盟諸国の企業間における均衡のとれた競争の条件を実現するために必要な範囲で行われる,ヨーロッパ経済共同体加盟国の税制の接近(しかし,統一ではない)。これは,ヨーロッパ共同体指令〔►Directives〕の力を借りて実現される。加盟国はその内容を国内法制に取り入れる義務を負う。

加盟国間の付加価値税の調和がその主たる成果である。

Haut conseiller 〔民訴〕〔刑訴〕 **高等評定官** 破毀院裁判官および司法官職高等評議会構成員の称号。

Haut représentant de l'Union européenne 〔EU〕 **ヨーロッパ連合上級代表** アムステルダム条約によって創設された職務であって,共通外交安全保障政策についてヨーロッパ連合を代表する。ヨーロッパ連合上級代表はヨーロッパ理事会の事務総長でもある。ヨーロッパ理事会によって任命される。1999年末にハヴィエル・ソラナ〔Xavier SOLANA〕氏(スペイン人)が任命された。

Haute autorité 〔EU〕 **最高機関** 後にヨーロッパ経済共同体およびヨーロッパ原子力共同体を設立したローマ条約においてヨーロッパ共同体委員会となる機関に,(ヨーロッパ石炭鉄鋼共同体設立に関する)パリ条約によって与えられた名称。執行機関の併合を定める条約の結果,1967年7月1日に単一の委員会に融合された。

Haute autorité de lutte contre les discriminations et pour l'égalité (HALDE) 〔行政〕 **差別撤廃平等促進高等機関** 2005年に創設された独立行政機関〔►Autorités administratives indépendantes〕。人種,性別,民族,宗教的もしくはその他の信条,年齢,障害または性的指向に関する差別であって法律またはフランスが署名した条約により禁止されるものについて管轄権限を有する。この機関は,さまざまな方法,とりわけ被害者からの普通郵便によって事件を受理することができ,自ら事件を取り上げることも可能で,差別を停止させまたは予防するための大きくかつ多様な権限を有している。差別撤廃平等促進高等機関は,毎年,自己の活動について公開報告書を作成する。

Haute cour 〔憲法〕 **高等弾劾院** 2007年2月23日の憲法的法律第238号によって,共和国大統領が任務遂行と明らかに相容れない義務違反をなした場合にこれを罷免する目的で開会する国会に対して与えられた新たな名称。

高等弾劾院は,以前管轄権限を有していた高等法院〔Haute cour de justice〕と異なり,裁判所ではない。かつて,共和国大統領は大反逆罪〔►Haute trahison〕を理由に高等法院に起訴される可能性があった。

▷憲法典68条

►Cour de justice de la République〔共和国法院〕

Haute cour de justice 〔憲法〕〔刑訴〕 **高等法院** 政治的な弾劾裁判所で,両院の国会議員から構成されていた。かつて,共和国大統領は大

反逆罪〔►Haute trahison〕を理由に高等法院に起訴される可能性があった。
▷憲法典68条
►Cour de justice de la République〔共和国法院〕

Haute mer 国公 **公海** 国家管轄権の及ぶ海域の外側の海域であり，国家の主権から免れる海域(《海洋の自由》の原則)。
►Zone économique exclusive〔排他的経済水域〕
　この海域における刑罰法規の適用については，刑法典113-12条を参照せよ。

Haute trahison 憲法 刑法 **大反逆罪** かつて，共和国大統領がそれを理由に高等法院〔Haute cour de justice〕に起訴される可能性のあった重罪。大反逆罪を理由とする起訴は，2007年2月23日の憲法的法律第238号からもはや不可能となった。共和国大統領の政治的罷免手続きがこれに取って代わっている。

Héberge 民法 **互有線** 隣接する高さの異なる2つの建物を分かつ壁に，低い方の建物の最上部が形成する線。この線までは壁は互有〔mitoyen〕である。
▷民法典653条

Heimatlos 国私 **無国籍者** ►Apatride〔無国籍者〕

Herbe (Vente d') 農事 **牧草(売買)** 賃借人が果実を収取する土地に対していかなる管理義務も負わない，農事賃貸借の適用除外合意であるが，裁判所は，しばしば，特に土地利用の期間と更新度数を勘案して，定額小作契約であると再性質決定している。
▷農事法典L411-1条

Hérédité 民法 **遺産** 人が死亡時に遺した財産の総体。

Héritage 民法 **遺産；不動産**
　①遺産//héréditéの同義語。
　►Hérédité〔遺産〕
　②不動産//immeubleの同義語。廃れた表現。
　►Immeuble〔不動産〕

Héritier 民法 **相続人**
　①広義においては，法律または遺言の効果により，被相続人を相続する者。
　②より正確な意味においては，法律のみによって被相続人を相続する者であり，遺言によって指定される受遺者〔►Légataire〕と対置される。
　③ときとして，この語は，遺産占有〔►Saisine〕権を有する相続権者のみを指す。

▷民法典724条

Heures complémentaires 労働 **追加労働時間** 追加労働時間とは，パートタイム労働契約において，一定の条件のもとで，契約で定められた最低労働時間を超えて使用者が要求しうる労働時間である。追加労働時間に対しては通常の賃率に基づいて報酬が支払われる。
▷労働法典L212-4-3条

Heures de délégation 労働 **代表活動時間**
►Crédit d'heures〔代表活動時間〕

Heures d'équivalence 労働 **換算労働時間** いくつかの業種において生じうる手待ち時間〔temps morts〕を考慮して，いくつかの部門で労働時間が週35時間を超えることが認められている。その場合，35時間を基礎として報酬が支払われる。換算労働時間は，活動休止時期(それゆえ無報酬)ではあるが，やはり実労働時間〔►Temps de travail〕なのであり，超過勤務時間〔►Heures supplémentaires〕とは法制度を異にする。
▷労働法典L212-4条

Heures légales 民訴 **法定時間** 1日のうちで送達，および証書または判決の執行を行うことができ，かつ行わなければならない時間帯。それは，6時から21時の間である。ただし，裁判官が，必要な場合に法定時間外に，かつ，執行措置の場合は居住の用に供されていない場所においてのみ，行動する権能を与えたときを除く。
▷新民事手続法典508条および664条

Heures supplémentaires 労働 **超過勤務時間** 法定労働時間すなわち週35時間を超える労働時間。超過勤務時間は，法定労働時間と合わせて，最大週48時間かつ任意の連続する12週を平均して週44時間の枠内で可能である。超過勤務時間の算定は，労働時間を年間で配分する変形労働時間制協定〔accord de modulation〕によって変更することができる。超過勤務時間は，割増賃金の支払いまたは一定期間の休日を得る権利をもたらす。それらのうちのいくつかは，さらに，代償休日〔►Repos compensateur〕の権利を生じさせる。

Heures supplémentaires libres 許可を要しない超過勤務時間：労働者ごとに計算され，労働協約または集団協定によって定められる年間の割当時間に含まれる超過勤務時間。協約による定めがない場合，労働者1名につき年220時間まで可能である。使用者は，一方的決定によってこの時間を利用することがで

き，実定法上，この決定は労働監督官に通知された時から労働者を拘束する。

Heures supplémentaires autorisées 許可を要する超過勤務時間：許可を要しない超過勤務時間の年間の割当時間を超える超過勤務時間（許可を要しない割当時間が利用され尽くしたことが前提）。使用者は，この時間を一方的に決定することはできない。すなわち，労働監督官に申請をし，これについて許可を得なければならない。

▷労働法典L212-5条，L212-6条およびL212-7条

Hoirie 民法 相続；相続分　succession または part successorale の代わりにかつて用いられた語。Avancement d'hoirie〔相続分の前渡し〕は今では avancement de part successorale〔相続分の前渡し〕という。
►Succession〔相続；相続財産〕►Hérédité〔遺産〕

Holding 商法 持株会社　他の会社に資本参加して，その会社を支配することを目的とする会社。持株会社は，企業集中の手段である。

Homicide 刑法 殺害　他人を殺すこと。故意による場合は故殺〔meutre〕の構成要素であり，故意によらない場合は過失致死〔homicide involontaire〕の構成要素である。

▷刑法典221-1条ないし221-4条および221-6条

Homologation 民法 民訴 認可　裁判所が証書を承認し，これに執行力を付与する手続き：相互の同意による離婚の効果を定めた合意の認可，夫婦財産制の変更の認可。

▷民法典232条，278条，279条および1397条；新民事手続法典131-12条，832-8条および1441-4条

Honoraires 民訴 謝礼　自由業を営む者（例えば医者，建築家）のなした仕事に対する謝礼。一定の裁判補助者に対する，額が公定されていない謝礼も含まれる。陳述〔plaidoirie〕に対する弁護士への謝礼がこれにあたる。これとは逆に，弁護士が代理および代訴をする場合は，弁護士は公定の手数料〔►Taxes〕に従う。

社保 診療報酬　診療報酬および付随的費用の表は，全国協約によって定められる。行われた医療行為は，協約上の診療報酬料金表〔►Tarifs〕に基づいて償還される（►Conventions〔医療協約〕）。しかしながら，協約に加入していない臨床医または協約に違反したことを理由として協約から除外された臨床医については，診療報酬の償還は公定診療報酬料金表〔tarifs d'autorité〕に基づいて行われる。

全国協約は，協約に加入している臨床医および医療補助者が，患者からの特別な要請に基づく時間および場所における例外的事情がある場合において，協約上の診療報酬料金表を超過して請求できることを定めている（その際，臨床医および医療補助者は，カルテにDE(Droit Exception)と記入する）。

医師の全国協約はまた，医師が超過報酬への永続的権利〔DP (Droit Permanent)〕を有する場合，または，医師が，協約上の診療報酬とは違った診療報酬料金表を，すなわち，《自由診療報酬》〔honoraires libres〕を採用したい旨を初級金庫に告知した場合，診療報酬料金表を超過することを許可している。

診療報酬料金表の超過が許可された場合，被保険者には協約上の診療報酬料金表に基づいた額しか償還されない。

Honorariat 行政 名誉職　20年間勤続した後に退職が認められたすべての国家公務員または地方公務員は，その等級または職務の名誉職を名乗ることができる。ただし，理由を付した決定により拒絶され，または取り消される場合がある。この称号は，単に名誉上のものにすぎず，（例外を除いて）私的営利活動のためにその称号を用いることはできない。
►Émérita〔特任教授〕

Horaire individualisé 労働 フレックスタイム制　基準となる期間（例えば，1週間または15日間）の終了時に所定労働時間に達しているように，固定された義務的な時間帯の外側で，労働者が自らの労働時間を選択できる労働時間割〔horaire〕の決定の態様。変動は労働時間割の可変部分についてのことでしかないが，労働時間割の集団的性格を緩和するものである。《horaire variable》または《horaire flexible》という表現も用いられる。

▷労働法典L212-4-1条およびD212-4-1条以下

Hors cadres 行政 移籍出向　一定の派遣官吏の行政法上の地位。この地位においてこれらの官吏は，本来の職団〔►Corps (de fonctionnaires)〕における昇進および恩給の権利を受けなくなり，その職務を遂行する行政または他の機関の身分規程に服する。
►Détachement〔在籍出向〕

Hors de cause 民訴 訴訟の拘束から脱した　（裁判所の）判断により，不当に巻き込まれた

訴訟手続きまたは無関係になった訴訟手続きの関係から解放される訴訟当事者についていう。
▷新民事手続法典336条

Hors du commerce 〔一般〕**取引対象外** 契約の対象とはなりえないこと。例えば，人体〔►Corps humain〕。
▷民法典1128条

Hors part 〔民法〕**相続分外の** 無償譲与のうちで，無償譲与を受けた者が相続財産分割時において持ち戻さなくてもよく，したがってその無遺言相続分に付け加わることになる分についていう。
▷民法典843条，1078-1条および1078-2条
►Préciput〔先取権；先取分〕

Hospitalisation d'un aliéné 〔民法〕**精神病者の収容** 精神病者を公的または私的な治療施設に収容する手続き。この手続きは，保護収容〔►Internement〕手続きに代わるものであり，精神病者が公序または人の安全を害する場合，その施設の精神科医の診断書によって24時間の受入期間内に確認された詳細な医療報告書に基づいてなされる県知事の決定に基づき，職権で行われうる。急迫の危機の場合，パリにおいては警察署長が，地方においては市町村長およびその助役が，24時間内に県知事へ報告して裁量を仰ぐことを条件として，暫定的な措置を命ずることができる。この収容はまた，第三者（家族，近親者，予備的に県知事）の請求に基づくこともあるが，その精神病が即時の治療と病院での監視を要し，かつ，患者がその収容に同意できない状況にあるという2つの条件を満たさなければならない。この請求は，2通の診断書に基づいていなければならないが，そのうちの1通は当該施設の医師に発行させることができ，緊急時には省略することもできる。
►Aliéné mental〔精神病者〕►Aliénation mentale〔精神病〕

Huis clos 〔訴訟〕**非公開** 弁論の公開〔►Publicité des débats〕の原則に対する例外。裁判所は，公開により公序，弁論の平穏，人間の尊厳〔►Dignité de la personne〕，第三者の利益，私生活の内面または良俗が害されるおそれがあるとき，理由を付した裁判によって，公衆が法廷に入ることを禁じることができる。
▷新民事手続法典435条；刑事手続法典306条および400条

Huissier de justice 〔民訴〕**執行吏** 裁判所補助吏かつ公署官であって，（裁判上および裁判外の）送達および公的な証書（判決および公証人証書）に基づく強制執行を行う者，ならびに，裁判所の法廷業務を行う者（法廷執行吏は，厳粛法廷に出席し，事件を呼び上げ，また，例外的に，部長の指揮下で秩序の維持にあたる）。
►Société d'exercice libéral〔SEL〕〔自由職業会社〕

Humanité 〔刑法〕**人間性；人道** ►Crime contre l'humanité〔人道に対する罪〕

Hypothèque 〔民法〕**抵当権** 不動産について，債務の弁済の担保として債権者のために設定される従物権〔droit réel accessoire〕。抵当権は所有権者の占有喪失をもたらさない。

抵当権は，弁済期に支払いを受けなかった債権者が，何人の手にあろうともその不動産の差押えおよび売却を行わせること（追及権），ならびに，その代金につき一般債権者に優先して弁済を受けること（優先権）を認める。

不動産上に，登記された先取特権または抵当権を有する債権者は，その債権または登記の順位にしたがって弁済を受ける。

抵当債権者は，債務の弁済として不動産を自己に帰属させるよう裁判上の請求をなすことができる。

抵当権には，法定抵当権〔hypothèque légale〕，裁判上の抵当権〔hypothèque judiciaire〕および約定抵当権〔hypothèque conventionnelle〕がある。抵当権は不動産のみを対象とする。ただし，若干の動産抵当権が存在する（船舶，航空機）。
▷民法典2393条以下，2425条以下，2458条および2461条
►Mesures conservatoires〔保全措置〕
►Prêt viager hypothécaire〔抵当権付終身消費貸借〕►Sûretés judiciaires〔保全担保〕

Hypothèque rechargeable 〔民法〕**再充填抵当権** 設定証書に記載された被担保債権以外の債権の担保に充当することができる抵当権。設定者は，債務の返還の程度に応じて，当初の抵当権に新たな被担保債権を《再充填》し，当初の抵当権によって担保される元本の額と返還された債務の総額との差に相当する新たな信用力を作り出す。

再充填の合意は公証人証書の形式で行われ，公示される。これに反する場合は第三者に対抗することができない。
▷民法典2422条

I

Identification génétique [民法] **遺伝子情報による同一性確認** 細胞のDNAに書き込まれている遺伝子的特徴の解読によって個人を識別する方法。この同一性確認は，民事においては，親子関係または援助金に関する訴えの枠内で裁判官によって命じられた証拠調べの実施としてでなければ行われることができない。この同一性確認には，本人の同意を要する。本人の死後は，その生存中に明示の同意があった場合を除き，この確認を行うことはできない。
▷民法典16-11条
▶Empreinte génétique〔遺伝子情報〕
▶Examen des caractéristiques génétiques〔遺伝子的特徴の検査〕

Identité [民法] **本人性（証明要素）** ある者が，自ら名のっている者，またはそうであると思われる者であることを証明する要素（氏，名，国籍，親子関係など）の総体。
▶Carte national d'identité〔身分証明書〕
▶Contrôle d'identité〔同一性検査〕

Identité judiciaire [刑訴] **司法鑑識** 人の同一性ならびに痕跡および徴憑の収集保全を目的とする司法警察の活動。
　人の同一性を証明する目的での司法鑑識の利用は，1983年以来，法律によって規制されている。
▷刑事手続法典78-3条
▶Vérification d'identité〔同一性の確認〕

Illégalité [一般] **違法(性)** 狭義では，形式的意味の（国会によって表決された法文）に反すること。
　広義では，一般に法に反することをいう。illicéité〔違法(性)〕の同義語として用いられることもあるが，それは濫用である。
▶Légalité (Principe de)〔適法性（の原則）〕

Illicéité [一般] **違法(性)** 法文（法律，デクレ，アレテ），公序，良俗に反し，許されていないという性質。

[民法] **違法性** 法律行為に関しては，その構成要素を害し，無効を根拠づける瑕疵。法律事実に関しては，その行為者の責任を生じさせる行為規範違反。

Immatriculation [民法] **番号登録** 人または物を，識別番号によって登記簿に記載する行為。識別番号は，登録された人または物の特徴を内容に含む記載によって補完される。番号登録は，一定の公示の整理，および，法規の適用を可能にする。

Immatriculation à la Sécurité sociale [社保] **社会保障への登録** 登録は，事実上の行政行為であって，労働者をある金庫の被保険者名簿に正式に登載することをいう。この登録は，登録番号の付与によって表され，確定的なものである。
▷社会保障法典R312-1-4条

Immeuble [民法] **不動産** 土地および土地と一体となっているもの（性質による不動産〔→Immeuble par nature〕），ならびに土地の利用を可能にする動産（用途による不動産〔→Immeuble par destination〕）。
　上に定義した不動産を対象とする権利も，同じく不動産である。《すべての物は動産または不動産である》という大分類《summa divisio》から，判例の定型表現によれば，法典によって不動産とされない物はすべて動産である。
▷民法典516条以下
▶Meuble〔動産〕

Immeuble par destination [民法] **用途による不動産** 所有者の意思により，あるいは不動産の便益および利用に充てられ（例：農業経営に用いられるトラクター），あるいはこの不動産に永続的に固定されているために（例：壁にはめ込まれた暖炉），法律により不動産とみなされる動産。
▷民法典524条以下
▶Affectation〔割当て〕▶Destination〔用途〕

Immeuble par nature [民法] **性質による不動産** 土地および土地と一体になり移動させることができないもの（建物，作物）。
▷民法典518条以下

Immobilisation des fruits [民訴] **果実の不動産化** 不動産差押えの差押前催告の執行吏送達の効果。
　果実は競落代金に付加され，競落代金と同様に抵当債権者および先取特権債権者に配当される。

▷民法典2198条

Immobilisation de véhicule [刑法] **車両の使用禁止** 権利剥奪刑または権利制限刑。有罪判決を受けた者に対し，一定期間，その所有する1または複数の車両の使用を禁止することを内容とする。その期間は，裁判官により，法定の上限を遵守した上で定められる。
▷刑法典131-6条，131-14条およびR131-5条以下

Immobilisation d'un véhicule terrestre à moteur [民訴] **原動機付陸上車両の固定** 執行吏は執行名義〔titre exécutoire〕を備えた債権者の要請により，債務者の所有する原動機付陸上車両を，それがどこに存在していようとその場所で固定することができる（1991年7月9日の法律58条）。この行為は差押えの効果を生ずる。

固定後8日内に執行吏は債務者に支払催告状を送達する。債務者はその車両を任意売却するために1ヵ月の期間を与えられる。この期間を過ぎると競売が行われる。
▶Saisie des véhicules terrestres à moteur〔原動機付陸上車両の差押え〕

Immoral [民法] **不道徳な** 善良の風俗〔bonnes mœurs〕に反し，それゆえ無効の原因となること。
▷民法典6条および1133条

Immunité [刑法] **免責特権**
①（学説上争いのある）正当化事由。国民議会議員および元老院議員（議員特権〔▶Immunités parlementaires〕）または裁判所における訴訟当事者（裁判上の免責特権）の意見表明の自由を根拠とする。名誉毀損，侮辱または公的威信侮辱を理由としたあらゆる刑事訴追を禁止する。
▷1881年7月29日の法律41条
②節度を理由とする公訴受理の除外事由（親族間の免責特権）。犯罪行為者と被害者との間の血族関係または姻族関係を根拠とする。
▷刑法典311-12条

Immunités diplomatiques et consulaires [国公] **（外交官および領事官の）特権免除** その任務を自由に遂行できるように，外交官および領事官に認められた特権。すなわち，外交官および領事官の不可侵（領事官については制限的である），公館および通信の不可侵，裁判権からの免除（領事についてはその任務行為に限定される）および強制執行からの免除，課税の免除である。

Immunités d'exécution [民法][民訴][刑訴][国私] **執行免除** 裁判権免除の受益者を，いかなる強制執行からも保護する特権。
▶Immunité de juridiction〔裁判権免除〕

Immunité de juridiction [国私][民訴][刑訴] **裁判権免除** 外国の外交官および君主が享受する特権。この特権によって，それらの者は，刑事事件においても，民事事件においても，居住している国の裁判所で裁判を受けることがない。外国国家自身も，法人として同じ特権を享受している。

Immunités parlementaires [憲法] **議員特権** 職務の自由な行使を保障するために，国会議員を訴追から保護する特権。
▶Inviolabilité parlementaire〔議員の不逮捕特権〕▶Irresponsabilité parlementaire〔議員の免責特権〕

Immutabilité du litige (Principes d') [民訴] **訴訟不動性の原則** 訴訟の要素，訴訟の範囲は，訴訟関係がいったん確定したら変更してはならないという原則で，弁論の誠実性を促進することを目的とする。

この原則は，控訴における新たな請求〔▶Demande nouvelle〕を禁じるために明文で定められたが，関連性〔connexité〕があれば，追加請求，反訴請求，参加請求の提出を妨げない。
▷新民事手続法典70条および564条
▶Prétentions nouvelles〔新たな申立て〕

Imparité [訴訟] **奇数性** 裁判所運営上の一般原則のひとつ。すなわち，裁判官は，（合議において）多数決により決定することができるよう奇数で裁判する。
▷司法組織法典L121-2条

Impasse budgétaire [財政] **歳出予算超過** découvert de la loi de financesの同義語。第四共和制期には頻繁に用いられたが，今日では用いられない。
▶Découvert (de la loi de finances)〔歳出予算超過〕

《Impeachment》 [憲法] **弾劾** 国会の一方の議院が執行府の構成員を訴追し，他方の議院がそれを裁判する刑事手続き。イギリスにおいて，この手続きは，当初，庶民院に対する大臣の政治責任を追及するための手段であった（弾劾を恐れた大臣は，それを免れるために辞職した）。アメリカ合衆国では，大統領自身が，《反逆罪，収賄罪その他の重罪または軽罪》につき，下院によって訴追され，上院

によって(3分の2の多数で)裁判されうる。

Impenses [民法] **維持改良費** 物の保存,改良または美化のために使われる費用。維持改良費は,それが必要または有益であったことを条件として一定の補償の対象となる。

Impératif [一般] **強制的;強行的** 個人の反対の意思によって退けられることのない法律または行政立法上の規定を示す。

《Imperium》 [訴訟] **命令権** 《裁判権》〔►Jurisdictio〕とは別の,裁判官の権限を表すラテン語で,裁判上というよりも行政上の性質を有する。訴訟当事者および第三者に命令をする権限,許可を与えたり証拠調べを行う権限,裁判所の役務および法廷を組織する権限などがある。伝統的な正義の女神の像において,命令権を示すのは剣であり,裁判を示すのは天秤である。当事者の権利の評価(推論行為)ではなく,裁判官に帰属する指揮権の現れ(権力行為)を意味する。

►Acte juridictionnel〔裁判行為〕►Décision gracieuse〔非訟事件決定〕►Mesure d'administration judiciaire〔裁判所運営上の措置〕

Implication [民法] **関与** 交通事故の被害者の損害賠償請求権を基礎づけるのに役立つ概念(1985年7月5日の法律第677号)。車が事故に関与し〔être impliqué〕,その結果,その運転手または保管者が賠償義務を負うには,その車が原因としての役割を果たしていたことは要求されず,その車の存在が損害の発生にとって客観的に必要であったことで足りる。証明の観点から,判例は2つの状況を区別する。1つは,車が,停止していようが動いていいようが,衝突した場合であり,関与が存在する。もう1つは,被害者が車と接触しなかった場合であり,被害者が関与についての証明責任を負う。

▷保険法典L211-1条

Importations, Exportations [財政] **輸入,輸出** ここでは,これらの語に言及するのは,次のことを指摘したいがためである。それは,1993年1月1日(域内市場〔►Marché intérieur〕の発足)以降,これらの語は,もはやヨーロッパ共同体加盟国と第三国との間の貿易においてしか用いられないということである。加盟国間の関係においては,これらの用語はそれぞれ域内取得〔Acquisitions intracommunautaires〕,域内引渡し〔Livraisons intracommunautaires〕という表現に代えられている。

Impôt [財政] **租税** 公的負担にあてる目的,または経済的社会的領域に関与する目的で,終局的にかつ特定の代償なしに,国,地方公共団体および若干の公施設法人が,納税義務者に対してその担税力に応じて強制的に要求する金銭給付。

Impôt de répartition **配賦税:**徴収すべき租税総額があらかじめ定められ,後に,さまざまな方法に従って各納税義務者にそれを割り当てる旧式の徴税方法。

Impôt de quotité **定率税:**納税義務者が支払わなければならない税の課税対象(所得,売上高など)に対する割合(一般に百分率で表される)のみがあらかじめ法律によって定められる近代的な徴税方法。この方法においては,実際の徴税収入の正確な総額は,課税対象の金額に影響を及ぼす経済的偶然に左右される。

Impôt direct, Impôt indirect [財政] **直接税,間接税** 租税に関する古くからある区別であり,複数の解釈が可能である。

2つの主要な基準が主張されている。

経済的基準(いわゆる転嫁〔incidence〕基準):納税の義務を負う者の直接的負担において賦課される租税が直接税である(例:所得税〔►Impôt sur le revenu〕)。納税義務者によって納付されるが,次いで,その者によって,実質的納税者たる第三者に適法に転嫁される租税が間接税である(例:付加価値税〔►Taxe sur la valeur ajoutée(TVA)〕)。

行政的基準:国庫直属の公会計官(かつての徴税官〔percepteur〕)によって,課税台帳〔►Rôle〕に基づいて徴収される租税が《直接》税である。主税総局〔direction générale des Impôts〕(または税関)の公会計官によって徴収される租税が間接税である。この古くからある区別には,さらに,手続上の違いが付随する。しかし,2000年代に納税義務者の便宜(納税義務者に《総合納付先》〔interlocuteur fiscal unique:IFU〕を保障すること)を考慮して,納税義務者の性質(業者または個人)に応じて上記2系統の租税徴収機構の間で権限の再配分さらには共通化が行われたため,行政的基準による区別は学問的な意義を完全に失うこととなった。

Impôt négatif sur le revenu [財政] **負の所得税** 特にアメリカ合衆国およびイギリスで提案された社会的所得移転制度。それによれば,扶

養家族に応じて設定された一定の所得以下の個人は，所得税を課されないだけでなく，国の金銭的援助をも受ける。

Impôt sur le revenu 財政 **所得税** 自然人の所得に対する唯一の租税で，夫婦およびその被扶養子〔►Enfant à charge〕をひとまとまりとする課税世帯の所得総額に対して累進税率表に従って課される。扶養家族は，家族係数〔►Quotient familial〕，課税所得に対する定額控除，扶養定期金の控除（上限が設定されている）等を通じて考慮される。若干の所得は比例税率に基づく課税を享受する。
▷租税一般法典1条以下
►Contribution sociale généralisée (CSG)〔社会保障一般税〕

Impôt sur les sociétés 財政 **法人税** 会社およびその他の法人の利益に対する租税について一般的に使われる呼称。主として物的会社の利益に課税する。法人税は，主税総局の会計官によって通常33.33パーセントの税率で徴収される。

人的会社の利益については，その社員個人に還元された利益に対し，各社員が支払うべき所得税〔►Impôt sur le revenu〕として直接課税される。
▷租税一般法典205条以下および1668条
►Transparence fiscale〔税法上の法人格の否認〕

Impôt de solidarité sur la fortune 財政 **連帯富裕税** 資産に対する年度課税で，資産の市場価値から債務を差し引いた価値に対して，その価値が76万ユーロを超えた場合に0.55パーセントから1.80パーセント（1581万ユーロを超えた場合）の税率で課税される（いずれも2007年時点の数値。これらの数値は，所得税の税率表の第1区分の上限値の変動と同じ割合で毎年改定される）。特に，事業用資産，美術品，および，一定の条件下で会社の持分または株式は課税を免除される。
▷租税一般法典885条A以下

Imprescriptibilité 民法 **不可時効消滅性**
►Prescription civile〔民事時効〕

Imprévisibilité 民法 **不予見性** 善良な家父の予見を越えていること。不予見性は，不可抗性〔irrésistibilité〕と外在性〔extériorité〕とともに，不可抗力の事態〔événement de force majeure〕の要素をなす。この不可抗力の事態から，契約上の義務の消滅および不法行為上の損害賠償責任の免除が導かれる。

►Cas fortuit〔不可抗力；内因的不可抗力〕
►Cause étrangère〔外在的事由〕►Force majeure〔不可抗力；外因的不可抗力〕

Imprévision (Théorie) 行政 **不予見（理論）** 行政法固有の理論であり，行政判例により，公役務に必要とされる継続性から引き出されている。

この理論によって，行政契約の相手方は，両当事者にとって無関係で予見し得ない出来事の発生が給付の原価を大混乱させた場合，行政庁に対して自らが被った損害の部分的補償を要求することができる。

民法 **不予見（理論）** 合意の締結時に合理的に予見不可能であった出来事の結果として履行時の状況が著しく当事者の一方にとって不利に変化した契約の均衡を，裁判官が回復させなければならないという理論。

この理論は，原則として，行政系統の裁判所によっては認められているが，司法系統の裁判所によっては，法文がこの修正を許している場合を除き，排斥されている。
►《Rebus sic stantibus》(Clause)〔事情不変更（条項）〕

Impuberté 民法 **婚姻不適齢** 婚姻をなすのに必要な年齢（18歳）に達していないという，人の状態。

婚姻不適齢者によってなされた婚姻は，絶対的無効により無効である。重大な事由のあるときは，共和国検事によって年齢の免除〔dispense d'âge〕が与えられることがある。
▷民法典144条，184条および185条

Imputabilité 刑法 **帰責性** 刑事責任の主観的根拠。弁別能力および自由意思に基づく。精神障害または神経性精神障害および強制は，したがって帰責不能事由，すなわち免責事由である。
▷刑法典122-1条および122-2条

Imputation 民法 **充当；控除；繰入れ** 多数の物（または価値）の一部のみを対象とする法的作用によって差し出された割当分を，量的または質的に決定すること。例えば，債務の部分的支払いにおいて，債権者に引き渡された額は，当初は利息に，次いで元本に充当される。
▷民法典1253条以下

《In abstracto》 一般 **抽象的な仕方で** 当該個人の固有の能力を考慮に入れずに，もっぱら，同様の状況下で用心深く慎重な人ならどう行動したかを基準に，行動を評価するという仕

方。善良な家父〔▶Bon père de famille〕を基準とすること。
▶In concreto〔具体的な仕方で〕

Inaliénabilité 民法 **不可譲渡性** 譲渡することができないという性質。

Inaliénabilité du domaine public 行政 **公産の不可譲渡性** 公物〔▶Dépendance (du domaine public)〕は，公用廃止措置を受けるまでは，第三者に譲渡されえないとする原則。
▷公法人財産一般法典L3111-1条

Inamovibilité 行政 **不可動性** 若干の司法官および官吏に認められている独立性の保障。それは，彼らの職務を終了させることを法的に不可能とするものではない。彼らを公役務から除外し，または異動させようとする行政庁に，懲戒に関する普通法を適用除外し，彼らを保護する手続きをとることを義務づけるものである。

Inamovibilité des magistrats 行訴 民訴 刑訴 **裁判官の不可動性** 裁判官の不可動性は，1958年の憲法典で再確認されたもので，停職，降格，異動（たとえ昇進の場合であっても），罷免というあらゆる恣意的な措置から裁判官を護るものである。裁判官の不可動性は，裁判官職の独立を保障することによって訴訟当事者を保護するために設けられている。検察官は不可動性を享受しない。また行政裁判所の司法官も不可動性を享受しない。ただし会計検査院および州会計検査院の裁判官は例外である。
▷憲法典64条

《In bonis》 商法 **財産管理権のある** 《自己の財産中に》というラテン語を起源とする。支払能力があり，なお自己の財産の管理者である債務者についていう。特に集団的手続きの枠内において，支払不能の状態にあり，財産管理権を剥奪されている債務者と対比される。

Incapable 民法 **無能力者** 無能力〔▶Incapacité〕とされている者をいう。

Incapacité 民法 **無能力** ある者が，法律によって一定の権利を享受または行使する権能を奪われている状態。

無能力であるとされている者が，その者が名義人である一定の権利を自分自身で，つまり単独で行使する資格がない場合を，行為無能力〔incapacité d'exercice〕という。無能力であるとされている者が1または複数の権利の名義人たりうる資格がない場合を，権利無能力〔incapacité de jouissance〕という。ただし，権利無能力がすべてに及ぶことはありえない。
▷民法典388条以下および488条以下（2009年1月1日より414条以下）

Incapacités et déchéances 刑法 **無能力および失権** 一定の重罪または軽罪について科される補充刑。私法上，公法上および家族法上の権利行使の禁止〔interdiction des droits civils, civiques et de famille〕を内容とする。
▷刑法典131-10条および131-26条

Incapacités électorales 憲法 **選挙欠格** 投票権の喪失をもたらす地位。
①*Incapacité intellectuelle* 知的欠格：禁治産者が該当する欠格。
②*Incapacité morale ou indignité* 道義的欠格：ある種の有罪判決を受けた個人が該当する欠格。

Incapacité permanente partielle (IPP) 民法 社保 **永続的一部労働不能** 人の被った身体的損害を評価するための要素。職業的活動を部分的に行うことができないことがこれにあたる。この永続的一部労働不能に対する補償は，1973年12月27日の法律第1200号以前は，さらに，傷の固定化以後の人的な性質を有する損害〔▶Préjudices de caractère personnel〕の部分の賠償を含んでいた。しかし，その法律以降，その人的な性質を有する損害は，傷の固定化以後の損害とは異なる賠償の対象となっている。

Incapacité temporaire de travail (ITT) 民法 社保 **一時的労働不能** ある者が，自己が被った身体的損害の結果，一定の期間，職業的活動を行うことができない状態。

Incarcération provisoire 刑訴 **仮収容** 最長4日の勾留措置で，勾留〔▶Détention provisoire〕審査部がただちには開かれないとき，または，予審対象者が自らの防禦を準備するための期間を要求するとき，予審判事によって言い渡されうる。
▷刑事手続法典145条

Incessibilité 民法 **不可譲渡性** ▶Cessibilité〔譲渡可能性〕

Inceste 民法 刑法 **近親相姦** 法律によって婚姻が禁止されている血族または姻族関係にある近親者間の肉体関係。
▶Filiation incestueuse〔近親姦生親子関係〕
刑法上は，近親相姦は，強姦，性的攻撃および性的侵害により15歳に達しない未成年者

を危険にさらすこと，の加重事情である。他方，近親相姦は，同じく性的侵害により15歳以上の未成年者を危険にさらすこと，の構成要素である。
▷民法典165条以下；刑法典222-22条以下および227-25条以下

Incidents du procès 〔民訴〕**訴訟上の付帯申立て** すでに開始されている訴訟手続きの途中で提起される申立てで，訴訟手続きの進行の中断または停止など（固有の意味での付帯申立て）の効果，あるいは，訴えの内容を変更する（付帯の訴え（請求））効果を生じさせる。

固有の意味での付帯申立ては，また，管轄，証拠調べ，訴訟手続きの適式性，延期の抗弁に関係する。付帯の訴え（請求）は，同一当事者間で新たな請求を提出すること，または，それまで訴訟外にあった者を訴訟に引き込むことを目的とする。
▷新民事手続法典50条，63条以下，367条以下および378条以下

《**In concreto**》 〔一般〕**具体的な仕方で** ある一定の状況下の人の行動を，用心深く慎重な人の標準的行動ならどうであったかを基準にせず，当人の固有の能力しか考慮に入れないで評価するという仕方。

▶《In abstracto》〔抽象的な仕方で〕

Incompatibilités 〔憲法〕**兼職禁止** 政治的職務を委任された者に対して，当該職務と，その遂行を危うくする可能性のある職務との兼職を禁止すること。

兼職禁止と被選挙欠格〔▶Inéligibilité〕を混同してはならない。すなわち，兼職禁止は，当選を無効にするのではなく，当選者に対して，当選した職務と，それと兼職できない職務との選択を義務づけるものである。

〔民訴〕**兼職禁止** 一定の裁判補助者すなわち，弁護士，裁判所補助吏，債務者側管理者〔administrateur judiciaire〕，企業の清算手続きにおける債権者側受任者〔mandataire liquidateur〕，専門家，法律助言士〔conseil juridique〕は，職業の正常な遂行を害することになる一定の活動をなすことを禁止されている。例えば，弁護士が有償労働または商業活動をなすことは禁止される。

血族関係または姻族関係を理由とする兼職禁止もある。例えば，配偶者，3親等までの血族および姻族は，免除の場合を除き，いかなる資格においてであれ，同時に同一の裁判所の構成員であることはできない。

▷司法組織法典L111-10条

Incompétence 〔訴訟〕**無権限；無管轄**
①無権限//公務員が，事物管轄上または土地管轄上権限を欠くこと。その公務員のなした行為の取消事由となる。例えば，市町村長は自己の市町村の境界外では無権限である。
②無管轄//裁判所が，訴訟手続開始の訴え，判断付託問題，付帯の訴えを審理する権能を欠くこと。

▶Compétence exclusive〔専属管轄〕

Incompétence d'attribution 〔民訴〕**事物無管轄**
訴えの性質または当事者の地位により，法律上，裁判所が訴えを審理する権能を欠くこと。この攻撃防禦方法は，無管轄の抗弁という形式で，当事者によって常に提起されることができる。無管轄の抗弁は，理由を付され，訴えが提起されるべき裁判所を示し，かつ訴訟の初めに〔in limine litis〕提出されなければならない。

受訴裁判所は，無管轄を職権で指摘する権能を有する。ただし，それは非常に限られた場合である。第一審裁判所の裁判官は，違反された規定が公序に属するものであるとき，または，被告が出頭しないときでなければ，職権で無管轄を指摘することができない。破毀院および控訴院は，事件が行政裁判所もしくは刑事裁判所に属する場合，または，フランスの裁判所の審理を免れる場合でなければ，職権で無管轄を指摘することができない。
▷新民事手続法典75条および92条

Incompétence territoriale 〔民訴〕**土地無管轄**
係争の配分についての地理上の基準を誤ったことにより，法律上，裁判所が事件を審理する権能を欠くこと。非訟事件においては，裁判官は常に土地無管轄を職権で指摘することができる。これに対し，訴訟事件においては，人の身分に関する訴訟，法律が他の裁判所に専属管轄を付与している場合，被告が出頭しない場合でなければこの権限は裁判官に与えられない。

土地管轄を争う当事者は，事物管轄の無管轄の抗弁の場合と同じ方法で行わなければならない。
▷新民事手続法典75条および93条

Incorporel 〔民法〕**無体の** ▶Bien incorporel〔無体財産〕

Incrimination 〔刑法〕**法律による犯罪の定義；犯罪類型** 法律または行政立法により犯罪を定義すること。

Inculpation 刑訴 予審開始決定 ▶Mise en examen〔予審開始決定〕

Inculpation tardive 刑訴 予審開始決定遅滞 ▶Mise en examen tardive〔予審開始決定遅滞〕

Indemnité 民法 賠償金；補償金　損害を賠償するための金銭，または，弁済者が負担しているわけではない出費を償還するための金銭。
▶《Solvens》〔弁済者〕

労働 補償金

Indemnité de clientèle　顧客拡大補償金：解雇される商業代理人〔représentant de commerce〕に対し，その活動によって顧客をもたらし，開拓し，または増大させたことに報いるために，使用者が，非行を犯していないことを条件として，支払う補償金。
▷労働法典L751-9条

Indemnité compensatrice de congés payés　有給休暇相殺補償金：年次休暇前にまたはすべては取得せずに企業を離れる労働者に対し，使用者が支払う補償金。
▷労働法典L223-14条

Indemnité de congés payés　有給休暇補償金：労働者が年次休暇の間に受け取る賃金に代わる金銭。この補償金は，賃金としての法的性質をもつ。
▷労働法典L223-11条

Indemnité de licenciement　解雇補償金：当該企業において一定の勤続年数に達している労働者が解雇される場合に，重い非行を犯していないことを条件として，その労働者に支払われる補償金。補償金は，勤続年数に応じて算定される。
▷労働法典L122-9条以下

Indemnité compensatrice du délai-congé　解雇予告補償金：解雇予告期間の不遵守について支払われる補償金。indemnité de préavisともいう。
▷労働法典L122-8条

Indemnité de rupture abusive　濫用的破棄補償金：労働契約の濫用的破棄の被害者に支払われる損害賠償金。
▷労働法典L122-14-4条以下

社保 休業補償手当

Indemnités journalières　休業補償手当：疾病保険または労災保険の金銭給付であって，労働者に対し労働不能期間中，賃金の代わりとして支払われる。
▷社会保障法典L323-1条，L331-3条およびL431-1条

Indemnité de caractère personnel 民法 社保 人的な性質を有する損害に対する補償金　人的な性質を有する損害〔▶Préjudices de caractère personnel〕を補塡するための補償金。
▷社会保障法典L452-3条

Indemnité d'éviction 商法 追奪補償金　賃貸人が取戻権〔droit de reprise〕を援用できないにもかかわらず，商事賃貸借の更新が拒絶された場合に，その賃借人が請求できる補償金。

　この補償金は，立法者の指示するところに従い裁判所がこれを評価し，きわめて高額に及ぶ場合もある。この支払いの脅威は，商事賃貸借契約の更新を強く促進している。
▶Reprise（Droit de）〔取戻し(権)〕

Indemnité parlementaire 憲法 議員歳費　すべての市民が自由に国会議員選挙に立候補し，他方，すべての当選人が職務を自由に行使することができるように，国会議員に支給される金銭。

Indemnité de résidence 行政 住宅手当
▶Traitement budgétaire〔本俸〕

Indexation 民法 商法 指数スライド方式　支払時に経済または貨幣に関する指数に応じて金額が修正されるという，継続的履行の合意または後履行の合意に付される条項。
▷通貨金融法典L112-1条以下
▶Clause d'échelle mobile〔スライディング・スケール条項〕▶Échelle mobile des salaires〔賃金スライド制〕

財政 物価スライド方式　公債の発行を容易にするために，貨幣価値の下落に対して債権者に保証を与える手続きで，利息または元本の額を物価の通常の変動に従うとみなされる財またはサーヴィスに連動させるもの。

Indication de paiement 民法 一部弁済の記載　債務者がすでに一部弁済した旨の記載。この記載は，債権者が，あるいは自らがいまだ所持している債権証書に，あるいは債務者が所持している債権証書の複本または受領証書になす。この複本または受領証書は，日付も署名も欠いている場合でも債権者に対して証拠となる。
▷民法典1332条

Indication de provenance 商法 原産地表示　製品の原産地を示す地理的な表示で，顧客の意識においては，品質の一部としてとらえら

れているもの。

Indice 財政 **指数** 経済の分野において経済量の変動を測定するために用いられる数値。
►Indexation〔指数スライド方式〕

Indice de traitement 行政 **俸給指数** 公務員の本俸は、その指数に指数1ポイントの価値〔point d'indice〕（指数100に対応する俸給額の100分の1）を乗ずることによって決定される。最も高い俸給に関しては、数値による指数の格付けの上に、《文字による格付け》〔échelles-lettres〕が設定されている。俸給指数は、若干のカテゴリーに属する公務員については、《改善される》、すなわち引き上げられることがある。

Indices 民法 訴訟 **徴憑** 直接証明することが不可能な、争いのある事実の存在を、帰納的な推論によって立証するための既知事実の総体。

Indignité successorale 民法 **相続欠格** 法律によって限定的に定められている重大な非行を犯した相続人に課される失権〔déchéance〕をいう。法律上当然にであれ（民法典726条の場合）、大審裁判所の認定に基づく場合であれ（民法典727条の場合）、相続欠格は、欠格事由にあたる行為を受けた者の《無遺言》相続〔succession《ab intestat》〕から欠格者を排除する。
▷民法典726条以下
►Ingratitude〔忘恩〕

Indisponibilité 民法 **不可処分性** ある物、権利または訴権が、それを処分する権利が否定または制限されることによって、個人の意思の自由な支配から免れている状態をいう。例えば、財産の差押えは所有権者からその物を譲渡する権利を奪い、身分訴訟は取引の対象とならない。

Indivisibilité 民法 **不可分性** 主に、債務の目的の性質または当事者の意思を理由として部分的な履行ができない債務についていわれる。
▷民法典1217条以下

刑訴 **不可分性** 関連性〔►Connexité〕といった、より広範な場合に明らかには抵触しない限りで、犯罪間の一体的関係ゆえに管轄権限の延長が判例上定められている場合。したがって同時に、同一の場所において、同一の動機、同一の原因から生じた犯罪には不可分性がある。

民訴 **不可分性** 法的状態すなわち訴訟の目的が複数の者に関係するため、手続きおよび判決がすべての当事者に影響を与えずにはその法的状態を判断することができないときに、不可分性が存在する。

不可分性は強度の関連性〔►Connexité〕であり、主として管轄権限、不服申立ての方法の行使および効果にその影響を及ぼす。
▷新民事手続法典529条、552条、562条、584条、591条、615条および624条

Indivision 民法 **不分割** 複数の者（共同不分割権利者〔coïndivisaire〕）によって同一の財産または同一の財産体に対して行使される同じ性質の権利が、持分の物理的な分離がなされずに、競合していることによって特徴づけられる、法律または当事者の合意から生ずる法的状態。
▷民法典815条以下および1873-1条以下

Indu 民法 **非債（弁済）** ►Répétition de l'indu〔非債弁済の返還〕

《In dubio pro reo》 刑訴 **疑わしきは被告人の利益に** 刑法の格言。

Inéligibilité 憲法 **被選挙欠格** 被選挙資格のない地位。
　①*Inéligibilité absolue* 絶対的被選挙欠格：全選挙区で被選挙欠格が生じている地位（例えば、ある種の有罪判決を受けたこと、メディアトゥールの職に就いていること）。
　②*Inéligibilité relative* 相対的被選挙欠格：いくつかの選挙区においてだけ被選挙欠格が生じている地位（権力行為を行う公務員は、職務管轄地域では被選挙権がない）。

Inexistence 行政 **不存在** 行政法においては、裁判官は《法文なくして無効なし》という民法の原則に拘束されないため、不存在の理論の主たる実益は訴訟において現れる。

この理論は、とりわけ著しく重大な違法性が存在するとき、その行政行為の違法性を制裁する目的で、出訴期間に関する通常の規範および司法裁判官の管轄権限の制限に関する規範を緩和するために援用される。

民法 **不存在** 不可欠な要素（例：同意）を欠く法律行為は、いかなる法文もそれを定めていなくとも、また、それを確認するための裁判所の判決を必要とすることなく、あらゆる者にとって効力のないものとされなければならないという理論。
►Nullité〔無効〕

民訴 **不存在** 不存在の制裁は民事手続きにおいて有用なものとなりうる。それは、あまりにも形式を無視しているので手続行為の名

231

に値しないようなもの，または虚偽の裁判所によって形式を踏まずになされた判決と言われているものに関する場合である．不存在は，言い渡されず認定されるだけである．なぜなら，破壊すべき外観上の適式性が存在しないからである．

《In extenso》(en entier)　一般　すべてにわたって　証書を全部かつ正確に再録すること．抄本は全部を再録したものではない．

《Infans conceptus pro nato habetur quoties de commodis ejus agitur》　民法　胎児はその利益が問題となるたびごとに，生まれたものとみなされる　懐胎中の子も，その利益となる場合にはつねに，生まれたものとみなされる．
▷民法典312条以下

Infanticide　刑法　嬰児殺　新生児を対象とする故殺．刑法典改正以前は独立の犯罪とされていた．今日，嬰児殺は，15歳を下回る未成年者を対象とする故殺という，より一般的な加重事情の一部となっている．
▷刑法典221-4条1項1号

Infection nosocomiale　民法　院内感染　病院に滞在した際または医師の診察室を訪れた際に病気を移されること．国民連帯の名目で補償の対象とされる．
▶Aléa thérapeutique〔治療上の偶発的リスク〕▶Risques sanitaires〔保健衛生上のリスク〕

Infiltration　刑訴　潜入捜査　犯罪事実の立証の態様．公務員(司法警察職員または税関職員)が，重罪または軽罪を犯したと疑われる者に対し共同正犯，共犯または隠匿者を装って，それらの者を監視することを内容とする．その実施は，共和国検事の許可または共和国検事の意見を聴いた後の受訴予審判事の許可に服する．潜入捜査は，法律がそれを認めている重罪および軽罪(組織犯罪など)に限られる．
▷刑事手続法典706-81条以下

Infirmation　訴訟　(原判決)取消し　第二審裁判所による，原審の裁判の全面的取消し．
▶Confirmation〔(原判決)維持〕▶Réformation〔(原判決)変更〕

Inflation　財政　インフレーション　物価の継続的上昇に伴ってその分通貨単位の購買力が低下するという経済および通貨の不均衡状態．物価上昇のスピードがきわめて速い場合は《ギャロッピング・インフレーション》〔inflation galopante〕という．

▶Stagflation〔スタグフレーション〕

Information　刑訴　予審；証拠調べ　▶Instruction〔予審〕

Informatique juridique　一般　法情報システム　法情報に関するさまざまなデータを記憶させ，利用することを可能にする現代技術を法分野に応用したもの．
▶Banques de données juridiques〔法律データバンク〕▶Fichiers〔情報ファイル〕▶Nomenclature juridique〔法律用語便覧〕▶Thesaurus〔同義語辞典；シソーラス〕

《Infra petita》　民訴　請求の一部を落として　ラテン語で請求に達しないという意味．請求の項目すべてについては裁判しなかったとき，裁判所は《請求の一部を落として》〔infra petita〕裁判したという．
▷新民事手続法典5条および463条
▶《Ultra petita》〔請求の範囲をこえて〕

Infraction　刑法　犯罪　法律による犯罪の定義規定によって厳格に定められた行為規範を侵害する作為または不作為．行為者の刑事責任を導く．法文の定める刑罰に応じて，重罪，軽罪または違警罪を構成する．
▷刑事手続法典706-73条および706-81条以下；関税法典67条の2

Infraction complexe　刑法　複数行為犯　異なる性質を有する複数の行為を通じて実現する犯罪．例えば，詐欺罪が客観的に実現されるためには欺罔行為ならびに財物の交付または役務の提供を前提とする．

Infraction continue　刑法　継続犯　その実現が時間的に継続することのある犯罪．例えば，盗品の隠匿は財物の所持が続くかぎり実現されている．

Infraction continuée　刑法　連続犯　同一の犯罪計画に基づいて継続的に行われる同じ性質をもつ犯罪行為(例：窃盗罪)の総体を示すために学説により提示された呼称．

Infraction formelle　刑法　形式犯　法律による犯罪の定義が当初予測していた結果を含まず実現する犯罪．例えば，毒殺の重罪は，予測結果は被害者の死であるが，法的には，致死性の物質の投与だけで，死の実現いかんにかかわらず既遂となる．

Infraction d'habitude　刑法　慣習犯　同一の性質を有する複数の行為を通じて実現する犯罪．したがって，慣習犯に対応する犯罪は，単独の行為ではなくその反復に結びつけられている．例えば，医療業務の違法な実施．

Infraction impossible 刑法 **不能犯** 結果の不発生が，客観的に不可能であることに起因する，犯罪として処罰される未遂。例えば，すでに死亡している者を《殺害する》行為。

Infraction instantanée 刑法 **即成犯** その実現が時間的に継続することのない犯罪。例えば，窃盗は窃取の対象である物の奪取という行為自体によって即座に実現される。

Infraction intentionnelle 刑法 **故意犯** 保護されている社会的価値に敵意をもつ行為者により実行された犯罪。刑法典においては，すべての重罪は故意犯である。軽罪は，故意によらないこと〔non-intention〕が明示されていない場合にのみ故意犯となる。
▷刑法典121-3条
▶Délit non intentionnel〔故意によらない犯罪〕

Infraction internationale 刑法 **国際犯罪** 国際公法の規範に違反し，国際規範に基づいて処罰される（国家が他の国家に対して行う）違法な行為。

慣例上，国際犯罪は3つの類型に区別される。すなわち，平和に対する犯罪（紛争を発生させる可能性のある不法な行為，例えば侵略戦争），戦争犯罪（交戦法規および戦時慣習法に違反する行為），人道に対する罪〔▶Crime contre l'humanité〕。

Infraction militaire 刑法 **軍事犯罪** 狭義では，軍事裁判法典〔code de justice militaire〕に規定され，それゆえに軍隊以外では想定されえない義務違反または軍規違反（原隊復帰命令不服従，脱走）。広義では，軍隊においては特別の重大性があるために，軍事裁判法典によってより厳しい制裁が科せられている普通法上の一定の犯罪も含む（上官に対する暴力行為）。

Infraction naturelle, Infraction artificielle 刑法 **自然犯，法定犯** この区別によれば（ただし争いはあるが），自然犯とは，その非難が社会的意識から生じ，いかなる時代にもいかなる場所でも尊重される上位の道徳原理への違反であり，事実上制裁せずにいることが不可能である犯罪類型のことである。一方，法定犯とは，道徳規範にはっきり依拠するわけではなく，さまざまな（例えば経済的な）出来事に応じて，したがってしばしば実定法の体系に固有の出来事に応じて特定の社会秩序を形成または修正するために立法者がきわめて自由に規定する犯罪類型のことである。

Infraction obstacle 刑法 **危険犯** それだけでは社会秩序に対する侵害を引き起こさないにもかかわらず，危険であり，犯罪性の徴表となるがゆえに社会的予防の目的から犯罪とされる行動。

Infraction permanente 刑法 **状態犯** 時間的に継続する効果を生ずる即成犯（例えば，重婚，禁じられた場所でのポスター貼付など）。学説上，この犯罪がただちに実現する点に基づくというより，その犯罪の効果が継続する点に基づいて処罰することの適不適が問われたことがある。しかし，この提案は判例上も法律上もいまだ認められていない。

Infraction politique 刑法 **政治犯罪** 客観説によれば，政治的性質をもつ利益または権利を直接に侵害するすべての行為。例えば，国家の存立または国家機構に対する侵害。すなわち，政治に関わる刑法上の保護法益（例えば，憲法上の権力作用）を侵害する場合のすべての行為。主観説によれば，政治的性質をもつ利益および権利を脅かす動機があれば，すべての犯罪が政治犯罪とされる可能性がある。主観説では，政治目的で行われた個人の利益を侵害する犯罪を複合犯と呼び，政治犯罪と因果関係のある普通法上の不正を関連犯と呼ぶ。

Infraction praeterintentionnelle 刑法 **結果的加重犯** その結果が行為者の意思を超えたものと法律がみなしている故意犯。例えば，故意による傷害が意図せずして死を引き起こした場合，刑法典はこれを重罪とするが（刑法典222-7条），故殺の故意に対応するのより軽い性質決定がなされる。
▶Dol〔故意〕

Infraction purement matérielle 刑法 **純客観犯罪；無過失責任の犯罪** 行為者の有責性を論ずるには及ばない犯罪。刑事責任は行為の客観性のみに結びつけられている。違警罪はその祖型である。

Infraction putative 刑法 **幻覚犯** 法律または行政立法が犯罪として定義していないため，それを遂行していると信じている者の頭の中にだけ存在する犯罪。罪刑法定主義の適用により，このような作為または不作為は処罰されない。

《In futurum》 民法 民訴 **将来のための** 特に証明に関して，将来訴訟が生じたときに役立たせるために，訴訟に先立って証拠調べを行うことを指すために用いられる。

法律は，現に，本案についての訴訟がないにもかかわらず，後の係争の解決を左右すると思われる証拠の保全または立証に必要な証拠調べを裁判官が命じることを認めている。例：enquête in futurum〔将来のための証人尋問〕，expertise in futurum〔将来のための鑑定〕。
▶Mesures d'instruction〔証拠調べ〕

Ingénierie 商法 経営エンジニアリング 一方の契約当事者である経営エンジニアが，報酬を得て，他方の契約当事者である注文者の計算で，事業単位の設立について詳細な計画書を作成する義務を負い（コンサルティング・エンジニアリング），ときにはその計画を実現する義務を負う（営業エンジニアリング）ことを内容とする契約。

Ingérence humanitaire 国公 人道的干渉
▶Droit d'ingérence humanitaire〔人道的干渉の権利〕▶Non-ingérence (Principe de)〔内政不干渉の原則〕

Ingratitude 民法 忘恩 受恵者が，処分者の生命を侵害し，または，処分者に対する虐待，犯罪または重大な侮辱について有罪とされ，または，処分者に扶養料を支払うことを拒否するときに認められる，無償譲与の撤回原因。
▷民法典995条以下および1046条
▶Indignité successorale〔相続欠格〕

Initiative législative 憲法 法律案提出権 国会議員または政府に（またはその両者に競合的に）認められる，法律案（国会議員によるproposition de loi〔議員提出法律案〕または政府によるprojet de loi〔政府提出法律案〕）を提出する権限。

Initiative populaire 憲法 国民発案 国民に，一定数の署名を集めた請願の形式で，法律案を議会に付託することを認める半直接民主制の一手段。議会は，この法律案の審議を義務づけられる（法律案が直接に国民の投票に付託されるという別の形態もある）。

Injonction 行政 命令 裁判官が公法人に対して出す作為命令。
　権力分立の原則によって，すべての裁判所は，行政庁に対して命令を出すことを禁じられている。ただし，罰金強制〔▶Astreinte〕および暴力行為〔▶Voie de fait〕の場合はその限りではない。対照的に，共和国行政斡旋官〔▶Médiateur de la République〕は，裁判所の判決の履行を確保させるために，行政庁に対して命令を出すことができる。1995年2月に，それと同様の権限が行政裁判所に付与された。

　民訴 命令 一方当事者の申請により，他方当事者または一定の場合には第三者に対して裁判官がなす，証拠または文書を裁判上提出することを内容とする命令。この権限は，すべての裁判官に認められている。罰金強制〔▶Astreinte〕によってこの命令の履行を確保することができる。
　準備手続裁判官は，この一般的権限の他に，弁護士に対して（控訴院においては代訴士に対して）申立趣意書の交換および書証の伝達を期間内になすよう命じることができる。
▶Action《ad exhibendum》〔証拠提出訴権；証拠提出の訴え〕

Injonction de faire 民訴 履行命令 債務について実質的に争いがない場合に，急速審理裁判官から，物の引渡し，財産の返還，役務の提供等の，なす債務本体の履行の命令を得る手続き。小審裁判所の裁判官または直近裁判所の裁判官からは（その事物管轄の限度内で），簡易手続きにより履行命令を得ることができる。その場合は，債務は，すべての者が商人としてではなく締結した契約から生じたものでなくてはならない。
▷新民事手続法典1425-1条以下

Injonction de payer 民訴 支払命令 直近裁判所裁判官，小審裁判所裁判官または商事裁判所所長から支払命令を得ることによって，民事または商事の確定債権の取立てを追行することを可能とするきわめて簡易な手続き。この支払命令は，異議の申立てがない場合は執行力を有する。ヨーロッパ連合加盟国間の訴訟については，2006年12月12日の規則（2008年12月12日適用）により，手続きの調和がはかられている。
▷新民事手続法典1405条以下；司法組織法典R321-3条

《In judicando》 民訴 判決における 手続きに関してではなく，本案に関する判断における，ということ。誤った判断に関するもので，法律に関する誤りの場合と，事実に関する誤りの場合がある。前者は，法律の誤った解釈であり，破毀申立ての事由となる。後者は，事件の事実関係の不正確な評価から生じ，控訴および再審の申立ての事由となる。
▷新民事手続法典542条および604条
▶《In procedendo》〔手続きにおける〕

Injure 民法 侮辱 人の感情を害すること。

夫婦間においては，侮辱は，もはや特別の離婚原因ではないが，共同生活の維持を耐え難いものにする婚姻上の義務の重大なまたは度重なる違反として，《有責離婚》〔divorce pour faute〕の請求事由となりうる（民法典242条）。

贈与者と受贈者の間においては，侮辱は，贈与の撤回をもたらしうる忘恩〔ingratitude〕の一事例である（民法典955条）。

[刑法] 侮辱　事実を摘示することなく行われるあらゆる侮蔑的表現，軽蔑の言葉または罵言。挑発によらない限り，公然とされた場合は軽罪となり，公然でない場合は違警罪となる。
▷1881年7月29日の法律29条2項および33条；刑法典R621-2条

《In limine litis》 [民訴] 訴訟の初めに　訴訟の初めにとは，訴訟手続きにおいて両当事者の本案に関する申立趣意書の提出によって訴訟関係が確定する以前に，の意である。
►Liaison de l'instance〔訴訟関係の確定〕

《In mitius》 [刑法] 軽減的　►Rétroactivité《in mitius》〔軽い新法の遡及〕

Inopérant [行政] 主張上無効な　►Moyens inopérants〔主張上の無効理由〕

Inopposabilité [民法][民訴] 対抗不能　法律行為に関して，その有効性には問題がないが，第三者がその効果を無視することができることをいう。

《In pari causa, melior est causa possidentis》 [民法] 同等の主張の場合には占有者の主張が優先する　ラテン語の格言。
訴訟当事者のいずれもが証明することができないときには，係争物の占有を保持する者が優先する。

《In procedendo》 [民訴] 手続きにおける　手続上の瑕疵に関する。手続上の瑕疵とは，手続違反および期間の不遵守であり，当事者は，抗弁または訴訟不受理事由の提出によりそれを指摘することができる。これはまた，控訴および破棄申立ての事由となる。
▷新民事手続法典542条および604条
►《In judicando》〔判決における〕

Inquisitoire（Procédure） [訴訟] 職権主義的（手続き）；糾問主義的（手続き）　►Procédure inquisitoire〔職権主義的手続き；糾問主義的手続き〕

Insaisissabilité [民法][民訴] 差押禁止　個人，その家族または公序のために，差し押さえられない，すなわち，裁判所の管理下に置かれないという性質。
►Biens insaisissables〔差押禁止財産〕

[行政] 差押禁止　破毀院は，公法人〔►Personne publique〕のあらゆる性質の財産の差押禁止を，法の一般原則であるとしている。公法人が商工業活動を行っている場合も同様である。とりわけ公法人に対してなされた判決について，公法人の債権者の正当な利益を保護するため，法文は，ときに《行政上の強制執行》〔voie d'exécution administrative〕と呼ばれる弥縫策を導入している。
▷公法人財産一般法典2311-1条

[労働] 差押禁止　賃金は，扶養的性格を有しているので，部分的に差押えが禁止されている。
▷労働法典L145-2条以下およびR145-1条以下

Inscription [民法] 登記；登録　不動産または一定の動産に関する一定の証書の公示がなされる手続き（例：抵当権登記）。
▷民法典2426条以下

Inscription au rôle [民訴] 事件簿への登載
►Mise au rôle〔事件簿への登載〕►Répertoire général〔事件簿〕

Inscription de faux [民訴] 公署証書偽造の申立て　主たる申立てとしてまたは付帯の申立てとして提起される裁判上の訴えで，公署証書についてなされる。その公署証書が，虚偽の表示によって変造，修正，補足がなされたこと，さらには捏造がなされたことを証明することを目的とする。
▷新民事手続法典306条および314条
►Faux〔偽造の申立て〕

Inscription maritime [海法] 船員登録機関　船員の登録管理を任務とする行政機関。

Inscription d'office [行政] 職権計上　法文により，適法性の監督〔►Légalité（Contrôle de）〕または財政監督〔►Contrôle budgétaire〕の任にあたる国家機関に認められた権限。この権限に基づき，このような国家機関は，公的機関または地方公共団体の議決機関が事務的経費に十分な財政を与えることを拒否する場合には，これら公法人の財政に義務的経費〔dépenses obligatoires〕を自ら計上しまたは計上させることができる。

Insinuation [民法] 贈与登録　民法典の公布前における，裁判所の書記課に設置されていた登記簿への贈与の公示方法。
現在，この贈与の公示は，抵当権保存所に

証書を寄託し，不動産票函上に抄本を謄記することによって行われる。

《In solidum》 [民法] **連帯して** ►Obligation 《in solidum》〔全部義務〕

Insolvabilité [刑法] **支払判決妨害罪** 人が自己の債務を弁済できなくすること。

債務者が，刑事裁判所によって言い渡された金銭支払いを命じる判決，または民事裁判所によって言い渡された不法行為，準不法行為もしくは扶養料に関する金銭支払いを命じる判決の執行を免れるために，自己の財産体の消極財産を増加させもしくは積極財産を減少させ，収入の全部または一部を減少させもしくは隠匿し，または若干の財産を隠匿することによって支払不能を作り出しまたは悪化させることは，債務存在確認判決の前であっても軽罪となる。

刑事事件について，または，不法行為もしくは準不法行為について言い渡された有責判決から生ずる金銭債務を免れるために，同様の条件で法人の支払不能を作り出しまたは悪化させた法人の法律上または事実上の指揮者も同様の責任を負う。

▷刑法典314-7条以下

►Rétablissement personnel (Procédure de)〔個人更生（手続き）〕►Surendettement〔過剰債務；個人破産（制度）〕

Inspection des Finances [財政] **財政監察職団** 最初は，文官であるすべての公会計官を監督する権限を有する大蔵大臣直属の高等監察職団であったが，その権限は拡大し，次席支払命令官〔►Ordonnateur〕（例えば県知事〔►Préfet〕）の職務執行に対する監査も行っている。さらに大蔵大臣の後見監督に服するすべての組織または公の補助金の受給機関の公金管理に対する監督をも行っている。

さらに，その構成員が省庁または半公共的組織のなかで多数の上級管理職を占めるゆえに，この職団は，国の主要な行動に対して少なからざる影響力を及ぼしている。

Inspection du travail [労働] **労働監督官** 労働および雇用に関する法制度の適用を監督することを任務とする公務員の職団。

▷労働法典L611-1条以下およびR611-1条以下

Installations classées [行政] **特定施設** 建設現場，工場，事業所のような，相隣関係上の生活利益，公共の安全もしくは公衆衛生，環境もしくは歴史的記念物および景勝地の保護にとって危険をもたらしうる性質を有する施設。この施設の設置には，許可もしくは届出が必要であり，この施設は当該施設に適用される諸規範の遵守を統制するために監督される。

[農事] **特定施設** 職業活動，とりわけ農業活動の結果生じるニューサンスは，特定汚染施設が先に存在し（先住理論〔théorie de la pré-occupation〕），または操業に関する規制的許可に合致する限り，損害賠償請求権を導くものではない。

▷建設・住居法典L112-16条

Instance [民訴] **訴訟手続き** instanceとは，裁判上の訴えから判決までの，一連の手続上の行為を意味する。

その開始は訴訟当事者間に特別の法的関係，つまり訴訟手続関係〔lien d'instance〕を生じさせる。不服申立ては，故障の申立てを除き，新たな訴訟手続きを生じさせる。

Instances [一般] **（権限を有する）機関** 明確な内容をもたない用語であり，ある事案を審理する権限を有する（一般には）公的な機関を指すためにときおり用いられることがある。例えば，この意味で，《権限を有する機関〔instances〕に申し立てる》という。

Instigation [刑法] **教唆** 贈与，約束，脅迫，命令，権威または権限の濫用を通じて，犯罪を実行するようそそのかしまたは犯罪実行のための指示を与えることからなる共犯の一形態。

ときに，教唆は，それ自体として処罰される独立の犯罪とされることがある。この場合，教唆は共犯理論にはもはや従属しない，すなわち主たる可罰的行為〔fait principal punissable〕にはもはや従属しない。その場合，教唆者は，犯罪の主観的〔moral ou intellectuel〕行為者となる。

▷刑法典121-7条

Institut d'émission [財政] **発券銀行** フランス銀行〔►Banque de France〕の同義語。

Institut national de la propriété industrielle [商法] **工業所有権局** 発明特許を交付し，これを保護し，商標・意匠の出願を受理し，ならびにこれらの権利を対象とする法律行為を公告することを主たる役割とする公施設法人で，産業省に所属する。工業所有権局（INPI）は商業・会社登記簿〔►Registre du commerce et des sociétés〕の管理も行う。

▷知的所有権法典L411-1条

Institut national du travail, de l'emploi et de la formation professionnelle [労働] **国立労働**

雇用職業教育院　労働監督官を養成する教育機関。リヨン近郊のマルシー・レトワールに設置されている。労働省の一部局を構成する。

Institut régional d'Administration (IRA) 行政 **地方行政学院**　一般行政職を任務とするカテゴリーAの官吏を採用し、養成する任にあたる公施設法人。2つの競争試験があり、ひとつはすでに官吏である志願者を対象とし、もうひとつは学生を対象とする。この競争試験の準備は、特に、高等教育機関に付属した一般行政職受験準備センター〔Centres de préparation à l'administration générale (CPAG)〕でなされる。そこでは、他の行政職の試験の準備もなされる。

Institution 一般 **制度**
①一般的な意味では、きわめて多様な、現実に存在するものであるが、人間の創造し組織化しようとする意思の表明であるという考えによって特徴づけられるものを意味するためにしばしば用いられる用語。通常、次のように区別される。
　institutions-organes〔組織体としての制度〕とは、国会または家族のように、その地位と運営が法によって定められている組織体のことである。
　institutions-mécanismes〔メカニズムとしての制度〕とは、解散権、婚姻または民事責任のような、組織体としての制度または一定の法的地位を定める規範群のことである。
②オーリウの法理論の基本概念。社会的組織体と定義されている。その組織体は、ある権力によって創設され、その組織体の権威および存続期間が、その組織体の実現する基本的理念を集団の構成員の多数が受け入れることに基づいており、その組織体は、力の均衡すなわち権力分離に基礎を置いている。相対立する利益を整序してひとつに表明することを保障することにより、この組織体は社会的平和状態を保障する。この社会的平和は、その組織体が構成員に課する強制の代償である。この意味において、制度とは先に定義した組織体としての制度の一部に相当する。

Institution contractuelle 民法 **契約による相続人指定**　donation de biens à venir〔将来財産の贈与〕とも呼ばれる。これは、ある者（指定人〔instituant〕）が他の者（指定相続人〔institué〕）に対して、死亡の際にその相続財産の全部または一部を与えることを約する契約である。これは、夫婦財産契約（第三者により将来の夫婦のためになされるか、または将来の夫婦間でなされる）または夫婦間の契約（婚姻中になされる）において、法律により例外的に認められている、将来の相続財産に関する合意〔►Pacte sur succession future〕である。
▷民法典1082条以下

Institutions financières spécialisées (IFS) 財政 **専門金融機関**　金融機関の特殊なカテゴリーであり、その内容は一様ではない。国は公益に関わる恒常的任務を専門金融機関に委ねたので、これらの機関は、原則として、その任務と関係がない業務を行うことはできない。1990年代には、以前からの景気後退と、銀行業の規制撤廃に起因するその任務の減少のため、多くのIFSが深刻な危機に瀕した。IFSの例として、フランス不動産銀行〔Crédit foncier de France〕、州開発公社〔Sociétés de développement régional〕を挙げることができる。

Institutions de prévoyance 社保 **相互扶助組織**　経済活動を行うが、商業的性格をもたない私法上の法人。この経済活動は加入者（企業）と補足制度加入者〔participant〕（被保険者）おのおのの同数の構成員によって管理される。相互扶助組織は、労働協約もしくは集団協定を基盤として、または企業の枠内で組織された全員投票を基盤としてもしくは加入者および補足制度加入者の構成員から構成される総会の招集によって創設される。人身に関する保険業務総体を実施し、同様の業務を再保険として引き受ける。
▷社会保障法典L931-1条以下

Institutions de retraite supplémentaire Sécurité sociale 社保 **社会保障追加補足退職年金組織**　社会保障基礎制度給付および強制加入補足退職年金制度（補足退職年金制度連合（ARRCO）、管理職退職年金制度総連合（AGIRC））給付をさらに補足する給付を行う私法上の法人。社会保障追加補足退職年金組織は、企業、企業グループまたは職業部門の枠内で創設される。新たな社会保障追加補足退職年金組織の創設は不可能である。
▷社会保障法典L914-1条以下

Institutions spécialisées 国公 **専門機関**　経済的、社会的、文化的、保健的および技術的分野において一定の権限を有する国際組織であって、協定によって国際連合と連携関係を有する。国連は、専門機関の活動を経

済社会理事会の仲介によって調整する。専門機関には，例えば国連教育科学文化機関（UNESCO），国際労働機関（OIT）などがある。

Institutionnalisation 憲法 **制度化** 権力が，それを行使する個人から分離されて，国家制度の中に組み込まれる過程。

Instruction 民訴 **準備手続き；審理** 両当事者がその申立て〔prétention〕を明確にして証明するとともに，裁判所がその申立てについて裁判することを可能ならしめる資料を収集する，訴訟手続きの段階。

▷新民事手続法典143条以下および763条以下

刑訴 **予審** 一種の公判前手続きを構成する刑事訴訟手続きの一段階。犯罪の存在を立証すること，および被訴追者に対する証拠が判決裁判所に提訴できるほど十分であるか否かを決定することができる。軽罪に関しては任意的であり，重罪に関しては必要的である。予審判事が，控訴院予審部の監督のもとでこれを行う。

▷刑事手続法典79条以下

► Acte d'instruction〔予審行為〕

Instruction (Pouvoir d') 行政 **訓令（権）；準備調整（権）** 2つの意味を有しうる用語。

①訓令（権）//階層的上級機関がその下級機関に命令を発する権限。

②準備調整（権）//ある機関に付与された，他の機関にその決定権が属する事務を準備し，調整する権限。

《**Instrumentum**》 一般 **証書** 1または複数の行為者が企図した法律行為または契約の内容を含む公署証書または私署証書。

► 《Negotium》〔法律行為における実体〕

Intégration 国公 **統合** 超国家機関へのいくつかの国家管轄権の合併。

Intention 刑法 **故意** 犯罪の構成要素〔►Élément constitutif de l'infraction〕。保護されている社会的価値に敵対することを，かつは犯罪の実行を意欲し，かつは犯罪の結果を意欲することによって表明すること。

故意は動機〔►Mobiles〕とは異なる。動機は故意を決定する際には考慮されず，したがって，刑事責任の要素ではない。

▷刑法典121-3条

Interceptions 刑訴 **通信傍受** 捜査または予審の必要上要請される場合に，裁判官の権限および統制のもとで，電気通信手段により送られる通信の傍受，録取および転送を行うこと。

▷新軍事裁判法典L212-75条（施行延期）；刑事手続法典100条以下および706-95条

Intercommunalité 行政 **市町村間協力** 一定数の権限を共同で行使し，効率性または経済性を高めるための市町村間の協力形態。公施設法人〔►Établissement public〕の法的形態を有する組織（市町村組合〔►Syndicat de communes〕，中規模都市共同体〔►Communauté d'agglomération〕，市町村共同体〔►Communauté de communes〕，大規模都市共同体〔►Communauté urbaine〕）に権限の行使を移譲することを内容とする。

Interdiction 民法 **能力制限** 法律または司法裁判所の決定によって，全体的に，または，部分的に自己の権利の享受または行使ができない者の法的地位。

法定能力制限〔interdiction légale〕は，一定の刑事上の有罪判決から自動的に生じていた。この制度は1994年に廃止された。

司法的能力制限〔interdiction judiciaire〕は，司法裁判所の決定によってなされ，心神喪失者に課されていたが，1968年1月3日の法律によって廃止され，後見〔►Tutelle〕に取って代わられた。

Interdiction des droits civils, civiques et de famille 刑法 **私法上，公法上および家族法上の権利行使の禁止** 一定の重罪または軽罪について科される補充刑。重罪については最大で10年間，軽罪については最大で5年間，法文により限定列挙される権利（選挙権，被選挙権，後見人または保佐人となる権利など）を剥奪することを内容とする。

▷刑法典131-10条および131-26条

Interdiction de séjour 刑法 **滞在禁止** 裁判所の定める一定の場所に立ち入ることを禁止する主刑または補充刑。監視の処分および援助の処分を伴う。滞在禁止は，重罪については10年の期間を，軽罪については5年の期間を超えることはできない。

▷刑法典131-6条，131-10条および131-31条

Interdiction du territoire 刑法 **国外強制退去** 重罪または軽罪について有責である外国人に科される刑罰。国外強制退去〔reconduite à la frontière〕を法律上当然にもたらす。場合によっては，その拘禁刑または懲役刑の刑期が終了した後に執行される。この刑罰は，終局的に，または最長10年の期間を定めて言い渡されることができる。国外強制退去は，有罪判決を受けた者本人およびその家族の地位

を考慮するための若干の条件に服し，フランスと特別の関係を有する若干の範疇の外国人には適用されない。
▷刑法典131-30条，131-30-1条および131-30-2条

Intéressement 〔労働〕**利益参加** 労働者を企業の成果に参加させることを目的とする施策の総体。
▷労働法典L441-1条以下およびR441-1条以下

Intérêt 〔民法〕〔訴訟〕**利益；利息** 元本の使用の対価に相当する金銭。

Intérêts moratoires 遅延賠償金：債務者が，負債を返済するという債務の履行を遅滞したために債権者が被った損害を賠償するための金銭。
▷民法典1153条

Intérêts compensatoires 塡補賠償金：契約当事者がその債務の履行をしないため，または，第三者がその義務を履行しないためにある者が被った損害を賠償するための金銭。
▶Dommages et intérêts〔損害賠償金〕

Intérêt (pour agir) 〔訴訟〕**訴えの利益** 訴えの受理性〔recevabilité〕の要件。申立て〔prétention〕の正当性について裁判官の承認を得ることに存する原告の利益。当事者の訴えの利益の欠如は訴訟不受理事由〔fin de non-recevoir〕を構成し，裁判官は職権でこれを取り上げることができる。
▷新民事手続法典122条

Intérêt conventionnel 〔民法〕〔商法〕〔刑法〕**約定利息** 当事者によって自由に定められる利息。ただし，全体的な視野からみた実質利率が，その同意時に，類似の危険を含む同じ性質の取引に関して前四半期に金融機関によって採用された平均実質利率を3分の1以上超えていてはならない。平均実質利率は，四半期ごとに，さまざまな金融の種類ごとに計算される。
　過剰利率，すなわち，暴利〔▶Usure〕は，刑事訴追の原因となることがある。
▷民法典1907条；消費法典L313-1条以下およびR313-1条以下

Intérêt de l'entreprise 〔労働〕**企業の利益** 破毀院社会部が用いている，使用者の利益〔intérêt de l'employeur〕とは別の基本的法範疇。破毀院社会部は，企業の利益を，使用者がその人事指揮権限または経済的指揮権限を行使する際になす一定数の行為または決定を正当もしくは合法であると主張する明示的もしくは黙示的根拠として用いている。これらの行為または決定は，契約の形をとることもあるが，そのことは，企業の利益が，競業避止条項の如き契約の領域において大きな役割を演じていることを示している。企業の利益は，最後に，使用者によるその権限の行使を制限するための審査を行うことを可能にする価値判断基準ともなるのであって，企業の利益が援用される際の状況次第でその内容が大きく変動するのである。

Intérêt légal 〔民法〕〔商法〕**法定利息** 民法上の1年の期間ごとにデクレによって定められる利息。《13週物の定率短期国債の競売収益率の，過去12ヵ月の各月平均の合算平均》と一致する。2007年の法定利息は2.95パーセントである。
　この率は，債務者が裁判所の判決をその判決が執行可能になったときから2カ月以上実行しない場合には，たとえその判決が仮のものであっても，5パーセント引き上げられる。ただし，執行裁判官は，債務者の状態を考慮に入れて，その債務者について，この引上げの全部または一部を免除することができる。
▷通貨金融法典L313-2条

Intérêts fondamentaux de la nation 〔刑法〕**国益** 一定の重罪および軽罪（反逆，スパイ行為，危害行為，陰謀，国防に対する侵害）に対して保護される社会的価値。国民の独立，領土の一体性，安全保障，諸制度の共和主義的形態，国防および外交の手段，国内外の国民の保護，自然環境と人工環境の均衡ならびに科学力，経済力および文化財産の主たる諸要素によって代表される。新刑法典では，《国家の安全》〔sûreté de l'État〕の概念は，国益の概念に吸収されている。
▷刑法典410-1条

Intérim 〔行政〕〔憲法〕**代行** ある職務が正規の担当者以外の者によって遂行されている期間（例：1958年憲法典は大統領職の代行を元老院議長に委ねている）。

〔労働〕**臨時労働** ▶Travail temporaire〔派遣労働〕

Interlocutoire 〔民訴〕**先行判決** ▶Jugement avant dire droit (avant faire droit)〔先行判決〕

Internationalisation 〔国公〕**国際化** いくつかの空間（都市，領域，河川，運河）を，国際管理制度のもとにおくこと。例えば，ダンツィヒ，タンジール，ザール地方，スエズ運河，ライン河などは国際化の制度を有し，または有し

ていた。

Internement 民法 **保護収容** 精神病者を，医師の助言を受けた行政機関が公のまたは民間の治療施設へ収容する旧手続き。
▶Hospitalisation d'un aliéné〔精神病者の収容〕

《**Inter partes**》 一般 訴訟 **当事者間において** ある契約，またはある判決の拘束力もしくは執行力が，契約当事者間または訴訟当事者間においてしか存しないことを意味する表現。
▶《Erga omnes》〔対世的に；すべての者に対して〕▶Partie〔当事者〕▶Tiers〔第三者〕

Interpellation 憲法 **大臣質問** 政府の一般政策または特定の問題に関して国会議員が政府に対して行う説明要求。

議院内閣制の伝統によれば，大臣質問は審議の対象となり，審議の締めくくりに議事日程の表決がなされ，それが政府に対する不信任を表す場合には政府の辞職をもたらす。フランスでは，1946年以来，大臣質問はもはや政府の責任を問うための手段とはなっていない（第五共和制においては，憲法院がその復活にはっきりと反対している）。

民法 **催告** mise en demeureを指す。
▶Mise en demeure〔付遅滞〕

Interpol 刑訴 **国際刑事警察機構；インターポール** 1923年に創設された，警察の国際的共助の促進を目的とする国際組織。2006年での加盟国数は186である。事務総局はリヨンに置かれている。国際刑事警察機構は3つの主要な職務を有する。

- 信頼性を確保した世界的な警察間通信に関するサーヴィス（システムⅠ-247）。
- 警察活動の実用に供するデータおよびデータベースに関するサーヴィス。この任務は，通信手段の信頼性確保によって促進される。
- 実務上の支援に関するサーヴィス。

国際犯罪（例：組織犯罪，テロ行為，人身売買など）の分野では，共通の行動ルールを作成するために世界中の専門家を集めて特別の作業グループが作られている。

国際刑事警察機構の活動は，加盟国の分担金によってまかなわれている。Interpolは，International Criminal Police Organizationの略称である。

Interposition de personnes 一般 **第三者の介在** ある者のためになされた行為が，事実上他の者の利益となる状況。例えば，受贈無能力者〔incapable de recevoir à titre gratuit〕に対する無償譲与〔libéralités〕において，第三者の介在は，偽装行為〔déguisement〕とともに，法律回避の典型的な手法である。それゆえ，民法典は，無能力者の父母，子および配偶者を対象とする介在の覆えしない推定〔présomption irréfragable〕を定めた。
▷民法典911条

Interprétation d'un jugement 民訴 **判決の解釈** 判決の言渡し後，裁判官の事件関与は解除されるが，当事者は，その判決が控訴されていない限り，裁判所に対し判決中の意味の明確でない一定の表現の解釈を求めることができる。
▷新民事手続法典461条

Interprétation (d'une norme juridique) 公法 **(法規範の) 解釈** 公法において，解釈とは，あまり明確ではない法文から正確な意味を引き出すことを内容とするだけではなく，その適用範囲，すなわち時間的，空間的，かつ法的適用範囲，また場合によっては他の規範に対する優位性を明確にすることを内容とする。

ヨーロッパ共同体裁判所が国内法に対する共同体法の優位性の原則を引き出すことができたのは，解釈に関する概念のこうした広がりによるものである。

Interprétation stricte 刑法 **厳格解釈** 罪刑法定主義から派生する原則。犯罪を定義し刑罰を定める法律は，拡張も限定もすることなしに適用されなければならない。
▷刑法典111-4条

Interruption 民法 刑法 刑訴 **中断** 時効に関して，期間の進行を止め，かつ，経過した時間を遡及的に消滅させる事由。その結果，この事由の後に時効が再び進行し始めた場合，そのすでに経過した時間を考慮に入れることはできない。
▷民法典2242条以下
▶Suspension〔停止〕▶Prescription civile〔民事時効〕

Interruption illégale de la grossesse 刑法 **違法妊娠中絶罪** 法律が許可した場合以外に，故意に胎児を排出する軽罪。最近の判例では，故意によらない妊娠中絶はもはや胎児に対する過失致死とはならないことに注意。
▷公衆衛生法典L2222-2条以下；刑法典223-10条

Interruption de l'instance 民訴 **訴訟手続きの中断** 訴訟手続きの中断は，弁論の開始

〔►Ouverture des débats〕前に生じる当事者の地位の変更（死亡，成年に達すること），または代理人の地位の変更（弁護士または代訴士の職務の停止）から生じる。
▷新民事手続法典369条以下
►Reprise d'instance〔訴訟手続きの受継〕

Interruption volontaire de grossesse (IVG)　[民法] **自由意思による妊娠中絶**　妊娠を終了させるための手術。妊娠中の女性は，妊娠によって貧窮状態に陥っていること，および，法律の規定を遵守することを条件に，第12週の終了前にこの手術を依頼することができる。
▷公衆衛生法典L2212-1条
►Interruption illégale de la grossesse〔違法妊娠中絶罪〕

Intervention　[国公] **干渉**　自国の意思に従って他国が行動するよう強制するために，他国の問題に国家が介入する行為。

干渉は違法である（不干渉の原則）が，権原（例えば条約）に基づくときは別である。また，人命に重大な脅威があるとき，これを保護するために行われる人道的干渉も，その合法性を認めることができる（しかし，これはしばしば強国の政策の口実に用いられてきた）。

[民訴] **参加**　すでに開始されている訴訟に第三者が任意に加わること，または強制的に加えられること。
►Demande en intervention〔参加の訴え（請求）〕►Garantie（Appel en）〔担保のための呼出し〕►Mise en cause〔訴訟引込み〕

Interversion de la prescription　[民法] [民訴] **時効の転換**　30年の時効が，当初のより短い時効に取って代わること。一般原則によると，時効が中断された場合に，中断事由の時点から再び起算されていくのは，同じ性質かつ同じ期間の時効である。この原則は，ホテル業者，医師または商人の債権といったような，支払いの推定に基礎を置く短期消滅時効（6ヵ月から2年）については，排除される。債務の金額が示されている書面での債務者の承認または裁判上の確認によって中断が生じている場合，6ヵ月から2年の期間ではなく，30年の期間その債権を請求することができる。すなわち，普通法上の時効が，中断された当初の時効に取って代わるのである。短期の時効がそのように中断されるのは，履行がないことが異論の余地のない形（債務者の自白，判決）で立証されているからである。このような事実は，支払いの推定からあらゆる存在理由を奪い去る。

Interversion de titres　[民法] **権原の転換**　権原が容仮的〔précaire〕であるために時効取得しえない所持者が，自己が所有権を有するという主張を所有権者に対して行う，または，その所持者を所有権者にする表見的な権原を主張するという状況。このとき，容仮的な権原が新権原または法的主張に取って代わられる。すなわち，権原の転換が生じる。
▷民法典2238条および2240条

Intimé　[民訴] **被控訴人**　控訴を提起された者に対して与えられる名称。
▷新民事手続法典547条以下
►Appelant〔控訴人〕

Intimité　[民法] **内面**　►Atteintes à la vie privée〔私生活に対する侵害〕

Intitulé d'inventaire　[民法] **財産目録の頭書**　財産目録の冒頭部分であって，申立人，出頭した者および出頭しなかった者の氏名，職業および居住地，競売吏および鑑定人の同一性，ならびに，記載され評価される財産の所在地が書かれたもの。
►Acte de notoriété〔公知証書〕►Certificat d'hérédité〔相続証明書〕

《Intra vires》　[民法] **能力の範囲内で**　ある者（相続人，受遺者，社員）が，対応する積極財産中に有するものの範囲内でしか負債および消極財産を弁済する義務を負わないこと（相続，夫婦財産制，会社）を意味する表現。
▷民法典787条，791条および1483条以下
►《Ultra vires》〔能力をこえて；無制限に〕

Introduction de l'instance　[民訴] **訴訟手続きの開始**　訴訟手続きは，通常，原告が提起する主たる訴えによって開始される。

訴訟事件においては，この訴えは呼出状〔assignation〕または共同申請書〔requête conjointe〕によって提起される。ときには，一方からの申請書によって，また裁判所書記課への口頭による申請によって提起することもできる。一定の場合に，両当事者は，任意に裁判官の面前に出頭することもできる。

非訟事件においては，申立ては申請書または裁判所書記課への口頭による申請によってなされる。
▷新民事手続法典53条以下および60条

[行政] **訴訟提起**　行政裁判所における手続きは書面主義であり，行政訴訟は行政にではなく行政行為に対してなされる訴訟として現れるがゆえに，訴訟は，公土木工事の領域を除

Int

き，行政庁の予先的決定に対する趣意書提出によって提起される。例外的な場合を除いて弁護士の関与が義務づけられている。ただしこの例外が多い。
► Décision préalable（Règle de la）〔決定前置主義〕

《Intuitus pecuniae》 [民法] [商法] **金銭的考慮** 金銭的要素について考慮すること。
この表現は，契約（例：資本会社〔société de capital〕）において出資される資本の考慮の方が資本を出資した人間の性質よりも重要であることを意味する。
► 《Intuitus personae》〔人的考慮〕

《Intuitus personae》 [民法] [商法] **人的考慮** 人的要素について考慮すること。
この表現は，契約（労働，人的会社）の締結において，契約の相手方は誰であるかが特に考慮に入れられることを意味する。
► 《Intuitus pecuniae》〔金銭的考慮〕

Invalidité [社保] **廃疾** 労働災害の被害者の永続的労働不能。自己の疾病の状態がもはや疾病保険の対象外となった被保険者の労働不能。
▷社会保障法典L341-1条

Inventaire [民法] **財産目録** ある者の財産の数量調査および評価。
法律は，一定の場合に，財産目録の作成を義務づけている。例えば，純積極財産を限度とする相続財産の承認の場合がある。この場合は，積極財産と消極財産の要素を逐一評価して相続財産目録が作成される。また，相続人の不存在〔vacance de la succession〕の場合がある（法主体不存在の相続財産の管理者が同一の義務を負う）。
▷民法典789条，809-2条および1483条；新民事手続法典1328条以下
► Acceptation à concurrence de l'actif net〔純積極財産を限度とする承認〕

[商法] **財産目録** 企業が有する資産と負債が評価されて記載された会計書類。財産目録によって，営業年度末における企業の実際の状況を把握することができる。商人は，毎年，財産目録を作成しなければならない。

[民訴] **差押動産目録** 執行吏によって作成される調書で，動産の差押時に，裁判所の管理下に置かれるすべての物件を記載するもの。
差押え＝売却〔► Saisie-vente〕において，執行吏は債務者に差押前催告状を送付した後，現場へ赴いて差押動産の目録を作成する。この目録は差押えが行われた債務者または第三者に送達される（1992年7月31日のデクレ755号94条）。
▷新民事手続法典1328条以下
► Récolement〔確認〕

Inventeur（d'un trésor） [民法] **（埋蔵物の）発見者** 埋蔵物〔► Trésor〕を発見した者。
▷民法典716条

Investisseurs institutionnels [財政] [商法] **機関投資家** 非常に多額の資金を有し，その活動を通じて，集めた資金を資金市場（取引所，短期金融市場，外国為替市場）に投資する機関。証券投資会社〔► Société d'investissement〕，年金基金，保険会社がその例である。機関投資家は，資金市場に対して決定的な影響力を有している。

Investiture [憲法] **公認；信任投票**
①公認//政党が選挙に立てる1または複数の候補者を指名すること。
②信任投票//第四共和制（1954年の憲法改正まで）では，国民議会が，共和国大統領によって指名された首相に信任を与え，首相が組閣することを承認する表決を指した。

Inviolabilité du corps humain [民法] **人体の不可侵** 本人にとって医療上の必要性がある場合，および本人の事前の同意がある場合を除いて，身体の完全性に対するあらゆる侵害を禁じる原則。
▷民法典16-1条以下
► Corps humain〔人体〕

Inviolabilité parlementaire [憲法] **国会議員の不逮捕特権** 職務の行使と無関係な行為についてなされる訴追（重罪および軽罪に対する刑事訴追）を免れる，国会議員の特権。
不逮捕特権は，決して絶対的なものではない。すなわち，不逮捕特権は，現行犯の場合には認められず，また，当該議員が所属する議院の議決のある場合にも認められない。

Irrecevabilité [訴訟] **不受理** 要求される期間内に提起されなかった訴え（例えば，期間経過後になされた控訴），あるいは実体または形式に関する要件を満たしていない訴えを，審理せずに却下するという，法律上の規定の不遵守に対する制裁。
► Fin de non-recevoir（de non-valoir）〔訴訟不受理事由〕

[憲法] **不受理** ► Exceptions d'irrecevabilité〔不受理の申立て〕

Irréfragable [民法] **覆しえない** ► Présomption〔推定〕

Irrégularité de fond 民訴 実体的瑕疵　行為（文書）そのものとしての瑕疵ではなく，請求または防禦を実体的に瑕疵あるものとする外在的諸状況に起因する，手続上の瑕疵。例えば，訴訟を行う能力の欠缺または行為無能力者を代理する者の権限の欠缺がある。形式的瑕疵とは対照的に，実体的瑕疵は訴訟のいかなる段階においても提出することができ，かつ，不利益〔grief〕の証明を要せずして無効の原因となる。
▷新民事手続法典117条以下

Irrépétibles 民訴 行政 訴訟費用に含まれない費用　訴訟費用〔►Dépens〕（例えば弁護士への（公定の）謝礼〔honoraires〕）に含まれない裁判上の費用であって，勝訴者が敗訴者に支払わせることのできないものをいう。ただし，裁判官が公平の観点から一定の額を支払うことを相手方当事者に対して命じる場合を除く。
▷新民事手続法典700条；行政裁判法典L761-1条

Irresponsabilité du chef de l'État 憲法 国家元首の無答責　憲法典によって特別に規定された場合を除き，職務の行使において行った行為に対する裁判所または国会のあらゆる審査を免れる国家元首の特権。
►Haute cour〔高等弾劾院〕

Irresponsabilité parlementaire 憲法 議員の免責特権　職務の行使において表明した意見および表決を理由に訴追を受けることのない国会議員の特権。

ITER 国公 国際熱核融合実験炉（イーター）　新世代の原子炉を開発することを目的とした計画の名称。この実験炉はCadaracheに設置される予定である。すべての産業大国がこの計画に参加している。

J・K

Jeton de présence 商法 出席手当；(取締役または監査役会構成員の) 報酬　株式会社の取締役または監査役会構成員に，その1年間の職務の対価として支払われる金額。
▷商法典L225-45条

Jeu 民法 賭博　賭博とは，当事者が少なくとも部分的に引き起こすことのできる出来事に依拠する結果を勝ち取った者に対して利得を与えることを，当事者が相互に約束する射倖契約である（例：技巧を競う賭博〔jeu d'adresse〕，運次第の賭博〔jeu de hasard〕）。
▷民法典1965条以下
►Loterie〔富籤〕►Pari〔賭事〕

Jeunes adultes délinquants 刑法 若年成人の犯罪者　18歳から25歳ぐらいまでの犯罪者。その生理的，心理的，社会的成熟度が18歳では未完成であるという事実に基づいて，未成年者に準じた責任の制度化を提案する思想的潮流がある。フランス法では，この類型の犯罪者に特別の規定が存在する。例えば，前科簿からの一定の記載の除外，特別の行刑制度など。

Jonction d'instances 民訴 訴訟手続きの併合　裁判所運営上の措置〔mesure d'administration judiciaire〕で，これによって裁判所（または準備手続裁判官もしくは報告裁判官）は密接な関係すなわち関連性〔connexité〕のある2またはそれ以上の訴訟を同時に審理し，かつ，判断することを決定する。
▷新民事手続法典367条および368条
►Disjonction d'instance〔訴訟手続きの分離〕

Jonction des possessions 民法 占有の併合　現在の占有者に認められる利益であり，前の占有者の占有を自己の占有に付け加えることにより取得時効〔prescription acquisitive〕の完成に必要な期間を補うことを内容とする。現在の占有者が前の占有者をいかなる態様で承継したか，すなわち，包括名義であったか特定名義であったか，または有償名義であったか無償名義であったかを問わない。
▷民法典2235条
►Prescription civile〔民事時効〕

Jouissance 民法 使用収益；用益；収益
①使用収益；用益//物を使用し，その果実を収取すること。
②収益//物の果実を収取し，保存しまたは消費する権利。
►Fruits〔果実；産出物〕►Usage〔使用〕

Jouissance légale 民法 法定用益権　両親のうちで未成年の子の財産の法定財産管理〔►Administration légale〕を任務とする者に対して，法律により与えられる，子の財産

についての用益権。法定用益権は，単純法定財産管理の場合には両親に共同に属し，その他の場合には父母のうちの法定財産管理を任務とする者に属する。法定用益権は，他の消滅事由がある場合を除き，子が満16歳となったときに終了する。
▷民法典382条以下

Jouissance à temps partagé 民法 時分割使用 1年のうちの特定のまたは特定しうる期間，居住用の不動産を占有することを内容とする債権。この権利は厳格に規制される契約の申込みを経て，職業者により与えられる。消費者にはその承諾から10日内の撤回権が与えられる。
▷消費法典L121-60条以下
►Société d'attribution d'immeubles en jouissance à temps partagé〔時分割使用不動産割当会社〕

Journal officiel (JO) 行政 EU 官報
①フランスの場合：政府刊行物。その《法律とデクレ》版により，法律，オルドナンスおよびデクレ，ならびにその他若干の行為について法定の公示が行われる。官報は，書面形式および無償で閲覧可能な電子形式 (http://www.journal-officiel.gouv.fr/) で発行される。実際上の理由により，一定の法文は電子発行のみで十分とされることもあれば，電子発行を禁じられることもある。
フランス本土および海外県においては，官報に公示された法文は（特別の場合を除き）公示の翌日に発効する。
《法律とデクレ》以外の版は，国民議会および元老院の議事録ならびにさまざまな情報を公示する。
▷民法典1条
②ヨーロッパ連合の場合：2つの主要な版，すなわち立法版（L版）と諸通知版（C版）を含む官報が存在する。これらの版は，書面形式および無償で閲覧可能な電子形式（http://europa.eu/）で発行される。一般に，指令〔►Directives〕および規則〔►Règlement〕は，公示から20日後に発効する（ヨーロッパ共同体条約254条）。

Journaliste professionnel 労働 職業記者 日刊紙もしくは定期刊行物またはフランスの通信社においてその職業を行うことを主たる，正規の，かつ，報酬を受ける仕事としており，自己の生活に必要な収入の大部分をそこから得ている者。
▷労働法典L761-1条以下およびR761-1条以下

Jours 一般 日 就業日〔jours ouvrables〕と祝日〔jours fériés〕とを含む，暦上の日。
民法 明かりとり ►Vues, Jours〔眺望窓，明かりとり〕

Jours-amendes 刑法 日数罰金
①自然人に適用される軽罪の刑罰であって，科される拘禁刑に代替することを目的とするもの。有罪判決を受けた者が一定の金額を国庫に払い込むことを内容とする。その総額は，裁判官が，一定の日数について1日あたりの罰金額を定めることにより決まる。1日あたりの罰金額は，被告人の資産と負担とを考慮して定められる。ただし，1000ユーロを超えることはできない。罰金の日数は，犯罪に関する事情を考慮して定められる。ただし，360日を超えることはできない。支払いの全部または一部が滞った場合，有罪判決を受けた者は，支払いのない日数に相当する期間収容される。
日数罰金刑は，通常の罰金刑と併せて言い渡されることはできない。
▷刑法典131-5条，131-9条および131-25条
②6ヵ月以下の拘禁刑を伴う，普通法上の軽罪を理由とする終局的有罪判決の執行に代替することができる軽罪の刑罰。刑罰適用裁判官の判決に基づいて科される。
▷刑法典132-7条

Jours chômés 労働 休業日 休業日とは，労働が停止される日である。労働協約に含まれる例外を別にすれば，祝日は，連続加熱設備を有する工場以外の工業的施設で働く未成年者の場合を除き，義務的休業日ではない。
《5月1日》は，両性の労働者につき，祝日であり，有給の休業日である。
▷労働法典L222-1-1条以下およびR222-1条

Jours fériés 労働 祝日 ►Jours de fêtes légales〔法定の祝日〕

Jours de fêtes légales 一般 法定の祝日 民間の，または，宗教上の祝日であって，法律によって定められる。法定の祝日は，日曜日の他，1月1日，復活祭の翌日の月曜日，5月1日，5月8日，キリストの昇天の祭日，聖霊降臨の翌日の月曜日，7月14日，8月15日（聖母被昇天の大祝日），11月1日（諸聖人の祝日），11月11日，12月25日（クリスマス）である。
労働 法定の祝日 労働法典は，《5月1日》を除き，祝日の労働を一般的には禁止していない。しかしながら，慣行および労働協約は，

より有利な制度を定めている。
▷労働法典L222-1条およびL222-5条
[民訴] **法定の祝日** 法定の祝日に送達を行い，あるいは証書または判決を執行することは認められていない。しかしながら，必要な場合には，裁判所が許可することができる。

期間が祝日に満了するときは，期間は次の最初の就業日まで延長される。
▷新民事手続法典508条，642条および664条
▶Heures légales〔法定時間〕

Jour fixe [民訴] **指定期日** ▶Assignation〔呼出し；呼出状〕▶Procédure à jour fixe〔指定期日の手続き〕

Jours ouvrables [一般] **就業日** 原則として労働と職業活動にあてられている日。

Jours ouvrés [労働] **実労働日** 企業において実際に労働した日。

Judicature [民訴] **裁判官の地位** 裁判官の地位，裁判官の品位およびその職務期間を表す。

Judiciaire (Pouvoir) [憲法][民訴] **司法(権)**
①裁判する作用。すなわち，法の侵犯を処罰し，法に基づき法的真実力をもって法規範の存在または適用に関して生じる争いを解決する作用。
②司法作用を行使する機関。すなわち，裁判所。
▶Autorité judiciaire〔司法権；司法機関〕

Juge [民訴] **裁判官** 司法系統の裁判官。職業裁判官と非職業裁判官がある。

この用語は，狭義では小裁判所裁判官，大審裁判所裁判官および商事裁判所裁判官を表す。

Juge《ad hoc》 [国公] **特別選任裁判官** 国際司法裁判所に提起された訴訟の当事者たる国家が，国際司法裁判所に当該国家の国籍を有する裁判官がいない場合，その訴訟において指名することのできる裁判官。

Juge aux affaires familiales (JAF) [民法][民訴] **家族事件裁判官** 家族事件を付託される大審裁判所裁判官。家族事件裁判官は，1994年2月1日に，婚姻事件裁判官(JAM)に取って代わったが，その権限は拡張された。家族事件裁判官は，とりわけ《未成年の子の利益の保護に配慮する》ことを任務とし，主として以下の事項を審理する。離婚および別居，扶養義務・婚姻上の負担の分担・子の扶養義務の決定，親権の行使・自然子の氏の変更・名に関する訴え，未成年者の入院または退院についての親権者間の不一致，入院患者とその扶養義務者に対する求償，民法典220-1条に規定される緊急措置。この職務は，家族事件裁判官の移送により，大審裁判所の合議体によって行われることもある。
▷民法典373-2-6条以下；司法組織法典L213-3条およびL213-4条

Juge de l'application des peines (JAP)
[刑訴] **刑罰適用裁判官** 刑罰適用裁判所〔tribunal de l'application des peines〕とともに刑罰適用機構の第一審を構成する，大審裁判所の裁判官。

刑罰適用裁判官の管轄権限に属する裁判は2種類ある。ひとつは，刑罰適用委員会の意見に基づき対審的弁論を経ずになされる命令である。もうひとつは，行刑行政庁の代表者の意見を聴いた後に対審的弁論を経てなされる理由を付した判決である。
▷刑事手続法典712-1条以下およびD49条以下

Juge chargé de suivre la procédure [民訴] **手続進行係裁判官** 1935年から1971年の間に，大審裁判所において民事訴訟の準備手続き〔instruction〕を担当していた裁判官。

Juge-commissaire [民訴] **受命裁判官** 証人尋問〔▶Enquête〕，裁判上の更生〔▶Redressement judiciaire〕，裁判上の清算〔▶Liquidation judiciaire〕などの，特定の手続きをなすように指名された裁判官。

Juge consulaire [民訴] **商事裁判官** 商事裁判所の裁判官に伝統的に与えられている名称。

Juge délégué aux affaires matrimoniales (JAM) [民法] **婚姻事件裁判官** 1994年1月31日まで，別居および離婚の手続きを担当していた大審裁判所裁判官。1994年2月1日から，家族事件裁判官〔▶Juge aux affaires familiales (JAF)〕に取って代わられた。

Juge départiteur [民訴] **決裁裁判官** ▶Conseil de prud'hommes〔労働裁判所〕▶Partage des voix〔可否同数〕

Juge des enfants [民訴][刑訴] **少年(係)裁判官** 少年裁判所がその管轄区域内に所在する大審裁判所の裁判官。3年の任期でこの職務に任命され，再任可能である。少年問題の真の専門家が少年裁判官に任命され，刑事と民事についての権限をもつ。刑事事件については，未成年者による犯罪についての予審裁判所であり，判決裁判所である。民事事件については，育成扶助の分野および，より一般的に未成年者を保護，援助すべき場合に管轄権限を

もつ。
▷司法組織法典L252-1条以下およびR531-1条

Juge de l'exécution 民訴 執行裁判官　この単独裁判官の職務は大審裁判所所長に委ねられた。所長は，その権限をその裁判所の1または複数の裁判官に，または1または複数の小審裁判所裁判官に委任することができる。

執行裁判官は，執行名義に関する争いを審理する専属管轄権限を有し，また，動産に関する強制執行手続き（差押え）から生じる争いすべてについて，たとえそれが実体〔fond du droit〕を対象とする場合であっても，専属管轄権限を有する。一定の保全措置を命ずる権限を有するのも執行裁判官である。また，罰金強制〔astreinte〕を命じる権限を有する。さらに，事件を合議体に移送する権能も有する。執行裁判官の判断に対する控訴は，執行部に対してなされる。個人破産〔surendettement〕に関する事件については，小審裁判所裁判官の権限から執行裁判官の権限へ移された。

▷司法組織法典L213-5条，L213-6条およびL213-7条

Juge de l'expropriation 民訴 行政 収用裁判官　収用者と被収用者の間で合意が成立しなかった場合に，収用の補償金額を定めることを任務とする大審裁判所の裁判官。

▷公用収用法典L13-1条以下およびR13-1条以下

Juge d'instruction 訴訟 予審判事　予審の職務を行うために任命される大審裁判所の裁判官。任期3年で，再任が可能である。予審判事は第一審の予審裁判所である。

Juge des libertés et de la détention 刑訴 勾留決定裁判官　勾留を命じまたは延長する権限を有する単独裁判官。2000年6月15日の法律第516号によって創設された。従来それをなす権限を有していた予審判事に代わって，これらの措置を言い渡す。予審判事により提訴される勾留決定裁判官（JLD）は，所長，筆頭部長または部長の地位を有する裁判官である。

▷刑事手続法典137-1条

Juge des loyers 民訴 賃料裁判官　不動産の賃貸借契約から生じた争いは，訴額とは無関係に，一定の裁判所に委ねられる。

賃貸借に関する普通法上の裁判所は，小審裁判所である。この裁判所は，特に居住賃貸借および職業的利用のための賃貸借について審理する。

▷司法組織法典R321-2条

商事賃貸借：原則として，大審裁判所所長の管轄で，場合により，大審裁判所または商事裁判所の管轄である。

　農事賃貸借：▶Tribunal paritaire des baux ruraux〔農事賃貸借同数裁判所〕

Juge de la mise en état (JME) 民訴 準備手続裁判官　普通法上の裁判所に提起された事件において，その事件簿への登載に際して，準備手続裁判官（控訴審ではconseiller de la mise en état という）が任命される。準備手続裁判官は，両当事者を呼び出し，自ら定めた期間内に申立趣意書を提出するよう求め，手続上の抗弁につき，また訴訟手続きを終了させる付帯の申立てにつき裁判し，書証の伝達を促し，当該事件について弁論適状となったときに終結命令を言い渡す。

▷新民事手続法典762条以下および910条
▶Mise en état〔弁論適状におくこと〕

Juge aux ordres 民訴 配当手続裁判官　少し前までは，配当手続きの進行を主宰するために指名される大審裁判所の裁判官をこう称した。

この職務は今日では執行裁判官に帰属している。

▷新民事手続法典749条
▶Ordre〔順位による配当（手続き）；配当順位〕

Juge de paix 民訴 治安判事　小審裁判所の創設以前に，治安裁判所（管轄区域は小郡）として裁判することを任務とした裁判官。

Juges de proximité 訴訟 直近裁判所裁判官　2002年9月9日の法律によって創設された直近裁判所〔juridiction de proximité〕を構成する，職業裁判官ではない裁判官。直近裁判所裁判官は，司法官職高等評議会〔Conseil supérieur de la magistrature〕の意見を聴いた後に，更新されない7年の任期で採用され，民事についても，刑事についても，場合によっては自身の職業活動に従事しながら，期間報酬業務〔vacations〕を行う。司法職団〔corps judiciaire〕には属していないにもかかわらず，その身分規程〔statut〕は，司法職団を規律する1958年12月22日のオルドナンス第1270号（41-17条以下）に統合されている。

▶Juridiction de proximité〔直近裁判所〕
▶Magistrats〔司法官；裁判官および検察官〕

Juge rapporteur 民訴 報告裁判官　商事裁判

所において，大審裁判所では準備手続裁判官に属する職務を行う裁判官。事件が判決するのに熟していないとき，裁判構成体によって指名される。
►Conseillers rapporteurs〔報告裁判官〕
►Rapport〔報告書〕の①

Juge des référés 民訴 **急速審理裁判官** 仮の裁判をなす権限を有する裁判官。後の本案の解決についてあらかじめ判断することはない。

この権限を有する裁判官は，控訴院院長および大審裁判所所長であり，その管轄権限は，特別の急速審理手続きの定められていないすべての事件に及ぶ。この特別の急速審理手続きにつき管轄権限を有する裁判官は，小審裁判所裁判官，商事裁判所所長，農事賃貸借同数裁判所所長である。

労働裁判所には，急速審理の構成体（使用者1人，労働者1人）があり，特に可否同数〔►Partage des voix〕の場合には，決裁裁判官〔►Juge départiteur〕へ付託される。

▷新民事手続法典484条，808条，809条，848条，872条，893条および956条；労働法典R516条3号

►Référé civil〔民事急速審理〕

行政 **急速審理裁判官** 行政訴訟において急速審理裁判官になるのは，地方行政裁判所〔►Tribunaux administratifs〕所長，行政控訴院〔►Cours administratives d'appel〕院長，および，その指名する裁判官であり，コンセイユ・デタ〔►Conseil d'État〕においては，訴訟部部長およびその指名するコンセイユ・デタ評定官である。

▷行政裁判法典L511-2条

►Référé administratif〔行政急速審理〕

Juge des tutelles 民法 民訴 **後見裁判官** 後見裁判官は，小審裁判所裁判官であって，未成年者の後見および成年無能力者の後見，およびその者のために整備されている保護制度（裁判上の保護〔►Sauvegarde de justice〕，保佐〔►Curatelle〕，裁判上の支援措置〔►Mesure d'accompagnement judiciaire〕）を組織し機能させることを任務とする。

後見裁判官はまた，法定財産管理人を監督し，父母または父母の一方の請求に基づいて未成年者の解放を言い渡し，生死不明の推定を受けている者の財産の管理を組織する権限を有する。

▷民法典393条（2009年1月1日より民法典388-3条，413-2条および417条）；司法組織法典L211-9条およびR322-1条；新民事手続法典1211条以下

Juge unique（Système du） 訴訟 **単独裁判官（制）** 合議制〔►Collégialité〕に対比される制度で，1人の裁判官のみでその職務を行う。

▷新民事手続法典801条以下；司法組織法典L212-1条，L212-2条およびL212-5条；行政裁判法典R222-13条

行政 **単独裁判官（制）** 単独裁判官制度は，行政訴訟の分野で一定程度適用されている。主として，急速審理の分野，および，たいていの場合地方行政裁判所の管轄に属する列挙された若干の事件において適用例が見られる。

▷行政裁判法典R222-13条

民訴 **単独裁判官（制）** 職務を単独で行う裁判官。小審裁判所裁判官，準備手続裁判官，少年係裁判官，執行裁判官，家族事件裁判官，急速審理としての裁判をする裁判所所長，賃料裁判官は，単独で訴訟上または非訟上の権限を行使する。

新民事手続法典は，1970年7月10日の法律の規定を再録し，大審裁判所の管轄に属する民事事件を単独裁判官に委ねることを認めた（懲戒および人の身分に関する事件を除く）。しかし，すべての訴訟当事者は理由を示さずに，訴訟を当該裁判所の合議体に移送することを要求することができる。単独裁判官は不動産差押えの場合に，競売期日を開くことができる。

▷司法組織法典L212-2条およびR312-6条

刑訴 **単独裁判官（制）**

①自己の管轄に属する事件を単独で裁判する権限をもつ裁判官。例えば，直近裁判所裁判官，違警罪裁判所裁判官，少年係裁判官，刑罰適用裁判官など。

②合議制において通常必要とされる3名の裁判官のうち1名のみからなる軽罪裁判所の構成。この単独裁判官は，裁判所所長に与えられた権限を行使する。単独裁判官制の軽罪裁判所により裁判される軽罪は刑事手続法典398-1条に列挙されている。ただし，被告人〔►Prévenu〕が法定累犯の状態にあることから，これらの犯罪が5年を超える拘禁刑により処罰されるとみられる場合には，合議制の軽罪裁判所が裁判を行う。事実が複雑である場合にも，職権でまたは当事者もしくは検察官の請求に基づいて合議制に復帰することができる。

▷刑事手続法典398条以下

Jugement [訴訟] 裁判；判決；判断　裁判官の合議体または単独裁判官によってなされる判断すべてを表す一般用語。特に，大審裁判所，商事裁判所および地方行政裁判所によってなされる判決を表す。
　►Arrêt〔(法院)判決〕►Sentence〔判決；判断；裁決；裁定〕

Jugement avant dire droit (avant faire droit) [民訴] 先行判決　訴訟手続中に仮の地位を設けるため(仮の判決〔jugement provisoire〕：例えば，係争中の財産の寄託，子の監護)，または審理を整理するため(準備判決〔jugement préparatoire〕)になされる裁判。
　このような判決は裁判所の事件関与を解消せず，本案に対する既判力はない。
　▷新民事手続法典482条および483条

Jugement constitutif [民訴] 形成的裁判　訴訟前の法的地位を単に確認するのではなく，新たな法的地位を創設する場合，形成的といわれる。
　したがって，その効力は裁判が言い渡された日から発生する。離婚・養子縁組の裁判，企業の裁判上の更生，裁判上の清算を言い渡す裁判が例として挙げられる。この裁判は，しばしば，絶対的既判力を有する。
　非訟事件決定は普通，形成的な性質を有する。
　►Jugement déclaratif〔宣言的裁判〕

Jugement contradictoire [民訴] 対審判決　両当事者が本人自らまたは受任者を通じて出頭する手続きの後になされる判決。この判決に対して故障の申立てをすることはできない。
　▷新民事手続法典467条
　►Défaut〔欠席〕►Jugement dit contradictoire〔法律上対審とされる判決〕►Jugement par défaut〔欠席判決〕►Jugement réputé contradictoire〔対審とみなされる判決〕

Jugement dit contradictoire [民訴] 法律上対審とされる判決　原告が出頭しないこと，または，当事者の一方もしくは他方が必要な行為をしないことを理由になされる判決。法律は，実質は欠席判決であるにもかかわらず，対審判決とまったく同一視している。したがって，この判決に対しては故障の申立て〔opposition〕をすることができない。
　▷新民事手続法典468条1項および469条1項
　►Jugement contradictoire〔対審判決〕
　►Jugement par défaut〔欠席判決〕►Jugement réputé contradictoire〔対審とみなされる判決〕

Jugement déclaratif [民訴] 宣言的裁判　先在する事実(例えば親子関係)を確認する，または，訴訟開始時における権利(例えば債権)の存在を訴訟当事者のために確認する裁判。
　もとの法的地位は宣言的裁判により安定化され，疑義を脱する。宣言的裁判の効力は論理的には呼出し〔assignation〕の日までさかのぼる。
　►Judgement constitutif〔形成的裁判〕

Jugement par défaut [民訴] 欠席判決　被告本人に対して呼出しまたは再呼出しがなされず被告が出頭しなかった場合で，かつ，事件が控訴しえない場合，判決は欠席判決となる。欠席判決に対しては，故障の申立て〔►Opposition〕が可能である。
　▷新民事手続法典473条1項および476条
　►Défaut〔欠席〕►Jugement contradictoire〔対審判決〕►Jugement dit contradictoire〔法律上対審とされる判決〕►Relevé de forclusion〔失権の免除〕

Jugement définitif [民訴] 終局判決　本案に関するまたは付帯申立てに関する争いを解決する裁判。不服申立ての対象となる。
　►Jugement sur le fond〔本案についての判決〕

Jugement en dernier ressort [民訴] 終審判決　いかなる控訴もなしえず，特別の不服申立て(再審の訴えまたは破毀申立て)のみが可能な判決〔jugement, arrêt〕。
　▷新民事手続法典593条および605条
　►Jugement en premier ressort〔第一審判決；始審判決〕

Jugement de donné acte [民訴] 認定判断　1または複数の当事者の申立てにより，法的帰結をただちに導くことなく，合意，追認，留保などの認定，宣言をなすにとどめる判断。
　►Contrat judiciaire〔訴訟終結契約〕►Jugement d'expédient, Jugement convenu〔便宜判決，合意判決〕

Jugement en premier ressort [民訴] 第一審判決；始審判決　控訴することができる判決。例えば，訴額が4000ユーロを上回るか不定の場合，小審裁判所は，不動産賃貸借契約がその目的，原因または契機となっている訴えを，始審として審理する。
　►Jugement en dernier ressort〔終審判決〕

Jugement étranger [国私] 外国判決　外国国家

の主権の名においてなされる判決。外国判決の(きわめて一般的な意味における)効果のいくつかは，証拠力または執行効果として当然に〔de plano〕認められる。

反対に，強制執行に訴えることは，原則として執行命令〔►Exequatur〕を必要とする。最後に，既判力については，判決の種類に応じて，当然に認められる場合(形成的判決，ならびに人の身分および能力に関する判決)，または執行命令を必要とする場合(財産に関する宣言的判決)がある。

►Titre exécutoire européen〔ヨーロッパ執行名義〕

Jugement d'expédient, Jugement convenu 民訴 便宜判決，合意判決　裁判官が両当事者の合意を認定した後に，それを明示して，判決理由および主文を含む真の判決を言い渡すとき，便宜判決または合意判決と呼ばれる。

訴訟終結契約〔►Contrat judiciaire〕とは異なり，既判力を備えており，不服申立てによってしか争うことはできない。

►Jugement de donné acte〔認定判決〕

Jugement gracieux 民訴 非訟裁判　►Décision gracieuse〔非訟事件決定〕

Jugement irrévocable 民訴 不覆判決　特別の不服申立ての方法がすでに行使されていたり，その申立期間がすでに徒過していたりして，特別の不服申立ての方法の対象とならない裁判。

►Voies de recours〔不服申立て(の方法)〕

Jugement réputé contradictoire 民訴 対審とみなされる判決　被告の不出頭にもかかわらず，判決につき控訴が可能であること，または，呼出状が欠席者本人に送達されたことを理由に，法律が擬制的に対審とみなす判決。この判決は故障の申立てにより攻撃されることはないが，その余については，欠席判決〔►Jugement par défaut〕の制度(滅効，失権の免除〔►Relevé de forclusion〕)に服する。

▷新民事手続法典473条2項

►Jugement contradictoire〔対審判決〕
►Jugement dit contradictoire〔法律上対審とされる判決〕

Jugement sur le fond 民訴 本案についての判決　本案についての判決すなわち終局判決は，原則として係争中の問題つまり訴訟の目的の，全部または一部につき裁判する。

本案についての判決は，抗弁(例えば，手続行為の無効)または訴訟不受理事由に基づく付帯の申立ても判断することがある。

裁判官が訴訟の本案について裁判すると，このような判決は裁判官の事件関与を解除する。先行判決と異なり，既判力を有する。

▷新民事手続法典480条

►Jugement définitif〔終局判決〕

Jugement mixte 民訴 混合判決　判決主文の中で，本案の一部を判断し，同時に，証拠調べまたは仮の措置を命じる判決。この判決は，本案のすべてを判断する判決として，不服申立ての方法によって攻撃されうる。

▷新民事手続法典544条および606条

►Jugement avant dire droit (avant faire droit)〔先行判決〕►Jugement définitif〔終局判決〕►Jugement sur le fond〔本案についての判決〕

Jugement sur pièces 訴訟 民訴 書面に基づく判決　事件についてあらかじめ陳述が行われることなく，陳述記録に含まれている書面および両当事者によって提出された申立趣意書の審査のみでなされる判決。民事裁判法においては口頭弁論の排除は完全に適法ではあるが，破毀院においてでなければみられない。破毀院では，両当事者の提出する申立理由書〔mémoires〕は非常に詳しいので，たいていの場合陳述は不必要となる。

Jugement préparatoire 民訴 準備判決　►Jugement avantdiredroit (avantfairedroit)〔先行判決〕

Jugement provisoire 民訴 仮の判決　►Jugement avantdiredroit (avantfairedroit)〔先行判決〕

《Jura novit curia》 一般 国私 法は裁判所が知っている　この法格言は外国の法律が援用されるときは部分的にしか適用されない。当事者がその権利を自由に処分できる事項については，外国の法律がフランスの法律とは異なる結果を導くことを主張する訴訟当事者が，その法律の内容を証明する。他方，フランスの裁判官は，抵触規則〔règle du conflit〕が裁判官に適用することを命じている外国の法律の内容を探求しなければならない。

Juridicité 一般 法対象性　社会生活上の規範，すなわち，風俗，礼節，道徳，宗教と対照的に，法の支配下に置かれていることをいう。

Juridiction 一般 管轄 権限　広義では，これと類似の英語の《jurisdiction》〔権限〕という語に近い意味をもち，やや古い意味でのautorité〔権限〕，souveraineté〔専権〕の同

義語である。例えば、ある国家がある企業に課税する権限をもつことを、その企業がその国家の課税権〔juridiction fiscale〕に服するという。
　[訴訟] **裁判所**　tribunal〔裁判所〕の同義語。
　行政系統(行政裁判所)および司法系統(刑事裁判所、民事裁判所)に分けられる。また裁判所は、その性質に基づいて普通法上の裁判所〔juridiction de droit commun〕および例外裁判所〔juridiction d'exception〕に分類される。裁判所は、裁判階層上のいずれかの審級に必ず位置づけられている。

Juridiction administrative (La)　[行政] **行政裁判所**　行政系統に属する裁判所の総体。通常は、控訴、または破毀を通じてコンセイユ・デタの監督に服する。
　この表現は、行政系統に属する個々の裁判所を指すのにも用いられる(例：地方行政裁判所は行政裁判所である)。

Juridiction de l'application des peines　[刑訴] **刑罰適用機構**　2004年3月9日の法律第204号(PerbenⅡ法)によって設置された機関。刑罰執行のすべての必要に応えることを目的とする。裁判組織をモデルとしており、第一審機構(刑罰適用裁判官および刑罰適用裁判所)と控訴機構(刑罰適用部)とがある。
　▷刑事手続法典712-1条以下およびD49条以下

Juridiction arbitrale　[訴訟] **仲裁裁判所**
　►Amiable compositeur〔衡平仲裁人〕►Arbitrage〔仲裁〕►Arbitrage international〔国際仲裁〕►Arbitre〔仲裁人〕►Clause compromissoire〔仲裁条項〕►Compromis〔仲裁契約〕

Juridictin d'attribution　[行政] **特別管轄裁判所**　通常、行政訴訟手続きにおいて普通法上の裁判所〔►Juridiction de droit commun〕の対義語として用いられる語であり、民事手続法で通常は、例外裁判所〔►Juridiction d'exception〕と呼ばれるものを指す。1953年以降、コンセイユ・デタは、第一審としては、もはや特別管轄裁判所でしかない。
　►Ressort〔審級〕

Juridiction commerciale　[民訴] **商事裁判所**
　►Tribunal de commerce〔商事裁判所〕

Juridiction de droit commun　[訴訟] **普通法上の裁判所**　通常、管轄権限を有する裁判所。特別の法文が明示的にその管轄権限を排除しているときは、その限りではない。

　[行政] **普通法上の裁判所**　行政系統における普通法上の裁判所は、地方行政裁判所と行政控訴院である。
　[民訴] **普通法上の裁判所**　普通法上の裁判所は大審裁判所および控訴院である。それは、例外裁判所に帰属すると明示されている事件を除いて、原則的にすべての事件を裁判することを任務とする。►Compétence exclusive〔専属管轄〕►Plénitude de juridiction〔裁判権の十全性〕
　[刑訴] **普通法上の裁判所**　普通法上の刑事裁判所は、違警罪裁判所、軽罪裁判所、控訴院および重罪院である。

Juridiction d'exception　[訴訟] **例外裁判所**　事物管轄が明文によって定められている裁判所。
　[民訴] **例外裁判所**　例外裁判所は単に1つの事物管轄を有し、明文によって委ねられた事件しか審理しない。商事裁判所、労働裁判所、諸種の賃料に関わる裁判所(賃料裁判官、農事賃貸借同数裁判所)がある。
　[刑訴] **例外裁判所**　刑事例外裁判所は、未成年者裁判所、軍事裁判所〔tribunaux aux armées〕、本国軍事裁判所〔tribunaux territoriaux des forces armées〕、海事裁判所、高等法院である。

Juridiction gracieuse　[民訴] **非訟裁判権**
　►Décision gracieuse〔非訟事件決定〕

Juridiction d'instruction, Juridiction de jugement　[刑訴] **予審裁判所、判決裁判所**　刑事裁判所は、2つの類型に分かれる。1つは、予審裁判所である。この裁判所の関与は、つねに必要的に行われるとは限らない(予審判事、控訴院予審部)。他方は、判決裁判所である(普通法上の裁判所、例外裁判所)。

Juridiction judiciaire　[民訴] [刑訴] **司法裁判所**　破毀院の監督に服する司法系統〔►Ordre judiciaire〕の裁判所(刑事裁判所、民事裁判所、商事裁判所、労働裁判所、農事賃貸借同数裁判所および社会保障事件裁判所)の総体。

Juridiction obligatoire (Clause facultative de)　[国公] **義務的管轄の選択条項**　国際司法裁判所規程36条2項。法律的紛争を解決するために、国家が、単なる一方的宣言により国際司法裁判所の義務的管轄をあらかじめ受諾する権能を有することを規定する。

Juridiction de proximité　[民訴] **直近裁判所**　職業裁判官ではない裁判官が裁判する単独裁判官制の裁判所。民事については、4000ユーロの価額までの対人の訴えまたは動産の訴えを

終審として審理する。また，控訴の負担付きで，4000ユーロを超えない額の債務の履行を原因とする訴額不定の請求について審理する。

　直近裁判所に対しては，訴額に対する同一の条件のもとで，裁判官により命じられた和解の試みの後で両当事者によって作成された合意認定書〔constat d'accord〕に執行力を与えるための認可〔homologation〕の請求を提起することができる。

▷司法組織法典L231-3条以下，L522-28条以下，L532-19条以下，L552-13条以下およびL562-29条以下

[刑訴] **直近裁判所**　直近裁判所は，第1級から第4級までの（比較的軽微な）違警罪について裁判する管轄権限を有する。ただし，コンセイユ・デタの議を経たデクレにより違警罪裁判所の管轄権限とされたものは除かれる。直近裁判所はまた，違警罪の刑事示談取引〔composition pénale〕を，大審裁判所所長の委任に基づいて，有効とすることができる。

　直近裁判所裁判官は，大審裁判所所長の判断にしたがって，軽罪裁判所の合議制構成体に陪席裁判官の資格で加えられることがある。

▷司法組織法典L331-5条；刑事手続法典521条以下

▶Juges de proximité〔直近裁判所裁判官〕

Juridictions spécialisées　[刑訴] **専門特化裁判所**　対象となる犯罪（組織犯罪，テロ行為，経済・金融犯罪，保健衛生犯罪，海洋汚染など）の複雑性を理由として，訴訟の割当てに関する通常規定の適用除外により特別の土地管轄権限を付与された，普通法上の刑事裁判所。専門特化は，ある裁判所の管轄権限を拡張することにより，またはパリの裁判所に審理を集中することにより行われる。

Juridiction de renvoi　[民訴] [刑訴] **破毀後の移送を受けた裁判所**　破毀を申し立てられた判決が破毀された後に事件を再審理することを命じられた裁判所。破毀が，本案について新たに裁判がなされることを意味する場合と，事実審裁判所により専権的に認定された事実が，適切な法規範の適用によって破毀院が係争を直接終結させることを許さないことを意味する場合とがある。

▷新民事手続法典1032条以下

Juridique　[一般] **法的な**　用いられている表現，語句が，最も広い意味での法に関するものであることを表す形容詞。例えば，法理論〔théorie juridique〕とは，助言を与え，契約書を作成し，訴訟を裁判するなど，複合的な事実に適用されるべき法規範〔règles juridiques〕に関する理論である。

　法律行為〔▶Acte juridique〕は，法律効果を生じさせる。

▶Fait juridique〔法律事実〕

　法的推論〔raisonnement juridique〕によって，事実がいかなる法的性質をもつものとして理解されるべきかを明らかにすることができる。

▶Qualification〔性質決定〕

《**Juris et de jure**》　[民法] **反証を許さない**　推定が絶対的〔absolue〕であり，反証によって争いえない場合，この推定はjuris et de jureであるという。

▷民法典1350条

▶《Juris tantum》〔反証を許す〕▶Présomption〔推定〕

Jurisconsulte　[訴訟] **法律家**　▶Consultation〔助言〕[訴訟]

《**Jurisdictio**》　[訴訟] **裁判権**　裁判官に与えられた，《裁判する》〔dire le droit〕権限を表すラテン語の表現。これは，受訴した事件の状況に応じて，法規範，定められた手続き，許されている証拠に基づき，宣言によってなされる。裁判行為〔▶Acte juridictionnel〕は，行政行為とは対照的に，裁判官の事件関与の解除〔dessaisissement du juge〕，既判力〔autorité de la chose jugée〕，そして判決の宣言的性質という特質を有する。

　通常は裁判行為が紛争を終わらせるのだが，つねにそういう場合ばかりではない。非訟事件決定においては，（少なくとも現実の）対立はなく，裁判官の職務は《紛争のない者の間で》〔inter volentes〕なされる。非訟事件決定は固有の意味では裁判行為ではなく，裁判官の活動は裁判上というより行政上のものである。

▶Décision gracieuse〔非訟事件決定〕▶《Imperium》〔命令権〕

Jurisprudence　[一般] **判例；法学**　古い意味では法学のこと。

　より明確かつより現代的な意味では，法律問題に関して裁判所によってなされた十分に整合する判断の総体によって示される考え方のこと。公法では，行政判例の法創造的性格および非常に重要な行政法の法源としての役割を強調するために，好んで《法務官的判例》〔jurisprudence prétorienne〕と言わ

251

れる。

- 《Juris tantum》 [民法] **反証を許す**　推定を反証によって争いうる場合，この推定はjuris tantumであるという。
  - ▷民法典1353条
  - ►《Juris et de jure》〔反証を許さない〕
  - ►Présomption〔推定〕
- Jury [刑訴] **陪審**　一定の裁判所に固有の構成要素。これを構成する陪審員は，例外的かつ一時的な資格で刑事裁判を行うことを任務とする単なる市民である。
  - ▷刑事手続法典254条以下
- 《Jus abutendi, Jus fruendi, Jus utendi》 [民法] **処分権，収益権，使用権**
  - *Jus abutendi*　処分権：物の所有者の，その物を処分する権利を示すラテン語の表現。
    - ►《Abusus》〔処分権〕►Disposer〔処分する〕
  - *Jus fruendi*　収益権：所有者の，所有物の果実を収取する権利を示すラテン語の表現。
    - ►《Fructus》〔収益権〕
  - *Jus utendi*　使用権：物の所有者の，その物を使用する権利を示すラテン語の表現。
  - ▷民法典544条
  - ►《Usus》〔使用権〕
- 《Jus civile》 [国私] **私法；ローマ市民法**
  - ①私法//1国の国民のみに適用される私法であり，万民法〔►《Jus gentium》〕と対置される。
  - ②ローマ市民法//ローマ市民のみに適用される規範と，外国人またはローマの支配に服する住民に適用される規範との間になされたローマ法による区別。
- 《Jus cogens》 [国公] **強行規範；ユス・コーゲンス**　《一般国際法の強行規範とは，いかなる逸脱も許されない規範として，また，後に成立する同一の性質を有する一般国際法の規範によってのみ変更することのできる規範として，…国際社会全体が…認める（規範をいう）》（1969年5月23日の条約法に関するウィーン条約53条）。
- 《Jus gentium》 [国私] **万民法**　事物の本性にその基礎を有し，単に1国の国民だけではなくすべての国の国民に適用される法規範の総体。
  - ►Droit des gens〔国際法〕►《Jus civile》〔私法；ローマ市民法〕
- 《Jus sanguinis》 [国私] **血統主義**　個人の親子関係によって国籍を決定すること。
- 《Jus soli》 [国私] **生地主義**　個人の出生地に基づいて国籍を決定すること。

- Juste titre [民法] **正権原**　►Titre（Juste）〔（正）権原〕
- Justice [一般] **正義；司法**
  - ①正義//正義とは正しいことである。正義を行うことは，もっぱら，裁判所に付託された具体的事件において，何が正しいかを言うことにある。
  - 正義が，人間の間で財産，権利および義務，名誉を，社会における各人の価値，能力，要求およびその役割に応じて配分することをめざすとき，それは「配分的」正義〔justice distributive〕といわれる。
  - 「交換的」正義〔justice commutative〕とは，交換において算術的な平等をめざすときの正義である。
  - ②司法//justiceという語はまた，司法権〔►Autorité judiciaire〕またはある国の裁判所全体を指す。
- Justice de paix [民訴] **治安裁判所**　►Juge de paix〔治安判事〕
- Justice politique [憲法] **政治裁判所**　国家の一般的利益に反する政治的活動を審理するために設置される特別裁判所を指すために用いられる表現（裁判官が政治的論争に巻き込まれるべきではないという要請に基づいている）。
  - 大反逆罪の場合に共和国大統領を裁くことを管轄権限としていた高等法院〔Haute cour de justice〕が廃止されたことにより，もはやフランスには政治裁判所は存在していない。というのも，高等法院に取って代わった高等弾劾院〔Haute cour〕は，実際は裁判所ではなく，共和国大統領を罷免する政治的機関であるからである。
- Justiciable [訴訟] **裁判対象者；ある裁判所の管轄権限に服する（者）**
  - ①裁判対象者//裁判を求める者であれ裁判に呼び出される者であれ，裁判との関係からみた者。
  - ②ある裁判所の管轄権限に服する（者）//例えば使用者および労働者は，労働契約に関する両者の紛争について労働裁判所の管轄権限に服する。
- 《Know-How》 [商法] **ノウ・ハウ**　►Savoir-faire〔ノウ・ハウ〕

L

Label 〔労働〕 ラベル　法律または労働協約の規定する労働条件に従って製品が製造されたことを証する組合マーク〔marque syndicale〕。
▷労働法典L413-1条以下

Label agricole 〔商法〕 農産物品質保証ラベル　食料品または食用ではない未加工の農産物が，仕様書にあらかじめ定められた品質および特質を備えていることを証し，高品質であることを証明するマーク。
▷消費法典L115-22条

Laïcité 〔公法〕 ライシテ；政教分離　国家は非宗教的〔non-confessionnel〕であるという，国およびその他のあらゆる公法人の役務の組織運営上の原則。すべての一連の帰結はそこから導き出される。とりわけ，国家は，いかなる宗教であれその信条または社会生活上の規範の普及を，特に初等教育および中等教育の枠内で（この点については見解が一致している）促進も妨害もしてはならない。
　歴史的理由のゆえに，アルザス・ロレーヌ地方の県では，他の地方とは異なり，この原則は全面的には適用されない。

Laïcité de l'État 〔憲法〕 国家の非宗教性
①国家は，本来的に非宗教的な現象であるということを意味する表現（例えば，古典古代の都市国家，コーランの厳格な理解に基づくイスラム国家と対立する）。
②国家が，教会と宗教に対して，無視とはいかないまでも，少なくとも公平，中立な態度をとるべきことを意味する表現。

Lais, Relais 〔行政〕 寄洲，砂洲　海および河川の堆積物またはその後退によってつくられた土地。
▷民法典538条，556条および557条

Langue 〔国公〕 用語；言語
①*Langue diplomatique*　外交用語：国家間関係（条約の作成，国際機関における審議）において，各国が固有の言語を使用することにより引き起こされる不便を回避するために採用が認められた共通の言語。
②*Langue officielle*　公用語：国際会議または国際機関が出す公式文書がそれにより作成されなければならないような言語。
③*Langue de travail*　常用語：国際組織（特に国際連合）の実務において，公用語のうちのいくつかの言語を指す表現。これらの言語は，通常の作業，すなわち演説や議事録の翻訳などにおいて使われている。
④*Langue nationale*　公定語：「共和国の言語はフランス語である」（憲法典2条）。

《**La plume est serve, mais la parole est libre**》〔民訴〕〔刑訴〕 ペンは拘束されるが，発言は自由である　検察の構成員は，上級者の指示に従った検察意見〔réquisition〕を「書面で」提出しなければならないが，法廷においては，自分自身の信念を反映した，検察意見とは異なる意見を「口頭で」自由に述べることができる原則。
▷刑事手続法典33条

《**Lata sententia, judex desinit esse judex**》〔民訴〕 判決がなされた後は，裁判官は裁判官たることをやめる　ラテン語の法格言。本案についての判決を言い渡すことで，裁判官はその権限を行使し終える。裁判官は事件関与を解除され，例外的な場合を除いて，判決を撤回することはできない。
▷新民事手続法典481条
▶Dessaisissement du juge〔裁判官の事件関与の解除〕

《**Lato sensu**》〔一般〕 広義では；広い意味では　法律，行政立法および合意の規定または語の意味を広義で用いること。
▶《Stricto sensu》〔狭義では；厳密な意味では〕

《**Lease-back**》〔商法〕 リース・バック　商工業に用いる不動産の所有者が不動産をファイナンスリース会社に売却し，ただし，その利用権はファイナンスリース会社とのファイナンスリース契約によって所有者に続けて与えられるという取引。リース・バックは，不動産にも動産にも利用することが考えられるが，実務上は，不動産にしか用いられていない。この取引によって，利用者は資金を得ることができる。
▶Crédit-bail〔ファイナンスリース〕

《**Leasing**》〔商法〕 リース　▶Crédit-bail〔ファイナンスリース〕

Lecture 〔憲法〕 読会　国会用語で，政府提出法

Lég

律案または議員提出法律案の議院による討議
を意味する。

Légalisation 民法 一般 認証；合法化
　①認証//公務員が，証書の署名が真正であることを証明する手続き。
　▷地方公共団体一般法典L2122-30条
　②合法化//より一般的な意味では，ときには許容されいずれにせよ規制の外におかれている違法な行為を法律が公式に認めること。例えば，堕胎の合法化。

Légalité (Contrôle de) 行政 適法性（の監督）
地方公共団体〔►Collectivités territoriales〕に対する，従来の後見監督〔►Tutelle〕の現在の形式。ただし，異なる内容を含む。

Légalité (Principe de) 行政 適法性（の原則）
行政に対する国民の基本的保障として政治的自由主義から導き出される，行政作用の基本的原則。それによれば，行政庁は法〔droit〕に適合する範囲でしか行動することができない。なお，成文法律は法の一要素にすぎない。
　►État de droit〔法治国家〕
　財政 適法性（の原則）

Légalité de l'impôt 租税法律主義：1789年の権利宣言にさかのぼる租税法の基本原則であり，今日では憲法典34条に規定されている。この原則によれば，地方公共団体，国のいずれに徴収されるにせよ，あらゆる租税は法律によってしか創設されえない。
　刑法 罪刑法定主義 《法律なければ犯罪なし，法律なければ刑罰なし》というラテン語の法格言に表された原則。重罪および軽罪ならびにそれに適用される刑罰は，法律によって明確に規定されていなければならない。違警罪についても同様の要請が妥当するが，それを規定するのは，1958年憲法典以来，行政立法である。
　▷刑法典111-2条および111-3条

Légataire 民法 受遺者 遺贈〔►Legs〕を受ける者。

Légation 国公 公館；使節
　①公館//外交使節団の所在地。
　②*Droit de légation* 使節権：国家が外交官を他国に派遣する権利(能動的使節権)，またはこれを接受する権利(受動的使節権)。

《*Legem patere quam fecisti*》 一般 汝が作った法律を遵守せよ　行政機関は，個別的措置によって，自らが以前に制定した(一般的)行政立法の適用を，その行政立法自体がその可能性を規定していない場合，除外することは

できない。適法性の原則のこの特別の表現は，例えば，市町村長が自己の制定した行政取締規則〔arrêté de police〕に対して個別的な適用除外を与えることを禁じている。

Législateur 憲法 立法者　2つの意味で用いられる。
　①実質的意味：一般的法規範を制定することができるすべての機関を指す。政府も国会も，この意味では立法者である。
　②形式的意味：国会の同義語。
　►Formel, matériel〔形式的，実質的〕

Législature 憲法 立法期；立法府
　①立法期//議会の任期の存続期間。
　②立法府//議会自体。

Législatif (Pouvoir) 憲法 立法（権）
　①法律を討議し表決する作用。
　►Loi ordinaire〔通常法律〕
　②立法作用を行使する機関。すなわち国会。

Légitimation 民法 準正　非嫡出子が将来に向かって嫡出子たる身分を取得することを認める，法律の恩恵。
　2005年7月4日のオルドナンス第759条は，子の地位の平等の帰結として嫡出親子関係と自然親子関係の概念を廃止し，よって準正も廃止した。
　▷民法典329条以下

Légitime défense 刑法 正当防衛　現になされた行為を正当化することによる刑事無責任事由。自己，他人または財産に向けて不正な侵害が加えられるやただちに，それに対する防衛行為を行った者に認められる。ただし，防衛手段と侵害の程度との間に不均衡が生ずる場合はこの限りでない。財産に対する重罪または軽罪の遂行を妨げるための防衛行為として故意による殺害がなされた場合は，不均衡があるものと法律上推定される。
　▷刑法典122-5条および122-6条

Légitimité 憲法 正統性　（とりわけ起源と形態について）被治者の欲求に合致しているという権力の性質。これが，権力に一般的な同意と自発的服従をもたらす。正統性は不変のものではない。

Légitimité démocratique 民主的正統性：国民による為政者の信任(選挙)に基づく正統性。

Légitimité monarchique, Légitimité de droit divin 君主制的正統性，王権神授説的正統性：神による(直接的または摂理に基づく)国王の信任に基づく正統性。
　民法 嫡出性　嫡出子たる資格。

►Filiation légitime〔嫡出親子関係〕

Legs 〔民法〕**遺贈** 遺言に含まれている無償譲与〔►Libéralité〕。遺言者の死によってはじめて効力を生じる。

Legs particulier 特定遺贈：特定され，または特定可能な1または複数の財産を目的とする遺贈。

Legs universel 包括遺贈：受遺者に全相続財産を受け取る資格を与える遺贈。

Legs à titre universel 包括名義の遺贈：遺言者が死亡の際に残す財産の割合的部分を目的とする遺贈。

Legs《de residuo》 《残存物遺贈負担付》遺贈：受遺者の死亡時に処分されていないものを遺言者の指定した者に引き渡すことを条件としてなされる遺贈。信託遺贈上の指定〔►Substitution fidéicommissaire〕とは異なり，《残存物遺贈負担付》遺贈は，財産を保存するという無償譲与受益者〔gratifié〕の義務を含まない。
▷民法典1002条以下
►Libéralité résiduelle〔残存物を限度とする順位付無償譲与〕

《Le juge de l'action est juge de l'exception》 〔訴訟〕**訴えの裁判官は抗弁の裁判官である** 一定の条件のもとで，民事，刑事または行政事件の裁判官が，主たる訴えまたは公訴を提起された場合，訴訟手続中に提出された防禦方法が，主たる訴えとして提起されれば自己の管轄権限には属さないとしても，それらすべてについて裁判することができるという原則。
▷新民事手続法典49条；刑事手続法典384条
►Défenses à l'action〔訴えに対する防禦〕►Demande incidente〔付帯の訴え（請求）〕►Exception〔抗弁〕►Fin de non-recevoir〔de non-valoir〕〔訴訟不受理事由〕►Question préjudicielle〔判断付託問題〕

Léonardo 〔EU〕**レオナルド計画** 職業教育に関するヨーロッパ連合の計画の名称。1995年1月に，先行する諸施策（ペトラ〔Petra〕，コメット〔Comett〕，フォルス〔Force〕，ユーロテクネット〔Eurotecnet〕）に取って代わった。

Léonin 〔商法〕**獅子の** ►Clause léonine〔獅子条項〕

Lésion 〔民法〕**レジオン；損害** 双務契約における給付相互間，または共同分割人の割当分相互間の価額の差から生じる，意思の合致時における損害。レジオンは，（レジオンを理由とする）取消しの訴え〔action en rescision〕または持分補充の訴え〔action en complément de part〕の対象となる。
▷民法典889条以下，1118条，1305条および1674条以下
►Rescision〔（レジオンを理由とする）取消し〕

Lettre de cadrage, Lettre de plafond 〔財政〕**予算編成方針通知，予算上限額通知** 次年度の予算法律案の準備期間中に，公支出の抑制を目的として，予算要求に際して大臣が考慮しなければならない政府の優先政策を伝えるため，予算編成方針通知が首相によって各大臣に発せられる。予算裁定〔arbitrage budgétaire〕が終わると，各計画大綱〔►Mission〕の予算額および定員について行うことのできる要求の上限が，予算上限額通知〔lettre de plafond〕によって各大臣に通知される。

Lettre de change 〔商法〕**為替手形** 振出人〔tireur〕と呼ばれる者が，支払人〔tiré〕と呼ばれる自己の債務者の1人に向けて，受取人〔bénéficiaire〕もしくは所持人〔porteur〕と呼ばれる第三者またはその指図人に，一定金額を一定期日に支払う旨を指図する証券。為替手形は，形式を理由とする商行為である。
▷商法典L511-1条以下およびL110-1条；通貨金融法典L134-1条
►引受け〔Acceptation〕

Lettre de change-relevé (LCR) 〔商法〕**電子為替手形** 今日多く用いられている券面廃止の方法。この方法によれば，為替手形〔►Lettre de change〕は，銀行間では，もはや磁気的方法によってしか流通しない。すなわち，情報自体が流通する。ただし，計算書は，支払人に為替手形の満期を示し，支払人が取引の適法性を検査することを可能にし，支払人がそのうちで支払おうとする為替手形を示すために，銀行により支払人に送付される。

電子為替手形は，商法典L511-1条の古典的記載事項に加えて，支払人の銀行口座情報〔coordonnées bancaires〕および無費用償還条項〔clause de retour sans frais〕を記載事項としている。

券面による電子為替手形〔Lettre de change-relevé-papier〕と磁気媒体による電子為替手形〔Lettre de change-relevé magnétique〕に区別されるが，券面による電子為替手形のみが，真の商業証券〔►Effet de commerce〕であり，手形法上の担保責任によって保護される。

　券面による電子為替手形が真の商業証券であるのは，書面をもって確認されるからである。券面による電子為替手形を受け取った振出人の（取引）銀行は，当該手形の記載事項に相当する情報を磁気媒体に転写する。銀行は，券面による電子為替手形を保管するが，当該手形を流通させることはしない。手形交換は，この時点から，もはや情報処理手段によって行われるにすぎない。他方，磁気媒体による電子為替手形は書面をもって確認されないので，真の商業証券ではない。振出人は，自身で，自己が振り出す為替手形に関する情報を情報処理媒体に転写し，自己の（取引）銀行に移転する。したがって，磁気媒体による電子為替手形は，実際には，商事債権の回収手段として用いられる。
▷商法典L511-1条以下

Lettres de créance 国公 **（外交官の）信任状**　外交官を任命する公式文書。着任した外交官は，信任状を国家元首（代理公使の場合は外務大臣）に提出する。

Lettre de crédit 商法 **信用状**　ある銀行が，他地に存在するコルレス銀行に送付する書状であり，一定期間内に，所定の金額を上限として，自己の顧客の1人に対して金銭を支払うか，または，与信に応じるよう求めるためのものである。

　信用状は顧客の請求に基づき作成され，しばしば，顧客によって，その顧客の債権者である受益者に送付される。

　信用状は，lettre accréditiveとも言われ，商業証券ではないが特別銀行証券〔titre de banque particulier〕である。
►Accréditif〔信用状〕

Lettre d'intention 民法 商法 **支援状**　債務者が債権者に対して債務を履行するのを支援することを目的とする，なすことまたはなさないことの約束。債務者が債務を履行しない場合，担保義務者は債務者に代位する義務を負うわけではない。担保義務者は，債権者に対し損害賠償義務を負うのみである。

　支援状はかつて，lettre de confortまたはlettre de patronageとも呼ばれていた。
▷民法典2322条

Lettre missive 民法 **親書**　特定の者に宛てられた私的かつ個人的な性質の文書。

Lettre de plafond 財政 **予算上限額通知**　

►Lettre de cadrage〔予算編成方針通知〕

Lettres de provision 国公 **領事委任状**　領事を任命する国家によりその領事に付与される公式文書であり，領事がその任務を遂行することとなる国の政府に対し，外国領事認可状〔►Exequatur〕を得るために送付される。

Lettre de rappel 財政 **督促状**　徴税官〔►Percepteur〕が行う租税の徴収に関して，督促状が支払期限までに支払いをしなかった納税義務者に送付されなければならない。その後に差押前催告〔►Commandement〕を行い，次に差押え＝執行手続きに移ることになる。
▷租税手続法典L255条

Lettre recommandée, Lettre simple 民訴 **書留郵便，普通郵便**　弁護士強制のない手続きにおいて，また，例外裁判所（労働裁判所，社会保障事件裁判所など）において用いられる，通常の手続文書送達の方法。秘密保持への配慮から書留郵便は封筒または簡易封筒に入れて配達される。送達の日付は差出人にとっては発送の日付（発送郵便局の消印の日付）であり，受取人にとっては書留郵便を受け取った日付，すなわち，書留郵便が受取人に配達されるときに郵便局が貼付する日付である。

　法律は，電子媒体による書留郵便に，紙媒体の書留郵便と同じ価値を与えている。

　普通郵便もまた用いられる。例えば，破毀院の書記は，普通郵便により，被告に，破毀申立ての対象となっていることを知らせる。
▷民法典1316-1条以下；新民事手続法典665条以下；労働法典R516-9条
►Notification〔送達〕

行政 **書留郵便，普通郵便**　行政裁判所の判決は，一般に，配達証明付書留郵便によって通知される。

Lettre de voiture 商法 **運送状**　荷送人，運送人および荷受人の間で物品運送契約を確認する要式の書面。船荷証券〔►Connaissement〕とは異なり，運送状は物品を代表しない。
▷商法典L132-8条およびL132-9条（旧101条，102条）

Levée d'écrou 訴訟 **釈放**　被拘禁者を出所させることを公式に確認すること。釈放の日付と理由は，受刑者名簿〔►Écrou〕に記載される。
▷刑事手続法典724条以下

《**Lex fori**》 国私 **法廷地法**　受訴裁判所の地の内国法。

《法廷地法によって》〔lege fori〕裁判するとは，裁判所が，法律の抵触または裁判管轄権の抵触を解決するため，自らが主権に服する国の法律を係争に適用する場合である。

《Lex loci》 [国私] ⋯地法　場所の法律，すなわち法律事実が生じた場所の法律。

《Lex mercatoria》 [国私] 商人法　国際契約に関して，職業人が作成し，取引界が自発的に従ってきた諸規範を示す表現。この商人の法は，国内法規定から大幅に独立したものとなっている。

《Lex rei sitae》 [国私] 物所在地法　物の所在地の法。
　一定の財産は，外国人が所有する場合でも，それが所在する国の法によって必ず規律される(例：不動産)。
▷民法典3条2項

《Lex societatis》 [国私] 適用会社法　会社の設立，運営および解散について原則として適用されうる法律。適用される法律は，フランスの国際私法においては，会社の本店所在地にしたがって決定される。
▷民法典1837条および商法典L210-3条

Liaison de l'instance [民訴] 訴訟関係の確定　本案に関する申立趣意書が交換される最初の期日に訴訟関係が確定する。訴訟関係の確定により，手続きは対審手続きとなり(欠席判決の余地はなくなる)，(手続上の)抗弁は不受理となる。さらに，確定時からは，相手方の同意のない限り原告の取下げもできなくなる。
▶Instance〔訴訟手続き〕▶Lien d'instance〔訴訟手続関係〕

Libéralisme [公法] 自由主義　国家が社会生活に必要不可欠な役割だけを引き受けるにとどまり，他の活動は私的イニシアティヴに委ねなければならないとする考え方。
　自由主義国家は，裁定者としての国家〔État-arbitre〕(国家は個人間の関係に干渉してはならず，自由主義のルールの尊重を監視するにとどまることから)，または夜警国家〔État-gendarme〕(国家の基本的役割が秩序維持と国防であることから)とも呼ばれる。

Libéralité [民法] 無償譲与　ある者が，対価を得ることなく他人に利益を得させる，または，他人に利益を得させることを約する行為。
▷民法典893条以下
▶Donation〔贈与〕▶Legs〔遺贈〕

[労働] 無償贈与　使用者が賃金に加えて労働者に支給する特別手当〔▶Gratification〕であり，賃金としての法的性質をもたない。

Libéralité graduelle [民法] 順位付無償譲与　受贈者〔▶Donataire〕または受遺者〔▶Légataire〕に対して，無償譲与の対象である財産または権利を保存し，自己が死亡した場合は証書において指定された第2の受益者にその財産または権利を移転する義務を負う負担を課した無償譲与のこと。このような無償譲与は，信託遺贈上の指定〔▶Substitution fidéicommissaire〕とは逆に，すべての者に対して開かれているが，移転の日に確定でき，かつ，転譲与義務者〔▶Grevé〕の死亡の時に現物で存続している財産および権利でなければ対象とすることができない
　第2の受益者は，無償譲与者本人から権利を受け継いだとみなされ，転譲与義務者の死亡の時から権利を行使することができる。
▷民法典1048条から1056条
▶Appelé〔被指定者〕▶Grevé〔転譲与義務者；負担者；負担財産〕

Libéralité résiduelle [民法] 残存物を限度とする順位付無償譲与　贈与者または遺言者が，第2の受益者は，第1の受益者の死亡の際に，その者に対してなされた贈与または遺贈の残存物を受け取るものと定める無償譲与。
　残存物を限度とする順位付無償譲与は，通常の順位付無償譲与と異なり，第1の受益者に対して，受け取った財産を保存することを義務づけない。第1の受益者は，受け取った財産を有償名義で処分することができる。売買が行われた場合，第2の受益者の権利は，譲渡の利益にも，新たに取得された財産にも及ばない。これに対し，第1の受益者は，残存物を限度とする順位付無償譲与として受け取った財産を遺言により処分することはできない。また，処分者は，第1の受益者に対して生前贈与を禁じることができる。
▷民法典1057条以下

Libération d'actions [商法] 株式の払込み　引き受けた株式の発行価額に相当する現金の払込みまたは現物出資の給付。
　金銭出資株式〔action de numéraire〕は，引受けの際に少なくとも券面額の2分の1が払い込まれなければならない。さらに，資本増加の場合に発行価額が券面額を上回るときは，引受けの際に額面超過額〔prime d'émission〕の全額の払込みが必要である。

▷商法典L228-27条

Libération conditionnelle 〔刑法〕**仮釈放** 1または複数の自由剝奪刑を言い渡された者を刑期満了前に釈放する措置。その者が社会復帰の真摯な努力を示していることを条件とする。言い渡された刑期または残りの刑期に応じて，刑罰適用裁判官または刑罰適用裁判所により認められる。ただし，仮釈放は，観察期間を終えた後でなければ認められない。この期間は，言い渡された刑罰のうち短縮できない部分の執行に相当する。
▷刑事手続法典712-6条以下および729条以下

Liberté civile 〔民法〕**民事的自由** 民事的自由（または法的自由〔liberté juridique〕）は，法律によって禁じられていないすべてのことをなす権利である。

　これは，この自由を享受する者が望めば，この自由の範囲内にある法的地位にいつでも無条件に就くことができる権利と説明される。自由というものは，原則として規定もされないし，正当性を説明する必要もない（踰越が問題になるだけで，濫用は問題とならない）。また，原則として条件も付されない。例えば，婚姻するかしないか，契約するかしないかの自由。取得，譲渡，遺言の自由。他の商人と競争する自由。

Liberté du commerce et de l'industrie 〔商法〕**営業の自由** 1791年3月2日＝17日の法律（7条）によって確立された原則。すべての人は，現行の法律および行政立法の枠内において，あらゆる経済活動および職業活動を自由に行うことができる。

Liberté contractuelle 〔一般〕**契約の自由** 意思自律〔►Autonomie de la volonté〕理論から直接導かれる法の一般原則。契約の自由原則によれば，法主体は，自由に契約を締結して法主体相互の債権債務関係を定めることもできるし，契約を締結しないこともできる。

Liberté des conventions matrimoniales 〔民法〕**夫婦財産に関する合意の自由** 夫婦は，公序に属する規定および善良の風俗を遵守するという条件付きで，その財産関係を合意によって自由に組織することができるとする原則。

Liberté de la défense 〔訴訟〕**防禦の自由**　►Contradictoire（Principe du）〔対審（の原則）〕►Défense（Liberté de la）〔防禦の自由〕►Droits de la défense〔防禦権；弁護権〕

Liberté des mers (Principe de la) 〔国公〕**海洋の自由の原則**　►Haute mer〔公海〕

Libertés publiques 〔公法〕**公の自由** 法的に承認，規定および保護された人権〔►Droits de l'Homme〕。3つのカテゴリーに分類することができる。

　①個人的権利〔droits individuels〕：個人的権利は，身体的活動（個人の安全，往来の自由，住居の自由と不可侵），知的および精神的な活動（意見の自由，信仰の自由），経済的な活動（財産権，営業の自由）の分野において，権力に対する一定の自律性を個人に保障するものである。

　②政治的権利〔droits politiques〕：政治的権利は，個人が権力の行使に参加することを可能とする（投票権，公職の被選挙資格）。プレス，集会および結社の自由は，政治の分野をこえて，《異議申立てとしての自由》〔libertés-opposition〕となることもある。

　③社会的経済的権利〔droits sociaux et économiques〕：社会的経済的権利は，個人が国家に特定の給付を求める権利（労働，教育，健康に対する権利）であるとともに，集団的な権利（組合権，ストライキ権）でもある。

Liberté subsidiée 〔社保〕**助成は受けるが運営は自由の原則** 構成員の拠出金により自己資金で財源調達をしているが，国家の助成金による援助を受けている共済組合組織のあり方。

Liberté surveillée 〔刑法〕**監督付自由；少年保護観察** 犯罪少年に対して行われる保安処分。少年係裁判官の権限のもとで，保護観察担当者（保護観察官および保護司）による監督および教育的統制のもとに少年を服させる効果をもつ。この処分は，鑑別，試験観察または教育処分として命じられる。教育のための保護観察には，犯罪少年が社会内にいる場合，施設に収容される場合，行刑施設に収容される場合がある。

Liberté syndicale 〔労働〕**組合の自由** 組合の自由には複数の面がある。個人に関しては，労働者が自らの選択する組合に加入する権利，またはいかなる組合にも加入しない権利である。また，企業の外で，または，企業の内で組合活動を行う権利である。集団に関しては，組合を自ら自由に設立し運営する権利である。
▷労働法典L411-2条，L411-5条，L411-8条およびL412-1条

Liberté du travail 〔労働〕**労働の自由** 労働の自由とは，憲法的価値を有し，かつ，すべての者に認められており，自己の選択する賃労働活動を行い，かつ，必要に応じて労働関係

を終了させる自由である。労働の自由は，現在では，多くの制限を受けている。

Atteinte à la liberté du travail 労働の自由侵害罪：軽罪であって，労働者を強制的にストライキの運動に参加させることを目的として，強迫，暴力行為，脅迫，欺罔行為を行うこと。

Libre circulation [EU] **自由流通** 商品，人および資本の自由な流通を軸として建設される共同市場の基盤そのもの。

Libre circulation des travailleurs [労働] **労働者の自由移動** ヨーロッパ経済共同体の各加盟国の労働者の有する権利で，他の加盟国におけるあらゆる雇用の提供に応じ，かつ，すべての加盟国においてその国の労働者として取り扱われる権利。

Libre pratique [EU] **自由流通状態** 共同市場の用語で，共同体以外の国の原産品で，かつ実際に関税（およびそれと同等の効果をもつ課徴金）を負担し，ヨーロッパ経済共同体域内への輸入の際に適用される規制を遵守するものは，構成国内において自由流通状態にあるとみなされる。その場合は，構成国原産の産品と同等に扱われ，ある構成国から他の構成国への自由な流通と同じ制度の恩恵に浴する。

Licéité [一般] [民法] **適法(性)** ►Illicéité〔違法(性)〕

Licence [行政] **免許** ►Autorisation〔許可〕
[商法] **ライセンス契約** ►Contrat de licence〔ライセンス契約〕

Licence-Master-Doctorat（LMD） [行政] **学士＝修士＝博士** 高等教育に関するヨーロッパ大学領域の枠内における教育組織体制。学生の個人計画に応じてこれらの教育を個別に組織し，ヨーロッパの学生の移動を助け，学位の国際認定を拡大することを目的とする。高等教育の最初の5年間，この認定は，各大学によって定められた学生の勉学単位である《履修単位》〔crédits〕制度（ヨーロッパ共同体のエラスムス計画〔►Erasmus〕の単位認定互換制度（ECTS）に相当）に基づいており，全体としては，3段階の学位〔►Grades universitaires〕の区分に基づいている。すなわち，バカロレア取得後3年（6半期，つまり180単位）で学士，バカロレア取得後5年（追加4半期，つまり追加120単位）で修士。さらに，修士第1学年修了後には，maîtrise〔旧修士〕の免状の授与を請求することができる。

修士を超えて，学生は博士を目指すことができる。博士は，通常はバカロレア取得後8年で博士論文の審査後に取得される。法学修士は，認可された大学でなければ授与することができず，認可される大学は，実際上，法学部に編成された教育研究単位〔►Unités de formation et de recherche（UFR）〕を含み，かつ/または第1課程および第2課程という完全な法学教育体制を有していなければならない。この教育組織は，医学教育および医学隣接部門教育に関する教育を対象とするものではない。

Licenciement [労働] **解雇** 期間の定めのない労働契約の，使用者の発意による解約。解雇するためには，使用者は手続きを遵守しなければならず，現実かつ重大な事由〔cause réelle et sérieuse〕によらなければ解雇権をもたない。解雇手続きは，個別的解雇であるか経済的理由による解雇であるかによって異なる。

Licenciement individuel 個別的解雇：第1の意味では，1人の労働者の解雇であり，集団的解雇と対置される。第2の意味では，通常は労働者本人に関連した理由による解雇であり，いかなる経済的事由とも関係ない。

Licenciement pour motif économique 経済的理由による解雇：立法者は，経済的理由による解雇を，以下のように定義している。すなわち，経済的理由による解雇とは，労働者本人と無関係の，特に経済的困難または新技術の導入に由来する，雇用の廃止もしくは変動または労働契約の実質的変更に起因する1または複数の理由により，使用者が行う解雇である。

▷労働法典L321-1条
►Congédiement〔解雇〕

Licitation [民法] [民訴] **(不分割財産の)競売** 不分割状態にある財産(不動産または動産)を競売すること。各不分割権利者〔indivisaire〕は，おのおのの権利に応じた専有持分に比例して競売代金の配当を受ける。

▷民法典817条以下および1686条以下；新民事手続法典1377条および1378条
►Privatif〔専有の〕

Lien d'instance [民訴] **訴訟手続関係** 法律を根拠とし，原告と被告の間で形成される法的関係であって，裁判上審理が請求される実体的法律関係と重なる。

この関係の存在が，訴訟当事者に権利，義

務を付与する。
►Instance〔訴訟手続き〕►Liaison de l'instance〔訴訟関係の確定〕

Lieu d'établissement 民法 **本拠地** 自然人の本拠を有する地が自然人の住所〔►Domicile〕を決定する。

商法 **企業所在地** 企業の所在地を示す地理的な表示であるが，企業の性質を表すものではない。

Ligne 民法 **系** 世代の連鎖(それぞれの世代は親等と呼ばれる)が系を形成する。一方が他方の子孫である者らを含む系を，直系という。互いに他の子孫ではないが共通の始祖の子孫である者らに関わる系を，傍系という。

相続財産が直系尊属または傍系血族のものとなる場合，系は父系と母系に分かれる。
▷民法典742条および746条以下
►Ascendant〔直系尊属〕►Collatéral〔傍系；傍系血族〕►Degré de parenté〔親等〕►Descendant〔直系卑属〕►Enfant〔子〕

Ligne (Opération au-dessus de la), Ligne (Opération au-dessous de la) 財政 **確定収支，暫定収支** イギリスの財政から借用した表現であり，以下のことを意味していた。

Opération au-dessus de la ligne 確定収支：予算法律〔►Loi de finances〕における確定的な歳入歳出。

Opération au-dessous de la ligne 暫定収支：国庫〔►Trésor public〕の貸付金と前渡金のような，一時的な性格の収支。

2006年に適用された予算改革は，予算法律の記載における以上の区別を放棄した。

Ligue 国公 **同盟；連盟** 共通の利益を守り，あるいは一致した政策を追求するための，都市または国家の間の同盟〔alliance〕(ハンザ同盟，アウグスブルク同盟)。

憲法 **反議会主義的極右団体** フランスにおいて，民主主義に異議を申し立て，選挙と議会の枠外で，宣伝と騒乱に訴えて，その活動を展開する軍隊式の政治的構成体に与えられる名称(1930年代に増加し，活発な活動を行った。火の十字架団，フランシスム団など)。

Ligue arabe 国公 **アラブ連盟** 各国の独立および主権を守りつつ，政治，経済および社会分野に関してアラブ諸国間の関係を強化することを目的として，1945年に設立された国際組織。政治上の対立の深さが連盟の活動をしばしば妨げてきた。

Lingua EU **リンガ計画** 外国語教育発展のためのヨーロッパ共同体の計画。

《*L'interlocutoire ne lie pas le juge*》 民訴 **先行判決は裁判官を拘束しない** 裁判官は，訴訟の本案について判断をするとき，以前証拠調べについてなした先行判決に拘束されないことを表す法格言。

Liquidation 民法 商法 **清算** 不分割財産の分割に先立つ作業の総体。その原因(例：相続，会社の解散)がいかなるものであるかを問わない。

清算とは，消極財産を積極財産の要素で支払うこと，および，分割を行うことができるように積極財産の要素の全部または一部を現金に換えることである。清算は，正味の積極財産を明らかにし，分割の時点までそれを保存することを可能にする。

商法 刑法 **閉店大売出し** 期間中または事前に宣伝されている販売であって，営業活動の停止，季節的一時停止，もしくは転換，または経営方法の大きな変更など，原因のいかんに関わらず，その決定の結果，値引きによって営業施設にある在庫商品の全部または一部の一掃を図るものと告知されているもの。この販売は，事前の行政許可の対象となる。

財政 **支出額の確定；税額算定**
①支出額の確定//公支出に関しては，支出負担行為〔►Engagement〕後の作用であり，支出すべき財政負担の正確な額を算定することを内容とする。決定に先立ち，公法人に提供されるべき給付が現になされたかどうかを確認する場合もある(《後払い》の原則〔règle du《service fait》〕)。

②税額算定//徴税に関しても，租税債権額の確定〔liquidation〕とは徴収すべき金額を決定することである。

社保 **給付額の確定** 被保険者の年金受給権を認定し，年金の額を計算すること。

Liquidation des dépens 民訴 **訴訟費用額の確定** 判決によって訴訟当事者間での配分が定められた訴訟費用額を決定し，確認すること。この確定について争いがある場合は，裁判所書記による確認，場合により訴訟費用額確定命令〔►Ordonnance de taxe〕を行う。
▷新民事手続法典701条以下
►Vérification des dépens〔訴訟費用の確認〕

Liquidation judiciaire 商法 **裁判上の清算** 支払停止〔cessation des paiements〕の状態にあり，その更生が明らかに不可能な商人，手工業者，農業者，または独立した職業活動を

行う自然人たるすべての債務者，ならびに，私法上のすべての法人に適用される手続き。

　裁判上の清算は，企業の活動を終了させ，または債務者の権利および財産の包括的または部分的譲渡によって債務者の財産を換価することを目的としている。したがって，清算人は，財産を売却し，債権を回収し，債務を弁済するために選任される。

　より迅速な，裁判上の清算の略式手続き〔procédure de liquidation judiciare simplifiée〕が，小規模債務者に適用されることがある。
▷商法典L640-1条以下

民法 **裁判上の清算**　2003年8月1日の法律第710号によって導入された手続き。積極財産の不足のゆえに個人更生〔rétablissement personnel〕の措置をとることができないと判断された場合に，自然人の過剰債務状態を終了させることを目的とする。
▷消費法典L332-8条

Liquidité　**民法** **民訴** **金銭評価可能性**　債権額が明確に知られていたり，割合として決められていたり，つまり数字で表されている場合，その債権は金銭評価可能であるといわれる。

　《現金で》〔en liquide〕という表現は，小切手または銀行カードではなく紙幣および硬貨といった貨幣を用いた支払いを意味する。現金での支払いはしばしば，取引の形跡を残さないようにとの意図で行われる。現在，債権額が3000ユーロを超える場合には，原則として小切手での支払いが義務づけられている。
▷通貨金融法典L112-8条
▶Créance〔債権〕

Liste bloquée　**憲法** **拘束名簿**　選挙人が変更することのできない候補者名簿。

Liste électorale　**憲法** **選挙人名簿**　投票権を有し，市町村においてそれを行使する人のアルファベット順の公式名簿。毎年，管理委員会によって改訂される。

Litigants　**民訴** **係争当事者**　訴訟における種々の当事者(原告，被告，参加人)を示す表現。
▶Colitigants〔共同訴訟人〕▶Litisconsorts〔共同訴訟人〕

Litige　**民訴** **係争；紛争；訴訟**　人が自己の有すると信じる権利の承認を話合いによって得ることができず，自己の主張を裁判所の判断に委ねるため，提訴することを企図するとき，係争という。

　この用語は，とても広い意味をもつが，procèsの同義語である。
▶Procès〔訴訟〕

Litisconsorts　**民訴** **共同訴訟人**　訴訟において，法廷の同じ側にいる訴訟当事者を共同訴訟人〔litisconsorts〕と呼ぶ。例えば，共同所有者，共同債務者，共同相続人である。連帯性，関連性，不可分性により，彼らの利益は区別され，または一体化される。
▷新民事手続法典323条および324条
▶Colitigants〔共同訴訟人〕

Litispendance　**民訴** **事件係属**　裁判所に提起された訴訟と同一の訴訟が，第2の裁判所に提起されたときに，事件係属が成立する。

　事件係属は，本案に関するすべての弁論の前に，無管轄の抗弁によって提出される。この抗弁は第2の受訴裁判所に提出される。ただし2つの裁判所の審級が異なる場合には，下級審の裁判所においてしか提出することができない。
▷新民事手続法典100条以下
▶Connexité〔関連性〕▶Déclinatoire de compétence〔無管轄の抗弁〕

Littéral　**一般** **書面による；字義による**
　① 書面による//証明に関しては，書面によって表されているもの(書証〔preuve littérale〕)であることを示す。
　② 字義による//解釈に関しては，注釈解釈〔interprétation exégétique〕とは反対に，もっぱら法文の字義による解釈であることを示す。

Livraison　**民法** **引渡し**　▶Délivrance〔引渡し〕

Livres de commerce　**商法** **商業帳簿**
▶Comptabilité〔企業会計〕

Livre de paie　**労働** **賃金台帳**　使用者が作成する台帳であって，賃金支払明細書〔bulletin de paie〕の記載事項を再録する。賃金台帳の作成義務は，労働法典L143-5条を廃止した1998年7月2日の法律によって廃された。

Livret de famille　**民法** **家族手帳**　家族手帳は，身分吏によって作成され，以下の者に交付される。すなわち，第1に，婚姻の挙式に際して，夫婦に対して。第2に，第1子の出生の届出の際に，両親または両親のうち親子関係が立証された者に対して。第3に，1人の者による子の養子縁組判決の身分登録簿への転記の際に，養親に対して。

　家族手帳には，場合により，両親の婚姻証書の抄本および子の出生証書の抄本が記載される。家族手帳にはその後，順次，成年に達

《Lobby》 憲法 ロビー ►Groupe de pression〔圧力団体〕

Locataire 民法 **賃借人** 賃貸借契約において，賃料〔loyer〕と呼ばれる金額の支払いと引換えに賃借物の使用権を取得する者。《preneur》という用語も賃借人を意味する。

►Bail〔賃貸借〕

Location-accession à la propriété immobilière 民法 **不動産買取選択権付賃貸借** 不動産の賃貸人（売主）と，一定期間の有償の使用収益の後にその所有権を取得する権利を得たいと望む者（選択権者〔accédant〕）との間でなされる契約。

選択権者は，（買取りを選択した場合には）賃料と同様に，一定の方式に従って売主（賃貸人）に売買の代金を支払わねばならない。賃料は，住居を使用収益する権利の対価であり，かつ，その者が望む場合に所有権者となれるという権利の対価でもある。

►Location-vente〔買取賃貸借；買取選択権付賃貸借〕

Location-gérance 商法 **営業財産賃貸借** 《bailleur》〔賃貸人〕または《loueur》〔賃貸人〕と呼ばれる営業財産の所有者が，賃貸借契約により，自己の営業財産の経営を《gérant》〔管理者〕と呼ばれる者に託する契約。管理者はこの財産を自己の名で，自己の計算において経営し，かつ，そのリスクを負担し，所有者に対して賃料またはロイヤルティー〔redevance〕を支払う。

▷商法典L144-1条

Location-vente 民法 **買取賃貸借；買取選択権付賃貸借** ある物の所有者がそれをある者に賃貸し，賃借人は一定の期間の満了時にその物を買い取る選択権を取得し，または，買い取る義務を負う契約。

►Crédit-bail〔ファイナンスリース〕►《Lease-back》〔リース・バック〕►Location-accession à la propriété immobilière〔不動産買取選択権付賃貸借〕

Locaux insalubres ou dangereux 民法 **不衛生なまたは危険な場所** 地下貯蔵庫，地下室，屋根裏部屋，屋外に面した開口部のない部屋，およびその他の性質上居住に適さない場所は，無償名義であれ有償名義であれ居住目的で使用されることはできない。明らかに過剰収容となるような条件で使用される場所についても同様である。

▷公衆衛生法典L1331-22条およびL1331-23条

Lock-out 労働 **ロックアウト** 集団的労働紛争の際に，使用者が労働者の企業への立入りを禁止する決定。フランス法では，ロックアウトは原則として違法である。いかなる場合でも，ロックアウトはストライキへの報復措置であってはならない。判例がしばしば労働の安全を理由として，ロックアウトが正当化されることを認めてきたのは極めて限られた場合でしかない。

《**Locus regit actum**》 国私 **場所は行為を支配する** 後期註釈学派によって作られたラテン語の定式で，法律行為は，それが行われた国家の現行法により規定された，方式に関する条件に従う。

Logement de fonction 労働 **社宅** 労働契約によって労働者に提供される，労働者の職務の遂行に必要な住居。

Loi 一般 **法律**
　①狭義では，国会によって制定される，成文の一般的かつ恒常的な規範（1958年10月4日の憲法典34条）。

　Loi impérative 強行的法律：法律の適用を受ける者がその適用を免れることのできない法律。

　Loi supplétive, Loi interprétative 補充的法律，解釈的法律：個人に対して，その個人が意思の表明を欠く場合にしか適用されない法律。

　②広義では，国会を通じて（狭義の法律）であれ，それ以外の機関を通じて（オルドナンス，デクレ，アレテ）であれ，国家の定める法規範。

►Acte-règle〔法規行為〕►Loi ordinaire〔通常法律〕

Loi d'application immédiate 国私 **即時適用法律** 法律の抵触準則〔Règle de conflit de lois〕に依拠することなく，直接的に渉外関係に対して適用される法律。これらの法律のいくつかは，立法者の追求する目的上即時適用が必要とされるため，警察法〔lois de police〕と呼ばれる。

▷民法典3条1項，212条以下，311-15条，370-3条3項，375条以下；消費法典L121-74条，L121-75条，L135-1条およびL333-3-1条；労働法典L410-1条以下，L421-1条以下，L431-1条以下およびL436-1条以下；保険法典L112-3条1項；知的所有権法典L311-7条；通貨金融法

典L151-1条；商法典L420-1条

Loi d'autonomie 国私 **当事者選定法** 当事者が明示的にまたは黙示的に依拠した法を指す，法律の抵触準則。

Loi-cadre 憲法 **枠組法律** 一般的な原則だけを定め，政府に行政立法権を行使してそれを詳細化する任務を委ねる法律。

Loi constitutionnelle 憲法 **憲法的法律** 憲法典を改正する法律（憲法典自体を指すものとして用いられることもある）。憲法典所定の手続きに従って採択される。

Loi européenne et loi-cadre européenne EU **ヨーロッパ連合法律およびヨーロッパ枠組法律** ヨーロッパ法律およびヨーロッパ枠組法律は，ヨーロッパ憲法が施行されると，現在の規則〔►Règlement〕および指令〔►Directives〕に取って代わることになる。この名称の変更により，ヨーロッパ連合の立法行為はより分かりやすいものとなるであろう（ヨーロッパ憲法草案I-33条以下）。

Loi de financement de la Sécurité sociale 財政 社保 **社会保障財源法律** 予算法律〔►Loi de finances〕から着想を得て1996年に創設されたこのカテゴリーの法律は，社会保障支出の増加に対する国会の統制を確保することを目的とし，その財政均衡の一般的諸条件を決定し，また，歳入見積りを考慮したうえで，その歳出目的を決定する。この法律は歳出についても歳入についても強制力を欠くが，それにもかかわらず，当該年度の社会保障支出額の柔軟な調整を可能とする複雑な規則のネットワークに根拠を与えるという役割を果たしている。
▷憲法典34条

Loi de finances 財政 **予算法律** 国の歳入および歳出の性質，額，割当てを決定する法律の総称。国税および地方税の徴収の承認ならびに国の予算額の大括りな費目毎の計上のほかには，予算法律は，若干の通常法律規定しか含むことはできない（►Cavalier budgétaire〔予算法律への相乗り〕）。予算法律は，特別な手続きに従って表決される。

Loi de finances de l'année 年度予算法律：1年の歳入および歳出の総額を定め，承認する予算法律。

Loi de finances rectificative 補正予算法律：年度予算法律を現実の必要性に適合させるため，その年度の途中でも採択することができる予算法律。

Loi de règlement 決算法律：予算年度終了後に，政府による前記予算法律の執行に対し，予算法律で承認された収支と実際に行われた収支を比較することによって国会が監督を行うことを可能とする予算法律の特別なカテゴリー。
►Décrets de répartition〔予算配分デクレ〕

Lois fondamentales 憲法 **基本法** 単数形または複数形で：一国の憲法典または憲法典を構成する法文の総体の正式名称（ドイツ連邦共和国，スペインなど）。

Lois fondamentales du royaume 王国基本法：アンシャン・レジーム期における，いわば憲法ともいうべき法（王位継承，王領の不可譲渡性などに関する規範）。一般に慣習法であり，国家の利益だけを対象とする法であった。

Loi ordinaire 憲法 **通常法律**
①国会が憲法典の定める立法手続きに従って表決した行為。これは，もっぱら組織的・形式的基準による，1958年までのフランスにおける伝統的な定義である。この定義は，法律に無限の領域を開くものであった。
②国会が，立法手続きに従い，かつ，憲法典により国会に明示的に留保された事項のひとつについて表決した行為。この定義は，1958年憲法典（34条）に基づく定義であり，形式的基準のみならず実質的基準をも採り入れている。

Loi organique 憲法 **組織法律** 憲法典の規定を明確化または補充するために，国会が表決する法律。1958年憲法典は，組織法律によるべき場合を限定しており，採択と審査に関する特別な要件を課す（46条）ことによって，組織法律を憲法的法律〔loi constitutionnelle〕と通常法律〔loi ordinaire〕の中間にある新たな法律の類型として位置づけている。

Loi personnelle 国私 **人法** ►Statut personnel〔人法〕

Loi plus douce 刑法 **軽い刑罰を定める法律**
►Rétroactivité《in mitius》〔軽い新法の遡及〕

Lois de police 国私 **警察法** ►Loi d'application immédiate〔即時適用法律〕

Loi du pays 行政 **地域特別法** ヌーヴェルカレドニおよびフランス領ポリネシアに固有の特殊なタイプの法文。地域特別法は，これらの海外地方公共団体の非常に自律的な地位を表し，列挙された事項について当該地方公共団体の審議体によって表決される。ヌーヴェ

ルカレドニにおいては，地域特別法は法律〔►Loi〕と同様の法的拘束力を有し，その審署前の憲法院による審査の対象としかなりえない。フランス領ポリネシアにおいては，地域特別法は行政立法の効力しか有しない。それに関する訴訟はコンセイユ・デタのみに属する。
►Pouvoir réglementaire〔行政立法権〕

Loi réelle 国私 **物法** ►《Lex rei sitae》〔物所在地法〕►Statut réel〔物法〕

Loi référendaire 憲法 **国民投票による法律**
1958年憲法典11条の規定する場合に，同条所定の手続きに従い，共和国大統領によって国民に付託された法律案が，国民投票〔►Référendum〕によって採択されて成立する法律。

Loi de règlement 財政 **決算法律** ►Loi de finances〔予算法律〕

Loi uniforme 国私 **統一法** 国際条約に含まれており，その条約が対象とする事項に関する法の統一を条約の批准国間において実現する法を指す。例：手形に関する統一法（1930年のジュネーヴ条約）。

Loi de validation 憲法 **合法性確認法律** 争いのある法的地位を確定的で取り消されえないものとするために当該法的地位を事後的に補強することを目的として，国会により表決される法律。この種の法律が憲法院に提訴される場合，憲法院は綿密に審査する傾向にある。
►Validation〔合法性確認〕

Loterie 民法 **富籤** ある組織が一定数の抽選券を売ること。抽選によって券の購入者の中から，lot〔賞金または賞品〕と呼ばれるものを請求できる者を決定する。
　反対に，懸賞は，どのようなかたちであれ，富籤参加者にいかなる経済的代償も支出も強いてはならない。
▷消費法典L121-36条
　富籤は，券の購入者のいかなる積極的な関与も含まないので賭博ではなく，また，一定の問題に対する態度の表明を前提とするものでもないので賭事でもない。
►Jeu〔賭博〕►Pari〔賭事〕

Lotissement 行政 **画地** 一般的には，原因が何であれ，建物の敷地を設定するために，10年以内の期間で1つの土地を2つ以上の土地に分割する効果を有する，不動産のあらゆる分割を指す。この分割は詳細な規制に服する。
　数区画〔lots〕に分割された不動産を指す。この用語は，より正確には，建築を目的とした公的または私的機関による土地の細分化を指す。
▷都市計画法典R315-1条

Lots 民法 **取り分** 将来分配される予定の財産全体の中で，各共同分割人に物的または価値的に帰属する部分。
　取り分の形成および構成においては，バラバラにすると価値の低下する経済的構成単位を分割してしまわないよう注意が必要である。それゆえ，2006年6月23日の法律は，分割における平等とは価値的平等であると，明文で定めた。
▷民法典830条
►Lotissement〔画地〕►Partage〔分割〕

Louage 民法 **賃貸借** 契約当事者の一方が他方に対して，一定の期間，一定の代金と引換えに，物の使用収益をさせ，または，役務または勤労を取得させることを約する契約。
▷民法典1708条以下
►Louage de choses〔物の賃貸借〕
►Louage d'ouvrage et d'industrie〔請負契約〕
►Louage de services〔労務賃貸借〕

Louage de choses 民法 **物の賃貸借** 契約当事者の一方が他方に対して，一定の期間，一定の代金と引換えに，物の使用収益をさせることを約する契約。
▷民法典1713条以下
►Bail〔賃貸借〕

Louage d'ouvrage et d'industrie 民法 **請負契約** ある者が他人のために，一定の代金と引換えに，独立した労働を行うことを約する契約。
　この契約は，今日ではcontrat d'entrepriseという名で表現されている。
▷民法典1792条以下
►Contrat d'entreprise〔請負契約〕

Louage de services 民法 労働 **労務賃貸借** 労働契約〔►Contrat de travail〕を指す旧用語。

《**Lucrum cessans**》 民法 **逸失利益；消極的損害** 得べかりし利益。民事責任規定の適用により損害賠償を生じさせることがある。
▷民法典1149条
►《Damnum emergens》〔積極的損害〕

M

Maastricht 〔EU〕**マーストリヒト条約**　1992年2月7日マーストリヒトにおいて締結されたヨーロッパ連合〔►Union européenne〕に関する条約。ヨーロッパ共同体の経済統合の達成過程における重要な段階であり、ヨーロッパ連合の基礎を築くものである。この趣旨に沿って、制度（改革）計画に基づくのと同様、新しい協力の政策および形式によって、諸条約を改正している。
►Banque centrale européenne (BCE)〔ヨーロッパ中央銀行〕►Politique étrangère et de sécurité commune (PESC)〔共通外交安全保障政策〕►Principe de subsidiarité〔補完性の原則〕►Union économique et monétaire〔経済通貨連合〕

　マーストリヒト条約は、1992年9月に国民投票によりフランスによって批准され、1993年11月1日に発効した。

Magasin collectif d'indépendants　〔商法〕**集合店舗**　同一の敷地内における、同じ名称のもとでの、自己の財産の所有権は維持しながら共通の規則に従って経営を行うことを望む一定数の商人または手工業者の集合体。
▷商法典L125-1条以下

Magasins généraux　〔商法〕**営業倉庫**　商人、製造業者、農業者または手工業者から、商品その他の物の寄託を受け、寄託者または寄託を確認する証券を交付された者のためにこれを保管する商業施設。営業倉庫は、行政庁の認可が必要であり、その監督を受ける。
▷商法典L522-1条以下

Magistrats　〔民訴〕〔刑訴〕**司法官；裁判官および検察官**　司法系統〔ordre judiciaire〕の裁判所において、職業司法官は、裁判官職にあるときは裁判することを任務とし、検察官職にあるときには法律の適用を要求することを任務とする。

　司法官は、競争試験によって、または資格審査のみによって採用されるが、公務員についての身分規程とは異なる身分規程（1958年12月22日のオルドナンス第1270号）に置かれ、司法職団〔corps judiciaire〕を形成し、裁判官職にあるときには不可動性〔inamovibilité〕を享受する。裁判官職にある司法官は、大審裁判所、小審裁判所、控訴院および破毀院において、民事についても刑事についても裁判する。例外裁判所においては、選挙または任命された非職業裁判官が裁判するが、これらの者（商事裁判所裁判官、労働裁判所裁判官、直近裁判所裁判官など）は、厳密には司法官ではない。
►Échevinage〔参審制〕►Prise à partie〔裁判官相手取り訴訟〕►Responsabilité du fait du fonctionnement défectueux de la justice〔裁判の瑕疵ある運営に起因する責任〕

〔行政〕**司法官**　行政裁判所の構成員は、憲法典34条にいう裁判官〔magistrat〕ではないが、法律上または事実上、司法系統の裁判官とほぼ同等の独立性の保障を享受する。さらに、いくつかの法文は、これらの者を指す際にmagistratsという語を用いている（会計検査院、州会計検査院、地方行政裁判所、行政控訴院）。

Magistrat de liaison　〔刑法〕**連絡司法官**　フランス大使館の権威のもとで外国において職務に就いているフランスの司法官。越境犯罪により適切に対処する目的で、国際刑事共助を容易にし、異なる法制度の接近を促進するために活動することを任務とする。

Magistrature　〔民訴〕〔刑訴〕**司法官職**　司法機関〔►Autorité judiciaire〕としてその職務を行う司法官の職団。

Main commune　〔民法〕**共同管理条項**　夫婦によって合意される、共通財産が共同で管理される旨の条項。すべての処分行為または管理行為は、夫および妻の署名のもとになされる。この条項は、1985年12月23日の法律以降、共同管理条項〔clause d'administration conjointe〕と改称された。
▷民法典1503条以下

Main de justice　〔民法〕**裁きの手**　先端に象牙製の手がついている杖。国王が儀式（例えば親裁座）の際に手にしていた。司法権、司法権がその命令を執行させるために有している権力、および司法権の人を拘束し、かつ、の財産に対し法的手続きを行う権限を象徴している。ある物について、とりわけ没収、係争物寄託、差押え等の結果として、裁きの手

のもとに置かれている，という（例えば，禁猟に用いたために没収された猟銃）。

Main-d'œuvre [労働] **労働力** 1つの企業，地域，国家の労働者の総体のこと。

Mainlevée [民法] [民訴] **解除** 個人または裁判官が，抵当権，差押え，故障の申立てまたは成年者保護措置（裁判上の保護，保佐，後見など）の効果を停止させる行為。
▷民法典173条，177条，2440条および2441条，439条2項および443条1項（適用は2009年1月1日より）；社会福祉法典L271-5条；1992年7月31日のデクレ第755号124条および184条

Mainmorte [民法] **不死の** その所持者が永遠の存在であるがゆえに，経済的循環から外され，とりわけ死亡に関する諸規則を免れる，法人に帰属する財産を形容する表現。財産を所持する手（法人）が不死であることから，その財産は，biens de mainmorte〔不死の財産〕といわれる。

Maintien dans les lieux [民法] **使用継続（権）** 法律が一定の賃借人に一定の条件のもとで認める，賃貸借契約の満了時において，賃貸人に異議を申し立てられた場合でも，賃貸家屋にとどまることができる権利。
▶Reprise (Droit de)〔取戻し（権）〕

Maire [行政] **市町村長** 市町村会によって，その構成員の中から選出される市町村の機関。
市町村の公務員として，市町村長は，市町村会の議決を執行し，固有の活動権限を有する。その場合，市町村長は，県知事（または県庁所在地がある郡以外の場合には副知事）の適法性の監督のもとに置かれる。さらに，市町村長は，国の階層的権限のもとで，国のための職務も遂行する。

Maire d'arrondissement [行政] **区長** パリ，リヨンおよびマルセイユには，区会〔▶Conseil d'arrondissement〕によって選出される区長が存在する。区長は，区の公共設備について意見を述べる役割と，若干の事務についての管理権を有する。
▷地方公共団体一般法典L2511-25条以下

Maison d'arrêt [刑法] **拘置所** 勾留に付された予審対象者および被告人が拘禁される場所。
デクレで指定された若干の裁判所を除き，すべての大審裁判所，控訴院および重罪院に拘置所が付置されている。
▷刑事手続法典714条
▶Accusé〔（重罪）被告人〕▶Prévenu〔（軽罪・違警罪）被告人〕

Maison centrale [刑法] **中央刑務所** 自由剥奪刑の言渡しを受けて刑が確定した者を収容する施設。ただし，言い渡された拘禁刑の刑期または残りの刑期が1年以下の者，例外的に拘置所に引き続き収容される者，および，釈放の準備，家族状況または本人の人格に鑑みて必要と認められる場合に特別区画に収容される者を除く。
中央刑務所および総合行刑センター〔centre pénitentiaire〕内の中央刑務所区画〔quartier maison centrale〕は，監視体制の強化された組織と制度を有するが，運営上，有罪判決を受けた者の社会復帰の途を確保しこれを拡大するような措置もとられている。
▷刑事手続法典717条およびD70条以下

Maison de l'emploi [労働] **雇用センター** 雇用センターは，雇用に関して公役務の行う活動の調整を支援し，特に，企業再編に伴う管轄区域の労働力および職種転換の需要予測についての活動を行う。雇用センターはまた，求職者の受入れと職業指導，求職者および労働者の雇用促進・職業訓練指導・支援，および起業支援の活動を行う。州ごとに1つの雇用センターがある。
▷労働法典L311-10条

Maisons de justice et du droit [民訴] [刑訴] **和解・調停センター** 当初は，刑事事件においていくつかの検事局によってなされた試みであった。検事局の代表者と弁護士会の構成員1名の出席のもと，犯罪の被害者と加害者との話合いの場が設けられる。犯罪の被害者と加害者を合意に導いて，刑事訴追を，初犯者についてはときに拘禁刑についてさえも，とりやめることが目的である。
その後，この裁判所の出先機関は制度化された（1998年12月18日の法律）。和解・調停センターは大審裁判所長の監督のもとに置かれ，刑事および民事における予防措置および和解・調停を任務とする。また，公衆に情報を提供し，助言することでその権利実現に寄与する。
▷刑事手続法典41条
▶Conciliation〔勧解；和解〕▶Médiation〔調停〕

Maisons des services publics [行政] **公役務センター** 農村または都市において，公役務を利用者の身近にすることを目的として，国の行政を代表する機関，地方公共団体，または社会保障機関が集められた場所。

Maître d'œuvre 行政 民法 施工業者　仕事の注文者(施主)のために，仕事または不動産の工事を行い，あるいは，それらを指揮監督する責任を負う者および企業。直営(▶Régie〔公営〕)公土木工事の場合には，仕事の注文者(施主)と施工業者は同一である。

Maître de l'ouvrage 行政 施主　公土木工事または不動産建築物を発注する公法人または私法人。例：公共建築物を施工させる市町村。
▶Ouvrage public〔公の工作物〕
民法 仕事の注文者　請負契約において，代金と引換えに，請負人の役務を得る契約当事者。

Maîtrise des armements 国公 軍備管理　2つの超大国(アメリカとソ連)のイニシアティヴによる軍備競争制限の新たな方法。軍備拡大(特に核兵器)を規制し，軍事力の均衡を維持することを内容とする。現有兵器の廃棄を内容とする軍縮〔désarmement〕とは異なる。

Majeur protégé 民法 被保護成年者　自己の精神的能力が病気，身体障害，老化のために低下している，または，自己の身体的能力が低下しているため意思の表明が妨げられている成年者。このような成年者は，それゆえ，法律の規定する保護制度，すなわち，後見，保佐，裁判上の保護のいずれかに付される。
　雇用の不安定性や社会的差別と結びついた社会的問題をかかえている者，特に，自己の所得を管理できず，そのために自己の健康または安全を危険にさらし，家計管理・社会的支援措置，すなわち，怠惰，不節制または浪費を理由に保佐に付されることの代替の措置の対象となる者もまた保護される。
　成年者の保護は，個人の自由，基本的権利および人間の尊厳を尊重して，創設され，かつ，実施されなければならない。成年者の保護は，被保護者の利益を目的としており，可能な限り，被保護者の自律を支援する。
▷民法典415条以下，425条および495条以下(適用は2009年1月1日より)
▶Curatelle〔保佐；法主体不存在の相続財産の管理〕▶Mesure d'accompagnement judiciaire(MAJ)〔裁判上の支援措置〕▶Protection des majeurs〔成年者保護〕▶Sauvegarde de justice〔裁判上の保護〕▶Tutelle〔後見〕

Majoration de retard 一般 社保 延滞増額　最終支払期日までに払い込まれなかった社会保障の保険料を増額すること。
▷社会保障法典R243-18条
▶Intérêt légal〔法定利息〕

Majorité 民法 成年　民事的諸権利または政治的諸権利の行使について，法律によって定められている年齢。
　成年は18歳と定められ，民事法においては行為能力を付与する。
▷民法典488条(2009年1月1日より414条)
▶Capacité〔能力〕
商法 多数決　▶Assemblée générale〔総会〕
憲法 多数票；与党；議会多数派
　①多数票//ある選挙において最多数を占めた票。
Majorité absolue 絶対多数：全投票数の過半数。
Majorité qualifiée 特別多数：絶対多数よりも厳しい条件を要求する多数(例：3分の2以上の票)。
Majorité relative, Majorité simple 相対多数，単純多数：他の候補者が獲得した票数よりも多い獲得票数。
　②与党；議会多数派//国会において過半数の議席を獲得し，かつ，議院内閣制において政府の後盾となっている政党または政党連合をいう。与党の安定性は，同質の政党からなっているか，または政党の寄せ集めからなっているかによって左右される。
刑法 成年　普通法上，刑事責任が認められる年齢。
　フランス刑法では18歳。

Majorité qualifiée EU 特別多数　閣僚理事会は，全会一致による決定を定める条約の明文の規定がない限り，特別多数の表決によって決定をなす。多数制による表決が実際に行われるようになるのは，1980年代初頭になってからのことである。それ以前は，1966年の「ルクセンブルクの妥協」〔compromis de Luxembourg〕を受けて，表決は行われず，コンセンサスを得る努力が常になされていた。各加盟国に割り当てられる票数は国の大きさに比例し(ドイツ，フランス，イタリアおよびイギリスの29票から，マルタの3票まで)，必要とされる票数は大国と小国との間の絶妙な均衡を示している。表決がヨーロッパ委員会の提案について行われる場合には，加盟国の過半数が賛成し，かつ，総票数306票のうちの232票を得なければならない。その他の場合には，加盟国の少なくとも3分の2が賛成し，かつ，232票を得なければならない。最

267

後に，どの加盟国であっても，得られた多数が実際にヨーロッパ連合の全人口の少なくとも62パーセントを代表するものであるか否かを検証することを要求できる。

ヨーロッパ憲法（まだ発効していない）は，2009年11月から実施される予定で，より分かりやすい仕組みを定めるに至った。すなわち，ヨーロッパ連合の全人口の65パーセントを代表する加盟国の55パーセントの賛成によるという仕組みである（ただし，少数派が決定にしたがわない意思を表明する手続きも残してはいる）。

Maladie professionnelle 社免 **職業病** 職業病とは，社会保障法典L461-2条に限定列挙され，職業病リストといわれる表に記載されている疾病である。職業病リストは，職業病として認められた疾病のそれぞれについて，補償される期間，疾病の類型および当該疾病を引き起こす主たる労働を限定的に示したリストを挙げている。職業病リストにすでに挙げられている疾病ではあるが技術的な認定基準（補償期間，最低従事時間その他）について条件を満たしていないものおよび通常の労働との直接的な関係が証明される限りにおいて職業病リストに記載されていない疾病もまた職業病として認められることがある。

職業病は，労働災害〔►Accident du travail〕と同一の補償を受ける権利を生じさせる。
▷社会保障法典L461-1条

Mal-fondé 訴訟 **理由がない（こと）** 事実に関してまたは法に関して正当化されない申立てについていう。また，控訴院によって変更される判決または取り消される判決についてもいう。
▷新民事手続法典71条および542条
►Bien-fondé〔理由がある（こと）〕►Recevabilité〔受理性〕

Mandat 民法 **委任** ある者が，1または複数の法律行為の実現のために，それらの行為について他の者を代理する義務を負う行為。

委任は，本人〔委任者〔mandant〕）と代理人〔représentant〕（受任者〔mandataire〕）との間で締結された契約から生じているときには，合意による委任である。委任は，法律または判決から生ずることもある。
▷民法典1984条以下

刑訴 **令状** 検察官または刑事裁判所が，ある者の聴聞，出頭，勾留または警察留置を決定する命令状または催告状。

►Mandat d'amener〔勾引状〕►Mandat d'arrêt〔勾引勾留状〕►Mandat de comparution〔召喚状〕►Mandat de dépôt〔勾留状〕►Mandat de recherche〔捜索状〕

Mandat ad hoc 商法 **特別受任** 企業を代表する者の請求に基づき，企業とその債権者の間の協定の締結を追求することを目的として，商事裁判所所長または大審裁判所所長が人を選任すること。

特別受任の柔軟性が，その成功の原因である。
▷商法典L611-3条

Mandat d'amener 刑訴 **勾引状** 予審判事または重罪もしくは軽罪について裁判する判決裁判所によって公の武力に与えられる命令。場合に応じて聴問または裁判を目的として，ある者を予審判事または判決裁判所の面前にただちに勾引することを内容とする。予審判事は，この者に正犯または共犯として犯罪遂行に関与したと疑うに足る重大なまたは一致した徴憑が存在する場合でなければ，勾引状を交付することができない。その者が弁護士補佐証人である場合または予審対象者である場合を含む。
▷刑事手続法典122条，320条，320-1条，419-1条および512条

Mandat apparent (Théorie du) 民法 商法 **表見代理（理論）** 取引の相手方たる第三者が委任の存在につき正当な信頼をもちえたようなもっともらしい状況下で，他人が，自己の委任を受けることなく，または受任者としての権限を超えてなした行為によって義務を負うこととなる者の地位。
►Apparence〔外観〕

Mandat d'arrêt 刑訴 **勾引勾留状** 予審判事または重罪もしくは軽罪について裁判する判決裁判所によって公の武力に与えられる命令。令状の対象となっている者を捜索し，場合に応じて聴問または裁判を目的として，この者を予審判事または判決裁判所の面前に勾引することを内容とする。場合により，令状の指定する拘置所にその者を前もって勾引し，収容し勾留する。
▷刑事手続法典122条，272-1条，379-2条，397-4条，410-1条，465条，469条および512条

Mandat d'arrêt européen EU 刑訴 **ヨーロッパ勾引勾留状** テロ行為および大規模組織犯罪を効果的に取り締まるために必要とされる制度。ヨーロッパ連合加盟国間の犯罪人引

渡しと，その常に長期かつ複雑な手続きとに取って代わることを目的として，2002年6月13日の枠組決定〔décision cadre〕により創設された。ヨーロッパ勾引勾留状は，ヨーロッパ連合加盟国の裁判上の決定の形式をとる。刑事訴追の実行，または，自由剥奪の刑罰もしくは保安処分の執行のために，捜索されている者を他の加盟国が逮捕し引き渡すことを内容とする。フランスでは，2003年の憲法典改正を経て，2004年3月9日のPerben II 法により国内法化された。
▷刑事手続法典695-11条から695-51条

Mandat de comparution 刑訴 **召喚状** 予審判事がある者に差し向ける催告状。令状の指定する日時に予審判事の面前に出頭することを内容とする。この者に正犯または共犯として犯罪遂行に関与したと疑うに足る重大なまたは一致した徴憑が存在することを理由として交付される。その者が弁護士補佐証人である場合または予審対象者である場合を含む。
▷刑事手続法典122条

重罪院もまた，重罪被告人に出頭の催告をなすことができる。そのために重罪院は執行吏に委任する。執行吏は公の武力に補佐される。
▷刑事手続法典319条

Mandat de dépôt 刑訴 **勾留状** 勾留決定裁判官または重罪もしくは軽罪について裁判する判決裁判所によって行刑施設の長に与えられる命令。場合に応じて，あるいは予審対象者であって勾留命令の対象となっている者を，あるいは軽罪・違警罪被告人〔►Prévenu〕または重罪被告人〔►Accusé〕を収容し，勾留することを内容とする。
▷刑事手続法典122条，367条，465条および469条

重罪院院長は，出廷し公序を乱し退廷命令に従わない者すべてについて，同一種類の令状を交付することができる。
▷刑事手続法典321条および322条

Mandat domestique 民法 **家事に関する代理権** 1965年7月13日の法律以前に妻が有していた，家庭生活に必要な行為を行うために夫を代理する権限を示す表現。1965年法は，夫婦の双方に対して，世帯の維持または子の育成のため契約を締結する固有の権限を与えた。
▷民法典220条

Mandat à effet posthume 民法 **死後の財産管理の委任** 故人が，その相続財産の全部または一部を管理するため1または複数の者に生前に与えた委任のこと。死後の財産管理の委任は，相続人本人自身（未成年のまたは障害がある相続人の場合）または相続財産（子のいずれかが経営を再開するまでの家族企業の管理）に関する重大かつ正当な利益を根拠として行われなければならない。
▷民法典812条以下

Mandat fictif 財政 **架空の支払命令書** 存在しない債務または支払命令書に記載された債務以外の債務に対応する支払命令書〔►Mandat de paiement〕であり，一般に裏勘定〔►Caisse noire〕を捻出する目的，または他の支出を違法に決済する目的で作成される。架空の支払命令書の発行が発見された場合，その作成者および受益者は会計検査院または州会計検査院によって事実上の公金管理〔►Gestion de fait〕の宣告を受ける。

Mandat d'intérêt commun 民法 商法 **共通利益委任** 受任者が，委任者および自己の利益のために行為する権限を与えられていることを特徴とする委任（例：不動産開発契約〔contrat de promotion immobilière〕）。その結果，通常の委任におけるような随時の解任〔révocation ad nutum〕は行われない。
▷民法典1831-1条；商法典L134-4条

Mandat de paiement 財政 **支払命令書** 支払命令官が作成し，支払担当会計官〔►Comptable assignataire〕に交付される文書であり，この文書によって後者は債権者に対して支出を行う。この文書は行政内部のものであり，支払証書〔titre de règlement〕（国庫支払いの小切手，振替通知書）を伴う。この支払証書によって債権者は債権額を受領することができる。
►Ordonnancement〔支払命令〕

Mandat politique 憲法 **政治的委任** 市民（委任者）が市民の中の若干の者（受任者）に委ねた，市民の名において，市民のために権力を行使する任務。民主制においては，政治的委任は，選挙を通じて行われる。

① *Mandat impératif* 命令的委任：議員はその選挙区の選挙人から委任を受けるので〔►Souveraineté populaire〔人民主権；プープル主権〕〕，選挙人の指令に従わねばならず，また，選挙人によって罷免されうるという政治的委任の考え方。

② *Mandat représentatif* 代表委任：議員は国民全体の委任を受けているので〔►Souveraineté nationale〔国民主権；ナシオン主権〕），その選挙区の選挙人から完全に独立して行動するという政治的委任の考え方。議員は選挙区の命令または訓令を受けてはならず，選挙人は議員を罷免することができない。

Mandat de protection future 民法 **将来の保護の委任** 能力者が，個人の能力の低下の結果自分だけでは自己の利益を弁ずることがもはやできなくなった場合に備えて，市民生活上の行為について自己を代理する任務を負うべき信頼できる第三者を選任し，自己の保護制度を組織するための委任。この第三者は，すべての自然人または裁判上の成年者保護受任者〔►Mandataire judiciaire à la protection des majeurs〕の名簿に登録された法人である。

将来の保護の委任により，裁判上の保護措置の開始が回避される。委任が公証人証書の形式をとる場合，受任者は，無償名義による場合を除き財産の処分行為をなすことができる。委任が私署証書の形式をとる場合，受任者は，保存行為または日常的管理行為をなすことしか認められない。

▷民法典477条から494条（適用は2009年1月1日より）

Mandat de recherche 刑訴 **捜索状** 共和国検事または予審判事によって公の武力に与えられる命令。令状の対象となっている者を捜索し，警察留置に付することを内容とする。その者が犯罪を犯したまたは犯そうと試みたと疑うに足る相当な1または複数の理由のあることを要する。共和国検事が命令を発する場合は，現行犯の重罪または3年以上の拘禁刑で処罰される現行犯の軽罪の捜査上必要であることを要する。

▷刑事手続法典70条および122条

Mandat de représentation en justice 民訴 **裁判上の代理の委任** 訴訟当事者の名において手続行為を行うことを内容とする委任。この委任には補佐の任務が含まれ，その任に当たる裁判補助者に対して，判決の執行に至るまで，委任から生じる義務を果たすことが要求される。

▷新民事手続法典411条以下

►Assistance des plaideurs〔訴訟当事者の補佐〕►Représentation en justice des plaideurs〔訴訟当事者の裁判上の代理〕

Mandat (Territoires sous) 国公 **委任統治領** 第一次世界大戦終了時にドイツ帝国とオスマン・トルコ帝国から切り離された領土。国際連盟（委任統治委員会）の監督のもとで，列強に施政を委任されたもの。その国は，住民の福祉および発達を確保するという《文明の神聖なる使命》を達成することを任務とする。

委任統治制度は，以下の事情に従って終了した。委任統治地域の解放によって（イラク，シリア，レバノン，トランスヨルダン），または他の一国に属することによって（パレスティナはヨルダンとイスラエルの間で分割された），あるいは委任統治が国際連合の監督のもとでの信託統治に変わったことによって（アフリカおよび太平洋の旧ドイツ領），あるいは国連による委任統治の廃止によって（南西アフリカ）。

Mandataire judiciaire à la protection des majeurs 民法 **裁判上の成年者保護受任者** 裁判上の保護〔►Sauvegarde de justice〕，保佐〔►Curatelle〕，後見〔►Tutelle〕または裁判上の支援措置〔►Mesure d'accompagnement judiciaire〕の枠内で用いられうる特別委任の名義で後見裁判官によって委ねられた成年者保護措置を継続的に実施する，家族外の関与者。

この呼称は，現在成年者保護の領域で活動する者の全体を指す。すなわち，家族団体の職員，後見管財人，国による後見の受任者，病院施設の管理者などがこれにあたる。

裁判上の成年者保護受任者は，さまざまな条件（品行，年齢，職業教育および職業経験）を満たし，共和国検事の拘束力ある答申〔avis conforme〕に基づき県知事によってこの資格において認可され，県知事の作成する名簿に登録されなければならない。

公立の成人障害者または高齢者宿泊施設においては，裁判上の成年者保護受任者の任務は，一定の条件下で当該施設の機関に委ねられうる。

▷社会福祉法典L471-1条以下，L472-1条以下およびL473-1条以下

Mandataire judiciaire au rétablissement personnel des particuliers 民法 **個人更生手続きにおける裁判上の受任者** 執行裁判官の選任に基づき，個人更生手続き〔►Rétablissement personnel (Procédure de)〕を実施する者。個人更生手続きにおける裁判上の受任者はまさに手続きの主軸であり，その任務は，まず，手続開始判決を公示し，債務者の経済的および社会的状態に関する報告書を作成し，

債権を検真し，ならびに債務者財産の積極的および消極的要素を評価することである。つぎに，清算段階においては，個人更生手続きにおける裁判上の受任者は，清算人として，債務者がその財産上に有するすべての権利および訴権を行使する（財産の売却，売却代金の債権者への分配）。この受任者の名簿は共和国検事によって作成される。
▷消費法典L332-6条およびL332-7条；R332-13-1条

Mandataire judiciaire à la sauvegarde, au redressement et à la liquidation des entreprises 商法 民訴 **債権者側受任者** 救済，裁判上の更生および裁判上の清算手続きにおいて債権者を代表するために裁判上の決定により選任される，規制職に従事する，裁判上の受任者。この債権者側受任者は，債権者の名において，かつ債権者の集団的利益において行動する。
▷商法典L812-1条以下，L622-20条およびL641-4条

Mandataire successoral 民法 **裁判上の相続財産管理受任者** 遺産管理における1もしくは複数の相続人の無気力，無策，落度，相続人間の不和，または相続財産の状況が複雑であることを理由に，裁判官によって，相続財産を一時的に管理するために選任される，資格を有する自然人または法人。
▷民法典813-1条以下；新民事手続法典1355条以下

Mandatement 財政 **支払命令** ►Ordonnancement〔支払命令〕

Mandement 訴訟 **命令** 一定の行為（例えば，第三者〔►Tiers〕を訴訟に引き込むこと）をなすよう訴訟当事者に命じる裁判官の命令。
　訴訟当事者に対し，一定の書証〔►Pièces〕を提出するように命じ，または，第三者に対し，証言書〔attestation〕を提出することもしくは証言をなすこと，訴訟の判断に必要な一定の文書を伝達することを命じる命令。
►Injonction〔命令〕►Intervention〔参加〕

Manœuvrier 刑法 訴訟 **捜査協力作業員** 司法警察員の請求に基づき，警察捜査に有益な労務を提供するために関与する職業者（例えば，鍵職人，担架運びなど）。この任務には，事前の宣誓を要しない。
▷刑法典R642-1条

Manquement EU **義務不履行の申立て** ヨーロッパ委員会またはすべての加盟国が，条約に基づいて負っている義務を遵守しない加盟国をヨーロッパ共同体裁判所に提訴し，共同体法の適用を強制させることを可能とする申立て。

《Manu militari》 一般 **公の武力によって；軍隊の力によって** 債務の履行または命令の執行のために公の武力に訴えることを意味する表現。

Marc le franc 民法 民訴 **按分比例** 配当されるべき金額が債務総額に達しないとき，按分による配当〔►Distribution par contribution〕手続きにより債権額に応じて一般債権者に対してなされる支払いのこと。マール〔marc〕もリーヴル〔livre〕も，昔の重量単位で，後に貨幣単位になった。初めはau marc la livreといわれ，次いでau marc le francといわれるようになったが，今日ではさしずめau marc l'euroとなろう。
▷民法典2285条
►Au marc le franc〔按分による〕

Marchandage 労働 **違法下請** ある者，すなわち下請業者〔sous-entrepreneur, marchandeur, tâcheron〕が，営利目的で元請業者に対して，下請業者が賃金を支払い指揮をする第三者に仕事を行わせることを約する契約であって，それが労働者に損害をもたらす効果または法律・命令・労働協約の適用を免れる効果をもつ労働者供給である場合，その事業は禁止され刑事罰を科せられる。
▷労働法典L125-1条以下およびR125-1条以下

Marché sur appel d'offres 行政 **募集選考公契約** 公契約〔►Marchés publics〕の普通法〔►Droit commun (Régime, Règle de)〕上の締結方式。公法人は，前もって参加業者に通知された客観的基準に基づき，参加者と交渉することなく，経済的に最も有利な申込みを選択する。適用除外の場合を除き，契約が一定額を上回るときにはこの方式が義務づけられている。この額は，発注者が国であるか地方公共団体〔►Collectivités territoriales〕であるかによって異なる。
　募集選考契約は，すべての参加業者が申込みをなすことができる場合には《一般》〔ouvert〕募集選考契約と呼ばれ，選抜された参加業者のみが申込みをなすことができる場合には《指名》〔restreint〕募集選考契約と呼ばれる。
▷公契約法典26条および33条

Marché à bon de commande 行政 **応需注文**

契約　1または複数の業者との間で締結され，公法人の需要に応じて注文書を発行することにより履行される公契約〔►Marchés publics〕。通常は最長4年である。この契約形態は，例えば，数量をあらかじめ決めることができないような物品の納入または役務の提供に特に適している。
▷公契約法典77条

Marché au comptant 〔商法〕**現物取引**　取引所市場における有価証券の売買取引であり，仲介人に必要な時間を要するのみで，代金の支払いと証券の引渡しによって即座に執行されるすべての取引を指す。

Marché à forfait 〔民法〕**一括請負契約**　請負契約において，仕事全体の代金の最終的決定を内容とする，仕事の注文者と請負人との間で締結される合意。
▷民法典1793条および1794条

Marché sans formalités préalables 〔行政〕**簡易契約**　►Marché à procédure adaptée〔簡易契約〕

Marché commun 〔EU〕**共同市場**　►Communautés européennes〔ヨーロッパ共同体〕

Marché à procédure adaptée 〔行政〕**簡易契約**　marché sans formalités préalablesともいう。公法人による，一定額を超えない物品および役務の購入の簡易の締約方式。取得の方法は，取得者によってその需要および資力に応じて決定され，潜在的な業者との交渉を可能にする。契約が一定額（2005年には4000ユーロ）を下回る場合，公法人は，事前に購入の意思の公告および業者間の競争を実施することなく，潜在的な業者の中から契約の相手方を自由に選ぶことができる。
▷公契約法典26条および28条

Marché à règlement mensuel 〔商法〕**限月決済取引**　取引所市場における有価証券の売買取引であり，価額は取引成立時に定められるが，その実行は清算日と呼ばれる一定期間後の日に行われる取引を指す。この取引は1983年に定期取引〔marché à terme〕に取って代わったが，2000年に廃止された。

Marché intérieur 〔EU〕**域内市場**　ヨーロッパ連合加盟国の領域により構成される，流通の自由が確保されている場。

Marché monétaire, Marché financier 〔財政〕**短期金融市場，中長期金融市場**　短期金融市場とは，短期国債〔►Bons du Trésor〕のような短期または超短期の証券が発行され取引される市場をいう。中長期金融市場とは，株式〔Action(s)〕および社債〔►Obligation〕のような中期または長期（7年またはそれ以上）の証券が発行され取引される市場をいう。
►Marché réglementé〔規制市場〕

Marché négocié 〔行政〕**随意契約**（正式名称：随意契約手続き〔procédure négociée〕）
　公契約〔►Marchés publics〕の例外的な締結方式。列挙された場合にのみ利用することができる。公法人は，参加者を面接し，そのうちの1または複数の者と契約の条件について交渉をした後に，契約の相手方を選ぶ。場合により，公告および競争は省かれる。
▷公契約法典34条および35条

Marché réglementé 〔商法〕**規制市場**　経済金融担当大臣の許可を受けて，株式その他の資本証券および債権証券などの金融手段が取引されるところ。

Marchés d'intérêt national 〔行政〕**公設卸売市場**　特定の農産物および食料品の流通経路を短縮してその価格を引き下げるとともに，それらの大都市圏への安定供給を確保する趣旨で考案された，業者間取引専用の卸売または仲買市場。ある市場の公設卸売市場（MIN）への指定は，州会〔►Conseil régional〕の提案に基づき国により決定される。その管理は，公法人（その地の公私資本混合会社〔►Société d'économie mixte（SEM）〕であることがしばしば）または私法上の会社に委ねられる。
　公設卸売市場の経済的効率性は，保護区域（《基準区域》〔périmètre de référence〕）の設定（ただし任意）によって強化される。保護区域の内部では，公設卸売市場において取引される生産物の卸売を新たに始めることまたは既存の卸売を拡大することはすべて禁止される。
▷商法典L761-1条

Marchés publics 〔行政〕**公契約**　公契約とは，国〔►État〕およびその行政的公施設法人〔►Établissement public〕ならびに地方公共団体〔►Collectivités territoriales〕およびその公施設法人が，公土木工事の施工，物品の納入または役務の提供のために，有償名義で，私的なまたは公的な経済主体と締結する書面による契約のことである。公契約法典によって規律される。すべての企業の公発注への平等な参加，それらの取扱いの平等および手続きの透明性を確保するため，公契約は，締結

に関する明確な規範に服する。コンセイユ・デタによれば，公契約法典の適用領域に含まれる契約は，行政契約であり，行政裁判所の管轄権限に属する。公契約の主な形態：募集選考〔►Appel d'offres〕，簡易契約〔►Marché à procédure adaptée〕，随意契約〔►Marché négocié〕，競争的交渉手続き〔►Dialogue compétitif (Procédure de)〕。
▷公契約法典1条および26条

Marchepied (Servitude de) 民法 行政 **曳船道対岸歩道地役** 公有河川の沿岸の土地所有者であって曳船地役を負担しない側の者に対し，沿岸に3.25メートルの空間を設けることを義務づける法定地役。
▷民法典556条2項および650条；河川法典15条；公法人財産一般法典L2131-2条
►Halage (Servitude de)〔曳船道地役〕

Mariage 民法 **婚姻** 家族の創設および人生において助け合うことを目的とする届出が厳粛な形式において，その前に将来の夫婦の同意を確かめた身分吏によって受理されたことより生ずる，男女の正当な結合。男女は満18歳に達しなければ婚姻を締約できない。

この用語は，この結合を創設し，かつ，夫婦が結合の目的を実現することを可能とする規範をこの結合に課す，法律行為をも示す。
▷民法典144条以下
►Concubinage〔内縁〕►Conjoint〔配偶者〕►Pacte civil de solidarité (PACS)〔パートナー契約〕►Union libre〔自由結合〕

Mariage blanc 民法 **偽装婚** 婚姻の意思なくして不正に結ばれた結合をさす俗称。このような婚姻は，そのための特別の同意を欠いており，絶対的無効である。婚姻の意思の不在の要素の背後に，法律回避〔fraude à la loi〕の要素がある。本当の目的は，偽装婚という手段によって規制を回避して，滞在権，労働許可証，金銭などを得ることである。

法律は，同意の自由を保護するよう努めている。そのため特に，婚姻の挙式の際に，身分吏は，将来の夫婦の面前で，または身分吏が必要と認める場合は別々に会って，それぞれに対して婚姻の意思を確認する。
▷民法典63条

Mariage posthume 民法 **死後婚** 重大な理由（通常，子の出生が予想されるか実現されること）で共和国大統領により例外的に許可された場合，故人の同意を明確に示す公式手続きが故人の死亡前に完了していることを条件に，故人と婚姻することができる。この婚姻の効果は，死亡の前日の日付にまでさかのぼるが，生存者のためのいかなる相続権も，また，いかなる夫婦財産制ももたらさない。
▷民法典171条

Mariage putatif 民法 **みなし婚姻** 無効ではあるが，夫婦の少なくとも一方が善意であることを理由としてその（善意の）者に関し過去に限って有効とみなされる婚姻。子に関しては，無効な婚姻は，夫婦双方が悪意であっても，つねに存在したとみなされる。

したがって，無効の効果は，将来に向かってしか生じない。
▷民法典201条および202条

Marque d'appel 商法 **ブランドによる不当誘引** ►Prix d'appel〔価格による不当誘引〕

Marques de fabrique, de commerce et de services 商法 **商標** 自然人または法人の製品またはサーヴィスを，競争相手の製品またはサーヴィスから区別するために用いられる，図形により表示することができる標識。
▷知的所有権法典L711-1条

Marque syndicale 労働 **組合マーク** 組合は，製品が組合の監視のもとに製造または販売されることを証するラベルまたはマークを用いることができる。ときに労働組合は，組合マーク使用権から，マークまたはラベルをもつ組合の組合員しか雇い入れないよう使用者に義務づける協定を使用者と交渉し締結する権利を引き出してきた。この協定は，組合の自由を侵害するものとして無効である。
▷労働法典L413-1条以下およびL481-3条
►Clause de sécurité syndicale〔組合保障条項〕

Masse 民法 商法 **財産体** 広義では，不分割財産または企業の清算のときの消極財産と積極財産を意味する表現。

社債権者団体〔masse des obligataires〕は，同時発行の社債の所持人の全員によって構成される。

発起人持分〔parts de fondateurs〕所持人団体は，資本会社〔société de capitaux〕の持分所持人の総体を意味する。
▷商法典L228-46条

Masse des créanciers 商法 **債権者団体** 以前の裁判上の整理〔règlement judiciaire〕および財産の清算〔liquidation des biens〕（これらの手続きは，現在では，企業の裁判上の更生および裁判上の清算に取って代わら

れている)の枠内において，債権者全体によって構成される，法人格を付与された団体。この団体は，破産管財人〔►Syndic de faillite〕によって代表されており，破産管財人は，債権者の集団的利益の擁護を任務としていた。当時は，その債権が開始判決前に生じた《créanciers dans la masse》(団体成立前債権者)とその債権が手続中に生じた《créanciers de la masse》(団体成立後債権者)とが区別されていた。

債権者団体および破産管財人は，1985年1月25日の法律第99号により廃止された。

Masse partageable 民法 **分割対象財産体** 共同分割人の権利の計算のための算定基礎となる総体であって，積極的要素と消極的要素を集めたもの。相続においては，分割対象財産体は，死亡時に存在する財産とそれに付随する果実，持ち戻されるまたは減殺される価値，共同分割人の故人または集合財産〔indivision〕に対する負債など，消極財産以外のものすべてを含む。
▷民法典825条

Master 行政 **修士** ►Licence-Master-Doctorat (LMD)〔学士=修士=博士〕

Matériel 一般 **実質的** ►Formel, Matériel〔形式的，実質的〕

Maternité 民法 **母子関係** 母とその子との間に存在する法的関係。
►Ascendant〔直系尊属〕►Descendant〔直系卑属〕►Enfant〔子〕►Filiation〔親子関係〕►Paternité〔父子関係〕

Matière 訴訟 **事件；内容**
①事件//第1に「係争の種類」を示す。それはある同一の訴訟〔contentieux〕のなかに含まれ，一定の法分野(民事事件，商事事件，社会事件，労働事件)に対応する訴訟事件の集合である。そのように理解するならば，それはさまざまな裁判所間の管轄権限の配分に関する基準のひとつとなる。

また，行使される「裁判権の性質」およびそこから生じる手続きの性質を表現するためにも用いられる。その意味で，訴訟事件と非訟事件が対比される。

②内容//狭義においては，それは形式〔►Forme〕である手続きと対比され，本案〔►Fond〕を表す「争訟の対象」(訴訟の内容)を示す。

Matière mixte 民訴 **混合訴訟事件** ►Action mixte〔混合訴権；混合の訴え〕

Matrice 財政 **人別地籍簿** ►Cadastre〔土地台帳；土地台帳課〕

Mauvaise foi 一般 **不誠実；悪意** さまざまな程度において，insincérité〔誠実でない〕，infidélité〔忠実でない〕，さらにはdéloyauté〔不正〕の性質を有する，適正でない行動。悪意は，つねに不利益をもたらし，場合に応じて，責任の加重，利益の喪失または権利の縮減となって現われる(例：善意の占有者は果実を自分のものとするのに対して，悪意の占有者は果実をすべて返還しなければならない)。
►Bonne foi〔誠実；善意〕

Maxime 一般 **法格言** 一般に古くからある命題であり，法規範としてまたは法の解釈方法として用いられるもの。(例：《Cessante ratione legis, cessat ejus dispositio》〔法律の理由がなくなるとその規定はなくなる〕)。
►Adage〔法格言〕

Médecin conventionné 社保 **協約医** 種々の社会保障制度の全国疾病保険金庫と医師の最も代表的な組織との間で締結された全国協定に加入している医師のこと。

協約医への診療報酬額は，全国協約の定める条件に従って，全国疾病保険金庫によって被保険者に払い戻される。

Médecin conseil 社保 **社会保障金庫顧問医** 被保険者の診断を担当する，社会保障金庫の医療監査部門に属する医師。
▷社会保障法典R166-8条

Médecin référent 社保 **信頼契約医** 被保険者と特別の契約を結んだ主治医。
▷社会保障法典L162-5-3条

Médecine de caisse 社保 **金庫契約医療** 医師への支払いが社会保障金庫によってなされる医療の組織類型。この制度は，種々さまざまな手直しを受けている。

Médecine libérale 社保 **自由診療** 自由診療は，以下の基本原則に基づいて組織された診療制度のことである。

第1に，患者による医師の選択の自由。
第2に，医師による処方の自由。
第3に，職業上の秘密。
第4に，患者と医師による診療報酬の直接決定。
第5に，医師の開業の自由。

以上の原則は，社会保障法典によって認められている。

Médecine du travail 労働 **労働医制度** 企業

における労働者の健康の監視を行うことを目的とする制度。その役割は，もっぱら予防である。
▷労働法典L241-1条以下およびR241-1条以下

Médiateur 私法 **調停者** 調停者による紛争解決方法は，私法の一定の領域（労働法，建築保険法）において定められている。

民訴 **調停者** 紛争に解決の道を見出すために，紛争当事者の合意を得たうえで，受訴裁判所によって指名される第三者。調停者は，訴訟の性質および調停の実務にかかわる，信望，独立性，能力という一定の条件を満たさなければならない。調停者は，鑑定人と同じ方法で当事者から報酬を受け取る。

調停が調った場合，その合意は裁判官により認可されうる。この場合，その合意は，判決と同様の執行力を有する。
▷新民事手続法典131-1条以下

刑訴 **調停者** 刑事手続きにおいては，調停者に紛争解決を委ねることは共和国検事の権限に含まれる。共和国検事は，この措置が被害者に加えられた損害の賠償を確保し，犯罪に起因する混乱を終息させ，または加害者の社会復帰に寄与すると思われる場合には，公訴提起の決定に先立ち，被害者および加害者双方の合意を得た上で両者間の調停を行わせることができる。
▷刑事手続法典41-1条

▶Conciliateur de justice〔勧解人〕▶Maisons de justice et du droit〔和解・調停センター〕

Médiateur de la République 憲法 行政 **共和国行政斡旋官；メディアトゥール** オンブズマン〔▶《Ombudsman》〕にならって1973年に設けられた独立行政機関。共和国行政斡旋官は，ますます官僚主義的になり複雑化しているとみなされている行政に対して，国民の保護を単純化し，国民に分かり易いものにすることを任務とする。ただし，裁判所に取って代わることはない。共和国行政斡旋官は，6年の任期で任命され，国の機関および地方公共団体の機関との関係における国民の苦情を受け付けるが，それには国会議員の仲介が必要である。国会の両議院，国会議員ならびに外国の同等者およびヨーロッパ行政斡旋官〔Médiateur européen〕も申立てを行うことができる。全国に代理人が配置されている。

2006年からは，斡旋任務に加えて，（刑務所または精神病院などの）収容施設の運用について監査する任務を負っている。共和国行政斡旋官は，勧告を行い（衡平に基づく事案の解決，若干の法文の改正の提案），行政庁に対して判決が履行されていない場合裁判所の判断に従うよう命じることができる。共和国行政斡旋官は年次報告書を作成し，特別報告書において事案を公表することもできる。

Médiation 国公 **仲介；居中調停** 国際紛争の政治的解決方法のひとつであって，当事者に意思の疎通を計るよう説得する（周旋の場合と同様）にとどまらず，解決方法を提案する第三国の介在を内容とする。

刑法 **調停** ▶Médiateur〔調停者〕刑訴

労働 **調停** 有資格の第三者，すなわち調停者〔médiateur〕に意見を求める集団的労働紛争の解決手続き。調停者は勧告を作成し，この勧告は受諾した両当事者を拘束する。
▷労働法典L524-1条以下

▶Arbitrage〔仲裁〕▶Conciliation〔勧解；斡旋〕▶《Ombudsman》〔オンブズマン；行政監察官〕

民訴 **調停** 1995年2月8日の法律第125号によって創設された調停は，当事者の意見を聴取し，彼らとともに和解へ向けた解決を探る第三者を，裁判官が両当事者の合意を得たうえで指名することを可能にする。調停人への謝礼は，当事者が負担する（この点で，勧解〔▶Conciliation〕とは異なる）。
▷新民事手続法典131-1条以下

Membre de la famille 社保 **家族構成員** 農業経営体の長の，配偶者，尊属，18歳以上の卑属，兄弟，姉妹，または，農業経営体の長の配偶者の尊属，兄弟，姉妹であって，労働者でも経営協力者でもなく農業経営体によって生計を立て，その経営に参加する者。

Mémoire 行政 **趣意書**
①**Mémoire introductif** 訴訟提起趣意書：行政裁判所に争訟〔▶Recours〕を係属させるために，申立人またはその弁護人によって裁判所に提出される申請書。この趣意書は，援用される攻撃防禦方法を簡潔に説明するだけでよいが，原告の申立ての趣意を表していることを要する。

②**Mémoire ampliatif** 補充趣意書：訴訟提起趣意書における攻撃防禦方法の説明があまりにも簡潔である場合に，それを詳述するために訴訟提起趣意書に続いて提出することのできる趣意書。行政裁判所において，手続きは趣意書の交換という形式によって進行する

（書面手続き）。

民訴 **申立理由書** 訴訟当事者の申立て〔prétentions〕の理由を述べた文書。

申立理由書の交換は，破毀院における手続きの特徴のひとつである。

▷新民事手続法典978条および982条

Memorandum 国公 **覚書** 一定の問題に関する，場合によっては非公式の，報告書をいい，しばしば命令または提案を結論として含み，ある国から他の国へまたは国際機構のある機関から他の機関へ送付される。

Menaces 刑法 **脅迫** 人身または財産に対する侵害による加害の目論見を表明することを内容とする犯罪。

▷刑法典222-17条以下および322-12条以下

Ménage de fait 民法 **事実上の夫婦**
►Concubinage〔内縁〕

Mensualisation 財政 **月割予定納税** 所得税に関して，納税義務者の源泉徴収制度に代わるもので，納税義務者の選択によって，1年分の税額を毎月，銀行，郵便局または貯蓄金庫の口座から自動的に天引きすること。この場合には，《予定納税》〔►《Tiers provisionnels》〕の支払義務を負わなくなる。月割予定納税は，他の直接税（住居税，既建築地税〔taxe foncière batie〕，未建築地税〔taxe foncière non batie〕）にまで拡大している。

労働 **月給制化** 時給制で支払われるブルーカラーの身分規程を月給制で支払われるホワイトカラーの身分規程にまで引き上げることを目的として団体交渉または立法という手段を通じて採用されてきた諸々の措置が月給制化という名で呼ばれる。こうした措置のなかには，賃金の月払いをブルーカラーにまで普及することから，それまで月給制の従業員しか享受できなかった祝日の有給化，疾病の際の賃金保障，多額の解雇補償金の付与などの労働関係上の特典をブルーカラーにまで拡張することまで含まれる。

▷労働法典L143-2条

Mention au dossier 民訴 **一件記録への記載**
裁判所書記課が保有している事件の一件記録〔►Dossier〕に書き込まれる記載。これによって，審理の間になされた一定の裁判を正式なものとして確認することができる。

▷新民事手続法典727条

Mention en marge 一般 **余白記載** 付記，更正または補訂のために証書の余白になされる記載。まさにこの方法によって出生証書は，場合によっては婚姻の記載または自然子の認知の記載により補完され，死亡の記載によって終わる。

Mentions informatives 民法 商法 **説明記載**
提供される給付および法律によって認められている保護について相手方に知らせることを目的として，契約文書に記載されなければならない説明。このような強制的な形式主義の無視は，一般に，契約の無効により制裁される。

Menus ouvrages 民法 **仕上工事部分** 不動産建築に関して，仕上工事部分とは，建築物の骨核部分〔►Gros ouvrage〕以外で，請負人によって加工，設置された部分，特に配管または窓枠である。隠れた瑕疵がある場合，請負人の責任は，工作物の受領から起算して2年間追及されうる。

▷民法典1792-3条

Mercuriale 民法 商法 **市場価格表** 物が減失または損傷した場合に被った損害額を決定するために裁判所によって用いられる，一定の消費物資の時価について定期的に作成される表。

Mer territoriale 国公 **領海** 海岸線に沿った海帯であり，1982年12月10日のモンテゴ・ベイ〔Montego Bay〕条約以降，12海里に定着した。沿岸国は，外国船舶の自由な無害通航を条件として，領海に対し主権を行使する。

►Passage inoffensif（Règle du libre）〔（自由な）無害通航（の原則）〕►Plateau continental〔大陸棚〕►Zone contiguë〔接続水域〕

Message 憲法 **教書** 共和国大統領が各議院に意思を伝達する行為。

アメリカ合衆国大統領とは異なり，フランス共和国大統領は，国会に赴き，自ら教書を読み上げることはない。読み上げさせるのである。

Mesure d'accompagnement judiciaire（MAJ）
民法 **裁判上の支援措置** 成年者生活支援（MASP）が成果をあげなかったときに資産管理における成年者の自律を取り戻させるための措置。裁判上の成年者保護受任者〔►Mandataire judiciaire à la protection de majeurs〕のみが，支援措置をとるために裁判所によって選任されうるが，この支援措置は保佐または後見に付随する無能力を伴わない。裁判上の支援措置は，現在の社会保障給付の受領後見〔►Tutelle aux prestations sociales〕に取って代わるものである。社会保障給付の受領後見の措置は，成年者の法的

保護の改革を内容とする2007年3月5日の法律第308号（2009年1月1日施行予定）の施行の日付から3年間が経過した後でなければ法律上当然には失効しない。
▷民法典495条以下（適用は2009年1月1日より）

►Mesure d'accompagnement social personnalisé（MASP）〔成年者生活支援〕

Mesure d'accompagnement social personnalisé（MASP） 民法 **成年者生活支援** 社会的給付を受領しており，かつ，自分だけで資産を管理するのが困難であり健康上または安全上問題のある成年者に対して適用される行政措置。この措置は，本人と県との間で締結される契約の形をとり，社会復帰のための措置を講じ，社会的給付を自分自身で管理できる状態にすることを目的とし，その社会的給付を優先的に家賃の支払いおよび現に必要とされる維持費に充当することができる。

その措置が効無き場合は，県会議長より連絡を受けた共和国検事は，裁判上の保護〔►Sauvegarde de justice〕の言渡しまたは保佐〔►Curatelle〕，後見〔►Tutelle〕もしくは裁判上の支援措置〔►Mesure d'accompagnement judiciaire（MAJ）〕の開始を目的として後見裁判官に訴えを提起することができる。

▷社会福祉法典L271-1条以下

Mesure d'administration judiciaire 訴訟 **裁判所運営上の措置** 裁判所の運営に関する行為（弁論期日および事件簿の決定，裁判官への権限の委任および裁判官のローテーション，準備手続裁判官および単独裁判官として裁判することを任務とする裁判官の指名など）。このような行為に対し不服申立ての途は開かれておらず，越権を理由とする破毀申立も提起できない。

▷新民事手続法典499条，537条，817条以下および963条以下

►Acte juridictionnel〔裁判行為〕►Décision gracieuse〔非訟事件決定〕

Mesures conservatoires 民法 **保全措置** 1991年7月9日の法律は保全措置に関する新たな制度を創設し，保全差押え〔►Saisies conservatoires〕と保全担保〔►Sûretés judiciaires〕を区別した。

これらの手続きを用いるには，前提として，一見して根拠があるように「みえる」債権を有する者が，その債権の回収を危うくするおそれのある状況を示して，執行裁判官（商事に関しては商事裁判所所長）の許可を得なければならない。

この許可はいくつかの場合には要求されない。特に，債権が執行名義〔titre exécutoire〕によって確認された場合は，債権は確定的であるため，要求されない。保全措置は，差し迫った損害を予防するためであれ，明らかに違法な侵害をやめさせるためであれ，急速審理裁判官が命じる措置のことも意味する。

▷新民事手続法典809条，849条および873条；労働法典R516-31条

Mesures d'exécution sur les véhicules terrestres à moteur 訴訟 **原動機付陸上車両に対する執行措置** 債務者が，原動機付陸上車両（例えば，自動車）の所有者であるとき，債権者によって選任された執行吏は，その車両が登録されている県庁に対して申告をなすことができる。この申告は，債務者に送達され，差押えの効果を生ずる。

債務者がその車両を隠匿するおそれのある場合は，執行吏は，その車両がどこに存在していようと，その場所において固定を行う権能を有する。続いて換価がなされる。

►Immobilisation d'un véhicule terrestre à moteur〔原動機付陸上車両の固定〕

Mesures d'instruction 訴訟 **証拠調べ** 当事者の申立てに基づき，または職権で，裁判官によって命じられる手続き。法的な紛争または係争の対象となっている事実が真実かつ正確であることの証明を目的とする。

民法 **証拠調べ** 民事訴訟における証拠調べは，訴訟のあらゆる段階で，時には勧解においてまたは合議中でさえ，付帯的に命じることができる。

証拠調べはまた，訴訟提起前であっても，将来生じうる紛争の解決の基礎となる事実についての証拠を保全しまたは証明する正当な理由が存する限り，独立して（申請〔requête〕に基づきまたは急速審理として），命じることができる（特に将来のための証人尋問・鑑定）。

▷新民事手続法典143条以下

►《In futurum》〔将来のための〕

Mesure judiciaire d'aide à la gestion du budget familial 民法 社保 **裁判所による家計管理援助措置** 家族給付が子の居住，養育，健康および育成に結びついた必要のために用いられておらず，また，社会福祉法典L222-3条

に規定する社会的・家族的経済支援〔accompagnement en économie sociale et familiale〕が十分とは思えないとき，少年係裁判官が命じることのできる措置。これらの給付措置は，その場合，《家族給付代理人》〔►Délégué aux prestations familiales〕と呼ばれる資格を有する自然人または法人に対して全部または一部支給される。この措置の費用は，家族給付交付機関が負担する。

▷民法典375-9-1条；社会保障法典L552-6およびL755-4条

►Protection de l'enfance〔児童保護〕

Mesure d'ordre intérieur 行政 **内部的措置**
行政訴訟において，国民への損害が重大ではないという理由で行政裁判官がその審理を拒否する，重要性の低い審理決定を一括する法的カテゴリーであって，縮小傾向にある。とりわけ裁判所への訴えの増大による審理停滞への懸念によって，このカテゴリーの存在は説明される。

例：学生を，ある演習グループではなく，他のある演習グループに登録するという大学行政当局の決定。

Mesures préparatoires 行政 **準備的措置** 行政訴訟において，ある行政行為が単にある決定を準備するものにすぎず，それ自体は不利益を生じる行為〔►Grief（Actes faisant）〕ではないという理由で行政裁判官が審理を拒否する行政行為を一括する法的カテゴリー。

Mesures de protection judiciaire des majeurs et mineurs émancipés 民法 **成年者および解放された未成年者に対する裁判上の保護措置** 成年者，一定の場合には解放された未成年者を保護するために後見裁判官の自由裁量にゆだねられている措置の総体を示す表現。これらの裁判上の保護措置は，対象者の能力についてすべて同一の影響を及ぼすわけではない。2007年3月5日の立法者は，《法的保護措置》〔►Mesures de protection juridique des majeurs et mineurs émancipés〕と呼ばれる3種の裁判上の措置を《裁判上の支援措置》〔►Mesure d'accompagnement judiciaire（MAJ）〕と対比している。法的保護措置とは，対象者の能力に対する侵害の小さいものから大きいものの順に並べると，裁判上の保護〔►Sauvegarde de justice〕，保佐〔►Curatelle〕，および後見〔►Tutelle〕であり，個人の能力の低下を根拠にしており，解放された未成年者についても命じられることがある。他方，裁判上の支援措置とは，成年者が，自分の社会的給付を満足に管理することができなくなっており，そのために健康上または安全上問題があるとき，その者をいかなる無能力制度に服せしめることもなく，その者が資産を管理するのを支援すること，を目的としている。

この対比されている2つの種類の措置は，相互に排他的である。なぜなら，裁判上の支援措置は，対象者が既に法的保護措置をうけている場合には言い渡されることができないからである。

▷民法典425条以下および495条以下（適用は2009年1月1日より）

Mesures de protection juridique des majeurs et mineurs émancipés 民法 **成年者および解放された未成年者に対する法的保護措置** 2007年3月5日の立法者の新しい用語法では，法的保護措置とは，2つのカテゴリーの措置のことを意味する。すなわち，第1のカテゴリーは，いわゆる《裁判上の保護措置》〔►Mesures de protection judiciaire des majeurs et mineurs émancipés〕と呼ばれる3種類の措置（裁判上の保護〔►Sauvegarde de justice〕，保佐〔►Curatelle〕，後見〔►Tutelle〕）である。裁判上の保護，保佐，後見は，個人としての能力の低下した成年者または解放された未成年者を保護するために後見裁判官の命じる措置である。第2のカテゴリーは，合意による措置，すなわち《将来の保護の委任》〔►Mandat de protection future〕であって，後見措置の対象となっていない成年者または解放された未成年者が，自己の精神的または身体的能力の低下のため，自分だけでは自己の必要を弁ずることができなくなる場合に自己を代理してもらうことを，1人または数人の者に委任することである。《裁判上の支援措置》〔►Mesure d'accompagnement judiciaire（MAJ）〕は，裁判上の保護措置のひとつではあるが，法的保護措置という立法上のカテゴリーには入らないことになる。というのは，裁判上の支援措置はいかなる無能力も前提としていないからである。

▷民法典476条以下および488条以下（2009年1月1日より413-6条以下，425条以下および495条以下）

Mesures provisoires 民訴 **仮の措置** 裁判官（多くの場合，急速審理裁判官）がなす，訴訟

係属中のみ有効な裁判(例えば，扶養定期金，係争物保管，子の監護)。
▷民法典253条以下

Mesures de sûreté 刑法 **保安処分** 行為者の危険性の認定に基づく処分。予防的性格をもち，応報目的も，苦痛を加え名誉を損なう性格ももたない。保安処分は，無害化，治療処遇，再教育処遇からなる。

Métayage 農事 **分益小作契約** 農地の所有権者が，果実〔▶Fruits〕および損失を分配することと引換えに，農地を経営する分益小作人〔métayer〕と呼ばれる者に対して，一定期間，その土地を賃貸する契約。

この契約は，bail à colonat partiaireとも呼ばれる。
▷農事法典L417-1条以下
▶Bail à ferme〔定額小作契約〕

Méthode de Grenoble 民法 **グルノーブル方式** 建設に必要な期間全体を通じて，権利者間の不分割財産が存在することによって特徴づけられる，区分所有アパルトマンの建築方式。すべての決定は，全員一致でしかなされない。
▶Méthode de Paris〔パリ方式〕

Méthode de Paris 民法 **パリ方式** 工事を完成させる責任を負う組合の設立によって特徴づけられる，区分所有アパルトマンの建築方式。管理人は，組合の名においてのみ交渉することができる。
▶Méthode de Grenoble〔グルノーブル方式〕

Meuble 民法 **動産** この用語は，2種類の財産を表す。

・有体財産〔▶Bien corporel〕：《自ら移動するのであれ，外的な力の影響によってのみ位置を変えることができるのであれ，ある場所から他の場所に移動することのある》動物および無生物。これらは，性質による動産〔meubles par nature〕である。
▷民法典528条

・無体財産〔▶Bien incorporel〕：性質による動産を目的とする権利(物権，債権，裁判上の訴権)，または，物理的基礎をまったくもたないにもかかわらず，法律が裁量的に動産とみなした権利(会社持分，知的財産権など)。これらは，法律の定める動産〔meubles par détermination de la loi〕である。
▷民法典527条以下
▶Immeuble〔不動産〕

Meubles meublants 民法 **家具** アパルトマンまたは家屋の使用のための動産(テーブル，椅子，ベッド)，および，その装飾のための動産(タペストリー，鏡)。
▷民法典534条

Meurtre 刑法 **故殺** 故意による殺害。
▶Assassinat〔謀殺〕

Micro-entreprises (Régime des…) 財政 **零細企業課税(制度)** ごく小規模の商工業企業または非商事的職業活動の課税対象利益の略式(概算的)評価方法。総収入額から定率(販売業については71パーセント，サーヴィス業については50パーセント，自由職については34パーセント)の必要経費見積額を控除して課税対象純利益を決定することを内容とする。この制度の適用を受ける納税義務者は，付加価値税の納付を免ぜられる。これは免税に相当するが，企業にとって有利な効果のみならず不利な効果も伴畄する。

企業は，この制度の適用を放棄して，企業会計上の数値に基づく普通法上の税額算定制度(いわゆる《実額》課税制度〔système du 《bénéfice réel》〕)を選択することもできる。この場合には，付加価値税の納付義務が通常どおり発生する。
▷租税一般法典50-0条および102条の3

Micro-État 国公 **極小国** 領土が狭く，人口が極端に少ない国家。非植民地化の結果としての非常に多数の極小国の国際連合への加盟承認によって，事務総長が注意を喚起したような微妙な問題が生じている。当該国家が国連憲章によって定められている義務を必ずしも果たすことができないためである。

Mines 行政 民法 **鉱床** 鉱物または化石物質の鉱脈であり，その価値を理由として，法律が所有権法制度に関して土地と別個のものと宣言したもの。

制限的なリストが鉱業法典に規定されている。このリストに石油および天然ガスが記載され，そのことによって，鉱床に関する法制度全体はきわめて大きな変更を受けた。
▷鉱業法典1条

Minières 行政 民法 **浅地下採掘鉱** 今日では，法律によって廃止されている鉱脈のカテゴリー。これは主として鉄鉱(今日では鉱床〔▶Mines〕のカテゴリーに記載されている)および泥炭鉱(今日では露天採掘鉱〔▶Carrières〕のカテゴリーに記載されている)を含んでいた。

Minimum garanti 社保 **最低所得保障額** 多く

の手当，補償金または報酬限度額の算定の際に基準となる最低額。例えば，社会保険料算定のための現物給付の評価，使用者が負担する実際の食費の算定，部分失業の場合に国から支給される特別手当の算定など。
▷労働法典L141-2条

Ministère 憲法 内閣；省
①内閣//Cabinet ministérielすなわち政府の構成員の総体（例：ministère Fabius〔ファビウス内閣〕）。
②省//1大臣の権限のもとにある公的機関の集合体（例：ministère des affaires étrangères〔外務省〕，ministère de la justice〔司法省〕，ministère de l'agriculture〔農務省〕など）。各省は，本省と，いくつかの区域に置かれる出先機関とからなる。

Ministère public 民訴 刑訴 検察官；検察
一定の裁判所において，法律の適用を要求し，社会の一般利益を監視することを任務とする職業司法官の総体。

裁判官とは異なり，検察官は階層づけられており，不可動性〔inamovibilité〕を享受しない。

民事については，検察官は，主たる当事者〔▶Partie principale〕または関与当事者〔▶Partie jointe〕となることがある。刑事については，検察官はつねに主たる当事者である。
▷新民事手続法典421条以下；刑事手続法典31条以下；司法組織法典L122-1条以下，L222-3条およびL232-3条

Ministre 憲法 大臣 内閣または政府の構成員。
①*Ministre à portefeuille* 各省大臣；省，すなわち，一定の活動領域に対応する国の役務の管理を受けもつ大臣。
②*Ministre délégué* 受命大臣；担当大臣：首相または各省大臣のもとに置かれその所管に属する一定の事項を管理するために委任を受けているが，大臣に認められる権限のすべてを備えている大臣。
③*Ministre d'État* 国務大臣：伝統的に無任所大臣であり，政治的配慮だけから任命された。しかし，第五共和制下では，国務大臣は省を受けもっており，単に，名称（他の大臣よりも威厳がある）および儀典のうえで，他の大臣と区別されるにすぎない。国務大臣は大臣中の最上位にある。

Ministre des Affaires étrangères EU ヨーロッパ連合外務大臣　ヨーロッパ憲法は，ヨーロッパ連合外務大臣職を創設した。ヨーロッパ連合外務大臣は，ヨーロッパ理事会共通外交安全保障政策上級代表〔ハヴィエル・ソラナ〔Javier SOLANA〕〕の任務と（ヨーロッパ委員会）対外関係担当委員の任務とを兼ねることになる（ヨーロッパ理事会の代表者であり，かつ，ヨーロッパ委員会の副委員長である）。ヨーロッパ連合外務大臣は，外交政策に関するヨーロッパ連合の決定を提案し執行する。ヨーロッパ連合外務大臣は，ヨーロッパ連合閣僚理事会外相会議を主催し，第三国および国際機関に対してヨーロッパ連合を代表する。その任命は，ヨーロッパ委員会委員長の同意を得ることを条件に，ヨーロッパ理事会の特別多数により行われる。

Ministre-juge 行政 大臣＝裁判官制　行政訴訟においては，各大臣がそれぞれの省についての第一審裁判所となり，コンセイユ・デタに対するあらゆる訴えの提起に先立ち訴訟を受理するものとする考え方。19世紀末に放棄された。当時は，一般に留保裁判〔justice retenue〕といわれていた。

Minorité 民法 未成年　いまだ法律上の成年（18歳）に達していない者の身分。
▷民法典488条
▶Majorité〔成年〕
商法 少数派株主　▶Assemblée générale〔株主総会〕

Minorité pénale 刑法 刑事未成年　犯罪行為者がいまだ18歳に達していないこと。その場合，刑事責任の制度は行為者の年齢に応じて異なる。行為者が13歳未満の場合は，援助，監督および育成の措置しか言い渡すことができないが，10歳以上の者には，育成制裁〔sanction éducative〕も言い渡すことができる。行為者が13歳以上18歳未満の場合は，自由剥奪刑または罰金刑を科すことができるが，その期間または額の上限は成年者について定められた上限の半分に軽減される。ただし，16歳以上の者については，事件の周辺事情および当事者の個別事情を考慮してこうした軽減を行わないこともある。
▷刑法典122-8条；1945年2月2日のオルドナンス20-2条および20-3条

Minorités (Protection des) 国公 少数民族の保護　民族的，言語的または宗教的観点から国民の大多数とは区別される住民を保護する制度。

主要な実施：第一次世界大戦後に（国際連

盟による)国際的な保障のもとに戦勝国がいくつかの国家(ポーランド,チェコスロヴァキアなど)に対して課した諸条約。

Minute 民法 民訴 **原本** 公署官〔►Officier public〕により(かつては細い字体で)作成された証書,または,裁判所所長および書記の署名のなされた判決の原本。

原本は公署官役場または裁判所書記課からもち出されない。執行正本〔►Copie exécutoire〕(expéditionまたはgrosse exécutoireとも呼ばれる)または単なる認証謄本〔►Copie certifiée conforme (du jugement)〕が交付される。

▷民法典1325条および1335条
►Exécution sur minute〔原本に基づく執行〕

Mise en accusation 刑訴 **重罪院移送決定** 予審対象者を重罪院に移送する決定。この決定は,予審判事または控訴院予審部の管轄権限に属する。

►Mise en examen〔予審開始決定〕

Mise en cause 民訴 **訴訟引込み** 原告または被告が,第三者に対してなす強制参加の訴え(請求)。判決をその第三者に対抗できるようにすること,またはその第三者に対する有責判決を得ることを目的とする。この請求は,ときに職権で第一審または第二審の裁判官により促されることもある。

▷新民事手続法典66条および331条
►Intervention〔参加〕►Tierce opposition〔第三者異議の訴え〕

刑訴 **(予審判事)取調対象者** 犯罪被害者の告訴によって指名された者。証人によって指名された者。予審判事に提訴された犯罪の遂行への関与を疑うに足るだけの徴憑が存在する者。刑事手続法典113-2条(2000年6月15日の法律第516号)により,これらの者は弁護士補佐証人〔►Témoin assisté〕として聴聞される。

Mise en danger 刑法 **人を危険にさらすこと**
①一般刑法〔droit pénal général〕の意味では,法律または行政立法によって課されている安全義務または注意義務に対する明らかに意識的な違反であるが故意ではないこと〔non-intention〕。
▷刑法典121-3条
②特別刑法〔droit pénal spécial〕の意味では,この総称的罪名のもとにまとめられる犯罪の総体。すなわち,他人に及ぼされる危険〔risques causés à autrui〕,自らを護ることのできない者の置去り〔délaissement d'une personne hors d'état de se protéger〕,援助措置妨害〔entrave aux mesures d'assistance〕,救助の懈怠〔omission de porter secours〕,人体実験〔expérimentation sur la personne humaine〕,違法妊娠中絶罪〔interruption illégale de la grossesse〕,自殺の教唆〔provocation au suicide〕,無知または弱体の状態の詐欺的濫用〔abus frauduleux de l'état d'ignorance ou de faiblesse〕。
▷刑法典223-1条から223-20条
►Risques causés à autrui (Délit de)〔他人に及ぼされる危険(の罪)〕

Mise en délibéré 訴訟 **合議に付すこと**
►Délibéré〔合議〕

Mise en demeure 行政 **催告** 行政庁が,法令によって定められている場合に,私人または公共団体に対して,義務として課されている措置を講じることまたは違法な行動をやめることを命じるために発する命令。

民法 民訴 **付遅滞** 債権者が債務者に債務の履行を請求する行為。その行為は,遅延損害金を起算させることを主たる効果とする。

普通法において,付遅滞は,執行吏執達書によってなされる。

付遅滞は,他の同等な行為によってもなされうる。例えば,文言から十分な催告を読みとることができる場合には,親書によってもなされうる。
▷民法典1139条

労働 **改善命令** 労働監督官が使用者に対して発する命令で,その使用者の事業所において認定された労働法規違反を止めさせるもの。
▷労働法典L231-4条以下

財政 **督促** 主税総局の公会計官が徴収する租税(基本的には間接税)に関して,督促は,事前に受け取った徴収決定通知〔►Avis de mise en recouvrement〕に基づく税額を期限内に納付しなかった納税義務者に対して,差押え=執行が行われる前に通知されなければならない。これは,新民事手続法典が規定する差押前催告に代わるものである。
▷租税手続法典L257条

社保 **催促** 社会保障・家族手当保険料徴収組合〔URSSAF〕が保険料納付義務者に対して納付義務の発生している保険料を払い込むように求める命令。この催促は強制取立手続〔action en recouvrement〕に先行する。催促の代わりに警告〔►Avertissement〕を

なすことができる。
▷社会保障法典L244-2条

Mise en état 民訴 **弁論適状におくこと** 審理が進行し,事件が弁論期日に付される状態になったとき,事件は弁論適状〔en état〕である。
procédure de mise en état〔準備手続き〕は,十分な準備を必要とする複雑な事件についてしかなされず,審理は準備手続裁判官〔►Juge de la mise en état (JME), Conseiller de la mise en état〕によって主宰され,終結が宣言される。
▷新民事手続法典762条以下および910条以下

Mise en examen 刑訴 **予審開始決定** ある者を予審手続きによって取り調べることとする決定。従来のinculpationの語に代わるものである。
予審判事は,提訴された犯罪の遂行に正犯または共犯として関与したかもしれないことを信ずるに足るだけの重大なまたは一致した徴憑が存在する者でなければ予審の対象とすることができない。これに反する場合,予審開始決定は無効となる。予審判事は,弁護士補佐証人〔►Témoin assisté〕の手続きを用いることができないと判断するときでなければ,予審開始決定を行うことはできない。
▷刑事手続法典80-1条

Mise en examen tardive 刑訴 **予審開始決定遅滞** 予審判事が,犯罪行為に関与したことの重大なおよび一致した徴憑がある者を証人として聴聞する違法行為。防禦権の侵害となる。
▷刑事手続法典105条

Mise à l'index 労働 **ボイコット** ある者と同じ職業または違う職業の他の者に呼びかけて,その者に圧力を加え,その者との職業上のあらゆる関係を打ち切るようにし,その者が職業活動を行うことを禁止すること。

Mise en péril des mineurs 刑法 **未成年者を危険にさらすこと** 身体的または精神的に,未成年者を危険にさらすという共通点を有する行為(世話をせず食物を与えないこと,子の遺棄,重罪または軽罪を犯すよう教唆すること,未成年者を堕落させること,未成年者のポルノ画像を利用すること,未成年者の心身に対する性的侵害)を処罰することを目的とする一連の犯罪類型を総称する新刑法典上の表現。
▷刑法典227-15条以下

Mise à pied 労働 **出勤停止** 使用者が,制裁として(懲戒としての出勤停止)または経済的理由により(経済的出勤停止)決定する労働契約の短期間の停止のこと。経済的出勤停止は,部分失業補償金が現実に支給される場合を除いて労働者の同意を必要とし,同意がない場合は解雇とみなされる。

Mise à pied conservatoire 保全措置としての出勤停止:非行を犯した労働者が確定的な制裁を待つ間の出勤停止。従業員を代表する者〔représentants du personnel〕が重い非行〔faute grave〕を犯した場合,解雇の行政許可を得るための手続きの間,出勤停止とすることができる。
▷労働法典L122-41条,L425-1条,L412-18条およびL436-1条

Mise à prix 民訴 **最低競売価格の決定** 競売を開始する価格の決定。不動産差押えにおいては,最低実施価格の決定は,差押実施債権者〔créancier poursuivant〕によって行われる。競り値がつかなかった場合には,差押実施債権者は,最低価格で競落したものと職権で宣言される。
▷民法典2206条
►Adjudication〔競落;競売〕

Mise au rôle 民訴 **事件簿への登載** 呼出状の写しを裁判所書記課に提出することによって,原告の弁護士が大審裁判所に提訴する行為。控訴院においては,控訴の申立てが即,事件簿への登載の請求である。
▷新民事手続法典757条および901条末尾

Mission 財政 **計画大綱** 国の予算の階層分類上,計画大綱とは,国の同一の政策の実施に資する(場合によりさまざまな省に属しうる)事業計画〔►Programme〕の全体,または,歳費〔►Dotation〕がある場合にはそれをひとまとめにした予算区分をいう。一般予算〔budget général〕については,計画大綱は,国会による予算の表決単位である。
計画大綱の例:《裁判》,《文化》,《国防》。

Mission diplomatique 国公 **外交使節団** 他国に対して自国を代表する外交官の集合体(使節団の長,参事官,外務書記官,事務および技術職員)。

Mission d'expertise économique et financière (MEEF) 行政 **財政投融資診断室** 州についても兼務する地方財務局長〔►Trésorier-payeur général〕のもとで職務を行う行政スタッフ。州知事の求めに応じて,国の投資計画書について解明することを主たる任務とす

る。この診断は，有利なまたは不利な意見という伝統的な形式ではなく，投資計画書のさまざまな側面を研究した後に作成される，計画の長所と短所の診断という形式をとる。

Mission de service public 行政 **公役務の任務**
▶Service public〔公役務〕

Mitage 行政 **虫食い的開発** 環境法において，ある保護区域における自然の組成に《虫食いされた》外観を与え，環境とりわけ美観を侵害する，当初から統一性を欠いた宅地開発によるその保護区域の侵食を指すために，好ましくない意味合いでしばしば用いられる比喩的な表現。

Mi-temps thérapeutique 社保 **治療目的のパートタイム労働** 被保険者の健康状態の回復を促進する性質を有すると認められるパートタイムでの労働の再開。この間，被保険者は疾病保険の休業補償手当の利益の一部または全部を保持する。
▷社会保障法典L323-3条

Mitoyenneté 民法 **互有(権)** 更地であれ，既建築地であれ，隣接する土地を隔てている財物を2相隣者が共同所有している状態。法律は，壁の互有の他に，柵，溝および垣の互有についても規律している。
▷民法典653条以下

Mobiles 民法 **動機** ▶Cause〔コーズ；原因〕
刑法 **動機** 憎しみ，仕返し，金欲しさ，熱中など，重罪犯または軽罪犯を作為または不作為に導いた内奥の理由。
　動機は故意とは無関係であるのが原則であり，故意の構成要素とはなり得ないが，刑罰の個別化〔personnalisation〕目的で裁判官によって考慮に入れられることがある。
▶Intention〔故意〕

《Mobilia sequuntur personam》 国私 **動産は人に従う** 註釈学派により考え出され，依然として用いられている原則。この原則によれば，動産は，その所有者たる人に従う。例えば，相続に関しては，動産は被相続人の住所地法に従う。

Mobilière (Contribution) 財政 **動産税** 1974年に住居税〔▶Taxe d'habitation〕にとって代わられた地方直接税。

Mobilisation de créance 商法 **債権の流動化** ある債権者が，ひとたび貸し付けた資金の処分可能性を，ある機関(流動化機関)を通じて回復するための取引。
　このためには複数の技術を用いることができるが，その中には，商業証券〔Effet de commerce〕の割引き〔▶Escompte〕も含まれる。

Mobilité 労働 **移動** 種々の手続きに従って労働者に企業の内または外における地域的または職業上の異動を甘受させるような雇用の状態のこと。
▶Clause de mobilité〔移動条項〕

Modalité 民法 **態様** 債務の本質に属さないが，債務の存在，請求可能性および期間(条件〔▶Condition〕および期限〔▶Terme〕)に影響し，または，多様な目的(債務の選択性または任意性)もしくは複数の主体(連帯〔▶Solidarité〕，不可分性〔▶Indivisibilité〕)を組み合わせる特性のこと。
▷民法典1168条以下

Modes alternatifs de règlement des conflits 民訴 **代替的紛争解決方式(ADR)** 裁判官に委ねることなく紛争または係争を解決することを目的とする方式の総体。とりわけ第三者による勧解〔▶Conciliation〕または調停〔▶Médiation〕の方法による。

Modes de scrutin 憲法 **選挙制度** 選挙の態様。きわめて多様(多数代表制または比例代表制，両者の並立制，単記投票制または名簿式投票制，一回投票制または複数回投票制)である。どの制度を採るかによって選挙結果に直接的な影響が及ぶ。

Modèles 商法 **意匠** ▶Dessins et modèles〔意匠〕

Modulation 労働 **変形労働時間制** 1年を単位として労働時間を配分することを認める制度。法定労働時間は，立法者により1年間につき一括して1600時間に置き換えられた。これは週平均労働時間35時間の1年分に相当する。変形労働時間制の実施については，超過勤務時間〔heures supplémentaires〕に関する普通法上の規定の適用除外として，拡張適用される労働協約または集団協定によることもできるし，企業協定または事業所協定によることもできる。
▷労働法典L212-1条およびL212-8条

Moins prenant (en) 民法 **相続分からの差引きによる** 分割対象財産体に対して借りがある共同分割人に対して，債務の持戻しであれ無償譲与の持戻しであれ，その持ち戻した総額を差し引いた相続分を割り当てる数額確定の操作。
▷民法典843条，858条および864条1項

►Rapport des dettes〔債務の持戻し〕
►Rapport des dons et des legs à fin d'égalité〔平等目的の贈与および遺贈の持戻し〕

Monarchie 憲法 **君主制** ただひとりの者が王位継承権を通じて、しかし不変の法に基づいて統治する政治体制。
①*Monarchie absolue* 絶対君主制：君主が、いかなる実定的な制約にも服さない君主制（君主以外には諮問機関しか存在しない）。例：1515年から1789年のアンシャン・レジームのフランスの君主制。
②*Monarchie limitée, Monarchie constitutionnelle* 制限君主制、立憲君主制：君主が、憲法典を制定し、君主と並んで、従属的だが実効的な機関（とりわけ公選会）の存在を受け入れ、自己制限することに同意した君主制。例：王政復古期（1814年-1830年）のフランスの君主制。

Mondialisation 国公 **世界化** 世界化、すなわちグローバリゼーションとは、ソ連の崩壊以降、経済を支配する諸原則（基盤としての市場経済）と、諸国家の内部編成を支配する諸原則（民主主義と人権）のある種の普遍化を、さまざまな協力関係へ向けて諸国家を必然的に開放するものとして特徴づけようとする現象である。

Monisme 国公 **一元論** 国内法と国際法が同一の法秩序の現れであるとする、学説上の考え方。
　国内法優位の一元論は、国際法の義務的性格を失わせてしまうものであって、国際法は対外的公法となり、すべての国家が一方的に変更することができることとなる。国際法優位の一元論のみが実定法の現状に合致している。
►Dualisme〔二元論〕

Monnaie 民法 **通貨；貨幣** 金銭債務の履行に用いられ、金銭的な表現をもたない財産の評価のための価値の基準として役立つ法的な手段。
　通貨は、それが貴金属によって構成されているときは、硬貨〔monnaie métallique〕である。
　価値の低い硬貨がさまざまな金属から製造されているとき、「補助」貨幣〔monnaie divisionnaire〕と呼ばれる。
　「信用」貨幣〔monnaie fiduciaire〕は、国家が価値を強制的に決定する紙幣からなる。
▷民法典1243条；通貨金融法典L121-1条以下

►Billet de banque〔銀行券〕►Cours forcé〔強制通用力〕►Cours légal〔法定通用力〕►Euro〔ユーロ〕

　「預金」通貨〔monnaie scripturale〕は、現金化されない。それは、銀行預金の勘定の残高によって表され、小切手または振替えによって処分できる。
　電子貨幣〔monnaie électronique〕とは、支払カード〔carte de paiement〕のICチップまたはコンピュータのメモリに記憶された預金通貨の量を指す表現である。電子貨幣は、その所有者にとって、このような決済方法に同意する企業に対する支払手段となる。
▷通貨金融法典L132-1条

Monocamérisme ; Monocaméralisme 憲法 **一院制** 単一の議院を設置する国会の構成方法。

Monocratie 憲法 **単独支配** ギリシャ語の《monos》〔ただひとりの者〕と《cratos》〔支配〕に由来する語。権力がただひとりの者に帰属する政治体制の総称。

Monoparental 民法 **単親の** ときに、「単系の」〔unilinéaire〕の同義語。父または母に対してしか法律上の親子関係が成立していない、したがって、父方または母方の一方の系にしか直系尊属をもたない子を指す。多くの場合には、双方に直系尊属をもっていても、子が両親の一方のみと生活している家族を形容する。

Monopole de droit 行政 **法律上の独占**
　①法律の明文によって公企業または私企業に与えられた独占的経営権。これは、営業の自由について考えうる最も重大な侵害のひとつである。
　②あらゆる独占が商工業レヴェルのものであるというわけではない。国の教育機関によって行われる学位の授与のように、純粋に行政的なものもある。

Monopole de fait 行政 商法 **事実上の独占**
企業が市場に対してもつ決定的な支配力によって自然に、または、警察の介入によって条件つきであらゆる競争が排除された経済的な状態。後者の場合、警察が選択した企業以外のあらゆる企業には、公の秩序に関わる理由により、公産〔►Domaine public〕について付与されうる便宜が認められない。

Monopoles fiscaux 財政 **専売事業** たばこのように大量に消費される若干の物品の製造と販売を対象とする国の独占事業で、その事業

が設定する《割高な価格》から生じる利益を予算に組み込む目的で創設される。

Monroe（Doctrine de） 国公 **モンロー主義**　1823年にアメリカ合衆国大統領モンローが唱えた主義で，ヨーロッパ列強による米州大陸へのいかなる干渉も拒否するが，その代わりに，米国もヨーロッパの問題にかかわりをもたないというものである。モンロー主義は，米国の政治行動の単なる原則でもあるが，孤立主義に関しては時代にそぐわない。

Monuments historiques et sites 行政 **歴史的記念物および景勝地**　歴史的記念物および景勝地は公用開始の手続に服する。この手続きにより，これらの国民の遺産としての保存，公用開始時におけるこれらの外観および状態の維持が認められ，所有者であっても許可なくして（文化省の監督に服する）変更を加えることは一切できない。

Moratoire 民法 民訴 **支払猶予**　すべての債務者に対する追及，または，一定のカテゴリーの債務者に対する追及のみを停止させる期間。これは，一般的な事情（例：戦争）が債務の弁済を困難または不可能にする場合に，法律によって認められる。

Mort 民法 **死**　生命の停止。死の確認は，治療または研究目的でのあらゆる臓器摘出に先立って行われ，今日では，法律により課される基準に従って行われなければならない。すなわち，《人が永続的な心臓および呼吸の停止を呈するとき，死亡確認書は，以下の3つの臨床基準が同時に満たされる場合にのみ作成されうる。

　①意識および自発運動の完全な欠如，②あらゆる脳幹反射の消失，③自発換気の完全な欠如》。死亡確認書はまた，臨床上死亡が確認されているが，人工呼吸器によって介助され，血行機能を維持している人についても，いわゆる炭酸ガステストによって換気の欠如を確認し，かつ，公衆衛生法典に定める医療検査によって脳の破壊の不可逆性を確認した後に，作成することができる。

　死は，法人格〔►Personnalité juridique〕の消滅をもたらす。
▷公衆衛生法典R1232-1条以下

Mort（Peine de） 刑法 **死刑**　1981年10月9日の法律により廃止され，2007年2月23日の憲法的法律第239号以降は憲法典上で禁止されている，重罪の体刑。死刑は，普通法上は斬首によって，政治犯罪の場合は銃殺によって執行されていた。
▷憲法典66-1条

Motif 民法 **動機**　►Cause〔コーズ；原因〕
民訴 **理由**　当事者が申立趣意書に，または裁判官が判決に展開する，論証の論理的根拠。
　理由の欠如または矛盾は，破毀事由となる。
▷新民事手続法典455条
►Dispositif du jugement〔判決の主文〕
►Défaut de base légale〔法的基礎の欠如〕

Motion 憲法 **動議**　►Résolution, Motion〔決議，動議〕

Motion de censure 憲法 **不信任動議**　►Censure〔不信任；懲罰〕

Motivation（des actes administratifs） 行政 **（行政行為の）理由付記**　利害関係人の権利の保護を目的として，若干のカテゴリーに属する個別的な不利益決定の基礎となる法律上または事実上の理由を利害関係人に知らせる義務。さまざまな行政庁および社会保障機関について規定されている。理由付記を義務づけられ，かつ，利害関係人の申請に基づいてなされたのでない決定は，利害関係人に，書面による意見書または口頭による意見の提出することのできる状態になる前に行うことはできない。

Moyens 訴訟 **攻撃防禦方法**　攻撃防禦方法は，請求および防禦に必要な支えである。それは，訴訟事件〔►Cause〕の基礎を形成するものである。申立て〔prétention〕を基礎づけるために当事者は，事実上のまたは法律上の攻撃防禦方法を提出する。そのひとつひとつは，《分肢》〔branches〕と呼ばれる。

　新しい攻撃防禦方法は，第一審または控訴審においてはいつでも提出することができるが，破毀申立てにおいて初めて提出することはできない。この段階では，（すでに出された攻撃防禦方法に関する）新しい論拠〔►Argument〕のみを提出することができる。ただし，純粋に法律上の攻撃防禦方法または破毀を申し立てられた判決から生じる攻撃防禦方法についてはこの限りではない。公序上の攻撃防禦方法は，破毀申立ての段階を含むいかなる手続きの段階においても，裁判官が職権で取り上げることができる。
▷新民事手続法典16条，56条，71条，73条，563条，619条および753条

Moyens inopérants 行政 **主張上の無効理由**　行政訴訟上の用語であり，その性質上申立ての趣意〔►Conclusions〕を主張するために

援用することのできないものとして，裁判官によって採用されることのない理由。例えば，行政庁が法的に行うべき義務を負う決定について争うために権限濫用を主張することはできない。主張上の無効理由と受理されない理由〔moyen irrecevable〕を区別することが困難な場合もあるが，この区別を行う実益は実務上きわめて少ない。

Multinationale 国公 商法 国私 **多国籍企業** 一国の範囲を超えた企業，会社のこと。複数国において活動(生産，サーヴィスの提供)を行うもの，複数国からの資本を有するもの，その経営がさまざまな国籍の人々からなる経営陣により行われるものがあり，またこういった各種の特徴を合わせもつものもある。

Multipartisme 憲法 **多党制** 複数の政党が政権獲得を目指して相争うシステム。一般にこのシステムでは，多少とも安定した連立政権を形成することが強いられる。

Multipropriété 民法 **多重所有** ▶Société d'attribution d'immeubles en jouissance à temps partagé〔時分割使用不動産割当会社〕

Municipalité 行政 **市町村庁** 市町村長と助役のこと。

Mutation 民法 商法 **譲渡** 財産体のなかのある財産を他人に移転すること(特定名義の移転〔mutation à titre particulier〕)，または，ある者が他の者に取って代わり，財産体を取得すること(包括名義の移転〔mutation à titre universel〕)。

労働 **配置転換** 同一企業における他のポスト，職務〔fonction〕，部署〔service〕，事業所に配置されることから生じる労働者の地位の変更のこと。配置転換が労働契約の変更となるときは，それが，労働者の行動を使用者が非行とみなしたことによる場合であっても，現行法上，配置転換は，使用者が労働者の合意を得た後でなければ決定・実施されることはできない。

Mutation domaniale 行政 **他有公物使用権限** (もともとはコンセイユ・デタの判例(1909年)によって)国に認められた権限であって，ある公共団体に帰属する不動産を，全体的利益を目的として，他の公共団体(または国自身)に割り当てることを内容とする(例：国が高速道路建設のため市町村有地の一部の使用を必要としているが，市町村が，その譲渡を拒んで建設事業を妨げている場合)。この権限により，公物〔▶Dépendances (du domaine public)〕の公用収用禁止の影響が緩和される。不動産の使用を奪われた公共団体は，なおその所有者であり，したがって，公土木工事による損害に関する判例理論に基づく賠償金しか請求することができない。
▷公法人財産一般法典L2123-4条

Mutualité 社会 **共済組合** 非営利社団制度を法的根拠として行われる広範な社会的保護の運動。次の2つの特質をもつ。
　①つねに連帯および互助の原則を用いる。このことは，拠出金の徴収にあらわされる。
　②営利を目的としない，加入者の相互扶助と保険の追求。この共済組合という大きな主題について，以上の2つの理念しか挙げることができなかったのは，次の事情による。すなわち，古くは中世のコルポラシオン(同業組合)およびコンパニョナージュ(仲間職人組合)に由来する共済組合は，多くは，社会保障(1946年)と補い合い，それを補足することによって，その加入者に補足的な給付を保障する機関となっているのである。

Mutualité sociale agricole (MSA) 社保 農事 **農業共済組合** 農業従事者(労働者および経営者)を保護することを任務とする社会的機関の総体。
▷農事法典L723-1条以下

《**Mutuum**》 民法 **消費貸借** ある者(貸主〔prêteur〕)が，他の者(借主〔emprunteur〕)に使用させるために，代替物でありかつ消費物であるものを，貸主にその類似物を返還することを条件として引き渡す契約。この契約は，prêt de consommation〔消費貸借〕とも呼ばれる。mutuumとは古法時代末期に登場したローマ起源の契約である。ラテン語の名称がそのまま用いられつづけ，今日でも消費貸借のことを指す。民法典上，消費貸借は相変わらず要物契約である。
▷民法典1892条以下
▶Prêt〔貸借〕

《**Mutuus dissensus**》 民法 **解除の合意** 債権債務関係を断つためには相互の意思が必要であることを示すラテン語の用語。
▷民法典1134条2項

N

Naissance 民法 **出生** 子が母胎から生まれ出る瞬間。

出生は法的能力を取得する条件であり，法的能力の取得は，その効果に関しては，懐胎の日にさかのぼる。

▷民法典55条，56条，93条および326条

Nantissement 民法 **無体動産質** 現在または将来の無体動産の1つまたは全体を債務の担保に割り当てること。

債権質は，設定証書の日付において，契約当事者間で効力を生じかつ第三者対抗力を取得する。担保目的物たる債権の債務者に対して対抗力を備えるには，その者が設定証書の作成に関与したのでない限り，債権質権の設定についてその者に通知しなければならない。

通知後においては，質権債権者のみが有効に元本および利息の弁済を受ける。

▷民法典2329条および2355条から2366条

商法 **質** 商法において用いられる，債務者からの占有の移転を伴わない担保の形態（営業財産，機械器具，自動車の質）。

これらの質は，実際には動産抵当である。

民訴 商法 **質** 裁判官は営業財産質〔nantissement de fonds de commerce〕を保全名義で許可することができる。

▶Mesures conservatoires〔保全措置〕
▶Sûretés judiciaires〔保全担保〕

Nation 憲法 **民族** 客観的な共通要素（人種，言語，宗教，生活様式）と主観的な共通要素（共通の記憶，精神的同族意識，共同して生きようという意欲）とに由来する親近性を相互にもつ人の集団。こうした要素が集団内の人を結びつけ，他の民族に所属する人からそれを区別する。

こうした民族的連帯が強まり，民族国家〔État-nation〕が形成された。民族国家という国家形態のみが真の継続性を保障することは，現実の示すところである（旧ソ連，旧ユーゴスラヴィアの問題，さらにドイツ再統一を参照せよ）。

Nationalisation 行政 **国有化** さまざまな考慮に基づいて，正当かつ事前の補償のもとで，所有者または株主から商工業企業を法律によって収用すること。国民共同体を代表すると一般的にみなされる機関への指揮管理権の移転，および支配的な学説によれば企業の財産の国家への帰属を伴う。

▶Privatisation〔民営化〕

Nationalisme 憲法 国公 **民族主義**

①民族が，その力と栄光だけを考慮して決せられる政治（支配の意思，復讐心，または外部からの危険への恐怖によって動機づけられた政治）を行う権利をもつとする主義。

②外国の支配から自己の所属する民族を解放し，民族の独立を実現しようとする個人の政治的主張と行動。

Nationalité 民法 国私 国公 **国籍** 自然人または法人を国家に結びつける法的かつ政治的関係。

▷民法典17条以下

Nationalités (Principe des) 国公 **民族自決の原則** すべての民族〔▶Nation〕は独立国家を形成する権利を有するとする原則。この原則は，19世紀に（1830年のベルギー，1859年のイタリア），および，特に中央ヨーロッパ諸国の形成について1919年-1920年の平和条約により，適用された。

Naturalisation 国私 国公 **帰化** 自己の意思による国籍の取得であり，一般に原国籍の放棄を伴う。

フランスでは，帰化は，それを申請し一定の条件を満たす個人に対して，行政機関によって裁量的に認められる。

Nature de juridiction 民訴 **裁判所の性質** 裁判所は，その性質により，普通法上の裁判所と例外裁判所に分けられる。

▶Juridiction de droit commun〔普通法上の裁判所〕▶Juridiction d'exception〔例外裁判所〕

Navette 憲法 **法律案の往復；ナヴェット** 二院制のもとで，審議中の法文に関し両院間に不一致が存続する限り，一方の議院から他方の議院へ政府提出または議員提出の法律案が往復すること。

法律案の往復は無限に続くおそれがあるが（例：第三共和制下），直接普通選挙で選出された議院の表決によってそれを終了させる可能性を規定するのが最近の憲法典の傾向で

あり，その発議は当該議院による場合(例：1954年改正後の1946年憲法典)と政府による場合(例：1958年憲法典45条)とがある。

Navire 海法 航海船；船舶　海上航行の利用に供される構造物。
►Bateau〔内水船〕

Nécessité 民法 必要性　絶対的に必要であるという性質。

État de nécessité 必要状態：重大な危険を避けるために，より重大でない損害を他人に発生させる者の置かれている状態。

行政 必要性　(たいていは緊急性〔►Urgence〕と結びついた)必要性を考慮して，多くの必要不可欠な公的行為(身分行為，租税徴収，徴発)について，管轄権限と形式に関する規定の厳格さの緩和が，判例，特に行政判例によってもたらされる。

民訴 必要性　判決の仮執行を命じること，法定時間外ならびに執務日外の送達または執行を許可すること，および相手方当事者に知らせずに処分を命じるという対審でない手続きを行うことを裁判官に認める事実上の状況。多くの場合，この措置が必要なのは緊急性〔urgence〕および遅滞による危険〔péril en la demeure〕があるときである。
▷新民事手続法典515条，664条，812条および851条
►Référé civil〔民事急速審理〕►Urgence〔緊急性〕

《Négligence-clause》 海法 過失約款；ネグリジェンス・クローズ　船舶艤装(ぎそう)者が，自己の使用人の行為によるあらゆる責任を免れるための約款。

Négociation 国公 交渉　合意に達するための話合い。

Négociation collective 労働 団体交渉　一方の使用者または職業組織の代表者と他方の労働組合との間で，労働協約の締結を目的として行われる議論の総体。協約が拡張に親しむものである場合，団体交渉は特別の手続きに従う。団体交渉は，全国，地方または地域のレヴェルで行うことができる。
▷労働法典L132-1条以下，L132-11条およびL132-27条以下

《Negotium》 一般 法律行為における実体　法律行為または契約において，《negotium》(《affaire》〔取引〕を意味する語)とは，法律行為の当事者または契約当事者の意思を表す形式とは対照的に，当該法律行為または契約が対象とする実体のことである。
►《Instrumentum》〔証書〕

《Nemo auditur propriam turpitudinem allegans》 民法 民訴 何人も自己の破廉恥を援用することは許されない　何人も，自分自身の破廉恥を援用するときには，(裁判官に)耳を傾けてもらえないということ。
　この諺は，道徳および良俗に反する合意の無効が言い渡された後に，給付の返還を場合により拒絶する際に用いられることがある。

《Nemo censetur ignorare legem》 一般 何人も法律を知らないとはみなされない　何人に対しても，自らの義務を免れるために法の不知を盾にとることを禁じる法格言。

《Nemo dat quod non habet》 民法 商法 何人も自己が有しない物を与えることはない　何人も，自己に帰属していない物の所有権を移転することはできないということ。

《Nemo judex in re sua》 訴訟 何人も自己の事件においては裁判官ではない　この法格言は，裁判所の判断の公正を保証することを目的とし，司法官に課される兼職禁止ならびに欠格を表し，特に裁判所の職務と他のあらゆる公的，私的活動，または有償活動との兼職が禁止されること，および裁判官が配偶者，血族，姻族と同じ裁判所に属することができないことを表している。

《Nemo liberalis nisi liberatus》 民法 何人も債務を弁済せずに無償譲与することはできない　債務を負っている者は，無償譲与してはならないということ。それゆえ，単純承認をなした相続人は，債務を差し引いた純積極財産を限度としてのみ金銭的遺贈を負担する。
▷民法典785条2項

《Nemo plus juris ad alium transferre potest quam ipse habet》 民法 何人も自己の有する以上の権利を他人に移転することはできない　▷民法典2477条2項

Neutralisation 国公 非武装中立化　国家領域の一部に適用されうる，条約上の法制度。その区域における軍事力の一切の発現を禁止する(例：ノルウェーのスピッツベルゲン諸島，フィンランドのオーランド諸島)。

Neutralisme 国公 中立主義　いくつかの国の政治的立場であり，西側と共産主義側の相対立する《ブロック》の一方への加盟を拒否したもの。ソヴィエト連邦および東ヨーロッパの共産主義体制の崩壊に伴い，中立主義はその意義の大半を失った。

Neutralité 国公 **中立**
 ①*Neutralité occasionnelle* 戦時中立：戦争の際の非交戦国の地位（例：第二次世界大戦中のアイルランド）。
 ②*Neutralité permanente* 永世中立：決して侵略戦争を仕掛けないとする、条約により維持される国家の地位（例：スイス（1815年），オーストリア（1955年））。

Nice EU **ニース（条約）** ヨーロッパ連合創設諸条約改正のうちで日付が最新のもの。2000年12月11日ヨーロッパ理事会によって採択された。2001年2月26日に署名され、アイルランドにおける2度の国民投票の後に、2003年2月1日から発効したニース条約は、まずこれからおきる拡大に諸制度を適合させることを目的としていた。妥協は困難を極めたが、ニース条約は、ヨーロッパ委員会の構成を決定し、ヨーロッパ理事会の新たな投票権の加重制〔pondération des voix〕を定め、拡大ヨーロッパ連合におけるヨーロッパ議会の議員数を定め、限られたものにとどまるが、ヨーロッパ理事会における特別多数〔majorité qualifiée〕による投票の領域、または、共同決定手続き〔coopération renforcée〕を使うことのできる事項を拡大した。ヨーロッパ共同体第一審裁判所〔Tribunal de première instance〕の役割を強化することにより、かつ、《chambres juridictionnelles》〔（ヨーロッパ共同体第一審裁判所）付属簡易法廷〕を創設することにより、共同体裁判所制度の改革もまた定めている。

Noblesse 民法 **貴族** アンシャン・レジーム下のフランスにおける三身分（聖職者，貴族，第三身分）のうちの第二身分。貴族とはもともと軍務に服する者であった（帯剣貴族〔noblesse d'épée〕）。その後、貴族は、軍務から完全に切り離されることはなかったものの、高位の官職と密接に結びついた身分となった。高官となった者は、国王の授爵〔anoblissement〕により貴族身分を付与された（法服貴族〔noblesse de robe〕）。貴族身分の取得は、一定の特権の獲得を意味していた。1789年8月4日の夜の決議は、三身分の別を廃し、フランス王国内のすべての住民を国民というただ1つの集団に統合した。

Nom 民法 **名称；氏** 人を指し示すために用いられる言葉。同一家族の構成員が有し、その変更は、正当な利益が証明されればデクレによって可能となる。
 2002年3月4日の法律は、氏の帰属についての準則を変更した。伝統的に、子の両親双方に対する親子関係が立証される場合には、父のみの氏が婚姻より生まれた子に伝えられてきた。2002年3月4日の法律は、この旧来の伝統を覆した。すなわち、現在では、両親は、伝える氏を選ぶことができる。すなわち、子の氏は、父の氏であってもよいし、母の氏であってもよいし、さらには、おのおのの氏に限るが、父と母の氏を重ねてもよい。その順序はどちらを先にしてもよい。選択がなされなかった場合は、旧来どおり父の氏が用いられる。
 ▷民法典57条，61条以下，311-21条および311-22条
 ▶Patronyme〔氏〕▶Prénom〔名〕▶Pseudonyme〔仮名〕▶Surnom〔添名〕

Nomades 民法 **非定住者** 生活様式に従い、定まった居所をもたない者。
 法律は、非定住者が一定の地域に結びつきをもつことを強制しており、その地域が住所の代わりとなる。
 ▶Gens du voyage〔移動生活者〕

Nom commercial 商法 **商号** 自然人または法人がその営業財産による活動のために用いる名称。商号は、営業財産の一要素である。

Nomenclature des actes professionnels ; Cotation des actes médicaux 社保 **医療行為集** 医療行為の価値について点数をつける際に、医療行為集に示された評価に準拠する。臨床医が、自己の診療報酬の額および社会保障により償還される額を決定するために、自己の行った医療行為をコード化できるのは、医療行為集があるからである。医療行為集は2つのコード化の要素を定めている。すなわち、分類記号〔lettre-clé〕と係数〔coefficient〕である。20の型の医療行為を表す20の分類記号がある。それぞれの分類記号には、金銭的価値が対応している。分類記号を補完するものとして、係数が、医療行為の技術的な難易度とその費用を考慮して、なされた医療行為の価値を示している。すなわち、係数は分類記号の後ろに置かれる。

Nomenclature juridique 一般 **法律用語便覧** 法律用語便覧とは、総覧、判例集、目次、図書館の資料ファイルおよび法情報源を検索することを可能とする、項目またはキーワードの総体のことである。
 法情報システム〔informatique juridique〕

は法律用語便覧を作成することを前提とする。

Nominalisme monétaire 私法 貨幣名目主義
債務者は，支払時に流通している通貨で，契約時に表明された数額を支払う義務しか負わないという原則。したがって，貨幣価値の変動は法的には考慮されず，価値の下落は債務者に利益を与える。法的には，1フランはつねに1フランに等しい。
▷民法典1895条；通貨金融法典L112-1条1項
►Indexation〔物価スライド方式〕

Non-alignement 国公 非同盟 ►Neutralisme〔中立主義〕

Non-assistance à personne en danger 刑法 危難にある者の不救助 ►Omission de porter secours〔救助の懈怠〕

Non avenu 民法 起こらなかった 重大な違法性の瑕疵があるゆえに無効であって，裁判上取り消されるまでもなく存在しなかったものとみなされる行為について用いられる。
　もっとも一般的な表現では，無効であり起こらなかった〔nul et non avenu〕という。

《**Non bis in idem**》 刑法 一事不再理 ある犯罪行為によってすでに裁判を受けた者を，同一の事実に対し，重ねて訴追することはできないとする原則を表すラテン語の格言。

Nonce 国公 ローマ法王の大使 ローマ法王庁の大使。

Non-cumul des peines 刑法 刑の不併科（の原則） 有罪の確定判決で隔てられていない数個の重罪または軽罪で罰せられる者は，最も重い犯罪について定められている刑罰しか科されないという原則。この原則は同じ性質の刑罰に限定されるので，科される刑罰の性質が異なる場合，犯罪者は，犯罪のそれぞれについて定める刑罰のすべてを科されることがある。
▷刑法典132-3条

Non écrit 民法 書かれなかった
　①明示の条項と対比されるもので，表示されてはいないがそれでもなお拘束力をもつ暗に示されている条項(例：黙示の安全義務)を指す。
　②《réputé non écrit》〔書かれなかったものとみなされる〕という表現は，その条項の無効がその条項を含む契約の帰趨に影響を与えない違法な条項について用いられる。
►Clause abusive〔不当条項〕

Non-imputabilité（Causes de） 刑法 帰責不能事由 ►Imputabilité〔帰責性〕

Non-ingérence（Principe de） 国公 内政不干渉の原則 国家主権の原則から引き出され，国際司法裁判所によって国際公法の根本規範として認められた原則。この原則によれば，ある国家は他の国家の国内問題に干渉することはできない。今日，内政不干渉の原則の効力範囲は，別の原則の出現，次いでその発展によって制限される傾向にある。その別の原則によれば，国際社会（さらにそれが若干の国家にすぎなくても）は，人道上の目的（「人道的干渉」〔ingérence humanitaire〕の権利または義務）をもって，または人間の基本権を尊重させるために，ある国家の領土に干渉することができることになる。人道的干渉は法的・政治的に複雑な問題を提起している。

Non inscrit 憲法 無所属 ►Groupe parlementaire〔会派〕

Non-justification de ressources 刑法 資産の出所の説明がつかないこと 少なくとも5年の拘禁刑により処罰される重罪もしくは軽罪行為を常習的に行いそこから利益を得ている者，またはそのような犯罪の被害者と日常的に関係をもつ者が，大まかに言えば生活水準に対応する資産，より明確にはその所持する財産の出所を正当化することができないことのみにより成立する，法律による犯罪の包括的定義。
　重大な行為に関する若干の加重事情に加え，テロ行為，売春の斡旋または物乞いの経営に関しては特別の軽罪がある。
▷刑法典225-6条3号，225-12-5条，321-6条以下および421-2-3条

Non-lieu 刑訴 予審免訴 予審裁判所が，法的理由または証拠不十分を理由に，公訴を打ち切る決定。
▷刑事手続法典177条1項および212条1項

Non-représentation d'enfant 刑法 子の引渡拒否 特に裁判上の決定により引渡権を付与された者に対して，未成年の子を引渡すことを不当に拒絶する行為からなる犯罪
▷刑法典227-5条

Non-rétroactivité 一般 不遡及性 新しい法規範は，旧規定の適用から生じた従前の地位を覆すことはできないという原則。
▷民法典2条；刑法典112-1条

Nord-Sud 国公 南北 ►Dialogue Nord-Sud〔南北対話〕

Norme 一般 規範 法規範〔règle de droit〕の同義語。一般的であり，特定の個人のみを

対象としない。

Notaire 民法 **公証人** 証書に真正性を付与し私人に助言を与える義務を負う公署官および裁判所補助吏。

　公証人の職務は，個人名義で，または自由職会社〔►Société d'exercice libéral（SEL）〕の社員名義で行われる。

　公証人はその職を賃労働者としての資格で行うことができる。

▷民法典1317条；1971年11月26日のデクレ

Note en délibéré 民訴 行政 **合議中の意見書** 合議の途中で，訴訟当事者が裁判所に提出する意見書。

　この意見書は，相方に伝達されなければならず，請求の原因および目的，または請求を基礎づける攻撃防禦方法を変更することはできない。意見書は，検察官の示した論拠に応答する場合または両当事者に事実に関するもしくは法に関する説明をするよう促した裁判官の要求に応答する場合でなければ，受理されない。この実務には批判の余地がある。しかしながら行政訴訟においては，合議中の意見書により，訴訟当事者には論告担当官〔►Commissaire du gouvernement〕の論告に対して一種の反駁権を行使することが認められる。

▷行政裁判法典R731-3条；新民事手続法典445条

Notes d'audience 刑法 **公判記録** 刑事裁判所書記が弁論の進行，すなわち証人の供述，軽罪被告人の応答などを記録したもの。作成者により署名されたこの文書は裁判長により証印される。

▷刑事手続法典453条

Notification 行政 **通知** 通常，個別行為に関して用いられ，当該措置を名宛人に直接知らせることを内容とする公示方法。

►Publication〔公布〕

民訴 **送達** 裁判外の文書，裁判上の文書または判決が，利害関係人に知らされる手続き。

　送達は場合に応じて執行吏により（その場合はsignification〔（執行吏）送達〕という），または郵便によって行われる。郵便による送達は，法文によって許可されている場合しか用いられないが，当事者はその場合も執行吏送達の方を選ぶことができる。

▷新民事手続法典651条以下

►Signification〔（執行吏）送達〕

Notification entre avocats（avoués） 民訴 **弁護士（代訴士）間送達** 弁護士間および代訴士間においては，文書の送達は，法廷執行吏によっても（裁判所内送達文書の送達），一方の弁護士または代訴士の相手方に対する直接の引渡しによってもなすことができる。

▷新民事手続法典671条以下

►Visa〔証印〕

Notoriété 民法 **公知性** 非常に多くの者に知られているという性質。

►Acte de notoriété〔公知証書〕

Novation 民法 **更改** ある債務を消滅させ，新しい債務に置き換える合意。

▷民法典1271条以下

Nue-propriété 民法 **虚有権** ある物を使用し，収益する権利は与えないが，処分する権利を，その権利の名義人に与える所有権の分肢かつ主物権。使用権および収益権は，その物に対する用益権者〔usufruitier〕の権利である。

▷民法典578条以下

►Propriété〔所有；所有権〕►Usufruit〔用益権〕

Nuisances 一般 **ニューサンス** この新語は，近代的な産業手段およびその産業手段が社会に及ぼす影響を原因として集団的生活を侵害する，次第に拡大しつつある妨害を意味する。物理的ニューサンス〔nuisances physiques〕（例：煤煙，騒音，特に飛行場周辺の騒音），精神的ニューサンス〔nuisances intellectuelles〕（例：広告の濫用，音楽の《執拗な繰り返し》），《大事故》ニューサンス〔nuisances《catastrophiques》〕（例：自家用車と，爆発物および可燃物を積載し，高速で走行する《大型トラック》との大事故）がある。

►Pollution〔汚染〕

Nuit 労働 **夜間** ►Travail〔労働〕

《Nul ne plaide par procureur…》 民訴 **何人も代理人の名において訴訟することなし** 裁判上の代理人に対し，あらゆる手続文書に委任者の名を明示することを課す，手続上の原則。

▷新民事手続法典752条，836条，855条，882条，901条および933条

Nullité 民法 **無効** 裁判官によって言い渡される，成立のために要求される条件を満たしていない法律行為を遡及的に消滅させる制裁。

　法律によって課されている条件が重要なものであり，全体の利益または公の秩序あるいは善良の風俗の保護を目的としている場合，無効は絶対的無効〔nullité absolue〕である。

無効が行為の一方当事者の保護のための規定によって裏づけられている場合，相対的無効〔nullité relative〕と呼ばれる（例：無能力による無効）。

絶対的無効および相対的無効の各制度は異なる。

Nullité virtuelle 潜在的無効：いかなる法文もその無効をはっきりとは定めていないが，言い渡されうる無効。

Nullité textuelle 法文による無効：法文がその無効を明文で定めている場合にしか言い渡されることのない無効。

▷民法典1108条および1304条
►Inexistence〔不存在〕►Inopposabilité〔対抗不能〕►Rescision〔（レジオンを理由とする）取消し〕►Résiliation〔解約；告知〕►Résolution〔解除〕

Nullité d'acte de procédure 民訴 **手続行為（文書）の無効** 手続行為（文書）の作成または送達における瑕疵に対する制裁（無効の抗弁）。

無効の抗弁の提出要件は，形式的瑕疵か，実体的瑕疵かによって異なる。

▷新民事手続法典112条から121条
►irrégularité de fond〔実体的瑕疵〕

Nullité des jugements 民訴 **判決の無効** 裁判行為に対して無効の訴えをなすことは，禁じられている。手続きに瑕疵があった，または裁判所が誤った判断をなしたと考える訴訟当事者は，伝統的な不服申立ての方法によってでなければ，その判決を争うことはできない。

▷新民事手続法典458条以下
►Inexistence〔不存在〕

《**Nullum crimen, nulla poena sine lege**》 刑法 **法律なければ犯罪なし，法律なければ刑罰なし** 罪刑法定主義の基本原則を表したラテン語の格言。

Numéraire 民法 商法 労働 **現金** 小切手，振替えまたはカードによる支払いと対置される銀行券および硬貨による支払いについて用いられる。現金の利用は，支払われなければならない債権の性質によって異なる一定の金額に達するまで認められている。

▷通貨金融法典L112-6条以下

Numéro d'immatriculation（NIR） 社保 **社会保障登録番号** 登録されたすべての被保険者に付与される識別番号であって，国立統計経済研究所の台帳に記入される。社会保障登録番号は，以下のように13の数字からなり，6つのブロックに分れる。

・性：1つの数字（1は男性，2は女性）。
・出生の年：2つの数字（西暦の最後の2つの数字）。
・出生の月：2つの数字。
・出生地の県番号：2つの数字。
・出生地の市町村の番号：3つの数字（市町村台帳のコード化による）。
・市町村の出生者名簿への登載番号：3つの数字。

13の数字からなる番号に続いて，ときに，監督の《手がかり》となる2つの数字が付されることがある。

O

《**Obiter dictum**》 訴訟 **傍論；オビタ・ディクタム** イギリス手続法上の表現。大陸では，学説によって用いられることがある。傍論とは，判決理由〔►《Ratio decidendi》〕に含まれない論拠を指し，判断をなすために援用されることはない。拘束力をもたず，事案を明らかにして裁判官の判断を導く性質を有する推論のことをいう。

Objecteur de conscience 行政 刑法 **良心的兵役拒否者** 道徳的規範を尊重して，武器を取って軍事的義務を果たすことを拒否するが，（原隊復帰命令不服従または脱走とは異なり）所属国の裁判に服することのない市民。（フランスも含め）若干の国は良心的兵役拒否を認め，兵役拒否者に特別の地位を与えてきた。兵役拒否者は戦闘員の兵役を免除され，代替として非軍事的任務へ配属された。フランスでは，徴兵制〔appel sous les drapeaux〕の停止に伴い，良心的兵役拒否に関する法的問題は提起されなくなった。

►Service national〔国民役務〕

Objet 民法 **目的（物）** 契約の目的〔objet du contrat〕とは，契約当事者が行おうとしている取引（売買，貸借，労働契約など）を指す。

債務の目的（物）〔objet de l'obligation〕とは，契約当事者のおのおのが提供すること

を約した給付または物(買主については代金，売主については物など)を指す。
▷民法典1108条

[民訴] **目的** 裁判上の訴えは，特定の目的を掲げ，その性質がたいていの場合その訴えの性質を決定する。

目的という概念は，既判事項があるか否かを知るため，すでになされた裁判と新しい裁判上の請求とを照合するときにも用いられる。
▷新民事手続法典4条；民法典1351条

Objet social [民法] [商法] (会社または非営利社団の) **目的** 会社または非営利社団が行うことを予定している業務。目的はその定款または規約において定められる。
▷民法典1835条

Obligataire [商法] **社債権者** ►Obligation〔社債〕

Obligation [民法] **債権債務関係；債務**
①債権債務関係//広義では，複数の者の間の法鎖であり，この法鎖により，一方当事者たる債権者は，他方当事者たる債務者に対して，ある給付(与えること(財産の所有権を移転すること)，なすこと，または，なさないこと)の履行を強制することができる。
►Prestation(s)〔給付〕
②債務//狭義では，dette〔債務〕の同義語(すなわち，債務〔obligation〕は，債権〔créance〕の消極的側面である)。
▷民法典1101条以下
►Créance〔債権〕 ►Dette〔債務；負債〕
►Droit personnel〔債権〕 ►Obligation à la dette〔仮払義務〕

[商法] **社債** 資本会社が，一般には長期で，多額の資金を借り入れるために発行する流通証券であり，その債務が多数の少額の券面に分割されたものである。

社債権者は，貸主，すなわち，利息を生じる債権の権利者たる地位を有する。

社債は次の点で株式と対比される。まず，社債は，一般に，営業年度の成果とは関係なしに，固定した収入を保障する。また，一定の例外的な場合(会社の目的または会社形態の変更，合併または分割)に社債権者は意見が求められることはあるが，社債は会社の経営に参加する権利を社債権者に与えない。
▷商法典L228-38条以下

Obligation alimentaire [民法] **扶養義務** 援助を必要とする近親の血族または姻族に対して，原則として金銭で，例外的に現物で，援助を提供することを目的として課される義務。
▷民法典205条以下

Obligation alternative [民法] **選択債務** 選択債務は2つの目的を含むものであり，債務者はそのいずれかを選択して履行することだけで債務から解放される。
▷民法典1189条以下
►Obligation facultative〔任意債務〕

Obligations assimilables du Trésor [財政] **長期国債** 最長30年満期の債券で1985年以来国庫〔►Trésor public〕が発行し，若干の短期国債〔►Bons du Trésor〕とともに国の財政的需要を補塡するための主要な国債証書である。毎月，続き番号の発行回数を付した形式で発行され，価格を除けば，すべて同一の性格をもつ(obligations assimilablesという名称の由来はここにある)。このため，国による管理が容易である。

Obligation civile [民法] **民事債務** 債務の不履行に対して，法による制裁が加えられる債務。
►Obligation naturelle〔自然債務〕

Obligation conditionnelle [民法] **条件付債務** 将来の不確定な出来事に依拠している債務。その出来事が生じるまで債務を停止する条件と，その出来事が生じるか生じないかによって債務を解除する条件とがある。
▷民法典1168条

Obligation de conseil [民法] [商法] **助言義務** 合意をなすこと，なさないこと，または，その他の選択をなすことの有利不利〔opportunité〕について，知識を有さない顧客に説明するという，職業的契約当事者に課される義務。例えば，自動車修理工は，ユニット交換を提案しなければならず，車の価格を超える費用のかかる修理を勝手に行ってはならない。

判例においては，この助言義務と情報提供義務〔obligation d'informationまたはdevoir de renseignement〕を区別することは非常にまれである。情報提供とは，相手方が事情をすべて知ったうえで決定をすることができるように，相手方に対して，意見することなく，契約の目的について客観的かつ完全に説明することである。
▷消費法典L111-1条以下

Obligations conjointes [民法] **分割債権債務** 複数の債権者間または複数の債務者間で当然に分割される債権債務。各債権者が各持分しか請求することができない場合や，各債務者が各負担部分しか追及されない場合などであ

る。
▷民法典1220条

Obligations conjonctives 民法 **重畳債務** 債務から解放されるために，複数の給付を履行することを債務者に強いる債務。

Obligations convertibles 商法 **転換社債** 発行会社が，社債権者の請求に基づき，随時に，または，所定の選択期間に，同会社の株式に転換する社債。
▷商法典L225-161条

Obligation déterminée 民法 **確定債務**
►Obligation de résultat〔結果債務〕

Obligation à la dette 民法 **仮払義務** 債権者の請求に応じ，債務の全額を支払わなければならない義務。ただし，真の債務者または共同債務者に対して求償することはできる。
►Contribution à la dette〔負担の割振り〕

Obligation de discrétion professionnelle 行政 **職業上の守秘義務** ►Documents administratifs〔行政文書〕

Obligation de donner 民法 商法 **与える債務** ある物の所有権を移転する（ラテン語のdare）債務のこと。無償譲与をなす（ラテン語のdonare）債務のことではない。
▷民法典1136条
►Obligation de faire〔なす債務〕►Obligation de ne pas faire〔なさない債務〕

Obligations échangeables 商法 **交換社債** 第三引受人〔tiers souscripteur〕と呼ばれる第三者が，社債権者の請求に基づき，発行会社の株式と交換する社債。第三引受人は，交換を確実に行うために，社債の発行と同時に行われる増資の全額を引き受ける。
　この第三引受人は，銀行または金融機関でなければならない。
▷商法典L225-168条

Obligation facultative 民法 **任意債務** 1個の給付のみを対象とする債務であるが，他の給付をなすことによって債務者がその債務から解放されうるもの。
►Obligation alternative〔選択債務〕

Obligation de faire 一般 **なす債務** 有形のものであれ無形のものであれ，何らかの給付を目的とする債務。例えば，物を運送すること，賠償すること，熱心に世話をすること。
►Obligation de donner〔与える債務〕
►Obligation de ne pas faire〔なさない債務〕

Obligation indivisible 民法 **不可分債務** 債務の目的の性質，または合意により，複数の債権者間または複数の債務者間で分割することができない債務。
▷民法典1222条以下

Obligation d'information 民法 商法 **情報提供義務** ►Obligation de conseil〔助言義務〕

Obligation《in solidum》 民法 **全部義務** 複数の債務者のおのおのが，相互間にまったく代理関係がないにもかかわらず，債権者に対し，全体について責任を負う義務。全部義務は，判例によって創り出されたものであり，特に，損害の被害者が，共同行為者のうちの1人に請求することによって全損害額の賠償を取得することを可能にする。この点において，全部義務は支払能力を担保する。
►Obligation solidaire〔連帯債務〕

Obligation de moyens 民法 **手段債務** 債務者が特定の結果について義務を負わない債務。例えば，医師は，病気の回復のためのあらゆる措置をとることのみを約し，病気の回復については保証しない。このような債務の債権者は，債務者がフォートを犯したこと，すなわち，なすべきあらゆる手段を用いなかったことを証明した場合にのみ，債務者の責任を問うことができる。
►Obligation de résultat〔結果債務〕

Obligation naturelle 民法 **自然債務** 不履行が法的に制裁されない債務。この債務は，良心によってのみ強制される。債務の自発的な履行は弁済とみなされ，返還請求は認められない。
▷民法典1235条2項
►Obligation civile〔民事債務〕

Obligation de ne pas faire 一般 **なさない債務** 不作為（建物を建てないこと）または受忍（通行させること）という形で実現される債務。
▷民法典1142条
►Obligation de donner〔与える債務〕
►Obligation de faire〔なす債務〕

Obligation plurale 民法 **複合債務** 複数の目的（重畳債務，任意債務）または複数の主体（連帯債務，分割債権債務，全部義務）を含む債務のこと。
►Obligation《in solidum》〔全部義務〕
►Obligation alternative〔選択債務〕►Obligations conjointes〔分割債権債務〕►Obligations conjonctives〔重畳債務〕►Obligation facultative〔任意債務〕►Solidalité〔連帯〕

Obligation《propter rem》 民法 **従物債務**
►Obligation réelle〔従物債務〕

Obligation de prudence et de diligence 民法 慎重注意債務 ►Obligation de moyens〔手段債務〕

Obligation réelle 民法 従物債務 特定の物の所持者であるがゆえに負わされる債務。
　この債務者は，物の委付によって免責される。
▷民法典656条，699条，2463条および2467条

Obligation de renseignement 民法 商法 情報提供義務 ►Obligation de conseil〔助言義務〕

Obligation de réserve 行政 訴訟 慎重義務 慎重義務は官吏および司法官に課される（後者については1958年12月22日のオルドナンス第1270号43条と79条を参照）。慎重義務に服する者は，職務の行使においても，職務外においても，国家および公的機関に対する特別の忠誠義務を課され，職務と両立しないと判断されるあらゆる発言，著述，態度が禁止される。この義務は組合の職にあるときも遵守されなければならない。慎重義務違反は，官吏または司法官の占める地位，批判の対象となった表現の性格と形態に従って判断される。

Obligation de résultat 民法 結果債務 債務者が特定の結果について義務を負う債務。例えば，旅客運送人は，旅客に対して，ある場所から他の場所へ移動させることを約する。このような債務が存在すると，債権者は，フォートの証明をしなくとも，約束された結果が達成されていないことを証明しさえすれば，その債務者の責任を問うことができる。
►Obligation de moyens〔手段債務〕

Obligation de sécurité 民法 安全義務 判例によってある種の契約に導入された義務。これにより，債務者は，契約の目的である主たる給付以外に，債権者の安全を保証する義務を負う。例えば，旅客運送契約において，運送人は，旅客をある場所から他の場所へ移動させるだけでなく，旅客が目的地まで安全かつ無事であるようにしなければならない。安全義務は，手段債務〔►Obligation de moyens〕とも結果債務〔►Obligation de résultat〕ともなりうる。

Obligation solidaire 民法 連帯債務 各債務者が，その共通の債権者との関係において債務の全額を弁済する義務を負っている場合，この債務は連帯債務である。
▷民法典1200条
►Solidarité〔連帯〕

Obligation de somme d'argent 一般 金銭債務 金銭を支払う債務。なす債務〔►Obligation de faire〕の一種。

Observateur 国公 オブザーバー
①国家により任命され，その資格で国際組織の機関の審議に出席することは認められるが，投票権および約定に署名する資格は有しない者。
②ある活動（例：住民投票）の展開または情勢の進展を現地で監視することを国際組織に任ぜられた職員。
③国際組織の審議の制限的参加の方式。国家以外の存在（民族解放団体），または他の政府間国際組織（地域的国際組織）およびNGOの参加を認めるために国際連合および専門機関によって用いられる。

Observatoire départemental de protection de l'enfance 民法 児童保護県監視センター この機関は，各県会議長の管轄下に設置され，特に，県内の危機に直面している児童に関係するデータを集め，検討し，分析すること，ならびに，児童保護の領域で活動する機関ないし施設の評価の報告を受け，児童保護に関する県の計画の実施状況を見守り，また，県の児童保護政策の実施について提案および意見を作成することを任務としている。
▷社会福祉法典L226-3-1条
►Mesure judiciaire d'aide à la gestion du budget familial〔裁判所による家計管理援助措置〕►Protection de l'enfance〔児童保護〕

Obtention végétale 商法 植物新品種 人が開発した新種の植物であり，植物新品種登録証明書〔certificat d'obtention végétale〕によって保護される。
▷知的所有権法典L623-1条

Occupation 民法 先占 所有権取得の一態様。人に属さない物を占有することによってなされる。
►《Res nullius》〔無主物〕
国公 先占 ある国家による，ある領域に対する権限の確立。特に無主地の取得方法。
　1885年のベルリン議定書は，先占が実効的であり他国に通告されていることを要求した。

Occupation des locaux 労働 職場占拠 ストライキ中の労働者が職場に留まること。職場占拠は所有権に対する侵害であり，労働の自由を妨害することもある。使用者は，急速審理〔référé〕手続きにより，占拠者の強制退去を獲得できる。

Occupation temporaire 行政 **一時的公用使用**
公土木工事〔►Travaux publics〕の施工者が，土砂を採取し，または土砂，残土を保管するために，民間の土地に立ち入ることを可能とする特権。この使用は，5年を限度とし，県知事の許可を要する。また，補償金の支払いの対象となる。
　　所有地の違法な一時的公用使用が行われれば，暴力行為〔►Voie de fait〕または違法な不動産侵奪〔►Emprise〕が法的に成立する。

Octroi 行政 財政 **入市税；入市税関** 若干の物品が都市の領域に入る際に課された税。特別に許可された都市だけが徴収できた。また，入市税を徴収する行政機関もさす。

憲法 **欽定** 自己の権力の行使を規制することに同意した国家元首の一方的な決定によって憲法典を制定する独裁的な方法（例えばルイ18世によって欽定された1814年の憲章）。

Œuvres sociales 労働 **福利厚生文化活動**
►Activités sociales et culturelles〔福利厚生文化活動〕

Offense 憲法 刑法 **元首侮辱罪** 他の人間に対する場合は不可罰にとどまるであろう敬意の欠如が，国家元首に対して行われる場合に成立する特別の軽罪。

Office 行政 **公社** 戦間期に非常に多く用いられた言葉で，当初は工業的な性質をもつ公施設法人に使われていた。今日では，その特殊性を失い，一般に商工業的公施設法人の形態で作られる一連の雑多な組織の名称の中に用いられている。

Office (Mesures prises d') 訴訟 **職権でなされる措置** 裁判および措置が職権でなされるとは，裁判所，裁判官，検察の代表が，当事者の事前の申立てによって求められなくても，自発的にその権限を用いて裁判および措置をなすことができるということである。法律上または規則上の規定による場合（例えば，証拠調べを命ずること，呼出しの失効を宣言すること，無管轄の抗弁または純粋に法律上の攻撃防禦方法を提起すること），あるいは固有の権限による場合（例えば，公序を理由とする無効を主張しまたは摘示すること）がある。新民事手続法典は今までより職権主義的性格を示しており，その意味で裁判官の自発的な権限は拡大されている。
▷新民事手続法典10条

Office du juge 民訴 **裁判官の職務** 裁判官の職務とは，民事訴訟の指揮における裁判官の役割，その権限と限界を意味する。
　　最近の改革，特に準備手続きの改革は，訴訟手続きにおける裁判官の役割を増大させることを目的としている。

Offices publics d'aménagement et de construction (OPAC) 行政 **整備建設公社**
1971年に創設された商工業的性格の公施設法人で，都市計画のあらゆる活動を行う権限と，低家賃住宅の規格に合致するしないにかかわらず住宅を建設する権限を有する。低家賃住宅公社は整備建設公社に移行することができる。
►Offices publics de l'habitat〔住宅公社〕

Offices publics de l'habitat 行政 **住宅公社**
2007年に創設された，県〔►Département〕または市町村〔►Commune〕に結び付けられた地方の商工業的公施設法人〔►Établissement public〕のカテゴリー。社会住宅および社会的結束の分野における，これらの地方公共団体の権限増大により良く適応するため，当初は，既存の低家賃住宅公社（OPHLM）および整備建設公社（OPAC）に法律上当然に取って代わるものとされていた。その主たる目的としては，社会住宅に属する住宅の建設，改善，管理または売買，ならびに，自己または第三者のための土地取引介入および都市整備活動の実行がある。
▷建設・住居法典L421-1条以下

Officialité 一般 **司教裁判所** 司教により委任された代官〔official〕が主宰する教会裁判所。

Officier de l'état civil 民法 **身分吏** 各市町村において，身分証書を掌管し，保存する任務を負う公署官。
　　身分吏は，原則として市町村長であり，市町村長は，この身分吏の資格において，司法権の監督下に置かれている。
▷民法典53条；地方公共団体一般法典L2122-32条
►Acte de l'état civil〔身分証書〕

Officier ministériel 民訴 **裁判所補助吏** 公権力により終身的に与えられる官職株の名義人で，その官職株の後任者を推薦する権利を有する。裁判所補助吏は独占権を享受する（例えば代訴士）。公署証書を作成する権利を享受する者もいる（公署官）（例えば公証人，商事裁判所書記，執行吏，動産公売官）。《charge》という用語も，裁判所補助吏の官職株を表すために用いられる。
►Société d'exercice libéral (SEL)〔自由職

会社〕▶Société de ventes volontaires de meubles aux enchères publiques〔動産任意競売会社〕

Officiers (et agents) de police judiciaire 刑訴 **司法警察職員** 検事局の権限のもとに置かれ，かつ控訴院予審部の監督下に置かれる公務員の総体。警察捜査〔▶Enquête de police〕および現行犯捜査（▶Flagrant délit〔現行犯〕）に属する活動を行うこと，および予審判事からの嘱託を実行すること（▶Commission rogatoire〔共助の嘱託〕▶Mandat〔令状〕）を任務とする。司法警察員〔officiers de police judiciaire〕が完全な権限をもつ一方で，司法警察補助員〔agents de police judiciaire〕は司法警察員を補助するにとどまる。
▷刑事手続法典16条，20条および21条

Officier public 民法 民訴 **公署官** 証書に公署する権限を有する者に与えられている資格（例：身分吏たる市町村長，公証人，裁判所書記，執行吏）。
▷民法典1317条；地方公共団体一般法典L2122-32条
▶Acte authentique〔公署証書〕▶Officier ministériel〔裁判所補助吏〕

Offre 民法 **申込み** ある者が第三者に対して合意の締結を申し出る意思の表明。pollicitationともいう。
▷消費法典L311-8条以下およびL312-7条以下

Offre de concours 行政 **協力申出** 私人または公法人が，相手方の公法人によって実施されなければならない公土木工事を行うための費用に関して協力を約束することを内容とする行政契約。

Offre publique d'achat (OPA), Offre publique d'échange (OPE) 商法 **公開買付け (OPA)，公開交換 (OPE)** 証券が規制市場での取引を認められている会社において，第三者（ほとんどの場合，法人）が会社の支配権を取得または強化する場合に，全株主の平等な取扱いを確保することを目指す手続き。この手続きとは，この第三者が，株主に対して，彼らの証券を一定の価格で取得し (OPA)，または，彼らの証券を他の株式もしくは社債と交換する (OPE) と知らせることである。

Offre publique de retrait 商法 **公開買取り** 証券が規制市場での取引を認められている会社において，一定の条件のもとで，少数派株主がもつ証券の買取りをするように強制されることになる行為。
一定の場合には，この会社では，少数派株主がその株式を譲渡するように強制されることもある。これを強制退社〔retrait obligatoire〕という。

Offres réelles 民法 **現実の提供** 金銭または特定物についての債務者が，公署官を介して，その債務の弁済を債権者に対して提供する手続き。債権者がこの弁済の受領を拒絶する場合には，債務者は供託〔▶Consignation〕を行うことができ，それによって債務者は債務から有効に解放される。
▷民法典1257条以下；新民事手続法典1426条以下

《Off shore》(Permis) 国公 **海域掘削許可** 国家が，自国の管轄権に服する海域に関して，石油の調査および開発を認めるために付与することができる許可。

Oisiveté 民法 **怠惰** 職に就いていないため本人が窮乏に陥るおそれがあり，またはその家族に対する義務の履行を危うくしている場合における不就労者の状態。このような者は，かつて，保佐〔▶Curatelle〕に付されることとされていた。いまや，保佐は精神障害の存在のみを開始事由とする。
▷民法典488条2項および508-1条（2008年12月31日まで有効）
▶Prodigue〔浪費者〕

Oligarchie 憲法 **寡頭制** 権力が限られた数の個人に帰属する政治体制。特に1つの階層に帰属する場合（アリストクラシー〔aristocratie〕）または最も富裕な人々に帰属する場合（金権政治〔ploutocratie〕）がある。

Olographe 民法 **自筆の** ▶Testament〔遺言；遺言証書〕

《Ombudsman》 憲法 **オンブズマン；行政監察官** 若干の国（スカンディナビア諸国，イギリスなど）において，行政機関に対する市民の苦情を調査し，必要な場合には政府に働きかけることを任務とする独立した個人を指すスウェーデン語。
▶Médiateur de la République〔共和国行政斡旋官；メディアトゥール〕

Omission de porter secours 刑法 **救助の懈怠** 危難にある者に対して，その者が必要とし，かつ行為者にも第三者にも危険を負わせることなく，自らの行為によってあるいは第三者に救助を促すことによってもたらしうる援助を意図的に差し控える行為によって実現され

る犯罪。
▷刑法典223-6条2項

《Onus probandi incumbit actori》 民法 民訴 **立証責任は原告が負担する** 立証責任は、法的事実または事実そのものを主張する者に課される。
▷民法典1315条；新民事手続法典9条

OPEP 国公 **石油輸出国機構** 1960年に設立された。所在地：ウィーン。加盟国：サウディアラビア、アラブ首長国連邦、クウェート、カタール、イラク、イラン、インドネシア、リビア、アルジェリア、ガボン、ナイジェリア、ヴェネズエラ、エクアドル。

Opérations de banque 商法 **銀行取引** 銀行取引は、公衆からの資金の受入れ、与信取引〔►Crédit（Opérations de）〕、および、支払手段を顧客に利用させること、または、それを管理することを内容としている。
▷通貨金融法典L311-1条以下

Opérations de maintien de la paix 国公 **平和維持活動** 国際連合の安全保障理事会または総会によって決定される、強制的性格をもたない活動。対立する集団に対して緩衝的役割を果たすことを目的とする。ある状況（国境、停戦などの尊重）を管理することを任務とする監視団、または交戦当事者間に介在することのみを任務とする国際的な軍隊の派遣からなる。
►Force d'urgence des Nations-unies〔国際連合緊急軍〕
これらの活動は、活動が展開される領域国の同意を前提とする。

Opiner 民訴 **（合議において）意見を述べる** 裁判官が合議において自己の意見を述べること。用例：原告の申立てに賛成の意見を述べる。裁判所所長の提案に反対の意見を述べる。

Opportunité des poursuites 刑訴 **起訴便宜主義；訴追の適否** 犯罪の特徴を完全に示す事実に対して訴追を開始しない自由を検察官に認める手続上の原則。起訴法定主義の対義語。犯罪の被害者による公訴権の発動を義務づける告訴によって排除される。
▷刑事手続法典40条および40-1条

Opposabilité 民法 民訴 **対抗力** 当事者でもなく、代理されてもいない者に対して、行為または判決の効力が及ぶこと。例えば、ある不動産の各賃借人は、他の賃借人の地位を尊重しなければならない。
ある種の判決のいわゆる絶対的既判力〔autorité absolue〕は、あらゆる判決がもつ第三者に対する対抗力に他ならないが、この対抗力は、判決が当事者間でしか効力を生じないこと〔相対的既判力〔autorité relative〕〕と矛盾するものではない。
▷民法典29-5条、324条および1351条
►Chose jugée〔既判事項〕►Effet relatif des contrats〔契約の相対効〕►Tierce opposition〔第三者異議の訴え〕

Opposition 憲法 **野党** 与党と対立する1または複数の政党。与党を監視および批判する機能を果たし、また、世論を啓発し、さらには政権交代の受け皿を準備する。

訴訟 **故障の申立て** 欠席判決〔►Jugement par défaut〕のなされた訴訟当事者に開かれた、通常かつ普通法上の不服申立ての方法であり、原判決取消しの方法である。当該事件をもう一度裁判することを要求して、すでに裁判した裁判所に提訴することを可能にする。
故障の申立ては社会保障事件裁判所、農事賃貸借同数裁判所、地方行政裁判所、および重罪院によってなされた裁判については存在しない。第一審としてなされた急速審理命令、準備手続裁判官の命令、仲裁判断（裁定）などの若干の裁判に対しても認められない。
▷新民事手続法典490条、572条、776条および1481条；刑事手続法典489条から495条、512条、579条および589条
►Injonction de payer〔支払命令〕►Relevé de forclusion〔失権の免除〕

社保 **異議申立て** 執行令状〔contrainte〕の執行は、執行吏による送達または書留郵便による送達から起算して15日内に債務者によってなされる異議申立てによって中断されることがある。
▷社会保障法典R133-3条

Opposition à mariage 民法 **婚姻に対する故障の申立て** 一定の者（父、母、祖父母など）および共和国検事に認められる、法律上の障害を考慮して、計画されている婚姻の挙式を身分吏が行うことを禁ずる権利。故障の申立行為は、満1年後には効力を失う。故障の申立ての解除は、大審裁判所によって命じられる。
▷民法典172条以下

Opposition à tiers-détenteur, Opposition administrative 財政 **（地方公共団体による）第三債務者への差押通知、（国庫による）第三債務者への差押通知** ►Avis à tiers-détenteur〔第三債務者への差押通知〕

Option　民法　選択権　法律または意思によって認められた権能であり，ある者が複数の選択肢から選択することを認めるもの。例えば，相続に関する選択権は，相続開始から起算して10年間，相続人に，単純承認〔acceptation pure et simple〕，純積極財産を限度とする承認〔acceptation à concurrence de l'actif net〕または放棄のいずれかを選択することを認める。この期間内に選択をしなかった相続人は，相続を放棄したものとみなされる。
▷民法典768条

Option de nationalité　国私　国籍選択　国籍法典で与えられた，フランス国籍を放棄しもしくは放棄しない権利，または否定しもしくは要求する権利。
▷民法典17-12条，18-1条，19-4条，20-2条以下，22-3条，23条以下および32-4条

国公　国籍選択　割譲される領域の住民に認められる，各人が一定の期間内に譲渡国の国籍または譲受国の国籍を選択する権利。

Option de souscription ou d'achat d'actions　商法　社会　株式引受け・購入優先権　従業員に付与される権利であって，将来において，この権利を付与する際に決定された価格で，企業の一定数の株式を購入し，または増資の際に引き受ける権利。
▷商法典L225-177条以下

Option zéro　国公　ゼロオプション　射程1000-5000キロメートルの核ミサイルを廃棄すること。《ダブル・ゼロオプション》構想は，短距離ミサイル（射程500-1000キロメートル）も同時並行に廃棄することを示す。この構想は，M.ゴルバチョフの提案により開始された軍縮交渉の主題である。

Ordinal　民訴　専門職同業団体に関する　専門職同業団体〔ordre professionnel〕についていう。弁護士職団評議会〔Conseil de l'ordre des avocats〕は，弁護士会の構成員に対して懲戒の職務を行う専門職同業団体裁判所〔juridiction ordinale〕である。

《Ordinatoria litis》　国私　訴訟の手続き（に関して）　固有の意味での手続上の規定であり，実体上の規定と対置される。
▶《Decisoria litis》〔訴訟の実体（に関して）〕

Ordonnance　憲法　オルドナンス
①政府が法律の領域に属する事項について国会の許可を得て行う行為（1958年憲法典38条）。オルドナンスを発する権限は，その期間およびその対象において制限されている。オルドナンスは国会によって承認されるまで行政立法としての価値を有するが，承認された後は法律としての価値を取得する。
▶Décret-loi〔デクレ・ロワ〕
②その他のオルドナンス：国会が70日以内に意思を表明しない場合に，政府が予算法律案を施行することのできるオルドナンス（憲法典47条）。

憲法典11条で規定されている場合のひとつに関して，国民投票による法律によって与えられる授権に基づいて発せられるオルドナンス。

民訴　刑訴　行訴　命令　裁判所所長によってなされる裁判（例えば，大審裁判所所長または控訴院院長のなす，申請に基づく命令または急速審理命令）。

同じ呼称が，事前手続きを任務とする裁判官（例えば，準備手続裁判官，予審判事，勾留決定裁判官）によってなされる裁判，および，刑罰適用裁判官によってなされる若干の裁判にも与えられる。そのような命令が，裁判所運営上の行為〔▶Acte d'administration judiciaire〕なのか，裁判行為〔▶Acte juridictionnel〕なのかを知ることは重要である。
▷新民事手続法典484条，493条，775条以下，956条および958条；刑事手続法典86条，145条以下，177条以下，712-4条および712-5条
▶Jugement〔裁判；判決；判断〕

Ordonnance de clôture　民訴　終結命令　普通法上の民事裁判所において，準備手続きの完了を認定し，かつ，弁論がなされるように事件を裁判構成体に送付する命令。
▷新民事手続法典782条

刑訴　予審終結決定　予審判事が，自ら開始した予審を任意に終結させる決定。予審判事が違警罪または軽罪と判断するところに応じて違警罪裁判所または軽罪裁判所へ移送し，事実が重罪の性格をもつ場合は重罪院移送決定〔▶Mise en accusation〕を行い，公訴を打ち切るほかない場合は予審免訴〔▶Non-lieu〕とすることができる。
▷刑事手続法典177条，178条，179条および181条
▶Mise en état〔弁論適状におくこと〕

Ordonnance d'injonction de faire　民訴　履行命令　▶Injonction de faire〔履行命令〕

Ordonnance d'injonction de payer　民訴　支払命令　▶Injonction de payer〔支払命令〕

299

Ordonnance pénale 刑訴 **刑事命令**　訴追された者の出頭を伴わない，違警罪および若干の軽罪（道路法典上の軽罪，陸上運送の規制の領域における軽罪，商法典に規定された競争の領域における軽罪，建設・住居法典上の軽罪など）に関する略式裁判手続き。この措置はかなり広く適用されており，裁判官は，命令の方式によって裁判し，事実の性質を決定し刑罰（たいていは罰金刑）を定める。この方式を受け入れない（軽罪・違警罪）被告人〔►Prévenu〕は，故障の申立てをなすことができる。この故障の申立ては，違警罪裁判所または軽罪裁判所へ事件を移送する効果を有する。
▷刑事手続法典495条以下，524条以下およびR42条以下

Ordonnance de taxe 民訴 **訴訟費用額確定命令**　訴訟費用額の確定〔►Liquidation des dépens〕に関して争いが生じたときに，裁判所所長によりなされる命令。
▷新民事手続法典709条
　►Vérification des dépens〔訴訟費用の確認〕

Ordonnancement 財政 **支払命令**　支出額の確定の結果に従って，公法人の債務を弁済するよう公会計官に命じる行政行為。
　若干の支出は事前に支払命令が発せられずになされることがある。支払命令が国の首席支払命令官（大臣）ではなく，国の次席支払命令官，地方公共団体の支払命令官または公施設法人の支払命令官から発せられる場合，この行為はmandatementと呼ばれる。

Ordonnancement juridique ; Ordre juridique 私法 公法 **法秩序**　当該社会集団に属する者に課される法規範，および法規範に結びつけられる法的地位からみた，その時点で存する社会状態（Léon Duguit, Traité de droit constitutionnel, t.Ⅱ, 2ᵉéd., p. 220）。
　►Acte juridique〔法律行為〕

Ordonnateurs 財政 **支払命令官**　国，地方公共団体および公施設法人の公務員のカテゴリーのひとつであり，公的な徴収および支出の執行を命じる権限を有する。そのために，支払命令官だけが以下の資格を有する。すなわち，徴収に関しては，原則として，これらの公法人の債権を認定し，その額を確定すること，およびそれに対応する徴収命令を発すること（行政庁自身でこの命令を執行することができる），支出に関しては，支出負担行為〔►Engagement〕を行うこと，および必要な場合には，支出額を確定し，支払命令を発することである。
　支払命令官は公金〔►Deniers publics〕の管理を行う権限をもたない。それは公会計官〔►Comptables publics〕に委ねられている。しかし，支払命令官の部局のなかに，支出事務の代行または徴収事務の代行〔►Régie d'avances, Régie de recettes〕が置かれることがある。
　►Liquidation〔支出額の確定；税額算定〕
　►Ordonnancement〔支払命令〕

Ordre 民訴 **順位による配当（手続き）；配当順位**　順位による配当手続きは，抵当債権者または先取特権債権者に，不動産売却（任意売却または競売）の代金を配当しなければならなかったときに行われていた。各債権者の抵当順位および先取特権順位を考慮に入れ，配当順位が決定されていた。
　順位による配当手続きは，2006年4月21日のオルドナンス第461号によって廃止された。このオルドナンスにより，新しい売却代金の配当手続きが創設され（2006年7月27日のデクレ第936号107条以下），強制執行手続後の不動産の競売ならびに登記の滌除後のあらゆる執行手続外の不動産の売却に適用されることとなった。
　任意配当〔distribution amiable〕は差押実施当事者が担当して行われ，その者が配当計画を作成し，異議のない場合には，執行裁判官に認可を求める。配当計画のない場合でも，当事者が合意しているときは，裁判官は合意調書に執行力を付与する。
　合意調書もない場合は，執行裁判官が配当表を定める裁判をする。これが裁判による配当〔distribution judiciaire〕である。
▷民法典2214条，2215条および2216条

Ordre administratif, Ordre judiciaire 民訴 **行政系統，司法系統**　►Juridiction〔裁判所〕
　►Juridiction administrative〔行政裁判所〕
　►Juridiction judiciaire〔司法裁判所〕

Ordre des avocats 民訴 **弁護士職団**　同一の弁護士会〔►Barreau〕に所属しているすべての弁護士〔►Avocat〕を義務的に集めた同業団体。
　►Conseil de l'ordre〔職団評議会〕►Ordre professionnel〔専門職同業団体〕

Ordre des héritiers 民法 **（生存配偶者がいない場合の）相続人の順位**　ある者の推定相続人が順位づけられて分類される（4種類の）カ

テゴリー。すなわち，直系卑属，次いで，父母，兄弟姉妹および兄弟姉妹の直系卑属，次いで，父母以外の尊属，次いで，兄弟姉妹および兄弟姉妹の直系卑属以外の傍系親族である。これらの順位づけされた相続人は，下位の順位の相続人を排除する。例えば，父と母は故人が直系卑属を残さなかった場合でなければ相続しない。ただし，系分相続〔►Fente〕や代襲〔►Représentation〕相続のような他の原則が作用する場合，および，生存配偶者の権利が考慮される場合は除く。生存配偶者がいる場合には，生存配偶者は，直系卑属および父母と競合するが，他のすべての血族に優位する。

▷民法典734条および756条以下

Ordre du jour 民法 商法 **予定議題；議事日程** 非営利社団または会社の総会の議事の予定に含まれる議題の総体。

憲法 **議事日程** 議院の会議の予定表に登録された議題の総体。

憲法典48条によると，議事日程は優先的にかつ政府が定める順序に従って，政府によって提出される法律案および政府によって受け入れられる議員提出法律案の討議を含む。

►Conférence des présidents〔議事協議会〕

Ordre de juridictions 訴訟 **裁判所の系統** 伝統的な意味では，同一の上級裁判所による破毀の統制のもとに置かれる裁判所の総体。この方向において，破毀院を頂点とする司法系統（民事または刑事）と，コンセイユ・デタを頂点とする行政系統が区別される。争訟を審理する管轄権限を有する裁判所の系統について訴訟当事者が誤りを犯した場合，公序〔►Ordre public〕に属する無管轄となる。

これら2つの系統間の抵触は，権限裁判所〔►Tribunal des conflits〕によって解決される。

憲法院の役割の増大ゆえに，憲法院によって体現される憲法系統の出現について考えられるようになるかもしれない。

Ordre de juridiction 公法 **裁判所の系統** 新しい裁判所の系統を創設する権限を国会に付与する憲法典34条の意味においては，憲法院が解釈したところによれば，その構成または管轄権限の点で，他の裁判所から区別されるだけの十分な独自性を有する裁判所のカテゴリーをいう。このカテゴリーは1つの裁判所だけで構成されることもある。この方向で，憲法院は，破毀院が裁判所の一系統を構成す

ると判示した（1977年）。

Ordre juridique 一般 **法秩序** 法規範は，ある法的社会的理念に対応する原則および規則の総体をその内部に包摂する分野または秩序に編成される。例えば，私法，公法，国内法，国際法はそれぞれ法秩序である。

Ordre de la loi 刑法 **法律の命令** 法律の執行者となる者の刑事責任を否定する正当化事由。

たとえ法律が明示していない場合にも法律の許容〔permission〕を認めた判例を追認して，新刑法典は，明文をもって，法律の規定から生ずるものであれ行政立法の規定から生ずるものであれ，法律の命令と同様に，単なる許可〔autorisation〕を正当なものとした。

▷刑法典122-4条1項

►Commandement de l'autorité légitime〔正統な公権力の命令〕

Ordre professionnel 行政 民法 民訴 **専門職同業団体** 法人格をもつ職業団体で，若干の自由職の従事者（例：弁護士，医師）は加入を義務づけられる。専門職同業団体は行政的職務（とりわけ，職業の遂行に必要な職業名簿への登録）および裁判的職務（懲戒）を付与されている。

►Compagnie〔裁判所補助吏団体〕►Poursuite disciplinaire〔懲戒訴追〕►Pouvoir disciplinaire〔懲戒権〕

Ordre public 一般 **公の秩序；公序** 政治的および法的レヴェルにおける共同生活の全体という漠たる概念。その内容は，もちろん体制によってまったく異なる。ある弁証法的な観点からすれば，公の秩序と対置されるのは，公の自由または基本的自由といわれる個人の自由，とりわけ，移動の自由，住居の不可侵，思想の自由，表現の自由である。公の秩序と道徳との関係は最も難しい問題のひとつである。

民法 **公の秩序；公序** 社会関係において必要不可欠な道徳性または安全を理由として強制される法規範の性質。

契約当事者は，公序に関する規定の適用を除外することはできない。

▷民法典6条

国私 **公の秩序；公序** 国家の独自性を優先させる概念で，内国法の基本原則に反する状況をもたらすおそれのあるすべての外国の規範または判決を排斥する効果をもつ。

法律の抵触に関しては，通常であれば適用される外国法を適用するとフランス社会の政

治的，法的，経済的および社会的基礎を構成する規範が侵害されるおそれのある場合，その外国の法律を排斥するために，フランスの裁判所は公序を理由として用いることができる。

訴訟 **公の秩序；公序**　手続規定が公序に属するとき，それに対する違反は，訴訟当事者双方が援用することもでき，検察官および受訴裁判所が職権で指摘することもできる。

公序上の攻撃防禦方法は，破毀院またはコンセイユ・デタにおいても新たに提出することができる。

▷新民事手続法典16条，92条，120条，125条，423条および619条

Ordre public social 労働 **社会的公序**　労働法に関する法律または行政立法の形をとる規範の大部分にみられる特質。協約上または契約上の約定は，国家規範の内容に労働者にとって不利な方向で反する場合には，これにより効力を失う。社会的公序は，労働者にとって有利でない条項に直面して法律または行政立法の規定の適用を確保することによって，法的かつ社会的保護の最低限を保障する限界値を定めている。それゆえ，保護的公序〔ordre public de protection〕とも呼ばれる。もっとも，保護的公序は，労働者にとって有利な方向での協約上または契約上の適用除外を禁ずるものではない。

▶Principe de faveur〔有利原則〕

Ordres (Les trois) 憲法 **(三) 身分**　▶États généraux〔全国三部会〕

Organe humain 一般 **臓器**　その特有の機能によってはっきりと識別することができ（例えば肝臓，腎臓），科学の現段階では切除したら再生不可能な人体の部分。臓器の提供は法律によって厳しく規制されており，無償でなければならない。

▷民法典16条および16-5条以下；公衆衛生法典L1231-1条以下

Organe subsidiaire 国公 **補助機関**　国際組織の主要な機関によって設けられた，その任務の遂行に必要な機関（例えば，国際連合行政裁判所，国際連合緊急軍）。

Organisation pour l'alimentation et l'agriculture 国公 **食糧農業機関(FAO)**
1945年に創設された国際連合の専門機関。
国家がその食糧を質，量ともに改善することを助けようとするもの。所在地：ローマ。

Organisation de l'aviation civile internationale 国公 **国際民間航空機関**　国際航空運送の分野における安全と能率性を増進させるために1947年に創設された国際連合の専門機関。所在地：モントリオール。

Organisation de coopération et de développement économique 国公 **経済協力開発機構(OECD)**　1961年にヨーロッパ経済協力機構(OECE)に代って設立された国際組織。経済協力開発機構は，先進工業国（西ヨーロッパ，アメリカ，カナダ，日本，オーストラリア，ニュージーランド）により構成されており，加盟国は経済政策および通貨政策を比較対照し，また発展途上国への援助政策を調整する。所在地：パリ。

Organisation des États américains 国公 **米州機構**　ボゴタ憲章〔Charte de Bogota〕(1948年)によってパン・アメリカン・ユニオン〔Union panaméricaine〕が改組されてできた組織。

米州諸国の大多数を含む（カナダはその中に含まれておらず，キューバは1962年に除名された）。所在地：ワシントン。

Organisation européenne de coopération économique 国公 **ヨーロッパ経済協力機構**　アメリカの援助（マーシャルプラン）の利用に関する各国の計画を調整し，構成国間の経済協力を発展させるために1948年に設立された国際組織。

1961年に経済協力開発機構(OCDE)に変わった。所在地：パリ。

Organisation frauduleuse de l'insolvabilité 刑法 **支払不能状態の不正作出**　▶Insolvabilité〔支払判決妨害罪〕

Organisation intergouvernementale consultative de la navigation maritime 国公 **政府間海事協議機関(IMCO)**　海運に関する専門的諸問題における政府間の協力を促進することを任務とする1958年に設立された国際連合の専門機関。所在地：ロンドン。

Organisation internationale 国公 **国際機構；国際組織**　諸国家の永続的な集団であって，共通利益に関する事項について加盟国の意思とは別の意思を表すための機関を備えているものをいう。

国際連合の用語においては，国際機構は，政府間国際機構〔organisation intergouvernementale〕の名で表され，非政府団体〔▶Organisation non gouvernementale〕(ONG)と対比される。

① *Organisation interétatique* 国家間機構：調整または協力に関する権限のみを有している組織。
② *Organisation politique* 政治的機構：一般的な権限を与えられた組織（例：国際連合）。
③ *Organisation régionale* 地域的機構：適用範囲が地理的連帯性により結び付けられている国家に限定される組織（例：ヨーロッパ審議会）。
④ *Organisation superétatique*；*Organisation supranationale* 超国家機構：加盟国に対するだけではなくその国民に対する直接の決定権を与えられた組織（例：ヨーロッパ共同体）。
⑤ *Organisation technique* 専門的機構：特定の活動を専門とする組織（例：ユネスコ，国際労働機関など）。
⑥ *Organisation universelle* 普遍的機構：すべての国家の参集を目的とする組織（例：国際連合，ユネスコなど）。

Organisation internationale du travail (OIT) 国公 社会 国際労働機関 (ILO) 世界における生活条件および労働条件を改善するために，1919年のヴェルサイユ条約によって創設された国際組織。現在国際連合の専門機関となっている。所在地：ジュネーヴ。

Organisation météorologique mondiale 国公 世界気象機関 1947年に創設された国際連合の専門機関。その任務は，国際協力によって気象観測業務を発展させることである。所在地：ジュネーヴ。

Organisation mondiale du commerce (OMC) 国公 世界貿易機関 1994年4月15日のマラケシュ協定〔accords de Marrakech〕によって1995年1月1日に設立された機関。ガット（関税及び貿易に関する一般協定）〔►GATT (Accord général sur les tarifs douaniers et le commerce)〕を継承し，貿易の公正を監視することを任務とし，その目的のために，加盟国間の貿易紛争の解決に関する実際の権限を有する。所在地：ジュネーヴ。

Organisation mondiale de la santé 国公 世界保健機関 (WHO) 健康の増進のための国際協力を確保するために1948年に創設された国際連合の専門機関。所在地：ジュネーヴ。

Organisation des Nations unies 国公 国際連合 1945年に国際連盟〔Société des Nations〕の後を引き継いだ，普遍的な使命を有する国際組織。その目的は以下の通りである。国際平和と安全を維持すること（紛争の平和的解決，侵略行為の鎮圧），諸国民の権利平等および民族自決権の原則の尊重に基礎を置く諸国間の友好関係を発展させること，すべての問題（経済的，社会的，文化的，人道的）において国際協力を達成すること，および人権を保護すること。
► Assemblée générale des Nations unies〔国際連合総会〕►Conseil économique et social〔経済社会理事会〕►Conseil de sécurité〔安全保障理事会〕►Conseil de tutelle〔信託統治理事会〕►Cour internationale de justice〔国際司法裁判所〕►Secrétariat〔事務局〕

Organisation non gouvernementale 国公 NGO；非政府団体 国境を越えて共通の利益または理想の充足を求める私人の団体。国連憲章71条によると，国連および専門機関は，NGOと協議することができる（例：国際赤十字，世界労働組合連盟，国際商業会議所など）。

Organisation supranationale 国公 超国家機構；超国家組織 ►Organisation internationale〔国際機構；国際組織〕

Organisation du traité de l'Asie du Sud-Est (OTASE) 国公 東南アジア条約機構 (SEATO) オーストラリア，フランス，ニュージーランド，パキスタン，フィリピン，タイ，イギリスおよびアメリカの間の1954年9月8日のマニラ条約によって設立された集団防衛組織。
　この機構は1977年に解散した。北大西洋条約機構と異なり，統一された司令部をもたなかった。所在地：バンコク。

Organisation du Traité de l'Atlantique-Nord 国公 北大西洋条約機構 (NATO) 1949年4月にワシントンで締結された地域的相互援助条約である北大西洋条約に注力するためにオタワ〔Ottawa〕条約によって1951年に創設された国際組織。北大西洋条約機構は，統一指揮のもとに置かれた加盟国割当兵力を有する。加盟国は26カ国（アメリカ，カナダ，ベネルクス諸国，フランス，デンマーク，ドイツ，イタリア，ポルトガル，ノルウェー，アイスランド，イギリス，スペイン，ギリシャ，トルコの16カ国に，1999年にポーランド，ハンガリーおよびチェコ共和国が加わり，次いで2004年にはバルト三国，ルーマニア，スロヴァキア，スロヴェニアおよびブルガリアが加わった）。フランスは1966年にこの機構から脱退した（北大西洋条約には依然として加

盟している）が，1995年からは一定の関係を復活した。依然としてアメリカ合衆国の優越性が顕著である。所在地：ブリュッセル。

Organisation de l'unité africaine 〔国公〕**アフリカ統一機構** アフリカ大陸の統一の強化，加盟国間の協力の促進，およびあらゆる形態の植民地主義の排除を目的として1963年に設立された国際組織。所在地：アディス・アベバ。
　ヨーロッパ連合「モデル」に近いものを徐々に作ることを目的として，2002年にアフリカ連合〔Organisation de l'Union africaine〕に変わった。

Organisme conventionné 〔社保〕**協約機関** 非賃労働非農業労働者から保険料を徴収し，それらの者に給付を支給する機関。地方共済組合金庫と協約を締結した共済組合や保険会社。
▷社会保障法典L611-20条

Orientation professionnelle 〔労働〕**職業指導** 職業の選択について個人に指導を行うことを目的とする職業教育。

Original 〔民法〕〔民訴〕**原本** minute（原本）の同義語。当事者または裁判官により署名されたもともとの文書（証書あるいは判決）を意味し，再録された文書（写し，抄本，コピー）と対比される。執行吏執達書は複数原本〔▶Double original〕で作成される。
▷民法典1325条
　▶Minute〔原本〕

Orléanisme 〔憲法〕**オルレアン型議院内閣制**
　▶Régime parlementaire〔議院内閣制〕

ORSEC (Plan) 〔行政〕**災害救助組織（計画）** Plan d'Organisation des Secoursの略。一定規模以上のさまざまな災害が起きた場合に，行政が一体となって実施する物的，人的な救援活動の総合計画。

Otage 〔刑法〕**人質** ▶Prise d'otage〔人質の略取；人質をとること〕

Outrage 〔刑法〕**公的威信侮辱** 公的職務を行う者であって法律の指定する者の威信を低下させるような威嚇的，中傷的または侮蔑的表現。
　公的機関が主催する催しにおいてフランスの国歌および国旗を公然と侮辱することも，法律上犯罪として定義されている。
▷刑法典433-5条

Outrage aux bonnes mœurs 〔刑法〕**良俗壊乱** 1810年の刑法典の文言によれば，文字，図画，言論，より一般的には，不道徳（もちろん，この概念は時と場所によって変わる）を助長する宣伝となりうるような，思想の表現または再現のためのあらゆる手段によって，公衆道徳および善良な風俗を害する犯罪。新刑法典では，未成年者の道徳観念に対する侵害のみが処罰される。しかし，犯罪類型は広がっている。ポルノ的メッセージのみならず，暴力的または人間の尊厳を害する性質をもつメッセージを，方法および媒体のいかんを問わず，作成，運搬，伝播することが犯罪とされている。メッセージを商用に供することも同様に処罰される。
▷刑法典227-24条

Ouverture 〔民訴〕**特に提訴の道が開かれていること** 訴え（離婚，自然親子関係など）を提起し，または，不服の申立てをなす権限が付与される場合を明示する用語。
▷民法典229条；新民事手続法典595条および605条
　▶Pourvoi en cassation〔破毀申立て〕▶Recours en révision〔再審の申立て〕

〔民法〕〔商法〕**開始点** 法的作用（例：相続財産の決済，裁判上の配当手続き）の開始点。この表現は，民法上も商法上も用いられる。

Ouverture de crédit 〔商法〕**与信契約** 銀行が，一定の金額を所定の期間，顧客の利用に供する旨を約する明示の合意。

Ouverture des débats 〔民訴〕**弁論の開始** 弁論の開始とは，弁論期日に原告の弁護士が発言を許される時である。報告がなされなければならない場合は，報告者の聴聞により期日が始まる。
▷新民事手続法典440条

Ouvrage public 〔行政〕**公の工作物** 私人および当該財産を保護する公法の規範の適用を導き，一般的利益の充足に向けられる不動産に広く使われる呼称。多くの場合，公法人の公物〔▶Dépendance (du domaine public)〕を構成し，一般には公土木工事によって作られる。
　▶Travaux publics〔公土木工事〕

Ouvrier 〔労働〕**ブルーカラー；工員；労働者** 生産に直接的に従事する労働者。
　Ouvrier qualifié **熟練工**：見習制度〔apprentissage〕，職業教育あるいは長期の実践によって獲得した技能を有する労働者。ouvrier professionnelともいわれる。▶Employé〔ホワイトカラー；職員；労働者〕

Oyant 〔私法〕**報告受理者** ▶Reddition de compte〔収支計算報告〕

P

Pacage 民法 牧養　他人の土地において自己の家畜を放牧するための継続的でない地役。
▷民法典688条

《Pacta sunt servanda》 一般 国公 合意は遵守されなければならない　条約，より一般的には契約は，それを締結した当事者によって遵守されなければならないという原則を示すラテン語の成句。
▷民法典1134条
►Réserve〔留保〕

Pacte 民法 合意　意思の合致のうち若干のものに与えられる名称：パートナー契約〔►Pacte civil de solidarité（PACS）〕，家族契約〔►Pacte de famille〕，トンチ氏方式契約〔►Pacte tontinier〕など。
►Accord〔合意〕►Contrat〔契約〕
►Convention〔合意〕►Transaction〔和解；商取引〕
憲法 君民協約　憲法典を提案する議会と，それを受け入れる国王との間の合意によって憲法典を定める君主制の手続き（例：1830年の憲章は，代議院と後にルイ・フィリップとなる者との間の協約から生まれた）。
国公 条約；規約；協約　traitéの同義語。
►Traité〔条約〕

Pacte d'actionnaires 民法 商法 株主間契約　会社の主たる社員を結びつけ，それらの者の利益のために，会社法制度の適用によっては生じない一定数の権利を創設することを目的とする合意。例えば，社員権の譲渡が計画される場合に署名者に認められる優先権〔►Droit de préférence〕の行使を目的とする合意。

Pacte civil de solidarité（PACS） 民法 一般 パートナー契約　共同生活を営むことを目的として，同性，異性を問わず，2人の者の間で締結される合意に付される名称。この契約により，共同生活義務および相互に金銭的援助を行なう義務が発生し，パートナーは明らかに過剰な支出を除き家事債務について連帯責任を負う。PACSは多くの結果をもたらす。所得および資産についての共通課税，無償譲与の場合の移転登録税の軽減，疾病および母性保険の被扶養者資格の付与，住居の賃貸借契約を移転しうることなどである。パートナーの共同の届出は，パートナーが居所を定めた地を管轄する小審裁判所の書記課に登録され，各パートナーの出生証書の欄外への記載により公示される。PACSは，共通の合意，または一方の意思によって終了することができる。
▷民法典506-1条，515-1条以下；租税一般法典6条，764条の2，777条の2，780条，885条A，885条W，1723条の3OB；社会保障法典L161-14条
►Union civile〔民事結合〕

Pacte commissoire 民法 民訴 当然解除条項；流担保条項
①当然解除条項//全部または一部につき履行が行われなかった場合に，契約が当然に解除されることを定める合意。
▷民法典1656条
②流担保条項//弁済がなされない場合に，質権債権者は質物の，抵当債権者は抵当目的物の所有者となることの承諾を取りつけておく条項。この条項は，動産質については，その設定時またはその後において可能である。抵当権については，抵当権を設定する合意中においてでなければ約定することができない。
▷民法典2348条および2459条
►Voie parée〔自由売却条項；流担保条項〕

Pacte de famille 民法 家族契約　親権行使の態様，未成年の子の育成または未成年の子を第三者の権限のもとに置くことに関して父母により締結される合意。
▷民法典376-1条
　ときに，この用語は夫婦財産契約〔contrat de mariage〕を指すものとして用いられる。夫婦財産契約への署名は，しばしば2つの家族を結びつけ，夫婦財産契約が将来の夫婦に対する贈与の契機となるからである。
　2006年6月23日の法律による相続および無償譲与の改革以降は，遺留分権利者たる相続人が，自己の遺留分を侵害すると思われる無償譲与の減殺訴権を事前に放棄することを証する公証人証書も，pacte de familleと呼ばれるようになった。
►Renonciation à l'action en réduction〔減殺

訴権の事前放棄〕

Pactes internationaux des droits de l'Homme 国公 国際人権条約 《市民的および政治的権利に関する国際条約》と，《経済的，社会的および文化的権利に関する国際条約》の2つの条約をいう。世界人権宣言〔►Déclaration universelle des droits de l'Homme〕の規定の実施を目的として国際連合により1966年に採択された(1976年に発効)。

Pacte de préférence 民法 優先（買受）条項 ある財物の所有者がそれを売却する際に，確定したまたは確定可能な代金と引換えに，その財物が他のいかなる者にも優先してその条項の受益者に留保される条項。

Pacte de《quota litis》 民訴 勝訴額比例報酬契約 字義どおりには，訴訟の取り分に関する契約。弁護士とその依頼人との間で，裁判所が依頼人に与えるであろう額の一定の割合の謝礼を前もって定める契約。この契約は，公序上，無効である。これに対して，なされた給付に対する報酬の他に，得られた結果またはなされた役務に応じて補充的謝礼を定めることを内容とする合意は，その合意が当初からなされたものであれば，合法である。

Pacte de stabilité et de croissance EU 安定と成長に関する協定 ヨーロッパ理事会〔►Conseil européen〕の1つの決議，および1997年6月と7月の理事会〔►Conseil〕の2つの規則〔►Règlement〕を内容とする諸規定の総体。とりわけ，ヨーロッパ共同体加盟国は，経済通貨連合〔►Union économique et monétaire〕に関するEC条約の諸規定に従って，全体（中央政府，地方公共団体，社会保障基金）の予算状況を均衡に近くまたは黒字にする中期目標を遵守し，場合によっては理事会の求める必要な是正措置をとる義務を負う。

Pacte sur succession future 民法 将来の相続財産に関する合意 いまだ開始されていない相続またはそれに従う財産の全部または一部について権利を設定または放棄することを目的とする合意。このような合意は，法律の定める場合および条件（例えば，いまだ相続が開始されていない状態で，遺留分の侵害を理由とする過分な無償譲与の減殺の訴えを推定遺留分権利者たる相続人が放棄すること）においてなされるのでなければ適法でない。
▷民法典722条，770条，929条および1130条

►Institution contractuelle〔契約による相続人指定〕

Pacte tontinier 民法 トンチ氏方式契約 ►Tontine〔トンチ氏方式〕

Pacte de Varsovie 国公 ワルシャワ条約 1955年5月14日に署名された，友好協力相互援助条約。東ヨーロッパ（共産主義）諸国の間に北大西洋条約機構〔►Organisation du traité de l'Atlantique-Nord〕を模した防衛体制を設立した。1991年に消滅した。

Paiement 民法 支払い；弁済 債務の任意の履行をいう。債務の目的（金銭の払込み，商品の引渡しなど）が何であるかを問わない。
▷民法典1235条以下

Paiement de l'indu 民法 非債弁済 ►Répétition de l'indu〔非債弁済の返還〕

Pair(s) 一般 憲法 同輩（衆）；貴族院議員 一般的意味：同等の者〔égal〕（ラテン語の《par》〔仲間；同類〕から）。同輩による選挙，裁判。

歴史的意味：領主会〔cour des seigneurs〕，後に王会〔cour du Roi〕での助言および裁判の務めに関して封臣および高級貴族に授けられた位，肩書および職掌。君主制末期には，フランス同輩衆〔pairs de France〕は非聖職者38名，聖職者6名を数えた。この肩書は長い間名誉上のものであった。

19世紀の初め，1814年および1830年に，上院〔Chambre haute〕，国王の任命する貴族院〔Chambre des pairs〕が憲法によって創設されたことで，同輩衆が復活した。これは，下院〔Chambre basse〕，納税額に基づく制限選挙で選ばれる代議院〔Chambre des députés〕に対抗することを目的としていた。

Palais (Sur la foi du...) 民訴 内密に 絶対に秘密を守る約束で。弁護士どうしの内密の事柄についていう。

Panachage 憲法 パナシャージュ 提出されている複数の名簿のなかから，選挙人が候補者を選んで自ら名簿を作成できること。

Panonceau 私法 （裁判所補助吏の）標章 フランス共和国の肖像が刻まれた二重の盾形の標章。公証人，執行吏，動産競売吏などの裁判所補助吏の役場がある建物の入口の上方に付けられる。

Papiers domestiques 民法 家庭の書類 家族によって保存されているあらゆる私的書類。署名のなされていないものも含まれる。この書類は，例外的に，記載されている状況に関

する証拠方法になることがある。
▷民法典46条，1331条および1402条

《**Paradis fiscaux**》 [財政] タックス・ヘイヴン
一般に，外国の資金を引き寄せるために，しばしば関連措置と結びついて，他国の税制よりも際立って有利な税制を有する国。そこでは，一般に，課税水準が低く，外部に対して租税情報が公開されず，為替管理がないかまたは弱く，銀行は秘密主義である。
▶Concurrence fiscal dommageable〔税制の不公正競合〕▶Evasion fiscale〔租税の回避〕
▶Prix de transfert〔移転価格〕

Parallélisme des formes [行政][憲法] 形式同一原則　公法において一般的に適用される原則であり，行政機関が一定の形式で行った決定について，その行政機関は通常同一の形式を遵守することによってでなければ，それを消滅させることができないとするもの。

Paraphe [国公] 仮署名　条約の短く略された署名(交渉者の単なるイニシャル)。交渉者が署名のための全権をいまだ与えられていない場合，式典の際に最高席次の人物に署名を留保することが望まれる場合など，さまざまな動機によりなされる。
　[民法][商法][民訴] 略署　あらゆる偽造(すり替えや交換)を回避するために，証書の各頁に添えられた短縮された署名(＝イニシャル)。略署は，文書になされる補正，削除，加筆を承認するためになされる。身分吏，抵当権保存吏，公証人などの帳簿〔livres〕，登録簿〔registres〕および目録〔répertoires〕は，それらの行為の正確な時間的順序を担保するために，小審裁判所の裁判官によって略署される。
▷司法組織法典R323-2条

Parasitisme [商法] 寄生　商人が，必ずしも混同を生じさせないとしても，競業者の評判または競業者によりなされた投資から利益を得ようとすること。
　そのような行為に伴う責任は，不正競争として追及されることも，一般的な民事責任制度の適用により追及されることもある。
▷民法典1382条

Parcs naturels [行政] 自然公園　景観および歴史的建造物を保護するための現代的な形態。この制度は1960年代に現れた。その時期に，あらゆる種類のニューサンス〔▶Nuisances〕と汚染〔▶Pollution〕の脅威に曝される自然環境の保護が人間にとって重要であるという

ことが認識されたのである。
　この制度には法的に2つの形態がある。
①**Parcs nationaux**　国立公園：すべての動物，植物および風景の厳格な保護が，法文上明確に経済的な配慮に優先する。
②**Parcs naturels régionaux**　地方自然公園：地方自然公園は異質な発想に基づいており，先の優先順位は否定される。自然保護の思想が法文に欠けているわけではないが，法文は若干の田園地域を活性化し，またとりわけ都会人が自然を再発見しながらくつろげる空間を都市〔▶Métropole〕の近くに準備することも主要な目的としている。

Parenté [民法] 血族関係　血によって結ばれている者の関係。一方が他方の血を引くときには，直系血族関係〔parenté directe〕である。
　両者がある共通の始祖の血を引くときには，傍系血族関係〔parenté collatérale〕である。
▷民法典731条および734条以下
▶Ascendant〔直系尊属〕▶Collatéral〔傍系；傍系血族〕▶Degré de parenté〔親等〕
▶Descendant〔直系卑属〕▶Enfant〔子〕
▶Ligne〔系〕

Parents [民法] 血族；両親
①血族//広義においては，血族関係によって結びついている者。
▶Parenté〔血族関係〕
②両親//狭義においては，父母の同義語。

Parère [商法][民訴] 事実確認証明書　職業上の慣習を証明するために，管轄当局(商工会議所，職業団体，組合など)が発行する証明書。

Pari [民法] 賭事　ある事柄について意見が一致していない者たちの間で，将来，ある者の意見が正しいことが認められたならばその者が他の者から金銭またはその他の給付を受けることを約する契約。
　jeu〔賭博〕とは異なり，賭事では，当事者は問題となっている出来事にまったく関与しない。期待される利益は，すでに完了しているがすべての賭人に知られていない事実，またはすべての賭人の行動と無関係な将来の事実の確認のみに依拠する。
▷民法典1965条および1967条

Paris (Ville de) [行政] パリ(市)　パリ市の地域は，2つの異なった地方公共団体の地理的基盤である。すなわち，市町村としてのパリ市とパリ県である。1977年以来，それぞれ同種の地方公共団体の普通法に原則として服しているが，若干の特殊性をもつ。特に，市長

が主宰するパリ議会は，他の県において県会に帰属するのと同じ権限も行使する。パリ県における国の代表は，若干の他県と同じく，県知事が，警察のために派遣された警視総監の補佐を受けて確保する。

▷地方公共団体一般法典L2511-1条，L2512-1条およびL3411-1条

Parité 憲法 **男女同数** 男女間における差別禁止および平等を内容とするこの原則は，たえず具体化されている。憲法典はいまやこの原則を承認しており，選挙に関する法律がその適用を確保するための規定を置いている。男女同数はいまだあまねくまた万人について実現されているわけではないが，ヨーロッパおよび国内の法制度および裁判所は，この原則をますます強く認め，その違反を制裁している。

Parlement 憲法 **パルルマン；高等法院；国会**
①パルルマン；高等法院//アンシャン・レジームのもとで若干の政治的特権を付与された最高法院。勅令および王令を登録することを任務としたが，パルルマン(高等法院)は登録を拒否し，その際に建白を行うことができた。このことから国王に対するパルルマン(高等法院)の反抗的態度がしばしば生じた。

②国会//法律を表決し，政府を監督することを職務とする審議体。
►Bicamérisme；Bicaméralisme〔二院制〕
►Monocamérisme；Monocaméralisme〔一院制〕

Parlement européen EU **ヨーロッパ議会**
当初の条約では《Assemblée européenne》と称されていたが，1962年以降は《Parlement européen》と自称するようになり，この呼称が最終的に単一ヨーロッパ議定書により認められた。1979年まで，各国の議会の代表から構成され，1979年以降は，直接普通選挙で選ばれた国民代表から構成される(現在732名)。

次第にはっきりと立法権限に参与するようになった。ヨーロッパ議会は長い間，単なる諮問的権限しかなかったが，単一ヨーロッパ議定書は，いくつかの規則および指令の採択にあたり，協力手続き〔►Procédure de coopération〕を導入し，また拘束的意見〔avis conforme〕(第三国との協定の締結および新たな国の加盟)を導入した。マーストリヒト条約は，協力手続きと拘束的意見が活用される領域を拡張したが，特に共同決定手続き〔►Procédure de codécision〕を創設した。この共同決定手続きは，アムステルダム条約以降，普通法上の手続きとなり，閣僚理事会はもはやその立場を強制することができなくなった。ヨーロッパ憲法〔►Constitution européenne〕(まだ発効に至っていない)は，この共同決定の原則を確認し，例外を限定している。

ヨーロッパ議会はこれまでと同様，予算権限を有している。なお，ヨーロッパ議会は，ヨーロッパ委員会〔►Commission européenne〕の委員長および委員の任命に関与しており，ヨーロッパ委員会に対する不信任動議を表決することができる。

Parlementarisme 憲法 **議院内閣制**
Parlementarisme rationalisé 合理化された議院内閣制：安定した多数派の欠如から生じる不都合(特に政府の不安定)を回避する規制(立法手続きにおける政府への特権付与，政府の責任を問う手続きの規制，すなわち熟慮期間の設定，特別多数決，後任首相の同時指名など)が加えられる議院内閣制(例：フランス1958年憲法典，ドイツ連邦共和国基本法)。
►Régime parlementaire〔議院内閣制〕

Parquet 民訴 刑訴 **検事局；検察** 大審裁判所ごとに検察を構成し，共和国検事の管轄下に置かれる司法官。
▷司法組織法典L212-6条
►Ministère public〔検察官；検察〕
►Procureur de la République〔共和国検事〕

Parquet général 民訴 刑訴 **法院検事局；法院検察** 破毀院および控訴院において検察の職務を行う司法官の総体に与えられる名称。
▷司法組織法典L312-7条およびL432-1条
►Procureur général〔法院検事長〕

Parricide 刑法 **尊属殺** 嫡出もしくは自然的な父母，または養子縁組による父母，その他嫡出関係にある尊属を殺すこと。
▷刑法典221-4条(2号)

Part (Le) 民法 **新生児** 新生児を指す古語。若干の表現の中で用いられる。例えば，一妻多夫が認められている場合，または妻が第1の婚姻の解消の直後に再婚する場合には，confusion de part〔父子関係の不明〕，すなわち子の父の不明確さが存在することになる。supression de part〔出生隠滅〕は，子の出生証拠の隠蔽を指し，しばしば生きて生まれたが出生直後に自然死または非業の死を迎えた子を内密に埋葬することによって行われる。

supposition de part〔出生仮装〕とは，子を分娩しなかった女性にその子との母子関係を付与することである。
▷民法典228条，322-1条；刑法典227-13条

Part bénéficiaire 商法 受益者持分 ►Part de fondateur〔発起人持分〕

Part de fondateur 商法 発起人持分 株式会社または株式合資会社が発行する流通証券で，通常は，会社の設立または資本増加の際に行われた労務の対価として，一部の者に会社の利益を分配することを目的としている。
1966年7月24日の法律によって，発起人持分を新たに発行することは禁止されている。
▷商法典L228-4条

Part sociale 商法 （会社の）持分 社員がその出資と引換えに取得する権利。この権利は資本の一部に相当し，これに基づいて社員の財政および経営に関する権利（議決権）が生ずる。

Part virile 民訴 頭割り par tête の同義語。
①不法行為に関して，損害賠償債務に対する共同行為者各人の寄与部分を決定する際に用いられる。すべての債務者が民法典1384条1項の客観責任に基づいて有責判決を下された場合には，債務の負担部分の決定は，頭割り〔part virile〕でなされる。
②この表現は，相続財産上の消極財産の配分に関して，日常的に用いられ，抵当債権者は，抵当権を設定された不動産の持ち分を受け取った者についてしか抵当担保物対物訴権によって全額を訴求できないが，包括受遺者であれ包括名義の受遺者であれおのおのの相続人に対して，その相続分についてのみではあるが，対人訴権を有していることを意味する。
▷民法典873条，1009条および1012条

Partage 民法 分割 財産全体に対する分割されていない権利を，複数の，確定した財産に対する専属的な権利に代えることによって不分割を終了させる行為。
▷民法典815条以下；新民事手続法典1358条以下
►Lots〔取り分〕

Partage d'ascendant 民法 尊属（による）分割 ある者が，その財産および権利を，推定相続人，さらには推定相続人か否かを問わず異なる親等の卑属に分割する行為。この行為は，贈与（贈与分割〔►Donation-partage〕）または遺言（遺言分割〔►Testament-partage〕）の形式をとる。最近の法改正では，無償譲与分割〔libéralité-partage〕と呼ばれている。
▷民法典1075条以下

Partage conjonctif 民法 合同分割 父母が共同して自己のすべての財産を自己のすべての卑属に分割する行為。
合同分割は，贈与分割〔donation-partage〕によってしか行うことができない。贈与分割が再構成家族において行われる場合，夫婦の間でもうけられたのでない子は，その実の親についてのみ，その固有財産または夫婦共通財産について分割を受けることができる。そして，実の親の配偶者は，夫婦共通財産の共同贈与者となることはできない。
▷民法典968条および1076-1条

Partage des voix 民訴 可否同数 合議においていかなる多数も形成されなかった場合を指す。
►Conseil de prud'hommes〔労働裁判所〕

Partenariat public/privé 行政 公共施設建設委任（契約） ►Contrat de partenariat〔公共施設建設委任契約〕

Parti dominant 憲法 支配政党 政府の中心的政党であって，それらとまともに競合することのできない状態にあるその他の政党と共存している。このシステムは，一党制に複数政党制的外観を与えたり（例えば，共産党が若干のあまり重要でない政治的組織を許容する人民民主主義国家または多くの低開発国），多党制の弊害を和らげたりする（例：スウェーデンにおいて，1932年から1976年まで政権についていた社会民主党）。
人民民主主義国家〔►Démocratie populaire〕において，共産党に正式に与えられていた支配的な役割は，1989年の民主化運動を経験した国においては認められなくなった。

Parti politique 憲法 政党 社会の機構およびその管理について同じ理念を共有し，かつ，政権に就くことによって，それらの理念の勝利を獲得することを目指す人々の団体。
①**Parti de cadres** 幹部政党：特に名望家つまり選挙に影響力のある人々からなる政党（例：急進党〔parti radical〕）。
②**Parti de masses** 大衆政党：恒常的にできるだけ多数の党員を獲得しようとする政党（例：共産党）。
③**Parti rigide** 強力統制型政党：議員に対する厳格な統制を確立する政党。議員は，特に国会で党議拘束を受ける。
④**Parti souple** 柔軟統制型政党：組織的統

制の弱い政党で，議員は党議拘束に服さない。

Parti unique 憲法 **独裁政党** 存在を唯一認められ，かつ，権力の実体を握っている政党。ファシスト体制，共産主義体制および第三世界の多くの国における権威主義的体制下で行われている制度。

Participant 社保 **補足制度加入者** 補足制度において，その固有の活動に基づいて得られる権利を享受することになる者。

Participation 一般 **参加** 政治制度および行政制度の運営ならびに私企業の管理を組織する原則。利害関係人（市民，行政客体，労働者）またはその代表者を意思決定過程に加えることをその内容とする。

商法 **匿名組合** ►Sociétés en participation〔匿名組合〕

労働 **参加** 労働法においては，参加は2通りの意味をもっている。ひとつは，企業の運営への従業員の参加である。もうひとつは，企業の利益への従業員の参加である。

►Actionnariat des salariés〔労働者持株制〕►Cogestion〔共同管理〕►Comité d'entreprise〔企業委員会〕►Intéressement〔利益参加〕►Participation aux fruits de l'expansion〔成長の成果への参加〕

Participation aux acquêts 民法 **後得財産参加制** 別産制と共通財産制の要素を合わせもつ約定夫婦財産制。婚姻期間中は，すべてのことが，あたかも夫婦が別産制のもとで婚姻したかのように行われる。婚姻を解消した際には，夫婦は，互いに他方が産み出した後得財産の半分に相当する金額につき権利を有する。したがって，後得財産の価値は，最終的な資産と当初の資産との差に等しいことになる。

▷民法典1569条以下

Participation aux fruits de l'expansion 労働 **成長の成果への参加** この表現が意味するのは，経済成長期に企業が実現した利潤の一部を当該企業の労働者に確保するために1967年8月16日のオルドナンスで実施した仕組みである。成長の成果への参加は，従業員数が50名以上の企業では義務とされている。法文上は《participation aux résultats de l'entreprise》〔企業の成果への参加〕という表現を用いている。

Réserve speciale de participation 参加特別準備金：事業年度終了後に企業の貸借対照表の貸方に記載される金額であって，参加名義で労働者のためにあてられている額を表す。

▷労働法典L442-1条以下およびR442-1条以下

Participation criminelle 刑法 **犯罪への関与** ►Complicité〔共犯〕

Partie 民法 **当事者** 法律行為または合意をなした自然人または法人（例えば，売主と買主は売買契約の当事者である）。第三者〔►Tiers〕と対置される。

▷民法典1123条以下および1351条

訴訟 **当事者** 訴訟手続きに関与する自然人，私法人または公法人。

当事者は手続上の地位すなわち《訴訟上の地位》（原告，被告，参加人，控訴人，被控訴人）を占める。この地位は数々の影響をもたらすものであり，当事者が訴訟に臨む際の地位（所有者，建物賃借人，債権者，債務者，担保義務者，保証人など）と混同してはならない。

▷新民事手続法典1条および2条

►Colitigants〔共同訴訟人〕►Intervention〔参加〕►Litigants〔係争当事者〕►Litisconsorts〔共同訴訟人〕

Partie civile 刑訴 **私訴原告人；刑事における民事の当事者** 犯罪の被害者が，被害者としての資格によって認められる権利（公訴権の発動，私訴）を刑事裁判所で行使する場合，その者に与えられる名称。

Parties communes 民法 **共用部分** 区分所有法において，建物および土地のうち，区分所有者の全員または数名の使用または便益に充てられる部分（地面，中庭，庭園，通路，骨核部分〔gros œuvre〕，階段，エレベータなど）。その維持管理は区分所有者団体に属する。

►Parties privatives〔専有部分〕

Partie jointe 民訴 **関与当事者** 検察官〔►Ministère public〕自身が原告でも被告でもない訴訟において，法律の適用に関し意見を述べるため参加する場合に，その検察官の占める地位。検察官の関与は事件が検察官に伝達されることを前提としているが，その伝達は，検察官が要求する場合と，法律により義務づけられまたは受訴裁判官により決定される場合がある。

▷新民事手続法典424条以下

Partie principale 民訴 **主たる当事者** 民事訴訟において検察官〔►Ministère public〕が原告または被告となる場合の検察官の地位。法律が特に規定する場合，検察官は訴訟を提起することを義務づけられるが，それ以外の場合は，公序を護るため主たる当事者となることが適当であるか否か判断することは，検

察官に委ねられている。
▷新民事手続法典422条および423条

Parties privatives 〔民法〕**専有部分** 区分所有法において，建物（特に，アパルトマン）および土地のうち，特定の区分所有者によって排他的に使用され，もっぱらその者の所有に属する部分。
▶Parties communes〔共用部分〕

《**Pas d'intérêt, pas d'action**》〔訴訟〕**利益なければ訴権なし** 訴えをなす者が訴えの利益を根拠づけられなければ，裁判上の訴えは受理されないという格言。
▷新民事手続法典31条；刑事手続法典2条以下
▶Intérêt（pour agir）〔訴えの利益〕

Pas-de-porte 〔商法〕**権利金** 商事賃貸借の賃借人が賃貸借契約の締結時に所有者に支払い，または，商事賃借権の譲渡の際に譲受人が前の賃借人に支払う金銭。その額は場合によって大きく異なる。

Passage inoffensif（Règle du libre）〔国公〕**（自由な）無害通航（の原則）** 国際法の慣習規則であり，1958年のジュネーヴ条約（14条1項）で確認された。この規則によれば，外国船舶が沿岸国の安全，公序および財政上の利益を害さない限り，沿岸国は外国船舶に対して自国の領海〔▶Mer territoriale〕への出入りを禁じることはできない。

Passeport 〔国公〕**旅券；パスポート** 国家により交付される身分証明書。特にその名義人に外国への渡航を認めるためのもの。▶Visa〔査証；ヴィザ〕

Passif 〔商法〕**負債；（貸借対照表の）貸方** 一般的な意味では，商事企業であれ非商事企業であれ，企業の債務の総額をいう。
　企業会計上は，貸借対照表〔▶Bilan〕の右側であり，そこに，企業の第三者に対する債務，企業者が投資した資本，準備金〔▶Réserves〕，一部の引当金〔▶Provision (en matière de sociétés)〕，そして，営業年度の成果（利益または損失）が掲げられる。貸方の合計額は，これにより借方〔actif〕の合計額とつねに一致する。

《**Pater is est quam nuptiae demonstrant**》〔民法〕**父とは婚姻が示す者である** 子の母の夫は子の父であると推定される（文字通りには，《父とは婚姻が示す者である》）。この推定は覆し得ないものではなく，夫婦間には性的関係があり，かつ，その性的関係は排他的なものであるという二重の考えに基づいている。
▷民法典312条

Paternité 〔民法〕**父子関係** 父とその子との間に存在する法的関係。
▷民法典312条，316条，317条および327条
▶Ascendant〔直系尊属〕▶Descendant〔直系卑属〕▶Enfant〔子〕▶Filiation〔親子関係〕
▶Maternité〔母子関係〕

Patrimoine 〔民法〕**財産；財産体** ある者の財物および債権債務の総体。法的総体〔universalité de droit〕，すなわち積極財産と消極財産とを分離しえない変動的総体として観念される。
▷民法典2284条および2285条

Patrimoines d'affectation（Théorie des） 〔私法〕〔財政〕**目的財産（の理論）** オーブリ＝ローの伝統的な理論とは異なり，財産は，人という観念と結びつかず，それゆえ，《1人の者が権限を行使することができ，またはできるであろうあらゆる外在物の法的総体》でもなく，ある財産体のある目的への割当て〔▶Affectation〕に対応するとする理論。この目的は，財産の維持，財産の清算，または財産の管理などである。この理論の意義は，割当て〔affectation〕の違いによって区別される複数の財産〔patrimoines〕を同一の人格が有しうることを認めることにある。
　この理論は，課税標準〔▶Assiette de l'impôtの①〕，信託〔▶Fiducie〕，個人企業の収入に対する課税に関して多くの適用例がある。▶Destination〔用途〕

《**Patrimoine commun de l'humanité**》〔国公〕**人類の共同遺産** いくつかの空間の国際化の方式であって，この方式はこの空間が人類全体に対して提供する全地球的な利益によって正当化される。深海底〔▶Fonds marins〕，宇宙空間（1967年1月27日の条約），または南極（1959年12月1日の条約）についても用いられる。国家によるあらゆる専有を排除しようとする。
　ユネスコ（国際連合教育科学文化機関）も，助成し保護すべき最も傑出した景観を対象として，この呼称に由来する称号〔label〕を創設した。

Patrimoine culturel 〔一般〕**文化遺産** 不動産であれ動産であれ，公物であれ私物であれ，歴史，芸術，考古学，美学，科学または技術の観点から意義を有する財産の総体。

▷財産法典L1条
►Biens culturels〔文化財〕

Patrimonial 一般 **財産的** 財物〔biens〕の総体と考えられる財産〔patrimoine〕を構成するものとして，金銭による評価の対象となり，それゆえ，譲渡および移転できることをいう。
►Extrapatrimonial〔非財産的〕

Patronyme 民法 **氏** 名〔prénom〕と対置される，家族名〔nom de famille〕のこと。男性を連想させること（ギリシャ語で父を意味するpaterおよび名を意味するonumaから），および，子の氏の帰属に関する新たな規定が定められたこと（子の氏は父母によって選択され，また，父母の氏を並列させて子の氏とすることができる）から，《patronyme》およびnom《patronymique》の語は民法典から削除され，nom de famille〔家族名〕の語に取って代わられた（2002年3月4日の法律）。
▷民法典311-21条および357条

Paulienne（Action） 民法 **詐害行為取消訴権；詐害行為取消しの訴え** 債権者が自己の名において訴訟を提起することにより，自己の権利を詐害してなされた債務者の行為を攻撃する訴え。
▷民法典1167条
►Action directe〔直接訴権〕►Action oblique〔債権者代位訴権〕►Fraude〔詐害〕

Pavillon 国公 **船籍；旗** 船舶の国籍を表す。船舶は原則として旗国の排他的管轄権に服する（この原則は例外または制限を含む）。
►Francisation〔フランス船籍の登録〕

Pavillon de complaisance **便宜置籍：**いくつかの小国（リベリア，パナマなど）により気前よく与えられる船籍。船舶艤装（ぎそう）者に対する優遇措置（相対的に軽い租税負担および社会保障負担）がある。しかし便宜置籍は，当該船舶と当該国家（大規模な商船隊に対して実効的管理を行う固有の手段を有していない）の間の実質的関係を認めるものではない。

Pays 行政 **地域** 地理的，文化的，経済的または社会的なまとまりを示すものとして，国に認められた国土の部分（そのリストは国が公示する）。「地域」が代表する利益の共同性を考慮して，その「地域」が属する地方公共団体（市町村，県）は「地域」のための発展計画を決定し，国は，国の役務の組織に関して「地域」の存在を考慮に入れる。

Pays（ou États）en voie de développement（PVD） 憲法 国公 **発展途上国；開発途上国** 今日，低開発国〔pays（ou États）sous-développés〕という表現より好んで使われる言い回しであるが，同じ現実を意味する（新興国〔pays émergents〕とも呼ばれる）。これらの国は，個別の状況は多様であるが，それぞれの国が抱える以下のような不足の問題の大きさと重要性によって特徴づけられる。すなわち国民所得の低さ，食料資源の不足，衛生施設，文化施設または学校制度の整備の不十分さ，そして工業化の遅れである。

これらの国に対する先進工業国の援助（►Aide aux pays en voie de développement〔発展途上国（に対する）援助〕）の課題は，これから数十年間の世界の均衡にとっての重大性にもかかわらず，今日で満足すべき解決は得られていない。発展途上国に共通する主要な問題点は，現在，負債の増大する負担，また，主要な資源である基礎産品（農産物あるいは鉱物）の相場の不安定性に現れている。
►Tiers-monde〔第三世界〕

Péage 行政 **通行料金** 私人が公の工作物を利用する場合に，その対価として，公法人またはその工作物を建設し，その管理を委ねられた特許取得者が徴収する料金。

Pécule 刑法 **作業賞与金** 拘禁された犯罪者が釈放時に支払いを受ける労働報酬の一部。
▷刑事手続法典D320-2条

Peines 刑法 **刑罰；刑** 自らが犯した過ちに対する報いとして，犯罪の行為者に対し社会の名において刑事裁判所によって科される，立法者の定義する懲罰。犯罪者の威嚇および社会復帰も刑罰の目的である。

刑罰は，犯罪の分類にしたがいその重さの順に重罪の刑罰，軽罪の刑罰および違警罪の刑罰に区分され，その性質に応じて，普通法上の刑罰と政治犯罪の刑罰とに区分される。政治犯罪の刑罰とは，当該行為のゆえに政治的とみなされる若干の犯罪に固有の制裁である。今日，政治犯罪に科される刑罰は無期および有期の禁錮のみである。
▷刑法典131-1条

Peines criminelles **重罪の刑罰：**自然人について，刑法典は苦痛を与える刑罰と名誉を損なう刑罰との区別を廃止し，懲役と禁錮しか残していない。それらは，無期，30年以下，20年以下，15年以下であり，10年を下回ることはできない。これに加え，罰金刑および刑法典131-10条の補充刑がある。

▷刑法典131-1条および131-2条

　法人については，つねに罰金刑が科され，かつ自然人に適用される罰金刑の5倍が科される。また，法律が当該重罪に関して自然人についての定めを欠いている場合には100万ユーロの罰金刑が科される。その他，立法者は法律による犯罪の定義規定において定められるべきさまざまな刑罰を列挙している。例えば，解散〔dissolution〕，活動禁止〔interdiction d'exercer〕，司法監視〔placement sous surveillance〕，事業所の閉鎖〔fermeture d'établissement〕，公契約からの排除〔exclusion des marchés publics〕など。

▷刑法典131-39条

Peines correctionnelles　軽罪の刑罰：自然人については，10年以下，7年以下，5年以下，3年以下，1年以下，6ヵ月以下，2ヵ月以下の拘禁刑，3750ユーロ以上の罰金刑，日数罰金〔jour-amende〕，公益奉仕労働〔travail d'intérêt général〕，市民意識啓発研修〔stage de citoyenneté〕，131-6条の定める権利剥奪刑または権利制限刑（運転免許の停止〔suspention de permis de conduire〕，没収〔confiscation〕，武器携帯の禁止〔interdiction de porter une arme〕など），131-10条の定める補充刑，損害賠償制裁〔sanction-réparation〕がある。

▷刑法典131-3条以下

　法人については，軽罪の刑罰は重罪の刑罰と同一である。例外として，軽罪のみに適用される損害賠償制裁がある。

▷刑法典131-37条，131-38条および131-29-1条

Peines de police　違警罪の刑罰：自然人については，第1級違警罪に対し38ユーロ以下，第2級違警罪に対し150ユーロ以下，第3級違警罪に対し450ユーロ以下，第4級違警罪に対し750ユーロ以下，第5級違警罪に対し1500ユーロ以下の罰金刑と累犯の場合3000ユーロ以下の罰金刑が定められ，131-14条の定める権利剥奪刑または権利制限刑（第5級違警罪についてのみ，運転免許の停止，武器の没収〔confiscation d'une arme〕，小切手の振出禁止〔interdiction d'émettre des chèques〕など），すべての違警罪に共通の（刑法典131-16条）または第5級違警罪に固有の（刑法典131-17条）いくつかの補充刑，および131-15-1条の定める損害賠償制裁がある。

▷刑法典131-12条

　法人については，自然人について定められた罰金刑の5倍の罰金刑，131-42条の定める権利剥奪刑または権利制限刑（小切手の振出禁止，没収）および第5級違警罪のみを対象とする損害賠償制裁がある。

▷刑法典131-40条

Peine accessoire　[刑法]　**付加刑**　主刑の言渡しから法律上当然に生ずる制裁。刑法典は裁判所が明示的に言い渡したのでなければいかなる刑罰も適用されないと定めており，付加刑の概念はなくなるべきものとされていた。ただし，この原則は刑法典の定める刑罰についてのみ厳格には適用されている。刑法典以外に定めのある犯罪に関しては，この原則は未成年者に適用される刑罰，および成年者に適用される刑罰のうち私法上，公法上および家族法上の権利行使の禁止についてのみ当然に適用される。

▷刑法典132-17条および132-21条

Peines alternatives（Système des）　[刑法]　**代替刑（制度）**　一定の刑罰がすべて同等のものであることを前提として，刑事裁判官に対して，犯罪を実際に制裁するときにそれらの法定刑のいずれかを自由に選択することを認める原則。

Peine complémentaire　[刑法]　**補充刑**　主刑に付加される制裁。言渡しが義務的である場合と任意的である場合とがある。

▷刑法典131-10条

Peine incompressible　[刑法]　**短縮できない刑**　加重殺人罪（例えば子の故殺）に適用されることがある真の終身刑。有罪判決を受けた者に対して期限前釈放を導くいかなる措置も認められないとする重罪院の判決から生じる。しかし，有罪判決を受けた者の地位は30年後に再審査される場合がある。

▷刑法典221-4条；刑事手続法典720-4条

Peine justifiée　[刑訴]　**宣告刑正当**　当該犯罪に適用される法律が異なっても，宣告刑は同じであるという理由で，破毀院が，原審判決に対する法適用の誤りを理由とする破毀申立てを棄却するのに用いられる理論。

▷刑事手続法典598条

Peine principale　[刑法]　**主刑**　立法者が，法律による犯罪の定義に該当する一定の行為に対して当然に科されるべきとしている制裁。法律による犯罪の定義が重罪，軽罪，違警罪のいずれであるかに応じて区別される。重罪に関する懲役および禁錮，軽罪に関する拘禁刑および3750ユーロ以上の罰金刑ならびに違

警罪に関する1500ユーロ以下の罰金刑のみが，犯罪としての性質を付与することができる。これらを《基準刑》〔peines de référence〕と呼ぶ者もいる。
▷刑法典131-10条

Peine privée　民法　民事罰　ときに法律が背信行為をした者に課す民事上の制裁であり，背信行為の被害者に利益を与えることとなる。例えば相続財産を横領または隠匿した相続人は，横領または隠匿された物についての持分を失い，相続の放棄または純積極財産を限度とする承認をなしたにもかかわらず相続の単純承認をなしたものとみなされる。また，民事責任は補償の役割しか果たさないのではなく，裁判官は重大なフォートがある場合には，損害を正確に評価することができない限り，民事罰として損害賠償金を引き上げるといわれている。
▷民法典778条および1477条
▶Divertissement〔横領〕

Peine de substitution　刑法　代替刑　立法者が刑事裁判官の裁量に委ねている制裁。刑事裁判官は，通常科される拘禁刑または軽罪もしくは違警罪の罰金刑に代えて代替刑を言い渡すことができる。刑法典の総則部分に規定されている代替刑は，日数罰金，市民意識啓発研修，公益奉仕労働，軽罪については131-6条，第5級違警罪については131-14条の定める権利剥奪刑または権利制限刑である。補充刑は，法律上明文の規定のある場合には，主刑として言い渡されることもできる。
▷刑法典131-3条，131-5条，131-5-1条，131-6条，131-7条，131-8条，131-11条，131-15条および131-18条

Pénalité par référence　刑法　準用による刑罰確定　ある明定されている犯罪に適用される刑罰について，その犯罪類型を規定する法文とは別の法文によって規定する刑罰確定の方法。

Pénalité libératoire　商法　犯則金　1991年12月30日の法律第1382号によって定められた制度。この制度により，資金不足の小切手を振り出した者は，国庫に一定の金額を支払うことで（金融機関で入手できる印紙を購入するという形で），自らの地位の補正を完了し，この者が受けていた小切手振出禁止処分を終了させることになる。
▷通貨金融法典L131-73条2号およびL131-75条以下

Pendant, Pendante　民法　民訴　条件が未達成の間；係属中の
①条件が未達成の間/条件に関して：条件〔▶Condition〕とされた出来事が実現するのか実現しないのかまだ分からない未決期間を指す。例：条件が未達成の間〔condition pendante〕。
②継続中の//手続きに関して：まだ判断されていないことを示す。例：係属中の訴訟手続き〔instance pendante〕。

Pénologie　刑法　刑罰学　総称としては，刑事制裁に適用される規範を扱う刑法総論の分野をいう。より厳密には，刑罰に関する学問（行刑学〔science pénitentiaire〕）をいい，その目的は，制裁の執行措置を研究することによって，刑罰によるもっとも効果的な解決方法を決定し，それにより刑事政策の方向づけを可能とすることである。

《Penitus extranei》　民法　第三者　まったく関係のない者という意味のラテン語。第三者〔▶Tiers〕，すなわち合意または判決と関係のない者を示す表現。
▷民法典1165条および1351条
▶《Erga omnes》〔対世的に；すべての者に対して〕▶《Inter partes》〔当事者間において〕▶Partie〔当事者〕▶Tierce opposition〔第三者異議の訴え〕

Pension　社保　年金　老齢保険または廃疾保険を適用して定期的に支払われる手当のこと。
▷社会保障法典L351-1条

Pension alimentaire　民法　扶養定期金　貧窮者が生活できるように，扶養義務，（金銭的）救護義務または生計維持義務の履行として，定期的に支払われる金銭。
▷民法典205条以下，214条，342条，371-2条および767条
▶Recouvrement des pensions alimentaires〔扶養定期金の取立て〕

Pension d'invalidité de veuve ou de veuf　社保　生存配偶者廃疾年金　廃疾年金受給権生じさせる性質の廃疾の状態に自身がありながらも固有受給権〔▶Droits propres〕を有しない，被保険者の生存配偶者に支給される年金。その生存配偶者は，55歳未満でなくてはならない。というのは，そうでなければ，生存配偶者老齢年金〔▶Pension vieillesse de veuve ou de veuf〕の受給権が生じるからである。
▷社会保障法典L342-1条

Pér

Pension de réversion [社保] **切替年金** 退職年金または老齢保険の受給権を生存時に有していた者の生存配偶者に支払われる年金。
▷社会保障法典L353-1条

Pension (de titres) [商法] **(証券の)現先取引** 法人，投資合同ファンドあるいは債権合同ファンドが，他のこれらの機関に対して，合意した代金と引換えに証券を譲渡し，ついでその買戻しを行う取引。

Pension vieillesse de veuve ou de veuf [社保] **生存配偶者老齢年金** 永続的労働不能の状態にある生存配偶者が55歳より以前に支給されていた生存配偶者廃疾年金〔►Pension d'invalidité de veuve ou de veuf〕から，55歳になると自動的に切り替わる年金。

Percepteur [財政] **徴税官** 以前は徴税事務所〔►Perception〕の管理者たる公会計官〔►Comptables publics〕を指していた。この名称は消滅したが，日常語では依然として，この名称でもって，直接税（所得税，地方税）および刑事の罰金のような非常に多様な税外収入を徴収することを任務とする，地方財務局〔►Trésorerie〕の管理者たる国庫公会計官を指すことが多い。

農村地域の市町村ではこの国庫の公会計官は，その管轄区域内の市町村の公会計官でもあり，この資格で，当該市町村の支出の支払いも行う。

►Recette des impôts〔徴税事務所〕

Perception [財政] **徴税事務所** ►Trésorerie〔地方財務局〕

Péremption [民法] **滅効** 一定の期間の経過によって，一定の行為の効力が，それを基礎づける権利に影響を与えることなく消滅すること。例えば，抵当債権者は，登記の日から一定の期間が経過することにより，他の抵当債権者と競合する場合の順位を決定するその登記の日付の利益を失うが，期間の経過後もなお抵当権を保持しているという意味において，抵当権登記は滅効する。
▷民法典2435条

Péremption de l'instance [民訴] **訴訟手続きの滅効** 原告が手続きを追行することなく2年の期間が経過した場合，相手方当事者の申立てにより言い渡される，訴訟手続関係〔lien d'instance〕の消滅。

滅効は，時効がすでに完成している場合を除き，再び訴えを提起することを妨げない。
▷新民事手続法典386条以下

Péremption du jugement [民訴] **判決の滅効** 欠席判決またはその判決に対して控訴しうるというだけの理由で対審とみなされる判決について，それが判決の日付から6ヵ月以内に送達されなかった場合効力を失うこと。
▷新民事手続法典478条

Performance (publique) [行政] [財政] **費用対効果比** アメリカ合衆国の政府会計検査基準〔Government Auditing Standards〕の《3E》（経済性，有効性，効率性）の原則に影響を受けて，国の行財政管理における質の要請を強調するために，2006年に適用された国家予算改革によって公式に導入された概念。一般的な説明においては，公的施策は，必要な財政的および物的手段のみを動員して（経済性）目標が達成された（有効性）ときに，効果がある（または効率的である）と形容されうる。より経済学的な言い方をすれば，効率性は，最小限の投入で最大限の産出が得られたときに実現される。費用対効果比の評価を手助けするために，予算法律〔►Loi de finances〕は費用対効果比年次計画（PAP）を含み，これに対応する決算法律〔►Loi de règlement〕は費用対効果比年次報告（RAP）を含む。費用対効果比の追求は，アングロサクソンのいわゆる資源の最適化（《金額に見合う価値》〔value for money〕）の過程に組み込まれる。

Péril en la demeure [民訴] **遅滞による危険**
►Nécessité〔必要性〕

Périodes assimilées [社保] **みなし期間** 社会保障法においては，いくつかの給付は，被保険者が労働，保険料または登録の期間に関する条件を証明しなければ，支給されない。そこで，法律は，失業，疾病または労働災害のように，自発的にではなく職業活動を行わなかった期間は就業期間とみなしている。
▷社会保障法典L351-3条

Période complémentaire [財政] **予算執行補足期間** 公会計〔►Comptabilité publique〕において，n年度内に生じた債務または債権に対応する支出または徴収が，n＋1年度の冒頭に行われるにもかかわらず，なおn年度の予算に記帳される期間のこと。この現金主義〔►Gestion (Système de la)〕の緩和は，国については原則20日である。地方公共団体〔►Collectivités territoriales〕においては，予算執行補足期間は会計補足日〔journée complémentaire〕と呼ばれる。12月31日の会計日〔journée comptable〕が，擬制的に

315

数日延長されるのである。

Période d'observation [商法] **観察期間**　保護手続きまたは裁判上の更生手続きの判決（開始判決）により始まる手続き期間。この期間に，企業の保護計画（書）または更生計画（書）が作成される。

　観察期間は，例外としてでなければ1年の期間を超えることができない。

▷商法典L621-3条およびL631-7条

Période de sûreté [刑法] **保安期間**　執行猶予を伴わない場合の自由剥奪刑執行上の処分。この場合，有罪判決を受けた者は，一定の期間，刑の停止もしくは分割，構外作業，外出許可，半自由または仮釈放に関する規定の適用を受けることはできない。一定の犯罪について宣告刑が10年以上であるとき，保安期間は義務的とされる。この期間は，短い場合には，刑期の2分の1または無期刑について18年，長い場合には，刑期の3分の2または22年，例外的に若干の犯罪について30年に及ぶこともある。その他宣告刑が5年を超えるとき，保安期間は任意的とされ，その期間は刑期の3分の2または無期刑について22年を超えることはできない。

▷刑法典132-23条

Période de survie [労働] **旧協約適用期間**　労働協約または集団協定の破棄通告が（予告期間が終わって）有効となるときから始まる期間を指す，法律家によって用いられる表現。この期間中は破棄通告された協定の効力は持続する。この期間は，破棄通告の予告期間の満了から起算して最長1年間続く。

▷労働法典L132-8条

Période suspecte [商法] **疑わしき期間**　裁判上の更生手続きおよび裁判上の清算手続きにおける，支払停止から手続きの開始判決までの期間。したがって，疑わしき期間がいつから始まるかは，裁判所が支払停止の日付を定めることにより決定される。この期間の長さは，18ヵ月，一定の例外的な場合には24ヵ月を超えることはできない。

　この期間中に債務者によってなされた一定の行為は，その行為が企業の処分可能な資産を害する場合には，無効の制裁を受けることがある。これらの行為のうちの一定の行為は，その性質自体を理由として無効である。それ以外の行為は，契約者が疑わしき行為の実現時に支払停止状態であることを認識していた場合でなければ無効とならない。

▷商法典L632-1条以下

Permis de conduire [刑法] **運転免許**

Suspension de permis de conduire　運転免許の停止：運転を一時的に禁止することからなる制裁。道路交通規則の重大な違反を行った運転者に対して行政処分として知事により言い渡される場合と，交通またはその他一定の犯罪に対する任意的補充刑として軽罪裁判所または違警罪裁判所により言い渡される場合がある。この制裁は，短期拘禁刑の代替として言い渡されることもある。

▷道路法典L224-2条；刑法典131-6条および131-14条

Retrait de permis de conduire　運転免許の取消し：裁判所が制裁として言い渡す運転免許の取消し。

Rétention de permis de conduire　運転免許の一時預かり：司法警察職員によって行われる，保全名義による運転免許の取上げ。車両の運転者もしくは自動車教習生に付き添う教官に対して，アルコール検査で陽性反応が検出されたこと，明白な酩酊状態が認定されたこと，または麻薬の使用が疑われることを理由として行われる。運転者が，アルコール検査もしくは麻薬に指定された薬物の検査を拒否したこと，または制限速度を時速40キロメートル以上オーバーしたことも，一時預かりの理由となる。

▷道路法典L224-1条

Perte de validité de permis de conduire　運転免許の失効：一定の違反に応じて，運転免許に割り当てられた点数が当然に減少するが，この点数が0になったとき生じる効果。

▷道路法典L223-1条

Permis de construire [行政] **建築許可**　大部分の建築および関連作業に対する事前の許可で，建築物が都市計画および建造物に関する現行の規則を遵守しているかどうかを確認する目的を有する。

▷都市計画法典L421-1条以下

　作業の終了後には，建築許可の内容の遵守が確認されれば，適合性検査証が交付される。

▷都市計画法典L460-2条

Permission de sortir [刑法] **外出許可**　被拘禁者に一定の条件（とりわけ，その者が法定累犯の状態にあるか否かに応じて異なる）のもとで与えられる，定められた期間，行刑施設から外出する許可。この期間は，執行中の拘禁刑の刑期に算入される。被拘禁者が，職業

または社会に復帰する準備を行うこと，家族との結びつきを維持すること，その出席が必要とされる義務を果たすことを目的とする。
▷刑事手続法典D142条以下

Permission de voirie 行政 占用許可　道路〔►Voirie〕の一部を私人が使用料を支払って排他的に，したがって特別に占用することを許可する一方的な行政行為。この許可は不安定なものであり，補償なしに取り消すことができる。

　　►Concession de voirie〔占用特許〕

Perquisition 刑訴（家宅）捜索　犯罪の証拠資料を警察または裁判所が捜索すること。捜索は厳密に規定されており，あらゆる者の住居，またはそれを発見することが真実発見に有用である物，文書または電子データが存在すると考えられるその他のあらゆる場所において行うことができる。
▷刑事手続法典56条，76条，92条および94条

《Persona grata》 国公 ペルソナ・グラータ　《好ましき者》の意のラテン語の表現で，派遣されたまたは派遣されようとしている先の政府の信頼を得た外交官を示すために用いられる。《persona non grata》〔ペルソナ・ノン・グラータ〕と指定されることは，アグレマン〔►Agrément〕の拒否またはその外交官の召還の要請に等しい。

Personnalisation du pouvoir 憲法 権力の人格化　被治者が特定の為政者と権力を同一視する現象。
　　人格化した権力〔pouvoir personnalisé〕と個人的権力〔pouvoir personnel〕とを混同してはならない。後者は為政者の全能にすぎず，その行為には限界がないが，人格化した権力は憲法規範を尊重して行使される場合がある（例：ドイツのアデナウアー）。

Personnalité internationale 国公 国際法人格　国際法上の権利および義務の名宛人となりうる能力。国際機構は，国家と同様に国際法人格を有するが，その法的能力は，国家の法的能力ほど完全ではない。その能力は，その機構の目的と職務に応じた機能的能力である。

Personnalité des lois 国私 法の属人性　異なる民族集団が共存していることを理由として，同一領域内で複数の法律が適用されうる法体系。すなわち，人が民族集団と結びついていることが，この集団を規律する法律の個人への適用をもたらしている。

Personnalité des peines 刑法 刑罰の一身専属性　正犯としてであれ共犯としてであれ，行為に対する非難が向けられうる者以外の者に刑罰を科することはできないとする原則。
▷刑法典121-1条

Personnalité juridique 民法 法人格　法主体となるための資格。すべての人間（自然人）に区別なく認められ，一定の条件を満たした場合には法人にも認められる（法人の性質により条件は異なる）。
　　►Personne juridique〔法主体〕►Personne morale〔法人〕

Personne 一般 人　明確な語義を欠くゆえに文脈により，法人をも自然人をも指しうる用語。

Personne juridique 民法 法主体　権利および義務の名義人。したがって，法的活動において一定の役割を果たす者。
　　sujets de droit〔権利主体〕とも呼ばれる。すべての人間〔►Être humain〕は法主体である。►Corps humain〔人体〕

Personne mise en examen 刑訴 予審対象者
►Mise en examen〔予審開始決定〕

Personne morale 民法 公法 法人　法人格を付与され，それゆえ，構成員の人格から分離され自ら権利および義務の名義人となる団体：会社，非営利社団，職業組合，国，地方公共団体，公施設法人など。
▷民法典1842条

Personne publique 行政 公法人　公共団体（国，地方公共団体〔►Collectivités territoriales〕，公施設法人〔►Établissement public〕）の総称。

Personne vulnérable 刑法 弱者　多くの犯罪に規定されている加重事情。被害者が，その年齢，疾病，身体障害，身体的もしくは精神的な欠陥または妊娠ゆえに特別な保護に値し，その状態が明白である場合，または行為者がその事実を認識している場合に適用される。

Perte d'une chance 民法 機会の喪失　自己に有利な出来事が生ずる蓋然性が他人の所為によって消滅したことから生ずる損害。機会の喪失は，部分賠償の根拠となる。この賠償額は，蓋然性の計算によって定まる，喪失した機会の価値に基づいて算出される。

Perte de la chose due 民法 債務の目的物の滅失　►《Res perit domino》〔物はその所有者において消滅する〕

《Petita》 訴訟 請求　►《Infra petita》〔請求の一部を落として〕►《Ultra petita》〔請求

Pertinence [民訴] **適切性** 攻撃防禦方法が訴訟の目的〔objet du litige〕に適合していること。主に，当該事件に直接影響を与える事実の主張の適切性，および，妥当な証明へと導くための証拠の適切性を指す。適切性は，いずれの場合も，裁判官によって専権的に判断される。しかし主張または証拠の適切性を認めても，裁判官は判断の自由をなお有している。
▷新民事手続法典6条，9条および222条
►Allégation〔主張〕►Demandeur〔原告〕

《Petit dépôt de nuit》 [刑訴] **裁判所夜間留置** 警察留置の終了後，司法官の面前へ出頭させることとなっている者を，必要のある場合にさらに引き留めておくことが例外的に可能であることを指す表現。裁判所夜間留置は，警察留置が解除された時点から起算して最長20時間である。
▷刑事手続法典803-2条および803-3条

Pétition [憲法] **請願** 市民が，行政の権限濫用を告発し，または立法の変更を求めるなどの目的で，国会両院に対して文書で行うことのできる非訴訟的な不服申立て。今日ではほとんど用いられない方法。

Pétition d'hérédité [民法] **相続回復請求** 遺産に属する財産を所持していて，その者だけが相続権者であると主張している者に対して，自己の相続能力〔vocation successorale〕を認めさせる，相続権者に認められる裁判上の訴え。

Pétitoire [民訴] **本権の訴え** ►Action pétitoire〔不動産物権訴権；不動産物権の訴え；本権の訴え〕►Action possessoire〔占有訴権；占有の訴え〕

Phare [国公] **東ヨーロッパ技術援助計画** 中央ヨーロッパおよび東ヨーロッパ諸国の援助と経済再建のためのヨーロッパ共同体の計画。

Pièces [訴訟] **書証** 訴訟当事者によって自己の申立て〔prétentions〕または否認を立証するために用いられ，かつ，対審的な討論のために各自が伝達しなければならない文書。この文書は公文書である場合と私文書である場合があるが，多くは証書，計算書，図面（設計図，構造図など）である。
▷新民事手続法典15条，56条および132条以下
►Communication de pièces〔書証の伝達〕►Compulsoire〔謄本交付申請（閲覧）〕

►Documents〔文書〕
[民訴] **書証** 当事者の申立てにより，裁判官は第三者に対し，係争事実について審理するために必要な一定の文書の提出を命じることができる。
▷新民事手続法典138条
►Tiers〔第三者〕

Pièces à conviction [刑訴] **証拠物** 犯罪の実在を証することを目的として，刑事裁判所に提出されるあらゆる物。証拠物は，たいていの場合，押収を伴う家宅捜索の際に取得される。

Pignoratif [民法] **担保扱いの；質入れの** 担保権〔gage〕に関係すること。
►Contrat pignoratif〔譲渡担保契約〕

Pigiste [労働] **フリーのジャーナリスト** 職業記者であって，報道機関に臨時的に雇われて寄稿する。フリーのジャーナリストは，時間についても記事の性質についても拘束がなく，その限りでは，記者の仕事の受益者である企業との間において従属関係に置かれていない。フリーのジャーナリストは，行数単位で〔à la pige〕，すなわち，記事について出来高払いで報酬を受ける。しかしながら，1974年7月4日の法律および多くの労働協約がフリーのジャーナリストを賃労働のジャーナリストに近づけている。

Piliers [EU] **（ヨーロッパ連合）構成領域** マーストリヒト条約の創設した共同体の3つの構成領域のこと。すなわち，狭義の共同体法よりなる第1構成領域，《共通外交安全保障政策》〔politique étrangère et de sécurité commune〕よりなる第2構成領域，および，《刑事司法協力》〔coopération judiciaire et pénale〕よりなる第3構成領域であり，主として加盟国政府間組織によって担われている。これらの構成領域は，ヨーロッパ憲法〔►Constitution européenne〕（現在まだ未施行）では廃止され，ヨーロッパ連合の活動領域はすべて，この憲法条約の第3部にまとめられている。

Piquet de grève [労働] **ピケット** ストライキ参加者が，一般的には集団的労働紛争が発生している企業の入口に集まること。ストライキ参加者が同僚に情報を提供し運動に加わるよう呼びかける場合には，この限りでピケットは合法である。反対に，労働の自由の行使を妨げる場合には，ピケットは違法である。

Pirate [刑法] [国公] **海賊** 私掠船〔corsaire〕と

は異なり，私掠許可状〔lettre de marque〕をもたず，自らのために海上で掠奪行為を行う無法者。

Piraterie 〔刑法〕**乗っ取り；ハイジャック；海賊行為** 航行中の航空機，船舶またはその他の集団運送手段に乗っている人々に対して，暴力によりまたは暴力を用いると脅迫することにより，それらを乗っ取りまたは支配することからなる重罪。
▷刑法典224-6条

Piste cyclable 〔一般〕**2輪車専用道路** もっぱら2輪車または3輪車の用に供される車道〔►Chaussée〕。
▷道路法典R110-2条

Placement 〔労働〕**職業紹介** 求人と求職とをとりもつこと。公的機関が原則として職業紹介を独占している。
►Agence nationale pour l'emploi〔国立雇用センター〕►Bureau de placement〔私設職業紹介所〕
〔民訴〕**事件簿への登載** ►Mise au rôle〔事件簿への登載〕

Placement à l'isolement 〔刑法〕**隔離収容** 行刑施設の長が，保護または安全の措置として，拘禁対象者を他の囚人との接触を排除する制度のもとに置く決定。特に個室への収容を手段とする。この措置は，拘禁対象者の請求に基づきまたは職権で，拘禁対象者の人格，特別な危険性または健康状態を考慮して行われる。期間は3ヵ月で，更新可能である。
▷刑事手続法典D283-1条以下

Placement sous surveillance électronique mobile 〔刑法〕**動体電波監視** 刑務所への収容後の保安処分のひとつ。通常は，7年以上の自由剥奪刑を言い渡された成年者で，その危険性が医療鑑定により証明された者を対象に特別追跡監視〔suivi socio-judiciaire〕として行われる。

この措置は，判決裁判所により，軽罪については特別に理由を付した判決をもって，重罪については特別多数による判決をもって行われるが，それは累犯を予防するために不可欠と認められねばならず，かつ，有罪判決を受けた者の同意のあることを条件とする。

この措置は，これに服する者に対し，電子ブレスレットと呼ばれる発信機を2年間装着することを義務づける。この期間は，軽罪については1度，重罪については2度更新可能である。これにより，その者が国土上のどこにいようともその位置を何時にても特定することができる。

動体電波監視は自由の剥奪が終了した日から適用される。すなわち実際には，刑罰適用裁判官により実施される。
▷刑法典131-36-9条以下；刑事手続法典763-10条以下

Placement sous surveillance judiciaire 〔刑法〕**法人司法監視** 有罪判決を受けた法人の行動を監督し，あらゆる累犯の回避を目的とする，法人に適用される刑罰。この措置によって裁判上の受任者が指名される。裁判上の受任者は6ヵ月毎にその任務について報告しなければならない。
▷刑法典131-39条1項3号および131-46条

Placet 〔民訴〕**審理請求書** かつて，原告の弁護士が民事事件の事件簿への登録〔►Enrôlement〕のため裁判所書記課へ提出した文書を指していた用語（裁判所の慣行においては今なお用いられる）。placetの語は，原告によって被告に対し交付される呼出状の完全な写しであるこの証書が，《願わくば裁判所の意に添わんことを》〔qu'il plaise au tribunal〕という文言を含むことに由来する。今日では，呼出状の写しを裁判所書記課に提出するのみで足りる。
▷新民事手続法典757条および857条

Plafond 〔社保〕**報酬限度額** 社会保障法においては，労働者の受け取る報酬は，報酬限度額と呼ばれるある一定の金額の限度内でしか保険料算定の対象とされない。しかしながら，現在では，いくつかの保険料については報酬限度額が撤廃され，賃金の全額が保険料算定の対象とされる。
▷社会保障法典D242-16条

Plafond légal de densité (PLD) 〔行政〕**法定上限密度** すべての市町村間協力公施設法人〔►Établissement public de coopération intercommunale〕（または市町村会）によって設定されうる建築密度の上限。建物の床面積と敷地面積との比率という形で表される。それを超えて建築する権利の行使は，土地の所有権に含まれるのではなく，地方公共団体に帰属するものと考えられている。地方公共団体は，上限を超える部分を許可することもできる。この場合，2000年12月13日の法律が制定される前には，法定上限密度の超過に対する分担金が建築許可〔►Permis de construire〕を受けた者に請求されていた（暫

319

定的に，この分担金は分担金の存在した地域の予算上の理由から原則として維持されている）。
▷都市計画法典L112-2条
►Coefficient d'occupation des sols（COS）〔土地占用係数〕

Plafonnement de l'impôt 財政 **課税限度額**
►《Bouclier fiscal》〔税負担限度〕

Plaider coupable（Procédure du） 刑訴 **有罪の答弁（手続き）** ►Comparution sur reconnaissance préalable de culpabilité〔有責認知に基づく出頭〕

Plaideur 民訴 **訴訟当事者** 裁判所の用語で，原告・被告・訴訟参加者として訴訟の当事者となっている者を指す。ただし，陳述を行う者（通常は弁護士）は含まれない。

Plaidoirie 訴訟 **陳述；弁論** 法廷において，当事者が申立て〔prétentions〕と論拠を口頭で述べること。普通法上の裁判所では，弁護士が陳述の独占権を享受する。

　一定の手続きにおいて，弁護士は，口頭により短い説明を与えたのち，陳述する代わりに，その陳述書を提出することを承諾できる（大審裁判所および商事裁判所における手続き）。民事手続きの発展に伴い，陳述の役割は縮小される傾向にある。
▷新民事手続法典440条
►Jugement sur pièces〔書面に基づく判決〕
行訴 **（口頭）弁論** 行政裁判所における訴訟手続きは書面によって行われるため，（口頭）弁論の重要性は司法裁判所と比べて低い。訴訟当事者自らが口頭陳述を行うことのできる地方行政裁判所とは異なり，コンセイユ・デタにおいてはコンセイユ・デタ・破毀院付弁護士〔►Avocat aux Conseils〕だけが口頭陳述を行うことができる。

Plainte 刑訴 **告訴** 犯罪によって損害を受けた当事者が，直接にまたは他の機関を介して，犯罪事実を共和国検事に知らせる行為。
▷刑事手続法典40条

Plainte avec constitution de partie civile 刑訴 **公訴権の発動を義務づける告訴** 重罪または軽罪によって損害を受けた当事者が予審判事へ向けて公訴権を発動させる行為。場合によっては，同時に私訴権を行使することもある。
▷刑事手続法典85条以下

Plan（de développement économique et social） 行政 **（経済・社会発展）計画** 第二次世界大戦後，フランスは，当時のかなり閉鎖的な国際経済の枠組において，一連の5ヵ年計画を打ち出した。それらは強制的なものではなく，フランス経済の再建，ついでその発展の計画化を目的としていた。

　政府によって立案され，国会によって採択されていた経済5ヵ年計画の当初の制度は，1993年以降，主に2つの理由により事実上放棄された。技術的には，開放経済システム（世界化）のなかでフランス経済の展開を数年も前に決定することがますます困難になっていた点が挙げられ，政治的には，計画化が，たとえ柔軟であっても自由主義経済の要請と相容れがたかった点が挙げられる。それにもかかわらず，経済企画庁〔Commissariat général au plan〕は，2006年に至るまで，一定の分野（雇用，保健衛生，社会統合）における国の戦略方針に関する予測的検討の任務を果たしていた。同年，経済企画庁は国家戦略センター〔►Centre d'analyse stratégique〕に取って代わられた。

Plan conventionnel de redressement 民法 **合意による個人更生計画（書）** 県個人破産委員会〔►Commission départementale de surendettement des particuliers〕のもとでの手続きにおいて作成される計画（書）。過剰債務者の負債の解消を助けることを目的とする。この計画（書）は債務者および主たる債権者によって同意されねばならず，内容としては，債務弁済の延期または繰延べ，利率の引下げまたは利息の免除，担保の差替えなどの措置を含む。
▷消費法典L331-6条およびR331-7条以下
►Rétablissement personnel（Procédure de）〔個人更生（手続き）〕

Plan de cession 商法 **譲渡計画（書）** 裁判上の更生手続きおよび裁判上の清算手続きにおいて，この計画（書）によって，企業の全部または一部の譲渡が可能になる。一部の譲渡の場合には，譲渡は，1または複数の，完全かつ独立した活動部門を構成するひとまとまりの経営要素を対象とする。
▷商法典L642-1条以下
►Plan de continuation〔継続計画（書）〕

Plan de continuation 商法 **継続計画（書）** 継続計画（書）とは，債務者自身による企業の経営の継続を認める更生計画（書）〔►Plan de redressement〕である。継続計画（書）は，債務者を変えずにおくことが活動の継続に望

ましいように思われる場合であって，確実な更生手段および負債の弁済手段が存在する場合に命じられる。企業の継続は，必要な場合には，一定の活動部門の停止，譲渡または追加をともなうことがある。
▷商法典L621-70条以下
►Plan de cession〔譲渡計画(書)〕

Plan d'épargne d'entreprise 労働 財形貯蓄 企業の労働者が有価証券を内容とする財産の形成に企業の援助を得て参加することを可能にする集団的貯蓄制度。労働者の出資は，成長の成果への参加〔►Participation aux fruits de l'expansion〕の名義の額から拠出されうる。使用者による補助が，財形貯蓄企業側助成金〔abondement〕と呼ばれる。2001年2月19日の法律第152号以来，労働協約または集団協定によって，複数の企業間で財形貯蓄を実施することも可能である。
▷労働法典L443-1条以下，L443-1-1条およびR443-1条以下

Plan d'épargne pour la retraite 労働 退職積立制度 2001年2月19日の法律第152号により創設された集団的退職積立制度は，労働協約または集団協定により設定され，労働者が特に利益参加〔►Intéressement〕または参加〔►Participation〕により取得した金額を定期的に積立口座に払い込むことを内容とする。この口座に組み込まれた金額または有価証券は，原則として退職時まで保持されなければならず，次いで，有償名義で取得される終身定期金〔rente viagère〕の形で交付される。元本の形での交付も，制度設定協定により定めることができる。
▷労働法典L443-1-2条

Plan Fouchet EU フーシェ・プラン 1960年のド・ゴールの発案に与えられた名称で，国家連合を基盤としてヨーロッパ政治連合を樹立することを目指した。M. Fouchetが委員長をつとめた専門委員会によって作成された条約草案(1961年11月に提出された草案)は，合意に至らなかったため，1962年に廃棄された。

Plans locaux d'urbanisme 行政 地域都市計画 1または複数の市町村規模で作成される市町村空間の重要な計画化文書。(建築可能または建築禁止)区域ごとの土地の用途，維持または設置すべき交通路，保全すべき景観および環境，許可建築物に関する規則とりわけ許容建築密度(土地占用係数〔►Coefficient d'occupation des sols (COS)〕)を定める。
　この文書は，その目的が基本的には土地占用の確定に限定されていた，かつての土地占用計画を引き継ぐものである。この文書は，その他の空間計画化文書，とりわけ地域都市計画がその対象区域に含まれる地域総合基本計画〔►Schémas de cohérence territoriale〕と両立するものでなければならない。与えられる「建築許可」〔permis de construire〕は地域都市計画の規定を遵守しなければならない。
▷都市計画法典L123-1条以下

Plan d'occupation des sols (POS) 行政 土地占用計画 ►Plans locaux d'urbanisme〔地域都市計画〕

Plan de redressement 商法 更生計画(書) 裁判上の更生手続きにおいて，更生計画(書)は，企業の活動の継続，雇用の維持および負債の弁済を確保することを目的としている。
　したがって，更生計画(書)は，企業の指揮者による企業の継続，または企業の全部もしくは一部の譲渡を可能にする。
▷商法典L631-1条
►Redressement judiciaire〔裁判上の更生〕

Plan de sauvegarde 商法 救済計画(書) 救済計画(書)は，債権者への支払いを確保しつつ，企業の経済状態の建直しを確保することを，したがって雇用を維持することを目的としている。全面的に債務者自身の管理下で行われる。
　救済手続きにおいては，一部の譲渡しか認められておらず，1または複数の活動部門に関してしか認められない。
▷商法典L620-1条以下
►Sauvegarde〔救済〕

Plan de sauvegarde de l'emploi 労働 雇用保護計画 経済的理由による集団的解雇に際して，解雇を避け，解雇される従業員の再就職を促進するために企業がとる措置の総体。この計画は，企業委員会および県労働課長〔Directeur Départemental du Travail〕に提出される。
▷労働法典L321-4-1条

Plan Schuman EU シューマン・プラン 当時のフランスの外務大臣ロベール・シューマン〔Robert Schuman〕が，ジャン・モネ〔Jean Monnet〕のイニシアティヴにより，1950年5月9日に，フランスとドイツの石炭および鉄鋼資源を他のヨーロッパ諸国にも開放された

組織において共同管理することを提案した宣言。ヨーロッパ石炭鉄鋼共同体（CECA）を誕生させ、ヨーロッパ建設過程の出発点とみなされている。

Planche à billets　财政 **紙幣原版**　《紙幣を乱発する》〔faire fonctionner la planche à billets〕という表現で最近まで用いられていた。これは、特に歳出予算超過〔►Découvert (de la loi de finances)〕を補填すべく国庫を支援することを目的とした、フランス銀行〔►Banque de France〕による通貨の過剰発行を表わすためのくだけた表現である。

今日では、フランス銀行による国への信用供与は、直接間接を問わず、禁じられている。

Plateau continental　国公 **大陸棚**　領土の海面下の延長であり、これに対し沿岸国が資源の開発のための主権的権利を行使する。1982年12月10日のモンテゴ・ベイ〔Montego Bay〕条約はその限界を200海里と定め、そして、200海里を超え、350海里までまたは2500メートル等深線から100海里までの主権的権利の保持すら認めている。

Plébiscite　憲法 **プレビシット**　国民投票〔►Référendum〕の変質した形態。選挙人が法文について判断することを求められるのではなく、法文を選挙人に付託した政治家への信任を示すことを求められる点に特色がある（例：ナポレオンのプレビシット）。

国公 **住民投票**　割譲される領土の住民意思を集団的に徴すること。併合を受け入れるかどうかを知るために行われる（référendumという語も使われる）。

Plein contentieux (Recours de)　行政 **全面審判（訴訟）**　pleine juridictionの同義語。
►Pleine juridiction〔全面的審判権〕►Recours〔争訟〕

Plein emploi　労働 **完全雇用**　►Emploi〔雇用〕

Pleine juridiction　行政 訴訟 **全面的審判権**　ある裁判所（特に行政裁判所）が、訴訟の事実的および法的要素のすべてを審理し、訴訟開始時までに生じていた法律違反を全面的にただす性質のあらゆる判断をなすことができる場合、その裁判所は全面的審判権をもつといわれる。例えば、裁判所が、行政決定または行政契約を取り消しうるのみならず、場合により、公法人〔►Personne publique〕に対して賠償金の支払いを命じたり、（とりわけ）税務訴訟におけるように行政決定の内容を変更したりなどすることができる場合をいう。手続きのある段階で、訴訟当事者が全面的審判権を有する裁判所において裁判を受けられることは、共同体法およびヨーロッパ人権条約における公正な裁判〔►Procès équitable〕の概念の一要素たる《実効的な申立て》〔recours effectif〕の存在条件のひとつである。
►Plein contentieux (Recours de)〔全面審判（訴訟）〕►Recours〔争訟〕

Pleins pouvoirs (loi de)　憲法 **全権委任（法律）**　国会が政府に、一定の期間、通常は立法府の権限に属する事項について行政立法の定立を授権する法律を指すために用いられる表現。
►Décret-loi〔デクレ・ロワ〕

Plénière fiscale　财政 **租税連合部**　1992年以前に存在した、租税領域におけるコンセイユ・デタの特殊な判決構成体。租税訴訟に専門特化された3つの課〔sous-section〕の合同により構成され、租税問題を専門とする訴訟部副部長によって主宰される。この構成体は、合同した課と訴訟部の中間に位置する構成体として、原則的問題を提起する租税事件を審理していた。

Plénipotentiaire　国公 **全権代表**　与えられた全権によって、ある交渉においてまたはある任務を遂行するために政府を代表する資格を有する者。全権公使〔ministre plénipotantiare〕は第2階級に属する。
►Rang diplomatique〔外交席次〕

Plénitude de juridiction　民訴 **裁判権の十全性**　民事の普通法上の裁判所の中で、控訴院にのみ属する権限。裁判権の十全性は、第一審では管轄権限のない裁判所に提起された事件を、控訴審において審理することを可能にする。控訴院は無管轄の瑕疵を除去する。

より一般的には、事実であれ法であれ訴訟のすべての構成要素について審理を行う裁判所の権限についていう。
▷新民事手続法典79条

刑訴 **完全裁判権限**　広義では、刑事の判決裁判所が、法定の判断付託問題の抗弁を除き、被告人が防禦のため提出したすべての抗弁について裁判する管轄権限を有するという手続上の原則。
▷刑事手続法典384条

狭義では、始審として裁判する場合であれ、控訴審として裁判する場合であれ、重罪院に移送された者（未成年者を除く）を裁判する重

罪院の絶対的管轄権限のこと。
▷刑事手続法典231条

Ploutocratie 憲法 **金権政治** 政治権力が最も富裕な者に帰属する体制（例：王政復古期と七月王制の制限選挙に基づく金権政治）。

Plumitif 民訴 **弁論期日記録** ▶Registre d'audience〔弁論期日記録〕

Plus-value 財政 **譲渡益** ある期間の始めから終わりまでに財産の実際の価値または貨幣価値が増加すること。譲渡益は，本来は資産上の利得であるが，次第に，税務当局によって所得として課税の対象とされてきている。

Point 社保 **退職年金点数** 補足退職年金の額を算定する要素となる点数。退職年金点数は，保険料年次総額を基準賃金〔▶Salaire de référence〕で除することによって得られる。

Pôle de l'instruction 刑訴 **予審拠点** いくつかの大審裁判所から集められた予審判事の集団。その管轄権限はデクレによって定められ，複数の大審裁判所の管轄区域を対象とすることができる。予審拠点の活動は，1または複数の予審判事により，彼らの専門性に応じて調整されることができる。
　予審拠点に属する予審判事のみが，拠点の管轄区域全体において，重罪に関する予審および複数判事による共同の受訴を可能とする予審について審理する権限を有する。
▷刑事手続法典52-1条，83-1条および83-2条

Police 行政 **警察** *Police administrative* 行政警察：公共の平穏，公共の安全および公衆衛生の確保を目的とする法的，物理的手段の総体。
刑訴 **警察** *Police judiciaire* 司法警察：国家警察の公務員，憲兵隊の公務員および指名されたその他の一定の者。犯罪を確認し，証拠を収集し，行為者を特定し，予審が開始された場合に，予審裁判所からの嘱託を実行することを任務とする。
▷刑事手続法典12条以下
　その他に，この表現は以下の2つの意味において用いられることがある。
　①犯罪を捜査し確認する行為。
　②重大犯罪への対処を任務とする国家警察の特定部署（la PJ）。

Police d'assurance 民法 商法 **保険証券；保険証書** 保険者および保険加入者によって署名がなされ，保険契約の存在および内容を確認する文書。

▷保険法典L112-3条，L112-5条，R112-1条およびR172-2条

Police scientifique et téchnique 刑法 **科学警察** ▶Criminalistique（La）〔犯罪科学〕

Politique 憲法 **政治学；政治；政策**
　①政治学//国家統治に関する学問。
　②政治//統治する方法（例：自由主義的，権威主義的，反動の政治など）。
　③政策//公共の事柄の総体（例：国内政策，対外政策など）。

Politique agricole commune（PAC） EU **共通農業政策** 長い間，共通農業政策のみが，ヨーロッパ共同体の枠内で立てられた真の共通政策である。共通農業政策は基本的に生産物の価格（高水準の単一価格，保証価格，保護価格）に関するメカニズムに基づいて作られている。共通農業政策は多大な費用を要し，その結果，価格の上昇を抑制し生産割当制を導入するいくつかの措置が採られた後，1992年に最初の改革が行われた。その改革の目的は，農産物価格の大幅な引下げ，および，農業者に支払われるさまざまな援助によって補償されていた生産の抑制である。1999年の新たな合意は，共通農業政策の費用をさらに削減しつつ，その基本原則を保持することを可能にした。2003年の新たな見直しは，援助と農業生産との間の関係を断ち（分離原則），より多様化された農業開発に寄与することを意図している（農業開発のためのヨーロッパ農業基金（FEADER）の創設）。しかし，ヨーロッパ連合の東欧諸国への拡大および（なおヨーロッパ連合予算の40パーセントを占める）共通農業政策の費用に関するより根本的な改革の問題は相変わらず存在する。この政策に関する規定の再検討のための新たな会合は，2008年に予定されている。
▶Fonds structurels〔構造基金〕

Politique contractuelle 労働 **契約政策** 公企業において次第に採用されるようになってきた手法で，職員の身分規程の法規としての性格にもかかわらず，賃金および労働条件に関する協議を奨励することを目的とする。これらの協定は，その法的性格については議論があるが，労働協約に類似している。

Politique criminelle 刑法 **刑事政策** 国家が犯罪現象とたたかうため戦略を確立しようとする際に用いる，予防および処罰の手段の総体。その根底にはイデオロギー上の選択がある。

刑事政策が刑事法を利用する場合，この政策は法律を定めることによって実施されるのみならず，司法手続上，検察官が公訴を発動するに際して受ける指令によっても実施される。刑事政策は，全国レヴェルでは司法大臣によって，地方レヴェルでは法院検事長によって決定される。この場合は，しばしば politique pénale と言われる。
▷刑事手続法典30条から35条

Politique étrangère et de sécurité commune (PESC) 〖EU〗 **共通外交安全保障政策** マーストリヒト条約〔►Maastricht〕（第2構成領域）により定められた。ヨーロッパ政治協力〔►Coopération politique européenne〕の制度化であり，また，外交政策および安全保障政策に関する分野における共同行動の採用を定めることによるヨーロッパ政治協力の深化である。安全保障には《共通の防衛政策に関する将来の策定》が含まれる。アムステルダム条約は，マーストリヒト条約によって創設された仕組みを強化する規定を導入した。ヨーロッパ憲法草案においては，共通外交安全保障政策は，ヨーロッパ連合の政策とされ（構成領域の廃止），強化されていた（ヨーロッパ連合外務大臣〔►Ministre des Affaires étrangères〕の創設）。加盟国の協議が重ねられている割には成果は今までのところ期待はずれのものにとどまっている。

Pollicitant 〖民法〗 **申込者** 申込み，すなわち契約締結の確定的かつ明確な提案をなす者。

Pollicitation 〖民法〗 **申込み** ►Offre〔申込み〕

Pollution 〖一般〗 **汚染** 廃棄物（すなわち，残留性の固体，液体または気体状の廃棄物）の排出および（すぐに到達してしまう限界量を超えて使用すると土壌の肥沃度を高めた後に土壌を損なう）徹底した化学物質の使用が，土地，水域および大気に及ぼす影響。また，過度の消毒と産業廃棄物の排出に耐えることのできない若干の種類の生物（鳥，昆虫，樹木および植物）の絶滅によって自然界の均衡が崩れることもある。
►Environnement〔環境〕►Nuisances〔ニューサンス〕

Polyarchie 〖憲法〗 **ポリアーキー；多頭制** 自律的な決定機関の複数性によって特徴づけられる政治システム。このシステムでは，権力がエリートや特定の階級によって保持されるのではなく，競合する集団間で分有されるため，集団間の交渉と妥協が強いられる。

Pondération 〖国公〗 **加重制** 国際組織内において，国家に対してその事実上の重要性に比例した地位を与えることを目的とする制度（代表または票決における加重制）。

Pont 〖労働〗 **橋渡し休日** 休業日である2祝日の間にあるので例外的に休業日〔►Jours chômés〕となる就業日〔jour ouvrable〕。労働しなかった時間の報酬または埋合せ労働〔récupération〕が労働協約または事業所協定に定められていることが多い。
▷労働法典L212-2-2条

Portable（Créance） 〖民法〗 **持参（債権）** 債務者自らが債権者の住所または合意によって定められた場所において弁済を行わなければならないという債権の性質。
▷民法典1247条2項
►Quérable（créance）〔取立て（債権）〕

Port autonome 〖行政〗 **自治港** 国の財政的援助を受けて，若干の港（パリ，ストラスブール，ボルドー，ル・アーヴル，マルセイユなど）を管理すること（建築物および施設の建造，維持，利用）を任務とする公施設法人〔►Établissement public〕。このシステムの中では，商工会議所がきわめて重要な役割を演じる。

Port franc 〖財政〗 **自由港** ►Zone franche〔免税地域〕

Portefeuille 〖憲法〗 **各省大臣の職** Département ministériel〔省〕と同義。
Ministre sans portefeuille **無任所大臣**：政府の一員であるが特定の省の長ではない大臣。

Porte-fort 〖民法〗 **請合い** ►Promesse de porte-fort〔請合いの約束〕

Porte ouverte 〖国公〗 **門戸開放** ヨーロッパの植民地拡大に関連する制度であり，経済競争の自由（差別の不存在）をすべての国家の国民に保証するよう一定の国に対し課された義務のこと。この制度（今日では消滅した）は，中国，モロッコ，ベルギー領コンゴにおいて適用された。

Position dominante 〖商法〗〖刑法〗 **支配的地位** 特定の市場において，特に競争の潜在的可能性を考慮したとしても，競争者に特に配慮をすることなく行為することができる企業または企業グループの地位。
　フランス法でも共同体法でも，規制対象となるのは支配的地位それ自体ではなく，支配的地位を有する企業または企業グループの濫用的行為である。この濫用は，差別的な販売

条件，販売拒絶，または，若干の場合には従前の取引関係の破棄によって成立しうる。
▷商法典L420-2条
►Abus de domination〔支配の濫用〕

Positivisme juridique 〔一般〕**法実証主義** 法実証主義とは，実定法規範にしか価値を認めない法学説である。国家的または社会学的見地から，法実証主義は，形而上学のすべておよび自然法の考え方すべてを排斥する。

Possession 〔民法〕**占有；自主占有** 占有者〔possesseur〕が，物権を行使する意図をもちつつ，有体物に対して行使する事実上の支配。容仮占有〔►Détention〕（例：定額小作人）は，自主占有と外面的な表現形態を同じくするが，他人の権利の承認を含んでいるという意味において対置される。
▷民法典2228条以下
►《Animus》〔心素〕 ►《Corpus》〔体素〕
►Droit de propriété〔所有権〕

Possession d'état 〔民法〕**身分占有** 家族法において，一定の身分の外観であって，特に，嫡出親子関係または自然親子関係の証明に役立つものをいう。

　身分占有は，ラテン語によって示される3つの要素からなる。
　・Nomen〔家名〕：その者が，自己の占有する身分と一致する氏を称していること。
　・Tractatus〔取扱い〕：その者が，近親者（家族）によって，当該身分を有する者と考えられていること。
　・Fama〔世評〕：その者が，公衆の目から，外観上の身分を有していると見られていること。
▷民法典30-2条，310-3条，311-1条以下，317条および335条

Possessoire 〔民訴〕**占有の訴え；占有訴権**
►Action possessoire〔占有の訴え；占有訴権〕

Post-date 〔民法〕〔商法〕**先日付** 署名の日付よりも後の日付を書面に付するという錯誤または詐欺。
►Antidate〔後日付〕

Poste de travail 〔労働〕**持ち場** 一定の職業資格〔qualification professionnelle〕に対応する仕事の総体であって，組織図すなわち企業の労働組織において多かれ少なかれ明確に位置づけられているもの。広義においては，破毀院はときに，とりわけ期間の定めのある契約の領域において，持ち場を職〔emoloi〕と同一視している。
▷労働法典L122-3-11条
►Emoloi〔雇用〕 ►Qualification professionnelle〔職業資格〕

Post-glossateurs 〔一般〕**後期註釈学派；助言学派** 14世紀に北部イタリアにおいて註釈学派〔École des Glossateurs〕を継承した，ローマ法学者からなる学派。
►Glossateurs〔註釈学派〕

Postulation 〔民訴〕**代訴** 代訴とは，依頼人の代理人である弁護士または（控訴審では）代訴士が，訴訟に必要な手続文書を依頼人のために作成し，訴訟手続きを展開させることである。
▷新民事手続法典411条
►Assistance〔扶助；保佐〕 ►Représentation〔代理；代襲〕

Potestatif 〔民法〕**随意の** 偶然ではなく人の意思に依拠するものについていわれる。fortuit〔偶然の〕と対置される。
▷民法典1174条

Pourboire 〔労働〕**チップ** 労働者が職務を遂行する際に，使用者の顧客たる第三者が労働者に与える金銭。チップは，賃金の構成要素とされる傾向にある。

Poursuite 〔刑訴〕**訴追** 検察官，一定の行政庁または犯罪の被害者が，管轄権限を有する刑事裁判所に提訴し，被告人の有罪判決を求める行為の総体。
►Acte de poursuite〔訴追行為〕

Poursuites (Actes de) 〔財政〕**強制徴収** 租税を強制的に徴収する場合に強制執行〔►Voies d'exécution〕の単なる同義語として用いられる語。用例：《租税滞納者を相手取って強制徴収を行う》。

Poursuite disciplinaire 〔行政〕〔民訴〕〔刑訴〕**懲戒訴追** 職業倫理規範に違反した公務員，司法官または規制された自由職業者の構成員に対して提起される訴え。
►Déontologie〔職業倫理〕
　懲戒訴追は，通常犯罪の結果として行われることもある。その犯罪の実行者の信用および品行が問題とされる場合である。
►Pouvoir disciplinaire〔懲戒権〕

Pourvoi en cassation 〔民訴〕〔刑訴〕**破毀申立て** 終審判決に対する不服申立て。法律違反，越権，無管轄，手続きの不遵守，法的基礎の欠如，判決間の矛盾，法的基礎の喪失を理由として，破毀院に提訴される。
▷司法組織法典L411-2条；新民事手続法典

604条；刑事手続法典567条以下

[行政] **破毀申立て** 最終審として行政裁判所がなした判決に対する申立て。コンセイユ・デタに提起される。

破毀申立ては，越権訴訟〔recours pour excès de pouvoir〕の4つの提訴事由の1つを根拠にすることができるが，権限濫用は除かれる。

►Recours〔争訟〕

Pourvoi incident [民訴] **付帯の破毀申立て** 主たる破毀申立て〔pourvoi principal〕の被申立人によってなされる破毀の申立て。被申立人が答弁書を提出するため認められる2ヵ月の期間内に提起されなければならない。付帯控訴と同じ規定に従う。

►Appel incident〔付帯控訴〕
▷新民事手続法典614条および1010条

Pourvoi dans l'intérêt de la loi [民訴] **法の利益のための破毀申立て** 破毀院検事長（または，行政訴訟に関する権限を有する大臣）が，自らの発意により，現行法令あるいは訴訟手続きの諸形式に反していると思われるにもかかわらず当事者によって攻撃されていない終局判決に対してなす破毀申立て。破毀申立てが認容された場合，破毀は，当事者間においては破毀の対象となった判決を存続させ，同一の状況に関して将来に向かってしか効果を有しない。

▷新民事手続法典618-1条

Pourvoi sur ordre du Ministre de la Justice [一般] **司法大臣の命令に基づく取消しの申立て** 民事手続上の越権となる行為に対して，または刑事手続上の行為に対して，司法大臣の命令に基づいて破毀院検事長が行う取消しの申立て。この申立ては，前者の場合には当事者に対して効果を生じるが，後者の場合には有責判決を受けた者を害することはない。

▷刑事手続法典620条

Pourvoi provoqué [民訴] **（主たる破毀申立てにより）挑発される破毀申立て** 破毀申立ての相手方とされなかった当事者によって提起される付帯の破毀申立て〔►Pourvoi incident〕。（破毀申立ての）被申立人が答弁書の提出のため認められている2ヵ月の期間内に提起されなければならない。主たる控訴により挑発される控訴〔►Appel provoqué par l'appel principal〕と同じ規定に従う。

Pourvoi en révision [刑訴] **再審の申立て**
►Révision〔再審〕

Pouvoir [民法] **権限** 権限とは，ある者が他の公人または私人を支配することを可能にする（政治的委任，親権，後見），または，ある者が他者の財産をその者の計算において管理することを可能にする（会社の経営者，法定代理，裁判上の代理，契約による代理）権利である。

►Fonction〔職務〕

[民訴] **代理権** 法人または訴訟無能力者の名においてかつその者のために訴えを提起する権能。例えば，後見人は，許可なく，未成年者の財産権に関する訴えを提起することが可能である。

代理権のないことは，訴訟行為の有効性に影響する重大な瑕疵を構成する。

▷民法典464条；新民事手続法典117条

訴訟手続きの開始と遂行を委ねる《訴権》代理権〔pouvoir《ad agendum》〕の他に，当事者が自己の訴訟手続きで，裁判補助者〔auxiliaire de justice〕に，自己を代理し補佐する任務を委ねる《訴訟》代理権〔pouvoir《ad litem》〕が存する。

▷新民事手続法典411条以下

►Assistance des plaideurs〔訴訟当事者の補佐〕►Représentation en justice des plaideurs〔訴訟当事者の裁判上の代理〕

Pouvoirs du chef d'entreprise [労働] **企業長の権限** 労働法は，企業長に3つの権限を認めている。すなわち，規則制定権〔pouvoir réglementaire〕，懲戒権〔pouvoir disciplinaire〕，指揮命令権〔pouvoir de direction〕である。規則制定権は，その企業の就業規則を作成する権限である。懲戒権は，労働者が労働給付を履行する際に犯した非行に制裁を科す権限である。指揮命令権は，現行の法制度，労働協約，就業規則および労働契約の規定が定める範囲内で，企業の正常な運営に必要な措置をとる権限である。

▷労働法典L122-33条以下およびL122-40条以下

Pouvoir constituant [憲法] **憲法制定権力** 憲法典を制定または変更することのできる権力。

①*Pouvoir constituant originaire* 始源的憲法制定権力：憲法典をもたない国家（新国家）または憲法典を失った国家（革命後の国家）に憲法典を与えるために無条件で行使される憲法制定権力。

②*Pouvoir constituant dérivé, Pouvoir constituant institué* 派生的憲法制定権力，

制度化された憲法制定権力：憲法典の定める規範に従って，すでに施行されている憲法典の改正に適用される憲法制定権力。

Pouvoir disciplinaire 行政 訴訟 **懲戒権** 若干の行政機関に認められた，制裁を科する多かれ少なかれ広い権限であり，階層上従属的な公務員，地方公共団体の機関，または公役務の協力者もしくは利用者に対して及ぶ。

その例として，官吏および司法官に適用される制度が挙げられる。

官吏〔fonctionnaires〕の場合：懲戒権は，原則として任命権を付与された機関に帰属し，同数懲戒委員会（職員の代表および国の行政機関もしくは地方公共団体の代表）の意見を聴いた後に行われる。国家公務員の懲戒処分には次のものがある。譴責，戒告，昇進表からの除外，等級の格下げ，15日間の停職，配置転換，降格，6ヵ月以上2年以下の停職，強制退職，罷免。

司法官〔magistrats〕の場合

・裁判官〔magistrats du siège〕の場合：破毀院の院長が主宰する司法官職高等評議会に対する懲戒の申立て：身上書への記入を伴う譴責，配置転換，若干の任務剥奪，等級の格下げ，降格，強制退職，年金の付かない罷免。

・検察官〔magistrats du parquet〕の場合：懲戒権は司法大臣に帰属する。司法大臣は，検察官について権限を有する，破毀院付法院検事長により主宰される，司法官職高等評議会の構成体の意見を求めなければならない。制裁は，裁判官に関するものと同様である。

きわめて厳格な懲戒制度が，同じく自由職業者および裁判所補助吏にも存在する。その例として，弁護士および裁判所補助吏に対する懲戒制度が挙げられる。

労働 **懲戒権** 企業について，1982年8月4日の法律は，企業長の懲戒権の行使の方法とそれに対する規制とを定めた。すなわち，以前の懲戒権〔pouvoir disciplinaire〕に代わって懲戒法〔droit disciplinaire〕が生まれたのである。

▷労働法典L122-40条以下

Pouvoir discrétionnaire, Pouvoir lié 行政 **裁量権限，羈束権限** 取るべき措置の適不適〔opportunité〕およびその内容について判断する際に，行政に認められる自由が大きいか小さいかによって行政の権限について行われる分類。

①Pouvoir lié〔羈束権限〕：法定の要件が満たされたときに一定の行為をとることを行政が義務づけられる場合は，行政権限は《羈束》されている。

②Pouvoir discrétionnaire〔裁量権限〕：法定の要件が充足しても行政が行為するか否かの自由を与えられている場合は，行政権限は《裁量》となる。この場合でも，事実関係に対する行為の適合性は別として，行為の適法性の要件に対する裁判官の審査は排除されるわけではない。

▶Directives〔裁量基準〕

Pouvoirs exceptionnels 憲法 **非常事態権限** 特別重大な状況が発生した場合に，1958年憲法典(16条)が共和国大統領に認めている強力な権限。この権限は，緊急事態は例外的な憲法を必要とし正当化する，という考えに基づいている。共和国大統領だけが，16条の発動および適用期間について判断する権限を有する。共和国大統領は，大臣の副署なしに，《事態にとって必要な措置》をとる。ただし，共和国大統領は，国民議会を解散することと，憲法典を改正することはできない。

Pouvoir hiérarchique 行政 **階層的権限** 下位機関の行為に関して上位機関に帰属する権限であり，伝統的には，訓令権〔▶Instruction (pouvoir d')の①〕，変更権（取消しまたは是正）および職務代行権が含まれるが，実際の範囲は必ずしも同一ではない。

Pouvoirs implicites 国公 **黙示的権限** 国際組織の設立文書に明示の規定はないが，その組織の任務を実効的に遂行するために必要であるかぎり黙示的に与えられているとして，その組織に認められるべき権限。

Pouvoir individualisé 憲法 **個人化された権力** 保持者と同一化し，その者とともに消滅する権力。

この類型の権力は，国家形成に先立つ社会の発展段階に対応する。

Pouvoir institutionnalisé 憲法 **制度化された権力** 統治者の人格から分離され，安定した常設の法的制度に移転した権力。この場合，統治者は，当該制度の一時的な担当者にすぎない。

国家権力はこの類型に属する。

Pouvoir lié 行政 **羈束権限** ▶Pouvoir discrétionnaire, Pouvoir lié〔裁量権限，羈束権限〕

Pouvoir politique 憲法 **政治権力** 政治社会という枠組の中で行使される権力。

▶Société politique〔政治社会〕

Pouvoirs publics 憲法 行政 公権力；公的機関 国家機関を指すためにしばしば使われる用語であるが，その法的内容はかなり不明確である．ときに，地方公共団体の機関を指すこともある．この意味で，autorités publiquesという用語も使われるが，この語はさらに広い意味内容をもつように思われる．

Pouvoir réglementaire 憲法 行政 行政立法権 国会〔►Parlement〕に属し，法律〔►Loi〕を表決する権限を与える立法権との対比で，国（原則として首相），地方公共団体〔►Collectivités territoriales〕（審議決定機関，執行機関）またはその他の機関（そのために明示的に授権されている場合には時として私法上の機関）に属し，一般的かつ不特定者に向けた適用範囲を有するさまざまな名称の行為をなす権限のことをいう．これらの行為は行政的性質のものであり，したがって，行政裁判所の審査に服するという共通の特徴を示す．
▷憲法典21条および72条
 ►Autorités administratives indépendantes〔独立行政機関〕►Conseil d'État〔コンセイユ・デタ〕►Cour administrative d'appel〔行政控訴院〕►Règlement〔行政立法；命令〕►Tribunal administratif〔地方行政裁判所〕〕

Pratiques anticoncurrentielles 商法 刑法 反競争行為 ►Abus de domination〔支配の濫用〕►Entente〔カルテル；協定〕

Pratiques discriminatoires 商法 差別行為 他の顧客に対するのとは異なる価格その他の商品または役務の供給条件を，取引の相手方に対して実施すること．ただし，顧客間の取扱いの相違について正当な理由がある場合を除く．
　これらの差別は，それに同意した者またはそれを得た者の民事責任を発生させる．
▷商法典L442-6条

Pratiques restrictives de concurrence 商法 刑法 競争制限行為 競争を制限するものとみなされ，それゆえ市場に対する実際の影響とはかかわりなく禁止される行為．犯罪とされる場合と，民事責任を生じさせるにすぎない場合とがある．競争制限行為とは反対に，制裁される反競争行為〔►Pratiques anticoncurrentielles〕は，競争を歪めることを目的としまたはそのような効果を生ずる場合にだけ，規制の対象となる．
▷商法典L442-1条以下
►Pratiques discriminatoires〔差別行為〕

►Prix imposé〔価格拘束〕►Vente à prime〔景品付販売〕

Préalable 行政 先決すべき ►Privilège du préalable〔予先的特権〕►Question préalable〔先決問題〕

Préambule 憲法 前文 ►Déclaration des droits〔権利宣言〕
国公 前文 条約の序の部分．本文の前に置かれ，また特に締結国の列挙，締結理由，条約の目的を含む．

Préavis 労働 解約予告期間 ►Délai-congé〔解約予告期間〕

Préavis de grève 労働 ストライキ予告期間 ストライキを行う決定と労働の停止との間の警告期間．ストライキ予告期間は，公役務においては，義務づけられている．
▷労働法典L521-3条

Précatif 民法 希望的 願望としての価値を有し，それゆえ拘束力をもたないこと．►Vœu〔要請〕

Précédent 一般 先例 以前に同様の訴訟において示された判断．準拠として援用される．ときに，特にコモン・ロー〔common law〕諸国においては，先例は拘束力を有する．

Préciput 民法 先取権；先取分 夫婦財産制に関しては，夫婦財産契約によって生存配偶者に認められる権利であって，財産の分割に先立って，一定の金額であれ，一定の財産を現物でであれ，特定の性質の財産の一定量であれ，共通財産から先取りする権利．
　無償譲与に関しては，受益者たる相続権者が処分可能分を限度として留保することのできる，相続財産への持戻しを免除された贈与に対して適用される．現在では，《par préciput》および《préciputaire》という用語は《hors part successorale》という表現によって置き代えられている．いずれの表現も，《持戻し免除先取分として》の意である．
▷民法典843条以下，1078-1条，1078-2条および1515条以下

Précarité 民法 容仮占有 容仮占有とは，なされている行為を正当化するような物権の名義人として行動する意図なしに物理的な支配がなされている場合に，その者によって有体物に対してなされている所持をいう．
▷民法典2236条および2283条
►Détention〔所持；容仮占有〕

Précarité de l'emploi 労働 雇用の不安定性 この語句は，継続的労働には従事していな

い，または，その労働契約の期間が短い労働者の地位(パート労働，臨時雇い労働〔travail occasionnel〕，期間の定めのある労働契約，臨時労働〔intérim〕その他)。

Précaution (Principe de) 行政 一般 **予防（原則）** 《その時の科学技術上の知見から判断して確証を欠くことを理由に，環境に対する重大かつ不可逆的な損害リスクを受入可能な費用で防止することを目的とする効果的かつ比例した措置を遅らせてはならない》という環境法に由来する原則。この原則は，法的拘束力を有する原則となるに至ったが，その正確な法的性質および適用範囲は依然として定まっていない。

広義では，とくに人，動物および植物の健康に関する公的決定を方向づける原則を意味する。この原則によれば，リスクの実在に関する科学的確証を欠くことを理由に，リスクを有していることを疑われる若干の生産物（例えば，遺伝子組換体〔organismes génétiquement modifiés〕）の輸入禁止のようなリスクの顕現を防ぐための合理的な防止措置をとることを妨げてはならない。ヨーロッパ連合〔►Union européenne〕の多くの貿易相手国および世界貿易機関〔►Organisation mondiale du commerce〕は，保護貿易を偽装する手段とみなしているため，この考え方に反対している。

▷環境憲章5条；農事法典L200-1条；環境法典L110-1条

Précompte 労働 **社会保険料の控除** 社会保障の労働者負担の保険料を支払うために使用者が行う賃金からの控除。►Salaire〔賃金〕

Préemption (Droit de) 行政 **先買（権）** 若干の場合に，行政庁，および公役務の任務〔mission de service public〕を遂行する若干の私法上の組織に認められる権利であり，財産の有償譲渡に際し他のすべての買主に優先してその所有権を取得できるもの。

▷都市計画法典L210-1条以下（都市計画法上の先買権）

►Société d'aménagement foncier et d'établissement rural (SAFER)〔土地整備農地創設会社〕

Préférences généralisées 国公 **一般特恵** 国連貿易開発会議〔►Conférence des Nations Unies pour le Commerce et le Développement (CNUCED)〕により行われ，1970年代に発展した。これは，発展途上国の輸出に利するよう，先進国が非相互的に関税上の利益を与えるものである。

Préfet 行政 **県知事** 県知事は，県における国の権限の唯一の受任者で，中央政府の裁量的決定に従う立場にある。その数多い職務のなかでも，次のようなものが重要である。県知事は，首相および各大臣を代表する。若干の場合を除き，県内の国の出先機関〔►Services déconcentrés de l'Etat〕の全体に関して強い権限を有する。県内の地方公共団体の適法性の監督〔►Contrôle de légalité〕を行う。

Préfet de région 行政 **州知事** 州〔►Région〕の州庁所在地において職務を行う県知事。もともと配属された県における県知事〔►Préfet〕としての権限に加えて，州において国を代表し，州に対して適法性の監督〔►Légalité (Contrôle de)〕を行使し，さらに権限が複数の県にまたがる国の出先機関に対して強い権限を有する。州知事は州経済開発，国土整備，および，国自身が実施または国が財政援助を行う投資に関して特別な権限を有する。州知事は，その権限を行使する際に，諮問の形式で州行政委員会〔►Comité de l'administration régionale (CAR)〕により補佐される。

Préjudice 民法 社保 **損害** ある者が，第三者の所為によって被った財産的損害（財産の喪失，職業的地位の喪失など）または精神的損害（苦痛，体面についての損害，私生活についての損害）。

▷民法典1149条以下，1382条以下

►Dommage〔損害〕

Préjudice d'agrément 民法 社保 **生の享受についての損害** かつては，スポーツ，芸術，社会または社交における満足感を奪われたことから生じた損害と定義された。「日常の」〔ordinaire〕生活から派生する活動にもたらされた損害はそこから除かれており，この損害は永続的不能〔incapacité permanente〕の名義で補償されていた。1973年12月27日の法律第1200号以降，生の享受についての損害は，特に，生を享受する「通常の」〔normal〕活動にふけることが不可能または困難であるために生じる，人生の楽しみの減少としてより広く理解されており，永続的不能も単なる一時的不能も含まれている。

▷社会保障法典L452-3条

►Préjudices de caractère personnel〔人的な性質を有する損害〕

Préjudice de (Sans) 一般 **～を妨げずに**

Pré

►Sans préjudice de〔～を妨げずに〕

Préjudices de caractère personnel 民法 社保 **人的な性質を有する損害** 肉体的苦痛または精神的苦痛（►Pretium doloris〔慰藉料〕）に起因する損害，生の享受についての損害〔►Préjudice d'agrément〕および美的損害〔►Préjudice esthétique〕を包含する表現。

1973年12月27日の法律第1200号以降，第三者が被保険者に対して事故を引き起こした場合における社会保障金庫の求償訴権は，上述のさまざまな損害に相当する補償，すなわち，人的な性質を有する損害に対する補償の部分についてはもはや行使することができなくなった。その結果，これらの損害は，特に永続的一部労働不能に対する補償と区別して，個別的に評価されなければならない。

▷社会保障法典L376-1条およびL452-3条

Préjudice esthétique 民法 社保 **美的損害** 事故の被害者の容姿に醜さが残存したことに基づく損害（傷痕，ゆがみ，切断）。

►Préjudice de caractère personnel〔人的な性質を有する損害〕

Préjudice au principal 民訴 **本案の先行判断** 急速審理裁判官が本案を審理するとき，本案の先行判断が存する。急速審理命令はかつて，本案を先行判断することができなかった。この表現は削除され，新民事手続法典は単に《いかなる実質的な争いにも直面しない措置》と規定するのみである。

▷新民事手続法典484条，808条，872条および956条

Préjudiciel 民訴 **判断を付託すべき** ►Question préjudicielle〔判断付託問題〕

Prélèvement 民法 **先取り** すべての分割に先立ち，不分割財産体上の，自己に支払われるべきものと引換えに，そこから一定の財産を取得する作用。

▷民法典815-17条および1470条

Prélèvements agricoles EU **農業課徴金** ヨーロッパ経済共同体の共通農業政策の要素。世界の相場より高い価格を人為的に維持しながら，この政策の適用範囲に入る生産物の卸売業者がヨーロッパの生産者から優先的に買い入れるようにするためのもの。

技術的には，課徴金は，絶えず変動する関税といえるもので，毎日ブリュッセルの共同体機関から通告される計算の基礎に応じて変化する。農業課徴金は，域外国からの輸入か共同市場加盟国からのものかによってそれぞれ異なる率で関税・間接税総局が徴収し，その後共同体の予算に組み込まれる。

Prélèvement CECA EU **ヨーロッパ石炭鉄鋼共同体賦課金** ヨーロッパ石炭鉄鋼共同体の存続期間中に，加盟国の石炭業界および鉄鋼業界からヨーロッパ石炭鉄鋼共同体が徴収していた税。

►Communautés européennes〔ヨーロッパ共同体〕

Prélèvement externe 刑訴 **体外採取** 捜査の枠内において司法警察員がすべての証人または（予審判事）取調対象者に対して，体内への関与を伴わない体外採取を行いまたは自己の統制のもとにこれを行わせること。すでに採取された痕跡および徴憑との専門的かつ科学的な照合検査を行うために捜査上必要とされる場合に限る。この要求に対する拒否は，刑罰により制裁される。

▷刑事手続法典55-1条および706-56条

Prélèvement libératoire 財政 **分離課税** 定率で源泉徴収される租税。納税義務者の選択によって，所得に対する累進課税の代わりになるもので，若干の所得（債権のような投資の収益で，所得の固定したもの）に対する課税を軽減することを目的とする。

▷租税一般法典125条A

Prélèvements obligatoires 財政 **強制徴収金** フランスにおいて，国，地方公共団体〔►Collectivités territoriales〕およびヨーロッパ連合〔►Union européenne〕のために徴収される租税，ならびに，社会保障〔►Sécurité sociale〕機関に実際に払い込まれる義務的社会保険料をあわせて示すために用いられる表現。

Prélèvement d'organes 民法 **臓器摘出** 臓器摘出（および移植）は国民的関心事である。自己の臓器を提供しようとする現に生きている人からの摘出は，提供を受ける者の治療上の直接的利益のためでなければ行われることはできない。臓器提供者は，通常，提供を受ける者の父または母でなければならない。この原則に対する例外は次の場合認めら得ている。すなわち，提供を受ける者の配偶者，兄弟姉妹，子，孫，おじ・おば，本いとこ，父または母の配偶者，ならびに，提供者と提供を受ける者の間に少なくとも2年間の共同生活のある場合。

▷公衆衛生法典L1231-1条

Préméditation 刑法 **予謀** 熟慮された犯罪遂

行の計画から生じる，一定の重罪または軽罪についての加重事情。予謀は，意思があらかじめ存在していたのみならず，行為の実現まで意思が継続したことを意味する。
▷刑法典132-72条

Premier ministre 〔憲法〕 **首相；内閣総理大臣** 若干の国（フランス，イギリス）において政府の長に与えられる名称。

他の呼称として，Président du Conseil（第三，第四共和制），Chancelier（ドイツ連邦共和国）がある。長い間，《同輩中の首席》であったが，首相は今日，首相固有の権限を有している。

Premier président, Président de chambre, Président, Vice-président 〔民訴〕〔刑訴〕**院長，部長，所長，部長** 院長〔premier président〕は，破毀院または控訴院の長たる地位にいる裁判官である。これらの裁判所の各部にはその長に部長〔président de chambre〕がいる。

大審裁判所の長には裁判所所長〔président〕が配置される。各部は第一部長〔premier vice-président〕または部長〔vice-président〕によって主宰される。
▷司法組織法典L213-1条，L311-7条およびR311-16条以下

Premier ressort 〔民訴〕 **第一審；始審** ►Jugement en premier ressort〔第一審判決；始審判決〕►Ressort〔管轄；審級；管轄区域〕

Preneur 〔民法〕 **賃借人** ►Locataire〔賃借人〕

Prénom 〔民法〕 **名** 同じ家族の構成員または同一の家族名（すなわち氏）をもつ者を区別するための言葉。

名は，父母によって自由に選択されうるが，家族事件裁判官（JAF）の監督に服する。家族事件裁判官は，名の選択が子の利益に合致しない，または，他人が有する，家族名（すなわち氏）を保護される権利を無視していると判断することができる。家族事件裁判官は，身分吏からの警告を受けた共和国検事によって訴えを提起される。
▷民法典57条および60条
►Nom〔名称；氏〕►Patronyme〔氏〕
►Pseudonyme〔仮名〕►Surnom〔添名〕

Préparatoire 〔民訴〕 **準備の** 証拠調べを命じる先行判決について用いられる形容。中間判決〔jugement interlocutoire〕とは異なり，本案を予断するものではない。
►Jugement avant dire droit〔先行判決〕

Préposé 〔民法〕 **受託者** commettantと呼ばれる者の指示に従って行動する者。
▷民法典1384条5項
►Commettant〔委託者〕

Préretraite 〔労働〕 **早期引退** 引退年齢に近い労働者が，企業の経済的困難のゆえに雇用を奪われるものの，引退年齢まで代替収入を受け取る状態。この代替収入は，国家，企業，労働者自身によって財源調達される。早期引退には，企業と国立雇用基金〔►Fonds national de l'emploi〕との間の協定が必要である。
▷労働法典L322-4条

Prérogatives, Charges 〔民法〕 **権利，負担** 主観的なものであろうと客観的なものであろうと，すべての法的地位には，ある一定の権利と負担とが混在している。法的地位が主観的な性質を有しているときには，通常，権利は負担に優越している。反対に，客観的な法的地位においては，負担は権利に優越している。

Prescription de l'action publique 〔刑訴〕 **公訴時効** 一定期間（重罪については10年，軽罪は3年，違警罪は1年）が経過したことにより，公訴権が消滅し，まったく訴追が不可能となるという原則。

ときにこれより長い（例えば重罪であるテロ犯罪については30年），ときにこれより短い（例えば軽罪である出版犯罪については3ヵ月）特別の時効期間もある。
▷刑事手続法典7条，8条および9条

Prescription civile 〔民法〕 **民事時効** 一定の期間の経過による法的地位の安定化。

時効は，期間の経過が事実上の権利を行使する者に物権を取得させる効果を有する場合には，取得時効〔prescription acquisitive〕である（usucapionとも呼ばれる）。権利の名義人が長い間行為しなかったことに基づき物権または債権を消滅させる場合には，消滅時効〔prescription extinctive〕である（prescription libératoireとも呼ばれる）。
▷民法典2219条，2229条以下および2262条以下
►Intervertion de la prescription〔時効の転換〕►Usucapion〔取得時効〕

Prescription de la peine 〔刑法〕 **刑の時効** 法律に定められた一定の期間（重罪については20年，軽罪については5年，違警罪については2年），刑の執行が行われなかった場合，もはやまったく刑罰を科すことはできなくなる

という原則。

この期間は，有罪判決が確定した日から進行し，停止すること（例えば，執行猶予）または中断すること（刑の執行）がある。

▷刑法典133-2条，133-3条および133-4条

Prescription quadriennale 財政 **4年の消滅時効** 公法人の大部分に特有の消滅時効であり，債務発生の年の翌年1月1日から4年の期間が経過することにより成立する。

Préséance 国公 **上席権** ▶Rang diplomatique〔外交席次〕

Présents d'usage 民法 **慣例の贈り物** 人生における重要な出来事（婚姻，誕生日など）があった時になされる贈り物。これは，無償譲与をなす者の財産状態からみて過剰であるとみられるものであってはならない。このように定義される慣例上の贈り物は，贈与に関する規則，特に，相続人間の平等のための持戻しおよび課税を免れる。

▷民法典852条

Président directeur général 商法 **PDG；社長**
▶Président du conseil d'administration〔社長；取締役会会長〕

Président du conseil d'administration 商法 **取締役会会長** 株式会社の取締役会がその構成員のなかから選任する自然人。取締役会会長は，原則として，自己の責任において，ただし法律および会社の目的によって定められた限度内で，会社の全般的な指揮を担う任務を負う。1人または2人の執行役員〔directeur général〕の補佐を受けることもできる。

それにもかかわらず，定款が定める場合には，取締役会会長の任務が取締役会の主宰のみにとどまることがある。その場合には，1人の執行役員が会社の指揮を担う。

▷商法典L225-51条およびL225-51-1条

Président de la République 憲法 **共和国大統領** 共和制国家における国家元首の称号。

Présidentialisme 憲法 **大統領中心主義** 大統領に似て非なるもので，大統領の強力な主導権（ときとして独裁制に近似する）および議会の相関的な地位低下からなり，権力の均衡を崩す効果をもっている。南アメリカおよびアフリカの多くの国が採っている体制。

Présidium 憲法 **ソヴィエト連邦最高会議幹部会** かつてのソヴィエト連邦独自の機構であって，ソヴィエト連邦最高会議によって選出される。ソヴィエト連邦最高会議幹部会は，合議制の機構として国家元首の職務を行うと同時に，ソヴィエト連邦最高会議の閉会中に，同会議の代理機関としての職務を行う。

歴代の党書記長に対して，その権威を主張することはできなかった。

Présomption 民法 **推定** ある事実の証明から他の証明されていない事実を帰納する法的推論方法。推定は，特定の場合において，裁判官自身が完全に自由にこの帰納による推論を行うとき，人による推定〔présomption de l'homme〕または裁判官による推定〔présomption du juge〕と呼ばれる。すなわち，この推定は，証人による証明が認められる場合でなければ許されない。

立法者自身が，ある証明された事実から証明〔▶Preuve〕がなされていない他の事実を引き出している場合には，法律上の推定〔présomption légale〕，すなわちつねに成立する推定である。法律上の推定は，その推定を反対の証明によって反駁することができる場合には，単純推定〔présomption simple〕である。覆しえないものである場合には，覆しえない推定〔présomption irréfragable〕または絶対的推定〔présomption absolue〕と呼ばれる。

反対の証明が立法者によって規制され，証明の方法または対象が制限されている場合，その推定は混合推定〔présomption mixte〕と呼ばれる。

▷民法典1350条以下

単純推定は，〈juris tantum〉とも呼ばれ，覆しえない推定は，〈juris et de jure〉というラテン語の表現で表されることがある。

Présomption d'imputabilité 社保 **帰責性の推定** 労働災害においては，事故は労働に起因するものとされ，損害はその事故に起因するものとされる原則。労働災害における帰責性の推定は単なる推定であって反対の証明によって覆される。

▷社会保障法典L411-1条

Présomption d'innocence 刑訴 **無罪の推定** 刑事法の分野で，訴追される者はすべて管轄権限を有する裁判所が有罪を宣告しない限りは，被疑事実について無罪だとする原則。無罪の推定は，1789年人権宣言に含まれ，このため憲法的価値を有する。特に疑わしきは予審対象者・被告人の有利になるという効果がある。従来，予審対象者・被告人の裁判上の保護を組織していた民法典において認められていたこの原則は，今日，刑事手続法典の冒

頭に置かれた条文において厳粛に表明されている。
▷民法典9-1条；刑事手続法典前加条3節

Présomption de paternité 民法 **父子関係の推定** ►《 Pater is est quam nuptiae demonstrant 》〔父とは婚姻が示す者である〕

Prestataire de services d'investissement 商法 **投資事業者** 1996年7月2日の法律によって認められた投資事業者は，唯一，金融手段（とくに資本証券および債権証券）に関わる投資業務を提供する資格を付与され，とくに第三者の計算において指図を受け，伝達し，かつ実行することができる。

投資事業者は，したがって，かつての取引所会員会社〔société de bourse〕に代わるものである。

Prestation(s) 民法 **給付** ある債務〔►Obligation〕の債務者によってなされるべきこと。例えば，商品を引き渡すこと，家具を製造すること，金銭を払い込むこと，助言を与えること，建築を施工すること。
►Créance〔債権〕►Dette〔債務；負債〕

社保 **給付** 現物給付〔prestations en nature〕と金銭給付〔prestations en espèces〕とが区別される。現物給付とは，外科的治療，内科的治療，医薬品，人工器具装着，分析検査の費用の一部または全部を償還することである。金銭給付とは，労働不能から生ずる賃金の喪失を補償することである。金銭給付には，例えば，一時的労働不能の場合の休業補償手当〔indemnité journalière〕，永続的労働不能の場合の年金がある。また，拠出制の給付〔prestations contributives〕と非拠出制の給付〔prestations non contributives〕とが区別される。拠出制の給付とは，保険料の対償として支給される給付（例えば，老齢年金）である。非拠出制の給付とは，保険料をまったく負担していないか不十分にしか負担していない人に支給される給付である。非拠出制の給付には，例えば，老齢労働者手当〔►Allocation aux vieux travailleurs salariés〕がある。

Prestation d'accueil du jeune enfant 社保 **幼児受入手当** 2004年1月1日以降に生まれ，または養子縁組したすべての児童についての，これまでの幼児関連手当のすべて（乳幼児手当，認可自宅保育婦雇用手当，自宅育児手当，養育親手当，養子縁組手当）を統合した手当。この手当には，妊娠7ヵ月中に支給される出産手当，出産または養子縁組から児童の3歳の誕生日まで支給される基礎手当，および児童の6歳に至るまで支給される，職業活動養育態様自由選択補足手当が含まれる。
▷社会保障法典L531-1条

Prestation compensatoire 民法 **補償給付** 婚姻の解消が離婚した夫婦の各生活状況に作り出した不均衡をできる限り埋め合わせることを目的として分与される元本。補償給付は，金銭の払込み，または，財産の所有権もしくは一時的もしくは終身的な使用権，居住権もしくは用益権の分与の形式で与えられる。

例外として，債権者が年齢または健康状態のゆえに自分の用が足せない場合，裁判官は補償給付の額を終身定期金の形式で決定することができる。
▷民法典270条以下；新民事手続法典1079条および1080条

Prêt 民法 **貸借** 現物でまたは価値的に返還することを条件に，当事者の一方（貸主〔prêteur〕）が他方（借主〔emprunteur〕）にある物を自由に使用させる契約。

消費貸借は，《mutuum》と呼ばれる。
使用貸借は，《commodat》と呼ばれる。
▷民法典1874条
►《Mutuum》〔消費貸借〕►《Commodat》〔使用貸借〕

Prêt viager hypothécaire 民法 **抵当権付終身消費貸借** 与信機関または金融機関が自然人に対し資金または定期金支払いの形で与える貸借であって，もっぱら住居として使用される借主の不動産上に設定される抵当権によって担保されるもの。その元本および利息の返還は，借主の死亡の際に，または，抵当不動産の所有権の譲渡もしくは分肢化〔démembrement〕が借主の死亡前に行われたときはその際にはじめて請求可能となる。

この契約は，住居の所有者すべてに対し，生前の金銭的負担なく与信を受けることを可能にする。返還責任が相続財産に帰することに加え，借主に支払われる金額は非課税所得とされるからである。
▷民法典2432条および2434条；消費法典L314-1条以下

Prête-nom 民法 **名義貸人** 自分自身のために行為したかのようにその名が契約書に記載される者。しかしながら，実際には，他者の受任者としてしか関与しておらず，契約の相手方はその名義貸与を知らない。►Simulation

〔虚偽表示〕

Prétentions nouvelles 民訴 **新たな申立て**
第一審裁判官に提出されていない申立て。原判決を変更するという控訴の性格に反するため，控訴院においても受理されない。ただし，相殺を主張するとき，相手方の申立てを退けさせるとき，または第三者の参加，（新たな）事実の発生もしくは顕現から生じる問題を判断させるときはこの限りでない。

▷新民事手続法典564条

► Demande nouvelle〔新たな訴え（請求）〕

Prétentions des plaideurs 民訴 **訴訟当事者の申立て** 訴訟当事者が裁判官に委ねた事実問題および法律問題。原告にとっては訴訟手続開始書〔acte introductif d'instance〕，被告にとっては答弁書〔抗弁，訴訟不受理事由，否認〕によって定まる。これらの申立ては，付帯の請求が主たる請求と十分な関連性を有する場合には，付帯の請求によって変更されうる。

申立ては訴訟の目的〔objet du litige〕を形成し，裁判所への係属の範囲を限定する。これにより第一審の裁判所には，請求されたことすべてについて，かつ，請求されたことのみについて判断する義務が生じ，第二審の裁判所には，新たな請求について判断することが禁止される。

▷新民事手続法典4条および5条

► Demande nouvelle〔新たな訴え（請求）〕
► Objet〔目的〕► 《Petita》〔請求〕► Prétentions nouvelles〔新たな申立て〕

Pretium doloris 民法 社保 **慰藉料** 言葉の本来の意味は，《苦痛の代価》〔prix de la douleur〕である。1977年9月15日の司法大臣の通達が，《苦痛に対する賠償》〔l'indemnisation des souffrances〕を《pretium dolois》と呼ぶように勧めた。慰藉料は，裁判所によって，事故または犯罪行為の被害者またはその近親者が被った肉体的もしくは精神的苦痛の賠償として認められている損害賠償に等しい。

第三者が被保険加入者に引き起こしたこのような苦痛から生じる損害を補償するための補償金は，1973年12月27日の法律第1200号以降，法律によって創設された，人的性質を有する損害に対する補償金〔► Indemnité de caractère personnel〕の構成要素のひとつである。慰藉料は，傷の固定後の苦痛だけでなく，固定前の苦痛をも補償するものでなければならない。この法律が施行されるまで，後者は永続的一部労働不能〔► Incapacité permanente partielle（IPP）〕として補償されていた。

▷社会保障法典L452-3条

Prétoire 民訴 **法廷** 古代ローマで法務官が裁判をなした場所。今日では裁判所の法廷が開廷される部屋を指す。

Prétorien (ne)（Jurisprudence） 一般 **法務官的(判例)** 法務官と呼ばれたローマの政務官の広範な権限にならい，その考え方が，既存の立法規範または行政立法規範ではなく，裁判官が多かれ少なかれ自ら大胆に引き出した規範の適用に基づく判例についていう。法務官的判例には判例法を作り出す力がある。例えば，行政庁の損害賠償責任に関する法は大部分が法務官的判例から生じたものである。

Preuve 訴訟 民法 **証明；証拠** 広義では，事実の実在または法律行為の存在の立証であり，狭義では，この目的のために用いられる方法である。

証明の方法が法律によって事前に定められ，かつ強制されているとき，その証明（証拠）は法定証拠（または法定証明）といい，そうでないときは証拠の自由（または証明の自由）という。

▷民法典1315条以下

Preuve（Procédures de） 訴訟 **証拠手続き** 訴訟当事者は，裁判上の事実を証明するために，以下のようなそれぞれの審理手続きを用いる。文書の検真〔vérification d'écritures〕，公署証書偽造の申立て〔inscription de faux〕，証人尋問〔enquête〕，鑑定〔expertise〕，本人出頭〔comparution personnelle〕，宣誓〔serment〕，裁判官自身による検証〔vérifications personnelles du juge〕，推定〔présomptions〕などがある。

Preuve indiciaire 民法 民訴 **徴憑による証明** 徴憑〔► Indices〕にもとづく証明。

Preuve intrinsèque 民法 **内在的証明** ある行為（証書）の文言または構成から生じる証明。例えば，ある者が心神喪失状態で行った有償名義の行為は，その者の死後は，その行為がそれ自体精神的障害の証明（内在的証明）を含む場合でなければ，取り消すことができない。

▷民法典489-1条

Preuve littérale 民法 **書証** その媒体および伝達方法のいかんを問わず，文字，記号，数字，または，理解可能な意味を有するその他すべての符号もしくは記号の列からなる文書による証拠。

▷民法典1316条
►Écrit〔文書〕►Écrit électronique〔電子文書〕

Preuve testimoniale 〔民法〕**人証** 法律事実については自由に認められる証人による証拠は，法律行為については一定の要件にもとづいて受理される。特に訴額が1500ユーロを超えない場合。
▷民法典1341条以下
►Témoin〔証人〕

Prévention 〔労働〕〔社保〕**予防措置** 労働災害および職業病を避けることを目的とする法令上または技術上の措置の総体。

Prévenu 〔刑訴〕**（軽罪・違警罪）被告人** 軽罪および違警罪に関し，判決裁判所で公訴提起の対象となっている者。
►Accusé〔（重罪）被告人〕

Prévoyance 〔社保〕**相互扶助** 疾病・廃疾・死亡リスクの補足的カヴァーを特に確保することを目的とする保障制度を，企業が労働者に享受させること。この保障は相互扶助組織，共済組織または保険機関の枠内で実現されうる。
▷社会保障法典L931-1条

Primaires (ou Primaries) 〔憲法〕**予備選挙** アメリカ合衆国の若干の州において公式に行われる事前選挙であって，厳密な意味での選挙における候補者の指名を選挙人自身が行うことを認めるためのものである（政党の委員会の影響力を弱めることによって，候補者選択の民主化を目指す手段）。

Primauté du droit communautaire 〔EU〕**共同体法優位性の原則** 共同体法と国内法が抵触する場合，前者が後者に優位するという原則。

Prime 〔保険〕**保険料** 契約に定められたリスクを保険者が引き受けることと引換えに，被保険者により支払われる金銭。
▷保険法典L112-4条
〔商法〕**プレミアム；景品** ►Vente à prime〔景品付販売〕

Primes 〔労働〕**手当金** 費用の償還，生産性向上の奨励，その労働に特有な一定の困難の考慮，または，勤続年数への報償を目的として，使用者が通常の賃金に加えて労働者に支給する金銭。

Prime d'émission 〔商法〕**額面超過額；発行差金；プレミアム** 資本増加の際に，新株の引受人が，株式の券面額に加えて払い込む金額。額面超過額は，資本の増加によって既存の株式の価値が減少することを防ぐためのものであり，これは出資の追加分〔supplément d'apport〕であると解されている。
額面超過額の総額は，通常は，それに固有の科目の任意準備金，すなわち額面超過額積立金〔réserve des primes d'émission〕として貸借対照表に計上される。

Prime pour l'emploi 〔社会〕〔財政〕**雇用特別手当** 失業中の人の職業活動への復帰のための，およびその雇用の維持のための財政上の優遇措置。前年に賃または非賃職業活動をフルタイムまたはパートタイムで行った人で，その職業活動の収入が（職業活動の実勢を確保するための）最低額と家族構成に応じた最高額との間に含まれる人に付与される。この援助は，その技法において負の所得税〔►Impôt négatif sur le revenu〕の制度に類似する。すなわち，援助を受ける権利があると考える人はすべて，年次所得申告書に職業活動の収入の額を記載する。そして，課税対象者ではない場合，特別手当は所得税に充当され，生じることのある差引残高はその人に自動的に払い込まれる。

Principal 〔民訴〕**元本と利息；本案**
①元本と利息//狭義では，支払いを請求された元本と，訴訟手続開始時に期限の到来している利息を指す。請求の価額は（しばしば）管轄を決定し，控訴禁止額〔taux de ressort〕を決めるのに役立つ。
②本案//より広義では，訴訟の目的〔objet du litige〕と解される。訴訟の目的は両当事者それぞれの申立て〔prétention〕によって決定される。Principalは訴訟の本案〔►Fond〕，つまり実体的権利〔►Droit substantiel〕に関する問題を指し，手続上の抗弁，証拠に関する付帯の申立て，仮の措置と対比される。例えば，先行判決〔jugement avant dire droit〕は本案に対する既判力がないといわれるのは，この意味においてである。
▷新民事手続法典4条，480条，484条
►Préjudice au principal〔本案の先行判断〕

Principe dispositif 〔訴訟〕**処分権主義**
①狭義では，訴訟当事者が係争の範囲を専権的に画定すること，および裁判官は提訴されていない問題について意見を述べることができないことを意味する。
▷新民事手続法典5条および7条
②広義では，訴訟手続きは訴訟当事者の自由な処分に委ねられており，訴訟当事者は訴

訟の開始，範囲，展開，および終了を決定することができるという考えを示す。
▷新民事手続法典1条および4条
►Direction du procès〔訴訟の主宰〕

Principe de faveur 労働 有利原則　目的または原因は同一であるが，レヴェルの異なる2つの法規範（例えば部門レヴェルの労働協約と企業レヴェルの集団協定）が，労働関係（労働契約の履行，解雇など）または職業関係（従業員代表制度，労働組合など）に適用される場合，労働者に最も有利な規範を適用するのが妥当であるとする原則。有利原則は，コンセイユ・デタによって労働法の一般原則として，破毀院社会部によって基本原則として認められた。社会的公序を支える柱であるが，その適用にあたっては困難をともなうことがある。比較すべき規範の選択は常に明白ではなく，比較した後に（労働者にとってどちらがより有利かという観点から）なされる評価はときに容易ではない。さらにその効力は，2004年5月4日の法律第391号によって，複数のレヴェルの協約がある場合において，大きく相対化された。この法律によって企業レヴェルにおける協約は，有利原則の適用から大幅に解放されることになった。企業の交渉当事者に，部門協約がそれを禁止していない限り，部門協約の適用除外（これには不利な方向へのものも含まれる）を行う権限をこの法律が与えたからである。
▷労働法典L132-4条，L132-13条，L132-23条およびL135-2条
►Ordre public social〔社会的公序〕

Principes fondamentaux reconnus par les lois de la République 一般 共和国の諸法律によって承認された基本原則　►Principes de valeur constitutionnelle〔憲法的価値を有する原則〕

Principes généraux du droit 行政 民法 民訴 法の一般原則　行政法の主要な不文法源である。行政に対して強制力をもつ法規範であり，その存在は裁判官によって判例法として確認される。
　すべての行政機関に尊重が義務づけられ，政府が，憲法典によって，法律に従属しない独立的行政立法権を付与された事項に関しても例外ではない。法の一般原則は，私法，特に民法と民事訴訟においても重要な役割を果たす。
　刑法 刑訴 法の一般原則　破毀院および憲法院により導き出される刑事法上の不文法源。この不文法源は，これらの裁判所により「基本的なもの」と宣言されることによって，現行法文において黙示的にまたは明示的に認められている一定の権利または自由を明らかにし，完全なものにし，または強固なものにする。この原則は，立法者にも裁判所にも課され，刑事手続きにおいては防禦権のより適切な保護を確保するものである。

　国公 法の一般原則　成文ではないが，一般的であり準普遍的な法原則からなる国際法の法源。それら法原則には，一方では，文明国の諸法系に共通であり，かつ，国際関係に導入されたもの（既判力，既得権の尊重，引き起こされた損害の賠償など）があり，他方では，国際法秩序そのもののなかで生じたもの（国家の独立の尊重，国内法に対する条約の優位など）がある。
►Principes de valeur constitutionnelle〔憲法的価値を有する原則〕

Principe de précaution 行政 一般 予防原則
►Précaution (Principe de)〔予防（原則）〕

Principe de sécurité juridique 行政 一般 法的安定性の原則　►Sécurité juridique〔法的安定性〕

Principe de subsidiarité EU 補完性の原則
加盟国と共同体の間の権限配分のルールを定めるため，および，共同体の活動分野が際限なく拡大するという批判に応えるため，マーストリヒト条約〔►Maastricht〕に導入された。共同体は，《提案された行動の目的が加盟国によっては十分に達成されえず，かつその行動の規模または効果からして共同体による方がより良く達成できる場合》にのみ関与する。アムステルダム条約には，補完性の原則と比例性の原則〔principe de proportionnalité〕の適用に関する重要な議定書が付属している。

　ヨーロッパ憲法〔►Constitution européenne〕は，この補完性原則についてチェックする仕組みを定めている。すなわち，加盟国の議会は，理由を付した意見を表決することにより，ヨーロッパ委員会に対し，共同体法案もしくは共同体枠組法案を再検討するよう義務づけること，および，共同体の行為が補完性と相容れないと思われる場合は政府に対してヨーロッパ共同体裁判所に提訴するよう要請することができる。

　憲法 行政 補完性の原則　2003年の憲法改正

の際に憲法典新72条が設けられたことにより，補完性の原則はフランスの組織原則となった。
►Collectivités territoriales〔地方公共団体〕

Principes de valeur constitutionnelle 憲法 **憲法的価値を有する原則** 憲法的価値を有する法文のなかに明示的には記されていないが，憲法院が立法者に対し，憲法的価値を有する法文と同一の効力を有することを認めた一般原則。一般原則の大多数は，程度の差はあっても，憲法的価値を有する法文に直接由来するものであるが，若干のもの，すなわち《共和国の諸法律によって承認された基本原則》〔principes fondamentaux reconnus par les lois de la République〕は，憲法院の相当に法務官的な判例（►Prétorien (ne) (Jurisprudence)〔法務官的(判例)〕）によって引き出されたものである。

憲法的価値を有する原則（その承認は，《憲法ブロック》〔►Bloc de constitutionnalité〕拡大の重要な源である）の例として，行政裁判所の独立，大学教授の独立，または裁判所における裁判を受ける者の平等を挙げることができる。
►Principes généraux du droit〔法の一般原則〕

《Prior tempore potior jure》 民法 **時において先んずる者が，法的に優越する** 公示に服する担保を有する債権者間の優先は，公示の順序によって決せられる。
▷民法典2425条

Priorité d'embauchage 労働 **優先雇用** 保護に値すると判断された一定の労働者（傷痍軍人，戦争未亡人，戦争孤児，障害労働者）のために法律によって制度化された保護措置であって，使用者に対してこれらの労働者を一定率雇用することを義務づけること。これに違反する場合は，《redevance》と呼ばれる賦課金を支払わなければならない。
▷労働法典L323-1条以下

Prise de corps (Ordonnance de) 刑訴 **身柄拘束（命令）** かつては，重罪被告人の収容を可能とする，重罪院移送命令または重罪院移送判決から当然に生ずる裁判であった。人権に対する配慮から，身柄拘束命令の実施は，勾留されていない重罪被告人に対してはなんら義務的ではなかった。

この制度は2004年3月9日の法律により廃止された。以後，重罪被告人が司法上の統制により課される義務を免れまたは重罪院に出頭しない場合には，場合に応じて，勾留の手続きまたは勾留状もしくは勾引勾留状の手続きが用いられる。
▷刑事手続法典141-2条，181条，215-2条，272-1条

Prise (Droit de) 国公 **捕獲権** 交戦者が，自国の捕獲審検所による没収の言渡しを得るために，敵国の商船とその積荷を捕獲する権利。

Prise illégale d'intérêts 刑法 行政 **違法利益収受** かつては公務員不当介入〔ingérence〕と呼ばれていた。公権力の受託者（例えば公務員）または公的な選挙に基づく委任を受けた者（例えば市町村会議員）もしくは公役務の任務の担当者が，その職務上単独のもしくは分有された監督もしくは決定の権限を有し，または管理もしくは支出の任務を有する活動さらには単独の行為から，何らかの利益を収受または保持すること。例えば，市町村庁〔►Municipalité〕の構成員たる請負業者が，その市町村の公土木工事契約を獲得する場合がこれに当る。現実を考慮して，人口3500人未満の市町村についていくつかの制限的適用除外が定められている。

さらに，職務を離れた官吏〔►Fonctionnaire〕は，3年の間，在職中に関係を有した企業から利益を収受することができない。これらの規定に違反する場合は，拘禁刑および罰金刑により処罰される軽罪となる。

この他市町村については，市町村会〔►Conseil municipal〕の審議決定は，審議事項に利害関係を有する構成員が参加していて，その者の参加が議決に決定的影響を与えた場合には違法である。
▷刑法典432-12条および432-13条；地方公共団体一般法典L2131-11条

Prise à partie 民訴 刑訴 **裁判官相手取り訴訟** 旧民事手続法典上規定されていた手続き。裁判官相手取り訴訟は，裁判拒否，詐欺，公金横領，職業上の重大な過失が存する場合に，司法系統の裁判官に対して民事責任を求め訴えを提起することを可能にした。関係法文は廃止されているが，司法系統の裁判所の非職業裁判官（例えば商事裁判所，労働裁判所の裁判官）に対し，暫定的に適用されている。►Faute〔過失〕行政 ►Responsabilité du fait du fonctionnement défectueux de la justice〔裁判の瑕疵ある運営に起因する責任〕

Prisée 民法 民訴 **価格評価** 清算，分割または競売に包まれている動産の価格の評価。

▷民法典829条および948条

Prise d'otage 〖刑法〗人質の略取；人質をとること
①重罪・軽罪の遂行を準備・容易にする目的で，②正犯・共犯の逃亡を助け，もしくは不処罰を確実にする目的で，または③命令・条件(例：身代金)の実行を確保する目的で，人を逮捕，監禁または抑留すること。

違法逮捕および監禁の加重事情。
▷刑法典224-4条

Prise d'eau fondée en titre 〖行政〗権原に基づく取水権 アンシャン・レジームまたは革命期にさかのぼる権原に基づいて，その名義人に川(一般に航行または材木流しは不可能)の動力利用を可能とする使用権。水力エネルギーの利用に関する普通法制度の適用を除外する。例えば，製粉所または(フランス電力公社に売却される)電力を生産する小規模発電所を動かすことを目的とする。

Prisons 〖刑法〗刑務所 日常用語で，自由剥奪処分が科される施設を指す総称。拘置所および刑事施設の区別がある。
▷刑事手続法典717条

Privatif 〖民法〗専有の もっぱら特定の者のみに利益を与えること。専有の反対は共有〔indivis〕である。

Privatisation 〖行政〗民営化 2つの意味をもつ新語。
①公法人によって直営方式(▶Régie〔公営〕)で管理されていた活動を私的部門に委ねる行為。
▶Délégation de service public〔公役務の委任〕
②公権力に帰属する企業の資本を私的部門に譲渡する行為。対象企業は多くの場合，以前に国有化〔▶Nationalisation〕の対象になったものである。
▶Caisse d'amortissement de la dette publique〔公債償却金庫〕

Privilège 〖民法〗先取特権 債権の性質を理由として，法律により債権者に認められる，債務者の財産の全体(一般の先取特権)または一部のみ(特別の先取特権)について他の債権者に対してたとえその者が抵当債権者であっても優先する権利。

特別の先取特権(不動産の賃貸人，動産の売主)は，一般の先取特権(裁判の費用，賃金)に優先する。先取特権債権者の間では，優先順位は，法律の定める先取特権のさまざまな性質によって規律される。同一の順位にある先取特権債権者は，競合して弁済を受ける。
▷民法典2324条以下

Privilège du préalable 〖行政〗予先的特権 自ら執行的決定をとる権利であり，何人も自ら自己に権限を付与することはできないという私法上の原則を行政は尊重する必要がない。多くの分野で法律によって行政に認められている。

Privilège du premier saisissant 〖民訴〗第一差押人の優先権 旧法上の差押え＝差止め〔▶Saisie-arrêt〕と異なり，最初に(金銭債権の)差押え＝帰属〔▶Saisie-attribution〕を行う債権者は，この手続きに付された，第三債務者の手中にある金銭から支払いを最初に受ける特権を有している。

Privilège du salarié 〖労働〗労働者先取特権 企業が支払い停止の状態にあるときの，賃金および労働者に与えられるいくつかの補償金の支払いの保障。

一般の先取特権〔privilège général〕は，実労働の最後の6ヵ月間を対象とする。優先的先取特権〔superprivilège〕は，他のすべての債権に優先するものであり，最後の60労働日について，または商業代理人〔représentants de commerce〕に関しては最後の90日について，受け取るべき額の支払いを一定の報酬限度額まで保障する。支払いの保障は，賃金保障保険〔▶Assurance garantie des salaires〕により強化されている。
▷労働法典L143-6条以下

Prix 〖民法〗代価；価格 物の取得者が売主に対して支払うべき金額。現代的用語法は，この用語によって，しばしば，ある役務の対価として支払われるべき金額を指すことがある。
▷民法典1583条，1591条；消費法典L113-1条およびL121-23条；商法典410-2条

Prix d'appel 〖商法〗価格による不当誘引 マージンが低額でかつ販売量の少ないブランド品につき，販売業者が集中的な広告活動を行い，この広告に誘引された消費者が広告した商品以外の商品を購入するよう仕向ける販売方法。

Prix imposé 〖商法〗〖刑法〗価格拘束 製品の再販売価格またはサーヴィスの提供価格に対して，直接または間接に一定の最低価格を強制することからなる軽罪。
▷商法典L442-5条

Prix prédateurs 〖商法〗略奪的価格設定 消費者に対して，生産，加工および商品化の費用

に比較して濫用的に低額な販売価格を提示し，またはそのような価格で販売すること。

Prix de transfert 財政 **移転価格** 租税負担の軽い国に企業グループのほとんどの利益を計上することを目的とする，企業グループの租税の回避〔►Evasion fiscale〕の仕組み。この目的のため，租税圧力が強い国に設立されている事業所に対するサーヴィスの提供価額および売上価額を人為的に引き上げて利益額を減少させ，送り状を作成する会社（租税圧力の弱い国にある）の利益額を増やすのである。► 《Paradis fiscaux》〔タックス・ヘイヴン〕

Probation 刑法 刑訴 **保護観察** ►Ajournement du prononcé de la peine〔刑の宣告猶予〕►Sursis avec mise à l'épreuve〔保護観察付執行猶予〕

Procédure 訴訟 **手続き** 申立て〔prétention〕を裁判所の判断に委ねるため，従わなければならない形式の総体。

Procédure accusatoire 訴訟 **当事者主義的手続き；弾劾主義的手続き** 古い時代の若干の法において，自由人を前にして行われた手続きで，「口頭，公開かつ対審」という性格を有し，証拠は「法定」かつ「形式的」であった。

長年にわたる発達の後，この種の手続きが一定の法制度において維持されてきたが（例：イギリス），現代フランス法においては，訴訟手続きの開始および進行，証拠の探索における主要な役割が当事者に割り当てられている場合に，手続きは当事者主義的（弾劾主義的）であるという。

このような特徴は，多少の違いはあるが，特に民事訴訟において，また，刑事訴訟の判決の段階においてみられる。
►Direction du procès〔訴訟の主宰〕►Mise en état〔弁論適状におくこと〕►Procédure inquisitoire〔職権主義的手続き；糾問主義的手続き〕

Procédure administrative 行政 **行政訴訟手続き** 特別の規範が支配する，行政裁判所において行われる手続き。口頭主義よりも書面主義の色彩が強いこと，および職権主義的な点が特徴である。
►Procédure inquisitoire〔職権主義的手続き；糾問主義的手続き〕

Procédure d'alerte 商法 **警告手続き** できるだけ迅速に指揮者の対応を促すために，企業の経営難の早期発見を可能にすることを目的とする手続きである。

警告は，経営の継続性を危うくする性質の事実が確認された場合に，指揮者の説明を求め，一定の場合には裁判所所長にその旨を通知することからなる。会計監査役，企業委員会，商事裁判所所長または大審裁判所所長，認可予防団体〔groupement de prévention agréé〕，さらには社員または株主は，一定の条件にしたがい，警告手続きを開始することができる。警告手続きは，誰が手続きを開始するかによって異なる。
▷商法典L611-1条（認可予防団体の警告），L223-36条およびL225-232条（業務執行者ではない社員，および株主の警告），L612-3条（会計監査役の警告），L611-2条以下（裁判所所長の警告）；労働法典432-5条（企業委員会の警告）
►Droit d'alerte〔警告権〕

Procédure civile 民訴 **民事手続き** 司法系統の裁判所において，民事，商事，農事，社会事件に関して進められる手続き。

Procédure de codécision EU **共同決定手続き** マーストリヒト条約〔►Maastricht〕によって導入された手続き。ヨーロッパ議会に対し，閣僚理事会と分担する権限および共同体法の採択における拒否権を与えるためのもの。これは3つの審議過程を経る。共同決定手続きは，明示的に定められる例外を除き，今日では立法における意思決定の原則である。
►Procédure de coopération〔協力手続き〕

Procédure contradictoire 民訴 **対審手続き** 両当事者が，訴えが提起されている裁判所に固有の手続きにしたがって，本人自らまたは代理人を通じて出頭する手続き。
▷新民事手続法典467条
►Contradictoire（principe du）〔対審（の原則）〕►Défaut〔欠席〕►Droits de la défense〔防禦権〕►Jugement contradictoire〔対審判決〕►Jugement dit contradictoire〔対審とみなされる判決〕►Jugement par défaut〔欠席判決〕►Jugement réputé contradictoire〔対審とみなされる判決（被告の不出頭による）〕

Procédure de coopération EU **協力手続き** 単一ヨーロッパ議定書〔►Acte unique européen〕によって導入された手続き。一定の事項についてヨーロッパ議会に対して，共同体法の採択における諮問的権限以外の権限を与えるためのもの。主として，閣僚理事

会の決定前に，2つの読会の審議過程を経る手続きを導入することにより実現された。この手続きは，マーストリヒト条約〔▶Maastricht〕によって拡張された。▶Procédure de codécision〔共同決定手続き〕

Procédure par défaut 民訴 欠席手続き　事案が始審かつ終審として裁判される（控訴は認められない）場合であって，被告が出頭せずかつ本人に対して呼出しも再呼出しもなされなかった場合になされる手続き。
▷新民事手続法典471条以下

刑訴 欠席手続き　欠席手続きは刑事においても適用されている。違警罪および軽罪について，欠席した（軽罪・違警罪）被告人〔▶Prévenu〕は，それにもかかわらず欠席のまま裁判を受けることを請求することができる。裁判所は，（軽罪・違警罪）被告人の本人出頭が必要と判断することもある。重罪については，重罪欠席手続き〔▶Défaut en matière criminelle〕を参照。
▷刑事手続法典410条以下，487条および544条

Procédure générale 訴訟 手続一般　民事，刑事，行政および懲戒の全手続きを支配する一般原則の総体（例えば，防禦の自由の尊重）。
▶Procédure administrative〔行政訴訟手続き〕▶Procédure civile〔民事手続き〕▶Procédure pénale〔刑事手続き〕

Procédure inquisitoire 訴訟 職権主義的手続き；糾問主義的手続き　職権主義的・糾問主義的手続きは，歴史的には権力が当事者に対して資格ある裁判補助者および職業裁判官によってなされる裁判に訴えることを強制することができた時代にみられたもので，「書面」，「密行」かつ「非対審的」であり，裁判官は「内なる心証」に従っていた。

現代フランス法において手続きが職権主義的であるといわれるのは，訴訟手続きの進行および証拠の探索において裁判官が主導的な役割を果たす場合で，つまり，刑事訴訟の予審段階および行政訴訟手続きがこれにあたる。

実際には，当事者主義的手続き〔▶Procédure accusatoire〕と職権主義的手続きが折衷されているが，対審的性格は防禦の自由にとってつねに不可欠な保障となっている。
▶Contradictoire (Principe du)〔対審(の原則)〕▶Direction du procès〔訴訟の主宰〕▶Mise en état〔弁論適状におくこと〕▶Office du juge〔裁判官の職務〕

Procédure à jour fixe 民訴 指定期日の手続き　訴訟手続きの通常の手順を避けるべき緊急性が存する場合に，原告が被告を直接弁論期日〔audience des plaidoiries〕に呼び出す，特に迅速な手続き。

大審裁判所と控訴院において行われる。

急速審理を付託された大審裁判所所長は，時間を節約するため，職権で指定期日の呼出しを許可することができる。
▷新民事手続法典788条および917条

Procédure ordinaire 民訴 通常手続き　大審裁判所および控訴院において通常行われている手続き。

Procédure en matière contentieuse 民訴 訴訟事件手続き　裁判所が，提起された問題に対し裁判行為〔▶Acte juridictionnel〕によって応答しなければならないときに追行する手続き。

事件の状況および受訴裁判所の性質により，いくつかの類型がある。訴訟事件手続きは，たいてい，いくつかの主要な段階に大きく分けられている。すなわち，訴訟手続きの確定〔▶Liaison d'instance〕，事件の振分け，弁論適状におくこと〔▶Mise en état〕，口頭弁論〔débats oraux〕などである。
▷新民事手続法典750条以下および899条以下
▶Débats〔弁論〕

Procédure en matière gracieuse 民訴 非訟事件手続き　紛争は存在しないがその解決には司法官が命令権〔imperium〕を用いて関与することを要する問題に関して，受訴裁判所がたどる手続き。非訟事件手続きの特徴は，ひとつには，請求の形式の簡素さ（当事者の，裁判書記課に対する申述だけでよい），もうひとつには，大審裁判所および控訴院において，事件を検事へ伝達し，かつ，事件の審理を担当する報告裁判官を指名する必要があることにある。
▷新民事手続法典25条以下，60条以下，797条以下，950条以下
▶Décision gracieuse〔非訟事件決定〕

Procédures négociées 行政 随意契約手続き
▶Marchés négociés〔随意契約〕

Procédure pénale 刑訴 刑事手続き　犯罪の確認，予審，犯罪者の訴追およびその者に対する判決のための手続きを定める規定の総体。

Procédure de sauvegarde 商法 保護手続き
▶Sauvegarde〔保護〕

Procédure sommaire 民訴 簡易訴訟手続き

かつて，例外的な場合に普通法上の裁判所において行われていた，簡易な訴訟手続き。指定期日の手続き〔►Procédure à jour fixe〕へと代わった。

|社保| （保険料徴収）簡易手続き　地方財務局長〔trésorier-payeur général〕が，社会保障機関のために，使用者または自営業者によって払い込まれるべき額の徴収を確保することを可能にする手続き。ほとんど用いられていない手続きである。
▷社会保障法典L133-1条

Procès　|行訴| |民訴| |刑訴| 訴訟　裁判官または仲裁人の審理に委ねられた，事実上または法律上の争い。
►Litige〔係争；紛争；訴訟〕

Procès équitable　|訴訟| 公正な裁判　公正な裁判を受ける権利は，今日，裁判手続きの基礎をなしている。公正な裁判を受ける権利とは，すべての当事者の間で均衡のとれた裁判を受ける権利のことである（ラテン語のequusとは均衡を意味する）。ヨーロッパ人権裁判所の判例中に示されたその具体的現れとして以下のような権利がある。すなわち，裁判所へ実効のある訴えを提起する権利，独立した，かつ，公正な裁判所に対する権利，武器対等を尊重し，かつ，合理的な期間内に判決が下されるようにする，公開の裁判に対する権利，得られた判決が実際に執行される権利。

公正な裁判を受ける権利は，いまや，実体的権利〔droit substantiel〕となり，権利の保障の担保となっている。
▷市民的政治的権利条約14条；ヨーロッパ人権条約6条1項；刑事手続法典前加条1節1項
►Due process of law〔法の適正な過程〕

Processuel　|訴訟| 訴訟に関する　当該訴訟の性質いかん，すなわち民事たると刑事たると行政たるとを問わず，すべての訴訟に共通の事柄についていう。

Procès-verbal　|民訴| 調書　公署官によって作成される手続文書で，認定または供述を記載する（例：証人尋問調書，差押調書）。この証書は公署証書である。
▷新民事手続法典130条，182条，194条および219条

|刑訴| 記録手続き；調書　権限を有する機関が，口頭の告訴もしくは告発を受理し，直接に犯罪を確認し，または証拠を収集するために行われた活動の結果を記録する行為もしくはそれを記録した文書。

原則として，調書は，単なる情報の価値を有するにすぎない。一定の公務員により作成され犯罪を確認する場合，調書には，反対の証明があるまで証明力を有するものと公署証書偽造の申立てがあるまで証明力を有するものがある。
▷刑法典429条以下および537条

Procréation médicalement assistée　|民法| 医療介助生殖　体外受精，胚移植，人工授精を可能にする化学的，生物学的行為，および自然のプロセス以外の生殖を可能にする同様の効果をもつあらゆる技術を意味する。

生殖への医療介助は，医学的に証明された病理学上の不妊治療としてしか法律により認められていない。
▷公衆衛生法典L2141-1条以下；民法典16-7条，311-19および311-20条；新民事手続法典1157-2条および1157-3条

Procuration　|民訴| |民訴| 代理権；委任状
①代理権//他の者が自己の名において行為することを認める権限。
②委任状//また，この権限を付与する証書を指すときに用いられる語。
▷新民事手続法典416条；民法典1984条
►Pouvoir〔権限；代理権〕

Procureur général　|民訴| |刑訴| 法院検事長　破毀院または控訴院の検事局の長たる地位にある司法官。破毀院では首席法院検事〔premier avocat général〕，法院検事〔avocats généraux〕に補佐され，控訴院では法院検事と法院検事長代理〔substituts généraux〕に補佐される。
▷司法組織法典L312-7条，R132-1条およびR213-21条以下

|財政| 法院検事長　会計検査院および予算財政懲戒法院にも法院検事長が存在する。法院検事がこれを補佐する。
▷財務裁判所法典L112-2条およびL311-4条

Procureur de la République　|民訴| |刑訴| 共和国検事　大審裁判所の検察の長たる地位にある司法官。

共和国次席検事〔procureur adjoint〕に補佐されることもあるが，たいていは1人または複数の首席共和国検事代理〔premiers substituts〕および共和国検事代理〔substituts〕に補佐される。
▷司法組織法典L212-6条およびR311-34条以下

Prodigue 〔民法〕**浪費者**　自己の財産を蝕む無分別な出費を習慣的に行う者。浪費者は，保佐〔►Curatelle〕と呼ばれる保護制度をこれまで利用できたが，このような保佐開始事由は廃止された。
▷民法典488条および501-8条（2008年12月31日まで有効）
►Oisiveté〔怠惰〕

Production des créances　〔商法〕**債権の届出**
裁判上の更生手続きにおける債権の届出手続きを指す廃れた表現。
►Admission des créances〔債権の確定〕
►Contribution〔按分〕►Déclaration des créances〔債権の届出〕►Ordre〔配当順位〕

Production de pièces　〔訴訟〕**書証の提出**
►Action《ad exhibendum》〔証拠提出訴権；証拠提出の訴え〕►Pièces〔書証〕

Produit brut (Règle du)　〔財政〕**収支独立原則**
総計予算〔budgétaire d'universalité〕原則の適用により，収入と，収入を得るために必要とされた支出とを別々に帳簿に記載することを要求する会計上の原則であり，これによって財政に関する情報をより正確に知ることができる。これと対置される（純計予算〔produit net〕）制度をとると，国会に収入と支出の差引残高を提示すればよいことになる。

Produit intérieur brut (PIB)　一般　**国内総生産**
一国の財とサーヴィスを産み出す部門総体の《付加価値》の総計。とりわけ公共機関によって供給される無償のサーヴィスを含む。その額によって，各国によって総体的に産み出される財とサーヴィスの価値を測定し，比較することが可能となる。2004年，フランスの国内総生産はおよそ1兆6600億ユーロに達した。

Produits　一般　**産出物**　狭義では，ある物を定期的にではなく利用することによってその内容が変質する場合に，その物の利用から生じた財物のことをいう。広義では，ある物から生じうるすべてのもののことをいう。したがって，ある物の内容を変質させないがゆえに果実〔►Fruits〕と呼ばれる産出物も，狭義における産出物と同様に，産出物である。
　保健衛生の分野において，人体の産出物（血液，配偶子，頭髪など）の提供および利用は法律により規制される。
▷民法典590条以下

Produits défectueux　〔民法〕**欠陥生産物**　正当に期待することができる安全性を備えていない動産。動産の欠陥が人または財物に損害を生じさせた場合，何人に対しても，生産者，製造者，流通業者，売主または貸主の法律上当然の責任が発生する。
▷民法典1386-1条以下

Profession unique　〔民訴〕**一元的弁護士制度**
1971年の弁護士制度改革の際に，すでに弁護士〔►Avocat〕職と法律助言士〔►Conseil juridique〕職の統合についての検討がなされていた。この統合は裁判関係職とその他の法律職の間に存在した過度な分裂をなくすことを目的としたものだった。
　ヨーロッパの国境の開放が裁判関係職以外の法律職のより広範囲にわたる営業に影響を与えようとしているとき，その実現は不可欠にみえたのである。
　以上の理由から，1990年12月31日の法律第1259号により，1992年1月1日付で，弁護士職と法律助言士職の統合が実現した。

Profil médical　〔社保〕**医療記録**　社会保障金庫によって四半期ごとに作成されるコード化された統計表であって，社会保障金庫の管轄下にある医師のそれぞれについて，なされた医療行為の数および性質，なされた処方の費用と性質が記載されている。

Programme　〔財政〕**事業計画**　計画大綱〔►Mission〕，事業計画，単位事業〔►Action〕という系統樹にしたがって区分される，国の予算の階層分類上，事業計画とは，同一の省に属する国の一政策（または複数の一貫した政策の全体）を実施するためのすべての予算額〔►Crédit budgétaire〕をひとまとめにした，計画大綱の区分をいう。事業計画は，達成されるべき明確な目標を伴っており，この目標は，期待される結果の記載（《費用対効果比年次計画》〔projet annuel de performance〕）によって補足的に説明される。その結果は，会計年度末に評価の対象となる（《費用対効果比年次報告》〔rapport annuel de performance〕）。予算の執行に関しては，予算額は事業計画（または場合により歳費〔►Dotation〕）のレヴェルで限定されるのみであり，これによって財政管理の幅広い柔軟性が確保される（事業計画の責任者は，そもそも人件費予算を増加させることはできないが，経常支出予算を投資支出予算に移し，また反対に，投資支出予算を経常支出予算に移すことができる）。事業計画は，計画大綱によってひとまとめにされる。
　例：《衛生》の計画大綱は，《公衆衛生と予

防対策》,《麻薬と麻薬中毒》の事業計画を含む。
▶Fongibilité asymétrique〔事業計画内人件費充当禁止〕

Programme de stabilité 財政 **安定計画**
▶Stabilité (Programme de)〔安定(計画)〕

Projet de loi 一般 **政府提出法律案** 政府の発議に基づき,国会の表決に委ねられる法文。
▶Proposition de loi〔議員提出法律案〕

Promesse de mariage 民法 **婚姻の約束** ある者が他の者に対してなす,その者と婚姻をする旨の約束。この約束が相互的な場合には,fiançaillesである。
▶Fiançailles〔婚約〕

Promesse de porte-fort 民法 **請合いの約束** 自己が当事者となっていない行為から生じる債務の履行を第三者から受ける旨の約束。約束した者は結果債務を負う。
▷民法典1120条

Promesse《post mortem》 民法 **死後履行条項** 両当事者によって創設された債務が当事者の一方の死亡の日以降に初めて履行されることを定める条項。

Promesse synallagmatique de vente 民法 **売買の双方的予約** ある者が,特定の財物を,受益者の承諾した条件(とりわけ価格)で売却することを約する予約。この予約は,一定の手続きの履行またはある出来事の実現が法律または当事者の合意により本契約成立の条件とされている場合を除き,売買に相当する。
▷民法典1589条

Promesse unilatérale de vente 民法 **売買の一方的予約** ある者(予約者〔promettant〕)が,特定の財物を,特定の条件(とりわけ価格)で他の者(受益者〔bénéficiaire〕)に売却することを約する契約。受益者は選択権を有し,財物を購入するか(選択権の行使)しないか(合意された期間の徒過)を決定することができる。
▷民法典1589-1条および1589-2条

Promissoire 民訴 **誓約の** ▶Serment promissoire〔誓約的宣誓〕

Promoteur immobilier 民法 **不動産開発者** 不動産開発者とは,所有者となる者のために,集合的または個別的な建築物を完成させる仲介者であり,たいていは,職業的な仲介者である。

仲介者である不動産開発者は財政面について責任を負い,また公的機関および職能団体との関係についても責任を負う。不動産開発者は,所有権を獲得させるのに必要なすべての法的,税務的,行政的行為および手続きを行う。この目的のために,所有者となる者との間で不動産開発契約は締結される。

不動産開発者は,自己が仕事の注文者の名においてなした取引の相手方が負担する義務の履行および隠れた瑕疵を担保する。
▷民法典1831-1条以下;建設・住居法典L222-1条以下

Promotion immobilière (Contrat de) 民法 **不動産開発(契約)** 不動産開発者〔promoteur immobilier〕が,仕事の注文者に対して,合意された価格で1または複数の不動産の建築計画を実現することを請負契約の形で約する,共通利益委任〔mandat d'intérêt commun〕からなる契約。

不動産開発者は,契約の実現に必要な法律上,行政上および税務上の行為の全部または一部を行い,または行わせる義務を負う。
▷民法典1831-1条;建設・住居法典221-1条およびR222-1条以下
▶Vente d'immeuble à construire〔建築予定不動産売買〕

Promotion sociale 労働 **社会的地位の向上** 労働者が働きながらより上級の職業資格または独立の地位を獲得すること(個別的地位向上),または労働組合の役員および従業員を代表する者〔représentants du personnel〕を集団的に養成すること(集団的地位向上)。

Promulgation 憲法 **審署** 国家元首が,法律の存在を公式に認証し,かつ,それに執行力を与える行為。

1958年憲法典では,共和国大統領が法律の再審議要求権を行使した場合,または憲法院へ違憲の申立てがなされた場合を除き,法律は,政府への送付に続く15日以内に審署されなければならない。

Prononcé du jugement 民訴 刑訴 **判決の言渡し** 原則として裁判所の公開の法廷で判決主文を朗読すること。判決の言渡しはまた,裁判所の書記課で判決が自由に入手できること〔mise à la disposition〕であることもある。
▷新民事手続法典451条
▶Publicité des jugements〔判決の公開〕

Pronunciamiento 憲法 **プロヌンシアミエント**
▶Coup d'État〔クーデター〕

Proposition de loi 一般 **議員提出法律案** 国民議会議員または元老院議員の発議に基づき,法律として採択されることを目的として国会

343

に提案される法文。
►Projet de loi〔政府提出法律案〕

Propres (Biens) 民法 固有（財産） ►Biens propres〔固有財産〕

Propriété 民法 所有；所有権 ►Droit de propriété〔所有権〕

Propriété commerciale 商法 商事所有権 自己の営業財産を経営する場所の賃借人たる商人に認められる権利。賃貸借契約が期間満了を迎えた場合に賃貸人から契約の更新を得ること，または，更新が不当に拒絶された場合に，一定の条件のもとで，場所を取り上げられたことによって生じた損害に相当する追奪補償金を得ることを内容とする。
▷商法典L145-8条以下

Propriété industrielle 商法 工業所有権 工業所有権は，一時的な独占利用権を認めることによって，一定の新しい創作物および一定の識別標識を保護する権利の総体である。
　一定の技術に関する創作物については発明特許〔►Brevet d'invention〕の対象とすることができ，装飾に関する一定の創作物については意匠〔►Dessins；Modèles〕として寄託の対象となる。
　識別標識は，主として，商標〔►Marques de fabrique, de commerce et de services〕，商号〔►Nom commercial〕，看板〔►Enseigne〕および原産地表示〔►Appellation d'origine〕からなる。

Propriété intellectuelle 一般 知的所有権 工業所有権〔►Propriété industrielle〕と著作権〔►Droit d'auteur〕から構成される権利の総体。

Propriété littéraire et artistique 民法 文芸的・芸術的所有権 作家または芸術家が自己の著作物について有している財産権および人格権の総体。
▷知的財産権法典L111-1条以下

Propriété retenue à titre de garantie 民法 担保として留保された所有権 ►Clause de réserve de propriété〔所有権留保条項〕

Propriété spacio-temporelle 民法 時空制限付所有 ►Multipropriété〔多重所有〕►Société d'attribution d'immeubles en jouissance à temps partagé〔時分割使用不動産割当会社〕

《**Propter rem**》 民法 民訴 物に従う 人的には債務を負っていないにもかかわらず，債権者が追及権を有している財物を所持しているために債務を負っている者の地位を示す。例えば，抵当不動産の取得者の場合がそうである。抵当不動産の取得者は，自分自身は抵当債権者に対して支払うべき義務を何ら負っていないにもかかわらず，その追及を受けるおそれがある。ここでは，《物に従う》〔obligation《propter rem》〕義務しか問題にならないので，抵当不動産の取得者は，自己の財産上に債務を負っておらず，抵当権が設定されている不動産を委付することによって完全に負担を免れることができる。
▷民法典2463条および2467条
►Déguerpissement〔委付〕►Délaissement〔委付〕

Prorata (Règle du) 社保 保険料比例配分の原則 労働者が複数の使用者に同時並行的かつ適法に雇用され，合計すると社会保障の報酬限度額以上の報酬を受け取っている場合，各使用者に割り当てられる《報酬限度額に関わる》〔plafonné〕保険料の負担額は，報酬限度額を限度として実際に支払われている報酬に比例して〔au prorata des rémunérations〕決定される。《報酬限度額に関わらない》〔déplafonné〕保険料は，各使用者が自ら支払った報酬に対して各使用者によって払い込まれる。
▷社会保障法典L242-3条

《**Prorata temporis**》 民法 時間に応じて

Prorogation de juridiction 訴訟 裁判権の延長 事物管轄または土地管轄の観点から通常ならば審理することのできない裁判所に訴訟が提起される場合，裁判権の延長という。

Protection diplomatique 国公 外交的保護 国際法に反する外国の行為によって自国民が損害を受け，かつ外国の国内法上の手段によって自国民が救済を得ることができない場合，国家が自国民に対して保証しうる保護。
　外交的保護を行使する国家は自国民の請求を引き受け，訴訟において全面的にその者にとって代わる。その結果，その訴訟は国家間の訴訟となる。
►Recours internes (Épuisement des)〔国内的救済の完了〕

Protection de l'enfance 民法 児童保護 児童保護の目的は，両親が育成上の責任を果たす上で出会うことのある障害を予防し，家族を支援し，また，場合により当該未成年者の必要に適合したやり方で，未成年者の世話を部分的もしくは全面的に引き受けることである。つまり，児童保護とは未成年者とその両親の

ための支援措置の総体のことである。これらの支援措置はまた，精神の安定を著しく損なうおそれのある障害を有する21歳を下回る成年者に対しても拡張されている。児童保護制度はまた，家族の保護を欠く未成年者が出会う障害を予防し，それらの者の世話を引き受けることを目的としている。
▷社会福祉法典L 112-3条
►Ascendant〔直系尊属〕►Enfant〔子〕
►Mesure d'aide judiciaire à la gestion du budget familial〔裁判所による家計管理援助措置〕►Observatoire départemental de protection de l'enfance〔児童保護県監視センター〕

Protection fonctionnelle 国公 職務上の保護 国家が国際法に違反して引き起こした損害の被害者である国際組織の職員（またはその権利承継者）に対して，その組織が保障する保護。

Protection juridictionnelle provisoire 一般 私法 公法 国内裁判所における仮の保護 国内裁判所が認めることができる仮の法文執行停止を指す表現。ヨーロッパ共同体またはヨーロッパ審議会が発する法文，およびその裁判所の判決においてしばしば用いられる。

Protection des majeurs 民法 成年者保護 脆弱性を有する成年者の保護措置には，法的なものと社会的なものとがある。法的保護をうけるにあたっては，精神的または身体的能力の低下が医師により認定されることを要する。後見裁判官は，法的保護の実施者であり，対象者の無能力の程度に応じて，裁判上の保護〔►Sauvegarde de justice〕，保佐〔►Curatelle〕または後見〔►Tutelle〕のうちから選んで措置を命じる。保護措置は，一般的には成年者の権利を制約するものなので，必要とされる場合でなければ命じられることができず，また，普通法上の規定（代理，夫婦財産制など）を適用することで対象者の必要を十分に満たすことができる場合には，拒否されなければならない。

他方，社会的保護は，雇用の不安定化，社会的周辺化・差別といった状況に対処することを目的にしており，より軽い，自由制約度のより小さい仕組みを前提としている。例えば，成年者生活支援〔►Mesure d'accompagnement social personnalisé (MASP)〕は，所得の管理を支援するために県の機関によって提案され，また，さらに必要のある場合には，裁判上の支援措置〔►Mesure d'accompagnement judiciaire (MAJ)〕と呼ばれる家計管理・社会的支援措置が命じられる。
▷民法典428条以下および495条以下（適用は2009年1月1日より），社会福祉法典L271-1条以下
►Aliénation mentale〔精神病〕►Altération des facultés mentales ou corporelles〔精神的または身体的能力の低下〕►Démence〔心神喪失〕►Majeur protégé〔被保護成年者〕

Protectorat 国公 保護関係 2国間の条約上の法的関係。その関係において被保護国〔Etat protégé〕は，保護国〔Etat protecteur〕が被保護国を防衛するという約束と引換えに，自国の対外事項を管理し行政へ関与する権利を保護国に対し委ねる。

植民地の拡大と結びついた制度であり，保護関係は被保護国の独立の達成に伴い消滅した。

Protêt 商法 拒絶証書 商業証券の所持人の請求に基づき，執行吏または公証人が作成する公署証書であり，満期における証券の支払いがないこと（《支払拒絶証書》という），または，支払人による為替手形への引受けの拒絶があったこと（《引受拒絶証書》という）を公式に確認するもの。
▷通貨金融法典L131-61条，L134-1条およびL134-2条；商法典L511-52条およびL512-3条
拒絶証書の作成は，商業証券の所持人による手形上の遡求権の保全に不可欠である。
►Certificat de non-paiement〔支払拒絶証明書〕

Protêt exécutoire 商法 執行力ある拒絶証書
►Certificat de non-paiement〔支払拒絶証明書〕

Protocole 国公 プロトコール；外交儀礼；議事録；議定書
①外交儀礼：プロトコール//外交上の儀礼。
②議事録//外交会議の議事録
③議定書//国家間協定，すなわち条約の同義語であり，とりわけ，先行する協定を補足する協定を示すのに使われる。

Protocole d'Ankara EU アンカラ議定書 トルコとヨーロッパ連合の間に存する関税同盟を，2004年5月1日にヨーロッパ連合に加入したすべての新たな構成国に拡張することをトルコに義務づけた，トルコによって署名された議定書。キプロスの関税同盟への加盟をトルコが拒否したことは，2006年12月，ヨーロッパ連合とトルコとの間の加盟交渉の一定の領

Pro

域の部分的停止という事態を引き起こした。

Provision 商法 **手形資金；小切手資金** 商業証券の振出人が，支払人に対して有する，一定金額の債権。
訴訟 債務の存在については実質的な争いはないが，正確な額を実際に決定することが困難な場合，終局判決を待つ間に事実審裁判官または急速審理裁判官によって定められる金銭（損害賠償，解雇の場合の賃金の支払い）。
▷新民事手続法典809条
► Provision《Ad litem》〔訴訟費用仮払金〕
► Référé civil〔民事急速審理〕

Provision（Par） 訴訟 **仮の（に）** 主に，終局的ではなく，撤回しあるいは変更することができることをいう。例えば，通常の不服申立ての期間中および不服申立方法の行使の結果，停止の効果が生じ，判決の強制執行は停止されなければならないにもかかわらず，勝訴者が強制執行を追行する場合。また，急速審理裁判官が言い渡した罰金強制を暫定的に数額確定する場合などである。有責判決は，増額または減額により変更されうる。
► Provision〔仮払金；予納金〕
▷新民事手続法典514条以下

Provision《ad litem》 民法 民訴 **訴訟費用仮払金** 夫婦間で争われる訴訟（離婚，別居または無効）の際に，訴訟費用を支払うことができるようにするために夫婦の一方がその配偶者に対して（たいていは，夫が妻に対して）支払う金銭。
この立替金は，分割される財産体から控除される。
▷民法典255条
当事者が裁判所書記課または当事者の受任者（弁護士，代訴士）の手中に預けている金銭であって，裁判補助者（弁護士，鑑定人など）の費用および謝礼の内金に充てられるもの。

Provisions（en matière de sociétés） 商法 **引当金（会社に関して）** 引当金は，財産の価額の低下と，まだ実現はしていないが確実に予想される危険および費用を，企業会計において明らかにする。
減価引当金〔provision pour dépréciation〕は，償却不能資産（土地，営業財産）の価額の低下を示すものであり，貸借対照表の資産の部において，その財産の取得原価のもとに引当金の額を控除する形で記載される。
危険費用引当金〔provision pour risques et charges〕（税の追徴が予想される場合，

紛争が係争中である場合）は，反対に，特定の財産と結びつけることはできず，それゆえ，貸借対照表の負債の部に記載される。

Provocation 刑法 **教唆；扇動；挑発** 他人に犯罪を行うように唆す行為。贈与，約束，脅迫，命令，権威の濫用および権力の濫用によって行われることがある。独立の犯罪として定められる場合（反抗，スパイ行為，未成年への自殺の教唆など）もあれば，共犯行為となる場合もある。
▷刑法典121-7条2項

Proxénétisme 刑法 **売春の仲介** 態様の何たるかを問わず，人に売春をするよう強制し，他の者の売春に手を貸しまたはそこから利益を得る者の犯罪的活動。立法者は，直接または間接に売春を助長しうる多くの行為を売春仲介の罪とする。
▷刑法典225-5条以下

Prud'hommes 労働 **労働裁判所** ► Conseil de prud'hommes〔労働裁判所〕

Pseudonyme 民法 **仮名** 一般的には，文芸的または芸術的活動を行ううえで自分のことを指すために用いる空想上の語。仮名の使用は，芸術，ジャーナリズムおよび文芸の分野においては合法であり，僭称に対する保護を受ける権利を生じさせる。
▷知的所有権法典L113-6条およびL123-3条
► Nom〔名称；氏〕► Prénom〔名〕► Surnom〔添名〕

Publication 行政 **公布** 通常，法律および行政立法に関して用いられる公示方法。国民に情報を伝達する手段，とりわけ公式の法令集（国であれば官報）への登載によって当該行為の周知をはかること。
► Journal officiel（JO）〔官報〕
民訴 **公示；公開** ► Notification〔送達〕

Publication du commandement 民訴 **差押前催告の公示** 不動産差押手続きにおいて，差押えの効果（不動産の不可処分性，果実の不動産化，使用収益権および管理権の制限）は，第三者に対しては差押前催告の公示の日から，債務者に対しては差押前催告の送達の日から生ずる。

Publication des condamnations 刑法 **有罪判決の公示** 一定の条文に規定され，固有の意味の刑罰に付加される独立の制裁。掲示，新聞への掲載，または電子的手段による公衆への伝達の形態をとる。代替刑として宣告することができる。

▷刑法典131-35条

Publication de mariage 民法 婚姻公示
▶Bans〔婚姻公示〕

Publication des traités 国公 条約の公布　条約に個人に対する対抗力をもたせるため，条約を官報に掲載すること。▶Enregistrement des traités〔条約の登録〕

Publicité d'actes juridiques 民法 商法 法律行為の公示　取引の安全，および一定の状況にあるすべての者の平等という形での正義を確保するために，さまざまな方法（掲示，それを専門としまたは専門としない新聞における広告，登記簿の設置）を使用すること。公示は，立法者によって定められた。
▶Annonce judiciaire et légale〔裁判上および法律上の公告〕▶Conservation des hypothèques〔抵当権保存所〕▶Publicité foncière〔土地公示〕

Publicité des débats 訴訟 弁論の公開　弁論の公開は，防禦の自由の保障および裁判の行われ方を監督する手段として考案されたものである。その結果，公衆が法廷に入ることができることになる。この原則は，一定の事件（特に家族事件）が要求する守秘義務に矛盾すると思われる場合，または弁論の平穏を危くしうると思われる場合には退けられる。法律はその場合を定めている。すなわちそれは評議部として裁判される事件の場合である。ときには裁判官が，その裁量に委ねられている諸理由から，非公開を言い渡すことがある。懲戒訴追のときには，当事者は自身に関する弁論が公開でなされることを要求することができる。
▷新民事手続法典22条，433条以下；ヨーロッパ人権条約6条1項

Publicité foncière 民法 土地公示　不動産に関する一定の法律行為を第三者に知らせ，そのことによって，その法律行為をそれらの者に対して対抗可能なものにするための技術。1955年以前においては，法律は，transcription〔謄記〕という語を用いていた。
▶Conservation des hypothèques〔抵当権保存所〕

Publicité des jugements 民訴 判決の公開　まれな例外を除いて，誰もが，いかなる判決の謄本でも（判決がその者に関係がない場合であっても）裁判所書記課から得ることができる。
▶Prononcé du jugement〔判決の言渡し〕

Publicité de la justice 訴訟 裁判の公開
▶Archives audiovisuelles de la justice〔裁判映像記録〕▶Procès équitable〔公正な裁判〕▶Publicité des débats〔弁論の公開〕▶Publicité des jugements〔判決の公開〕

Puissance paternelle 民法 父権　未成年の子の身上および財産に対する両親の権利の総体。
　この概念は，1970年6月4日の法律以降は，autorité parentaleという概念に取って代わられた。
▷民法典371-1条以下
▶Autorité parentale〔親権〕

Puissance publique 行政 公権力
①*La puissance publique*　公権力：曖昧な用語であるが，最も一般的な意味では公法人〔▶Personne publique〕の総体を指す。
　この用語法は，国家に関する最も古い考え方に由来する。それによれば，国家は共同体全体の必要を満たすための公役務の組織ではなく，本質的に個人に優越し個人に対して主権的権力を有する存在である。

②*Activités de puissance publique*　公権力活動：特に2系統の裁判所間の権限配分基準を見出すことを目的として，国家運営の法的手段を分析する道具概念。歴史的に2つの解釈が行われてきた。
　19世紀の考え方においては，国家が命令または禁止によって一方的に行う国家活動である。これは主として権力的公役務に限定される国家という国家観と結びつく。
　今日では，この観念の擁護者たちが公権力活動という用語によって強調するのは，命令の観念よりも，私法が定める条件を適用除外する（すなわち行政法の適用が正当化される）条件において，増加し，多様化した公役務を執行するひとつの方法という観念である。

Pupille 民法 被後見子　後見の制度のもとに置かれている子。また，少年社会援助機関〔services de l'Aide sociale à l'enfance〕の監督のもとに置かれている子（行政的後見に付されている国の被後見子）のことも指す。
　pupilles de la nationとは，戦争孤児のことである。
▷民法典347条，349条，351条，390条および457条；傷痍軍人恩給法典L461条以下；社会福祉法典L224-1条以下

Pur et simple 民法 単純な
①条件も，期限も，連帯性も付されていないため，いかなる態様にも影響されていない

347

Pur

債務についていう。
　②相続に関して，（財産目録限度負担の利益〔bénéfice d'inventaire〕の）留保なくなされた相続人の承認についていう。これにより，相続財産中の負債を無制限に負担する。
▷民法典768条，782条および785条
► Acceptation de succession sous bénéfice d'inventaire〔相続の限定承認〕

Purge des hypothèques 民法 **抵当権の滌除**　抵当不動産を取得する第三者が，取得代金の額を，または，無償で不動産を取得した場合には不動産の価額を抵当債権者に支払うことを申し出る手続き。このことによって，不動産に設定されているすべての抵当権が消滅するという効果が生ずる。
▷民法典2476条以下

Putsch 憲法 **プッチュ**　►Coup d'État〔クーデター〕

Q

《**Quae temporalia sunt ad agendum perpetua sunt ad excipiendum**》 民法 民訴 **訴権については限時的であっても，抗弁については永久的である**　時効期間の経過により無効訴権が消滅したため無効の訴えを提起できない場合，無効訴権の受益者は，抗弁は永久性を有しているがゆえに，抗弁をなすことはできる。

Qualification 一般 **性質決定**　ある行為，ある事実またはある法的地位を既存のグループ（法概念，カテゴリー，制度）に結びつける知的作業。

　民法 **性質決定**　ある制度の法的性質を明確にする知的作業。例えば，ある法律行為が有償であるか無償であるかを決定すること。

　国私 **（法律関係の）性質決定**　国際私法において，法律関係の性質決定とは，事実状況または法律問題の法的性質を決定することをいう。これは，この事実状況または法律問題をある類型に当てはめることによって，その事実状況または法律問題に適用される法律を決定することを目的とする。例：公証人証書は

遺言の形式的要件か実質的要件かを調べること。

　刑法 **罪質の決定；罪名の決定**　立法者または裁判官による犯罪事実の定義または罪名の当てはめ。
　法律上の罪質の決定とは，立法者が犯罪を定義する行為をいう。
　裁判上の罪名の決定とは，適用される犯罪規定に客観的事実が一致することを裁判官が確認する行為をいう。

　民訴 **性質決定**　訴訟上の事実を，対応する法的枠内に分類すること。事実と法を結びつける性質決定は，ほとんどつねに破毀院の審査の対象となる。
　当事者によって提示された性質決定を確かめ，必要であれば修正することは裁判官の任務に属する。
　ただし，当事者が自己の権利を自由に処分できる場合には，当事者は自己の選択した法的観点および性質決定の枠内に弁論を限定することができる。

Qualification professionnelle 労働 **職業資格**　免状もしくは証書によって認められるか，または職業上の経験に由来する知識および能力の総体。職業資格は，職と労働契約を関連づけることを可能とし，しばしば労働協約において報酬の額を決定するために用いられる。

Qualité pour agir 民訴 **当事者適格**　原則として訴権は，法律が一定の者にのみ認めたのではない場合には，直接的かつ個人的な利益を証明できる者すべてに属する。したがって，適格は利益と一体化される。
　反対に，法律が一定の者に訴権の独占を与えた場合，法律が定める者のみが当事者適格を有する。例えば，自然父子関係の探求は〔recherche de paternité naturelle〕子にしか属さず，未成年の間は母のみがそれを行使する適格を有する。他のすべての者は，利益があったとしても，提訴する権利はないことになる。

Qualités du jugement 民訴 **判決書の当事者分担部分**　かつて勝訴者の代訴士によって作成されていた民事判決書の一部で，両当事者の氏名，訴訟手続きにおける当事者の地位，および申立ての趣意などを内容としていた。1958年以降，これらの事項は，作成者たる裁判官によって判決書中に記載されている。

Qualité substantielle 民法 **本質的性質**　契約当事者によって考慮された契約の目的物の特

348

徴であり，その要素がなければ意思の合致が実現しえなかったであろうもの。

本質的性質に関する錯誤は，契約の無効をもたらす。

▷民法典1110条

《**Quantum**》(Montant) 民法 民訴 **額** 損害賠償金（民事責任）または分担部分（例：家庭の費用についての夫の分担金）を評価する際に用いられる語。

Quartiers 行政 **地区** 《身近な民主主義》〔démocratie de proximité〕を向上させるために，人口8万人以上の市町村は，それぞれ地理的に地区〔quartier〕に区分され，その境界は当該市町村の市町村会〔►Conseil municipal〕が定める。市町村会は，地区に地区会〔conseil de quartier〕を設置する。地区会は，当該地区および市町村に関するあらゆる問題について市町村長から諮問を受けることができ，かつ提案権限を有する。

人口2万人以上の市町村においても，地区を任意に創設することができる。

▷地方公共団体一般法典L2143-1条

Quasi-contrat 民法 **準契約** 合意によって結びついていない者に契約類似の制度に従う債務を負担させる，意思に基づく適法な行為。

▷民法典1371条

►Enrichissement sans cause〔不当利得〕
►Gestion d'affaires〔事務管理〕►Répétition de l'indu〔非債弁済の返還〕

Quasi-délit 民法 **準不法行為** 他人に損害を生じさせ，その損害を賠償することを行為者に義務づける，違法であるが害意なくしてなされた人の所為。すなわち，懈怠，軽率，不注意。

▷民法典1383条

►Délit civil〔不法行為〕►Responsabilité〔責任〕

Quasi-usufruit 民法 **準用益権** 用益権に相当するものの，一度の使用で消費されてしまう物（消費物〔choses consomptibles〕）を対象とするがゆえにそれから区別される物権。消費物の使用収益は，事実行為としての破壊（食料品）または法律行為としての譲渡（金銭）を通じてしか実現されないため，準用益権者は，用益権者と異なり，その物を処分する〔►Disposer〕権利を有する。したがって，用益を終えたのち，準用益権者は，消費されたものと同量の物または返還の日付におけるその物の評価額を返還する義務のみを負う。

▷民法典587条

►《Abusus》〔処分権〕●《Fructus》〔収益権〕●《Usus》〔使用権〕

Quérable (Créance) 民法 **取立て（債権）** 債権者が債務者の住所地へ履行を請求しに行かなければならないという債権の性質。

▷民法典1247条3項

►Portable (Créance)〔持参（債権）〕

Questeur 憲法 **管理担当理事** 議院の理事部の構成員であり，当該議院の内部運営に関する事項（人事，部屋割り，設備）を担当する者。

Question 憲法 **質問** 議員が政府の構成員を問いただすことを認める手続き：国会による古典的な監督手段のひとつ。

①*Question au Gouvernement* 政府質問：口頭質問の制度を再評価して，1974年に設けられた手続き（《Question d'actualité》〔緊急質問〕の手続きに代わるもの）。各会派はその議員数に応じて全体で概ね2時間のもち時間を配分する。この手続きは，元老院では月1回（毎月第3木曜日）の割合で行われているが，国民議会ではそれまでと同様に週1回（水曜日の午後）の割合で行われる。それは，国会による監督という点では今でも期待を裏切るものであり，むしろ政治的な見せ物に属する。

②*Question écrite* 文書による質問：原則として1ヵ月の期間内になされる大臣の回答とともに官報で公表される質問。

③*Question orale avec débat* 討議を伴う口頭質問：事前に登録されたすべての発言者に開放される全体討議が行われる質問。

④*Question orale sans débat* 討議を伴わない口頭質問：質問者本人と関係大臣の間の簡潔なやりとりだけが行われる質問。

Question de confiance 憲法 **信任問題** 政府が国会に対して自らの責任をかける手続きで，その政策の全体または特定の部分の承認を国会に求めるものであり，承認されなければ政府は辞職することとなる。

国民議会議員は内閣の危機の責任を引き受けることを躊躇することがあるので，信任問題は，国会に対する政府の圧力の手段となる。合理化された議院内閣制においては，信任問題は規制されている。例：1958年憲法典49条1項（施政方針または一般政策表明に関する信任問題），49条3項（法文に関する信任問題）。

Question préalable 憲法 **先決問題** 審議を行う議院の構成員が提起する問題であり，本会議議事日程に登録された事項に関して審議の

必要がないと決定させることを目的とする。

[国私] **先決問題** 法律の抵触に関し，ある問題が本問題の解決の前提となるとき，その問題を先決問題という。例えば，養子が養親を相続するか否かを検討する前に，養子縁組の適法性を確認することが適当である。学説上，先決問題は，本問題と同様に法廷地の抵触法の体系を適用することにより解決されるべきかという点につき，意見が対立している。

[訴訟] **先決問題** 主問題〔►Question principale〕の存在のために要求される条件のいくつかがそろっているかを確認するために裁判官が審査すべき問題。例えば，相続主張訴権（主問題）は，相続資格（先決問題）が原告に属することを前提とする。手続上，question préalableは，question préjudicielleと異なり，主問題を提訴された裁判官の権限に属する。
►Question préjudicielle〔判断付託問題〕

Quesiton préjudicielle [訴訟] **判断付託問題** 判断付託問題とは，それについて管轄権限を有する別の裁判所が裁判行為を行うまで，裁判所が判決の延期を強いられる問題である。（民事手続きにおいては）一般的判断付託問題と特別判断付託問題とに分けられる。民事裁判所以外の裁判所が管轄を有する場合（例えば，行政問題，刑事問題）を一般的判断付託問題といい，他の民事裁判所が管轄を有する場合を特別判断付託問題という。

刑事手続きにおいては，他の裁判所の判断のあるまで公訴権の発動を妨げる，起訴前判断付託問題と，管轄裁判所によって法律問題が解決されるまで手続きを停止する，判決前判断付託問題とがある。
▷刑事手続法典6-1条および384条；新民事手続法典49条
►Question préalable〔先決問題〕

Question principale [訴訟] **主問題** 訴訟手続きにおいて，主問題とは裁判官に提出された申立て〔prétention〕の目的自体を対象とする問題である。
►Question préalable〔先決問題〕►Question préjudicielle〔判断付託問題〕

《**Qui auctor est se non obligat**》 [民法] **承認を与える者は拘束されない** ある法律行為に承認を与える者は，この行為によってまったく拘束されない。

Quinquennat [憲法] **5年任期** フランス共和国大統領の任期（5年）。
►Septennat〔7年任期〕

Quirataire [海法] **船舶共有者** 共同所有の形態で買い入れられた船舶の持分所有者。

Quittance [民法] **受領証書** 債権者が債権額を受け取ることを認める，債務者に手渡される証書。
▷民法典1250条2号，1255条，1256条および1908条

Quitus [民法] **勘定適正証明書** 勘定を確定し，勘定の任にあたった者の管理が正確かつ適法であることを証明する証書。ただし，一般に，勘定が承認されたからといって，その任にあたった者は責任を免れるわけではない。
▷民法典473条

[商法] **決算承認** ある者についての業務執行を承認する行為。

会社の場合には，社員の受任者は，営業年度が終了した後に，社員の決算承認を得なければならない（非営利社団〔association〕の場合も同様である）。

[財政] **決算済判決** 職務を終える公会計官によって提出された会計が適正であり，それゆえ，当該公会計官が会計職に就任する際に設定した保証金をその者へ返還しうることを確認する会計検査院（または州会計検査院）がなす判決。

Quorum [民法] [商法] **定足数** （例えば，団体または会社の）会議体が有効に審議決定を行うことができるために必要な参加者の数。

[憲法] [国公] **定足数** 議院，委員会，会議を有効に開会しうるために必要な構成員の出席の数。

Quota agricole [農事] [商法] **農産物割当て** ヨーロッパ共同体の規範によって集団的に適用される生産割当措置。生産割当ては，奨励金を受ける権利〔droit à prime〕と混同してはならない。奨励金を受ける権利とは，国内または共同体の各種の制限に対する補償として申請される個別的な援助である。

Quotient électoral [憲法] **当選基数** 比例代表制において，各リストに議席を分配する際の基準となる投票数。リストが集めた投票数をこの数で割って得られた数と同数の議席を付与することになる。

当選基数は，選挙区ごとに決定される場合もあれば（有効投票の総数を議席定数で割る），国全体において単一の場合もある（あらかじめ固定しているか，または国全体の有効投票率の総数を総議員定数で割ることで得られる）。

Quotient familial 財政 家族係数　納税義務者の家族扶養費の負担の大きさを考慮して，所得税の累進性を緩和する方法。累進税率表は，課税世帯の全所得ではなく，家族の人数によって定まる《除数》〔parts〕で全所得を割ったものに適用される。一般に，除数は，配偶者についてはそれぞれ1，被扶養子のうち最初の2人については0.5，3人目以降については1である。
▷租税一般法典193条以下

Quotité disponible 民法 処分可能分　遺留分を有する相続権者（尊属または卑属）がいる場合に，贈与または遺言によって自由に処分することができる，財産の部分。処分可能分は，法律によって定められており，遺留分を有する相続権者の資格および数に応じて変化する。
▷民法典845条，913条，913-1条，914-1条，916条，917条および1094-1条
▶Réserve〔遺留分〕

R

Rabat d'arrêt 民訴 判決の持戻し　当事者の責めに帰すことのできない手続上の瑕疵に基づいてなされた破毀院判決を持ち戻す手続き。申請によって開始される。

Rachat 商法 （保険の）解約　生命保険において，被保険者の請求に従って保険者によってなされる，valeur de rachat〔払戻金〕と呼ばれる金銭の支払い。保険者の負う条件付き（被保険者の死亡）または期限の定めのある債務は，このとき，履行期の到来した債務となる。

Rachat de cotisations 社保 保険料の遡及払い　被保険者に与えられている可能性であって，一定の条件のもとで，高等教育を受けていた期間，および4四半期について期間の有効化がなされなかった年度につき，12四半期を限度として，社会保障金庫に対して遡及的に退職年金の保険料を支払うこと。
▷社会保障法典L351-14-1条

Racisme (Actes de) 刑法 人種差別（行為）　意識的であるか否かにかかわらず，ある人種が他の人種に優越するという考え方に基礎を置き，ある人種に属するか否かによって差別を行う行動。今日，これらの行為のいくつかが刑事上犯罪とされている（侮辱，差別行為，名誉毀損，扇動）。

Racket 刑法 強要　▶Extorsion〔強要〕

Racolage 刑法 客引き行為　売春に従事する者が，利用された手段が公然性を有する場合，そのいかんを問わず，潜在的顧客に近づいて声をかけること，より一般的には，受動的態度による場合も含めその注意を引くことにより成立する犯罪。
▷刑法典225-10-1条およびR625-8条

Radiation 民訴 （登録の）抹消　登録を抹消された者から，その登録に附随する権利を奪う懲戒処分。例えば，職団名簿から抹消された弁護士は，弁護士職を営むことができなくなる。
▶Poursuite disciplinaire〔懲戒訴追〕

Radiation (des hypothèques) 民法 （抵当権の）抹消　抵当権保存吏が抵当権解除証書または抵当権解除判決を執行すること。これは，登記簿への欄外記載によってなされる。
▷民法典2440条

Radiation du rôle 民訴 事件簿からの抹消（職権による）　当事者が必要な行為を行わなかったことへの制裁として，事件を継続中の事件の順番から削除することを言い渡す裁判所運営上の措置であり，訴訟手続きの停止をもたらす。それを欠いたことにより抹消が生じた必要な行為の証明に基づいて，事件は復活される。
▷新民事手続法典381条，383条，781条
▶Retrait du rôle〔事件簿からの抹消（当事者の請求による）〕

Raison sociale 商法 （会社の社員名による）商号　すべてまたは一部の社員が，会社の債務に対して直接に責任を負う会社に用いられる名称。この商号は，そのような社員すべてまたは一部の社員の氏名だけで構成される。今日では，自由職業民事会社だけがこの商号をもつものと定められている。

Rang diplomatique 国公 外交席次　ある国家に派遣された外交官の間の上席権の順位。
　第1階級：大使およびローマ法王の大使。
第2階級：公使およびローマ法王の公使。第3階級：（外務大臣に対して派遣された）代理公使。それぞれの階級内部においては，上席権

は，先任順につまり信任状を提出した日付によって決定される（1961年のウィーン条約）。

Rang des privilèges et des hypothèques 民法 **先取特権および抵当権の順位** ある先取特権またはある抵当権がこれらの担保の総体の中で階層上占める地位。先取特権は債権の性質に応じて法律の定める順序にしたがい順位が付けられる。抵当権はその登記の日付にしたがって古い順に順位が付けられる。
▷民法典2324条以下および2425条

Rappel à la loi 刑訴 **説諭** 刑事訴追の代替措置。この措置により，共和国検事は自らまたは司法警察員，共和国検事の代理人もしくはその任命する調停者を介して，犯罪行為者に対してその刑事および民事責任から生ずる義務ならびに社会生活上の義務を説明するよう努める。
▷刑事手続法典41-1条

Rappel à l'ordre 憲法 **懲罰** 議院の内部規則で定められた要件において国会議員に適用される懲戒処分。

Rappel à l'ordre d'un mineur 行政 刑法 **未成年者への規律の喚起** 市町村長またはその代理人が，場合により市町村庁への呼出しの後に，適正な秩序，公安または公衆衛生を害するおそれのある行為をなした未成年者に対し，不可能な場合を除き未成年者の両親またはその法定代理人を同席させて，未成年者が守らねばならない規定を口頭で言い聞かせ，公の安寧秩序に従うよう求める措置。
▷地方公共団体一般法典L2212-2-1条

Rapport 民訴 **報告書**
①部長が事件にとって必要であると認めた場合に，準備手続裁判官が弁論期日に陳述〔plaidoiries〕に先立って提出する，訴訟上の事実および法に関する資料を書面で報告したもの。
▷新民事手続法典440条および785条
②鑑定人が任務の後に提出する文書。報告書により，鑑定人は自己の活動を報告し，自己の調査に付された専門的問題について意見を述べる。
▷新民事手続法典282条

行訴 **報告** 地方行政裁判所，行政控訴院およびコンセイユ・デタにおいて審理調査を任務とする裁判官によって行われる，訴訟の事実上および法律上の諸要素の口頭説明。口頭弁論が行われる場合にはその前に行われる。口頭弁論の後に，論告の中で，訴訟に与えるべき法的な解決方法を提案する論告担当官とは異なり，判決構成体の一員であるので報告裁判官は意見を述べてはならない。
▷行政裁判法典R611-9条，R611-16条およびR611-20条

Rapport des dettes 民法 **債務の持戻し** 相続および無償譲与の改革を内容とする2006年6月23日の法律によって放棄された表現。無償譲与の持戻しとは反対に，債務の持戻しは取り分の構成に関する分割操作であることがその理由とされている。

分割対象財産体が共同分割人の1人に対して債権を有しているとき，その共同分割人は，財産体における自己の権利を限度として，分割操作においてその債権，すなわち自己にとっての債務を割り当てられる。持ち戻された額が債権と同額となるまで，その共同分割人の債権は混同〔confusion〕により消滅する。債務がなお多い場合は，その共同分割人は，債務にかかわる条件および期間にしたがってその分を弁済しなければならない。

共同分割人の方が分割対象財産体に対して債権を有しているときには，混同により債権が消滅した後に不分割財産体に差引残高がまだ残っている場合でなければ，自己が負っている債務を割り当てられることはない。
▷民法典864条以下

►Rapport des dons et des legs à fin d'égalité〔平等目的の贈与および遺贈の持戻し〕

Rapport des dons et des legs à fin d'égalité 民法 **平等目的の贈与および遺贈の持戻し** 処分可能分の範囲内で自己に贈与または遺贈された財産を遺言者から受け取っていた相続人が，共同分割人の間に平等を回復するために，価値的に分割対象財産体にその財産を戻すことを強制される操作。しかし，処分者は全く自由に処分可能分を分配できるので，処分者の意思を解釈することが必要となる。法律は処分者の意思を以下の如く推定している。すなわち：

・贈与は，相続分の前渡しとしてなされたものとみなされ，したがって，贈与者が無償譲与の受益者にそれを免除している場合を除き，持ち戻される。しかしながら，一定の贈与は法律上当然に持戻しを免除されている。すなわち，扶養，養育，育成の費用ならびに慣例の贈り物がそれである。

・遺贈は，相続分外としてなされたものとみなされ，したがって，明示的に表明された

意思のある場合でなければ，持戻しの対象とはならない。
▷民法典843条以下，852条および856条
►Préciput〔先取権；先取分〕►Rapport des dettes〔債務の持戻し〕

Rapport des dons et des legs à fin de réduction 民法 減殺目的の贈与および遺贈の持戻し　遺留分〔►Réserve〕の再構成を確実に行うために，処分可能分を超えて贈与または遺贈された財産を分割対象財産体へ戻すための仕組み。
▷民法典844条および920条以下
►Réduction des libéralités excessives〔過分な無償譲与の減殺〕

Rapport à succession 民法 相続財産への持戻し　►Rapport des dettes〔債務の持戻し〕►Rapport des dons et des legs à fin de réduction〔減殺のための贈与および遺贈の持戻し〕►Rapport des dons et des legs à fin d'égalité〔平等のための贈与および遺贈の持戻し〕

Rapporteur 憲法 委員会報告者　議院のために委員会の作業の報告および結論の説明を行う役割を負う者。
Rapporteur général 予算総括報告者：予算法律に関する報告を行うことを任務とする予算委員会の構成員。
行訴 民訴 報告担当官　►Rapport〔報告〕

Ratification 民法 追認　権限を有しない第三者によって利害関係人の名においてなされあるいは約束されたことに対する利害関係人による承認――その結果，利害関係人は効果を領得する――。たとえば委任において，受任者によりその権限を越えてなされた行為は，追認により委任者に対抗できるものとなる。
▷民法典1120条および1998条

Ratification des traités 国公 条約の批准　国際的に国家を拘束する権限を有する国内機関（たいていの場合，国家元首であるが，しばしば国会の承認を要し，国民投票を組織する場合もある）による条約の承認。
　批准は，裁量行為であるが，締約国に対し通知されなければならない。批准書の交換（二国間条約），批准書の寄託（多国間条約）による。
►Accord en forme simplifiée〔簡略形式による条約〕

Ratio 商法 レシオ　金融機関の上部機関が設定する，銀行の貸借対照表の諸項目間の比率。銀行にその有する資金を健全に管理させ，預金者の安全をはかることを目的としており，銀行はこの数値を超えてはならない。
　銀行の処分可能な資産と請求可能な負債との間に定められる比率を《流動比率》〔ratio de liquidité〕と呼ぶ。これは《安全比率》〔ratio de sécurité〕または《支払能力比率》〔ratio de solvabilité〕ともいう。

《**Ratio decidendi**》 訴訟 判決理由；レイシオ・デシデンダイ　（裁判所の）「判断の理由」。裁判官の判断の原因となった決定的理由〔motif décisif〕を指す表現。
►Motifs〔理由〕►《Obiter dictum》〔傍論；オビタ・ディクタム〕

《**Ratio legis**》 一般 法律の理由；立法者意思　「法律の存在理由」とも訳されうるラテン語の表現。より正確には，ある規範を制定または変更する立法者の表明されたまたは推定される意思を指す。このように立法者の意図を認識することは，法文が曖昧または不完全な場合に，その法文を解釈することを可能とさせる。

《**Ratione personae, Ratione materiae, Ratione loci**》 民訴 人を理由として，事物を理由として，場所を理由として　►Compétence〔（管轄）権限〕►Compétence d'attribution；《Ratione materiae》〔事物管轄〕►Compétence matérielle；《Ratione materiae》〔事物管轄〕►Compétence personnelle；《Ratione personae》〔人的管轄〕►Compétence territoriale；《Ratione loci》〔土地管轄〕

Rattachement 国私 連結点　ある法的問題を規律する管轄権限を有する法秩序〔►Ordre juridique〕を指定することを可能とする要素。

Rayon des douanes 財政 税関取締区域　税関吏が特別な監視を行う国境地域のことで，領海基線から12海里まで，ならびに，海上および陸上の国境の内側20キロメートル，場合により60キロメートルに広がっている。
　領土のその他の部分はすべて税関の調査の対象となりうる。
▷関税法典44条

Réassurance 商法 再保険（契約）　ある保険者が，被保険者に対して担保している危険の全部または一部について，再保険者〔réassureur〕といわれる他の保険者による保険の引受けを受けること。再保険契約は，元受保険契約をなんら変更するものではない。

Rébellion 刑法 反抗　公権力の受託者または公役務の任務の担当者が，職務執行に際して，

法律の執行，公権力の命令または裁判所の判決もしくは令状の執行を行う場合，これらの者に対して暴力によって抵抗する行為。
▷刑法典433-6条

《Rebus sic stantibus》(clause) 国公 **事情不変更(条項)** 語源的には：事情がそのような状態にあり続けるかぎり。

すべての条約において，暗黙のうちに了承されている，条約の締結時に存在していた事情の変化により，条約が失効するとする条項。

条約の拘束力にとっては危険な理論であり，したがってほとんど認められがたい。条約が適応しなくなった場合は，それにより条約の適用が困難になるが，当事国のできることは，共通の合意によって条約の再審議を行うことのみである。
►Révision des traités〔条約の再審議〕

私法 公法 **事情不変更(条項)** この命題は，公法および私法における契約に関しても主張されてきた。この命題は，決して，一般的な射程をもつ原則を表すものとはみなされてこなかった。
►Imprévision (théorie)〔不予見(理論)〕

Recel 民法 **隠匿** 取得するために，または，他の権利者(配偶者もしくは共同相続人)の取り分を騙し取るために，共通財産の対象または相続財産の物件を横領する欺罔行為。隠匿は，隠匿者〔receleur〕の，隠匿された物に対するすべての権利の剥奪をもたらす不法行為である。

法定共通財産制〔communauté légale〕のもとでは，隠匿は，夫婦の共同債務の存在を意図的に隠すことによっても成立する。夫婦のうち隠匿をなした者は，この債務を単独で負わなければならず，他方に対して求償することはできない。

相続に関しては，隠匿の不法行為は，共同相続人の存在，および，持戻しまたは減殺の対象となる贈与を隠すことにも拡張された。
▷民法典778条および1477条

妻による子の出生の隠匿は，婚姻から180日が経過する前に生まれた子について夫が単なる否認〔simple dénégation〕によって父子関係を否認する事由となる。
▷民法典314条
►Divertissement〔横領〕

刑法 **隠匿** その物が重罪もしくは軽罪から生じたものであることを知りながら，直接もしくは間接にそれを隠匿，所持もしくは譲渡すること，事情を知りながら重罪もしくは軽罪の結果を利用すること，または，犯罪の責任がある者，もしくは殺人の被害者の死体もしくは暴力行為の結果死亡した被害者の死体を官憲から免れさせることからなる重罪または軽罪。
▷刑法典321-1条以下，434-6条および434-7条
►Divertissement〔横領〕

Récépissé 商法 **受領書；預り証券** 金銭，書類，物品，その他送付または寄託の目的物を受領したことを認める書面。
▷商法典L522-24条以下

Récépissé-warrant 商法 **倉庫証券** 質入証券〔►Warrant〕に次いで発行される，物品の寄託を証明する証券。

倉庫証券の裏書〔►Endossement〕による譲渡は，物品の所有権を移転する。

質入証券のみが裏書きされる場合には，物品への質権設定をともなう商業証券〔►Effet de commerce〕が発行されたことになる。
▷商法典L522-28条以下

Réceptice 民法 **通知を要する** 名宛人に通知がなされた場合にしか法的に実在しているとはいえない一方的行為を形容する語。例えば，賃貸人によってなされた解約通知〔congé〕，債務者に対する付遅滞〔mise en demeure〕，労働者の解雇〔licenciement〕。

Réception 民法 **受領** 仕事の注文者が，請負契約の枠内において，請負人〔►Entrepreneur〕によって行われた仕事を承認する一方的行為。
▷民法典1792-6条

Recette des impôts 財政 **徴税事務所** 主な間接税(例えば，付加価値税，登録税)および徴税官〔►Percepteur〕が徴収しない(法人税および源泉徴収のような)若干の所得税の徴収を任務とする部局。もっとも，1993年以降，かつての間接税(個別消費税〔►Accises〕)は関税事務所によって徴収されている。

Recevabilité 訴訟 **受理性** 受訴裁判所による本案の審査を可能にする裁判上の訴えの性質。
►Bien-fondé〔理由がある(こと)〕►Chose jugée〔既判事項〕►Délai〔期間〕►Fond〔本案；実体〕►Intérêt (pour agir)〔訴えの利益〕
►Qualité pour agir〔当事者適格〕

Receveur des finances 財政 **地方財務局長補佐** 上級の国庫公会計官であり，地方財務局長〔►Trésorier-Payeur Général〕の権限のもとに置かれ，県庁所在地のある郡以外の郡

の首邑において職務を行う。

Recherche biomédicale 民法 生物医学的研究 生物学的または医学的知見の拡大のために人間に対して行われる試験および実験に与えられる名称。その試験および実験は，刑事上の制裁を伴う厳格な条件のもとでしか実施できない。
▷公衆衛生法典L1121-1条以下

Recherche de maternité naturelle 民法 自然母子関係の捜索 出生証書も身分占有もない子が自然母子関係を証明することを目的とする訴権(訴え)。母子関係の捜索は，母が，出産の際に，自己の入院および身元の秘密が守られることを求めなかったという条件のもとで認められる。自然母子関係を裁判上証明する際に，推定または重大な徴憑が要求されることはもはやなくなった。
▷民法典341条および341-1条
▶Action d'état〔身分訴権；身分の訴え〕
▶Filiation naturelle〔自然親子関係〕

Recherche de paternité naturelle 民法 自然父子関係の捜索 子が自然父子関係を証明することを目的とする訴権(訴え)。この訴権(訴え)は子が行使する。子が未成年の間は，この訴権(訴え)は，親子関係が立証されている親が行使する。父子関係の立証はあらゆる方法によって行うことができ，原告の申立ての前提となる推定または徴憑を提示する必要はなくなった。
▷民法典327条および328条
▶Action d'état〔身分訴権；身分の訴え〕
▶Filiation naturelle〔自然親子関係〕

Rechute 社保 (病気の)ぶり返し 最初の事故の後遺症の悪化により生じた障害。一時的な悪化によるものも含まれる。これらの障害については，疾病保険ではなく，労働災害に関する法制度が費用を負担する。
▷社会保障法典L443-1条

Récidive 刑法 累犯 法律に定める要件のもとで，犯罪者が，初度の犯罪に対する有罪判決の確定後，再度，犯罪を遂行したことから生じる刑の加重事情。異種間の犯罪についての累犯は，一般的累犯〔récidive général〕と呼ばれ，類似の犯罪についての累犯は，特定累犯〔récidive spéciale〕と呼ばれる。後犯までの期間がどの程度であれ累犯を問題とする場合は非限時的累犯〔récidive perpétuelle〕と呼ばれ，前犯の終了後，後犯が行われるまでの期間に限定がある場合は限時的累犯〔récidive temporaire〕と呼ばれる。
▷刑法典132-8条以下

Réciprocité 国私 相互性 フランスにいる外国人に一定の権利を条約上認めるに際して，要求されることがある条件。これらの権利は，外国人に対しては，当該外国においてフランス人に対しても同等の権利が認められている場合でなければ認められない。
▷民法典11条

Réclusion criminelle 刑法 懲役 有罪判決を受けた者の自由剥奪を目的とする普通法上の重罪の刑罰。無期または30年，20年，15年を上限とする有期の懲役がある。
▷刑法典131-1条

Récognitif 民法 承認する ▶Acte récognitif〔承認証書〕

Récolement 民訴 確認 差押え=売却〔▶Saisie-vente〕の目的となる有体動産の強制売却の場合，récolementとは，売却される予定の動産の目録が，差押えの時点で作成された目録と一致していることの確認を目的とする行為である。1992年7月31日のデクレ113条により，récolementという語はvérification〔確認〕という語へと代わった。vérificationという語は同デクレ227条において，保全差押えから差押え=売却への転換の場合にも用いられる。

Recommandation 国公 勧告 原則として加盟国に対して拘束力を有しない国際機関の決議。
民法 勧告 審議機関が，規範を定める権限を有する者に対して，その者がある決定をするよう促すためになす助言のこと。例えば，不当条項委員会は，不当な性格を有する合意モデルの条項の削除または変更を勧告する。
▷消費法典L132-4条
民訴 助言 両当事者に対して，双方が考え方の点で歩み寄ることを促し，紛争の協議による解決を図る目的で，勧解人〔conciliateur〕または調停者〔médiateur〕が行う提案。

Récompense 民法 償還金 共通財産の清算の際に，共通財産を犠牲にして夫婦の一方の個人財産が増大したときには，その者が共通財産に対して支払い，また，夫婦の一方の固有財産が共通財産を増大させるのに役立ったときには，共通財産からその者に対して支払われる補償金。
▷民法典1468条以下

Réconciliation 民法 (夫婦関係についての)和解 離婚または別居の手続きを行っている夫

婦が，援用されている不利益〔grief〕をお互いに許し合う意図をもって，共同生活を再開すること。この和解は，有責行為を理由とする離婚の訴えに対して訴訟不受理事由となり，裁判上言い渡された別居を終了させる。

同居が一時的に維持または再開されても，それが勧解の効果からまたは子の育成の必要上やむをえずそうなっているにすぎない場合は，和解とはみなされない。
▷民法典244条および305条

Reconduction 私法 (賃貸借契約などの)更新
►Tacite reconduction〔黙示の更新〕

Reconduite à la frontière 行政 国外強制退去
外国人の取締りに関して，列挙された場合において県知事が違法状態にある外国人をフランスから追放することを可能とする行政手続き。この措置は地方行政裁判所の審査に服する。
►Refoulement〔入国拒否〕►Rétention〔拘留〕

Reconnaissance 国公 承認 国家が，領域外で生じ，関心を有する状況または事実に対して立場を決定する一方的かつ裁量的行為。

①*Reconnaissance de belligérance* 交戦状態の承認：国家領域の一部を保持している反乱政府の承認。国内の交戦を国際的な交戦に転換する効果を有し，特に合法政府と反乱政府の間には戦争法規が適用される。また第三国を中立義務に従わせる。

②*Reconnaissance de facto* 事実上の承認：慎重さおよびためらいの含みを伴う承認であり，それを行う国家の完全には拘束されたくないという意思を示している。法律上の承認〔►Reconnaissance de jure〕に先行する段階の一種。両者の相違は外交上のものであり，法的なものではない。

③*Reconnaissance de gouvernement* 政府承認：ある国家において政府の革命的な変更があった場合(クーデター，革命など)に第三国が行う承認。

④*Reconnaissance de jure* 法律上の承認：通常の承認。すなわち確定的かつ完全な承認。
►Reconnaissance de facto〔事実上の承認〕

⑤*Reconnaissance de nation* 民族国家の承認：第一次世界大戦中にドイツと戦うためにフランスにおいて設置されたポーランドおよびチェコスロヴァキアの各国民委員会に対して，連合国によりなされた承認(ポーランド国家およびチェコスロヴァキア国家の創設を援助するものであった。)

⑥*Reconnaissance d'État* 国家承認：国家が，第三国の存立が確定的であると確認し，その結果，第三国を国際社会の一員であるとみなす意思を表明する行為。主要な効果：外交関係の樹立。

Reconnaissance de dette 私法 借用証書 ある者が，他の者に対して，一定の金額または数量について義務を負っていることを一方的に承認する証書。その効力は，義務を負った者本人の手書きにより，文字および数字でなされている金額または数量の記載に依拠する。
▷民法典1326条
►Bon pour

Reconnaissance d'écriture 民訴 文書の確認
►Vérification d'écriture〔文書の検真〕

Reconnaissance d'enfant naturel 民法 自然子の認知 ある者が，子の父または母であることを認める，公署証書に含まれる宣言。

この一方的な宣言は，宣言をなした者についてのみ，自然親子関係〔filiation naturelle〕の証明に相当する。この宣言は子の出生の前にでも後にでもなすことができる。
▷民法典316条

Reconnaisssance d'identité 刑訴 同一性の認定 とりわけ，脱走し再度捕えられた拘禁対象者の同一性に関する争いを解決するための手続き。
▷刑事手続法典748条

Reconnaissance transfrontalière 民訴 域内承認 この表現は，ヨーロッパ共同体内部での判決の承認と執行を対象としている。

外国での承認と執行を目的とするフランスの執行名義の証明の申請は，判決を下した，または合意を認可した裁判所の主席書記に提出される。

フランス共和国領域内での外国の執行名義の執行力の承認または確認の申請は，大審裁判所の主席書記に提出される。

どちらの場合も，申請を受けた国の裁判所の審査は形式的なものにとどまる。審査は，裁判をなした国の裁判所の権限についても，その裁判所によって適用された法律についてもなされないからである。
▷新民事手続法典509条以下

Reconstitution de carrière 社保 保険歴のみなし認定 加入者が現在ではある制度に属する職務を行っていた期間であって，その時期に当該制度が存在していれば保険料を支払っていたであろう期間を有効なものと認めるこ

と。

Recours 行政 争訟
①*Recours administratifs* 行政不服申立て：裁判所に提起される裁判上の申立てと対比して，行政庁自体に提起される不服申立てをいう。行政行為のうち，違法であると主張されている行為を取り消すこと，または金銭賠償を請求することを目的とする。行政不服申立ては，その対象となる措置をとった機関自体に向けられる異議申立て〔recours gracieux〕と当該機関の上級機関に提起される階層的申立て〔recours hiérarchiques〕とに分けられる。

②*Recours pour excès de pouvoir* 越権訴訟：違法性を理由として，行政機関または公役務の任務の枠内で活動を行う私的機関が行う一方的行為を対象とする裁判上の申立て。その行為を違法性を理由として取消すことを目的とする。伝統的に，この訴訟の《提訴事由》〔cas d'ouverture〕は4つに区別されている。すなわち，行為主体の無権限〔incompétence〕，実質的手続き〔formalités substantielles〕に影響を及ぼす形式の瑕疵〔vice de forme〕，権限濫用〔détournement de pouvoir〕，行為の理由または対象自体に関する違法性と解される《法律違反》〔violation de la loi〕である。

③*Recours de pleine juridiction* 全面審判訴訟：申立人が，裁判官に対して国家またはその他の公共団体に対して自己の債権が存在することの確認，および(または)，越権訴訟の適用範囲に入らない行政行為の取消しもしくは変更を請求することができる裁判上の申立て（例：税務訴訟，行政契約または公法人の責任に関する訴訟）。関連するあらゆる事由を援用することができる。

民訴 不服申立て ►Plein contentieux (recours de)〔全面審判（訴訟）〕，►Pleine juridiction〔全面的審判権〕，►Voies de recours〔不服申立て（の方法）〕

Recours en appréciation de légalité 行政 適法性審査訴訟 行政法文が有することのある違法性を認定させることを目的として，期間に関して無条件に行政裁判所に提起されうる訴訟。この訴訟を提起された裁判所は当該行政法文を取り消すことはできないが，その無効性を認定することはできる。その結果，その認定によって当該行政法文の適用は妨げられることになる。適法性審査訴訟は独立した訴訟ではなく，司法裁判所において一方訴訟当事者によって行政法文の適法性が争われたが，司法裁判所に適法性審査権限がないため，行政裁判所に提訴するよう司法裁判所がその訴訟当事者に命じた結果なされる訴訟である。

Recours en cassation 民訴 刑訴 破毀申立て
►Pourvoi en cassation〔破毀申立て〕

Recours internes (Épuisement des) 国公 国内的救済の完了 責任を求める国際的な訴えは，国内法的手段を欠く場合，または請求者個人によって事前にその国内裁判機関に提起された訴えの不成功の後にしか行うことはできないとする原則。

Recours en interprétation 行政 解釈訴訟 ほとんど用いられることはないが，若干の曖昧な規定を有する行政行為の解釈を行政裁判所に求めることを可能とする訴訟。訴えが受理されるためには，この行政行為に関わる係争が《現に発生していること》〔né et actuel〕およびこの係争の本案を審理することについて行政裁判所が管轄権限を有することが必要である。

民訴 解釈の申立て ►Interprétation d'un jugement〔判決の解釈〕►Question préjudicielle〔判断付託問題〕

Recours parallèle (Exception de) 行政 並行訴訟の抗弁 申立人が越権訴訟とは別の裁判上の訴訟を行い，越権訴訟の効力に相当する効力をもつ判決を得ることができる場合に，越権訴訟を排斥する訴訟不受理事由。今日ではその適用範囲は限られている。

Recours en révision 民訴 再審の申立て 特別なかつ原判決取消しの不服申立方法で，これにより，判決が誤ってなされたと主張してその変更を求め，すでに裁判した裁判所に再び提訴する。

この不服申立ては4つの場合（勝訴当事者の詐害，決め手となる書証の不提出，偽造と認められるまたは偽造と裁判上認定された書証に基づく判決，虚偽の証言申述書・証言・宣誓）にのみ可能で，確定判決に対してなされる。再審の申立てに関して，裁判官は事実問題と法律問題について裁判する。
▷新民事手続法典593条以下

行政 再審の申立て 再審の申立ては，コンセイユ・デタ，会計検査院，予算財政懲戒法院，および州会計検査院の判決に対しても開かれている。
▷行政裁判法典R834-1条；財務裁判所法典R143-1条，L315-3条，L243-2条

Recouvrement amiable des créances　民訴
同意による債権の取立て　債権者の計算において第三者が請求する金銭債務の支払を目的とする裁判外の行為。
　この取立行為は，それが通常行われているのであれ臨時に行われるのであれ，1996年12月18日のデクレ第1112号によって規制されている。

Recouvrement de l'impôt　財政 **租税徴収**
Perception de l'impôtの同義語。この語は，納税義務者の任意の支払いおよび租税行政庁の強制執行〔►Voies d'exécution〕による強制徴収の両方を含む(recouvrementの動詞形はrecouvrer〔取り立てる〕)である)。
►Poursuite (Aacte de)〔強制徴収〕

Recouvrement des pensions alimentaires
民法 民訴 **扶養定期金の取立て**　扶養定期金の取立ては，克服することが困難な障害(支払拒絶，債務者の住所変更)としばしば衝突する。それゆえ，直接支払い，税務官による公的取立て，家族手当公庫の援助という特別手続きが定められた。
▷社会保障法典L581-1条以下およびR581-1条以下
►Aliments〔扶養料〕►Pension alimentaire〔扶養定期金〕

Recteur　行政 **大学区総長**　閣議において大学区〔►Académie〕の長に任命される高級官吏。大学区総長は大学区において文部大臣を代理する。その資格で大学区総長は，あらゆるレヴェルの教育に関して大学区における教育公役務全体の適正な運営の責任を負う。大学区総長はその管轄区域において，大学の選挙による機関によって自治が行われている大学の長〔Chancelier des Universités〕として，大学に対してその行為の適法性の監督〔contrôle de légalité〕をなす権限を有する。
►Université〔大学〕

Reçu　民法 **受取り**　►Quittance〔受領証書〕

Reçu pour solde de tout compte　労働 **賃金清算確認証**　労働契約の解約または終了の時に，賃金の清算に際して労働者が署名する領収証。2002年1月17日の法律第73号以来，賃金清算確認証は，単にそこに記載された金額の領収証でしかない。
▷労働法典L122-17条

Reculement　行政 **後退地役**　公道の拡張のために建築線が引かれるときに，建築線によって設定される役権であり，建物が建っている土地または囲まれている土地に対して負担を課す。これらの不動産の上に当該不動産の存続期間を延長する土木工事を行うことが禁じられる。
　この役権は公共団体の財政上の利益において設定される。したがって公共団体は，後退地役を受けた不動産の部分が公産に実際に組み入れられるときには，建物の建っていない土地の価格しか補償する必要がない。
▷道路管理法典L112-5条およびL112-6条
►Alignement〔道路建築線指定〕

Récupération　労働 **埋合せ労働**　法律によって定められた集団的労働停止が生じた場合に，その後の週労働日に，活動の一時的中断のゆえに失われていた法定労働時間の限度内で使用者が労働者に労働することを要求できること。埋合せ労働時間については，通常の労働時間の賃率で報酬が支払われる。
▷労働法典L212-2条，L212-2-2条およびD212-1条以下

Récusation　訴訟 **忌避**　訴訟当事者が，司法官の当事者に対する個人的関係に疑いがあることを理由として，その司法官が事件に関与することを差し控えるよう申し立てる手続き。忌避は，事件の他の裁判所への移送〔►Renvoi〕の原因となることがある。
　仲裁人または鑑定人も同様に忌避することができる。
▷新民事手続法典234条，235条および1463条；司法組織法典L111-6条およびR731-1条
►Abstention〔回避〕
刑訴 **忌避**　陪審員に対して重罪院を構成する権利を拒否する検察官および被告人の権利。
　忌避は陪審員の抽選の際に行われるが，検察官および被告人は，法律により定められた上限を超えて忌避することはできない。
▷刑事手続法典297条以下

Reddition de compte　私法 **収支計算報告**　他人の利益を管理した者(報告者〔rendant〕)が，差引残高(差引不足額)の決定をなす目的で，その者が義務を負っている者(報告受理者〔oyant〕)に，受領または支出したものの詳細な一覧表を提出する手続き。
▷民法典469条，800条，810-7条以下，812-7条および1033条

Redevance　商法 **ロイヤルティー；使用許諾料**　►Contrat de licence〔ライセンス契約〕

Rédhibitoire　民法 **解除の原因となる**　►Action rédhibitoire〔解除訴権；解除の訴え〕

►Vices rédhibitoires〔解除の原因となる瑕疵〕

Redressement judiciaire 商法 民法 裁判上の更生

①商法自己の処分可能な資産をもって履行期が到来している負債を満足させることができない，すべての商人，すべての手工業者，すべての農業者，すべての私法上の法人，または独立した職業活動を行うすべての自然人の，法律的，財務的および社会的状態を再編することを目的とする裁判上の手続き。この手続きは，企業活動の継続，雇用の維持および負債の弁済を可能にするものでなければならない。

裁判上の更生手続きにより，あるいは更生計画（書）〔plan de redressement〕，あるいは譲渡計画（書）〔plan de cession〕が作成されることがある。

更生計画（書）も譲渡計画（書）も作成されない場合には，裁判所が，裁判上の清算〔liquidation judiciaire〕を言い渡す。

▷商法典L631-1条以下

②民法過剰債務状態にある自然人の財政難に関する，裁判上の民事更生の集団的手続きは，1989年12月31日のネエルツ〔Neiertz〕法によって創設され，その実施は小審裁判所に委ねられていた。現在，この手続きは，過剰債務者の負債の支払いを目的として県個人破産委員会〔commission départementale de surendettement des particuliers〕によって作成される，合意による個人更生計画（書）〔plan conventionnel de redressement〕，および，執行裁判官のもとでの個人更生手続き〔procédure de rétablissement personnel〕に取って代わられている。

▷消費法典L331-6条

Réduction pour cause d'excès 民法 分不相応を理由とする減殺 保護制度のもとに置かれた者（特に，裁判上の保護，または保佐に付された成年者）が，自己の財産に比して分不相応な行為を適正な限度に戻すことを裁判上請求する訴権（訴え）。

Réduction d'hypothèque 民法 抵当権の縮減 法定抵当権または裁判上の抵当権の受益者の有する，債務者に帰属する不動産すべてについて抵当権登記を行う権限に対する補正措置。登記が過大である場合，債務者は，担保対象の縮減を請求することができる。登記が複数の抵当不動産を対象としており，そのうちの1または数個の価額が，元本債権と法定の従物の額の2倍にその額の3分の1を加えたものに等しい金額を超える場合，その登記は過大であるとみなされる。

▷民法典2444条および2445条

Réduction des libéralités excessives 民法 過分な無償譲与の減殺 遺留分権利者たる相続人が，処分可能分〔►Quotité disponible〕を超えているにもかかわらず故人によって無償譲与として処分された財産を，相続財産体に返却させる訴え。

遺贈は，贈与より先に減殺され，かつ，原則として，その価値に応じて按分比例により減殺される。贈与については，贈与の同意された順序とは逆の順に，すなわち，最後のものから開始してより古いものへと順にさかのぼって減殺される。減殺は常に価値的になされる。無償譲与の受益者は，処分可能分を超えた分を限度として，その額のいかんを問わず，遺留分権利者たる相続人に対して補償しなければならない。

▷民法典921条以下

►Rapport des dons et des legs à fin de réduction〔減殺目的の贈与および遺贈の持戻し〕

Réduction de peine 刑法 刑の短縮 有罪判決を受けた者に対して言い渡された有期の自由剥奪刑の期間を短縮する措置。

刑期控除〔crédit de réduction〕は，刑期に応じてすべての者に自動的に与えられる。この措置は，通常，1年目は年3ヵ月，2年目以降は年2ヵ月，そして月7日を上限とするが，法定累犯の場合には，これらの上限はそれぞれ年2ヵ月，年1ヵ月および月5日に引き下げられる。その者の服役態度が悪い場合，刑期控除は，刑罰適用裁判官によって年3ヵ月および月7日（法定累犯の場合は年2ヵ月および月5日）を上限として取り消されることがある。同様に，有罪判決を受けた者が，釈放後，短縮分に相当する期間内に重罪または軽罪を犯し新たに有罪判決を受けた場合には，判決裁判所による措置の取消と拘禁刑の正規の執行とが生じうる。

刑の追加的短縮〔réduction supplémentaire〕は，刑罰適用裁判官によって，社会復帰への真摯な努力を見せた者に与えられる。真摯な努力とは，とりわけ，新しい知識の習得をもたらす，学校，大学もしくは職業の試験に合格すること，または普通教育もしくは

職業教育において実質的な能力向上を示すこと，または被害者への損害賠償を実行することである。この措置は，通常，年3ヵ月および月7日を超えることはできないが，法定累犯の場合，これらの上限はそれぞれ年2ヵ月および月4日に引き下げられる。

　刑の例外的短縮〔réduction exceptionnelle〕は，有罪判決の前であれ後であれ，その者の供述が一定の組織犯罪〔刑事手続法典706-73条および706-74条〕を回避させまたは中断させた場合に，刑期の3分の1を上限として与えられうる。

▷刑事手続法典721条，721-1条および721-3条

Réel (Régime d'imposition dit du…) 財政 いわゆる実額課税（制度）　►Micro-entreprises (Régime des…)〔零細企業課税（制度）〕

Réescompte 商法 再割引き　銀行が，他の銀行またはフランス銀行に，自らも割引きの方法で取得した商業証券を割り引かせる法的取引。

Réévaluation des bilans 商法 貸借対照表の再評価　企業の財産目録と貸借対照表における，資産の評価額の変更。この再評価によって，貨幣価値の下落の影響による資産の価額の変化が考慮される。

Réexamen d'une décision pénale de condamnation 刑訴 有罪判決の再審理　ヨーロッパ人権条約またはその追加議定書によって確立された原則に違反して，ある者の有罪判決が言い渡された場合，その者が改めて裁判を受けられるようにすることを目的とする特別の不服申立ての方法。

　ヨーロッパ人権裁判所の判決において認定され，この違反は，その性質または重大性ゆえに，ヨーロッパ人権条約41条にもとづく公平な賠償〔satisfaction équitable〕としてフランス国から付与される金銭交付によっては補償することのできない損害を生じたものでなければならない。

▷刑事手続法典626-1条

Réfaction 民法 減価引渡し　他方当事者による債務の履行が不完全であるか，または瑕疵がある場合において，その契約に定められた金銭給付を減額すること。

▷ウィーン国際売買条約50条

　商法 減価引渡し　引き渡された物品の数量または品質が契約時の取決めと異なる場合に，裁判官が認める商品価格の減額。

　財政 課税標準の控除　租税に関して，控除〔abattement〕の同義語。すなわち課税標準〔►Assiette de l'impôt〕に対してなされる減額。控除後の金額しか課税の対象とならない。税率を直接引き下げた場合と同じ結果となる。

Réfection 民法（証書の）再作成　以前と同じ内容であるが，瑕疵が除去された新たな証書を作成すること。追認〔confirmation〕とは異なり，再作成は，遡及効を有しない。再作成された証書は，再作成の日からしか法的に存在しない。

Référé administratif 行政 行政急速審理
Référé-conservatoire 保全急速審理：緊急の場合において，行政急速審理裁判官〔►Juge des référés〕が，行政決定の執行を妨げることなく，あらゆる適切な措置を命じることのできる手続き。例：隣接する公産の一部分に対して重大かつ差し迫った危険を示す工事の停止を命じること。

▷行政裁判法典L521-3条

Référé-constatation 認定急速審理：行政急速審理裁判官〔►Juge des référés〕が，裁判所への訴訟提起の原因となりうる事実を遅滞なく認定するために，鑑定人を指名することのできる手続き。

▷行政裁判法典R531-1条

Référé-instruction 準備手続急速審理：行政急速審理裁判官〔►Juge des référés〕が，鑑定または準備手続きのあらゆる適切な措置を命じる手続き。例：公道沿いの不動産の所有者が，近隣で行われる公土木工事〔►Travaux publics〕が不動産に損害をもたらしうると判断して行う，その不動産の状態を認定する請求。

▷行政裁判法典R532-1条

Référé-liberté 基本的自由急速審理：緊急の場合において，行政急速審理裁判官〔►Juge des référés〕に認められる手続き。公共団体（または公役務〔►Service public〕の任務を負う組織）が，その権限の1つを行使するにあたって，基本的自由に対して重大かつ明白に違法な侵害をもたらしたと思われる場合，基本的自由の保護に必要な措置を命じることができる。この侵害は，単なる行為によっても法的決定によっても示されうる。

▷行政裁判法典L521-2条

Référé-précontractuel 契約前急速審理：公契約〔►Marchés publics〕および公役務の委任〔►Délégation de service public〕の締結に適用される公示義務および競争に付

する義務に反した場合に，地方行政裁判所〔▶Tribunal administratif〕所長に申し立てる手続き。裁判官は，義務を怠る者に対してその義務に従うことを命じ，また，そのことを理由として，証書の署名の停止または証書の若干の条項の取消しを決定することができる。

▷行政裁判法典L551-1条

Référé-provision 仮払金急速審理：訴訟手続き〔▶Instance〕が，事件の本案〔▶Fond〕についていまだ開始されていなくとも，債務〔▶Obligation〕の存在について実質的な争いのない場合に，行政急速審理裁判官〔▶Juge des référés〕が行政庁の債権者に対して仮払金〔▶Provision〕を与えることのできる手続き。

▷行政裁判法典R541-1条

Référé-suspension 執行停止急速審理：行政決定が取消しまたは変更〔▶Réformation〕の申立ての対象となっているとき，緊急の場合において，行政急速審理裁判官〔▶Juge des référés〕に認められる手続き。適法性に関して重大な疑いを生じさせるに足る攻撃防禦方法〔▶Moyens〕が行政決定に対して援用される場合に，その執行を停止することができる。

▷行政裁判法典L521-1条

▶Sursis à exécution〔執行停止〕

Référé civil 〔民訴〕**民事急速審理** いかなる実質的な争いも存しないか，または紛争の存在により裁判が正当化される場合に，当事者が一定の条件に従い単独裁判官から迅速な裁判を得ることができる対審的手続き。

急速審理裁判官は，差し迫った損害を予防し，または明らかに違法な侵害をやめさせるため，実質的な争いが存在する場合であっても，保全措置を許可し，または，原状回復を命じることができる。

債務の存在について実質的な争いのない場合，急速審理裁判官は債権者に仮払金を認めることができる。また，罰金強制〔astreinte〕および訴訟費用の支払いを言い渡すことができる。

急速審理裁判官は，債務に実質的な争いが存しない限り，たとえなす債務であっても，債務そのものの履行を命じることができる。

▶Injonction de faire〔履行命令〕

▷新民事手続法典808条以下，848条以下，872条以下，893条以下および956条以下；労働法典R516-30条

一定の訴訟手続きにおいては，訴訟手続きを急速審理の形式でなすことが定められている。これは急速審理の形式の単なる借用にすぎず，その場合裁判官は弁論の本案を審理することができる。

▶Juge des référés〔急速審理裁判官〕

Référé de la Cour des comptes 〔財政〕**会計検査院改善要求書** 大臣の部局によって行われた一定の重大性を有する不正行為が，支払命令官を監督する行政作用を行使する際に会計検査院によって発見された場合に，その行為に正式に注意を喚起するために会計検査院から大臣へ送付される通知。

Référé fiscal 〔財政〕**租税急速審理** 租税徴収に関して，支払猶予の申請を伴う，課税標準に関する異議申立てを行った納税義務者に認められる手続きであり，当該納税義務者は租税債務の担保として提供したが，会計官によって受領を拒絶された保証金が，実際には法文に定められている条件を満たしていた旨を地方行政裁判所の裁判官に判断させることをその内容とする。

▷租税手続法典L277条，L279条およびL279条A

Référé penal 〔刑訴〕**刑事急速審理**

Référé-détention 急速勾留手続き：共和国検事が，その検察意見書に反してなされた，勾留中の者の釈放命令の執行を阻止することを可能とする手続き。共和国検事は，4時間内に，必要と判断する場合には，控訴を提起すると同時に控訴院院長に急速審理を提起することができる。この4時間の間は命令は執行されることができない。控訴院院長は，遅くとも訴えに続く第2就業日には裁判しなければならない。その場合，釈放はその裁判がなされるまで停止される。なお，場合により，急速審理について裁判する裁判官によって勾留継続が明らかに必要であると判断されるときは，釈放は，予審対象者が控訴院予審部へ出頭するまで停止される。

▷刑事手続法典148-1-1条，187-3条

Référé-liberté 急速釈放手続き：予審対象者であり，かつ勾留の対象とされている者が，他方で必要的に提起されている本案に関する控訴について控訴院予審部が裁判するまで，裁判官（原則として予審部部長）から勾留に関する決定の執行の猶予を得ることを可能とする手続き。

▷刑事手続法典187-1条

361

Référendum 憲法 国民投票；レフェレンダム
法律の作成に国民が協力する半直接民主制の手段。国民の同意がある場合でなければ法律は成立しない。
①*Référendum constituant* 憲法制定・改正国民投票：憲法典の採択または改正を対象とする国民投票。
►Référendum législatif〔立法国民投票〕
②*Référendum de consultation* 諮問国民投票：当該措置の原則を対象とする，調査のための国民投票。それは為政者に対する指令の代わりとなる。
►Référendum de ratification〔承認国民投票〕
③*Référendum de ratification* 承認国民投票：完全な法文を対象とする国民投票。法文は国民の同意の後でなければ法的な効力をもたない。
►Référendum de consultation〔諮問国民投票〕
④*Référendum facultatif* 任意的国民投票：為政者の要求に応じて，または若干数の市民の請願に基づいて行われる国民投票。
►Référendum obligatoire〔義務的国民投票〕
⑤*Référendum législatif* 立法国民投票：通常法律に適用される国民投票。
►Référendum constituant〔憲法制定・改正国民投票〕
⑥*Référendum obligatoire* 義務的国民投票：憲法典が若干の場合に義務づけている国民投票。
►Référendum facultatif〔任意的国民投票〕
国公 住民投票　►Plébiscite〔住民投票〕
Référendum local 行政 住民投票 地方公共団体においては，2003年の憲法典改正後，その権限に属する議案の採択を目的とした，決定のための住民投票〔référendum décisionnel〕の手段が，既存の諮問のための住民投票〔référendum consultatif〕（およそ実施されていない）に付け加えられた。
▷憲法典72-1条；地方公共団体一般法典LO1112-1条以下およびL1112-15条
《**Reformatio in pejus**》 刑訴 **不利益変更（の禁止）** 被告人，民事上の有責者，私訴原告人またはこれらの者の保険業者からのみ控訴が行われた場合，控訴院は控訴人に対して原判決を控訴人に不利に変更することはできないという刑事手続上の原則。この原則は，判例によって破棄申立ての場合にまで拡張された。
▷刑事手続法典515条2項

Réformation 民訴 **(原判決)変更** 第二審の裁判所による，裁判の部分的または全面的変更。
▷新民事手続法典542条
►Confirmation〔(原判決)維持〕►Infirmation〔(原判決)取消し〕
Refoulement 行政 **入国拒否** 外国人の取締りに関して，国境地点または空港に現われ，かつ，入国のための法定された条件を満たしていない外国人に対して，フランスへの入国を拒否すること。この行政決定は行政裁判所への不服申立ての対象となりうる。
►Zone d'attente〔待機区域〕
Réfragable 民法 **覆しうる** 反証を許す。
►Présomption〔推定〕
Réfugié 国私 国公 **難民；亡命者** 人種，宗教，特定の社会的集団への所属，または政治的意見を理由に迫害をおそれて国籍国の外におり，国籍国の保護を受けることができない者，または受けることを望まない者。難民の地位に関する1951年7月28日のジュネーヴ条約を参照。
Refus du dépôt 民法 **寄託の拒絶** 抵当権保存吏が，公示が要求される手続きに関連する一件書類の略式および即時の審査の後に，きわめて重要な誤りまたは違反があることを確認したときに，その一件書類を全部拒否する行為。適式化の後，公示は，新しい提出書類の期日における順位しか受けない。
►Rejet de la formalité〔手続きの却下〕
Refus de vente 商法 刑法 **販売拒絶** 職業者，とくに商人が，製品またはサーヴィス提供を求める顧客の要求を満たすことを拒むこと。この要求が消費者によってなされた場合，販売拒絶は刑事上の犯罪を構成することがある。
▷消費法典L122-1条およびR121-13条2号
この要求が職業者からのものである場合，販売拒絶は，もはや民事責任または反競争行為に関する普通法上の規範の適用によらなければ制裁されない。
▷民法典1382条；商法典L420-1条およびL420-2条
Régence 憲法 **摂政制** 君主制において，国王が幼少のため統治できない場合に，成人するまでその権力を国王の母または顧問会議に委任する制度。
Régie 行政 **公営** さまざまな意味をもちうる語。
①*Exécution en régie* 直営：当該公法人の部局による直接の活動の実施を意味する表現。

②*Régies industrielles et commerciales* 商工業の公営：国または地方公共団体は工業活動または商業活動の経営を公営〔régie〕の形態で組織することができる。これには2つの種類がある。

　これらの公共団体の部局が直接行う場合（①を参照）。法人格を与えられ，その際公営〔régie〕という名を有するにもかかわらず，公施設法人である機関が行う場合。これらの機関は，行政実務においてしばしば法人化された公営〔régies personnalisées〕と呼ばれている。

③*Régie intéressée* 委託管理：公営〔régie〕という名を有するにもかかわらず，私法人によって公役務を管理する方式。この私法人は当該役務から生じる損失を負担せず，公共団体から総売上高分配または利益分配という形で報酬を受ける。公共団体は利益の剰余を得る。

Régie d'avances, Régie de recettes 財政 **支出事務の代行，徴収事務の代行** 公金管理における公会計官の権限独占を緩和するものであり，これによって，支払命令官に従属する公務員は，若干の支出（その場合にはrégie d'avancesという）または徴収（その場合にはrégie de recettesという）を行う権限を，公会計官のためにかつ公会計官の監督および責任のもとで与えられる。

Régimes additifs 社保 **付加退職年金制度** 退職時の賃金に連動した相対的な額または絶対的な額によって表わされる退職年金水準を企業が保障する制度であって，他の諸制度の変動とは無関係である。《補塡》退職年金制度〔►Régimes différentiels〕とは対照的に，企業の負担は，もっぱら，当該労働者の在職期間と報酬に依存する。

　►Régimes de retraite à prestations définies〔確定給付型退職年金制度〕

Régime communautaire 民法 **共通財産制**
　►Communauté entre époux〔共通財産(制)〕

Régimes complémentaires 社保 **補足制度** 種々の給付を供与する退職年金および相互扶助の制度〔régime de retraite et de prévoyance〕であって，基礎制度の提供する給付を補足することを目的とする。一般制度に属する商工業の管理職労働者および非管理職労働者を対象とする補足制度，農業労働者を対象とする補足制度，非農業非労働者を対象とする補足制度がある。

▷社会保障法典L921-1条

Régime conventionnel 憲法 **国民公会制** 執行府が，議会の信任に基づいて存立し，しかも議会を解散することも，辞職によって議会に圧力をかけることすらもできないために，議会の従属下に置かれる政治体制（例：1793年憲法典，1792年から1795年までの国民公会のもとでの政府。ソ連とスイスの体制は，理論的にみれば国民公会制の枠組に合致しているが，その実際の運用は国民公会制から逸脱している）。

Régimes différentiels 社保 **補塡退職年金制度** すべての制度を合わせた退職年金給付の全体的な水準を企業が保障する制度。この制度が《補塡的》〔différentiel〕なのは，保障される退職年金の総額と他のすべての制度による給付額の間に存在しうる差額を，この制度が埋め合わせることになるからである。

　退職年金の保障は，退職時の賃金に対する割合または絶対的な額によって表わされる。補塡制度は，一般には，《上乗せ制度》〔régimes chapeau〕と呼ばれる。なぜならば，おそらく，補塡制度は他のすべての退職年金制度によって構成される退職年金の総体に上積みされることになるからである。

　►Régimes de retraite à prestations définies〔確定給付型退職年金制度〕

Régime dotal 民法 **嫁資制** 妻に帰属する財産体が2つ存在すること，すなわち，ひとつは夫によって管理されるが譲渡することができない嫁資財産〔biens dotaux〕から構成される財産体，もうひとつは妻によって管理され譲渡することのできる嫁資外財産〔biens paraphernaux〕から構成される財産体が存在することによって特徴づけられる，別産型の夫婦財産制。

　この制度は，1965年7月13日の法律によって，それ以降禁止された。

Régime matrimonial 民法 **夫婦財産制** 夫婦間の関係において，および，夫婦と第三者との関係において，夫婦の金銭的利害を支配する規則。婚姻期間中および婚姻の解消時の夫婦の積極財産および消極財産の帰趨を規律することを目的とする。

▷民法典1387条以下

Régime matrimonial primaire 民法 **基本的夫婦財産制** 夫婦財産制の種別のいかんを問わず，すべての夫婦に対して適用される，強行性を有する基本的法的地位。夫婦のおのおの

363

の独立（職業活動の自由，権限を有していることの推定）を確保しつつ，夫婦の結合の経済上の原則（婚姻の負担，家事債務，住居費）を定める。これらの原則の大部分は公序に属している。
▷民法典214条以下

Régime parlementaire 憲法 **議院内閣制** 諸権力が均衡を保ちつつ協働する体制。この体制において政府と国会は，共通の活動領域をもち（例：法律の発案），相互に影響力を行使する手段を有する。すなわち，国会は政府の政治責任を問うことができ（ただし，国家元首は無答責），政府は国会の解散を宣することができる。

①*Régime parlementaire dualiste, Régime parlementaire orléaniste* 二元的議院内閣制，オルレアン型議院内閣制：オルレアン型議員内閣制という呼称は，オルレアン家による七月王政期のフランスで，この体制が行われたことによる。国家元首の果たす積極的役割，および国家元首に対してと同時に国会に対しても責任を負う政府の二重の責任によって特徴づけられる議院内閣制の一種。制限君主制から一元的議院内閣制への移行期に生じた過渡的形態。

②*Régime parlementaire moniste* 一元的議院内閣制：国家元首に対する責任の消滅によって，もはや政府が国会に対してしか責任を負わない議院内閣制。
►Parlementarisme〔議院内閣制〕

Régime politique 憲法 **政治体制** 国家の統治様式。

政治体制は多様な要素，すなわち法的な要素（狭義における政治体制を組織する憲法的枠組）と法外的要素（政党制度，権力の人格化，イデオロギーなど）の組合せによって決定される。

Régime présidentiel 憲法 **大統領制** 権力の均衡が，権力の（組織上かつ作用上の）分離によって達成される体制。すなわち，国民によって選挙され，したがって国会に対して責任を負わない大統領によって執行権は完全に掌握され，他方，国会は大統領によって解散されえない。

Régime primaire impératif 民法 **強行的夫婦財産制** ►Régime matrimonial primaire〔基本的夫婦財産制〕

Régimes de retraite à cotisations définies 社保 **確定拠出型退職年金制度** 退職年金の額が各労働者の勘定において払い込まれかつ積み立てられた保険料に依存する契約。

Régimes de retraite à prestations définies 社保 **確定給付型退職年金制度** 一定のカテゴリーに属する労働者に，その退職時の報酬に対して合意された割合または確定された水準の退職年金を保障することを目的とする契約。しばしば，《上乗せ退職年金》〔retraite chapeau〕制度と呼ばれる。

Régime séparatiste 民法 **別産制** ►Séparation de biens〔別産制〕

Région 行政 **州** 以下の2つのものを意味する国土の一部。

ひとつは，県と国との中間に位置する，権限を委譲された地方公共団体。州は法律によって定められた権限のみを有する。この権限は数多くあるが，その範囲は，主として経済，保健，社会，文化の分野に限定され，かつ，通常は，それらの施設投資の権限だけが認められている。

もうひとつは，州知事〔►Préfet de région〕の管轄下にある地域。

フランス本土には22の州がある。4つの海外県〔►Départements d'Outre-Mer（DOM）〕もそれぞれ州を構成する。
▷地方公共団体一般法典L4111-1条
►Comité administrative régionale〔州行政委員会〕►Conseil économique et social régional〔州経済社会評議会〕

Régionalisation（du budget de l'État） 行政 **（国家予算の）州単位化** 州〔►Région〕ごとに割り当てることによって投資予算額を提示すること。

Registre d'audience 民訴 **弁論期日記録** 普通法上の裁判所および例外裁判所の各部で保有されている記録。各弁論期日の後，部長と裁判所書記によって署名され，その弁論期日に行われたことすべてが記録される。

弁論期日記録は，デジタル化されうる。
▷新民事手続法典728条および729-1条
►Dossier〔一件記録〕►Mention au dossier〔一件記録への記載〕

Registre du commerce et des sociétés 商法 **商業・会社登記簿** 商事裁判所または商事事件について管轄権をもつ大審裁判所の書記が管理する登記簿。この登記簿によって，その裁判所の管轄区域内の商人，会社および経済利益団体（GIE）を知ることができる。

商業・会社登記簿に登記された者には，番

号が付される。パリにある全国登記簿には，地方の登記簿に記載された情報がすべて集中する。
▷商法典L123-1条

Registre des dépôts 民法 寄託登録簿　各抵当権保存所に備えられている時系列編成の帳簿で，あらゆる寄託文書の提出が，提出順に番号が付され，立法者によって詳細に定められた規定に従って記載されるもの。

Registre d'état civil 民法 身分登録簿　身分吏（原則として市町村長）によって各市町村に保持されている登録簿。身分登録簿には，個別の証書の形ででであれ（出生証書，婚姻証書，死亡証書），既存の証書の余白への記載の形ででであれ（離婚，パートナー契約など），人の身分に関する出来事が記載される。
▶Répertoire civil〔民事目録〕

Registre national des brevets 商法 特許全国原簿　工業所有権局がこれを管理する。特許全国原簿は，交付された特許の一覧表であり，特許に付随する権利を移転しまたは変更するすべての行為が公示される。
▷知的所有権法典L613-9条

Registre national des dessins et modèles 商法 意匠全国原簿　工業所有権局がこれを管理する。意匠全国原簿は，登録出願された意匠の一覧表であり，意匠に付随する権利を移転しまたは変更するすべての行為が公示される。

Registre national des marques 商法 商標全国原簿　工業所有権局がこれを管理する。商標全国原簿は，登録された商標の一覧表であり，商標に付随する権利を移転しまたは変更するすべての行為が公示される。

Registre du rôle 民訴 事件登録簿　▶Répertoire général〔事件簿〕

Règle de conflit de lois 国私 法律の抵触準則　▶Conflit de lois〔法律の抵触〕

Règle de droit ; Règle juridique 一般 法規範　社会関係における，一般的，抽象的，義務的行為規範。その実現手段〔sanction〕は公権力によって確保される。

Règle proportionnelle 保険 比例塡補　*Règle proportionnelle de capitaux*　保険価額比例塡補：損害保険のみに適用され，保険金額が現実の保険価額に達しないために，被保険者に支払われる保険金を減額させる原則。

Règle proportionnelle de prime　保険料比例塡補：リスクが完全かつ正確に告知されていれば支払うべきであった保険料率に比例して保険金を減額させる，損害保険および人保険に適用される原則。これは，危険の不告知または不正確告知について，被保険者の善意を前提とする。

Règlement 憲法 行政立法；命令　権限を有する執行機関によって制定され，一般的かつ抽象的な効力をもつ行為。1958年憲法典は，一般的な行政立法権を首相に付与している（21条）。ただし，憲法典上，国家元首の権限に留保されているデクレおよび閣議において審議決定されたデクレについては，国家元首が署名を行う。
▶Acte-règle〔法規行為〕▶Décret〔デクレ〕
① *Règlement d'application*　執行命令：法律の執行を確保することを目的とする行政立法。この行政立法は，法律に基づいて制定され，法律に違反しえない。
② *Règlement autonome*　独立命令：法律に留保された事項以外の事項について，任意にかつ排他的に制定される行政立法。したがって，この行政立法は，憲法および法の一般原則の下位に直接に位置し，法律には従属しない。1958年憲法典は，法律の領域を制限することによって，それまでは警察および公役務の組織に限定されていた独立的行政命令の領域を著しく拡大した。

EU 規則　共同体法において一般的効力を有し，すべての要素について義務的であり，すべての加盟国において直接適用される行為（ヨーロッパ石炭鉄鋼共同体では《décision générale》〔一般的決定〕）。
▶Communautés européennes〔ヨーロッパ共同体〕

Règlement d'administration publique 行政 憲法 特別執行令　立法者の要請に基づいて，ある法律の執行を十分なものにするために，コンセイユ・デタの総会へ諮問した後に発せられるデクレ。

特別執行令は，かつては行政立法のうち特に威厳のあるカテゴリーであったが，その法的特殊性を失っており，1980年に廃止された。それ以降，次第に重要なものとなっていたコンセイユ・デタの議を経たデクレ〔▶Décret en Conseil d'Etat〕に取って代わられている。

Règlement amiable 商法 同意整理　この手続きは，整理委員〔conciliateur〕を選任することにより，支払停止の状態にない企業の貸借対照表の提出を回避するために，その企

業の経営難を解消することを目的としていた。

今日では整理〔conciliation〕手続きが，農事の分野をのぞき，同意整理手続きに取って代わった。

農業活動を行う自然人または私法上の法人に適用される同意整理手続きが，1988年12月30日の法律第1202号により創設された。しかしながら，農業活動を行う商事会社は，依然として1984年3月1日の法律に服している。
▷農事法典L351-1条以下

個人破産の場合に適用される手続き（特に，合意による個人更生計画（書）〔►Plan conventionnel de redressement〕）は，債務者が1984年3月1日の法律および1988年12月30日の法律により創設された同意整理手続きに属する場合には適用されない。

Règlement d'atelier　労働　**就業規則**　►Règlement intérieur〔就業規則〕

Règlement de copropriété　民法　**区分所有規約**　一方では各区分所有者の権利および義務を，他方では区分所有者団体の運営規則を定める，合意に基づく規約。区分所有規約は，特に，専有部分および共用部分を定め，さまざまなカテゴリーの負担が各区分所有者の持分にいかなる割合で帰属するかを明記する。
►Copropriété〔共同所有(権)；区分所有(権)〕

Règlement intérieur　憲法　**内部規則**　各議院がその組織および活動に関する規則を定める決議。

労働　**就業規則**　企業長の作成する書面であって，安全衛生に関する規制の適用上の措置，懲戒に関する一般的かつ恒常的な規定，とりわけ制裁の種類と段階，制裁の対象となる労働者の防禦権に関する規定，性的嫌がらせにおける権限の濫用に関する規定のみをもっぱらその内容とする。
▷労働法典L122-33条以下およびR122-12条以下

Règlement de juges　民訴　**管轄裁定**　2つの裁判所が同一の事件または関連する2つの事件を提訴されたときに管轄権限の争いを解決するために用いられていた手続き。

管轄裁定の手続きは1958年および1960年に改正され，1972年に消滅した。新民事手続法典に含まれる規定は関連性〔►Connexité〕および事件係属〔►Litispendance〕に関して適用される。

刑訴　**管轄裁定**　管轄権限が抵触する場合，どの裁判所が訴訟審理の排他的管轄権限を有するかを決定する上級裁判機関。原則として破毀院刑事部が行う手続き。
▷刑事手続法典657条以下

Règlement pacifique des conflits　国公　**紛争の平和的解決**　武力に訴えることを一切排除した方法により，国際紛争〔►Conflit (Différend, Litige) international〕を解決すること。

①**Règlement arbitral**　仲裁裁判による解決：当事国が，自ら選んだ裁判官に訴えを提起することを内容とする法的解決方法。裁判官は，拘束力を有する判断によって紛争を解決することを任務とする。

②**Règlement judiciaire**　司法的解決：当事国が，拘束力を有する判断によって裁判を行う裁判所に，訴えを提起することを内容とする法的解決方法。

③**Règlement juridique**　法的解決：国家間の紛争を，法に基づいて，当事国を拘束する仲裁判断または司法判断により解決すること。①，②を参照。

④**Règlement politique**　政治的解決：国家間の紛争を，当事国を拘束する判断を得ることによってではなく，当事国の相対立する利益を調整することを目的として外交的または政治的手続きを用いて解決すること。
►Bons offices〔周旋；斡旋〕►Conciliation〔調停〕►Enquête〔審査〕►Médiation〔仲介；居中調停〕►Négociation〔交渉〕

Regroupement familial　行政　**家族の呼寄せ**　一定の期間適法にフランスに滞在する外国人に，若干の法定された条件のもとで認められる，その配偶者および未成年の子をフランスに呼び寄せる権利。（ヨーロッパ人権条約〔►Convention européenne des droits de l'Homme〕8条に従って）その外国人が正常な家庭生活を送れるようにすることを目的とする。

Régulation　行政　**調整**　例えばエネルギーや電気通信の分野において，主要な集団的需要を充足する若干の商工業的公役務〔►Service public〕もしくは公企業〔►Entreprises publiques〕の民営化〔privatisation〕によって，これらの活動が無秩序な競争のリスクにさらされることを避ける目的で，または，例えば放送メディアの分野において，若干の基本的原則もしくは基本的自由の尊重を保障する目的で，国は法的枠組を設け，公平性および柔軟性の確保のため，活動ごとに特化された独立行政機関〔►Autorités administratives indépendantes〕にその実施を委ねた。近年のこうした慣行は，国の機関によって直接的に行われる規制〔réglementation〕という伝統的手法から区別するために，調整〔régulation〕と呼ばれている。なお，英語の《regulation》はrèglementを意味するのであり，régulationを意味するのではない。

Régulation budgétaire 〔財政〕**予算の支出調整** 国の予算の管理方法で，(歳出予算超過〔▶Découvert (de la loi de finances)〕を過度に増加させないという) 予算上の目的，または景気を考慮した経済上の目的をもって，年度の途中で支出を調整することをいう。予算の支出調整は，《事前に》，すなわち予算年度の開始時に予算を凍結し，その後に凍結を解除することによって行われることもあれば，予算年度中に，計上された予算を単に段階的に消化するにすぎない場合もある。

Régularisation 〔民法〕〔商法〕〔民訴〕**適正化** 当初，無効原因を有していた行為(証書)を有効にするために，法律行為(証書)または手続行為(文書)を法律の命ずるところに適合させること。
▷新民事手続法典115条および121条；民法典1839条，1844-11条
〔社保〕**保険料の調整** その年に義務づけられた保険料の総額とその年のそれぞれの納付期日に実際に支払われた保険料の総体との間に生じる差異を計算すること。
▷社会保障法典L43-10条以下

Réhabilitation 〔商法〕**復権** 支払停止の状態にあることを宣告された債務者を，更生手続きにおける個人制裁に起因する失権，または，商事企業を指揮し管理することの禁止から回復させる制度。この復権には，法律上当然であるものと，裁量によるものがある。
〔刑法〕**復権** 有罪判決およびその帰結を消滅させる制度。復権には，一定の期間の経過後に法律上当然に得られる法律上の復権と，裁判所によって認められる裁判上の復権とがある。
▷刑法典133-12条

Réintégrande 〔民法〕〔民訴〕**占有回復訴権；占有回復の訴え** 強迫を伴うにせよ伴わないにせよ，暴力行為の被害者たる占有者または所持者に付与される，失った占有を回復するための占有訴権。法文は，réintégrandeの語に代えてréintégrationの語を用いるようになった。
▷新民事手続法典1264条；民法典2282条
▶Action possessoire〔占有訴権；占有の訴え〕

▶Complainte〔占有保持の訴え〕▶Dénonciation de nouvel œuvre〔占有保全の訴え〕

Réintégration 〔労働〕**復職** 狭義では，ある雇用を占めることを法的に終了していた労働者を，その雇用に戻すこと。例えば，兵役のゆえに契約が破棄された労働者は，一定の条件のもとで，企業に復職することができる。

広義では，解雇の無効を宣言された労働者を，その雇用に戻すこと(例えば，行政許可なく解雇された従業員を代表する者〔représentants du personnel〕の復職，特別に重い非行〔faute lourde〕を犯していないのに解雇されたストライキ参加労働者の復職)。
▷労働法典L412-19条，L425-3条およびL436-3条

Réitération 〔刑法〕**反復犯** 重罪または軽罪を理由とする終局的有罪判決を受けた後に，法定の原則などの法定累犯の条件を満たさない新たな犯罪を行った犯罪者の地位。この場合，第2の犯罪について言い渡される刑罰はすべて，第1の有罪判決の際に言い渡された刑罰と無関係に科される。
▷刑法典132-16-7条

Réitération des enchères 〔民訴〕**競りのやり直し** 競落人が規定の期間内に代金および費用を支払わなかったために，一度競り落とされた不動産を再度競りにかけること。支払いを怠った競落人は，自分の付け値よりやり直し競落価額が低かった場合はその差額を支払わなければならず，最初の売却の費用も負担しなければならない。
▷民法典2212条
▶Folle enchère〔空競り〕

Rejet de la formalité 〔民法〕〔民訴〕**手続きの却下** 寄託は認められた(▶Refus du dépôt〔寄託の拒絶〕)が，抵当権保存吏がこの寄託後に文書に不適式が含まれていることを確認し，これを手続きの登録簿に記載しない行為。書類を寄託した者への不適式の通知後1ヵ月以内に適式化の手続きがなされた場合，公示は，最初の寄託の日付で効力を生じる。

Relais 〔民法〕**砂洲** ▶Lais, Relais〔寄洲，砂洲〕

Relation de serment 〔民訴〕**宣誓の回避** 宣誓を付託された訴訟当事者が，宣誓を行うことを拒絶し，立場を逆転させ，相手方に対し，相手方の主張する事実が本当に正確であることを宣誓するよう要求する行為。▶Délation de serment〔宣誓の要求〕▶Serment〔宣誓〕

Relations diplomatiques 〔国公〕**外交関係** 2つ

Rel

の国家が両国間に開設し，両国が常駐の使節団を介して維持する公的関係。►Mission diplomatique〔外交使節団〕

Relativité 私法 **相対性** ►Chose jugée〔既判事項〕►Effet relatif des contrats〔契約の相対効〕

Relativité des traités 国公 **条約の相対性** 条約は当事国の間で効果を生じるにすぎず，第三国を害することも益することもできないとする原則。

　この原則は，条約が国際社会全体に有益な一般規則を表明する場合もあるので，国際的な実行が緩和しようと努めてきた。
►Adhésion〔加入；加盟〕►Clause de la nation la plus favorisée〔最恵国条項〕►Traité〔条約〕

Relaxe 刑訴 **（軽罪・違警罪）無罪判決** 軽罪・違警罪被告人の無罪を宣告する，重罪院以外の刑事裁判所の判決。

Relevé de forclusion 民訴 **失権の免除** 判決が対審とみなされる判決である場合，または，欠席判決である場合，被告は一定の条件のもとで，控訴または故障の申立期間の徒過により自己に生じた失権を免除される。それは，被告が裁判を知らなかった場合，または，不服申立期間中に控訴または故障を申し立てることが不可能であった場合である。
▷新民事手続法典540条および541条

Relevé d'identité 刑訴 **氏名の聴取** 一定の警官に認められている，違警罪の行為者の氏名を聴取すること。強制はできない。これは，警官が認定する権限を有する犯罪の調書を作成することを目的としている。
▷刑事手続法典78-3条

Relèvement 刑法 **刑に伴う処分の取消し** 有罪判決に法律上当然に伴う，または補充刑として言い渡される，禁止，失権，無能力または公示処分の全部または一部を無効にする裁判官の権限。

　前者の場合，取消しは判決時または判決後に請求することができる。後者の場合，取消しは有罪判決から6ヵ月が経過した後に請求することができる。
▷刑法典132-21条2項；刑事手続法典702-1条および703条

Relèvement du nom 民法 **氏の再建** 子孫を残さず戦死した，ある家系の末裔に最も近い相続権者（該当者を欠く場合は6親等までの法定順位内の他の相続権者）に認められた，自己の氏に死亡者の氏を付け加える権能。

　家系の末裔である者は，自分の子孫を残さず戦死する場合に備えて，遺言による処分によって，相続権を有する親等の自己の血族の1人に自分の氏を遺すことができる。

Remembrement 農事 **交換分合** 農業経営の条件を改善することを目的とする，細分されている土地の再配分，交換および再編成による土地整備の方法。交換分合は，一般的利益目的の強制的性格を有する行政手続きである。
▷農事法典L123-1条

Réméré 民法 **買戻し** 売主が，最長5年内に売買代金，契約の費用，必要な修繕費および財産の価額を増大させた修繕費を買主に返還することによって物を買い戻す権利を自己に留保する，売買契約の条項。
▷民法典1659条

Remise de cause 刑訴 **公判期日の延期** 事件を後の期日に延期することを内容とする裁判所の決定。
▷刑事手続法典461条

Remise de dettes 民法 **債務免除** 債権者が債務者に債務の全部または一部の免除を認める行為。
▷民法典1282条以下

　債権者が公法人〔►Personne publique〕であるときは，remise de débetといわれる。

Remise de peine 刑訴 **刑の減免** ►Grâce〔恩赦〕

Remisier 商法 **仲買人** 顧客から取引所における売買注文を受け，これを投資事業者〔prestataires de services〕に伝達し，その実行を監視する商人。仲買人は注文を出す顧客からの報酬と，取引額の一定割合である《仲買手数料》〔remise〕を受領する。

Rémission 国私 **反致** 法廷地法へ送り返すこと。再致（転致）はtransmissionという。

Remploi 民法 **再運用** ある財産の売却またはその価額の補償（保険金，公用収容補償金）から生ずる資金によって，他の財産を購入すること。
▷民法典455条，1406条，1434条以下および1541条
►Emploi〔運用〕

Rémunération mensuelle minimum 労働 **月額最低報酬** フルタイムで雇用されているすべての労働者は，部分失業の場合に，時間あたり最低賃金と当該月間の法定労働時間に対応する時間数との積を下回ることのない報酬を

受け取る権利を有する。
▷労働法典L141-10条以下およびR141-3条以下

Rendant 〔私法〕報告者 ▶Reddition de compte〔収支計算報告〕

Rendez-vous judiciaire 〔刑訴〕調書による召喚 ▶Convocation par procès-verbal〔調書による召喚〕

Renonciation 〔民法〕放棄 人が実体的権利を援用することを放棄し〔用益権，抵当権，互有権の放棄〕，訴権を行使することを放棄し（子の出生を理由とする贈与の撤回の訴えの放棄），ある防禦方法を主張することを放棄する（時効，無効の抗弁）ことによる処分行為。

放棄は，権利が発生した後になされた場合は，関係する法律が公序に属する場合であっても（若干の例外を除く。例えば親子関係に関する訴権は自由に処分できない），有効である。放棄は，あらかじめなされ，将来その時が来たら必要となるかもしれない権利をある者から事前に奪うものであるときは，違法である。
▷民法典323条，622条，656条，965条，1328条，2220条および2488条2号

Renonciation à l'action en réduction 〔民法〕減殺訴権の事前放棄 将来の相続財産に関する合意の禁止および遺留分の通常は強行法規的性格に対する適用除外。推定遺留分権利者たる相続人はすべて，開始されていない相続において，減殺訴権を行使することを放棄することができる。減殺訴権の事前放棄によって，処分者は自己の財産をより自由に移転させることが可能となり，個人的な問題（企業の存続，障害児の保護）の解決の可能性が生まれる。

減殺訴権の事前放棄は，放棄する者が相続する予定の者の承認を必要とし，遺留分の全部，割当分または特定の財産を対象とすることができ，公署証書によって立証される。

減殺訴権の事前放棄は無償譲与を構成しない。
▷民法典929条から930-5条

Renonciation à succession 〔民法〕相続放棄 相続人が自己が呼び出されている相続を拒否する要式意思表示。相続権を放棄した相続人は，相続財産の負債および負担を支払う義務を免れる。ただし，自己がその相続を放棄した直系尊属または直系卑属の葬式の費用を除く。
▷民法典804条以下，新民事手続法典1339条および1340条

Renouvellement 〔労働〕更新 例えば試用〔essai〕または期間の定めのある労働契約〔▶Contrat de travail〕に関して，合意された履行期の延期を示す用語。効力要件〔condition de validité〕が遵守されている場合（特に最初の期間中に更新に関する合意が当事者間においてなされている場合），更新により，更新の時に効力を有していた法制度を契約当事者により合意された新たな期限まで延長することが可能となる。同一の期間が延長される場合は，特に期間の定めのある労働契約に関する場合，更新を承継〔succession〕と混同しないよう注意しなければならない。承継の場合は労働関係は法的に異なる制度のもとに置かれる（すなわち，期間の定めのある労働契約の承継は特別の規定に従う）。
▷労働法典L122-1-2条のⅠ第2項

Rénovation urbaine 〔行政〕都市再開発 非衛生的なまたは土地占用に関する現行の基準をもはや満たさない古い市街地を近代化し，再開発することを目的とする複合的な都市計画事業。これに伴う解体，土地の整備，建築という事業の指揮はさまざまな機関に委ねることができるが，実際には，地方公私資本混合会社〔▶Société d'économie mixte (SEM)〕に委ねられることがしばしばである。

開発がなされる前の不動産所有者および商人の大量の流出を回避するために，これらの者が，占有している不動産を合意のうえで譲渡する場合には，これと引換えに，これらの者に対して開発後の不動産に関する権利の保全が提案されなければならない。ところが実際には，都市再開発は今日まで，開発が行われた地域住民の社会構造を著しく変えてきた。

Rente 〔民法〕定期金 支払う支分金。定期金は，支分金を支払う債務が定期金債権者または第三者の死亡時に終了する場合には，終身定期金〔rente viagère〕である。また，定期金債権者が元本を返還することによってのみ免除される場合には，永続定期金〔rente perpétuelle〕である。
▷民法典1910条以下，1978条以下

〔社保〕年金 労働災害に関する立法を適用して定期的に支給される手当のこと。
▷社会保障法典L434-2条以下

Rente sur l'État 〔財政〕国債 中期または長期にわたる国庫の借入れ〔emprunt du Trésor à moyen ou long terme〕の同義語。

►Dette publique〔公債〕

Renvoi 国私 **反致**　法律の抵触において，法廷地の抵触規則によって指定された外国法が自己の管轄を否定し，法廷地法であれ（狭義の反致）〔renvoi au premier degré〕，第三国の法であれ（再致・転致）〔renvoi au deuxième degré〕，他の法が適用されると宣言する場合，最初に指定された法から最終的に適用されると宣言された法への反致という。

国公 **先決問題付託**　国内裁判所が，ヨーロッパ共同体裁判所に対し，条約に関する解釈，または派生的法に関する行為の有効性および解釈に関して判断を求めること。先決問題の付託は国内裁判所によって決定される。この先決問題付託は，非常に数が多く，ヨーロッパ共同体裁判所が一種の最高裁判所になりつつあるという考え方の基礎となっている。

民訴 **移送；送付**　裁判所が事件を審理するための他の裁判所を指定する裁判。

　管轄に関する抗弁・異議申立て・控訴に基づく移送：管轄，事件係属または関連性に関しては，一定の場合に破毀院は（しばしば第一審裁判所も同様に），管轄権を有すると思われる裁判所に事件を移送する。

▷新民事手続法法典86条，97条，101条および104条

　他の裁判所への移送：訴訟当事者は，一定の場合（正当な疑惑〔suspicion légitime〕，公共の安全〔sûreté publique〕，複数裁判官に対する忌避）に，受訴裁判所以外の裁判所に訴訟を移送することを申し立てることができる。

▷新民事手続法法典356条，364条および365条；司法組織法典L111-8条

　合議体への送付：急速審理裁判官，単独判官および直近裁判所裁判官は，自己に委ねられている事件を自己の裁判所の合議体へ送付することを決定することができる。

▷新民事手続法法典487条；司法組織法典L212-2条，L231-5条

　破棄後の移送：破毀院が判決を破毀したときには，（その判決をなした裁判所と）同系統，同種類，同審級の裁判所へ移送する。

▷新民事手続法法典626条；司法組織法典L431-4条

　弁論期日への送付：普通法上の裁判所の通常手続きにおいては，部長が事件呼上げ期日に，当該事件がそのまま弁論期日に送付されるのか，それとも準備手続裁判官が行う準備手続きの対象になるのかを決定する。

▷新民事手続法法典760条以下

Réouverture des débats 民訴 **弁論の再開**　合議に付すのをやめ，補足的な弁論のために事件について新しい期日を設ける措置。裁判長は事件の状況に応じて弁論の再開を命じることができる。ただし，当事者が自らに要求された法律上または事実上の説明を対審によって行うことができなかった場合には，裁判長は弁論の再開を命じなければならない。

▷新民事手続法法典444条1項

Répartition 社保 **賦課方式**　年度ごとに，就業の補足制度加入者〔►Participant〕の拠出金を退職者に老齢年金の手当を支払うために用いる制度。この賦課方式においては，就業者の保険料によって退職者の年金の財源が調達されることになる。

►Capitalisation〔積立方式〕

Repentir 民法 **撤回**　►Droit de repentir〔撤回権〕

Repentir actif 刑法 **積極的悔悟**　犯罪を遂行した者が，可能な限り犯罪の損害結果を回復する行為。この損害回復は行為者の刑事責任には影響を及ぼさず，行為者は，軽減された刑が宣告されることを期待できるにとどまる。

Repenti 刑法 **悔悟者**　行政機関または司法機関に協力して，犯罪活動を回避し，犯罪結果を軽減し，または他の正犯または共犯を特定することを可能にした犯罪者を指す総称。このような考え方は，一定の犯罪（例えば，テロ行為，麻薬取引，組織集団による窃盗）のみに適用され，刑の免除または軽減を導く。悔悟者，その家族および近親者は，身の安全を確保するために保護を受けることができる。

▷刑法典132-78条；刑事手続法法典706-63-1条

Répertoire civil 民法 **民事目録**　大審裁判所書記によって設置される登録簿。能力または夫婦財産制に生じた変更（付後見，夫婦間の諸権限の剥奪，財産分離請求の却下など）の結果，成年者の諸権限に影響を与える，請求，証書，判決のすべての抄本（の内容）が記載される。

　第三者に情報を与えることを目的とするこの公示手段は，当該目録の参照番号を備える出生証書の欄外への記載という方法によって補完される。

▷新民事手続法法典1057条以下

Répertoire général 民訴 **事件簿**　普通法上の裁判所および例外裁判所が保有する単一の記

録。事件簿には，当該裁判所にもち込まれるすべての事件が，登録番号とともに，その日付で登録される。また，判決の性質および日付も登録される。

事件簿は，電子媒体上に記録されうる。ただし，情報処理システムは，事件簿を完全に記録し，秘密保持を保障するものでなければならず，また，保存が可能なものでなければならない。
▷新民事手続法典726条および729-1条

Répertoire des métiers 商法 **手工業者名簿**
► Artisan〔手工業者〕

Répétition de l'indu 民法 **非債弁済の返還**
原因なくして弁済されたものの返還。債務がそもそも存在しなかった場合（客観的非債弁済），債務が取消しまたは解除の対象となった場合（後発的非債弁済），および，弁済者〔solvens〕と受領者〔accipiens〕の間には債務者と債権者の関係がなかった場合（主観的非債弁済）がある。
▷民法典1235条および1376条
► Quasi-contrat〔準契約〕

Réplique 行政 **反論** 書面主義をとり，趣意書の交換という形式で行われる行政訴訟では，被告である公法人は防禦の趣意書（大臣が国に代わって被告となる場合は《意見書》）によって訴訟開始の申立書に答える。原告は被告に対して反論の〔en réplique〕趣意書によって，次の段階では，場合により，再反論の〔en duplique〕趣意書によって答える。

民訴 **（原告側の）反論** 被告の申立趣意書またはその弁護士の陳述書に応答して提出される原告の申立趣意書またはその弁護士の陳述書。

Report en bourse 商法 **繰越取引** 取引所における売買取引の執行を一定期間後の清算によって行う方式で，先物取引で用いられる。

Repos compensateur 労働 **代償休日** 義務的休日であって，労働時間として支払対象となる。一定時間数の超過勤務を行った労働者に与えられる。
▷労働法典L212-5条，L212-5-1条およびL212-8条以下

Repos hebdomadaire 労働 **週休** すべての労働者に毎週付与されなければならない少なくとも連続24時間の休息。週休は，原則として日曜日に与えられる。主の休日〔repos dominical〕だからである。
▷労働法典L221-1条以下およびR221-1条以下

Représailles 国公 **復仇** 国家によりなされる違法な強制措置であり，他国により，自国の利益に反してなされた等しく違法な行為に対抗し，その中止，損害賠償を得ることを目的とする（例：外国人の拘束，外国人財産の没収など）。

Représentant de commerce 労働 **商業代理人；外交員** 1または複数の者のために，継続的に働く仲介者であって，それらの者の計算で顧客を勧誘し売買を準備または締結することを任務とする。商業代理人は，自己の名義で契約することはない。
▷労働法典L751-1条以下およびR751-1条以下
► Indemnité de clientèle〔顧客拡大補償金〕

Représentant des créanciers 商法 **債権者代表** 開始判決において裁判所により選任される，企業の救済，更生および清算手続きにおける債権者側受任者〔► Mandataire judiciaire à la sauvegarde, au redressement et à la liquidation judiciaire〕。債権者代表は，観察期間の際に，企業の負債の算定のために，債権を確認することを職務としている。債権者代表のみが，その代表する債権者の名においてかつその集団の利益において訴えを提起する資格を有している。

債権者の集団の代表は，1985年1月25日の法律第99号以前は，破産管財人〔► Syndic de faillite〕によって確保されていた。破産管財人は，1985年法により廃止された。
▷商法典L621-43条以下およびL812-1条以下

Représentants du personnel 労働 **従業員を代表する者** 企業において労働者から選挙される代表（従業員代表委員〔délégué du personnel〕，企業委員会委員）を意味する表現。組合代表委員〔► Délégué syndical〕は，法的には企業において組合を代表する者であるが，ときとして濫用的に，従業員を代表する者とされる。
▷労働法典L421-1条以下およびL431-1条以下

Représentant syndical 労働 **企業委員会組合代表** 狭義では，そして組合代表委員〔► Délégué syndical〕と対比すると，代表的組合の組合員であって，当該組合に指名され発言権をもって企業委員会または事業所委員会に出席する者。
▷労働法典L433-1条

Représentation 民法 **代理；代襲**
① 代理//代理人〔représentant〕が，本人〔représenté〕の名で，その者のために行為

する法的技法。代理人によって行われた行為の効果は，直接，本人に生じる。代理には，法定のもの（未成年者を代理する後見人），合意に基づくもの（委任），または裁判上のもの（一方の配偶者に他の配偶者の名で行為することを認める許可）がある。

代理には限界がある。行為の性質が，子の認知または親権に属する行為のように，厳密に本人自身の同意を必要とするがゆえに，代理に決してなじまない行為が存在する。
▷民法典218条，219条，450条および1998条（2009年1月1日より458条および496条）

②代襲//相続人たる本人の権利を代襲する者を相続に呼び出す効果を有する法的擬制。代襲は，直系卑属間においては無限に生じる。傍系血族間においては，故人の兄弟姉妹の子および直系卑属にも認められている。代襲は，相続欠格者が存命中でもその直系卑属に対して，および相続放棄者の直系卑属に対して拡張された。
▷民法典751条以下

Représentation conjointe (Action en) 民訴 共同代理（訴権；の訴え） ►Action en représentation conjointe〔共同代理訴権；共同代理の訴え〕

Représentation des intérêts 憲法 利益代表
個人の代表を補完し，または，その代わりとして集団の代表を確保する制度。3つの態様が考えられる：単に諮問的な会議（例：1958年憲法典の経済社会評議会），国会に統合された経済社会院（例：旧ユーゴスラヴィア），単一の職能代表的な議院。

Représentation en justice des plaideurs 民訴 訴訟当事者の裁判上の代理　例外裁判所においては，訴訟当事者の裁判上の代理は，商事裁判所を除き，厳格に規制されており，大審裁判所付弁護士に特権的地位が与えられている。
▷新民事訴訟法典828条，853条，884条；労働法典R516-5条

普通法上の裁判所では，当事者本人が出頭することはできず，第一審では弁護士に，控訴審では代訴士に代理させなくてはならない。
▷新民事手続法典751条
►Assistance des plaideurs〔訴訟当事者の代理〕 ►Pouvoir〔代理権〕

Représentation proportionnelle 憲法 比例代表制　名簿が集めた投票数に比例して，名簿の間で議席を配分する選挙方法。

①*Représentation proportionnelle approchée* 近似的比例代表制：（当選基数を超える）剰余票を選挙区の中で配分していくもの。この場合，名簿が提出されているすべての選挙区において，名簿に死票をもたらすこととなる。

②*Représentation proportionnelle intégrale* 完全比例代表制：剰余票を全国レヴェルで配分するもの。したがって全国レヴェルで生じる各名簿の死票の数は無視しうる（すなわち，当選基数〔►Quotient électoral〕に満たない）ものである。

Représentativité des syndicats 労働 組合の代表性　►Syndicat professionnel〔職業組合〕

Reprise (Droit de) 民法 商法 取戻し（権）
使用を継続し，または賃貸借契約を更新するという賃借人の権利にもかかわらず，一定の場合において賃貸人に認められる，賃貸借契約の期間が満了した時にその場所を取り戻す権利。

財政 更正（権）　課税標準または税額算定〔►Liquidation〕において確認した誤りまたは脱漏を訂正するために，一定期間（《更正期間》〔délai de reprise〕）税務当局が有する権利。

Reprise des débats 民訴 弁論のやり直し
裁判所の構成に変更が生じたために必要となった弁論期日のやり直し。一般的に弁論の再開〔►Réouverture des débats〕では補足的な説明または新たな説明に限られるのに対して，弁論のやり直しでは弁論の全部がやり直される。
▷新民事手続法典444条2項
►Réouverture des débats〔弁論の再開〕

Reprise d'instance 民訴 訴訟手続きの受継
中断した訴訟手続きが再開されること。受継は，弁護士間文書により合意のうえで，あるいは，相手方当事者からの裁判上の呼出し（状）により，なされる。
▷新民事手続法典373条以下
►Interruption〔中断〕

Reprises 民法 取戻し　共通財産の分割前に，各配偶者が，婚姻の解消時に現物で存在するおのおのの固有財産を取り戻す，清算期間中の手続き。
▷民法典1467条

Reproche 民訴 （証言に対する）異議　証人の供述を疑わせる性質を有する，一定の事実の主張。証人に対する異議についての法文は1958年に廃止された。

République 憲法 **共和制** 権力が公の事柄（《res publica》〔レス・プブリカ〕）である政体。そこでは，権力の保持者は固有の権利（神法，世襲制）によってではなく，社会体〔corps social〕の委任によって権力を行使する。このように定義すると，共和制は君主制または王制と対立するが，民主制とも同視されない。すなわち，君主制は民主的でありうる（例：イギリス）が，共和制はそうでないこともある（例：《大佐たちの》ギリシャ〔Grèce《des colonels》〕と人民共和国）。実際には，République〔共和制〕の語とDémocratie〔民主制〕の語は，しばしば区別されずに使用される。

République française 憲法 **フランス共和国** フランス本土，海外県および海外領土〔►Territoire d'outre-mer（TOM）〕からなる総体。R

Requalification 民訴 **再性質決定；（裁判官による）性質決定の修正** 裁判官が，係争の対象となっている事実および行為について，当事者がそれについて提案した名称にこだわることなく，性質決定を修正すること。当事者が，明示の同意によりかつ自由に処分することのできる権利について，性質決定によって裁判官を拘束する場合，および，当事者が弁論をそれだけに制限しようとする法律上の争点によって裁判官を拘束する場合には，この再性質決定義務は排斥される。
▷新民事手続法典12条
　►《Ex aequo et bono》〔衡平と善により〕

Requérant 行政 **申立人** 書面主義である行政訴訟手続きにおいて訴訟開始申立てを行う者，すなわち訴訟の原告を表す一般的用語。

Requête 民訴 **申請（書）** 相手方の出廷を必要とせず，裁判官に直接向けられる，書面による請求。解決されるべき状況が緊急で，かつ，対審的でない手続きが必要とされる場合になされる。これに対しては，仮の性格の，原本に基づき執行力を有する，取消可能な命令がなされる。
▷新民事手続法典58条および493条以下

Requête civile 民訴 **再審申請** 特別の不服申立方法で，11の場合に請求可能であったが，現在ではrecours en révision〔再審の申立て〕へと代わっている。
　►Recours en révision〔再審の申立て〕

Requête conjointe 民訴 **共同申請（書）** 大審裁判所，控訴院，小審裁判所，商事裁判所におけるすべての事件に関して認められている，訴訟手続きの開始方法。共同申請は，両当事者の弁護士によって署名された文書を裁判所書記課に提出することによってなされる。その文書には，各自の申立て〔prétention〕，（事実上および法律上の）争点，用いられる攻撃防禦方法が記載され，また，各申請者の提出した書証が列挙されている。
　共同申請書は裁判所への係属〔saisine〕の効果を生じさせ，また，申立趣意書の役割も果たす。
▷新民事手続法典57条および57-1条

Réquisition 行政 **徴発** 私人に補償金を支払うことによって，私人の労務，動産または不動産の使用，動産所有権を行政に与えることを私人に対して強制する，行政に認められた手段。これは法文に規定されている場合にのみなされるが，その法文の数は増加している。
労働 **徴用** 公序が脅かされていると思われるときに行政機関がストライキ中の労働者に発する労働再開命令。

Réquisitions 民訴 刑訴 **検察意見（書）** 検察の代表が，司法系のすべての種類の裁判所において提出する申立趣意書（申立ての趣意）。民事においては，検察官は，事件が自己に伝達された場合または自己の意見を知らせる義務があると考える場合に関与する。
▷新民事手続法典424条以下および431条；刑事手続法典33条

Réquisition de paiement 財政 **強制的支払命令** 公会計官〔comptable public〕が，支払われるべき公支出の適式性について審査し，支払いを拒否した際に，その支払拒否を排斥する，支払命令官〔ordonnateur〕に認められる権限。この権限が行使される場合，公会計官はその責任を免除される。適式性を欠くことが明白である若干の場合には，この権限は認められない。強制的支払命令によって，支払命令官は，法文上公会計官に課される責任を代わりに負うことになる。

Réquisitoire 刑訴 **（検察官の予審判事に対する）請求（書）**
Introductif 予審開始請求（書）：検察官が予審判事に予審開始を請求する手続書面。その結果，直接呼出しは行われないことになる。
　►Citation directe〔直接呼出し〕
▷刑事手続法典80条，82条および86条
Définitif 終局的請求：検察官が予審終結時に事案処理方法について意見を述べる手続書

373

面。なお，この請求は，判決裁判所において口頭で示される。
▷刑事手続法典175条

Supplétif 追加的請求：一般的には予審判事の求めに応じて検察官が行う補充的な請求。これによって，予審判事は，予審開始請求書に掲げられていなくとも，予審の間に発見された事実について証拠調べを行うことが可能となる。
▷刑事手続法典80条3項および82条1項

《Res》 [民法] **物** 物を意味するラテン語。

《Res derelictae》 [民法] **遺棄物** 所有者によって遺棄された物。先占〔►Occupation〕により第三者によって取得されうる（家庭ごみ，廃物）。
▷民法典539条および713条；刑事法典R635-8条

《Res inter alios acta, aliis nec prodesse, nec nocere potest》 [民法] **他人間でなされたことは，それ以外の者に対し損害も利益も与えることはない** ある者の間で行われたことは，他の者に害を与えず，また利益をももたらさない。

例えば，2人の者の間で締結された契約は，第三者を債務者または債権者にしない。これが，契約の相対性の原則である。
▷民法典1165条
►Effet relatif des contrats〔契約の相対効〕

《Res inter alios judicata, aliis prodesse, nec nocere potest》 [訴訟] **ある者の間で判決されたことは，他の者に対し損害も利益も与えることはない** ある者の間での既判事項〔►Chose jugée〕は，他の者に対し損害も利益も与えることはない。裁判所の判決は当事者間にしか効果がなく，第三者に対しては存在しないことを述べたもの。第三者は，既判事項の相対性に基づく訴訟不受理事由を援用して防禦的に，あるいは第三者異議の訴え〔►Tierce opposition〕を提起して攻撃的に，自己に関わりなくなされた判決が自己に対して対抗力をもたないと主張することができる。
▷民法典1351条；新民事手続法典122条および583条
►Opposabilité〔対抗力〕

《Res judicata pro veritate habetur》 [民訴] **既判事項は真実とみなされる** ▷民法典1350条3号および1351条；刑事手続法典6条1項

《Res mobilis, res vilis》 [一般] **動産は安価な物** 現代における動産の発展とは大いに矛盾する法格言。

《Res nullius》 [民法] **無主物** 何人にも属していない物。したがって取得の対象となりうる。例えば，猟の獲物など。
▷民法典714条以下

《Res perit creditori》 [民法] **物は債権者において消滅する** 物の減失は，引渡しの債権者によって負担される。この原則は，例外的なものである。
►Risque〔危険〕[民法]の②

《Res perit debitori》 [民法] **物は債務者において消滅する** 物の減失の危険は，引渡しの債務者によって負担される。
▷民法典1722条，1788条および1790条
►Risque〔危険〕[民法]の②

《Res perit domino》 [民法] **物はその所有者において消滅する** 物が減失したとき，この減失を負担するのは原則としてその物の所有者である。
▷民法典1138条

Rescrit fiscal [財政] **課税照会** アメリカ合衆国の個別通達〔ruling〕の慣行に着想を得て納税義務者のために創設された保障を指す表現。租税照会は，列挙された場合において，納税義務者が租税行政庁に対して自分の側の評価に役立つ要素すべてを誠実に提示したうえで税制を具体的に適用するよう請求する権利からなる。

租税行政庁が回答しなかった場合には，租税行政庁は，自らに提示された租税状況を後で変更することも，権利濫用の手続きを適用することもできない。
▷租税手続法典L64条B，L80条BおよびL80条C

Rescrit social（Procédure） [社保] **社会保険照会（手続き）** 加入義務または保険料に関する問題について社会保障家族手当保険料徴収組合連合〔URSSAF〕に照会する手続き。URSSAFは自己の回答または無回答によって拘束される。
▷社会保障法典L243-3条およびL311-11条

Réseau ferré de France [行政] **フランス鉄道施設管理公社** 共同体法の要請に基づくフランス国有鉄道〔Société nationale des chemins de fer Français〕の改組によって1997年に設立された商工業的性格を有する公施設法人。線路および線路を管理する付属施設の所有権はフランス鉄道施設管理公社に移転した。フランス国有鉄道は以前と同様の法的地位を維持してはいるものの，今後はこれらの

基盤施設を利用する輸送手段を経営することのみをその任務とする。ただし，他のヨーロッパ共同体加盟国の鉄道運送業者が将来乗り入れる権利が留保されている。

Rescindant, Rescisoire 民訴 **再審開始手続き，再審審理手続き** 旧民事手続法典上の再審申請〔requête civile〕における，連続する2つの段階を指す用語。再審開始手続きは申請の受理性〔recevabilité〕および認否を対象とし，再審審理手続きにおいて事件が再度審理・判決された。

Rescision 民法 **（レジオンを理由とする）取消し** 裁判上の決定による，損害を与える行為〔acte lésionnaire〕の排除を意味する用語。例外として，共同相続人の受けた4分の1を超える損害〔lésion〕は，持分補充の訴え〔action en complément de part〕の対象にしかならない。その場合，補充は，被告により，任意に現金または現物で提供される。
▷民法典491-2条，510-3条，889条，1304条，1674条および1681条（2009年1月1日より435条，488条および1304条）
▶Annulation〔取消し〕▶Lésion〔レジオン；損害〕▶Nullité〔無効〕▶Résiliation〔解約；告知〕▶Résolution〔解除〕

Réservataire 民法 **遺留分権利者** 相続財産の持分に対して当然に権利を有する相続人。故人のすべての直系卑属（親子関係がいかなる性質のものであるかを問わない）および離婚していない生存配偶者（故人に直系卑属がない場合において相続に呼び出されたとき）は遺留分権利者たる相続人である。
▷民法典912条，913条および914-1条
▶Réserve〔遺留分〕

Réserve 民法 **遺留分** 法律が，遺留分権利者〔réservataire〕と呼ばれる一定の相続人に，その者が相続に呼び出され，かつ，相続を承認する場合に，いかなる負担も負わせずに帰属を認めている，相続上の財産および権利の持ち分。
▷民法典912条以下
▶Quotité disponible〔処分可能分〕
国公 **留保** 多数国間条約の当事国が，条約のいくつかの条項を約束から排除し，または，それらの条項にその国が付与する意味を明確にする宣言。

Réserve (Obligation de) 行政 訴訟 **慎重義務**
▶Obligation de réserve〔慎重義務〕

Réserves 商法 **準備金；積立金** 会社が実現した利益を社員に分配する前に，将来に備えて，利益から控除して積み立てた額。準備金があると，後に一定の危険に対応し，または事業の拡張を容易に行うことが可能になる。
準備金は，貸借対照表の貸方に計上される。株式会社と有限会社では，準備金の積立てが法律によって義務づけられている（《法定準備金》〔réserves légales〕）。定款で準備金の積立てが定められている場合（《定款による準備金》〔réserves statutaires〕），あるいは，社員が通常総会で準備金の積立てを自由に定める場合もある（《任意準備金》〔réserves facultatives ou libres〕）。

Réserve de propriété 民法 **所有権留保** 所有権留保条項と呼ばれる，反対給付の債務が完全に弁済されるまで契約の移転的効果を停止する条項に基づき，財産の所有権を売主に留保することを内容とする担保。所有権留保の効力は，財産が転売された場合には転得者に対する債務者の債権に及び，財産が滅失した場合にはそれによって債務者が受け取る保険金に及ぶ。
▷民法典2367条以下
▶Clause de réserve de propriété〔所有権留保条項〕

Résidence 民法 **居所** ある者が実際にいる場所。居所は，ある者が法律上所在する地であるdomicileと対比される。ただし，離婚手続きにおいて別居手続きの期間に夫婦が別々に住んでいる居所は，法律上当然に別個の住所となる。
▷民法典108-1条，215条，255条および373-2-9条；新民事手続法典43条
▶Demeure〔居住地〕▶Domicile〔住所〕

Résidence forcée 国私 **指定居所** ▶Assignation à résidence〔居所指定〕

Résident 国公 **在留外国人** 国籍国とは異なる国家に一定期間を超えて居住する個人。その資格は許可証の交付により認められ，受入国によって定められた一定の法制度に従う。
財政 **居住者** *Résident fiscal* 税制上の居住者：国際租税法上，国内法または条約に従い，その国に租税上の住所を有するとみなされる自然人または法人であり，その国の一般的な税制の適用を受ける（《non-résident》〔非居住者〕とは異なる）。

Résiliation 民法 **解約；告知** 一方当事者の債務の不履行を理由として，継続的給付契約〔▶Contrat successif〕を将来に向かって解

消すること。
▷民法典1722条
► Annulation〔取消し〕► Nullité〔無効〕
► Rescision〔(レジオンを理由とする)取消し〕► Résolution〔解除〕

Résolution 民法 **解除** 当事者の一方がその給付を履行しないときに，双務契約から生ずる債権債務を遡及的に消滅させる制裁。

解除は，無効と同様に遡及効をもつが，無効とは異なり，履行がなされないことを制裁するものであって，契約締結時に存在する瑕疵を制裁するものではない。
▷民法典1184条
► Annulation〔取消し〕► Nullité〔無効〕
► Rescision〔(レジオンを理由とする)取消し〕► Résiliation〔解約；告知〕

Résolution, Motion 憲法 国公 **決議，動議** 審議決定機関(国会の1議院または国際組織)によって表決され，その内部的な運営に関係しまたは特定の事項に関する意見もしくは意思を表す文書。

国会の1議院によって表決された決議は，二院制では他方の議院の関与を受けず，また審署の対象とならない点で，法律と区別される。

Responsabilité 民法 **責任** 契約の不履行(契約責任)によって生じた損害，もしくは人の所為または保管していた物(► Garde〔保管〕)の所為，または本人が責任を負っている者の所為(他人の所為による責任)によって，他人にいかなる損害をも生じさせないという一般的義務の違反によって生じた損害を賠償する義務。契約責任〔responsabilité contractuelle〕でない場合は，不法行為責任〔responsabilité délictuelle〕または準不法行為責任〔responsabilité quasi-délictuelle〕である。
▷民法典1147条および1382条以下
► Délit civil〔不法行為〕► Quasi-délit〔準不法行為〕

Responsabilité des agents publics 行政 訴訟 **公務員の賠償責任** 公務員は，自らの個人的過失によって私人または行政に対して惹起した損害を金銭で賠償する責任を負う。役務過失により損害を惹起した場合にはその責任を負わない。► Faute〔過失〕

Responsabilité collective 刑法 **団体責任** ある団体に所属するという理由で，その団体の行った犯罪行為に対して，処罰規定が個人に適用されるということ。刑罰の一身専属性原則のために，団体責任は否定される。
▷刑法典121-1条

Responsabilité du fait d'autrui 民法 **他人の所為による責任** 法律に基づき，父母が未成年の子の所為について，委託者が受託者の所為について，教師および職人が生徒および徒弟の所為について負う不法行為責任。これらの法定の場合に加え，判例は，一般原則として，損害を生じさせた者の活動の組織，指揮および監督の義務を負う個人または組織の責任を認めている。
▷民法典1384条1項，4項，5項および6項
► Responsabilité〔責任〕

Responsabilité du fait des choses 民法 **物の所為による責任** ► Responsabilité〔責任〕
► Garde〔保管〕

Responsabilité du fait du fonctionnement défectueux de la justice 行政 民訴 刑訴 **裁判の瑕疵ある運営に起因する責任** 国は民事裁判上または刑事裁判上の瑕疵ある運営(役務過失〔faute de service〕)によって訴訟当事者に生じた損害の賠償につき責任を負う。もっとも，国は，裁判官または合議制を採る裁判所に重過失〔faute lourde〕があった場合または裁判拒否〔► Déni de justice〕の場合にしか賠償責任を負わない。軽過失〔faute légère〕の場合には国はこの責任を負わないことになるであろうが，破毀院は重過失の観念を緩和し，いまや，重過失とは，《裁判公役務がその課された任務を遂行するのに不適格であることを示す事実または一連の行為によって特徴づけられる何らかの欠陥〔toute déficience〕》のことである。さらに，コンセイユ・デタも，合理的な裁判期間の超過を判断するにあたって重過失を要求していない。

毎年，政府は国会に報告書を提出し，国家賠償責任訴訟，有責判決およびそれに伴う賠償金の支払いについて報告する。裁判官に役務に関して個人過失があった場合には，国は，理論上は，当該裁判官を相手取って求償の訴えを起こすことができる(破毀院民事部のひとつに提起される)。
▷司法組織法典L141-1条およびL142-2条
► Déni de justice〔裁判拒否〕► Détention provisoire〔勾留〕► Prise à partie〔裁判官相手取り訴訟〕

Responsabilité du fait des produits

défectueux [民法] 欠陥生産物に起因する責任 ▶Produit défectueux〔欠陥生産物〕

Responsabilité pénale [刑法] **刑事責任** 法律に定める要件および形式に従って刑事制裁を受けることにより，自らの犯罪行為について責めを負う義務。特に，一定の者について，その固有の性質のゆえに用いられる表現である（例えば，教唆者の刑事責任）。

Responsabilité pénale pour autrui [刑法] **他人の行為による刑事責任** 他人の犯罪行為について，刑事裁判上の責めを負う義務。フランス法では，刑罰の一身専属性原則のために，この種の責任は認められない。
▷刑法典121-1条

Responsabilité pénale du chef d'entreprise [刑法][労働] **企業長の刑事責任** 企業長に対して，その資格を理由に適用される処罰規定。

労働法では，普通法上の刑事責任の他に，企業内で行われた，衛生および安全に関する法規への違反について，それが企業長の個人責任に基づく場合，企業長は責任を負う。このような違反について企業長が免責されうるのは，企業長に任命されかつ法律の実質的な遵守を確保するのに必要な権限と権能を与えられた支配人または担当者がその指揮を委任されていた業務部門においてそれが発生したことが証明される場合に限られる。
▷労働法典L263-2条

さらに，労働災害が衛生および安全に関する法規の不遵守に基づく場合，裁判所は，過失致死または過失傷害で有罪となった担当者に対して言い渡した罰金刑の全部または一部を，使用者に負担させることができる。このような考え方は，受託者による道路法典上の犯罪についても適用される。
▷労働法典L263-2条およびL263-2-1条；道路法典L121-1条

Responsabilité pénale des personnes morales [刑法] **法人の刑事責任** 国を除き，公法上および私法上のあらゆる法人は，その機関または代表者が自己のために犯した犯罪について責任を負う。法人の刑事責任は，同一の行為の正犯または共犯である自然人の刑事責任を排除するものではない。
▷刑法典121-2条

Responsabilité politique [憲法] **政治責任** 政治的委任を受けた者が，政治的委任を与えた者に対し委任の実行（行為，発言，文書）に責任を負う義務。

Responsabilité politique du Gouvernement devant le Parlement 国会に対する政府の政治責任：議院内閣制において，国会の信任を受ける政府の義務であり，国会の信任が政府に与えられない場合は，政府は総辞職を強いられる。
▶Motion de censure〔不信任動議〕▶Question de confiance〔信任問題〕

Responsabilité de la puissance publique [行政] **公権力の損害賠償責任** 公法人は，私人または他の公共団体に対して，過失〔▶Faute〕に基づいて責任を負わなければならない場合と，過失なしに賠償責任を負わなければならない場合（いわゆる危険〔▶Risque〕責任）とがある。この賠償責任の第2の原因は，公の負担の前における市民の平等という考えにしばしば結びつけられる。

立法または裁判の作用を行使するにあたっては，国は判例上，かなり広範な無答責性を享受する。

Ressort [訴訟] **管轄；審級；管轄区域**

①管轄；管轄区域//ressortは，地理的観点からあるいは訴額に関して，裁判所の管轄権限の範囲を明確にする。

②審級//また，いかなる状況で不服申立をなすことができるかを明確にするためにもressortという。判決には始審判決〔▶Jugement en premier ressort〕，始審にして終審判決，終審判決〔▶Jugement en dernier ressort〕がある。
▷新民事手続法典34条；司法組織法典L231-3条，R311-2条およびR321-3条以下；労働法典R517-3条；商法典L721-3条以下

③管轄区域//その中で裁判所補助吏（例えば公証人，執行吏）が証書を作成し，訴訟当事者の代理人（弁護士，控訴院代訴士）が代訴する地域的区画。

Ressortissant [国公][国私] **帰属民** 国家と結びついてはいるが，その国の国籍はもっていない個人（例えば，アフリカのいくつかの国家の国民〔sujet〕は，これらの国家が完全に自治を達成した日までフランスの帰属民であった）。

《ressortissant》は，実際には《national》〔国民〕としばしば混同されるが，《national》よりもずっと広い意味を有している。

《Ressources propres》 [EU] **固有財源** 各加盟国により支払われる分担金の伝統的制度を終了させ，ヨーロッパ経済共同体に財源自治

を与えた1970年の改革以降，共同体の有する固有の収入の総体を指す名称。主として農業課徴金〔►Prélèvements agricoles〕，第三国からの輸入品に対する関税，各加盟国の付加価値税の調整（修正）後課税標準〔►Assiette de l'impôt〕の1.4パーセントを限度として各加盟国において徴収される付加価値税の一部，および最後に，国民総生産（PNB）に基づく，1988年に創設された《第4の財源》からなる。固有財源全体の上限は，1999年に国民総生産の1.27パーセントと定められたが，歳出予算〔crédits de paiement〕は今のところ国民総生産の1パーセントである。

ヨーロッパ石炭鉄鋼共同体は，当初から石炭業界および鉄鋼業界から税（ヨーロッパ石炭鉄鋼共同体課徴金）を徴収していたが，今日ではヨーロッパ共同体の収入に統合されている。

2007年-2013年の予算見通しについて2005年12月に合意を得ることが困難を極めたことが示しているように，固有財源については今後抜本的改革が必要とされ，それ以前に再検討の対象とされるであろう。

Restes 憲法 **剰余議席；剰余票** 比例代表制〔►Représentation proportionnelle〕における，当選基数〔►Quotient électoral〕では割り振られない議席，およびこれらの議席に対応する未配分の票。

選挙区の範囲内でまたは全国レヴェルで剰余票を利用する種々の方法（最大平均法と最大剰余法）がある。

《Restitutio in integrum》；Restitution en entier 民法 民訴 **原状回復** 契約の取消し（返還が可能な場合），損害の現物賠償，違法に解雇された労働者の復職の，通常の帰結。

▷民法典555条2項；労働法典L412-19条，L425-3条およびL436-3条

Restitutions 刑訴 **還付；原状回復** 狭義では，盗品，横領品または証拠物件として押収された物をその所有者に返還すること。広義では，犯罪前の状態に戻しまたは犯罪状態を解消するための措置。

▷刑事手続法典99条，373条，478条および543条

Rétablissement 民訴 **（書証の）返付；（事件の）復活**

①（書証の）返付//手続上の書証を返付するとは，それがもち出された保管場所に戻すことである。例えば，偽造の申立ての場合，裁判所は，偽造を確認した文書を公証人の原本の綴りの中に戻すか（返付），それとも裁判所書記課の記録保管所で保管するかを決める。

②（事件の）復活//事件を復活するとは，裁判所書記課で事件簿への登載を再度行うことである。事件が当事者の懈怠により係属中の事件の事件簿から抹消されると，新たな登載が必要となる。

Rétablissement personnel（Procédure de） 民法 **個人更生（手続き）** 個人破産制度において，執行裁判官〔►Juge de l'exécution〕によって行われる裁判手続き。過剰債務者の個人財産の裁判上の清算を目的とする。換価された積極財産が債権者に対して弁済をなすに十分である場合，手続きは終結する。そうでない場合，執行裁判官は，積極財産の不足を理由とする手続きの終結を言い渡す。このとき，手続きの終結は，債務者の非職業債務全体の遡及的消滅をもたらす。ただし，保証人または共同債務者が破産債務者の代わりになした弁済から生ずる債務を除く。

▷消費法典L332-5条以下
►Mandataire judiciaire au rétablissement personnel des particuliers〔個人更生手続きにおける裁判上の受任者〕►Plan conventionnel de redressement〔合意による個人更生計画（書）〕►Redressement judiciaire〔裁判上の更生〕►Surendettement〔過剰債務；個人破産（制度）〕

Rétention 民法 **留置（権）** 債権者に認められる，自己に支払われるべきものが支払われない限り債務者に属する財産を返還しない権利。留置権を主張しうるのは以下の者である。

①その債権が弁済されるまでという前提で物の引渡しを受けた者（動産質，寄託）。

②いまだ弁済を受けていない債権者であって，その債権の発生原因たる契約により物の引渡しを義務づけられている者。

③物を占有する際に生じた債権を有する者（占有物に加えられた労力の対価，維持改良費の返還）。

▷民法典571条，862条，1612条，1885条，1948条および2286条

行政 **拘留** 国境への送還〔►Reconduite à la frontière〕手続きの枠内において，行政庁が，当該外国人を直ちに追放することが不可能な場合に，限定された期間，監視付きの場所に収容することを可能とする手段。ただし，監視付きの場所は行刑行政庁に属するもので

あってはならない。

Rétention douanière 〔刑訴〕**税関留置** 現行犯逮捕された，関税犯罪の行為者に対して税関吏によって行われる，特別の留置措置。この措置は24時間以内であり，共和国検事の許可に基づいてさらに24時間延長できる。
▷関税法典323条

Rétention des mineurs 〔刑訴〕**未成年者留置** 警察留置手続きを用いることができないことになっている13歳以上の未成年者に対する，司法警察員によってなされる特別の留置措置。この措置は，少なくとも1年の拘禁刑をもって罰せられる重罪または軽罪を犯したことの重大なまたは一致した徴憑が存在する場合に行われる。司法官の許可を必要とし，最長12時間である。例外的に，同一の司法官によってさらに12時間延長できる。

Retenue à la source 〔財政〕**源泉徴収** 所得税の徴収方法。この徴収方法は，課税対象となる金銭（給与，利子，配当金など）を納税義務者に支払う者に対し，その金銭から天引きを行い，それを支払人自身が税務署へ納付することを義務づける。
▶Prélèvement libératoire〔分離課税〕

Réticence 〔民法〕**沈黙** ある者が，明らかにしなければならない点につき意図的に守る沈黙。一定の状況において，契約当事者の沈黙は，詐欺を構成する。
▶Dol〔詐欺〕

Retirement 〔民法〕**引取り** 動産の売買において買主が負っている，合意された期限までに売却物の引渡しを受ける義務に与えられた名称。引取りがなされない場合，売買は催告を要せず法律上当然に解除される。
▷民法典1657条

Rétorsion 〔国公〕**報復** 自国に対してなされたそれ自体は合法であるが非友好的なある国の行為に対し，権利の厳格な行使をもって応える強制手段（例：外交官の相互的追放，外交官の移動の一定範囲内への制限）。

Retour (Droit de) 〔民法〕**復帰（権）** ある者に無償で移転された物を，相続によって，その物を移転した者またはその直系卑属に復帰させる権利。

贈与契約が，条項によって贈与者への物の復帰を定めている場合は，その復帰は，約定復帰〔retour conventionnel〕である。復帰が法律の効果のみから生ずる場合は，法定復帰〔retour légal〕である（これは，不規則相続〔succession anomale〕の場合である）。

法定復帰権は，故人が子孫を残さなかった場合には直系尊属に利益を与える。故人が直系卑属も父母も残さなかった場合には兄弟姉妹または兄弟姉妹の直系卑属に利益を与える。死亡した養子が直系卑属も配偶者も残さなかった場合には養親に利益を与える。

約定復帰権は，故人に対してなされた譲渡を解除し，贈与された財産および権利を，あらゆる負担および抵当権から解放された状態で贈与者に復帰させる効果をもつ。
▷民法典368-1条，738-2条，757-3条，951条および952条

Retour à meilleure fortune (Clause de) 〔民法〕**出世払い条項** 借主が返還することが可能になったときまたは返還するだけの資力ができたときに返還すると定める条項。この条項は，債務の存在に影響を及ぼす随意条件〔condition potestative〕ではない。出世払い条項は，返還の日付に対してのみ影響を与えるが，これは債務者の資力の改善いかんに応じて決められる。裁判官が状況を判断し支払期限を決定する。
▷民法典1901条

Rétraction 〔民法〕〔商法〕**撤回** ▶Droit de repentir〔撤回権〕

Retrait 〔行政〕**取消し** 一方的行政行為の行為者がその行為を消滅させること。適用される法制度の観点から，次の2つを区別しなければならない。
・狭義の取消し〔retrait〕。その効果は遡及する。
・撤回〔abrogation〕。その効果は撤回がなされた日からしか生じない。

〔民法〕**取戻し；買戻し** 約定がある場合に，ある者が，他の者に取って代わり取引の利益を取得することを認める権能。
契約締結前に行使され，取得候補者の地位に取って代わることを第三者に認める先買〔préemption〕とは区別される。
▶Retrait d'indivision〔不分割持分の取戻し〕
▶Retrait litigieux〔係争中の権利の買戻し〕
▶Retrait successoral〔相続財産持分の取戻し〕

〔労働〕**危険作業放棄** ▶Droit de retrait〔危険作業放棄権〕

Retrait d'autorité parentale 〔民法〕**親権の取上げ** その行為により子の安全，健康または精神を危険にさらす父母に対して大審裁判所に

379

より言い渡される親権の内容の剥奪。
　親権の取上げは，一部取上げとして裁判官が特定する内容に限られることもある。
▷民法典378条以下

Retrait d'indivision 民法 **不分割持分の取戻し**　妻が共同所有していた不動産の不分割持分を夫が自分自身の名義で取得した場合に妻に認められていた，夫に取って代わる権能。
　不分割持分の取戻しは，1965年7月13日の法律により，将来に向かって廃止された。

Retrait litigieux 民法 **係争中の権利の買戻し**　債権者がその権利を譲渡した場合に，法律によって，争われている債権の債務者に対して認められる，譲渡価額（債権の額面価格よりつねに低い）の返還ならびに取得費用および利息の支払いと引換えに取得者に取って代わる権能。
▷民法典1699条以下
▶Droits litigieux〔係争中の権利〕

Retrait obligatoire 商法 **強制退社**　▶Offre publique de retrait〔株式公開買取り〕

Retrait du rôle 民訴 **事件簿からの抹消（当事者の請求による）**　事件を係属中の事件の順番から削除すること。すべての当事者の，書面によるかつ理由を付した請求により命じられる。当事者の一方の請求により事件を復活することができる。
▷新民事手続法典382条および383条
▶Radiation du rôle〔事件簿からの抹消（職権による）〕

Retrait successoral 民法 **相続財産持分の取戻し**　共同相続人の1人が被相続人を相続しない第三者に対して自己の不分割持分を譲渡した場合，法律によって共同相続人に認められている，取得者に取って代わる権能。
　この取戻しは，分割されていない権利が不分割関係外の者に譲渡された場合にすべての不分割財産権利者に帰属する先買権〔droit de préemption〕に置き換えられた。
▷民法典815-14条

Retraite 労働 **引退**　年齢のゆえにもう働いていない元労働者の地位。立法者は，使用者の決定から生じる《引退措置》〔mise à la retraite〕と労働者の意思から生じる《任意引退》〔départ à la retraite〕とを区別している。これら2種の労働契約破棄の態様は，解雇とも，辞職〔démission〕とも区別される。労働者がある年齢に達した日に労働関係を自動的に終了することを規定する協約条項（い わゆるギロチン条項）は，無効である。
▷労働法典L122-14-12条以下

Retraite anticipée 社保 **早期引退**　17歳未満で働きはじめた被保険者が，60歳に達する前に引退し，なおかつ，一定の被保険者期間という条件を満たした場合には完全給付率での退職年金を受給できること。
▷社会保障法典L351-1-1条およびD351-1-1条

Retraite complémentaire 社保 **補足退職年金**　一般制度の老齢保険による法律上の退職年金を補足する協約上の退職年金。一般制度および農業制度の労働者は補足退職年金制度に対する「加入義務」を負う。
　広義では，老齢保険の法定給付を補足する協約に基づくすべての退職年金を指す。

Retraite progressive 社保 **段階的引退**　パート労働を続けながら，獲得した基礎年金の一部を受給する可能性であって，40年間の被保険者期間という完全給付率での退職年金の条件を満たした被保険者に付与される。
▷社会保障法典L315-15条

Retranchement 民法 **（夫婦財産制に基づく利得の）縮減**　現在の婚姻から生じたのではない子に与えられる訴権の呼称。現在の配偶者が受けている夫婦財産制に基づく利得を夫婦間における処分可能分まで減少させることを目的とする。
▷民法典1094-1条および1527条

Retranchement (Par) 民訴 **一部削除による**　事実審裁判所への移送を伴わない，判決の部分的破毀を指す。争われている裁判の違法な部分を削除することのみによって適法性が回復される。例えば，法律が無償であると定めている事件（社会保障）であるにもかかわらず当事者に対し費用の支払いを命じる判決の主文の項目を破毀院が取り消すとき，一部削除によって行う。

Rétroactivité 民法 **遡及性**　ある行為または事実が，過去すなわちその行為の実行またはその事実の発生以前の日付にさかのぼって効力を生ずること（例えば判決の遡及性，条件の遡及性）。
　遡及性の付与は，ときに，訴訟当事者によって促され，裁判官によって決定されることがある。例えば，離婚手続きにおいて，裁判官は，夫婦の一方の請求に基づいて，判決の効果の発生日を夫婦が同居をやめ助け合うことをやめた日付と定めることができる。
▷民法典262-1条，1179条，1183条および

1442条
▶Condition〔条件〕▶Effet déclaratif〔宣言的効果〕▶Jugement déclaratif〔宣言的判決〕

Rétroactivité de la loi 一般 **法律の遡及性**
新法は，それが審署される前に生じていた法的地位の有効性および効果について特に定めている場合には遡及的であるという。原則として，法律は遡及しない。しかし，新法不遡及の原則は立法者を拘束しない。立法者は新法律が遡及することを宣言できる。ただし，新法が刑罰または制裁を科する場合を除く。
▷ 民法典2条，刑法典112-1条以下
▶Effet immédiat de la loi (Principe de l')〔法律の即時効(の原則)〕▶Non-rétroactivité〔不遡及性〕

Rétroactivité《in mitius》 刑法 **軽い新法の遡及** 軽い刑罰法規を，その公布前に行われ確定判決を経ていない行為に適用すること。
▷刑法典112-1条3項
▶Non-rétroactivité〔不遡及性〕

《Reus in excipiendo fit actor》 民訴 **被告は自己の提出した抗弁に関しては原告になる** 被告が抗弁を提出する場合，その抗弁に関しては原告とみなされ，証明責任を負う。
▷民法典1315条2項；新民事手続法典9条
▶《Actori incumbit probatio》〔原告に証明責任がある〕

Revendication 民法 **(所有権に基づく)取戻訴権** すべての所有権者に認められる，その権原を認めさせるための裁判上の訴権。
▷民法典2332条4号，2279条および2280条
▶Action en revendication〔取戻訴権；取戻しの訴え〕

Revenu minimum d'insertion 社保 **雇用促進最低収入** 最低所得水準を各人に保障することを目的とする手当。

Révision 憲法 **憲法改正** ▶Loi constitutionnelle〔憲法的法律〕
私法 行政 **修正** 形式，または，しばしば内容について，ある行為(法律，契約など)を変更することを内容とする法技術上の手法。原則的に，修正は，その行為の成立に必要であった形式でしか行うことができない。例えば，契約は，当事者の合意によってしか修正することができない。例外的に，裁判官は，一方的請求に基づいて契約を修正することができる(例：商事賃貸借)。
▶Imprévision (théorie)〔不予見(理論)〕
▶Réfection〔証書の再作成〕

刑訴 **再審** 特に，新事実または原判決時に裁判所の知らなかった証拠が現れまたは明らかとなった場合で，これが判決を受けた者の有責性に疑いを生じさせるとき，事件を再び裁判させるために，有罪判決の確定的性格を排除する特別の手続き。
▷刑事手続法典622条以下

民訴 **再審** ▶Recours en révision〔再審の申立て〕

Révision des traités 国公 **条約の再審議** 新たな条件に適応させるために行う条約の規定の変更。国際連盟規約(19条)は，連盟総会は《適用不能となりたる条約の再審議》を加盟国に促すことができると定めた(一種の安全弁)。それに対し，国際連合憲章はこのような条約の再審議の問題を取り上げていない。

Révocation 行政 **罷免；取消し，撤回** 2つの意味を有する語。
①罷免//懲戒を理由とする公務員の解雇。
②取消し，撤回//行政行為の行為者がその行為を消滅させること。取消し〔retrait〕の同義語の場合もあれば，撤回〔abrogation〕の同義語の場合もある。

民法 **撤回；解任**
①撤回//さまざまな事由，つまり，意思の変更(遺言)，条件の不履行，子の出生または贈与における忘恩などを理由として，法律の効果，判決，または当事者の請求によってなされる，行為の排除。
②解任//この用語は，人については，与えられた権限を他の者から奪う行為を指すこともある。
▷民法典953条，1035条，1096条，1134条2項および2003条

Révocation populaire 憲法 **リコール** 国民が，公選職を任期前に終了させることを可能とする半直接民主制の手段。リコールには，個人を対象とするもの(例：アメリカ合衆国の若干の州で行われているリコール)，または集団を対象とするもの(スイスのいくつかの州で行われている住民による議会の解散)がある。

Révolution 憲法 **革命** 既存の体制に対する民衆の蜂起。

Rigidité constitutionnelle 憲法 **憲法の硬性** 憲法典〔▶Constitution〕は，通常法律〔lois ordinaires〕の手続きとは異なる特別な手続きにしたがわなければ，変更することができないことを意味するために用いられる表現。した

がって，いわゆる硬性憲法は通常法律の法的価値よりも優越した法的価値を有する。

Risque 行政 **危険** ▶Responsabilité de la puissance publique〔公権力の損害賠償責任〕
民法 **危険**
　①「受益者危険負担の理論」〔théorie du risque〕（民事責任法）．
　ある活動から物質的または精神的な利益を引き出している者が，他人に対して損害を与えるその活動の結果について責任を負わなければならないということに民事責任を基礎づける理論．この理論は，民事責任の条件として，フォートを必要としない．
　②「危険負担理論」〔théorie des risques〕（契約法）．
　この理論は，双務契約において，当事者の一方が不可抗力により給付を妨げられて履行を免れる場合に，不履行の結果につき責任を負う契約当事者の選定を可能とする．原則的には，履行を免れた債務者は，自己が履行することができなかった給付の反対給付を受け取ることができない．すなわち，債務者がその危険を負担することになる．▶《Res perit debitori》〔物は債務者において消滅する〕

民法 商法 **危険**　その実現が当事者の意思のみには依拠しない，生じるか生じないか分からない不確実な出来事であって，損害を生じさせるもの．

社保 **リスク**　被保険者の稼得能力を欠損または減退させるような出来事（疾病，廃疾，老齢）．また，負担を増大させるような出来事（母性）．社会保障は，以上のような出来事の影響を緩和する．

Risques causés à autrui (Délit de) 刑法 **他人に及ぼされる危険（の罪）**　法律または行政立法によって課されている特別の安全義務または特別の注意義務に対する明らかに意図的な違反から生じる，人を危険にさらす犯罪．この違反は，結果としていかなる損害も生じさせなかったことを前提とするが，それでもやはり，他人すなわちすべての人を，死の危険または，身体もしくは永続的な障害をもたらす性質の傷を負う危険という非常に重大な危険にさらしたのである．
▶Mise en danger〔人を危険にさらすこと〕
▷刑法典223-1条

Risque de développement 民法 **開発危険**　欠陥生産物に起因する責任の免責事由．生産物が流通におかれた時点において，科学上および技術上の知見の水準に照らし，欠陥の存在を発見することが不可能であった場合に生じる．
▷民法典1386-11条，1386-12条

Risque professionnel 労働 **職業上のリスク**　ある職業の遂行に固有のリスク．社会保障制度が設けられる以前は，職業上のリスクが，使用者による労働災害補償の基礎であった．

Risques sanitaires 民法 **保健衛生上のリスク**　医療事故，医原性の病気または院内感染の総称．保健衛生上のリスクにより患者が損害を被った場合は，国民連帯の名目で補償の対象となる．ただし，一定程度以上の重度の永続的な労働が生じていなければならない．
▷公衆衛生法典L1142-1条

Riverain d'une voie publique 行政 **公道沿いの住民**　公道に隣接する不動産の占有者．その資格で，地上の公物に関する特別な権利を有する．
▶Aisances de voirie〔沿道便益権〕

Riveraineté (Droit de) 民法 **河川権**　公産ではない河川沿いの住民に属する権利の集合．その農地を灌漑するために水を利用する権利，河床の半分の所有権，河床のその部分からあらゆる自然の産出物を取得し，泥，砂および石を採取する権利，漁業権などである．
▷民法典644条，環境法典L215-1条以下

Rôle 財政 **課税台帳**　当該年度に所得税〔▶Impôt sur le revenu〕または地方税（住居税〔▶Taxe d'habitation〕，不動産税〔▶Taxes foncières〕，事業税〔▶Taxe professionnelle〕）のような直接税を納付する義務を負った納税義務者のリストであり，個人別の課税額を表示する．課税台帳は，主税総局〔direction générale des Impôts〕によって作成され，納税義務者に対して執行力を有する．この台帳は，租税徴収を任務とする国庫公会計官（かつての徴税官〔▶Percepteur〕）に引き渡される．

民訴 **事件簿**　▶Mise au rôle〔事件簿への登載〕▶Répertoire général〔事件簿〕

Royalties 商法 **ロイヤルティー**　▶Contrat de licence〔ライセンス契約〕

Rupture du contrat de travail 労働 **労働契約の破棄**　期限の到来の場合以外の労働契約の終了．

Rupture abusive　濫用的破棄：判例は，権利濫用の法理を適用して，非難さるべき動機

（害意〔intention de nuire〕，非難さるべき軽率さ〔légèreté blâmable〕）に基づく，または一定の解雇に特に適用される法律の規定もしくは協約の規定に違反する，期間の定めのない労働契約の破棄を，濫用的破棄と名づけてきた。こうして判例は，期間の定めのない契約の破棄の自由に歯止めをかけてきた。1973年7月13日の法律は，一方で，期間の定めのない労働契約により雇用されている労働者の個別的解雇は現実かつ重大な事由〔cause réelle et sérieuse〕があり，手続きを遵守するものでなければならないことを定め，他方で，これらの義務の違反に対して明確な制裁を課して，濫用的破棄の適用範囲を限定した。権利濫用は労働者からの破棄にも適用され，また使用者からの破棄が1973年7月13日の法律の規定を免れるいくつかの場合にも適用される。
▷労働法典L122-13条およびL122-14-5条

S

Sabotage 〔刑法〕 **サボタージュ；破壊活動** 文書，物資，建築物，装備，設備，装置または情報自動処理システムを破壊し，損傷しもしくは流用する行為から生じる犯罪であり，その行為が国益を害する性質をもつもの。
▷刑法典411-9条

Sachant 〔民訴〕 **情報保有者** 裁判官に委任された専門家が調査中に聴取することのできる，詳しい情報を有する者。聴取には証人尋問について定められた形式を要しない。
▷新民事手続法典242条

Saint-Siège 〔国公〕 **ローマ法王庁；教皇庁；聖座** カトリック教会の中央政庁。その所在地はバチカン市国にある。

Saisie 〔民訴〕〔民法〕〔商法〕 **差押え** 債権者が，債務者の財産を，公売により売却し，その代金から支払いを受けることを目的として裁判所の管理下に置く強制執行方法。差押えは保全的でしかないことがある。
▶Saisie conservatoire〔保全差押え〕

Saisie-appréhension 〔民訴〕 **差押え=獲取** 差押えの新しい形態（1991年7月9日の法律56条，1992年7月31日のデクレ140条ないし154条）。差押え=獲取は，なす債務（有体動産の引渡しまたは返還）の債権者が，債務者の手中から，また，（時として質権の設定された）目的物を所持する第三者の手中から，その動産を獲取することを可能にする。

債権者が執行名義〔titre exécutoire〕を有している場合は，執行吏は債務者に対し，債務者が任意に履行するために8日の期間を認める差押前催告〔commandement〕を送付する。債務者が任意に履行しない場合は，執行吏は債権者に引き渡すためにその目的物を獲取する。

債権者が執行名義を有していない場合は，債権者は，債務者の住所地の執行裁判官に対し，15日内に差押目的物を引き渡しまたは返還する命令を債務者に対して発するよう申し立てる。この期間が経過すると，獲取が執行吏によって実行される。

Saisie-arrêt 〔民訴〕 **差押え=差止め** 差押えに関する最近の改革（1991年7月9日の法律第650号，1992年7月31日のデクレ第755号）が行われる以前に存在した執行方法。差押え=差止めにより，債権者は，第三者（第三差押債務者）の手中で，支払われるべき金銭および債務者に属する有体動産をも，その金銭または目的動産の売却代金から支払わせるため，凍結した。

差押文書は金銭または差し押さえられた物につき，債権者にいかなる優先権も付与しなかった。

差押え=差止めは，金銭については（金銭債権の）差押え=帰属〔▶Saisie-attribution〕へ，第三者の所持する有体動産については差押え=売却〔▶Saisie-vente〕および差押え=獲取〔▶Saisie-appréhension〕へと代わった。労働報酬の差押え，夫婦の一方から他方に対する差押え，扶養定期金の取立て，罰金および刑法上の一定の財産的処分の徴収，公法上の法人の手中で行われる差押えについての新たな規定が存在する。
▶Créance〔債権〕〔民訴〕

Saisie-attribution 〔民訴〕 **（金銭債権の）差押え=帰属** 1991年7月9日の法律および1992年7月31日のデクレによって設けられた差押え=差止め〔▶Saisie-arrêt〕の新たな形態。これらの法規により手続きは簡略化，円滑化された。

金銭債権の差押え=帰属は第三者の手中にある金銭のみを対象とする。

金銭債権の差押え=帰属は，執行名義〔titre exécutoire〕の所持者が執行吏に付託して行う。この差押えの結果，第三者の手中にある金銭は，債権とそれに付随する諸権利の総額に達するまで債権者に帰属〔attribution〕する（同法42条から47条）。

差押えが，銀行のように預金口座を有する権限をもつ機関の手中で行われる場合には，差押可能な残高が特別の規定により詳細に定められている（同法47条）。

►Avis à tiers-détenteur〔第三債務者への差押通知〕

Saisie d'aéronef [民訴] **航空機差押え** 差押前支払催告状の送達および差押調書の作成の後に，大審裁判所の競売期日における航空機の売却に導く手続き。

▷民間航空法典R123-2条以下

保全差押えもまた可能である。一方で，空港着陸料およびその他の使用料（路線，ターミナル施設）の不払いの場合，空港経営者または管理機関は，航空機の利用禁止を求めて執行裁判官に使用料未納者の航空機の保全差押えを請求することができる。他方で，航空機の所有者がフランスに住所地を有していない場合または航空機が外国籍の場合，すべての債権者は，航空機が着陸した地の小審裁判官の許可を得て保全差押えをなす権利を有する。しかしながら，（フランスまたは外国の）航空機が，国の機関または公共運輸送の用に供されている場合には，航空機取得代金の支払い，または航空機使用に際しての職業教育もしくはメンテナンス契約にかかわる債務の支払いのためでなければ，保全差押命令の対象とすることはできない。

▷民間航空法典L123-2条，L123-4条およびR123-9条

Saisie de biens placés dans un coffre-fort de banque [民訴] **銀行の貸金庫内の財産の差押え** 新しい法文は旧法文の不備を補った。銀行内に貸金庫をもつ債務者は異なる3つの手続きの目的となりうると規定する。

・差押え=売却〔saisie-vente〕は金庫を設置する第三者に対して送達される執行吏執達書によって行われる。差押前催告〔commandement〕が債務者に対して送付され，続いて債務者またはその担当責任者の立会いのもとで貸金庫が開かれる。この債務者は，差し押

さえられた証券と目的物の任意売却，部分売却および継続的売買を申し出ることができる。

・債権者は，金庫内にある一定の目的物の引渡しのため，差押え=獲取〔►Saisie-appréhension〕を行うこともできる。

・最後に，単なる保全差押え〔►Saisies conservatoires〕もまた可能である。

Saisie-brandon [民訴] **わら標識による差押え** 果実および収穫物の差押え。未収穫果実の差押え〔►Saisie des récoltes sur pieds〕へと代わった。

Saisies conservatoires [民訴] **保全差押え** 保全差押えとは，債務者が財産を処分または隠滅することのないように，物を裁判所の管理下に置くことを目的とする手続きである。

いくつかの保全差押えは非常に古くから存在する（例えば，旅客所持品の差押え〔saisie-foraine〕，（賃借人の動産の）差押え=担保〔saisie-gagerie〕，商事上の保全差押え〔saisie conservatoire commerciale〕）。1955年11月12日の法律は一般的保全差押えを創設したが，伝統的な手続きを消滅させなかった。

1991年7月9日の法律と，1992年7月31日の適用デクレは，特別の保全差押えを消滅させ，一般的範囲を有する規定および限定的範囲を有するいくつかの規定を置いた。

►Saisie de biens placés dans un coffre-fort de banque〔銀行の貸金庫内の財産の差押え〕►Saisie conservatoire de droit commun〔普通法上の保全差押え〕►Saisie des droits incorporels〔無体財産権の差押え〕►Saisie de navire〔船舶差押え〕►Saisie-revendication〔返還目的の保全差押え〕

Saisie conservatoire de droit commun [民訴] **普通法上の保全差押え** この手続きはもっぱら，債務者の一定の動産の処分禁止〔indisponibilité〕を生じさせることのみを目的とし，債務者の動産（有体動産または債権）を対象とする。

債権者は，執行名義〔titre exécutoire〕を有していない場合，執行裁判官の許可を得なければならない。差押えは第三者の手中でも同様に行うことができる。

・差押人の債権は金銭債権である（この差押えは，なす債務に関して行うことはできない）。手続きにより物の処分が禁止される。

・この差押えは有体動産も対象とすることができる。債権者が当初有していなかった執行名義を後に取得した場合，差押え=売却

〔►Saisie-vente〕に転換することが可能である。

・差押えはまた，第三者に対する債権を対象とすることもできる。差押えはその債権の処分を禁じ，寄託された金銭を債権者に即時に帰属させることになる。その場合，質権者は優先権を有する。債権者は，執行名義を取得して，金銭債権の差押え＝帰属〔►Saisie-attribution〕の場合と同様に差押えを行うとき，転換通知書を第三者に送達する。

Saisie-contrefaçon 商法 民訴 **知的所有権侵害に基づく差押え** 知的所有権の侵害〔►Contrefaçon〕の立証を行うことを目的とする手続き。知的所有権を侵害する物に対する現実の差押えと，侵害する物あるいは方法について記した文書の差押えという両側面において行われる。

Saisie des droits incorporels 民訴 **無体財産権の差押え** 1991年7月9日の法律（59条）は，新たに，債権者に属する無体財産権（例えば，受託者または有価証券を管理する公認為替仲買人が所持する，記名債権，無記名債権，社員持分権など）が，いかなる条件で債権者のために差し押さえられ，換価されるかを明確にした。

さまざまな種類の社員持分権と有価証券の売買が，1992年7月31日のデクレ（178条以下）により整備されている。社員権および有価証券の保全差押えについても特別規定によって定められている。これらの保全差押えには執行裁判官の許可が必要である。

►Mesures conservatoires〔保全措置〕
►Sûretés judiciaires〔保全担保〕

Saisie-exécution 民訴 **（有体動産の）差押え＝執行** かつて存在した，債務者の手中にある有体動産の差押え。差押え＝執行には執行名義〔titre exécutoire〕を有していることが要求された。差押え＝執行は，差押え＝売却〔►Saisie-vente〕へと代わった。

Saisie foraine 民訴 **旅客所持品の差押え** 以前，裁判官の許可を得て，短期滞在の債務者（ホテルの経営者または自動車修理工場経営者の債務者である旅行者）の所持している動産に対して行われていた保全差押え。旅客所持品の差押えは，普通法上の保全差押え〔►Saisie conservtoire de droit commun〕へと代わった。

Saisie-gagerie 民訴 **（賃借人の動産の）差押え＝担保** 以前，賃貸人によって行われていた保全差押えで，賃貸された場所に存在する動産を対象とし，差押前催告〔commandement〕の後，裁判官の事前の許可なく行うことができた。さらに，いかなる期間も与えずに行うこともできた（ただしこの場合は裁判官の許可が必要であった）。この差押えは普通法上の保全差押え〔►Saisie conservatoire de droit commun〕へと代わった。

Saisie immobilière 民訴 **不動産差押え** 債権の数額が確定しかつ請求が可能なことを認定する執行名義を有する債権者に対して，自己の債務者に属する不動産，または債権者が抵当権もしくは先取特権を有していてその債務者に対して追及権を行使する場合には第三者たる所有者に属する不動産を差し押さえることを可能にする強制執行手続き。この手続きは，差押えを有効なものとし，その不動産を処分できなくしかつ債務者の使用収益権および管理権を制限する差押前支払催告状の交付によって開始される。次いで，債務者が呼び出されて不動産差押進路決定法廷に出頭し，その際，執行裁判官が，その不動産の任意売却を許可するか，または強制売却を命じる。

換価代金の配当に与ることのできる者は，差押実行債権者，不動産登記債権者ならびに登記を全面的に免除されている先取特権債権者に限られる。

▷民法典2190条から2216条および2464条

Saisies mobilières 民訴 **動産差押え** 動産，債権または有価証券に対して行われる差押え。保全的な性格しか有しないこともあり，差押財産の強制売却を目的とすることもある。

1991年7月9日の法律および1992年7月31日のデクレによる旧民事手続法典の改正に伴い，差押手続きに関する用語および諸規定が一新された。

（有体動産の）差押え＝執行〔►Saisie-exécution〕は（有体動産の）差押え＝売却〔►Saisie-vente〕になり，差押え＝差止め〔►Saisie-arrêt〕は（金銭債権の）差押え＝帰属〔►Saisie-attribution〕になった。特別の保全差押え（旅客所持品の差押え〔►Saisie foraine〕，（賃借人の動産の）差押え＝担保〔►Saisie-gagerie〕）は消滅して，より適切な保全差押え〔►Saisies conservatoires〕へと代わり，返還目的の保全差押え〔►Saisie-revendication〕がこれを補充している。

Saisie de navire 海法 民訴 **船舶の差押え** 特別法（1967年1月3日の法律第5号70条および

71条；1967年10月27日のデクレ第967号26条ないし30条）は，売却の目的で行われる船舶の保全差押え〔saisie conservatoire〕の特別の制度を置いている。この差押えの独自性の1つは，常に，裁判上の事前の許可を要求することである。同一の法文（デクレ31条から58条）は，大審裁判所のもとで行われる差押え＝売却〔saisie-vente〕を定めている。

Saisie des récoltes sur pieds 民法 未収穫果実の差押え　まだ収穫されていない天然果実および勤労果実の差押え（1992年7月31日のデクレ134条以下）。未収穫ゆえに性質による不動産であるが，これらの果実がいずれ土地から分離することを考慮して，動産差押え（差押え＝売却〔saisie-vente〕）に関する規定が適用される。この手続きはわら標識による差押え〔▶Saisie-brandon〕から代わった。

Saisie des rémunerations du travail dues par un employeur 労働 民訴 使用者により支払われるべき労働報酬の差押え　1991年7月9日の法律は，労働報酬の差押えに関する規定を労働法典中に残した。
▷労働法典L145-1条からL145-13条

賃金の一部分は，依然として全面的に差押禁止である。その部分は，雇用促進最低収入〔revenu minimum d'insertion〕に対応している。

賃金と賃金に付属する給付〔accessoire〕とは，賃金額に対応する区分の限度内でなければ差押えできない（金額の区分は，毎年ある指数に応じて定められる）。

和解〔conciliation〕を試みた後に，小審裁判所裁判官（執行裁判官ではない）の面前で特別の手続きが行われる。

単なる保全的差押えは，すべて禁止されている。

Saisie-revendication 民訴 返還目的の保全差押え　旧規定から代わった保全手続き（1992年7月31日のデクレ155条から163条）。

この手続きにより，有体動産の引渡しまたは返還を要求する根拠を有する者が，自己への引渡しを待つ間，当該動産を処分禁止にすることが可能になる。

この手続きは申立人が執行名義〔titre exécutoire〕を有していることを前提としている。執行名義がない場合は，申請により，裁判官に対して許可を求めることになる。この差押えはいかなる場所でも，そして動産のいかなる所持者の手中でも行うことができる

が，動産が第三者の住居内にある場合には，裁判所の特別の許可が要求される。

保全差押えに関する新規定（デクレ221条から223条）により処分禁止になった物の獲取〔appréhension〕が，異議申立てのなされた場合はその解決の後，行われる。
▶Saisie-appréhension〔差押え＝獲取〕

Saisie des véhicules terrestres à moteur 民訴 原動機付陸上車両の差押え　県庁への届出により新しい登録証の交付を不可能にして車両を法律上処分できなくすること，またはその車両の濫用を防ぐために適当な装置を用いてその車両の実際の使用を妨げることよりなる執行方法（1991年7月9日の法律57条および58条，1992年7月31日のデクレ164条から177条）。

Saisie-vente 民訴 （有体動産の）差押え＝売却　有体動産の差押えの手続き。差押え＝売却は，債務者に対する差押え＝執行〔saisie-exécution〕，および第三者の手中にある有体物（たとえ第三者の住居の中にあるものであってもよい）の差押え＝差止め〔saisie-arrêt〕から取って代わった。

・債務者に対する差押え。債務者に対する差押えは，債権者が執行名義〔titre exécutoire〕を有していることを前提とする。執行吏により債務者に対して送達される差押前催告状〔commandement〕によって開始される。この文書は，債務者に対し，使用者の氏名と住所，および場合によっては債務者の有する銀行口座についての詳細の伝達の命令を含んでいる。債務者とその家族の生活を保護するためである。

債務者は自己の所有する差押可能な動産を任意売却する権能を取得することができる。これについての合意が成立しなかった場合は，競売の手続きを行う。

・第三者の手中にある動産，特にその者の住居にある動産の差押え。差押えは執行裁判官の許可を得なければならない。

Saisine 民法 セジーヌ；遺産占有　事前の許可を求める必要なく，相続財産を自ら占有し，被相続人の権利を行使する，相続人に認められる権利。包括受遺者もまた，死亡の時に遺留分権利者がいない場合にはその遺贈者の死によって法律上当然に遺産占有者となる。
▷民法典724条，1004条，1006条および1030条以下

民訴 提訴；係属　裁判所に自己の申立

〔prétentions〕の受理性およびその申立てに理由があるか否かについて審査させるため，訴訟当事者が自己の紛争を裁判所にもち込む手続き。

提訴（係属）は，普通，呼出状〔citation, assignation〕の謄本または共同申請書〔requête conjointe〕を裁判所書記課へ提出することによって生じる。ときには，両当事者の裁判所への任意出頭も裁判官への提訴（係属）を生じさせる。

▷新民事手続法典54条，757条，791条，795条，838条，857条，860条および885条；労働法典R516-8条

[行政] **提訴**　行政裁判所への提訴は，訴状を裁判所書記課に提出することによってなされる。

Saisine pour avis de la Cour de cassation

[民訴][刑訴] **破毀院への意見照会**　Cour de cassation〔破毀院〕の項のsaisine pour avis〔意見照会〕の解説を参照。

Saisissable　[民訴] **差押可能な**　有効に差押えを行うことができる財産についていう。例外を除いて，差押えは，たとえ当該財産が第三者により所持されている場合であっても，債務者に属するすべての財産を対象とすることができる。同様に，条件付債権，期限付債権または継続履行債権〔créance à exécution successive〕であっても，差押債権者がこれらの債務に固有の態様を遵守することを条件に，差押えの対象とすることができる。
► Biens insaisissables〔差押禁止財産〕
► Insaisissabilité〔差押禁止〕

Salaire　[労働] **賃金**　労働の対価として使用者が労働者に支払う給付。
▷労働法典L140-1条以下およびR140-1条以下

Salaire de base　**基本賃金**：賃金の一般的に固定的な部分であって，契約または労働協約により，まれには法律により決定される（最低賃金）。しばしば手当金〔primes〕，特別手当〔gratifications〕などの補足給付が，基本賃金に加わる。

Salaire différé　**農業擬制賃金**：農業経営者の子または配偶者であって報酬を支払われることなく農業経営体で働いた者の擬制的賃金。この賃金は，尊属の死亡の際に，その者に対する補償となる。
▷農事法典321-13条および321-21-1条

Salaire indirect　**間接賃金**：労働停止時に受け取る，賃金に代わる給付金。

Salaire au rendement　**出来高賃金**：個人または班の単位で達成された生産高に比例する賃金。

Salaire au temps　**時間制賃金**：労働時間に比例する賃金。生産高とは無関係である。

[社保] **賃金**　*Salaire brut*　**控除前賃金**：社会保障の保険料の賃金控除を受ける前の賃金額。

Salaire journalier de base　**基礎賃金日額**：労働災害における休業補償手当〔indemnité journalière〕および年金の額を決定する基礎となる賃金および収入。

Salaire net　**控除後賃金**：社会保障の保険料の控除のなされた後の賃金額。

Salaire de base　**基礎賃金**：いくつかの給付，すなわち，疾病および母性保険における休業補償手当，労働災害年金，廃疾年金および老齢年金の算定基礎となる賃金。

Salaire différé　[民法] **農業擬制賃金**　► Salaire〔賃金〕

Salaire minimum de croissance（SMIC）　[労働] **最低賃金**　《報酬の最も低い労働者に購買力の保障と経済発展への参加とを確保するために》，1970年1月2日の法律がSMIGに代えて設けた，時間あたり最低賃金。

SMICは，消費者物価の一般的水準にスライドし，また経済状況を考慮して年次改訂の対象になる。
▷労働法典L141-1条以下，R141-1条以下およびD141-1条以下

Salaire minimum interprofessionnel garanti（SMIG）　[労働] **最低賃金**　1950年に統制賃金が撤廃されたときに設けられた，全職業共通の時間あたり最低賃金。この最低賃金は，労働者の基本的必要に対応するとみなされていた。

1970年に，SMIGに代えて，SMICが設けられた。

Salaire de référence　[社保] **基準賃金**　1年間について退職年金点数〔point de retraite〕を得る権利を生じさせる保険料の額（退職年金点数の価額）。

基準賃金は，毎年，それぞれの退職年金制度の理事会により，当該制度の加入者の総体の平均賃金の進展に応じて，定められる。

Salarié mandaté　[労働] **組合委任従業員**　使用者の求めに応じて労働協約または集団協定を締結する交渉を行うため代表的労働組合組織から委任を受けた従業員。この委任は，組合代表委員を欠く企業において，かつ，使用者

が従業員を代表する者のいないことを不存在確認調書〔procès-verbal de carence〕において正式に確認した場合でなければ行うことができない。団体交渉を行おうとする使用者は，県または地域レヴェルにおいて労働組合組織へ通知をしなければならない。組合委任従業員は，その委任の期間中および委任期間終了後12カ月の間，組合代表委員と同一の保護を受ける。組合委任従業員によって署名された協約はそのままでは効力を生じない。適用されるためには，協約は有効投票の過半をもって従業員集団によって承認されなければならない。
▷労働法典L132-26条
►Convention collective〔労働協約〕►Représentants du personnel〔従業員を代表する者〕

SALT（Strategic Arms Limitation Talks） 国公 戦略兵器制限交渉　戦略核兵器の制限に関する，アメリカとソ連の2国間交渉。1972年に始まり，すでに一連の合意を達成した。

Sanctions administratives 行政 行政上の制裁　行政庁によって課される真の《処罰》〔punitions〕。ますます多様なものになりつつある。最もよく知られている例は，租税法上の制裁である。ヨーロッパ人権裁判所〔►Cour européenne des droits de l'Homme〕および憲法院の判例の影響を受けて，行政制裁制度を刑事制裁制度に近づける傾向にある。制裁を受ける者の権利をよりよく保障するためである。

Sanction éducative 刑法 育成制裁　刑罰と保安処分との間の制裁。少年裁判所〔tribunal pour enfants〕または未成年者重罪院〔cour d'assises des mineurs〕によって，重罪または軽罪で有責であると認められた10歳以上18歳未満の未成年者に対して宣告される。犯罪行為の用に供した物の没収に加え，未成年者に課される禁止と義務を内容とする。これらの措置が遵守されない場合には，特別施設への収容措置がとられることがある。教育的制裁は前科簿〔casier judiciaire〕へ登載され，範疇としては刑罰に近いものとなっている。

Sanction des lois 憲法 法律の裁可　立憲君主制において，国王が立法に関与する行為。国王の意思は，この場合は国会の意思と同様に法律の制定に不可欠である。
►Promulgation〔審署〕

Sanction-réparation 刑法 損害賠償制裁　軽罪および第5級の違警罪について，自然人または法人に対し，あるいは拘禁刑または罰金刑の代替刑として，あるいは補充刑として適用される刑罰。有罪判決を受けた者に対して，一定の期間内に裁判所の定める方法により被害者の損害を賠償することを義務づける。被告人および被害者の合意がある場合，賠償は現物でなされることができる。その際，賠償は損害を受けた財産の原状回復の形をとる。
▷刑法典131-3条，131-8-1条，131-12条，131-15-1条，131-37条，131-39-1条，131-40条および131-44-1条

Sans préjudice de 一般 ～を妨げずに；ただし，～を妨げない　法文または合意（Conventionの項の第1の意味を参照）においてしばしば用いられる定型表現。～を妨げずにの意。例えば，規定Xが適用されるが，ただし，規定Yの適用を妨げないとは，2つの規定が当該事案に競合して適用されることを意味する。

Sapiteur 民訴 事情通　その地方の事情に通じており，裁判所の指名する専門家が職権で助言を受けることのできるものを指す廃れた用語。
►Sachant〔情報保有者〕

Sauvegarde 商法 保護　保護手続きは，商事，手工業，農事の職業を行う者，または独立した職業活動を行う者，ならびにすべての私法上の法人であって，克服不可能であって自己を支払停止に至らしめる性質の経営難を証明する者の請求にもとづき開始される。
　この手続きは，企業の再編を促進することを意図し，企業活動の継続，雇用の維持および負債の弁済を可能とすることを目的としている。
　この手続きは，したがって支払停止の場合には適用されることができない。この手続きにもとづいて，企業の更生を可能にすることを目的とする計画（書）が定められる。
▷商法典L620-1条以下
►Plan de sauvegarde〔保護計画（書）〕

Sauvegarde de justice 民法 裁判上の保護　一方では，その個人の能力の一定の低下ゆえに，一時的な法的保護を必要とするかまたはいくつかの特定の行為をなすために代理される必要のある成年者に対して適用され，他方では，保佐〔►Curatelle〕または後見〔►Tutelle〕に付する訴えの対象となっている者についてその訴訟手続き期間中に適用さ

れる保護制度。上記の裁判上の措置と並んで，共和国検事に対する主治医の申告による裁判上の保護もある。どちらの保護の場合も，1年後には失効する。ただし，同一の期間につき1回に限り更新できる。

　裁判上の保護は，対象者からその権利の行使を奪うものではない。しかし，裁判上の保護は，なされた行為が健全でない精神状態を理由として取り消されることができないであろう場合であっても，それらの行為について，レジオン（損害）を理由とする取消し〔►Rescision〕の訴えまたは分不相応を理由とする減殺〔►Réduction pour excès〕の訴えの対象となることがある。

▷民法典491条および491-2条（2009年1月1日より433条から439条），公衆衛生法典L3211-6条

Savoir faire 商法 ノウ・ハウ　製品の製造，製品もしくはサーヴィスの商品化およびそれらを行う企業の資金調達の方法を内容とする知識を指す。ノウ・ハウは，研究または経験に基づくものであり，特許による保護を受けず，公衆が直ちにそれを利用できないもので，契約によって譲渡することができる。

Sceau 一般 公印　公権力を代表する者が保有する公式の印章。文書を公署し，または，対象物に封印を施すために，その印影が用いられる。

►Authentification〔公署：鑑定〕►Scellés〔封印〕

Scellés 民訴 封印　小審裁判所の首席書記により公印を押された封蠟がついた紙または布の帯。アパルトマンや部屋，動産の開披を仮に妨げることを目的とする。

▷新民事手続法典1304条以下

Schémas de cohérence territoriale 行政 地域総合基本計画　市町村間協力公施設法人〔Établissement public de coopération intercommunale〕により市街地規模で策定される，重要な計画化文書。この文書は，市街地が広がる空間を整備し，持続的に発展させる総合計画を定め，都市計画，住宅，商業施設ならびに当該区域における人および物の移動に関する政策を策定し，一貫性を与える。

　この文書は10年ごとに見直され，基本的に土地利用に限定されていた旧都市基本計画を引継ぐものである。土地利用については，現在，地域都市計画〔►Plans locaux d'urbanisme〕により定められている。

▷都市計画法典L122-1条以下

Schéma directeur（SD） 行政 都市基本計画
►Schémas de cohérence territoriale〔地域総合基本計画〕

Schéma directeur d'aménagement d'urbanisme（SDAU） 行政 都市整備基本計画　1983年1月7日の法律以前のSchéma directeur〔都市基本計画〕の名称。
►Schéma directeur（SD）〔都市基本計画〕

Schéma directeur départemental 農事 県農業基本計画（書）　国の農業政策上の目標を，その地域の特徴および優先課題を考慮に入れたうえで県の段階に導入するための文書。

▷農事法典L312-1条

Scission 商法 （会社の）分割　会社が，その会社財産のすべてを，新設される複数の会社または既存の複数の会社《《合併-分割》〔fusion-scission〕の場合》に移転させることによって消滅すること。これと引換えに，分割によって消滅する会社の社員には，分割によって存続する会社の持分または株式が分配される。

▷商法典L236-1条；民法典1844-4条

Scrutin 行政 憲法 投票　投票活動の総体。

①*Mode de scrutin*　投票方法：投票または選挙の実施される態様，特に選挙結果の集計態様。

②*Scrutin de liste*　名簿式投票：各選挙区において，共通性をもつ各政治的立場ごとに作成された名簿に登載された複数候補者に選挙人が投票することを求められる投票方法。

③*Scrutin majoritaire*　多数代表制：最多数の票を獲得した候補者または名簿が当選を宣言される投票方法。

・*Scrutin majoritaire à un tour*　一回投票多数代表制：首位に立った候補者（または名簿）がただちに当選する。

・*Scrutin majoritaire à deux tours*　二回投票多数代表制：第1回投票で絶対多数を獲得した候補者がいない場合は，第2回投票で相対多数を獲得した候補者（または名簿）が，当選する。

④*Scrutin plurinominal*　連記投票：各選挙区において，選挙人が，複数の候補者に投票することを求められる投票方法。連記投票と名簿式投票とはしばしば混同されるが，名簿式投票は必然的に連記投票であるけれども，連記投票は，厳密にいえば，候補者が別々に立候補し，有権者が自分が考えるとおりに候

補者名を投票用紙に記入する場合には，名簿式投票ではない。
⑤*Scrutin uninominal* 単記投票：各選挙区において，選挙人が1名の候補者だけに投票することを求められる投票方法。
►Majorité〔多数票〕

Séance 憲法 国公 **会議** 会期〔►Session〕中の議会の集会。

Second original 民訴 **第二原本** 複数原本手続き〔double original〕により作成される第2通目の手続行為文書。第二原本は第一原本と同じ価値を有する。
►Double（Formalité du）〔複数原本（方式）〕

Secours 民法 **(金銭的)救護** 夫婦に課せられる，配偶者に援助金を支払う義務。救護義務は，金銭債務の形をとるので，扶助義務（►Assistance〔扶助〕）と比べ，その内容においてより制限されたものである。
▷民法典212条，255条

Secret de fabrique 労働 **製造上の秘密** 公表されていない製造方法のこと。その企業の労働者による漏洩は犯罪である。
▷労働法典L152-7条

Secret professionnel 刑法 **職業上の秘密** 一定の職業に就いている者には，職務遂行中に取得した秘密を守るべき義務がある。その義務違反は，刑罰法規で罰せられる。
▷刑法典226-13条
►Obligation de discrétion professionnelle〔職業上の守秘義務〕

Secrétaire d'État 憲法 **大臣補佐** 政府の職階上，大臣に次ぐ位置にある政府の構成員。大臣補佐は大臣の指揮のもとに大臣を補佐することもあれば，若干の公役務を独自に管理することもある。大臣補佐は法律上当然には閣議に出席しない。

Secrétariat 国公 **事務局** 出身国から独立の国際公務員から構成され，議決機関の決定の準備および実施を任務とする国際組織の常設の行政機関（しかし，国際連合事務総長は政治的な役割も担う）。

Secrétariat général du gouvernement 憲法 **政府事務総局** 首相付で設置される事務組織。政府の活動の総体の指揮（法律および行政立法の起草における政府の活動の集約，閣議およびその他の会議体の事務局，公文書作成業務の指揮）において首相を補佐することを目的とする。

Secrétariat-greffe 民訴 刑訴 **裁判所書記課**
裁判所書記課は裁判官および検察官に関する運営業務のすべてを担っている。首席書記〔►Greffier en chef〕が裁判所書記〔►Greffier〕に補佐されて裁判所書記課を運営する。

破毀院，控訴院，大審裁判所，小審裁判所および直近裁判所に裁判所書記課が存在する。労働裁判所にも裁判所書記課が設置されるに至った。

裁判所書記課の首席書記とその構成員は公務員の地位を有する。

これらの者は法廷で司法官を補佐し，書記文書〔acte de greffe〕を起草する。首席書記は判決原本と記録の保管者でもある。首席書記はまた，判決正文を交付する。

商事裁判所の首席書記は今でも裁判所補助吏である。

大審裁判所の書記課は身分登録簿〔►Registre d'état civil〕の原本の1つを保管する。また民事目録〔►Réperoire civil〕も保管する。

2004年8月20日のデクレ第836号は《secrétariat-greffe》の語を《greffe》におきかえた。

行政 **裁判所書記課** 地方行政裁判所および行政控訴院はそれぞれ書記課〔greffe〕を有する。これに対し，コンセイユ・デタでは訴訟書記課〔secrétariat du contentieux〕が書記課の職務を担う。
▷司法組織法典L123-1条以上およびR811-1条以下；新民事手続法典726条以下，821条以下および966条以下；労働法典R512-1条以下；行政裁判法典R226-1条以下およびR413-1条以下

Secteur 国公 **セクター** 極地の配分の方法。北極海に接する沿岸を有する国家は，その沿岸を底辺，北極点を頂点とし，この沿岸の東西の端を通る子午線を辺とする三角形に含まれる地域に対して主権を有する。

Section 訴訟 **(裁判所の)部** 一定の裁判所の内部の区分。
►Conseil d'Etat〔コンセイユ・デタ〕
►Conseil des prud'hommes〔労働裁判所〕
►Tribunal paritaire des baux ruraux〔農事賃貸借合同数裁判所〕

Section de commune 行政 **財産区** しばしば歴史的理由により，市町村の財産とは区別される財産を有する市町村の一部分。

財産区は，その財産の管理のために固有の法人格を与えられている。
▷地方公共団体一般法典L2411-1条

Sections locales 社保 **初級金庫地方事務所**

疾病保険初級金庫のために被保険者の書類の作成を行うことを任務とする機関。初級金庫地方事務所は，給付の額を確定し，給付を行う。
▷社会保障法典L211-3条

Section syndicale d'entreprise 労働 **企業内組合支部** 企業内に設置される代表的組合の支部。1968年12月27日の法律による組合支部の承認は，組合が企業内に入ったことを示している。組合支部を設置するためには，手続上のいかなる特別の条件も必要とされていない。組合支部は，労働者への情報提供の権利を有し，一定の条件のもとで，事業所内に事務所を有し，事業所内で集会を開くことができる。
▷労働法典L412-6条以下

Sécurité juridique (Principe de) EU 行政 民法 **法的安定性の原則** 私人および企業は法規範および法的地位の最小限の安定性を期待できなければならないという共同体法上の原則。この原則から，例えば共同体法文の不遡及とか，正当な信頼の原則〔►Confiance légitime (Principe de)〕とかのいくつかの実定法〔►Droit positif〕上の原則が導かれる。

行政法においては，法的安定性という観念は以前からいくつかの判例上の原則に影響を及ぼしてはいたが，法的安定性の原則が法原則として明示的にコンセイユ・デタによって承認されたのは2006年になってからであった。この原則により，例えば，現在の契約上の地位を過度に侵害する，行政立法の，即時効を有する変更は，適法となるためには経過措置を伴うものでなければならない。法的安定性の原則の内容がいかなるものであるかは，この原則を適用する今後の判例が明らかにするであろう。

民法上は，法的安定性の原則は破毀院の認めるところとはなっていない。破毀院は，個人または企業の予測が判例の変更によって反故にされない権利が存在するなどということを認めていない。

Sécurité sociale 社保 **社会保障** 疾病，母性，廃疾，老齢，死亡，労働災害，職業病，家族の負担といった種々の社会的リスクに対して住民全体を保護することを保障する諸制度の総体。

社会保障は，次のような諸制度から構成される。すなわち，強制加入の基礎制度〔régimes de base obligatoires〕として，従属労働者が服する一般制度〔régime général〕，農業経営者および農業労働者が服する農業制度〔régime agricole〕，工業，商業，手工業，自由職業の非労働者が服する非賃労働非農業制度〔régime des professions non salariées non agricoles〕，海員，公務員，フランス国有鉄道職員などが服する特別制度〔régimes spéciaux〕，学生が服する付属的制度〔régimes annexes〕がある。任意加入の制度として，任意加入保険〔assurance volontaire〕，補足制度〔régimes complémentaires〕がある。

Sécurité syndicale 労働 **組合保障** ►Clause de sécurité syndicale〔組合保障条項〕

Séduction 民法 **誘惑** 女性が男性に身を任せるようにさせる男性の態度。

誘惑が詐術による場合，または，婚姻の約束〔►Promesse de mariage〕を伴っている場合，誘惑は責任を生じさせる。

Semi-liberté 刑法 **半自由** 有罪判決を受けた者が，行刑施設の外部で職業活動を行うこと，教育，職業教育，研修を受けること，治療を受けること，家族と関わりをもつことを可能にし，それ以外の時間は，必ず刑務所内で過ごさなければならないとする自由剥奪刑の執行制度のひとつ。宣告刑が1年以下の場合に，判決裁判所がこれを決定することができ，判決後は，刑罰適用裁判官がこれを決定することができる。刑罰適用裁判官は半自由の措置を実施する任務を負うが，措置の付与条件がもはや満たされない場合，および，有罪判決を受けた者が課された義務を遵守せずまたは不品行を示した場合は措置を取り消すことができる。
▷刑法典132-25条以下；刑事手続法典723-1条および723-2条

Sénat 憲法 **元老院** 国会の第二院の名称。

フランスでは第三共和制以降，元老院は間接選挙によって選ばれ，地方公共団体の代表を確保している。第五共和制の元老院は立法権を分担し（もっとも，国民議会〔►Assemblée nationale〕と意見が一致しなかった場合，政府は国民議会に最終的な裁決権を与えることができる），監督権限（質問，国政調査）を有するが，政府の政治責任を問う権限はない。このために元老院は解散されることがない。

Sentence 民訴 **判決；判断；裁決；裁定** 小審裁判所，労働裁判所および仲裁人によってなされる判断〔jugement〕に与えられる名称。►Aphorisme；Adage；Brocard〔法格言〕

Sentence arbitrale 民訴 **仲裁判断；仲裁裁定**

仲裁人によってなされる判断に与えられる名称。
▷新民事手続法典1470条以下

Séparation de biens [民法] **別産制** 夫婦に共通財産が存在しないことによって特徴づけられる夫婦財産制。別産制には，夫婦財産契約において定める約定による別産制，および，夫婦の一方の事務の乱脈，その劣悪な管理またはその不行跡によって他方配偶者の利益を危険にさらす場合になされる判決から生じる裁判による別産制がある。
▷民法典1443条，1536条以下

Séparation de corps [民法] **別居** 貞節義務および相互扶助義務は残っているが，夫婦関係が緊密でなくなっている状態。同居義務の免除を中心的内容とする。別居は，離婚と同じ原因に基づき，判決によって言い渡される。
▷民法典296条以下

Séparation de fait [民法] **事実上の別居** 離婚または別居の判決によって認められていないにもかかわらず，夫婦が別居している状態。法律もまた，夫と妻は別の住所を有することができ，だからといって生活共同に関する規定を侵害することにはならないと規定している。この事実上の状態を法が考慮に入れることがある。例えば，裁判官は，夫婦が同居をやめ助け合うことをやめた日付で，離婚または共通財産の解消の判決の効果を定めることができる。
▷民法典108条，262-1条および1442条

Séparation des patrimoines [民法] **財産分離** 相続について単純承認がなされた場合に，相続財産の債権者が，相続人自身の債権者に優先して相続財産から支払いを受けることを認める制度。
これに対して，相続人自身の債権者が，相続財産に組み込まれていない相続人の財産について故人のすべての債権者に優先することを請求することができるという点で，この財産分離先取特権制度は双務化された。このようにして，相続財産と相続人自身の財産との間の法的混同が避けられる。
▷民法典878条，2374条6号および2383条
▶Bénéfice d'inventaire〔財産目録限度負担の利益〕

Séparation des pouvoirs [憲法] **権力分立** 権力の行使を1つの機関ではなく，いくつかの機関に委ね，その機関おのおのが，異なった職務を担い，かつ，相互に均衡をはかることができるようにすることにより，権力の濫用を防止しようとする原則。ロックおよびとりわけモンテスキュー（『法の精神』第11編第6章）によって定立された原則である。立法権，執行権および司法権の古典的区別はモンテスキューによるものである。権力分立には，厳格な分立（大統領制に特有な各権力の独立）もあれば，柔軟な分立（議院内閣制に特有な権力の協働）もある。

[民訴] **権力分立** 革命時に明確化された原則で，司法権に対し，立法権および行政権の領域への干渉を禁止するとともに，政治権力に対する独立を承認した。

Septennat [憲法] **7年任期** 第三，第四および第五共和制（1995年の大統領選挙まで）におけるフランス共和国大統領の任期（7年）。2002年以降は，5年任期〔▶Quinquennat〕が7年任期に取って代わった。

Sépulture (Violation ou Profanation de) [刑法] **墓（の冒瀆）** 遺体が安置されている場所（墓石・墓碑，棺，墓地に置かれた葬儀の飾り）を対象とする，あらゆる有形力の行使によって構成される軽罪。客観的には，死者に対して払われるべき敬意を侵害する性質を有している。
今日では，死体の完全性に対する侵害，および死者の思い出のために建てられた記念建造物に関する侵害もまた処罰される。
▷刑法典225-17条

Séquestre [民訴] [民法] **係争物管理人** 訴訟または強制執行の目的となっている物を保存するため，裁判所または個人によって指名された者。
▷民法典1956条以下
▶Administrateur-séquestre〔係争物管理人〕

Serment probatoire [民訴] [民法] **立証的宣誓** 法廷で宣誓することによって相手方の主張の真実性を保証することを一方当事者が相手方に要求する審理手続き。
宣誓は不可分である。2つの方式がある。まず，一方当事者が他方に要求する決訟的〔décisoire〕宣誓で，それを行い，または拒否すると，争いが終結する。
もうひとつは補充的〔supplétoire〕宣誓である。これは裁判官の裁量に委ねられ，裁判官の宣誓の要求に当事者が従っても拒否しても，裁判官を拘束する効果はない。
▷民法典1357条以下；新民事手続法典317条以下

►Délation de serment〔宣誓の要求〕►Relation de serment〔宣誓の回避〕►Témoin〔証人〕

Serment promissoire 民訴 **誓約的宣誓** 形式に従い，資格ある機関の面前で行われる正式な誓いで，自己の任務に最善を尽くすこと（司法官，鑑定人，陪審員，狩猟監視人など），あるいは事件の状況につき知っていることを客観的に明らかにすること（証人〔►Témoin〕）を内容とする。例えば，弁護士は《品位，良心，独立および仁慈をもって，弁護と助言を行うこと》を，また証人は真実を述べることを誓う。証拠としての宣誓と異なり，誓約的宣誓は，訴訟の当事者ではなく，第三者が行う。
▷新民事手続法典211条；司法組織法典R323-1条

Serpent EU **ヘビ（制限的変動為替相場）** ヨーロッパ通貨制度〔►Système monétaire européen（SME）〕の試験的基礎の役割を果たした。ドルの金兌換性を廃止したアメリカの決定の後のヨーロッパ通貨価値の変動を制限するために，1972年に設けられた。実施に際してさまざまな困難を伴った。

Service civil volontaire 社会 行政 **市民奉仕** 環境，文化，非営利社団，警察，軍隊などの部門で職業を行う準備をさせることによって，困難を抱えた若年者を援助することを事実上の主たる目的とする仕組み。市民奉仕は満16歳から満25歳の男女の若年者に対して開かれている。市民奉仕は，公法上または私法上の法人の枠内において全体の利益に属する任務を6，9または12ヵ月間行う契約という形をとる。この期間中，志望者は，チューター制度，技術および市民教育ならびに就労援助を利用することができる。期間の終了時には修了証書が付与される。固有の規定に服する国家警察《市民奉仕》も存在する。
►Service volontaire citoyen de la police nationale〔国家警察市民奉仕〕

Services déconcentrés de l'État 行政 **国の出先機関** 省を構成する中央部局とは対照的に，省の外においてとりわけ国土すべてに関して任務を行う部局。非常に数が多いので，実際には出先機関が各省の管轄に属する任務を担っている。以前はservices extérieursと呼ばれていた。

Services extérieurs 行政 **出先機関** Services déconcentrés de l'Étatの旧称。

►Services déconcentrés de l'État〔国の出先機関〕

Service fait（Règle du） 財政 **後払い（の原則）** 給付の提供が行われる前に公法人〔►Personne juridique〕が支払いを行うことを禁止する公会計上の原則。ただし，法文に定めのある場合はこの限りではない。
►Trentième indivisible〔不可分の30分の1原則〕

Service d'intérêt économique général（SIEG） EU **経済上の全体的利益に属する役務** 経済上の全体的利益に属する役務（SIEG）の概念は，関係する企業が，ヨーロッパ連合において実施されている競争規定ならびに加盟国の助成制度に対する例外であることをどの程度主張できるかという点で，論争の対象となっている。この概念は，フランス法上の公役務とは対応せず，むしろ商工業的公役務と対応している。4つの要素を含む。すなわち，企業であること，経済的性質の活動であること，公的機関によって設立されたこと，および，全体的利益を使命としていること，である。

Service national 行政 **国民役務** フランス人男性市民に課される義務。国防に貢献する現役の兵役〔service militaire actif〕は（海外県，海外領土および開発途上国のための技術協力役務とともに）国民役務の最もよく知られた形態であった。職業軍隊制度が選択されたことによって，1978年12月31日より後に出生したフランス人に対する徴兵制〔appel sous les drapeaux〕は停止されるに至った。しかし，徴兵制は，立法によっていつにでも復活する可能性がある。
►Volontaire civil〔国民連帯活動志願者〕

Service public 行政 **公役務** 公役務という概念は，フランス行政法の鍵概念の1つであるが，ヨーロッパ連合においては大幅に無視されている。そこでは，《ヨーロッパ公役務》を認めるという考えは，ときおり激しい論争を引き起こしている。
①実質的意味：一般的利益の必要を充足することを目的とし，そのようなものとして行政により保障され，または監督されなければならないすべての活動。というのも，この必要の継続的な充足は行政によってでなければ保障されえないからである。学説上，多くの論争の的となってきたが，それにもかかわらず公役務という概念は，判例にとっては，今日でもまだ，行政法の適用範囲を決定するた

393

めに用いられる要素の1つである。

②形式的意味：公役務という語は，この任務を執行するために国またはその他の公共団体によって用いられる物的人的手段の組織の総体を指す。この意味においては，公役務という語は形式的意味での行政と同義である。

Mission de service public 公役務の任務：今世紀前半にコンセイユ・デタの判例によって導き出された概念であるが，ごく最近になってよく用いられるようになった呼称である。公役務の任務という表現は，例えば行政契約または一方的行為と同様に，公土木工事，公務員制度の分野においてもみられる。この呼称は，裁判官により判例を通じて，一般的利益の性格を有する活動に，たとえそれが私的組織または私人によって引き受けられたものであっても与えられる。裁判官は，これらの活動の組織および運営に関する事項のうち，専門的にみて，私法の規定に服するのがふさわしくないと判断する事項に行政法および行政訴訟の適用範囲を拡大しようとしている。

Services sociaux 〔労働〕〔社保〕**福祉サーヴィス**
公的または私的な機関に属するサーヴィスの総体であって，主としてまたは付随的に，個人，家族，集団を対象に福祉活動を行うもの。福祉サーヴィスは，ソーシャル・ワーカーまたはその補助者を介して行われる。

Service universel 〔EU〕**普遍的役務** 一般的利益に関わる若干の活動が応じなければならない要求。例えば，《フランス流》公役務の形式における管理または競争部門に属する企業による管理などの，各加盟国におけるその管理の態様のいかんを問わない。

Service volontaire citoyen de la police nationale 〔一般〕**国家警察市民奉仕** 国民と国家警察との関係強化を目途とし，少なくとも17歳の志望者より成るこの奉仕は，連帯，社会的調停および法律遵守キャンペーンという任務を遂行することに向けられている。ただし，公権力の特権の行使は許されていない。
▶Service civil volontaire〔市民奉仕〕

Services votés 〔財政〕**表決された役務** 2005年以前に，予算法律案のうち，国会によって前年度に承認された条件において公役務を執行するために政府が必要不可欠であると判断する最小限の財政手段を表していた予算要求の部分。

表決された役務は，一般予算総額の5分の4を占め，迅速な手続きで採択されていた（一般予算における表決された役務はすべて一括して表決されていた）。

表決された役務の増加（場合によっては削減）をもたらす新たな決定に対応する予算要求のその他の部分は，新規経費〔mesures nouvelles〕という名を有していた。

Servitudes 〔行政〕**（行政）地役** 公産のためにまたは一般的利益目的で私有財産に課される多くの義務は，大まかに行政地役〔servitudes administratives〕と呼ばれている。

〔民法〕**地役** 他の所有者に属する他の不動産（要役地〔▶Fonds dominant〕）のために，建物の建築された，または建築されていない不動産（承役地〔▶Fonds servant〕）に課される負担。地役は2つの土地の間に一種の法律関係を確立し，順次に同一の土地の所有者となる者すべてに対して負担を課しまたは利益を与える。外的徴表がそれを明らかにしているときは，表見的地役〔servitude apparente〕である。負担が人の関与なくして行使されるときは，継続的地役〔servitude continue〕ある。負担が特定の人のために存在するときは，対人的地役〔servitude personnelle〕である。負担が要役地の所有者のために行使されるときは，対物的地役〔servitude réelle〕である。建築許可が申請されていた他の土地の隣の土地につき，行政機関によって課された建築の禁止または建築に際してある一定の高さの制限があるときは，servitude de cour commune〔共同中庭地役〕と呼ばれる。

共同中庭地役は，司法裁判所によって監督される。

▷民法典637条，686条，688条および689条；都市計画法典L451-1条以下

Servitudes prédiales 〔民法〕**土地のための地役**
対物的地役〔servitudes réelles〕と同義の表現であり，古法の封建的地役とより明確に区別するために，また，対人的地役〔servitudes personnelles〕と対比されて用いられる。対人的地役は，通常，用益権〔usufruit〕や使用権〔usage〕という名称で示されるので，《prédiale》〔土地のための〕という形容詞の使用は，次第にまれになっている。

▷民法典637条以下

Session 〔憲法〕〔国公〕**会期** 1年のうち，議会を開催することのできる期間。

通常会期の合間に，法文で規定された条件に従って，臨時会期として議会を開催することもできる。会期と会議〔▶Séance〕とを

混同してはならない。

[民訴] [刑訴] **開廷期** 一定の非常設裁判所（重罪院〔cour d'assises〕，農事賃貸借同数裁判所〔tribunal paritaire des baux ruraux〕など）の法廷が開かれる期間。
▷刑事手続法典236条

Sévices [民法] **虐待** ある者に対して加えられる暴力行為。夫婦間において，虐待は，離婚（制裁離婚〔divorce-sanction〕）を正当化するフォートのひとつとなりうる。
►Divorce〔離婚〕
▷民法典242条，955条

Siège [訴訟] **（裁判所）所在地；裁判官席** 裁判所所在地とは，裁判所が職務を行い，法廷〔audience〕を開く地である。
▷司法組織法典R121-1条およびR212-1条；行政裁判法典R221-3条およびR221-7条

裁判官〔magistrats du siège〕は裁判することを任務とする司法官で，検察官〔magistrats du parquet〕と対比される。
▷司法組織法典L121-1条
►Magistrats〔司法官〕►Ministère publique〔検察官；検察〕►Parquet〔検事局；検察〕

Siège social [商法] **会社の所在地；本店所在地** 会社の住所に相当する場所であり，これはその定款に明記される。多くの場合，会社の所在地によって会社の国籍が決まる。
▷民法典1837条

Signature [私法] **署名** 手書きによる氏名の記載，または，電子的に行われる場合には，署名が付される証書との結びつきを保証する信頼しうる同一性確認方法を用いること。署名は，法律行為の有効要件となり，署名者の同一性を確認し，その法律行為から生じる義務に署名者が同意したことを表し，公署官によってなされる場合には証書に公署性［真正性］を付与する。
▷民法典1316-4条
►Signature électronique〔電子署名〕

Signature électronique [民法] [商法] **電子署名** 手書きの署名が，触知可能な媒体（紙，布）の上に，氏，および場合により名を記すことによって行われるのに対し，電子署名は，《署名が付される証書との結びつきを保証する信頼しうる同一性確認方法を用いてなされる》。これは，ICチップ内蔵カードに記憶された，文字，数字または記号を含む個人用暗号であり，インターネット利用者が署名を行うためには，コンピュータに接続された読取装置にそのカードを挿入するだけでよい。

この方法の信頼性は，認証機関によって証明されなければならない。
▷民法典1316-4条

Signature électronique sécurisée [民法] [商法] **安全電子署名** 電子署名のうち，署名者に固有のものであり，署名者が排他的に支配できる方法によって作成され，かつ，署名後の証書のあらゆる変更を探知することができるように署名が付された証書との結びつきを保証するもの（2001年3月30日のデクレ第272号1条，2条）。

Signature des traités [国公] **条約の署名** 条約文に関する交渉の結果なされた合意を確認する手続きであるが，例外を除き，普通は国家を拘束しない。
►Accord en forme simplifiée〔簡略形式による条約〕►Ratification des traités〔条約の批准〕

Signification [民訴] **(執行吏)送達** 訴訟当事者が相手方に，手続文書〔acte de procédure〕（呼出状，申立趣意書）または判決を知らせる手続き。Significationはつねに執行吏によって行われる。
▷新民事手続法典651条以下および671条以下
►Notification〔送達〕

Silence de l'Administration [行政] **行政庁の沈黙** ►Décision implicite de rejet〔黙示の拒否決定〕►Décision implicite d'acceptation〔黙示の認容決定〕

Simulation [民法] **虚偽表示** 当事者の真の意思と合致しない合意（表見行為〔acte apparent〕または仮装行為〔acte fictif〕）の存在を信じさせるためになされる合意。真の意思は，別の行為，すなわち，contre-lettre〔反対証書；反対行為〕という名の秘匿行為によって表示される。虚偽表示が表見行為の存在自体を対象とする場合，虚偽表示は，契約を仮装〔fictif〕とする。それが法的性質を偽装するために用いられる場合は，偽装行為〔déguisement〕である。それが効果の帰属者を変更することを目的とする場合は，第三者の介在〔interposition de personne〕である。
▷民法典1321条
►Acte apparent〔表見証書；表見行為〕
►Contre-lettre〔反対証書；反対行為〕

Simulation d'enfant [刑法] **子の偽装** 分娩しなかった女性が，それにもかかわらず自分を

子の母であると知らせることからなる犯罪。同様に、生物学上の母による母子関係の隠匿も処罰される。
▷刑法典227-13条
　たいていの場合相補的であるこの2つの行動は、1810年の刑法典においてsupposition d'enfant〔子の仮装〕として処罰されていた。
►Atteintes à la filiation〔親子関係に対する侵害〕

Sincérité budgétaire (Principe de) 財政 **予算誠実の原則**　企業会計から着想を得た、憲法的価値を有する原則。予算法律〔►Loi de finances〕のさまざまなカテゴリーは、収支バランスに関する基本方針を曲げる意図なく、入手可能な情報および採択時にそこから合理的に生じうる予測を考慮して、国の歳入および歳出の全体を、完全、正確かつ一貫した態様で示さなければならない。憲法院が自らに認めている権限は、この原則の遵守に影響を及ぼす明白な過誤を制裁することのみである。さらに決算法律に関しては、予算誠実の原則により、その提出する会計が正確でなければならないことが義務づけられる。

《Sine die》 一般 **無期限に**　日にちを定めずにの意。この句は時について確定していないことを示しており、特に外交用語では、会議を明確に定められていない日付まで延期することを述べるために、また、裁判用語では、裁判所がただちに裁判せずに、新民事手続法典の規定にもかかわらず、判決が言い渡される日を明確にせずに判決を延期する場合に用いられる。
▷民法典1901条

Sionisme 憲法 **シオニズム**　パレスティナにユダヤ人国家建設を目指す運動。

Sirene (Système informatique pour le répertoire des entreprises et des établissements) 社保 **企業事業所台帳情報システム**　おのおのの企業および事業所に社会保障登録番号〔numéro d'immatriculation〕を付与するシステムのこと。
►Siret〔企業事業場所登録番号〕

Siret 社保 **企業事業所登録番号**　14の数字からなる番号で、企業を管理する者(自然人または法人)の識別番号(SIRENE番号といわれる。►Sirene〔企業事業所台帳情報システム〕)と事業所の識別番号(NIC(企業内分類番号)といわれる)とに分かれる。SIRENE番号は、9個の数字を含む。すなわち、最初の8個の数字は、0から99999999までの間から全国に共通の番号として国立統計経済研究所(INSEE)により定められる。9番目の数字は監督の手がかりとなる数字である。NICは、5個の数字を含む。最初の4個の数字は、0から9999までの間からその企業に固有の番号として定められる。5番目の数字は、監督の手がかりとなる数字である。企業がひとつの事業所しかもたない場合、NICは00001である。したがって、同一企業における複数の事業所はそれぞれ異なるSIRET番号をもつことになる。

Situation juridique 一般 **法的地位**　- 私法学派 -「客観的法」〔droit objectif〕と「主観的法」〔droit subjectif〕はしばしば対比される。より正しくは、「法規範」という一般的かつ抽象的なものが「法的地位」という個別的かつ具体的なものと対比されるわけである。
　法的地位は、ある者が法規範を根拠にして、他の法主体に対して有する地位を表すために用いられる。
　したがって、ある事実(事故、死)、ある身分(夫婦、子)、ある法律行為(売買、贈与)は、一連の権利および義務、すなわち、その者のためのまたはその者に対する一連の優先的権限および負担の発生を促す。
►Prérogatives, Charges〔権利、負担〕
►Situations juridiques objectives〔客観的法的地位〕►Situations juridiques subjectives〔主観的法的地位〕

Situations juridiques objectives 一般 **客観的法的地位**　-私法学派-　法的地位は、その地位にある者に、その地位が権利よりも、より義務をもたらす場合は、つねに客観的性質を有する。例えば、婚姻、親子関係、無能力(後見、保佐)から生じる地位の場合である。
　これらの法的地位は、民法または商法といった私法よりも公法および刑法においてしばしばみられる。
　-公法学派- Duguitの分析によれば：法律または行政立法の形式で定められた法規範から直接生じる法的地位。ただちに生じる場合もあれば、条件行為〔►Acte-condition〕を通じて生じる場合もある。客観的法的地位は、その地位にある者について一般的な地位であり、恒常的な地位である。客観的法的地位は、公法においても(例えば、選挙人の地位)、私法においても(例えば、夫婦の地位)みること

ができる。

Situations juridiques subjectives 〔一般〕 **主観的法的地位** -私法学派- 主観的法的地位は，その地位にある者にとって，その者の利益となり，かつ，原則としてその者が放棄することのできる優先的権限をもたらす地位である。

この地位は意思行為（例えば，契約）によって生じる場合もあれば，法律によって生じる場合（例えば，法定用益権，相続人の権利）もある。

主観的法的地位は，物権，債権，企業権および顧客権，財産権を対象とする包括的権利に対応し，また，反論権，著作者人格権のような非財産権に対応する。

（Roubierによれば）人格権は主観的権利ではない。

-公法学派- Duguitの分析によれば：個別的効力をもつ行為（一方的行為の場合もあれば契約の場合もある）から生じる法的地位。主観的法的地位は，その地位にある者に特有の地位であり，一般に一時的な地位である。すなわち，この法的地位は，そこに含まれる義務が履行され，または，権利が行使された後は消滅する（例：建築許可を（申請し）受けた者）。

Sociétaire 〔民法〕 **非営利社団構成員** 非営利社団の構成員。►Associé〔社員〕

Societas europaea 〔商法〕 **ヨーロッパ会社** ►Société européenne〔ヨーロッパ会社〕

Société 〔民法〕〔商法〕 **会社契約；会社；組合**
①会社契約//複数の者が，それによって生じうる利益，経済上の利得，または損失の分配のために，財産またはその労務（活動，能力など）を共同のものにすることを決定する法律行為。例外的に，会社の設立が，1人の者の行為によってなされることもありうる。
►Société unipersonnelle〔一人会社〕
②会社；組合//この言葉は，また，この契約によって創設される法人をも意味する。この法人の財産は，各社員が出資した財産によって構成される。
▷民法典1832条以下；商法典L210-1条以下

Société d'acquêts 〔民法〕 **後得財産組合（条項）** ときとして，別産制に含まれる条項。これにより，夫により管理され，夫婦によってなされた貯蓄から構成され，かつ，その制度の解消時に夫婦間で分割される共通財産体がつくられる。

Société par actions 〔商法〕 **株式を発行する会社** ►Société commerciale de capitaux, Société commerciale par actions〔資本商事会社，株式を発行する商事会社〕

Société par actions simplifiée 〔商法〕 **略式株式会社** 1または複数の者が設立することができる，株式を発行する会社。略式株式会社の新しさは，その組織に関して社員にきわめて広範な自由が認められていることにある。すなわち，略式株式会社は契約的性格を有する会社であり，このことがこの団体に人的会社としての性格を与えている。

略式株式会社は，資金を公募することができない。
▷商法典L227-1条以下

Société d'aménagement foncier et d'établissement rural (SAFER) 〔行政〕〔民法〕 **土地整備農地創設会社** 場合により先買〔►Préemption (Droit de)〕を利用した農地の取得によって農地の構造を改良し，農業経営を容易にすることを目的として設置することができる公私資本混合会社。予定された整備が終わった後に，農地は農業経営者に譲渡されることになる。

Société anonyme 〔商法〕 **株式会社** 資本が株式の引受けを通して構成され，社員が，会社債務の支払いについてその出資を限度としてしか責任を負わない商事会社。

株式会社〔société anonyme〕はsociété par actions〔株式を発行する会社〕であり，少なくとも7人を結合しなければならない資本会社である。

株式会社は，資金を公募することができる。
▷商法典L225-1条以下

Société d'attribution d'immeubles en jouissance à temps partagé 〔民法〕 **時分割使用不動産割当会社** 会社の複数の構成員が，年間の決められた期間，1つのアパルトマンを交替で排他的に使用収益することができるようにするための不動産会社。時分割使用不動産割当会社の社員は，出資の反対給付として所有権その他の物権を取得するわけではない。社員は，単にアパルトマンに滞在することについての債権を取得するにすぎない。
▷消費法典L121-60条

Société à capital variable 〔商法〕 **可変資本会社** 資本が固定していない会社。資本の可変性のため，新たな出資の引受けによる新たな社員の入社と，社員の退社による出資の払戻

しが可能となる。
►Capital social〔(会社の)資本〕

Société civile 民法 商法 **民事会社** 活動も形態も商事ではない会社。
　民事会社は法人であって，商業・会社登記簿に登記されなければならない。
　民事会社だけが，手段会社〔société de moyens〕となることができる。
▷民法典1845条以下
►Société civile professionnelle〔専門職民事会社〕

Société civile de placement immobilier 民法 **不動産投資民事会社** 賃貸不動産の取得および管理をもっぱら目的とする民事会社。
▷通貨金融法典L214-50条

Société civile professionnelle 民法 商法 民訴 **専門職民事会社** 1966年以降，一部の自由職(弁護士，公証人，執行吏，医師，建築士)の活動は，専門職民事会社の枠組を使って行うことが可能になった。専門職民事会社の持分は，一定の条件において譲渡することが可能である。この会社形態においては，社員は第三者に対する会社債務について無限にかつ連帯して責任を負う。
　公証官または裁判所補助吏については，専門職民事会社は，複数の職業者を社員とすることも，あるいは，会社そのものが職株の名義人になることもある。

Société en commandite par actions 商法 **株式合資会社** 無限責任社員および有限責任社員という2つのグループの社員からなる資本会社。無限責任社員の法的地位は，合資会社の無限責任社員のそれと同一である。有限責任社員は，自由に譲渡しうる株式を有し，出資額を限度として責任を負うにすぎない。
►Actionnaire〔株主〕

Société en commandite simple 商法 **合資会社** 無限責任社員および有限責任社員という2つのグループの社員によって構成される人的会社。無限責任社員の地位は，合名会社の社員の地位と同じである(商人となり，会社の負債全額について直接に連帯して責任を負う)。有限責任社員は商人とはならず，出資額を限度として責任を負うにすぎない。合資会社は人的会社であるため，有限責任社員の持分の譲渡および移転は容易ではない。
▷商法典L222-1条

Société commerciale de capitaux, Société commerciale par actions 商法 **資本商事会社，株式を発行する商事会社** 出資された資本に基づいて設立される会社。この会社の社員の持分は，株式といわれる。株式は流通の対象となり，自由に生存者間においておよび死因によって移転される。株主は，会社の負債について出資額を限度として責任を負う。
　資本会社の例として，株式会社〔société anonyme〕，略式株式会社〔société par actions simplifiée〕および株式合資会社〔société en commandite par actions〕がある。
▷商法典L224-1条以下

Société commerciale de personnes, Société commerciale par intérêt 商法 **人的商事会社，持分による商事会社** 《人的考慮に基づいて》〔intuitu personae〕，すなわち，社員が誰であるかを考慮して設立される会社。それぞれの社員の持分は，part d'intérêt〔持分〕といわれる。持分は，原則として社員に固有のものであり，譲渡することはできず，または一定の条件のもとでしか譲渡できない(例：合名会社および合資会社)。

Société coopérative 商法 **協同会社；協同組合** 民事会社または商事会社で，社員がその会社の労働者または顧客の資格を有しているもの。

Société coopérative ouvrière de production 労働 **労働者生産協同組合** ►Coopérative ouvrière de production〔労働者生産協同組合〕

Société créée de fait 商法 **事実上設立された会社** 複数の者が共通の経済活動にともに関わり，その収益は分配し，損失は負担して，結局，充分な自覚なしに社員と同じように行動したことによって生じた会社。
▷民法典1873条
►Société de fait〔事実上の会社〕

Sociétés de développement régional 行政 **州開発公社** 株式会社の形態をとって設立された信用供与機関。金融市場を有効に利用するに十分な規模をもたない州内の企業の資金調達の分野において民間資本または銀行資本による出資の不十分さを補うことを目的とする。
　州開発公社は，国の保証付きの国債によって資金を集め，それを貸付金，資本参加および企業が発行する社債に対する保証の供与のために使用する。
　州開発公社の活動は，当初は経済社会開発基金〔►Fonds de développement écono-

mique et social〕を補うものと考えられていたが，伝統的な銀行の運営にかなり近いものになってきている。

Société d'économie mixte（SEM） 行政 **公私資本混合会社** 商法の適用を受けて設立され，かつ，企業法の規定に服する会社。公私資本混合会社は，公的資本（国，地方公共団体，公施設法人）と私的資本をさまざまな比率で集めるが，ただし，つねに公的資本が過半数を占めている。公私資本混合会社の活動は，非常に多様である。

地方においては，公私資本混合会社が地域整備事業または不動産建築事業を実現するためにしばしば用いられているが，この制度の逸脱もみられる。すなわち，公私資本混合会社はときとして，これらの事業への（公益を保護する）公会計および公契約の規定の適用を意図的に回避するために用いられてきたのである。その結果，立法者による規制を受けることとなった（1993年1月29日の法律）。

Société entre époux 民法 商法 **夫婦会社** 社員のなかに夫婦を含む会社。夫婦会社は，それが伴う危険を理由に，長い間規制されてきた。今日においては，この厳格な規制は廃止されている。

▷民法典1832-1条および1832-2条

Société européenne 商法 **ヨーロッパ会社** 株式制の会社の特別の形態であり，ヨーロッパ共同体の法秩序に属し，加盟国の1つに本店所在地を置くものをいう。

この会社は，societas europaeaと呼ばれ，2もしくは複数の株式会社の合併，持株会社の設立，共通の子会社の設立，または，1もしくは複数の株式会社のヨーロッパ会社への組織変更により設立することができる。

▷商法典L229-1条以下

Société d'exercice libéral（SEL） 民法 商法 民訴 **自由職会社** 1990年12月31日の法律は，法令がその地位を定め，その資格が保護されている職業（例：弁護士，公署官または裁判所補助吏，医師，建築家）のために，自由職会社の設立を認めた。

自由職会社は，原則として同じ職業の社員によって構成されるが，別のものではあるが同じ系列に属する自由職（例：法律活動，医療活動）の社員によって構成されることも可能である。

自由職会社は，異なる2つの類型に分かれる。
①商事会社の一部の形態を範とした自由職会社。これには3つのカテゴリーがある。すなわち，自由職有限会社（SELARL），自由職株式会社（SELAFA），自由職株式合資会社（SELCA）または略式株式会社（SAS）である。財務面で職業者の会社支配権を維持し（資本所有と社員権の譲渡の特別の条件），会社の性格を社員が作成するすべての文書に記載させる方策がとられている。

②民法を範とする会社。すなわち，匿名社〔▶Sociétés en participation〕。

Société de fait 民法 商法 **事実上の会社** 事実上の会社は，その存在を脅かす無効原因があったにもかかわらず，活動してきた会社である。

また，この表現は，複数の者がそれらの者の間で会社を設立することなくして，事実上社員であるかのように行為する場合にも用いられるが，これは誤りであり，それは実際には，事実上設立された会社〔▶Société créée de fait〕である。

▷民法典1873条

Société financière internationale 国公 **国際金融公社（IFC）** 低開発地域の私企業に対して政府保証なく投資することによって経済発展に貢献する目的で1956年に設立された国際連合の専門機関（国際復興開発銀行の関係機関）。所在地：ワシントン。

Société d'intérêt collectif agricole（SICA） 農事 **農業共同利益会社** 農産食品産業発展計画にしたがい，農業利益と商工業利益とを同一構造に結合することを目的とする，協同組合制度の普通法の適用を除外される農業協同組合。

▷農事法典L531-1条以下

Société d'investissement 商法 **証券投資会社** リスク分散の原則を考慮して，多数の会社が発行する証券から構成された証券資産の運用を目的とする会社。証券投資会社は，可変資本会社として設立することも可能である（可変資本証券投資会社（SICAV））。

▷通貨金融法典L214-1条以下

Société de moyens 民法 **手段会社** 自由職に従事する自然人または法人，とくに公署官および裁判所補助吏の間で設立される会社。各構成員の職業の実施に有用な手段を共用し，その活動を円滑に行えるようにすることを唯一の目的とする。ただし，手段会社がその職業に従事することはできない。

社員は会社債務について無限に責任を負う

Soc

が，専門職民事会社の社員と異なり，連帯してではなく，共同して責任を負う。

Société mixte d'intérêt agricole (SMIA) 農事 **農業利益混合会社** 農業上の利益と商業上の利益とを結びつけ，農産食品産業における農業上の利益を保護することを目的とする，商事会社の形態をとる農事会社。
▷農事法典L541-1条以下

Société des Nations 国公 **国際連盟** 集団安全保障(戦争に訴えることの制限，軍備縮小，紛争の平和的解決，侵略の場合の制裁)を確保するために，1914年-1918年の世界大戦終了時に創設された，普遍的な使命を有する国際組織。1946年に解散した。

Société en nom collectif 商法 **合名会社** 商人資格をもつことになる2人以上の社員によって設立される会社。合名会社の社員は，会社の債務について直接に連帯して責任を負う。社員が有する持分は，すべての社員の同意がなければ譲渡することはできない。
　合名会社は，その形態により商事会社となる。

Société en participation 民法 商法 民訴 **匿名会社** 匿名会社は，法人格のない，公示に服さない，隠れたまま存続しうる会社の設立による経済的協働の方法である。
　1990年12月31日の法律は，自由職会社〔▶Sociétés d'exercice libéral (SEL)〕についてこの形態をとることを認めた。しかし，この場合に限っては，会社は名称をもち，公示されなければならない。
▷民法典1871条から1872-2条

Société à participation ouvrière 労働 **労働者参加会社** 労働者が企業の利益にも運営にも参加する，株式会社の一種。労働者は株式を受け取り，ひとつの協同組合にまとめられる。労働者は，代表者を通じて会社の取締役会に参加するが，労働者生産協同組合〔coopérative ouvrière de production〕と異なり過半数にはならない。この形式の会社は，1917年に法律により定められ，その後改正されたが，発展しなかった。

Société politique 憲法 **政治社会** 社会集団(家族，企業など)を包摂する社会であり，そこでは人の命運は全体として考慮の対象となる。
　政治社会はさまざまな形態(都市国家，領主制，帝国など)をとった。今日支配的な形態は国民国家である。

Société à responsabilité limitée (SARL) 商法 **有限会社** 社員が負う金銭上の責任が，その出資額に限定されている商事会社。
　出資と引換えに社員は持分を取得するが，この持分には流通性はなく，持分の譲渡は一定の条件を満たす場合に限られる。

Société unipersonnelle 民法 商法 **一人会社** 会社は，ときとして，ただ1人の者の意思から生じうる。すなわち，有限責任一人企業(EURL)，略式株式会社および有限責任農業企業(EARL)がその場合である。
▷民法典1832条2項および1844-5条；農事法典L324-1条以下
▶Entreprise agricole à responsabilité limitée (EARL)〔有限責任農業企業〕

Société de ventes volontaires de meubles aux enchères publiques 民訴 **動産任意競売会社** 動産任意競売制度運用会議〔▶Conseil des ventes volontaires de meubles aux enchères publiques〕の認可する商事会社であって，動産を評価すること，個別にまたはセットで売られる中古家具の任意競売を組織しそれらの家具を換価すること，をもっぱらその目的とするが，また，競売の際に財物を競り落とす者がいなかった場合，売り手に相対売買を提案することもできる。動産任意競売会社は，財産所有者の受任者として行動するのであって，任意競売にかけられる動産を自己の名義で直接的にも間接的にも売買することは授権されていない。動産任意競売会社には，指揮者であると労働者であるとを問わずその社員中に，少なくとも1名の競売を指揮することについて許可を受けた者がいなければならない。
▷商法典L321-4条以下
▶Commissaire-priseur habilité〔認可動産公売人〕▶Vente aux enchères〔競売〕

Socrates EU **ソクラテス計画** 教育機関，教育者および青少年の協力，交換および移動を促進するヨーロッパ連合の教育計画の名称。1995年1月1日にエラスムス計画〔Erasmus〕に取って代わり，5年間で7億6000万エキュが交付される。

Soins palliatifs 民法 **終末期医療** 医療機関においてまたは自宅で合同医療班によって行われる積極的かつ継続的医療。終末期医療は，痛みを和らげ，精神的苦痛を鎮静し，多くの場合終末期にある患者の尊厳をまもり，患者の近親者を支援することを目的としている。

400

▷公衆衛生法典L1110-10条
▶Affection grave et incurable〔重い不治の病気〕▶Atteinte à la dignité de la personne〔人の尊厳に対する侵害〕▶Fin de vie〔終末期〕

Soit-communiqué (Ordonnance de) 〔刑訴〕**書類伝達(の命令)** 予審判事が，共和国検事から意見を得るため，事件書類を共和国検事に送る行為。
▷刑事手続法典86条および175条

Soldes 〔商法〕**大売出し** 期間中または事前に宣伝されており，値引きによって在庫商品の一掃を図るものと告知されている販売。この販売は，県知事により定められた期間中，年2回6週間しか行うことができない。
▷商法典L310-3条

Solennel (Acte) 〔民法〕**厳粛（行為）** ▶Acte solennel〔厳粛行為〕

Solidarité 〔民法〕**連帯** 「能動的連帯」〔solidarité active〕と「受動的連帯」〔solidarité passive〕とに区別される。
　同一債務者に対する複数の債権者のいずれもが，他の債権者の委任を受けることなくして，債務者に債務の全額について支払いを請求しうる場合が能動的連帯である。
▷民法典1197条
　債権者が，複数の債務者のいずれに対しても債務の全額の支払いを請求しうる場合が受動的連帯である。もっとも，この場合，債務者間で求償がなされる。
▷民法典220条および1200条以下

〔民訴〕**連帯性** 多数当事者間に連帯性がある場合，その者のうちの1人によって期間内になされた控訴は，他の者の控訴権を留保する。ただし，後者は，控訴する場合，当該訴訟手続きに加わらなければならない。
　期間内に控訴が連帯債務者の1人に対して向けられた場合，控訴人に，他の連帯債務者を訴訟手続きに引き入れる権能が留保される。
　控訴院はすべての共同当事者の訴訟引込みを職権で命じることができる。
▷新民事手続法典529条および552条

Solidarité ministérielle 〔憲法〕**政府の連帯責任** 議院内閣制の原則。重要な決定は大臣によって共同で審議決定されるため，大臣はおのおのの（たとえ自分が当該決定に対して反対した場合であっても）政府によって下された決定に関する責任を負う。その責任を回避するためには，決定前に辞職しなければならない。

Solidarité pénale 〔刑法〕**刑法上の連帯責任** 犯罪（重罪，軽罪，第5級違警罪）に関与した者は，自らの犯罪行為に基づく民事上の結果（損害賠償，返還）につき，各人がその全体について，法律上当然に義務を負うとする原則。ただし，罰金は個々の者を対象とする。
　しかし，（軽罪・違警罪被告人の）共同正犯または共犯に支払能力がない者がいる場合，刑事裁判所は，特に理由を付した判決によって，罰金について連帯責任を負わせることができる。
▷刑事手続法典375-2条，480-1条および543条

Solvabilité 〔民法〕**支払能力** ▶Insolvabilité〔支払判決妨害罪〕

《**Solvens**》〔民法〕**弁済者** 債務の弁済をなす者。▶《Accipiens》〔受領者〕

Sommation 〔民訴〕**催告（状）** 債務者に対し，支払うべき金銭を支払い，義務を負った行為をなすことを命じる執行吏執達書（ただし，執行名義に基づくものではない）。

Somme isolée 〔社保〕**退職一時金** 企業を退職する日またはその後に管理職退職年金制度の受益者に支払われる，通常の報酬以外のすべての報酬。

Sommier de police technique 〔刑訴〕**中央犯罪ファイル** 内務大臣の管掌する国家警察の中央情報ファイル。制裁を言い渡した裁判所の書記によって送付される，重罪または軽罪を理由とする自由剝奪刑の有罪判決を記載した前科簿ファイルを集めたもの。
▷刑事手続法典773-1条およびR75-1条

Sondage 〔憲法〕**世論調査** サンプルを用いて，ある問題または人物に対する市民の意見を知ることを可能とする意見調査。世論調査はきわめて頻繁に行われるようになり，統治者の決定に非常に大きな影響力を及ぼしている（世論調査の共和国？）。それは常設の「市民集会」〔Agora〕の状況の再現である。

Sonorisations et fixations d'images de certains lieux ou véhicules 〔刑訴〕**家屋・車両の録音・撮影** 当事者の同意なしに，家屋または車両に装置を設置し，その場にいる者の発言またはその者の影像を傍受し，撮影し，転送または録取する証拠調べの措置。この措置は組織犯罪のみを対象として，予審判事の理由を付した命令に基づいて行われる。とりわけ，装置の設置は予審判事の監督下に行われる。
▷刑事手続法典706-96条以下

Souche 民法 株 相続法において，複数の者に共通の始祖。代襲〔►Représentation 民法 の②〕の場合，死亡した相続人（＝株）の代襲者たちは，共同して，その相続人の持分を受け取る。株の内部においては，分割は頭割りにより行われる。
▷民法典827条
►Tête (par)〔頭割り（による）〕

Soulte 民法 清算金 取り分〔lots〕または交換された財産が価値において均衡を失している場合に，分割者または交換者が他の当事者に対して支払わなければならない金銭。
▷民法典826条，828条，832-4条および1407条

Sources du droit 一般 法源 ある時点においてある国家で適用されている法規範全体の総称であり，頻繁に用いられる。ヨーロッパ大陸諸国のように成文法主義をとる国々では，国際条約，憲法，法律，行政立法などの法文が主要な法源である。しかし，慣習法，ときとして学説の影響を受けて判例によって認められた法の一般原則〔principes généraux du droit〕などのその他の法源も，分野により多かれ少なかれ重要な役割を果たしている。

Souscription 商法 （株式の）引受け 原則として株式の券面額と同額の出資を行うことによって株式会社または株式合資会社に入社することを約束する法律行為。ただし，その性質については議論がある。

Souscription d'actions 商法 株式の引受け 入社するために，原則として株式の券面額と同額の出資を行うことを約束する法律行為。払込み，すなわち約束した出資の実際の支払いは，引受後に行われる。
▷商法典L225-3条
►Libération d'actions〔株式の払込み〕

Sous-location 民法 転貸借契約 不動産の賃借人が，sous-locataire〔転借人〕と呼ばれる第三者にその不動産を賃貸する契約。最初の賃借人は，locataire principal〔転貸人〕といわれる。
▷民法典1717条

Sous-ordre 民訴 代位債権者のための（順位による）配当手続き 順位による配当手続き〔ordre〕により配当を受ける者の複数の債権者が，その配当額を分け合う手続き。

Sous-préfet 行政 副知事 県庁所在地以外の各郡〔►Arrondissementの①〕において職務をとる国家公務員。副知事は，知事から署名権限の委任〔►Délégation〕を受け，知事の指揮下で国の出先機関〔►Services déconcentrés de l'Etat〕の行為を調整する役割を果たすと同時に，市町村に対し，助言者および適法性の監督〔►Contrôle de légalité〕という二重の役割を果たす。

Soustraction de mineurs 刑法 未成年者誘拐 親権を行使する者，子を預けられた者または子と日常的に同居する者の支配下から未成年の子を連れ出す犯罪。この行為が尊属によって実行された場合は，刑が軽減される。
▷刑法典227-7条および227-8条

Sous-traitance 商法 下請負 請負人（（下請負の）注文者）が，自分自身の顧客に供給しまたは販売すべき財物，物品もしくは商品の全部または一部を自らの指示および仕様に従って生産することを第三者（下請人）に依頼する行為。

労働 下請 元請企業が下請業者〔sous-entrepreneur, sous-traitant〕と契約を締結し，下請業者は給付の全部または一部を自己の採用する労働者を用いて実施することを約する，生産または労務供給の方法。労働者に損害をもたらす若干の濫用を避けるために，労働法典は，下請を規制し，場合によっては，下請を違法下請〔►Marchandage〕と同視して制裁を加える。

Souvenirs de famille 民法 家族の記念品 その価値が基本的に精神的なものであり，分割の対象とならず，家族による一種の共同所有の一部をなしている様々な物品（勲章，肖像画，武具，手稿，装身具）。家族の記念品は，相続による移転に関する規定の適用を免れ，所有としてではなく，寄託としてしか親族の1人に委ねられない。家族の記念品は，必要な場合に後見裁判官が許可することができる動産の譲渡から除外されなければならず，また，差押えをすることができない。さらに，夫婦間の関係においても，家族の記念品は使用貸借としてしか引渡されず，離婚の場合には家族に返還しなくてはならない。
▷民法典490-2条3項

Souveraineté de l'État 憲法 国公 国家主権
①本来の意味：国家権力の最高性。
②派生した意味：国家権力それ自体。始源的（すなわちいかなる他の権力から派生したものでもない）かつ最高性を有する（国内秩序において対等なものをもたず，国際秩序においては優越するものをもたないので自らが与

えた同意と国際法によってでなければ制限されない)法的な権力(制度化されているがゆえに法的である)である。古典的理論は主権を国家のメルクマールとしているが、今日それは批判されている。

Souveraineté nationale 憲法 **国民主権；ナシオン主権** 国民(ナシオン)が主権主体である主権。国民(ナシオン)は不可分の集合的存在であり、それゆえにそれを構成する諸個人とは区別される。政治生活への準備ができていない市民の役割を制限するために1789年の大革命によって認められた考え方である。すなわち、個々の市民は個々の市民としては主権のいかなる部分も保有していないので、主権の行使に参加する固有の権利を一切有しないのである(制限選挙制が可能であり、命令的委任は否定される)。

▶Électorat〔選挙資格〕▶Mandat politique〔政治的委任〕

Souveraineté populaire 憲法 **人民主権；プープル主権** 人民(プープル)が主権主体である主権。人民(プープル)は市民の具体的総体とみなされ、各市民は主権の一部分を有する。J.-J.ルソーが『社会契約論』において定式化した考え方であり、その帰結は権利としての選挙(すなわち必然的に普通選挙となる)および直接民主制(代議士の選挙は次善の策にすぎず、それは、命令的委任を承認し、半直接民主制の手続きに訴えることによって補完されなければならない)である。

▶Electorat〔選挙資格〕▶Mandat politique〔政治的委任〕

Soviet 憲法 **ソヴィエト** 会議体を意味するロシア語。

Speaker 憲法 **下院議長** イギリスおよびアメリカ合衆国の下院議長に与えられている名称。

▶Whip〔院内幹事〕

《Specialia generalibus derogant》 一般 **特別法は一般法を破る** 特別法は一般的効力を有する法律の適用を除外する。

▶《Generalia specialibus non derogant》〔一般法は特別法を破らない〕

Spécialité (Principe de) 行政 **目的限定性の原則** 国以外の公法人は、当該公法人が設置された目的に関係する活動しか引き受ける資格を有しないとする原則。この原則は、地方公共団体〔▶Collectivités territoriales〕に対しては柔軟に解釈されるが、公施設法人に対してははるかに厳格に解釈される。とりわけ、ときとして《特殊法人》〔personnes morales spéciales〕と呼ばれる公施設法人〔▶Établissement publics〕には厳格である。

財政 **目的限定性の原則** 予算法の原則としては、二重の要請を含む。予算額は、予算によってそのために計上され(目的の限定)、現在の予算年度に帰属する(時間的または会計年度〔exercice〕の限定)支出を執行するためにのみ用いられることができる。

Spécification 民法 **加工** 手工業者の所有に属さない材料にその労働が加えられ新たな物が作られること。その物は、添付〔▶Accession〕によって材料の所有者に帰属するが、その際、材料の所有者は手工業者に対し労働の価額を返還する義務を負う。ただし、労働の価額が材料の価額を大きく上回っている場合はこの限りでない。その場合は、加工をなした者が、材料の価額の返還と引換えに新たな物の所有者となる。

▷民法典570条および571条

《Spoliatus ante omnia restituendus》 民法 民訴 **略奪されたものは、なによりも先に、返還されなければならない** ▷新民事手続法典1264条

▶Réintégrande〔占有回復訴権；占有回復の訴え〕

Sponsor 私法 **スポンサー** ▶Sponsorisme; Sponsoring〔スポンサー契約〕

Sponsorisme；Sponsoring 私法 **スポンサー契約** 実業家(《スポンサー》〔sponsor〕)が、《被出資者》〔sponsoré〕が商標の広告を行うことと引換えに、出資を行う契約。この契約は、主に、スポーツ活動について行われるが、文化的、芸術的または学問的活動についても行われる。広告に様々な形態があるのと同様に(全ての用具に商標を付けること、ラジオやテレビでのプロモーション活動、その他プロモーション活動に相当する試合またはイベントへの参加など)、出資にもさまざまな態様がありうる(現物提供、一括支払い、期間支払いなど)。ラテン語に由来するsponsorisme(ラテン語の《sponsor》は保証人、担保者を意味する)は、アメリカ合衆国から輸入された広告技術であり、メセナ〔mécénat〕や単なる後援〔patronage〕とは区別される。

Stabilité (Programme de) 財政 **安定計画** ユーロ〔▶Euro〕の使用を受け入れたヨーロッパ共同体の各加盟国が毎年の初めにヨー

ロッパ委員会〔►Commission européenne〕に提出する義務を負う、3年の期間を対象とする計画。国内経済予測の枠内において、全体（中央政府、地方公共団体、社会保障基金）の公財政について当該加盟国の採る予定の政策を示し、安定と成長に関する協定〔►Pacte de stabilité et de croissance〕の目標を遵守することを目的とする。

　この計画の内容またはその実施が協定の要請から離れている場合、ヨーロッパ理事会は、是正措置をとるよう当該加盟国に対して意見または勧告を発することができる。

Stage 労働 研修　ある人をその職業教育を補完させるために企業に迎え入れる期間のこと。研修者は、研修者としての資格では、労働契約の当事者ではない。文部省は、いくつかの免状についてその内容により、企業における研修契約の締結を優遇する。

Stage de citoyenneté 刑法 市民意識啓発研修　有罪判決を受けた者が研修に服することを内容とする軽罪の刑罰。市民意識啓発研修の目的は、社会の根本にある寛容および人間の尊厳の尊重といった共和国の価値観に注意を向けさせ、その刑事および民事責任ならびに社会生活上の義務を認識させ、その者の社会復帰を支援することにある。この研修は、被告人の同意を条件とする。被告人は、裁判所が定める場合には、この研修の費用を、第3級違警罪の罰金額を超えないかぎりにおいて支払う。
▷刑法典131-5-1条およびR131-35条

Stage de formation civique 刑法 少年向け市民意識啓発研修　少年裁判所〔tribunal pour enfants〕によって10歳以上18歳未満の未成年者に対して言い渡される育成制裁。最長1ヵ月の研修に服することを内容とする。少年向け市民意識啓発研修の目的は、法律上生ずる義務にこれらの未成年者の注意を向けさせ、その刑事および民事責任ならびに社会生活上の義務を認識させることにある。

Stagflation 財政 スタグフレーション　インフレーションが経済的スタグネーション（生産と雇用の弱含み、さらには低下）を伴う、経済および通貨の不均衡状態。

Standards juridiques 一般 法的適正水準　ある時点において社会集団によって一般に認められていることに適うとみなされる行動を示す用語。アングロサクソンの法律用語であり、若干の法文で言及されているが明確に定義することは難しい。例えば、善良の風俗〔►Bonnes mœurs〕、善意〔►Bonne foi〕、善良な家父〔►Bon père de famille〕、仕事の遂行において通常要求される技術水準〔règles de l'art dans l'exécution d'un travail〕。訴訟において法的適正水準は、訴訟当事者の実際の行動を裁判官が評価する際の基準となるだろう。法的適正水準の曖昧かつ流動的な性質は、裁判官に付託される事件において、裁判官に十分に大きな裁量の自由を残すことによって、これら法文の適用に柔軟性を与えている。

Staries 海法 停泊期間　船主と傭船者との間で締結された契約において、物品の船積みまたは荷揚げのために定められた日数。この日数を超えると、傭船者は、遅延した日数による補償金を船主に支払うべきこととなる。すなわち、《滞船料》〔►Surestaries〕である。

《Statu quo》 一般 現状（に）；原状（に）　《in statu quo ante》〔以前そうであった状態に〕を短縮したもので、現状の維持または原状への回復を示すために用いられる。

Statuts 民法 商法 規約；定款　会社または非営利社団を設立する証書であり、その目的を定める一定数の義務的記載事項を含む書面によって作成される。そこでは、会社または非営利社団の運営規則が定められる。
▷民法典1835条

Statut consultatif 国公 協議的地位　政府間組織（特に国際連合および専門機関）が、その審議に協議資格で参加させようとするNGO〔►Organisation non gouvernementale〕に対して与える地位。

Statut (fonction publique) 行政 身分規程　公務員法において、（若干の例外のもとに）官吏全体のまたは特定の官吏の権利義務を定める規定の総体をいう。主として一般身分規程と個別身分規程が区別される。個別身分規程は、一般身分規程を適用除外する規定を含みうる。
►Fonction publique〔公務員（制度）〕
►Fonctionnaire〔官吏〕

Statut personnel 国私 人法　人の身分および能力に関する法規の総体。

Statut réel 国私 物法　不動産の状態を規律する法規の総体。
▷民法典3条2項

Stellionat 民法 不動産詐欺　もはやその所有者ではない不動産を売却すること、すでにい

る債権者の知らぬ間に重ねて不動産に抵当権を設定すること，あるいは抵当が付されているにもかかわらず付されていないかのように不動産を示すことを内容とする詐欺。この不法行為は，不動産譲渡および抵当権設定に関する義務的公示制度が導入されて以降，意味を失った。

Stimson（Doctrine de） 国公 スティムソン・ドクトリン　提唱者である米国国務長官の名前に由来する。これは，国際法に違反してもたらされた事態の不承認を推奨するという考えである。このスティムソン・ドクトリンは，1932年に日中戦争の最中に日本が満州国を建国した際に表明され国際連盟により是認されたが，総じて失敗に終わった。

Stipulation 私法 約定　合意において表明されている意思を意味する。立法者は規定し〔disposer〕，当事者は約定する〔stipuler〕。

Stipulation《post mortem》 民法 死後履行条項　▶Promesse《post mortem》〔死後履行条項〕

Stipulation pour autrui 民法 他人のための約定　ある者（要約者〔stipulant〕と呼ばれる）が，他の者（諾約者〔promettant〕）から，第三者（受益者〔tiers bénéficiaire〕）のために給付をなすことを取りつける契約。
▷民法典1121条

Stock-options 商法 ストック・オプション　▶Option de souscription ou d'achat d'actions〔株式引受け・購入優先権〕

《Stricto sensu》 一般 狭義では；厳密な意味では　法律，行政立法および合意の規定または語の意味を厳格かつ文字通りに用いること。
▶《Lato sensu》〔広義では；広い意味では〕

Stupéfiants（Trafic et usage de） 刑法 麻薬（の取引および使用）　麻薬に指定されている，より一般的にはdrogues〔麻薬〕と呼ばれる物質または植物に関する若干の活動から生ずる犯罪。
▷公衆衛生法典L5131-1条からL5131-9条

　重罪として罰せられるのは，麻薬の取引，違法な生産もしくは製造を目的とする集団の指揮または設立，組織集団による違法な輸出入である。軽罪とされるのは，麻薬の違法な輸出入，運搬，所持，提供，譲渡，取得もしくは利用，または違法な利用を容易にし，未成年者に麻薬の違法利用を教唆し，虚偽の処方箋によって麻薬を入手しまたは引き渡し，あらゆる手段により取引利益を洗浄し，麻薬の使用または取引を教唆し，自己使用のために譲渡または提供すること，あるいは麻薬中毒を引き起こす自己使用である。この最後の犯罪は，解毒治療および医学的監視を目的とする特別の訴追制度に服し，したがっていかなる処罰の対象ともならない。
▷刑法典222-34条以下；公衆衛生法典L3421-1条

Subordination 労働 従属　使用者の指揮命令に従って労働する者であって，職務遂行における独立性をもたない者の地位。このような意味での従属は，しばしば法的従属〔subordination juridique〕と呼ばれ，労働契約を画定する要素である。
▶Dépendance économique〔経済的従属〕

Subornation de témoin 刑訴 民訴 証人への圧力　手続き中に，または裁判上の請求もしくは防禦のために，他人に，虚偽の証言，供述もしくは証拠文書の提出について，これを行うよう決意させる目的で，またはこれらの行為を行わないように決意させる目的でなされるさまざまな行為。証人への圧力は，実際に影響を与えたか否かにかかわらず，犯罪となる。

Subrogation 民法 代位　ある人またはある物を，他の人または他の物に取って代わらせる作用（人的代位〔subrogation personelle〕および物上代位〔subrogation réelle〕）。この人または物は，取って代わられた人または物と同じ法的制度に服する。
▷民法典855条2項，1249条以下，1406条2項，1434条および1435条；保険法典L121-12条およびL121-13条

Subrogation des poursuites 民訴 （差押手続きの）追行の代位　（有体動産の）差押え＝売却〔▶Saisie-vente〕または不動産差押え〔▶Saisie-immobilière〕において第一差押人が手続きを怠っている場合に，第一差押人に遅れて差押えを行った債権者が，開始された手続きを代わって行うため，第一差押人に代位することを内容とする手続き。
▷刑事手続法典721条以下

Subrogé curateur 民法 保佐監督人　被保佐人の血族または姻族，さもなくば裁判上の成年者保護受任者〔▶Mandataire judiciaire à la protection des majeurs〕であって，保佐人がなした行為を監督し，保佐人の落度を裁判官に通知し，被保護者の利益が保佐人の利益と対立する場合または保佐人が任務の制限

ゆえに関与することができない場合に被保護者を補佐し，保佐人の職務停止の場合にその交替を促す任務を負う者。
▷民法典454条（適用は2009年1月1日より）
►Curatelle〔保佐；法主体不存在の相続財産の管理〕

Subrogé tuteur 民法 **後見監督人** 後見人〔►Tuteur〕がその資格においてなした行為を監督し，後見の任務の実施における落度を後見裁判官に通知する任務を負う者。後見監督人は，後見人が重要な行為をなす前には必ず意見を聞かれる。被保護者と後見人の間に利益対立がある場合には，後見監督人が被保護者を代理する。後見人が不在の場合，後見監督人は新たな後見人の選任を促す義務を負う。
▷民法典420条（2009年1月1日より410条および454条）

Subsides 民法 **援助金** ►Action à fins de subsides〔援助金訴権；援助金の訴え〕

Subsidiarité EU **補完性** ►Principe de subsidiarité〔補完性の原則〕

Substantiel 一般 **実体的な**
①法的には，訴権と対比させて，主観的法＝権利であることを示す。例えば地役権確認の訴えにおいては，地役，用益または使用の権利は，裁判上推論される実体的権利である。
②国際私法上は，実体準則とは法の実質を直接的に規律することである。その点で，訴えの提起された国に固有の法制度にしたがって適用される法律（法廷地法か外国法か）を定めるにすぎない牴触準則とは異なる。
►Droit processuel〔訴訟権〕

Substitut général, Substitut 民訴 **法院検事長代理，共和国検事代理** ►Procureur général〔法院検事長〕►Procureur de la République〔共和国検事〕

Substitution d'enfant 刑法 **子の取替え** ある女性から生まれた子を，別の女性から生まれた子と物理的に取り替えることにより成立する犯罪。
▷刑法典227-13条
►Atteintes à la filiation〔親子関係に対する侵害〕

Substitution fidéicommissaire 民法 **信託遺贈上の指定** 無償譲与者が，無償譲与を受ける者（転譲与義務者〔grevé〕）に，その者が生存している間，贈与されたまたは遺贈された財産を保存する義務を課す処分。転譲与義務者が死亡した時に，指名された第2の者（被指定者〔appelé〕）にその財産を移転することを目的とする。この処分は，原則として禁止されている。

2006年6月23日の法律までは，信託遺贈上の指定は，それが処分者の直系卑属，またはそれを欠く場合には処分者の兄弟姉妹に対して，それらの者のすでに生まれているまたはこれから生まれる子のために転譲与の義務を課す場合でなければ適法ではなかった。

2006年6月23日の法律からは，信託遺贈上の指定は，順位付無償譲与〔libéralité graduelle〕と名称を改め，処分者，転譲与義務者〔grevé〕および被指定者〔appelé〕の間に血族関係の存すると否とを問わず，すべての者に対して開かれている。転譲与義務者が処分者の遺留分を有する相続権者である場合，保存し，かつ，移転する負担は，処分可能分〔quotité disponible〕についてでなければ課されることはない。ただし，受贈者が自己の遺留分の全部または一部に負担が課されることを受諾する場合を除く。
▷民法典1048条以下
►Fidéicommis〔信託遺贈〕►Libéralité graduelle〔順位付き無償譲与〕

Substitution (Pouvoir de) 行政 **代執行権** 階層的上位機関または後見監督機関に与えられる権限。階層的上位機関または後見監督機関は，この権限に基づき，その機関の下位にある機関に代わって，かつ，その機関のために若干の措置を講ずることができるが，その措置に関する責任は，依然として下位機関が負う。

Substitution de motifs 民訴 **判決理由の差替え** 破毀院は，破毀を申し立てられた判決を正当化するために誤りのある理由を純粋に法律的な理由〔motif de pur droit〕に差し替える権能を有する。しかし，この新たに採用される理由は，当事者の事実および法律に関する申立てのなされ方を考慮して，黙示的に主張されていたものでなければならない。
▷新民事手続法典620条
►Moyens〔攻撃防禦方法〕

Substitution vulgaire 民訴 **補充指定** 信託遺贈上の指定〔substitution fidéicommissaire〕とは異なり，補充指定は，2つの無償譲与〔libéralité〕が相次いでその効果を生じなければならないことを意味しない。補充指定は，第1の受遺者が受け取らない場合に第2の受遺

者が遺贈〔legs〕の利益を受けることができるようにする次順位指定にすぎない。

Successeur 民法 (広義の)相続人　相続人〔héritier〕としてであれ，受遺者〔légataire〕としてであれ，開始された相続に招致される者。

Successible 民法 相続権のある　相続財産〔succession〕を取得する資格(相続権のある親等の血族であること)。
民法典725条，731条

Succession 民法 相続；相続財産
①相続//第1の意味では，死亡した者の財産の継承。
②相続財産//第2の意味では，相続によって移転される財産。
無遺言相続〔succession《ab intestat》〕とは，遺言がない場合に関して，法律によって定められている相続である。これは，被相続人の意思に反する場合もある。
▷民法典721条以下
遺言相続〔succession testamentaire〕とは，被相続人の意思，すなわち，遺言に表明される意思によって相続財産の帰属を決定するものである。
▷民法典967条以下
不規則相続〔succession anomale〕とは，相続財産一体の原則〔règle de l'unité de la succession〕にもかかわらず，被相続人の一定の財産を，その所在に従って帰属させる相続である。
►Retour (droit de)〔復帰(権)〕

Succession d'États 国公 国家承継
①併合または新国家の創設の結果，国家が一定の領域について他国と交替すること。
②その結果，国家が権利義務について，先行国と交替する。

Succombance 民訴 敗訴　訴訟で負けたこと。敗訴により，原則として敗訴者に訴訟費用の支払いが命じられる。

Succursale 商法 支店　企業または会社が設置する商業施設。支店は，それを設置した企業または会社との関係で一定の自主性を有しているが，法的には別個の存在ではない。

Suffrage 憲法 選挙　►Vote〔投票〕
①*Suffrage censitaire*　納税額に基づく制限選挙：財産的条件に服する選挙。
②*Suffrage direct*　直接選挙：市民が仲介者なしに自らその代表者を選出する選挙。
►Suffrage indirect〔間接選挙〕

③*Suffrage égal*　平等選挙：すべての選挙人に同一の選挙資格を与える選挙。すなわち，1人1票。
►Suffrage plural〔複数選挙〕
④*Suffrage indirect*　間接選挙：2または複数の選挙の段階からなる選挙。市民は自分たちの間で若干名の者を選出し，選出された者が独自に代表者を選出する。
⑤*Suffrage individuel*　個人的選挙：集団の構成員としてではなく，個人として市民に属する選挙。
►Suffrage social〔社会選挙〕
⑥*Suffrage familial*　家族選挙：家族の規模に応じて家長に票数を与える投票制度。
⑦*Suffrage multiple*　複合選挙：同一の選挙に際し，複数の選挙区において投票することを，若干の条件を満たす選挙人に認める選挙(1951年までイギリスで施行されていた)。
⑧*Suffrage plural*　複数選挙：国務に関して特別の利益をもつ選挙人(高等教育修了者，不動産所有者，家長など)に追加的な1票または複数の票数を与える選挙。
►Suffrage égal〔平等選挙〕
⑨*Suffrage restreint*　制限選挙：さまざまな基準(財産，人種など)を用いて選抜された若干の市民にのみ認められる選挙。
►Suffrage universel〔普通選挙〕
⑩*Suffrage social*　社会選挙：経済的または社会的集団の構成員としての市民に属する選挙。
►Suffrage individuel〔個人的選挙〕
⑪*Suffrage universel*　普通選挙：公の事項への関わりだけを行使条件として(年齢，国籍，精神的能力など)すべての市民に認められる選挙。
►Suffrage restreint〔制限選挙〕

Suffrages exprimés 憲法 有効投票　有効に行われた投票。その数は投票者数から白票〔►Bulletins (Votes) blancs〕と無効票〔►Bulletins nuls〕を差し引いた数に等しい。

《Sui generis》(de son propre genre) 一般 独特の；既存の分類に属さない　その特殊な性質ゆえに，すでに知られているカテゴリーに分類することのできない法的地位のこと。

Suivi judiciaire 刑法 追跡監視　刑罰の個別化に関する原則のひとつ。受刑者の自由への徐々の復帰が促進されなければならないが，それには，不測の事態を避けるための観察制度上の若干の義務または禁止を伴う司法監視

に付すことが必要となる。
▷刑事手続法典707条

Suivi socio-judiciaire 刑法 **特別追跡監視**　補充刑のはたらきをもつ保安処分。当初は，未成年者に対する性的攻撃の行為者に科されるものとして規定されていた。

　今日，特別追跡監視は，生命，身体の完全性または自由を侵害する犯罪のうち明示的に列挙されたものを犯した凶悪犯を対象としている。

　特別追跡監視は，有罪判決を受けた者に対し，累犯を予防するための監視および支援を受けることを義務づける。その期間は，通常，軽罪については10年，重罪については20年であり，軽罪については理由を付した判決により20年まで，30年の懲役で処罰される重罪については30年まで，無期懲役で処罰される重罪については無制限に延長されることができる。これらの措置に従わないことは拘禁刑により制裁されるが，その期間は有罪判決において定められる。監視および支援の措置とは，保護観察付執行猶予〔sursis avec mise à l'épreuve〕について規定された措置のことであり，若干の個別の義務がこれに付け加わることがある。例えば，その者が治療および動体電波監視〔placement sous surveillance électronique mobile〕を伴わない収容の対象となりうることを証明する医療鑑定に基づいて，治療命令がなされることがある。これらの措置の言渡しは，有罪判決を受けた者の同意を条件とする。
▷刑法典131-36-1条から131-36-8条；刑事手続法典763-1条以下

Sujet de droit　民法 **法主体**　►Personne juridique〔法主体〕

《Summum jus, summa injuria》　一般 **法の極みは不正の極み**　法は度を超すと最も大きな不正をもたらすことがある。

Superficie (droit)　民法 **地上権**　►Droit de superficie〔地上権〕

《Superficies solo cedit》　民法 **地上物は土地に従う**　地表（物）は土地に従う。すなわち，不動産と一体となっているすべての物（植物，建物）は，その不動産の一部をなすとみなされ，その所有者に帰属する。
▷民法典551条以下

Suppléance　民訴　刑訴 **職務の代行**　司法官，公署官または裁判所補助吏の一時的な代行。

　司法官：一定の司法官は，通常のまたは特別の休暇をとりあるいはまた教育研修を受けている司法官の一時的代行の任にあたるため，2年間，控訴院の院長または法院検事長のもとに配置される。

　弁論期日に出席できない司法官の代行に関しては，（いかなる司法官も代行が不可能な場合，）出廷している最古参の弁護士が任にあたり，控訴院では，最古参の弁護士，その者がいない場合は控訴院の最古参の代訴士が任にあたる。
▷司法組織法典L213-2条およびL311-9条

　公署官または裁判所補助吏：公署官または裁判所補助吏の一時的代行は特別規定による（障害事由は不可抗力，一時的不在から生じる）。

　執行吏：執行吏は自己の管轄区域内で互いに代行し，また，一定の行為については，執行吏宣誓書記によって代行される。

Suppléant　憲法 **補充議員**　国会議員と同時に選出され，空席が生じる若干の場合（議員の死亡，議員が政府または憲法院の構成員として指名される場合，政府によって委ねられた臨時の任務の6ヵ月を超えての延長）にそれを補充する者。

Supplément d'information　刑訴 **予審補充措置**　第一審の予審裁判所（予審判事）とは別の刑事裁判所が，真実発見に有用だと判断する補充捜査のあらゆる行為を命じる措置。
▷刑事手続法典201条，283条以下

Supplétif　一般 **補充的な**　欠缺を理由に，すなわち法律または当事者の沈黙ゆえに適用される規範を表す。

Supposition d'enfant　刑法 **子の仮装**　►Simulation d'enfant〔子の偽装〕

Supranationalité　国公 **超国家性**　►Communautés européennes〔ヨーロッパ共同体〕　►Organisation internationale〔国際組織〕

Suppression de part　刑法 **出生隠滅**　►Part (le)〔新生児〕

Surcote　社保 **保険料完納者割増支給**　満額すなわち160四半期分の保険料を完納した，60歳を超える被保険者の年金の増額。
▷社会保障法典L351-1-2条

Surenchère　民訴 **増競り**　不動産差押えの異議申立て。競落の後，誰でも15日内に，最初の売却価格の少なくとも10分の1の増競りを行うことができる。この増競りが受け入れられなかった場合，増競りを申し立てた者は競落人と宣言される（2006年7月27日のデクレ第

936号94条以下）．

　増競りは，未成年者もしくは後見のもとにおかれた成年者に属する不動産および営業財産の公売についても可能である．
▷新民事手続法典1279条

Surendettement　民法　**過剰債務；個人破産（制度）**　請求可能なおよび期限が到来すべき非職業債務の全体，ならびに，個人企業または自らが法律上も事実上も指揮者でなかった会社の債務に関する保証または連帯支払いの義務を履行することが明らかに不可能な，自然人たる誠実な債務者の地位の法律上の呼称．この地位は，執行裁判官によって監督される県個人破産委員会〔►Commission départementale de surendettement des particuliers〕のもとで，債務者の資産または換価可能な積極財産がそれを許す場合には合意による個人更生計画（書）〔►Plan conventionnel de redressement〕の作成手続きを開始させ，そのような処理を適用しえないほど債務者の信用が決定的に低下している場合には個人更生手続き〔►Rétablissement personnel (procédure de)〕を開始させる．
▷消費法典L330-1条以下およびL331-1条以下
►Redressement judiciaire〔裁判上の更生〕

Surestaries　海法　**滞船料**　物品の船積みまたは荷揚げに際して，《停泊期間》〔►Staries〕を超えた日数の1日ごとに，傭船者が船主に対して支払うべき補償金．

Sûreté　行政　**国家警察総局**　内務省のひとつの局であって，情報収集および警察による監視を任務とする．
　民法　担保　債権回収のために債権者に与えられる担保〔garantie〕．

Sûreté personnelle　人的担保：この担保は，債務者以外の者が債務者と並んで債務を負担することから生ずる．人的担保には，保証，独立担保，支援状がある．
▷民法典2287-1条
►Caution〔保証人〕►Garantie autonome〔独立担保〕►Lettre d'intention〔支援状〕►Solidarité〔連帯〕

Sûreté réelle　物的担保：担保は，債務者の一定の財産がその支払いを担保しており，その結果，不履行の場合にその財産の競売の代金が一般債権者〔►Créancier chirographaire〕に優先してその債権者に引き渡されるときには，物的担保である．動産担保には，動産先取特権，有体動産質，無体動産質，担保として留保された所有権がある．不動産担保には，不動産先取特権，不動産質および抵当権がある．
▷民法典2329条および2373条
►Clause de réserve de propriété〔所有権留保条項〕►Gage〔（有体）動産質〕►Hypothèque〔抵当権〕►Nantissement〔無体動産〕►Privilège〔先取特権〕

　憲法　**安全**　フランス大革命期の諸権利宣言の中に列挙された，人の，時効によって消滅することのない自然的な権利のひとつ．

Sûreté publique　民訴　**公共の安全**　当該訴訟がその地域において公の騒乱の原因または口実となる恐れがある場合には，管轄権を通常有する裁判所以外の裁判所へ，訴訟の移送〔►Renvoi〕を申し立てることができる．
▷新民事手続法典365条

Sûretés judiciaires　商法　民訴　**保全担保**　裁判官の許可を得て，不動産，営業財産，株式，会社持分または有価証券を対象とすることのできる保全措置．（1991年7月9日の法律第650号77条）
　債権者は，執行名義を保持しなければならない．この措置は公示により対抗力を備える．
　保全担保の目的物たる財産は，これを譲渡することができる．したがって，債権者はその財産を売却した代金から支払いを受けることができる．
►Hypothèque〔抵当権〕►Nantissement〔無体動産質〕►Saisie des droits incorporels〔無体財産権の差押え〕

Surface minimum d'installation（SMI）　農事　**最低営農面積**　2人の労働者の労働に報酬を与えることを可能とする生活できる営農面積に対応する農業構造政策実施のために考え出された歴史的な基準．県レヴェルの最低営農面積は，全国レヴェルの指標をもとに，それぞれの自然的地域ごとの農耕条件の違いを勘案して決定される．基本営農単位〔►Unité de référence〕が新たに設定されたことにより，最低営農面積が廃止されたかに見えたが，最低営農面積は依然として，農事に関する多数の規定の適用にあたって，基準とされている．
▷農事法典L312-6条

Surnom　民法　**添名**　第三者がある者に付ける空想上の言葉であり，sobriquet〔あだ名〕とも呼ばれる．
►Nom〔名称；氏〕►Prénom〔名〕►Pseu-

Sur

donyme〔仮名〕
Surnuméraire 民法 余った胚 「余分な」の意。生殖への医療介助の一環として，1組の男女の双方は，5年の期間内に自分たちの親となる望みを実現させる目的で，胚〔►Embryon humain〕の保存を必要とする一定数の卵母細胞の受精が試みられるよう決めることができるのであるが，この5年の期間が経過した後には，通常，余分な胚が残っていて，実験の用に供せられたり，または，ドナー双方の同意を得て別の1組の男女によって受け入れられたりすることがある。親となる計画の維持について，あるいは胚の行き先について1組の男女の双方の間の意見が一致しない場合には，保存期間が少なくとも5年間経過したとき胚の保存は終了する。
▷公衆衛生法典L2141-3条およびL2141-4条
►Accueil de l'embryon〔第三者による胚の受入れ〕►Embryon humain〔人の胚〕

Sursis 行政 執行停止 行政裁判所において攻撃された行政行為の執行が回復しがたい結果をもたらすおそれのある場合，当該行政行為の執行を本案判決がなされるまで遅らせるために行政裁判所が言い渡すことができる措置。さらに，コンセイユ・デタおよび行政控訴院は同じ条件のもとで，両裁判所に付託された判決の執行停止を命じることができる。

Sursis assorti de l'obligation d'accomplir un travail d'intérêt général 刑法 公益奉仕労働の義務を伴う執行猶予 保護観察付執行猶予に倣って設けられた，刑の執行猶予の新しい形態。普通法の要件に従い，公共団体または非営利社団のために公益奉仕労働を行うことが，有罪判決を受けた者の基本的な義務となる。
▷刑法典132-54条以下
►Travail d'intérêt général〔公益奉仕労働〕

Sursis à exécution (d'un jugement ou d'un arrêt) 行政 （判決の）執行停止 いくつかの条件を満たす場合に，行政控訴院およびコンセイユ・デタが，控訴または破毀の対象となる判決の執行を遅らせることを命ずることのできる手続き。
▷行政裁判法典R811-15条以下およびR821-5条以下
►Référé-suspension〔執行停止急速審理〕

Sursis à statuer 訴訟 裁判の延期 訴訟手続きの進行を仮に停止する裁判官の判断。例えば，偽造の付帯申立てが大審裁判所または控訴院以外の場所で提起される場合，偽造の判決まで裁判は延期される。

裁判の延期は裁判所の事件関与を解除しない。裁判の延期は，撤回またはその期間を短縮することができる。
▷新民事手続法典378条

Sursis avec mise à l'épreuve 刑法 保護観察付執行猶予 有罪判決を受けた者に対して，さまざまな制約（統制，個別の義務）を遵守することを内容とする一定の義務を課したうえで，5年を上限とする拘禁刑の執行を全部または一部停止する処分。この処分を受けた者は，社会復帰支援を目的とする一定の援助を受けることができる。保護観察期間中に一定の刑を新たに言い渡された場合，および課された義務を遵守しない場合，この執行猶予の特典は取り消されうる。
▷刑法典132-40条以下

Sursis simple 刑法 単純執行猶予 刑の執行の全部または一部を停止する処分。犯罪行為に先行する5年間一定の刑事処分の対象とならなかった犯罪者について裁判官によって決定され，この恩典は，5年以内に，新たに一定の刑の言渡しを受ける場合に取り消されることがある。このシステムは，当初は拘禁刑および罰金刑に適用されていたが，現在では，一方では対物的性質をもつ一定の制裁を除き大部分の権利剥奪刑または権利制限刑にまで拡大され，他方では法人に対して言い渡す一定の刑罰にまで及ぶ。
▷刑法典132-29条以下

Surveillance judiciaire des personnes dangereuses 刑法 危険人物司法監視 刑務所への収容後の保安処分のひとつ。特別追跡監視〔suivi socio-judiciaire〕が規定されている犯罪を理由として10年以上の自由剥奪刑を言い渡された者に適用される。累犯のおそれが明らかと思われる場合，その累犯を予防することが目的である。

この措置は，有罪判決を受けた者の同意を条件に，その者の危険性を証明する医療鑑定を経て刑罰適用裁判官によって言い渡され，その者の得た刑の短縮全体に相当する期間を超えない範囲で命じられる。

有罪判決を受けた者が服する義務には，例えば動体電波監視，治療命令などがあるが，それらは有罪判決において定められる。

これらの義務に従わないことは再収容をもたらす場合がある。その期間は，あらかじめ

得られた刑の短縮全体を超えることはできない。
▷刑事手続法典723-29条以下

Suscription 民法 **上書き** 法的な証書において，証書を作成した者が，その者の氏名，名義および資格を記す部分をいう。

公証人が，秘密証書による遺言〔testament mystique〕の書面または封筒上で，その文書の付託の状況および条件を認定する行為についてもいう。
▷民法典976条

Suspect 刑訴 **容疑者** 犯罪の実行に関与したと疑われており，かつ，いまだ訴追されていない者を指す総称。犯罪関与の徴憑が存在する場合には，容疑者は警察留置に付される。
▷刑事手続法典前加条，63条および77条

Suspensif 民法 **停止的** 債務の請求可能性を後の日付に延期すること（停止期限），または債務の発生を将来の不確実な出来事にかからせること（停止条件）。
►Condition〔条件〕►Terme〔期限〕

民訴 **停止的** 通常の不服申立方法（控訴，故障の申立て）の特徴。その不服申立方法の期間または行使は，なされた判決の執行を妨げる。
▷新民事手続法典539条

Suspension 民法 刑訴 行政 **停止** 時効に関して，すでに経過した期間を遡及的に消滅させることなくして，期間の進行を停止する事由。その結果，この事由の後，時効が再び進行し始める場合，すでに経過した期間を考慮にいれることになる。
▷民法典2251条以下
►Prescription de l'action publique〔公訴時効〕►Interruption〔中断〕►Prescription civile〔民事時効〕►Prescription de la peine〔刑の時効〕

労働 **停止** 労働契約の効力を破棄することなく，一時的に中断すること。ストライキ，短期の疾病，母性，兵役期間，種々の休暇は，労働契約を停止する。

民訴 刑訴 **停職** 懲戒処分。
►Poursuite disciplinaire〔懲戒訴追〕

Suspension de l'exécution des peines 刑法 **刑の執行停止** 裁判所による制裁の個別化による例外的処分。医療，職業，家庭または社会生活上の重大な理由がある場合に，軽罪または違警罪の刑の執行を延期することができる。
▷刑事手続法典708条および720-1条

Suspension de l'instance 民訴 **訴訟手続きの停止** 訴訟手続きの追行が一時的に妨げられること。訴訟手続きの停止は，（例えば，無管轄または無効の）抗弁の提出あるいは他の裁判所の判断を要する判断付託問題〔►Question préjudicielle〕の存在を原因とする。いったん付帯の申立てが解決したら，訴訟手続きは特定の手続きをとることなく続行される。訴訟手続きは，裁判の延期〔►Sursis à statuer〕の裁判によっても停止することがある。
▷新民事手続法典108条以下および377条以下
►Exception〔抗弁〕

Suspension des poursuites individuelles 商法 **個別的訴求の停止** 裁判上の更生手続きまたは裁判上の清算手続き開始の効果。開始判決により命じられるこの措置は，公序の性質を有し，開始判決以前の債権を有する債権者が，一定の金額の支払いを債務者に命ずる判決を求めて，または一定の金額の支払いがないことによる契約解除を求めて訴えを提起することを禁じ，または停止させる。開始判決は，与えられた期間を停止させ，債務者の動産または不動産を対象とするあらゆる強制執行を禁じまたは停止させる。

個別的訴求の停止は，観察期間中はずっと維持され，若干の金額を「野放しに」支払うことを妨げることにより債権者の平等を守り，よって，企業活動の継続のための解決方法を冷静に検討することを可能にする。
▷商法典L621-40条

Suspension provisoire des poursuites 民法 商法 **訴求の暫定的停止** かつての同意整理手続きでは，商事裁判所所長または大審裁判所所長が訴求の暫定的停止を決定することができた。これにより，債権者は一時的にすべての裁判上の訴えを禁じられた。

これと類似の手続きは，農業経営体の同意整理の枠内において存在する。この場合，訴求の暫定的停止は2ヵ月を超えることができない。
▷農事法典L351-5条

県個人破産委員会〔commission départementale de surendettement des particuliers〕における手続きの枠内では，執行裁判官が，債務者の状態に鑑みて必要と思われる場合に執行手続きの暫定的停止を言い渡す。ただし，

この停止は1年を超えることができないとされる。
▷消費法典L331-5条；商法典L611-3条およびL611-4条
►Règlement amiable〔同意整理〕►Surendettement〔過剰債務；個人破産（制度）〕

Suspension (Pouvoir de) 行政 **停止権** 他の行政庁が行った法的行為の執行を一時的に遅らせること，または若干の公務員もしくは行政庁からその職務を暫定的に奪うことを内容とする，行政庁に認められる権限。

Suspicion légitime 民訴 **正当な疑惑** 裁判所がその傾向または利害関係ゆえに公正な判断を行う状況にないと考える相当な理由を有する当事者は，事件を他の裁判所に移送するよう申し立てることができる。
▷新民事手続法典356条以下，司法組織法典L111-8条
►Renvoi〔移送〕

刑訴 **正当な疑惑** 裁判官の公正性に関する疑惑であって，予審裁判所または判決裁判所のどちらでも起こりうる。当事者または検察官の申立てに基づき，破毀院刑事部の決定によらなければ，裁判所の事件関与を解除できない。
▷刑事手続法典662条

Synallagmatique 民法 **双務的な** 当事者に相互的な給付を義務づける契約についていう。
▷民法典1102条

Syndic de copropriété 民法 **区分所有の管理者** 建築不動産の区分所有法において，区分所有者組合の決定を執行すること，あらゆる民事上の行為について組合を代表すること，および，一般的には，当該不動産を管理することを任務とする，区分所有者組合の受任者（1965年7月10日の法律第557号18条）。
►Copropriété〔区分所有(権)〕

Syndic de faillite 商法 民訴 **破産管財人** かつての裁判上の整理および財産の清算の手続き（現在は，企業の裁判上の更生および裁判上の清算の手続きに代わられた）において，債権者団体〔►Masse des créanciers〕を代表し，債務者を補佐または代表する任務を負っていた裁判補助者。
　この職は廃止され，債務者側管理者〔administrateur judiciaire〕および債権者側受任者〔mandataire judiciaire〕に取って代わられた。

Syndicat de communes 行政 **市町村組合** 市町村の権限に属する1（単一目的市町村共同組合〔syndicat intercommunal à vocation unique (SIVU)〕）または複数（多目的市町村共同組合〔syndicat intercommunal à vocation multiple (SIVOM)〕）の事業を共同で管理運営するために複数の市町村が設立することのできる公施設法人。
　各市町村の相互協力に関する最も古いこの形態は，多くの，しかも実り多い適用例を有してきており，今でも有している。市町村組合は，農村地帯において，とりわけ水道と電気の普及を可能にした。
▷地方公共団体一般法典L5212-1条以下
►Intercommunalité〔市町村間協力〕

Syndicat de copropriétaires 民法 **区分所有者組合** 法人格を有する集合的機関であり，不動産の保存，保護および共用部分の管理を任務とする。（1965年7月10日の法律第557号14条）
►Copropriété〔区分所有(権)〕

Syndicats de fonctionnaires 行政 **公務員組合** 実際には職業組合と同じ性格を有する団体であるが，その適法性は，行政法においては長い間異議を唱えられていた（1946年10月19日の法律によって初めて承認された）。若干の職種の公務員は，組合結成権もストライキ権も有しない。
►Association〔非営利社団契約；非営利社団〕

Syndicat professionnel 民法 労働 **職業組合** 同じ職業または密接な関連性もしくは類似性のある職業を行う者が，規約が対象とする者の集団としての，かつ，個人の，権利および物的精神的利益を研究し擁護するために結成する集団。職業組合は，法人格を有する。
▷労働法典L411-1条以下

Fédération de syndicats 職業組合の産業別連合：同じ職業または同じ産業部門を代表する職業組合が結集した団体。
▷労働法典L411-1条以下

Syndicats représentatif 代表的組合：その規模と影響力とを証するための一定の法律上の基準を満たす職業組合であって，職業組合に関する普通法上の権限に加えてさらに有利な権限を有する。
▷労働法典L133-2条，L412-4条，L423-2条およびL433-2条

Syndicat majoritaire 過半数組合：直近の従業員を代表する者の選挙，または従業員に対する特別な意見聴取において，有効投票の過半数の票を獲得した1または複数の職業組

合。この過半数組合は，一定の場合，自己が署名しなかった，部門または企業における協約または協定（または付属協定）の発効について反対することができる。
▷労働法典L132-2-2条
▶Droit d'opposition〔反対権〕

Système d'acquisition dynamique 行政 日用品電子発注システム　日用品の取得のために用いられる，公契約〔▶Marchés publics〕締結の完全に電子化された手続き。一般募集選考〔appel d'offres ouvert〕の制度を模したもの。
▷公契約法典78条

Système européen des banques centrales (SEBC) 財政 ヨーロッパ中央銀行制度　ヨーロッパ中央銀行〔▶Banque centrale européenne（BCE）〕および共通通貨としてユーロを採用したヨーロッパ連合〔▶Union européenne〕加盟国の中央銀行の総体。1999年1月1日に発効した。

Système monétaire européen (SME) EU ヨーロッパ通貨制度　1979年3月に実施され，ヨーロッパ共同体加盟国間の通貨連合の設立過程における重要な段階をなすもの。通貨間の為替の安定化を目指し，そのためのいくつかの介入の仕組みを定める。参加国に対して一定の義務を課す。英ポンドの不参加に示されるように長い間若干の弱い通貨によって苦しめられてきた。通貨連合実現の観点から，1989年に建直しの対象となった。その建直しによって，まだ参加していなかった加盟国の通貨のヨーロッパ通貨制度への参加が可能となった。若干の通貨の動揺にもかかわらず，ヨーロッパ通貨制度は，通貨連合の発足を準備することができた。

T

Tableau de l'ordre 民訴 職団名簿　▶Barreau〔弁護士会〕▶Ordre des avocats〔弁護士職団〕▶Ordre professionel〔専門職同業団体〕

Tacite reconduction 民法 黙示の更新　書面も，明示の約束も必要とせず，従前の契約関係の続行または維持のみに基づく，期間満了時における当事者間の契約の更新。

ただし，サーヴィス提供業者は，契約期間満了の遅くとも1ヵ月前に，消費者に対して，契約を更新しないことができる旨を書面で通知しなければならない。これを欠く場合，消費者は，更新日以降いつにてもいかなる出費も要せず契約を終了させることができる。なお，自然人を対象とする保険に関しては，保険料年次支払期限通知が発せられるたびごとに，被保険者に対して契約破棄通告期限が通知されなければならない。
▷民法典1738条；消費法典L136-1条；保険法典L113-15-1条；社会保障法典L932-21-1条；共済組合法典L221-10-1条

Tags 刑法 落書き　刑法により禁じられている損壊〔dégradation〕の特殊形態の名称。事前の許可を得ずに，壁面，車両，公道または街路設備に，文字，記号または絵模様を書き記し（graffitis〔落書き〕ともいう），当該財産に損害を与えること。
▷刑法典322-1条2項

Tantièmes 商法 賞与　賞与は，株式会社が実現した純益から控除して，取締役にその職務の報酬として支給され，その額は一定ではない。1975年12月31日の法律によって，賞与は廃止された。

《Tantum appellatum quantum judicatum》 民訴 裁判された限りでしか控訴することはできない　控訴の申立ては第一審裁判官の判断に委ねられなかった点を対象とすることはできない。
▷新民事手続法典564条
▶Prétentions nouvelles〔新たな申立て〕

《Tantum devolutum quantum appellatum》 民訴 控訴されている限りでしか移審しない　控訴〔▶Appel〕の移審的効果は控訴申立ての範囲でしか生じない。控訴院は，控訴申立てが明示的または黙示的に非難している判決の項目およびそれに従属している判決の項目についてしか審理しない。
▷新民事手続法典562条
▶Effet dévolutif des voies de recours〔不服申立ての移審的(帰属的)効果〕

《Tarde venientibus ossa》 民法 遅れてきた者には骨のみ　細心でない者には骨しか残らない。自分の権利を守るためには細心でなけれ

ばならない(jura vigilentibus, tarde venientibus ossa〔細心な者には権利を，遅れてきた者には骨を〕の一部分)．

Tarif 行政 **料金表** 公役務の利用者である私人によって支払われる使用料の額を定める行政立法規定．

財政 **税率表** 税額計算表．

Tarif de frais et dépens 民訴 **費用一覧表**
►Dépens〔訴訟費用〕►Taxes〔(公定の)手数料；(証人の)手当〕

Tarif douanier commun EU **対外共通関税** 関税同盟〔union douanière〕においては，自由貿易地域〔zone de libre échange〕と異なり，加盟国間の関税が廃止されるだけではなく，第三国からの商品に共通関税(対外共通関税)が適用される．商品がヨーロッパ共同体域内に入る際に徴収され，その予算の固有財源を構成している．

Tarification collective 社保 **集合制保険料率** 常時10名未満の労働者を雇用する企業に適用される労働災害の保険料率の設定方法．保険料率は，当該業種について定められているリスクに従って定められる(集合制の保険料率〔taux collectif〕)．
▷社会保障法典D242-6-6条

Tarification individuelle 社保 **個別制実質保険料率** 200名以上の労働者を雇用する企業に適用される労働災害の保険料率の設定方法．保険料率は，当該企業または当該事業所に固有の職業的リスクに従って定められる．
▷社会保障法典D242-6-7条

Tarification mixte 社保 **混合制保険料率** 10名から199名までの労働者を雇用する企業に適用される労働災害の保険料率の設定方法．保険料率は，集合制保険料率〔►Tarification collective〕による部分と当該事業所に固有の個別制実質保険料率〔►Tarification individuelle〕による部分とを加えて計算される．
▷社会保障法典D242-6-9条

Tarifs 社保 **診療報酬料金表**
① *Tarif d'autorité* 公定診療報酬料金表：協約に加入しない臨床医(►Médecin conventionné〔協約医〕)にとって診療報酬の償還の基礎となる診療報酬料金表は共同大臣アレテ〔arrêté interministériel〕によって定められる．協約に加入していない私的施設への入院費の償還額の表は社会保障金庫によって定められる．これらの料金表は，実際の額よりも低く，そのため，被保険者は実際の費用に比べて相対的に低い額の償還を受けることとなる．
② *Tarifs conventionnels* 協約上の診療報酬料金表：医師，歯科医，助産婦，医療補助者および生物医学者の診療報酬および付随的費用の表は，医療協約〔►Conventions〕によって定められる．しかしながら，協約に加入していない臨床医については，償還の基礎となる診療報酬料金表は公定診療報酬料金表である．

私的施設への入院費の表はまた，社会保障金庫と私的施設との間の協約で定めることもできる．協約がない場合は，償還額の表は，社会保障金庫によって有権的に定められる．
③ *Tarifs de responsabilité* 責任診療報酬料金表：社会保障金庫の責任診療報酬料金表は，被保険者の要した診療費を償還する基礎となるものである．責任診療報酬料金表は，協約上の診療報酬料金表であることも公定診療報酬料金表であることもある．

Taux 民法 商法 財政 **利率；価額** 一定期間に金銭によって生み出される収入の額．利率〔taux d'intérêt〕は法律または合意によって定められる．
▷民法典1907条；通貨金融法典L313-2条およびL313-3条

有価証券の価格(例：taux de la rente〔国債の価額〕)，または，外貨の価格(taux de change〔交換レート〕)．

Taux d'appel 社保 **付加的保険料率** 補足制度における追加的な保険料であって，退職年金制度の財源調達上の均衡を確保することを目的とする．付加的保険料については，退職年金点数〔►Point〕は付与されない．

Taux de compétence 民訴 **管轄限度額** 裁判所が，その額を超えると管轄権限を有しなくなる訴額に基づく数字．例：小審裁判所は，対人の訴えについては訴額が10000ユーロを超えると管轄権限がない．直近裁判所は，訴額4000ユーロまでの対人の訴えまたは動産についての訴えを審理する．
▷司法組織法典L224-1条およびL231-3条；新民事手続法典35条以下
►Taux du ressort〔控訴禁止額〕

Taux contractuel Sécurité sociale 社保 **補足退職年金保険料率** 補足退職年金制度において保険料を算定する際に用いられる保険料率．
►Taux d'appel〔付加的保険料率〕

Taux effectif global (TEG) 民法 **実質金利**

本来の利息に加えて，直接間接のいずれであれ，あらゆる種類の費用，手数料または報酬からなる利率。貸付けを得る際に介在した仲介者に支払われるものも含まれる。これらの諸負担を含んだこの利率だけが，暴利の基準値を超えるか否かを評価するために参照される。
▷消費法典L313-1条およびL313-2条
►Usure〔暴利〕

Taux de l'impôt 財政 **税率** 税務当局に納付すべき税額を算出するために，課税標準（算定基礎，いわゆるassiette）に適用されるべき百分率。

Taux du ressort 民訴 **控訴禁止額** 訴額がその額以下であると控訴の道が閉ざされる，訴額に基づく数値。例：労働裁判所は訴額3980ユーロまでは終審として裁判する。
▷労働法典517-3条およびD517-1条；司法組織法典R311-2条，R321-1条，R411-4条
　►Taux de compétence〔管轄限度額〕
　訴額が不定の場合は，判決は，反対の規定のある場合を除き，控訴可能である。
▷新民事手続法典40条

Taxation d'office 財政 **職権課税** 納税義務者が，所得，売上高またはその他の課税標準の申告書を期間内に提出しなかった場合，租税行政庁が有する情報に基づいて一方的に課税標準額を評価し，対応する税額を確定する租税行政庁の権限。税務当局の情報提供の請求に応じない場合においてもまた，この方式が規定されている。
▷租税手続法典65条以下

社保 **職権による保険料決定** 使用者の会計帳簿によって保険料計算の基礎となる賃金の正確な額が証明できない場合に，保険料の額を定めること。この額は，労働協約，または協約がない場合は当該職業または当該地域で行われている賃金を考慮して定められる。雇用期間は，当事者の申述またはその他すべての証明手段によって決定される。
▷社会保障法典R242-5条

Taxation provisionnelle 社保 **保険料の仮決定** 使用者が規定の期間内に保険料を納付しないか保険料計算の資料を提出しない場合に，それまでの納付額に従って保険料の額を仮に定めること。
▷社会保障法典R242-5条

Taxes 財政 **強制手数料** 個別化が可能な役務を国民に与える際に，公共団体の徴収金に与えられる名称である。公役務の運営によって生じる負担の総体を包括的に表す租税〔Impôt〕とは異なる。その性格により，強制手数料は租税的性格を示すこともあれば（強制手数料は法律によってしかつくることができない），行政的性格を示すこともある。
　公共団体のさまざまな徴収金の名称は，その法的性質を決定するものではない（付加価値税〔►Taxe sur la valeur ajoutée（TVA）〕は，租税〔impôt〕であって，強制手数料〔taxe〕ではない）。

民訴 **（公定の）手数料；（証人の）手当**
①（公定の）手数料//裁判所補助吏または弁護士が訴訟当事者のためになすさまざまな行為には料金が公定されている。
　各職業について，行為の種類ごとに料金が公定されている。裁判官は，弁護士または（控訴審では）代訴士によって作成された費用明細を確認する。
▷新民事手続法典695条および708条
　②（証人の）手当//証人尋問に関しては，taxeは証人が要求することのできる補償金を指す。
►Honoraires〔謝礼〕

Taxe d'effet équivalent EU **関税代替措置の禁止** 関税と同等の効果を有しうるあらゆる措置を禁じることによって加盟国間の関税廃止を完成させることを目的とする。

Taxes sur le chiffre d'affaire 財政 **売上税** 広義では，企業が販売する製品およびサーヴィスの価格（売上高）の百分率で計算され，かつ，消費者に転嫁されるという共通した2つの性質を示す間接税の総体を示す総称。TVA（付加価値税）は売上税のなかで最も重要なものである。
　単数形で使用される場合，この用語はときとして実業界においては，TVAそのものと同義で用いられる。
►Taxe sur la valeur ajoutée（TVA）〔付加価値税〕

Taxes sur les contrats de prévoyance 社保 **相互扶助契約強制徴収金** 使用者および従業員の集団を代表する機関が，基礎制度によって支給される給付を補足する相互扶助給付の財源調達を目的として払い込む保険料について徴収される強制徴収金。
▷社会保障法典L137-1条

Taxes foncières 財政 **不動産税** 地方公共団体〔►Collectivités territoriales〕のために

徴収される直接地方税。その税率は，地方公共団体が決定する。建築不動産に対する不動産税および非建築不動産に対する不動産税は，不動産の賃貸価値評価にしたがって定められ，当該不動産の所有者によって納付される。
▷租税一般法典1380条以下

Taxe d'habitation 財政 **住居税** 1974年以降，家具付きの住居用建物を所有，賃借または占有している，貧窮者でないすべての者から，地方公共団体のために徴収される直接税。住居税額は，建物の賃貸評価額を考慮して市町村ごとに異なった率で定められる。住居税額は，占有者の所得に応じて一定程度において調整される。
▷租税一般法典1407条以下
▶Mobilière (contribution) 〔動産税〕

Taxe professionnelle 財政 **事業税** 工業，商業，自由業，手工業を営む自然人または法人から，地方公共団体のために徴収される直接税。事業税の課税標準〔▶Assiette de l'impôt〕は，通常，おのおのの納税義務者にとっては，固定資産(すなわち，事業用建物および機材一式)の賃貸価額に相当する。
▷租税一般法典1447条以下

Taxe professionnelle unique 財政 **単一事業税** 同一の大規模都市共同体〔▶Communauté urbaine〕，同一の市町村共同体〔▶Communauté de communes〕または同一の中規模都市共同体〔▶Communauté d'agglomération〕に属する市町村に所在する企業によって負担される事業税の負担を平等にするために，および自己の財源の大部分を確保するために，これらの市町村間協力公施設法人〔▶Établissement public de coopération intercommunale (EPCI)〕はそれを構成する市町村に代わって事業税を徴収することができる(市町村共同体および1999年以前に創設された大規模都市共同体)，または徴収しなければならない(1999年以後に創設された大規模都市共同体および中規模都市共同体)。

単一事業税はこれらの市町村間協力公施設法人の全域において一律の税率で徴収される。この一律化は最長12年の期間で漸次達成される。

さらに，単一事業税を徴収するすべての団体は，市町村および県と協力して住居税〔▶Taxe d'habitation〕および不動産税〔▶Taxes foncières〕を徴収することを決定することができる。
▷租税一般法典1609条9C

Taxe sur la valeur ajoutée (TVA) 財政 **付加価値税** 消費に対する一般的な間接税であり，価格に含まれ，物品の販売およびサーヴィスの提供すべてにさまざまな税率で課される。ただし，法律が免除するものを除く。物品およびサーヴィスの原価のさまざまな要素に事前に課されたTVAを控除する仕組みによって，実際にはTVAは各生産段階において付加された通貨価値に課税するものでしかない。TVAはヨーロッパ経済共同体(共同市場)のすべての加盟国において徴収され，ヨーロッパ経済共同体にとってその《固有財源》〔▶Ressources propres〕のひとつとなっている。重要な租税のうち，現在，ヨーロッパ連合レヴェルで調整が満足に達成されているものはTVAのみである。
▷租税一般法典256-0条以下

Technicien 民訴 **専門家** 訴訟上の事実の分析が専門的知識を用いる必要がある場合に，裁判官または裁判所によって，認定〔▶Constatations〕を行い，助言〔▶Consultation〕を与え，または，鑑定〔▶Expertise〕の枠内で専門的意見を提出する任務を与えられる単なる私人(個人または法人)。

Technique juridique 一般 **法技術** 特定の目的で法の実現を可能にする法的手段(原則の定型化，実務家による適用)の総体。

Technocratie 憲法 **テクノクラシー** 専門技術官僚が事実上または法律上，権力の行使において政治家に取って代わる体制。

Télé-achat 民法 **テレショッピング** ▶Vente à distance 〔通信販売〕

Télépaiement 民法 商法 **電信振込み** 電気通信手段による振込み。暗証番号を入力した後に，端末機に銀行カードを挿入することによって行われる。

Témoignage 訴訟 **証言** ある者が自ら知った事実の存在を証するため供述する行為。

Témoignage anonyme 刑訴 **匿名の証言** 少なくとも3年の拘禁刑により処罰される犯罪に関する予審の枠内で，証人として聴問される者に，その同一性が手続きの一件記録に記載されることなく聴問されることを可能とする制度。その者の聴問が，本人またはその近親者の生命または身体の完全性を重大な危険にさらすおそれのあるものであることを条件とする。匿名の証言の許可は，勾留決定裁判

官によって与えられる。聴問は非常に厳格に規制されているが，予審対象者は勾留決定裁判官の許可を争うことができる。

匿名の証言は，それ単独では有責判断の根拠となることはない。

▷刑事手続法典706-58条以下

Témoin [民訴] [刑訴] **証人** 証拠調べ〔►Enquête〕の枠内でまたは証言書〔►Attestation〕の書面形式のもとで，真実を述べると宣誓した後，その人が自ら知った事実について供述することを求められる単なる私人。

証言する能力のない者であっても聴問されることができるが，その場合は宣誓を行う必要はない。

証人は，必要な場合には，当事者との血族関係または姻族関係，当事者に対する従属関係，協力関係，当事者との利益共通関係について告げなければならない。

▷新民事手続法典205条，210条

Témoin assisté [民訴] **弁護士補佐証人** 予審開始時または予審中に共和国検事，被害者，証人または予審判事自身によって引き込まれた者であって，予審の対象とすることができない者，または，予審対象とすることが適当ではないと思われる者。

弁護士補佐証人の地位は，予審開始請求書または追加的請求書において対象となった者に対して，および，告訴の対象となった者または被害者によって引き込まれた者がその請求をなしたときはその者に対して，義務的に適用される。その地位はまた，証人によって引き込まれた者，または，正犯もしくは共犯として犯罪の遂行への関与を疑うに足るだけの徴憑が存在する者に対しては，予審判事によって認定されうる。

弁護士補佐証人の地位は予審対象者の地位と証人の地位の中間に位置する（例：弁護士に補佐されること，宣誓は行われないが供述の義務があること，勾留されることも司法上の統制のもとに置かれることもないこと）。

弁護士補佐証人の地位は，今日では，予審の枠内で訴訟に引き込まれた者にとっての普通法とみなすことができる。実際，予審判事は，弁護士補佐証人という考え方を採用できないと判断する場合でなければ，予審開始決定〔►Mise en examen〕をなすことはできない。

▷刑事手続法典113-1条以下，80-1条

►Mise en cause〔（予審判事）取調対象者〕

►Mise en examen〔予審開始決定〕

Temps réel (Traitement des affaires en) [刑訴] **リアルタイムでの事件処理** 若干の検事局（例えばリヨン）によって行われてきた慣行で，今日ではかなり頻繁に用いられているもの。警察取調対象者が取調室から出る前に，司法警察員が，取調べの終わった，軽罪または第5級の違警罪の事件について検事局（当番検事代理）に電話連絡する。検事局の代表者は，その場合，提供された情報に基づいて，最良と思われる事件処理方法（捜査の続行，釈放，書類送検，条件付不起訴処分など）を選択する。検事局の法的対応は同一の連絡手段によって伝達され，行為者および被害者に通知される。したがって，行為者および被害者は，リアルタイムで事件の具体的処理を知ることになる。

Temps de travail [労働] **労働時間** ►Durée du travail〔労働時間〕

Tempus [EU] **テンプス計画** ヨーロッパ共同体の計画であり，より一般的な大学間の協力政策として，中央ヨーロッパおよび東ヨーロッパ諸国の高等教育機関との学生および教員の交流を促進することを目的とする。

Tenants [民法] **隣接地** ある土地の長辺に沿った土地。Aboutissantsと対置される。

►Aboutissants〔隣接地〕

Tènement [民訴] **寄せ地** 孤立した土片ではなく，地続きとなっている土地のかたまり。

Tentative [刑法] **未遂** 実行の着手を特徴とする，犯罪の遂行に向けられた行為。任意の中止行為によって中止された場合を除く。

▷刑法典121-5条

Terme [民法] **期限** 権利の履行または消滅が，発生が確実な将来の出来事にかからせる法律行為の態様。

▷民法典1185条以下

►Condition〔条件〕

Terme de grâce **猶予期限**：délai de grâceの同義語。

►Délai de grâce〔猶予期間〕

Territoire non autonome [国公] **非自治地域** 住民がまだ完全には自治を行うには至っていない地域で，その地域については，施政国が国際連合憲章11章に規定された義務を有する。

Territoire d'outre-mer (TOM) [行政] **海外領土** 2003年の憲法改正により憲法典72条から削除されるまで，アルジェリア諸県および海外県を除く，第三共和制期の旧フランス植民地（と

りわけアフリカにおける植民地およびマダガスカル）の総体を含む地方公共団体〔►Collectivités territoriales〕のカテゴリーのひとつをなしていた。主な海外領土はすべて独立を達成していたため，当時残っていたのは若干の領土のみであった。現在，マイヨット，サンピエール＝エ＝ミクロン，ワリス＝エ＝フトゥナおよびフランス領ポリネシアは海外公共団体〔►Collectivités d'outre-mer〕であり，特殊な地位を有するヌーヴェルカレドニ〔Nouvelle-Calédonie〕は，（2014年以降）自治か独立かを選択することになっている。南極圏・南極大陸内領土は，暫定的に，海外領土の地位を事実上保持している。

Terrorisme 刑法 **テロ行為** 威嚇または恐怖によって公の秩序を著しく壊乱することを目的とする個人または集団の計画に関連するものとして刑法に制限列挙された犯罪の総体。この罪質決定の主たる効果は，ひとつは，科される自由剥奪刑の等級を1段階加重することであり，もうひとつは，これらの犯罪を手続上の特別規定に従わせることである。
▷刑法典421-1条；刑事手続法典706-16条以下

Terrorisme écologique 刑法 **環境テロ行為** 威嚇または恐怖によって公の秩序を著しく壊乱することを目的とする個人または集団の計画に関連して，大気，土壌，地下または水域へ，人間または動物に有害な物質を注入する行為。同様の物質を食品またはその成分中に混入することも同様に罰せられる。
▷刑法典421-2条

Testament 民法 **遺言；遺言証書** ある者（遺言者〔testateur〕）が自己の最終的な意思を表明し，自己の死後のためにその財産を処分する一方的行為。
　公署証書による遺言〔testament authentique〕とは，2人の公証人または1人の公証人と2人の証人によって認められたものをいう。
▷民法典971条以下
　秘密証書による遺言〔testament mystique ou secret〕とは，遺言者または第三者によって書かれ，遺言者によって署名され，閉緘，封印された形で公証人に提出されたものをいう。公証人は，2人の証人の面前で上書証書〔acte de suscription〕を作成する。
▷民法典976条
　自筆証書〔testament olographe〕とは，内容，日付，署名のすべてが遺言者の手によって記載されたものをいう。

▷民法典970条
　また，国際遺言〔testament international〕と呼ばれる遺言も存在する。この遺言方式は，1973年10月28日のワシントン条約に付属する統一直接法〔loi matérielle uniforme〕によって規制されている。
　2人または数人の者が同一の証書において，相互に他方の利益のために，または第三者のために遺言する場合は，共同遺言〔testament conjonctif ou conjoint〕といわれる。この方式は，法律によって禁じられている。
▷民法典978条

Testament-partage 民法 **遺言分割** すべての者が推定相続人の間で用いることのできる，相続財産の分割方式。これにより，子のない者は，その財産を，兄弟姉妹，おい，めい，場合によりいとこに分割することができる。処分者は，遺留分を侵害しないことのみを条件として，それぞれの取り分〔lots〕を自由に構成することができる。遺留分が侵害された場合は，自己の遺留分に等しい取り分を受け取らなかった受益者は，過大な無償譲与の減殺の訴えをなすことができる。
▷民法典1079条および1080条
　►Donation-partage〔贈与分割〕►Partage d'ascendant〔尊属（による）分割〕

Testing（Procédé du） 刑法 **差別行為立証調査** 刑法によって処罰される差別行為の存在を立証するための技法。差別的行動の存在を証明することのみを目的として，ある者に対し，その者の提供する財物，行為，役務または契約のひとつを求めることを内容とする。差別行為の証拠が得られた場合，差別行為罪はかかる文脈で実行されたものであっても成立する。
▷刑法典225-3-1条

Tête (par) 民法 **頭割り（による）** すべての相続人が均等の持分を取得する分割方法。相続人が共通の始祖を相続する場合に用いられる。株〔►Souche〕による分割〔partage par souche〕と対置される。株による分割は，死亡した相続権者を代襲する者に対して全員で相続権者の持分を主張することしか認めない。代襲相続人の数に関係なく，相続権者の持分が唯一の勘定単位となるからである。
▷民法典744条，748条，750条および827条

Thalweg 国公 **タールヴェク** 河川の最深部分の中間線による2国間の境界画定。

Thesaurus 一般 **同義語辞典；シソーラス** 法

情報システム〔informatique juridique〕における検索を容易にするための辞書。専門用語であるキーワードおのおのについて同義または類義という類似性によって共通点を有する語句を収録している。

Ticket modérateur 社保 **一部負担** 医療，医薬，外科治療の費用の一部であって，被保険者の負担となるもの。一部負担は，いくつかの場合，例えば，母性，労働災害には適用されない。一部負担を共済組合が負担する場合がある。
▷社会保障法典L322-2条以下

Ticket-restaurant 労働 **レストラン券**
►Titre-restaurant〔レストラン券〕

Tierce opposition 訴訟 **第三者異議の訴え** 訴訟手続きにおいて当事者でもなく代理もされていなかった者に開かれている特別の不服申立方法であって，原判決取消しまたは原判決変更を内容とする。自己の利益を侵害したと思われる判決を本人が不満とする場合争い，その判決が自己には対抗しえないことを宣言させることができる。
►Chose jugée〔既判事項〕►Mise en cause〔訴訟引込み〕►Opposabilité〔対抗力〕

Tierce personne 社保 **第三者介護人** 単独では日常生活上の行為をなすことができない廃疾者を介護する者。第三者介護人の看護に頼らざるをえないことは，廃疾保険または老齢保険の加給原因である。
▷社会保障法典L341-4条

Tiers 民法 **第三者** 法律行為に関係のない者。
▷民法典1165条
►《Penitus extranei》〔第三者〕
民訴 **第三者** ある者が原告でも被告でもない場合，訴訟との関係では第三者である。しかし，第三者であっても参加により訴訟手続きに加わることがある。
▷新民事手続法典331条
　第三者はまた，当事者の申請により，正当事由〔empêchement légitime〕の不存在を条件として，証言書〔attestation〕の提出または証言〔témoignage〕，係争事実の審理のため必要な文書の伝達を求められることがある。
▷新民事手続法典138条および199条

Tiers arbitre 民訴 **第三仲裁人** 最近まで，偶数の仲裁人の間で可否同数となった場合に，一方の意見を優勢にするために任命された仲裁人。第三仲裁人は新しい手続きでは廃止され，仲裁裁判所は必ず奇数の仲裁人で構成されることとなった。
▷新民事手続法典1453条

Tiers détenteur 民法 **第三取得者** 抵当権または先取特権が付された不動産の取得者または受贈者。自らは債務に拘束されないが，取得者として，その額がいくらであっても請求可能な利息および元本をすべて支払うか，またはいかなる留保もなくその不動産を委付〔délaissement〕しなければならない。ただし，抵当債権者の追及権を，支払った価格または不動産の価額に制限する滌除〔purge〕を行う場合はこの限りでない。
▷民法典2462条以下

民訴 **第三債務者** ►Avis à tiers-détenteur〔第三債務者〕►Déguerpissement〔委付〕
►Délaissement〔委付〕►《Propter rem》〔物に従う〕

Tiers-monde 国公 **第三世界** 発展途上国（大部分は第二次世界大戦後の非植民地化運動から生まれた）の全体を示す新語で，全世界の人口のおよそ3分の2に相当する。
　第三世界は，その国々の数の多さにより国際連合で重要な地位を占めていることから，その固有の独自性を確立しようと努めてきたが，大きな成果を収めるに至っていない。
►Neutralisme〔中立主義〕►Pays (ou États) en voie de développement〔発展途上国；開発途上国〕

Tiers payant 社保 **第三者支払制度** 被保険者が支払うべき価額を社会保障金庫が直接に支払うこと。第三者支払制度は，労働災害の補償において用いられている。
▷社会保障法典L432-1条

Tiers-payeur 民法 **第三弁済者** 人身事故の被害者に給付を支払った社会機関，公共団体または私人をいう。それらの者は，身体の完全性に対する侵害を回復する補償金の一部について，立替金の返還を受けるための，責任者に対する求償訴権を有している。

《**Tiers provisionnels**》 財政 **予定納税** 前年度一定の金額に対し課税された所得税納税義務者が当年度に納付しなければならない2度の分納金の一般的な呼称であり，各分納金は，前年度の所得税の3分の1にあたる。分納金は，当年度に納付しなければならない所得税の税額から控除される。
►Mensualisation〔月割予定納税〕

Timbre (Droits de) 財政 **印紙税** 共通点を

見つけ出すことが不可能なほど非常に異質なものを含む租税のカテゴリーである。かつてその特徴は，納税によって納税済証が交付され，または，納税印が押印されるということによって表されていたが，この特徴は，申告納税の出現とともに消滅した。

印紙税が法律行為およびそれを確認する書面の作成の際に徴収される場合でも，登録税とは異なり，印紙税はこの行為に確定日付を与えるものではない。さらに，法律の定める例外を除き，印紙の省略は罰金の対象となるが，その行為の無効原因とはならない。

規格印紙税は法律の定める法律行為について徴収されていたが，2006年1月1日から廃止された。

《Time-charter》 [海法] **定期傭船** 船舶を，一定の期間について，自らこれを経営する傭船者の利用に供すること。

Tiré [商法] **支払人** 為替手形〔►Lettre de change〕または小切手〔►Chèque〕が振り出される場合の名宛人。
▷商法典L511-1条以下；通貨金融法典L131-2条およびL134-1条

Tireur [商法] **振出人** 為替手形〔►Lettre de change〕または小切手〔►Chèque〕を振り出す者。
▷商法典L511-1条以下；通貨金融法典L131-2条およびL134-1条

Titre [民法] **証書；権原**
①証書//法律行為〔►Acte juridique〕または法律効果を生ずる事実行為を証する書面。instrumentumともいう。この意味においては，債権証書〔titre de créance〕，所有権証書〔titre de propriété〕，譲渡証書〔titre de transport〕などといわれる。
▷民法典1282条，1332条および1335条
②権原//援用される権利の根拠を意味する限りにおいては，法律行為そのもの〔negotium〕についてもいう：約定権原〔titre conventionnel〕，正権原〔juste titre〕など。
▷民法典691条，2268条，2270条および2272条2項

Titres de créances négociables [商法] **流通債権証券** 発行者が任意に発行し，規制市場で流通する証券。それぞれの証券は，期間の定めがある債権を表章している。これらの証券は，持参人払式で発行され，資格がある仲介業者が管理する口座に登録される。
▷通貨金融法典L213-1条以下

Titre-emploi entreprise [社保] **小企業雇用券** 最大10名の労働者を雇用する企業，または最長100日間労働者を雇用する企業に，若干の社会法関連手続きを免除することを内容とする証券の一種。
▷社会保障法典L133-5-3条

Titre emploi-entreprise occasionnel [社保] **臨時雇用券** 企業内の仕事が100日を超えない臨時の労働者のみを雇用するために使用される証券の一種。
▷社会保障法典L135-5-3条

Titres exécutoires [民法] [訴訟] [財政] **執行名義** 強制執行に訴えることを可能にする証書。
執行名義のリストは，1991年7月9日の法律3条に規定されている。リストは，以下のものを含んでいる。
①執行力を有する場合には，司法系統または行政系統の裁判所の判決，ならびに，大審裁判所所長の認可に付された和解書面。
②外国の証書および判決，ならびに執行力を与える旨の宣言がなされた仲裁判断
③裁判官および訴訟当事者によって署名された和解調書の抄本。
④執行文を付与された公証人証書
⑤小切手金不払いの場合には，執行吏によって交付された証書
⑥法律が判決の効力を与えた決定，および，法律上，公法上の法人によって交付された証書とされるもの。1992年12月31日の法律第1476号98条の文言によれば，《国，地方公共団体，または公会計官を有する公施設法人が（自己に帰属する）あらゆる性質の収入を徴収するために交付する未払金徴収命令，徴収執行令書，課税台帳，徴収決定通知，金銭収納証書は，執行名義である。》
►Contrainte judiciaire〔滞納留置〕►《Manu militari》〔公の武力によって；軍隊の力によって〕

Titre exécutoire européen [EU] **ヨーロッパ執行名義** ヨーロッパ連合の構成国の裁判所が，ヨーロッパ執行名義であることを明記してなした裁判。この執行名義は，受入国の裁判所が発したものとして扱われる点に特徴がある。それゆえ，（外国判決）執行命令〔►Exequatur〕は必要とされなくなる。

Titre gratuit (à) [民法] **無償名義（による）**
►Acte à titre gratuit〔無償行為〕

Titre d'identité républicain [国私] **共和国身分証明書** 滞在許可証を所持する外国人の両親

からフランスで生まれたあらゆる未成年者に対し，家族手帳の提出にもとづいて付与される，本人性および出入国に関する証明書．

Titre (juste) 民法 (正)権原　売買，贈与，交換のように不動産の所有権を取得させることを目的としているが，真の所有者から発せられたものではないことを理由に，不動産の所有権を移転することができなかった法律行為〔►Acte juridique〕．
　►Titre putatif〔誤想権原〕
　　正権原は，短期取得時効を可能にする．
　►Usucapion〔取得時効〕
　▷民法典2265条

Titre médecin 社保 医療チケット　外科治療，生物学または放射線医学上の一定の行為に対する支払いのために被保険者によって用いられる支払いチケットのこと．医療チケットによって，被保険者は診療費の前払いを免れる．

Titre nobiliaire 民法 爵位　君主によって与えられる，貴族〔►Noblesse〕の身分を付与する位．

Titre nominatif 商法 記名証券　権利者の名を記載した証券であり，その譲渡は，会社の登録簿における，いわゆる名義書換えの手続きによって行われる．
　►Transfert〔名義書換え〕

Titre onéreux (à) 民法 有償名義（による）
　►Acte à titre onéreux〔有償行為〕

Titre participatif 商法 参加証券　公共企業部門に属する株式会社または株式合資会社および株式会社形態の協同組合が発行でき，その証券から生ずる収益が一定ではない流通証券．
　▷通貨金融法典L228条-36条

Titre de perception 行政 徴収名義　公法人の支払命令官〔►Ordonnateur〕の発する，国または地方公共団体（または公施設法人）の債権の額および性質を証する文書．この文書には，予先的特権〔►Privilège du préalable〕の適用により支払命令官によって執行力が付与されており，必要な場合に強情な債務者に対する強制執行（税法上は《強制徴収》〔poursuites〕）の開始が可能となる．
　►Titres exécutoires〔執行名義〕の⑥

Titre au porteur 商法 無記名証券　権利者の名を記載しない有価証券その他の証券で，単に整理番号のみが記載されているもの．このような証券は有体動産と考えられており，その流通が交付によって行われる．
　►Tradition〔交付譲渡〕

Titre putatif 民法 誤想権原　すでに撤回されていたことが後に判明した遺言のように，財物の占有者の思い込みのなかでしか存在しない権原．
　この権原は，短期時効を可能にするものではないが，善意の占有者が果実を取得することの十分な根拠となる．
　►Titre (juste)〔(正)権原〕

Titre-restaurant 労働 レストラン券　使用者または専門業者が発行する支払券であり，これにより使用者は，労働者に対する食事手当〔indemnité de repas〕を支給したことになる．いくつかの条件のもとで，レストラン券は租税と社会保険料とについての負担を免除される．《chèque restaurant》ともいう．

Titrisation 民法 商法 証券化　金融機関または預託供託金庫〔Caisse des dépôts et consignations〕が保有する貸付債権を流通証券に転換すること．債権合同ファンド〔►Fonds commun de créances〕に債権を譲渡し，ファンドがそれと引換えにこの債権を表章する持分を発行することにより行われる．これらの持分は，有価証券として金融市場で投資者に供される．

Tobar (Doctrine de) 国公 トバール主義　エクアドルの外務大臣によって1907年に表明された主義．国家は，憲法に違反して形成された新政府を承認してはならないとする．中央アメリカにおいて何度か適用された．

Tolérance (Acte de simple) 民法 許容(行為)　他人の土地において，所有者の明示または黙示の許可を得てなされる行為．所有者は，いつでもこれを終了させることができる．この行為は，特に地役に関して，占有も時効も基礎づけない．
　▷民法典2232条
　►Actes de pure faculté〔随意行為〕

Tontine 民法 トンチ氏方式　数人の者が払込みによって共同の基金を創設し，その基金が一定年数の間資本とされ，定められた期日に，これを行う任務を負っていた組合（トンチ年金組合）の管理費が控除され，生存者間に配当されること．トンチ氏方式は生命保険のもととなった．
　▷保険法典R322-139条以下
　公証人実務においては，トンチ氏方式は，増加条項〔clause d'accroissement〕または取戻条項〔clause de réversion〕とも呼ばれ，複数の者がある財産の取得時に締結する契約

で，取得者各人が生存中はその財産の使用収益権を有し，全員のうちの最後の生存者のみが所有者とみなされることになる契約をいう。
▷租税一般法典754条A
▶Accroissement〔増加（条項）〕

最後に，トンチ氏方式は，グループの構成員が定期的に一定の金額を払い込み，こうして集められた資金を各構成員が順番に利用するという（とくにアフリカおよびアジアにおける）慣行を指す。

Tour d'échelle 民法 足場用隣地使用権　土地境界線上にある建造物の手入れを目的として，はしごを設置するために隣地に立ち入る権利。この権利は，それが証書によって証明された場合にしか地役となることができない。

Tour extérieur 行政 外部採用　執行権が高級国家公務員職に若干の者を直接採用することを可能とする，普通法適用除外の，公務員〔▶Fonction publique〕任命の方法。この方法による任命は数的に制限されており，1994年以降，濫用を理由に，当該人物がその職務を適切に遂行する能力を有しているかについて明らかにするための答申に服している。

Tortures et actes de barbarie 刑法 拷問および野蛮行為　他人に対して加える身体への著しい苦痛，およびその他残虐，非人道的または品位を傷つけるあらゆる取扱い。今日，これらの行為は，刑法典において独立の犯罪を構成する。
▷刑法典222-1条以下

Totalitarisme 憲法 全体主義　国家がその支配を人間の活動（政治的，経済的，社会的，宗教的活動など）の全体に及ぼす体制であり，個人は権力によってつくられた排他的な理念に全面的に従属する。
▶Démocratie populaire〔人民民主主義〕

Toxicomanie 刑法 麻薬中毒　多幸性の気分を得させるが，身体的または心理的依存状態を引き起こすことのある一定の薬物の使用が習慣化すること。▶Stupéfiants（Trafic et usage de）〔麻薬の取引および使用〕

Tracfin 財政 刑訴 違法資金特別対策室　違法な資金の流れに関する情報を処理しそれへの対応策を講ずる，財務大臣のもとに設置される対策室のこと。この機関は，犯罪（例えば，麻薬取引，脱税など）を出所とする資金の洗浄行為を摘発し，とくにこれに関する情報を検察に提供することを目的としている。

Tractatus 民法 取扱い　▶Possession d'état〔身分占有〕

Trade Unions 憲法 トレード・ユニオン　イギリスの労働組合。

《Traditio》 民法 引渡し　契約の目的となっている物の引渡しを意味するラテン語。tradition〔引渡し〕ともいう。
▷民法典1138条，1606条，1607条および1919条
▶Contrat réel〔要物契約〕

Tradition 民法 引渡し　▶《Traditio》〔引渡し〕

商法 交付譲渡　有価証券の券面廃止〔dématérialisation〕前における無記名証券に固有の譲渡方式であり，証券の手から手への単なる物理的な引渡しによって行われる。今日では，無記名証券は，口座から口座への振替えにより，記名証券と同一の方法によって譲渡される。

Trafic d'influence 刑法 影響力の不正取引　公権力または行政庁から栄誉，職，公契約またはその他あらゆる有利な決定を得させることを目的として，現実または仮想の影響力を不正に使用することと引換えに，申出，贈り物，約束を要求しまたは受け入れることからなる犯罪。この行為が公職に従事する者によって遂行された場合はより厳しく処罰される。
▷刑法典432-11条および433-2条

Trahison 刑法 反逆　多くの場合は外国の権力の利益のために，国益を侵害することを共通の特徴とする，フランス人またはフランスの兵役に就いている軍人が行う犯罪の総体。
▷刑法典411-1条以下
▶Espionnage〔（外国人による）スパイ行為〕

Traite 商法 為替手形　▶Lettre de change〔為替手形〕

Traitement budgétaire 行政 本俸　俸給指数に対応する官吏の俸給の主たる要素。この額に基づいて退職時に退職年金が算定される。

本俸にはさまざまな手当，とりわけ，名称の多様な，そしてしばしば名称の知られていない諸特別手当が付加される。この諸手当は行政機関による格差が大きく，一般に本俸をもとに行われる官吏の俸給間の比較において正確さを期しえない要因となっている。

Traité 国公 条約　国家およびその他の国際社会の主体（ローマ法王庁や国際機構といったもの）の間で締結された合意であって，それらの相互の関係において法的効果を生じさせ

ることを意図するもの。
　実際上同義の用語として以下のものがある。
convention〔条約；協約〕, pacte〔条約；規約；協約〕, accord〔協定〕, arrangement〔取極め〕, protocole〔議定書〕
① *Traité bilatéral*　二国間条約：2つの締約国のみの合意から生じる条約。
►Traité multilatéral〔多数国間条約〕
② *Traité-contrat*　契約条約：主観的法的地位を生じさせる条約。締約国は, 私的契約におけるのと同様, 相互の給付を取り極める（例：通商条約）。
►Traité-loi〔立法条約〕
③ *Traité-loi, Traité normatif*　立法条約, 規範条約：法規範の設定, すなわち非個別的かつ客観的法的地位の確立（例：国際社会の組織化の方法, 領域の地位など）を目的とする条約（一般的に多数国間条約）。
►Traité-contrat〔契約条約〕
④ *Traité multilatéral, Traité collectif*　多数国間条約, 集団的条約：2国を超える締約国の合意から生ずる条約。
►Traité bilatéral〔二国間条約〕

Traités inégaux　国公 不平等条約　署名国間の力関係の不均衡を反映した条約。一方の当事国が他の当事国の弱小性につけこみ, その国に不利な条項を課す（例：中国は, 19世紀にソ連と結んだ不平等条約の結果に従うことに不満を示し, 中ソ国境の衡平な修正を主張している）。

Transaction　民法 和解；商取引
①和解//当事者が互いの譲歩を同意して争いを終了させ, または, 予防する契約。
▷民法典2044条
②商取引//この語は, 日常的な用語法においては, 商取引を指して用いられる。
民訴 和解　二者間に和解が成立すると, それは確定判決と同一の効力をもつ。裁判外の和解がなされた場合には, 当事者の一方の申請により審理を付託された大審裁判所所長は, 裁判外の和解に執行力を付与することができる。
▷民法典2052条；新民事手続法典1441-4条
刑訴 和解取引　（税務署・税関など）若干の行政庁が, 犯罪者に対して犯罪の自白および行政庁が自ら設定した金額の払込みと引換えに刑事訴追の放棄を提案することができる手続き。この手続きは制限的に適用され, 公訴の消滅をもたらす。同様の手続きは, 陸上運送の領域における若干の違警罪について, 違反者と経営体との間にも適用される。
　同様に, 市町村長は市町村警察によって認定された違警罪について, また差別撤廃平等促進高等機関〔HALDE（Haute autorité de lutte contre les discriminations et pour l'égalité)〕は差別行為罪について, 和解取引を行うことができる。
　刑事手続法典6条, 529-3条以下, 44-1条およびD1-1条

Transcription　民法 謄記　証書の全部または一部を公の帳簿に複写することによってなされる, 一定の法律行為の公示方法。この用語は, 1955年以前は, 土地公示〔►Publicité foncière〕の方式を指していた。
▷民法典80条, 91条および1336条

Transfèrement　刑法 （受刑者の）移送　ある行刑施設に拘禁されている者を他の行刑施設に移すこと。裁判上の移送〔transfèrement judiciaire〕と行政上の移送〔transfèrement administratif〕がある。
▷刑事手続法典713-1条以下およびD290条以下

Transfert　商法 名義書換え　記名証券の譲渡方式であり, 証券上の債務者（この場合, 発行会社または公共団体）が管理する登録簿に, 譲受人の氏名を記入することにより行われる。その際には, 譲渡人の氏名が抹消される。
労働 転籍　自己を雇用している企業との労働契約が解約され, 利害当事者三者間で締結される合意により他の企業で働くことになった労働者の地位。
►Mutation〔配置転換〕►Détachement〔在籍出向〕

Transit　商法 免税通過　物品が, 関税を課されることなく, ある国を通過すること。

Transit International Routier (TIR)　行政 TIR条約（国際道路運送手帳による担保のもとで行う貨物の国際運送に関する通関条約）
►Transports sous douane〔保税運送〕

Transitaire　商法 貨物取次業者　通過貨物であると否とを問わず物品の輸出入を専門に行う取次業者。この者は, 関税に関する事実上および法律上の手続きを行う（通関業者〔transitaire en douane〕）。

Transitoire (Droit)　民法 移行法　旧法と新法それぞれの適用範囲を定める規範の総体。
►Conflits de lois dans le temps〔法律の時間的抵触〕►Droit acquis〔既得権〕►Effet

immédiat de la loi〔法律の即時効（の原則）〕
►Non-rétroactivité〔不遡及性〕►Rétroactivité de la loi〔法律の遡及性〕

Translatif 民法 **移転する** 権利，とくに所有権，財産権を他人に移すことを指す（売買，贈与など）．

Transmission à titre particulier 一般 **特定名義の移転** 確定したまたは確定可能な1または複数の財産の移転．
▷民法典1014条
►Ayant cause à titre particulier〔特定名義の承継人〕

Transmission à titre universel 一般 **包括名義の移転** 財産の割合的部分の移転．
▷民法典1010条
►Ayant cause à titre universel〔包括名義の承継人〕

Transmission universelle 一般 **包括的移転** ある者のすべての財産（積極財産および消極財産）の移転．包括的移転は，死亡を原因としてでなければ，商事に関しては会社の合併を原因としてでなければ生じえない．

Transparence fiscale 財政 **税法上の法人格の否認** 租税法の自律性の特殊な表れを示す新語であり，これによると，租税法はある種の会社の法人格の否認を承認している．これらの会社は，会社の収益に対して課税されない．あたかもその収益が会社によってでなく，その社員によって直接あげられたかのように，収益に対する課税は所得税としてその社員個人に対してなされる．したがって，全体としての租税の負担は，その会社が《法人格を否認》されなかったならば会社が納付すべきであった収益に対する租税の額だけ軽減される．

Transport sous douane 財政 **保税運送** 国境で通関手続をせずに，フランス税関の管轄する領土を通過すること，または輸入品を領土内の保税倉庫もしくは通関センターに運ぶことを可能とする制度．この制度は，とくに道路運送による国際貿易の増加を考慮したものである．
TIR条約は保税運送の一形態である．

Transport sur les lieux 刑法 **臨検** 裁判所の司法官または裁判構成体を犯罪が行われた場所に赴かせ，事実調査を行わせる捜査または審理上の措置．
▷刑事手続法典92条以下，456条および536条
民訴 **現場検証** 裁判官が真実の発顕のために必要であると考える認定〔constatations〕，評価〔évaluations〕，判断〔appréciations〕または再現〔reconstitutions〕を行うために，現場に赴く証拠調べのこと．
▷新民事手続法典179条

Transsexuel 民法 **性転換者** 医学的措置および（または）外科手術の結果，もはや自己の元来の性の特徴をすべて失い，その者の社会的行動と一致する他方の性にその者を近似させる身体的外観を取得した者．この処置が治療の目的で行われた場合，破毀院は，私生活の尊重の原則により，その者の身分がその後その者が有している外観の性となることが正当化され，人の身分の不可処分制は，このような変更を妨げないという見解を採っている．

Travail 労働 **労働**
Travail par équipes 交替制労働：事業所において班の交替により連続または延長してなされる労働．
▷労働法典L231-3-3条
►Travail par roulement〔輪番制労働〕
Travail clandestin 秘密労働
►Travail dissimulé〔隠匿労働〕
Travail dissimulé 隠匿労働：1997年3月11日の法律の文言によれば，隠匿労働は，以前に立法者が《秘密労働》〔travail clandestin〕という表現によって示していたものよりも広い概念である．企業の隠匿労働と労働者の隠匿労働がある．前者は，ある個人または企業が，法律で定められた登録簿への登録義務を遵守せず，または規制により義務づけられている税法上または社会保障法上の申告をなさずに，商業的，手工業的または農業的活動に従事することである．後者は，使用者が，公然と職業活動を行いつつも，労働者を社会保障機関に申告しないこと，または賃金支払明細書を交付しないことである．隠匿労働は刑事上処罰される．
▷労働法典L324-9条以下，R324-1条以下およびL362-3条以下
Travail intermittent 不定期労働：その仕事の性質上，就業期間と非就業期間が交互になる常勤雇用に関する労働のこと．この雇用は，労働協約もしくは拡張された集団協定または企業もしくは事業所における労働協約もしくは集団協定によって定められる．不定期労働契約は，いくつかの義務的記載事項を含まなければならない，期間の定めのない書面による契約である．不定期労働は，1993年12月20日のいわゆる《5ヵ年》法律による廃止の後，

2000年1月19日の法律によって，再び労働法典に導入された。
▷労働法典L212-4-12条以下

Travail par roulement 輪番制労働：同一事業所の労働者が，交替制労働ではないが，同一の時間にそろって労働せず，同一の日にそろって休日をとらない，という労働編成。

Travail à temps choisi 選択時間労働：労働時間または労働時間の配分に関する諸態様が，一定の条件のもとで，従業員に提案される。原則として従業員は，個別的かつ自由に，その提案を受け入れることができる。これについて法は，フレックスタイム制〔►Horaire individualisé〕とパートタイム労働〔►Travail à temps partiel〕に区別している。
▷労働法典L212-4-1条以下

Travail à temps partagé タイムシェアリング労働：タイムシェアリング労働を行うことができるのは，その職業活動をもっぱら，取引先企業に対して，その規模または資力によりその企業自ら募集することのできない有資格従業員を派遣することとする，企業を構成する全ての自然人または法人である。タイムシェアリング労働により，2つの契約が締結される。つまり，派遣利用企業とタイムシェアリング労働企業間の契約およびタイムシェアリング労働企業と派遣労働者間の期間の定めのないとみなされる労働契約である。タイムシェアリング労働は労働力をもっぱら供給することを禁ずる規定に対する適用除外の1つであり，派遣労働の特殊形態をなしている。また，その職業活動の排他的性格が問題とならない労働者派遣企業は，タイムシェアリング労働を運営することができる。
▷労働法典L124-24条以下

Travail à temps partiel パートタイム労働：労働時間が法定労働時間を下回る労働または労働時間が法定労働時間，部門もしくは企業について協約で定められた労働時間，あるいは事業所で適用される労働時間を下回る場合の労働(この定義は2001年1月19日の《第二オブリー法》による。この法律はパートタイム労働に関して，1997年12月15日のEC指令第81号および，ILO第177号条約の条文への，フランス法の適合を可能にするものであった)。パートタイム労働はまた，月または年単位労働時間というという枠内でも実施でき，変形労働時間制を組むことも可能である。パートタイム労働は，全ての場合に，義務的記載事項を明記した特別な書面による労働契約の締結が必要である。
▷労働法典L212-4-2条以下

Travail en commun 社保 協同労働 複数の企業の労働者が，異なる仕事に就きながらも，単一の指揮のもとで共通の目的および利益のために同時に働いている状況。協同労働が認定された場合，被害者も社会保障制度も損害賠償の訴えを提起することはできない。被害者は，許しがたい過失〔faute inexcusable〕または害意〔faute intentionnelle〕ある場合を除いて，社会保障制度の保障する定率制の補償金しか主張できない。

Travail d'intérêt général 刑法 公益奉仕労働 裁判官が適当と考える場合に，主たる制裁として言い渡せる拘禁刑の代替刑。有罪判決を言い渡された者はこの種の制裁を受け入れなければならず，その場合公共団体または認可を受けた非営利団体のために，18ヵ月を超えない期間内に40時間以上240時間以下の長さの労働を行う。

この処分は，第5級違警罪の補充刑として，また，執行猶予の付随処分として用いられることがある。
▷刑法典131-8条，131-22条およびR131-12条；刑事手続法典747-1条以下
►Sursis assorti de l'obligation d'accomplir un travail d'intérêt général〔公益奉仕労働の義務を伴う執行猶予〕

Travail temporaire 労働 派遣労働 ►Contrat de travail〔労働契約〕

Travailleur 労働 労働者

Travailleur à domicile 家内労働者：単独で，または，配偶者，被扶養子〔enfant à charge〕もしくは補助者とともに，原材料を提供する注文主から委ねられた仕事を，定額制の報酬と引換えに行う労働者。家内労働者は，法律により労働者〔salarié〕と同視される。
▷労働法典L721-1条以下およびR721-3条以下

Travailleur handicapé 障害労働者：雇用を獲得しまたは保持する機会が，身体的または精神的な能力が不十分であることまたは低下していることの結果として，実質的に減少している者。
▷労働法典L323-1条以下およびR323-1条以下

Travailleur social 刑法 保護観察員 保護観察の制度に服する犯罪者(執行猶予，刑の宣告猶予を受けた者)または自由環境で刑罰に服する犯罪者(公益奉仕労働を言い渡された

者，仮釈放者など）が統制措置に服しており，課された義務を遵守していることを確認することを役割とする者。無罪の推定および被害者の権利を強化する2000年6月15日の法律第516号以前は，保護観察官〔►Agent de probation〕と呼ばれていた。
▷刑法典132-44条および132-55条

Travaux forcés 〔刑法〕**徒刑** 1939年にようやく廃止された無期または有期の重罪の刑罰。植民地流刑を受けた者を徒刑囚という。徒刑は，重罪の懲役〔►Réclusion criminelle〕に代えられた。

Travaux préparatoires 〔憲法〕**立法準備作業** 成文法規の制定前に作成され，当該規範の制定者の意図をよりよく認識することを可能とする公文書（専門委員会の報告書，両議院内での討議の議事録，閣議のコミュニケなど）の総体。

Travaux publics 〔行政〕**公土木工事** 全体の利益のために不動産に対してなされる土木工事。それは，施工業者が誰であろうと，公法人の名義でなされるが，よりまれに，公役務の任務の枠内で活動する公法人によって施工される場合に，私法人の名義でなされることもある。

単数形のtravail publicという語は工事の結果である工作物を示す。

Tréfoncier 〔民法〕**地下所有者** 地下〔sou-sol；tréfonds〕の所有者。土地の所有者である土地所有者〔focier〕，および，土地の上方に位置するもの（建築物，植栽）の所有者である地上所有者〔sperficiaire〕と対比される。
▷鉱業法典36条，55条

Tréfonds 〔民法〕**地下** 地面の下にあるもの。土地の所有者は，地下において，適当と判断するすべての建築および掘削を行い，その掘削からすべての産出物を引き出すことができる。ただし，鉱山に関する規制法令を遵守することを要する。
▷民法典552条3項

Trentième indivisible 〔財政〕**不可分の30分の1原則** 国またはその行政的公施設法人の公務員の本俸〔►Traitement budgétaire〕1ヵ月分の不可分単位はその30分の1に等しいという，公会計上の原則。その結果，1日分に満たない時間の《なされた役務》〔service fait〕（すなわち職務の遂行）の欠如がある場合，とりわけきわめて短時間のストライキの場合，俸給の控除は丸1日分の報酬と等しくなる。

Trésor 〔民法〕**埋蔵物** 隠れていた物または埋められていた物であり，まったくの偶然によって発見され，かつ，いかなる者も自己の所有権を正当化できないもの。
▷民法典716条

Trésorerie 〔財政〕**地方財務局** 最近まで徴税事務所〔perception〕と呼ばれていた，国庫の会計を行う事務所の現在の呼称。徴税事務所という用語は伝統的なものであるが，今日でも日常用語として使われる頻度は非常に高い。
►Percepteur〔徴税官〕

Trésorier-payeur général 〔財政〕**地方財務局長** 各県において職務を行う財務省の高級官僚（パリには特別の組織がある）。各県において地方財務局長はただひとりの主席会計官である。すなわち，地方財務局長は，他の大多数の公会計官の帳簿を自分の帳簿に組み入れた後に会計検査院〔►Cour des comptes〕に会計報告書〔►Compte de gestion〕を提出する。地方財務局長は直接税（《地方財務局》〔►Trésorerie〕によって徴収される）および国の税外収入の大部分を会計に集約すること，ならびに，これらの徴収に関する訴訟の当事者となることを任務とする。地方財務局長は国の歳出の支払いを監督し，債権者への支払いを行う。

地方財務局長は州の経済的分野および公共投資の分野において，州知事〔►Préfet de région〕の財政顧問という重要な役割を果たす。

地方財務局長は，市町村全体の10分の9を占める人口3500人未満の市町村の会計検査も行う。これらの市町村の通常の収入は，75万ユーロを下回るので，州会計検査院〔►Chambre régionale des comptes〕のみが市町村の会計官に対して決算時欠損〔►Débet〕の弁済判決をなす権限を有するという原則には違反しない。

地方財務局長は，その歴史的起源から2001年まで，自らの責任で，銀行口座に相当する個人資金の当座勘定（《個人資金口座》）をもつ権利を有していた。
►Apurement des comptes〔行政的会計検査〕
►Contrôle financier déconcentré〔事務分散化された財務監査〕

Trésor public 〔財政〕**国庫** 財務省の国庫・経済予測総局〔Direction générale du Trésor et de la prévision économique〕のもとにある諸機関の総体を指して用いられる表現。

国庫の任務の範囲は，第二次世界大戦終結(1945年)の後数十年にわたり非常に広いものであった．当時，国庫は，財政投融資ならびに短期金融市場および銀行制度に対する国の後見監督において中心的な役割を果たしていたが，《統制経済》〔économie administrée〕の消滅とともにその役割は制限された．国庫の現在の主要な(かつ重要な)職務は，財政的性質のものである．国庫は，国ならびに地方公共団体〔►Collectivités territoriales〕および公施設法人〔►Établissement public〕の会計を担当する．地方公共団体および公施設法人の流動資産は，原則として，フランス銀行〔►Banque de France〕に設けられた国庫の総合口座への払込みの形で国に預託される（歳入金一体の原則〔principe de l'unité de trésorerie des personnes publiques〕）．国庫は，財源を捻出することによって，歳出予算超過〔déficit budgétaire〕または収支の時間的ずれから生ずる国の資金不足を賄わなければならない．
►Agence France Trésor〔フランス国庫機構〕►Dette publique〔公債〕

Tribunal administratif 行政 **地方行政裁判所**
普通法上の行政裁判所であって，その管轄区域は複数の県にわたる．地方行政裁判所のなす判決は，当該裁判所を管轄する行政控訴院への控訴の対象となる．38の地方行政裁判所が設置されている(フランス本土に29)．

Tribunal administratif international 国公 **国際行政裁判所** 国際組織の職員の地位に関する係争を裁判することをその任とする裁判所（国際連合，国際労働機関，および専門機関の各行政裁判所）．

Tribunal des affaires de Sécurité sociale 社保 **社会保障事件裁判所** 社会保障法の適用に関するあらゆる係争について管轄権を有する裁判所．社会保障事件裁判所は，大審裁判所の裁判官が裁判長となって主宰し，労働者を代表する1名の陪席裁判官および非労働者を代表する1名の陪席裁判官(使用者または自営業者)から構成される．係争が農業職に適用される立法に関する場合，陪席裁判官は，2名とも農業職の構成員から選ばれる．116の社会保障事件裁判所が存在する．
▷社会保障法典L142-1条，R142-1条，L142-4条以下

Tribunal de l'application des peines 刑訴 **刑罰適用裁判所** 刑罰適用裁判官が管轄権を有する場合を除き，自由剥奪刑執行の若干の態様(保安期間，仮釈放，刑の停止)を定めることを任務とする裁判所．すべて刑罰適用裁判官である所長および2名の陪席裁判官から構成され，おのおのの控訴院の管轄区域に設置される．刑罰適用裁判所の土地管轄権限はデクレにより定められ，1または複数の大審裁判所のそれに相当する．
▷刑事手続法典712-1条，712-3条，712-7条

Tribunal aux armées de Paris 刑訴 **パリ軍事裁判所** 職業裁判官から構成される軍事例外裁判所．共和国の領土外で軍人または軍属によって行われたあらゆる性質の犯罪を裁判する権限を有する．部隊が共和国の領土外に駐留するときに設置されることがあった軍事裁判所〔tribunal aux armées〕に取って代わった．
▷軍事裁判法典1条，3条，59条；新軍事裁判法典L1条およびL117-1条以下(施行延期)

Tribunal de commerce 民訴 **商事裁判所** 商事裁判所の選挙代理人〔Délégués consulaires〕により選挙される判事により構成され，以下の事項について裁判する．すなわち：
①商人の間，金融機関の間，商人と金融機関の間での契約に関する争い；②商事会社に関する争い；③あらゆる人の間の商行為に関する争い；④同時に商人と非商人との署名が記載されている約束手形に関する争い．
この裁判所はときに juridiction consulaire と呼ばれる．229の商事裁判所がある．
▷商法典721-1条以下

Tribunal des conflits 行政 民訴 刑訴 **権限裁判所** 憲法院よりも下位に位置づけられるが，司法，行政両系統の裁判所よりも上位に位置づけられる裁判所であって，両系統の裁判所間の権限争議〔►Conflit〕を裁判する．権限裁判所は，コンセイユ・デタおよび破毀院の構成員から同数の代表者をもって構成され，司法大臣によって主宰される．
実際には，司法大臣は，意見が対立し，可否同数で裁定を下さなければならない(《Vider le conflit》〔争いに決着をつける〕)場合にのみ審議に加わる．

Tribunal du contentieux de l'incapacité (ex-commission régionale d'invalidité et d'incapacité permanente) 社保 **労働不能訴訟裁判所(旧地方廃疾永続的労働不能争訟委員会)** 永続的労働不能状態，および，特に労働災害と職業病における労働不能の率に関する争いを審査する権限を有する裁判所．

427

▷社会保障法典L143-2条

Tribunal correctionnel 刑訴 軽罪裁判所　大審裁判所の構成体。軽罪の領域に関して管轄権限を有する。
▷刑事手続法典381条以下

Tribunal de grande instance 民訴 大審裁判所　民事事件に関する普通法上の裁判所。控訴の負担付きで，事件の性質または請求額を理由として明示的に他の裁判所に管轄権限が付与されていないすべての問題を審理する。一定の事項（婚姻，離婚，親子関係，発明特許，不動産差押えなど）については専属管轄を有しており，これらの事項について請求額が4000ユーロ以下の場合には終審として裁判する。
▷司法組織法典L311-1条以下，R311-1条以下

Tribunal d'instance 民訴 小審裁判所　一般に郡をなす区〔arrondissement〕を管轄区域とする単独裁判官制の裁判所。民事事件について訴額10000ユーロまでのすべての対人の訴えまたは動産を対象とする訴えについて裁判する。ただし，直近裁判所〔►Juridiction de proximité〕の管轄事項を除く。小審裁判所はまた，不動産の賃貸借，後見，占有の訴え，葬式など，多数の専属管轄を有している。
▷司法組織法典L321-1条以下，R321-1条以下

Tribunal maritime commercial 刑訴 海事裁判所　船舶の秩序および貨物海上運送に関する一定の軽罪（例えば，船舶の遺棄，船舶衝突時の救助拒否など）を裁判する管轄権限を有する刑事例外裁判所。5名の裁判官から構成される海事裁判所は，管轄を有する大審裁判所の裁判官により主宰され，海洋航海を業とする者からなる4名の陪席裁判官により補佐される。陪席裁判官のうちの1名は被告人の資格に応じて選任される。

Tribunal militaire international 国公 国際軍事裁判所　人道に対する戦争犯罪に責任ある，ドイツの指導者を裁判するため（ニュルンベルク軍事裁判所）および日本の指導者を裁判するため（極東軍事裁判所）に，第二次世界大戦後に設立された裁判所。国際法により個人の刑事責任が認められた。

Tribunal militaire aux armées 刑訴 戦時軍事裁判所　戦時に，かつ，共和国の領土外または領土内において軍隊が駐留または行動する際に設置される軍事例外裁判所。所長および4名の軍人裁判官の5名から構成され，軍隊の構成員によって行われた犯罪を裁判する管轄権限，およびフランスの軍隊，その施設・物資に対して行われた犯罪の正犯または共犯を裁判する管轄権限を有する。
▷軍事裁判法典1条，49条および68条；新軍事裁判法典L1条およびL112−27条以下（施行延期）

Tribunal paritaire des baux ruraux 民訴 農事 農事賃貸借同数裁判所　参審制の例外裁判所であり，小審裁判所の裁判官により主宰され，賃貸人を代表する2名の陪席裁判官および定額小作人または分益小作人を代表する2名の陪席裁判官により補佐される。これらの陪席裁判官は選挙により選ばれる。この裁判所は農事賃貸借に関して審理する権限を有する。413の農事賃貸借同数裁判所が存在する。
▷農事法典L491-1条

Tribunal pénal international 国公 刑訴 国際刑事裁判所　人間の基本権が著しく無視されジェノサイド犯罪が非難されることとなった紛争の結果として設置された裁判所。個人を裁判する国際裁判所である。第二次世界大戦後にドイツと日本の戦争犯罪人を裁判するために設置されたニュルンベルク軍事裁判所および極東軍事裁判所の後，安全保障理事会は，旧ユーゴスラヴィアで生じた紛争で行われた犯罪を審理するためにハーグ（1993年）に，ルワンダで行われた犯罪を審理するためにアルーシャ（1994年）に，それぞれ国際刑事裁判所を設置した。
►Tribunal militaire international〔国際軍事裁判所〕

Tribunal de police 刑訴 違警罪裁判所　小審裁判所の構成体。違警罪の領域に関して管轄権限を有する。刑事事件にしか権限をもたない独立の違警罪裁判所が，パリ，リヨンおよびマルセイユに創設された。
▷刑事手続法典521条以下

Tribunal de première instance des Communautés européennes EU ヨーロッパ共同体第一審裁判所　ヨーロッパ共同体裁判所の過重となった任務を軽減するために1989年に設置された。所在地はルクセンブルクであり，いまだヨーロッパ共同体裁判所に付置されている。その管轄権限は次第に拡張されてきた。ニース条約（2001年）はヨーロッパ共同体第一審裁判所に対して，付属簡易法廷〔chambres juridictionnelles〕への申立ておよびヨーロッパ共同体裁判所に留保される申立て（例えば，義務不履行の申立て）を除いて，すべての直

接的申立てについて原則的管轄権限を認めたので，この裁判所は真の第一審裁判所となった。ヨーロッパ共同体第一審裁判所の判決に対しては，法律問題に限定された申立てをヨーロッパ共同体裁判所に提起することが可能である。

Tribunal prévotal 刑訴 **戦時違警罪軍事裁判所** 1名の憲兵将校〔prévôt〕により構成される軍事裁判所。第1級から第4級までの違警罪を裁判する管轄権限を有する。戦時に，かつ，戦時軍事裁判所〔►Tribunal militaire aux armées〕が設置される場合でなければ設置されない。

新軍事裁判法典によれば，戦時違警罪軍事裁判所は，軍事裁判役務にあたる特任将校の資格で動員される1名の司法官により構成される。

▷軍事裁判法典479条以下；新軍事裁判法典L1条およびL421-1条以下（施行延期）

Tribunal territorial des forces armées 刑訴 **本国軍事裁判所** 戦時に設置される刑事例外裁判所。5名の裁判官（2名の文民裁判官と3名の軍人裁判官）から構成され，国民またはその財産に対して，軍隊の構成員，敵国の国民または敵国の利益に奉仕する者が行った犯罪，ならびに一般に国益に対する重罪および軽罪，およびそれに関連する犯罪を裁判する管轄権限を有する。

▷軍事裁判法典1条および24条以下；新軍事裁判法典L1条2号およびL112-1条以下（施行延期）

Tribunaux mixtes de commerce 民訴 **商事混合裁判所** グアドループ県，ギアナ県，マルティニック県およびレユニオン県において設置されている商事裁判所。この裁判所の特徴は，大審裁判所長および選挙される裁判官から構成されるところにある。

▷商法典L732-1条からL732-3条

《Troïka》 EU **トロイカ** ヨーロッパ共同体法において，その時期に閣僚理事会の議長を務める国，前議長国および次の議長国の代表による，共同体の活動のさらなる継続性を確保することを目的とする非公式の協力会議に与えられる呼称。

Trouble psychique ou neuropsychique 刑法 **精神障害・神経性精神障害** 刑法において，精神病のすべての形態を指すために立法者によって用いられる総称的表現。その障害を有していた者は，弁別能力〔discernement〕または行為の統御〔contrôle〕を失っていた場合には，免責とされる。また，単にそれらの能力を変質させられていただけの場合には，刑の軽減または修正を受けるにすぎない。

▷刑法典122-1条

Trust 商法 **トラスト；企業合同** 財務上および経済上の利益主体の提携をいい，これによって，親会社が，複数の子会社が発行する証券の全部または過半数を保有し，それらの子会社を支配する。

トラストは，一定の市場において独占権をもつことを目的とする。

Turpitude 民法 **破廉恥行為** 著しく不道徳であるがゆえに，それを理由に，契約の無効を理由とする返還請求が不受理とされる行動。

► 《Nemo auditur propriam turpitudinem allegans》〔何人も自己の破廉恥を援用することは許されない〕

Tutelle 行政 **後見監督** 1982年以前に，地方公共団体〔►Collectivités territoriales〕に対して，それらの利益というよりはむしろ一般的利益および適法性の擁護を目的として，国によって行われる監督を指していた用語。後見監督は，地方公共団体の機関および行為に対する権限，特に行政手続上の承認および取消しの権限を含んでいた。

後見監督は，1982年の分権化〔►Décentralisation〕の拡大の際，地方の自律性をより尊重した適法性の監督〔►Contrôle de légalité〕に取って代わられた。

非営利社団，財団および修道会に対する，主にそれらへの無償贈与および不動産取得に関する国の後見監督という形も存在する。

民法 **後見** 一定の未成年者，とりわけ父および母が両方とも死亡しまたは親権を行使することができない未成年者，ならびに，精神的または身体的能力が低下した成年者を，市民生活上の行為について継続的に代理することにより保護することを可能とする制度。

後見は被後見人の本人自身および財産を保護する制度であり，さらに，未成年者については，後見の実施は，被後見子の本人自身に責任を負う後見人とその財産管理に責任を負う後見人とで分担することができる。

▷民法典390条，488条，490条および492条（2009年1月1日より390条以下，405条，408条，415条および440条以下），新民事手続法典1211条以下および1243条以下

►Curatelle〔保佐；法主体不存在の相続財

産の管理〕►Sauvegarde de justice〔裁判上の保護〕

Tutelle des organismes　社保　社会保障機関の行政監督　社会保障金庫の運営に対して国により行使される監督のこと（社会保障機関の理事会の決定の審査，地方金庫の事務長の任命に対して与えられる承認）。こうした行政監督は，私的機関である社会保障金庫については，公施設法人の全国金庫は別にして，公役務を管理しているということによって正当化される。

Tutelle aux prestations sociales　社保　社会保障給付の受領後見　通常の受給者〔attributaire〕が社会保障給付をその本来の目的に従って利用しない場合に，その給付を受領する第三者を指名すること。この受領後見は，まずはじめに，家族給付について定められたが，社会援助手当，老齢保険上の諸手当，国民連帯基金付加手当へと拡張されていった。受領後見の決定を行うのは，家族手当の場合は少年裁判官であり，その他の場合は小審裁判所裁判官である。

Tutelle（Territoire sous）　国公　信託統治地域　発展を確保するため，および内部的自治または独立に向かっての進展を促進するために，国際連合の監督のもとである国家に施政を委ねられた地域。委任統治制度〔►Mandat（Territoires sous）〕の単なる翻案である信託統治制度は，第二次世界大戦終了時にまだ委任統治のもとにあった地域と，ソマリア（1945年に敗戦国から分離された）に適用された。太平洋諸島信託地域を除いて（カロリン，マーシャル，マリアナ諸島はアメリカの信託統治のもとにある），すべての信託統治地域は独立国になった。
　►Conseil de tutelle〔信託統治理事会〕

Tutelle stratégique　戦略信託統治地域：戦略地区の性格（軍事基地の存在）を有する地域のための信託統治の特別な制度。国連による監督は，安全保障理事会に委託されている。唯一の適用例は，アメリカの信託統治のもとにある太平洋諸島（カロリン，マーシャル，マリアナ諸島）。

Tuteur　民法　後見人　後見制度のもとにおかれた未成年者または成年者を代理する任務を負う者。
　後見人は管理行為については単独で決定を行うが，処分行為，すなわち継続的かつ実質的に財産に変更を加える行為については家族会の許可を得なければならない。さらに，一定の行為は，いかなる場合であれ，たとえ許可されようとも未成年者の名において行うことはできない。とりわけ被保護者の財産または権利の無償譲渡がこれにあたる。
　成年後見に関して，家族の構成員または近親者が後見の職務を行うことができない場合，裁判官は裁判上の成年者保護受任者〔►Mandataire judiciaire à la protection des majeurs〕を選任する。
　▷民法典417条，450条以下および495条（2009年1月1日より450条および503条以下）
　►Tutelle〔後見〕

Tuteur《ad hoc》　民法　特別後見人　後見監督人が不在の場合であって，後見人が任務の制限ゆえに，または単独もしくは一連の行為の際に被保護者との間で利益対立を生ずるゆえに被保護者のために行為することができないときに，裁判官または家族会が，後見人，共和国検事もしくは利害関係人の請求に基づきまたは職権で選任する者。
　特別後見人という表現は，今日では特別財産管理人〔administrateur ad hoc〕という表現に取って代わられている。
　▷民法典317条（2009年1月1日より388-2条，389-3条および455条）
　►Curateur《ad hoc》〔特別保佐人〕

Tyrannie；Despotisme　憲法　専制政治　専断的な単独支配の統治。《ただ1人が，法律も規則もなく，万事を彼の意思と気まぐれとによって，引きずって行く》（モンテスキュー）。

U

《Ubi lex non distinguit, nec nos distinguere debemus》　一般　法律が区別しない場合にはわれわれも区別してはならない

《Ultra petita》　民訴　請求の範囲をこえて　請求されたものより多くのことを認めるとき，または，判断を委ねられなかった問題を裁判するとき，裁判所は《請求の範囲をこえて》〔ultra petita〕裁判するという。後者の場合は，

Uni

むしろ《請求の範囲外の》〔extra petita〕裁判というべきである。
▷新民事手続法典5条および464条
► 《Infra petita》〔請求の一部を落として〕

《Ultra vires》 民法 商法 **能力をこえて；無制限に** ある者(相続人, 受遺者, 社員)が, 積極財産のなかに有するもの以上に, 負債および消極財産を弁済する義務を負うことを示す表現(相続財産, 夫婦財産制, 会社)。
▷民法典723条, 785条, 873条, 1012条, 1017条, 1482条以下および1857条
► 《Intra vires》〔能力の範囲内で〕

UNESCO (Organisation des Nations unies pour l'éducation, la science et la culture) 国公 **ユネスコ(国際連合教育科学文化機関)** 教育, 科学および文化を通じて諸国民の間の協力を促進し, 相互理解を奨励することによって世界の平和と安全に貢献するために1946年に設立された国際連合の専門機関。所在地：パリ。

Unilatéral 民法 **一方的** ► Acte unilatéral〔一方的行為〕

Union 労働 **地域連合** ► Syndicat professionnel〔職業組合〕

Union administrative 国公 **行政連合** 技術進歩の影響を受けて, さまざまな分野(通信および運輸, 経済的, 社会的および科学的利益など)における各国の事務を調整するために19世紀後半に発展した, 非政治的国際組織の総称(例：国際電信連合, 工業所有権保護同盟など)。

Union civile 民法 **民事結合** 場合によっては同性である, 互いに婚姻していない2人の者の法的地位。これらの者の生前および死後の財産に関する法的関係を規律することを目的としている。民事結合は, 一般的に法律上は認められてはいないが, 社会保障法においては考慮されており, 被保険者と継続して12ヵ月間生活をともにし, 実質的, 全面的かつ恒常的に扶養されている者は, 疾病保険および母性保険の現物給付について権利承継人の資格を付与されている。
▷社会保障法典L161-14条およびR161-8-1条
►Concubinage〔内縁〕►Pacte civil de solidarité (PACS)〔パートナー契約〕

Union douanière 国公 **関税同盟** いくつかの国家の集団であって, それらの国家が, その相互の関係では単一の関税領域のみを形成する目的で関税障壁を撤廃し, 第三国に対する関係では対外共通関税を設定することを約するもの。
►Zone de libre échange〔自由貿易地域〕

Union économique 国公 **経済同盟** いくつかの国家の集団であって, それらの国家が各国の経済政策を共通の制度と法に服させて, その経済政策を統一することを約するもの。

Union économique et monétaire EU **経済通貨連合** 関税同盟が実現した後に, 1960年代末から定められたヨーロッパ連合の主要な目標(1969年のバール〔Barre〕プランおよび1971年のヴェルナー〔Werner〕プラン)。協調経済政策(予算政策も含んだ, 経済的収斂の必要性)および単一通貨を前提とする。マーストリヒト条約により規定され, 1999年1月1日に単一通貨ユーロ〔►Euro〕の創設とともに実現した。

Union de l'Europe occidentale 国公 **西ヨーロッパ同盟** ヨーロッパ防衛共同体〔►Communauté européenne de défense〕の失敗の後で, 代案として1954年に創設された国際組織。当初の目的は, ドイツに課された軍備に関する制限を監視する枠組となることであった。

加盟国は, フランス, イギリス, ドイツ, イタリア, ベルギー, オランダ, ルクセンブルク。所在地：ブリュッセル。

長い間休眠状態にあったが, マーストリヒト条約およびアムステルダム条約に伴い, ヨーロッパ連合によって実施される共通外交安全保障政策は, 西ヨーロッパ同盟が《ヨーロッパ連合発展の不可欠な構成要素をなす》と謳い, それをヨーロッパ連合に統合して, 共同防衛手段にする準備をしている。西ヨーロッパ同盟の参加国は漸進的に28ヵ国まで拡大したが, 1999年, ヨーロッパ連合加盟国は, 西ヨーロッパ同盟を消滅させてヨーロッパ連合固有の一機関とすることを決定した。

Union européenne EU **ヨーロッパ連合** 加盟国間の政治同盟という形態の設立を目指して1972年にヨーロッパ共同体の枠内で定められた目標。長い間死文となっていたが, マーストリヒト条約〔►Maastricht〕すなわち《ヨーロッパ連合に関する条約》により正式に設立された。この概念は, 経済通貨連合〔►Union économique et monétaire〕の目標, ならびに政治面に関しては, 外交防衛政策に関する協力, または今日では域内の安全および司法政策に関する協力を含む。

431

Union française [憲法] **フランス連合** 植民地支配に取って代わり，フランス第四共和制の憲法典によって規定された制度であり，フランスとその植民地との関係を組織することを目的とした。フランス連合は従属という原則ではなく，提携という原則に基づこうとするものであった（だが，分離独立はできなかった）。この形態は重大な危機（インドシナ，アルジェリア）を防ぐことはできなかった。フランス連合は1958年にフランス共同体〔►Communauté〕に取って代わられた。

Union libre [民法] **自由結合** ►Concubinage〔内縁〕►Pacte civil de solidarité (PACS)〔パートナー契約〕►Union civile〔民事結合〕

Union personnelle [国公] **身上連合；人的同君連合；単純同君連合** 互いに別個かつ独立を保っている2国の連合であり，政治的な偶然（王位継承法の偶然の一致）の結果，同一の君主を戴くもの（例：1714年から1837年のイギリスとハノーヴァーの身上連合）。

Union postale universelle [国公] **万国郵便連合** 1874年に創設された国際組織であり，今日では国際連合の専門機関となっている。国際協力を通じて国際郵便業務活動を改善することを任務とする。所在地：ベルン。

Union de recouvrement [社保] **保険料徴収組合** 1または複数の社会保障金庫の管轄区域に対応する管轄区域において社会保険料および使用者の家族手当分担金を徴収することを任務とする機関。保険料徴収組合は，社会保障機関中央財務管理事務所〔Agence centrale des organismes de Sécurité Sociale〕の傘下に置かれる。
▷社会保障法典L213-1条以下

Union réelle [国公] **物上連合；物的同君連合；実質的連合** 単に国家元首の同一性だけでなく，さらに共通の事項（対外政策，国防，財政）の管理を任務とする共通の機関（省庁など）の存在を内容とする2国の連合（例：1867年から1918年のオーストリア・ハンガリーの物上連合）。

Unipersonnel [民法] [商法] **一人の** ►Société unipersonnelle〔一人会社〕

Unité [財政] **予算単一の原則** 予算法の原則であり，二重の意味を有する。
・国が次年度に予定している歳入と歳出のすべては国会の承認を得なければならないとする実体的原則。
・形式的原則としては，国会が事情を十分に認識したうえで選択を行うことができるように，国会に歳入と歳出とが同時に提出されること，および，国会が歳入と歳出との均衡または不均衡を評価できるように，両者を同一の文書にまとめることを要求する。

Unité économique et sociale [労働] **経済社会単位** 法的には別個の企業を，労働法上の一定の規定，特に従業員の代表制度の実施に関する規定の適用について，単一の社会経済組織体として構成したもの。以下の3条件を満たす場合に，経済社会単位として扱われる。すなわち，指揮の単一性，補足的または関連した企業活動の存在，および労働者についての共通性の存在である。
▷労働法典L431-1条

Unités de formation et de recherche (UFR) [行政] **教育研究単位** 大学の各主要構成要素の総称。社会科学および人文科学の分野では，しばしば，旧大学組織のFaculté〔学部〕を引き継いでいる。教育研究単位は，教育部門および研究センターを併せもち，法文によれば，教育計画および研究プログラムに合致していなければならない。教育研究単位は，選挙によって選出され，教員，学生および職員の代表，ならびに外部の者の代表から構成される理事会により管理され，理事会によって選出される長により運営される。この長は任期5年で，1度だけ再選可能である。UFRは，その名称を選択することができる。faculté〔学部〕の名称を選択した場合，その長には通常doyen〔学部長〕の名称が与えられる。
▷教育法典L713-1条およびL713-3条
►Facultés〔学部〕

Unité opérationnelle de programme [財政] **事業計画執行単位** 予算に関して，事業計画執行予算〔►Budgets opérationnels de programme (BOP)〕の実施に協力する国の機関の総体に与えられた名称。そのそれぞれは，長として単位責任者を有する（事業計画執行予算の責任者である場合もある）。

Unité de référence [農事] **基本営農単位** （自然地域ごとに農業活動の性質に応じて決められる）持続力ある営農規模を定めるために導入された，農業経営構造監督〔contrôle des structures〕の新たな基準。基本営農単位は，部分的に最低営農面積〔►Surface minimum d'installation (SMI)〕に取って代わる。
▷農事法典L312-5条

Universalité [財政] **総計予算の原則** 予算法の

原則であり，最も包括的な意味としては二重の意味を有する。
・会計上の観点からは，収入と支出の計算から生じる差引残高だけを明らかにすることを目的として国の歳入と歳出を相殺することを一切禁じるものである（収支独立原則〔règle du produit brut〕）。
・法的観点からは，この原則は，ある歳入がある歳出のための財源として優先的に割り当てられることを禁じる（特定支出割当禁止の原則〔règle de la non-affectation〕）。

Universalité de droit 民法 法的総体 積極財産と消極財産とが不可分に結びついているという意味において，全体がひとつの法制度に服する，権利および義務の総体。

Université 行政 大学 1968年以前の高等教育機構において同一の大学区〔►Académie〕の学部〔►Facultés〕を統合した公施設法人であるが，学部の運営に関しては目立った役割は果たさなかった。
現在の機構においては，主として教育研究単位〔►Unités de formation et de recherche (UFR)〕，付属研究教育施設および研究センター（または研究所）からなる科学的，文化的，専門的性格を有する公施設法人。大学は，法的には自治権を有しているが，国の規制の範囲内において任務を果たし，国の行政的・財政的監督を受ける。他方，国は，人，物および土地を獲得するための資金の大部分を大学に保障する。大学は，議決機関である理事会，諮問を受け，提案を行う権限を有する学術審議会および教育・大学生活審議会，ならびに，この3つの会議体の合同会議により5年の任期で選出され，それらを指揮する学長によって管理運営される。学長は，2期連続して選出されることはできない。3つの会議体は，教職員および学生の代表者からなる。それらはまた，学外の者を含む。
▷教育法典L712-1条以下
►Recteur〔大学区総長〕

Urbanisme 行政 都市計画 市街地が充足しなければならないさまざまな種類の要求に応じて，市街地の秩序だった発展を実現することを目的とする法的措置および事実作用の総体。

Urgence 行政 緊急性 緊急性は，それが認められた場合に，行政訴訟において一定の役割を果たす（急速審理手続き，執行停止）。
►Etat d'urgence〔危急事態〕►Nécessité〔必要性〕

民訴 **緊急性** 急速審理手続きまたは指定期日の手続きにより裁判所に裁判を請求することを可能とする事実状況。
緊急性はときに判決の仮執行，法廷時間外および就業日以外の文書の送達の許可または執行の許可を正当化する。緊急性は，それを主張する者にとってあらゆる遅延が重大な損害をもたらすおそれのあることを前提とする。
▷新民事手続法典664条，788条，808条および917条
►Nécessité〔必要性〕民訴

刑訴 **緊急性** 緊急性は，刑事に関しても考慮されることがある。とりわけ現行犯捜査において考慮され，若干の警察機関または司法機関がその通常の管轄権限（主に土地管轄権限）を越えて活動することが可能となる。共助の嘱託の実施に関しても考慮されている。緊急性はまた，例えば勾留に関して，個人の自由をより保護するために，急速釈放手続き〔►Référé-liberté〕と呼ばれる特別急速審理手続きが開始されるまで手続きの期間を縮減することがある。

Usage 民法 慣行；慣習；使用
① *Usages conventionnels* 契約上の慣行：個々人が法律行為において習慣的に従っている規範。この規範は暗黙の了解となった定法〔clause de style〕に由来するものと考えられるため，個々人はこの規範に黙示的に依拠したものとみなされる。
▷民法典1135条，1159条および1160条
② *Usages fonciers* 土地慣行：ある地域に特有の慣行であって，立法者が，若干の相隣関係（植樹，井戸掘りなどの際に守るべき隣地との距離）または土地からの収益行為（輪伐用樹木の伐採の順位および割合）を規律するために依拠するもの。
▷民法典590条，663条，671条および674条
③使用：ある物を使用すること。
►《Usus》〔使用権〕

労働 **慣行** 長期的かつ恒常的に行われてきた職業上の慣習的行動形態で，これを遵守する者の精神においては，義務と同じである。部門協約の発展により，ますます職業慣行がまれになっているのに比べ，もっぱら経済的要素に基づいている企業慣行は，さまざま存在している。慣行と性質決定されるには，当該行動形態が，恒常性，一般性，固定制という三重の性質を呈するものでなければならな

い。
慣行はときに法律によって認められる。解雇予告期間の法制化がその例である。

Usage（Droit d'） 民法 **使用(権)** 自己および自己の家族に必要な限度においてある物を使用し、その物から果実を収取する権利を、その権利の名義人、すなわち使用者〔usager〕に与える主物権かつ所有権の分肢。
▷民法典630条
►Habitation (Droit d')〔居住(権)〕

Usage de faux 刑法 **偽造文書行使** 事情を知りながら、文書の提出によって通常目的とされる結果を得るために、偽造文書を用いること。
▷刑法典441条以下
►Faux〔偽造の申立て〕

Usage irrégulier de qualité 刑法 **社会的地位不正利用** 法律による犯罪の定義。営利を目的とする企業の設立者または指揮者が、自己が設立する、または指揮する企業の利益を図る広告において、政府構成員、国会議員もしくは明示された裁判所もしくは機関の構成員、すなわち司法官、公務員、公署官もしくは裁判所補助吏の資格の記載を付した自己の氏名を役職とともに、または授与された勲章の記載を付した氏名を表示するだけで成立する。
▷刑法典433-18条

Usucapion 民法 **取得時効** prescription acquisitive〔取得時効〕の同義語。
►Prescription civile〔民事時効〕

Usufructuaire 民法 **用益権に関する** 用益権に関すること。用益権に関する負担とは、用益に供された不動産の維持のための修繕のように、慣習上果実収入から支払われるものをいう。
▷民法典608条以下

Usufruit 民法 **用益権** ある物を使用し、その物から果実を収取する権利をその権利の名義人に与えるが、その物を処分する権利は与えない主物権かつ所有権の分肢。処分権は、虚有権者〔nu-propriétaire〕に属する。
▷民法典578条および582条以下
►《Abusus》〔処分権〕►《Fructus》〔収益権〕
►Nue-propriété〔虚有権〕►《Usus》〔使用権〕

Usure 民法 商法 刑法 **暴利** 貸借または貸借類似の契約の対象である金銭に付された過度の利息。過度に徴収された利息は、通常の利息に法律上当然に充当され、その余は債権の元本に充当される。債権の元本が充当により消滅した後は、不当に徴収された金銭は、その支払日から起算した法定利息を付して返還されなければならない。
自然人を借主とする貸借における暴利は、その利率が法律により定められている上限を超えた場合には、刑事上の犯罪である。
▷消費法典L313-3条；通貨金融法典L313-5条以下

Usurpations 刑法 **僭称** たいていの場合、私的活動と行政庁に留保されまたはその監督下で行われる活動との間に混同を生じさせることを目的として、権利を有しないにもかかわらず、職務、標章、称号または資格を冒用することを内容とする犯罪の総体。
▷例えば、刑法典433-12条、433-14条、433-17条など。

《Usus》 民法 **使用権** 所有権の属性である権利のうちで、果実を収取せずに物を所持し使用する権利。
►《Abusus》〔処分権〕►《Fructus》〔収益権〕►Habitation (Droit d')〔居住(権)〕
►Usage〔使用〕

Utérins 民法 **異父兄弟(姉妹)** 同じ母から生まれたが、同じ父をもたない兄弟および姉妹をいう。
►Consanguins〔異母兄弟(姉妹)〕►Germains〔同父母兄弟(姉妹)〕

《Ut singuli, ut universi》 民法 商法 民訴 **個別的に、包括的に** 人、財産、裁判上の訴えの提起を個別的に考慮するときに《ut singuli》という表現が用いられる。これに対して、《ut universi》という表現は、財産または訴訟を包括的に考慮することを示す（例：相続財産）。

V

Vacance 憲法 **空席** ある職務につき、その職務の担当者が存在しない期間。（例：死亡、辞職または高等法院による罷免から生じる共和国大統領職の空席）。
►Intérim〔代行〕

民法 （法主体の）不存在 ある地位に就くよう指定される者が存在しないことまたはその地位に就くことを拒否することによって生じる法的間隙。その結果については国が責任を負う。例えば，相続人が確知されず，または確知された相続人が相続を放棄または6ヵ月内に選択をしない場合のように，相続財産に関してだれも相続権を主張しない場合に生じる。この状態は一時的なものであり，相続を承認した相続人が代襲されることにより，または，債権者のために財産を清算し剰余があればそれを国に帰属させることにより終了する。
▷民法典809条以下

最もしばしば，財産は，所有者なき場合（放棄）または占有者なき場合（紛失，盗難）に法主体の不存在となる。
▷民法典539条および713条
▶Biens sans maître〔無主物〕▶Déshérence〔相続人の不存在〕

Vacation 民訴 **任務遂行期間；期間報酬**
①任務遂行期間//単数では，専門職業人（公証人，鑑定人）がその間に自らの職務を行う時間を指す。
②期間報酬//複数では，この期間に応じた報酬を指す。

Vagabonds 刑法 **浮浪者** 定まった住所も生計の手段ももたず，定職に就かない者。かつては，このような事実があればそれだけで軽罪の刑罰で処罰され，または本人の同意を条件として社会援助サーヴィスを受けることができた。

現在，このような状態はもはや犯罪ではない。

Vaine pâture (Droit de) 農事 **入会放牧（権）** 市町村の住民全体に属する古くからの権利であって，人工牧草地を除く囲いのない土地において，収穫後かつ播種前の期間，各住民の農地で家畜を牧養することを内容とするもの。この権利は譲渡することができない。市町村会はこの権利を規制することができる。
▷農事法典L651-1条以下；民法典648条

Valeur fournie 商法 **提供済対価** 手形の受取人が振出人に対して有する債権。

Valeur nominale 商法 **券面額** 株式または社債の券面上に記載された価額。

Valeurs mobilières 民法 商法 **有価証券** 公法人または私法人によって発行される証券であって，口座への登録または交付譲渡〔▶Tradition〕により移転することができるもの。有価証券は，その種類ごとに同一の権利を付与し，発行法人の資本の一部，または，発行法人の財産に対する一般債権を表わす。

投資合同ファンド〔fonds commun de placement〕および債権合同ファンド〔fonds commun de créances〕の持分もまた有価証券である。
▷通貨金融法典L211-2条；商法典L228-1条以下

Valeur sociale protégée 刑法 **保護される社会的価値；保護法益** 立法政策において，特に保護される客体である社会の基本となるもの（生命，身体の完全性，名誉，財産，一般人の信頼，安全など）。

Valeurs du Trésor 財政 **国債証券** 長期国債〔obligations assimilables du Trésor〕，および確定利付割引国債〔bons du Trésor à taux fixe et intérêts payés d'avance〕ならびに確定年利国債〔bons du Trésor à taux fixe et intérêts annuels〕と呼ばれる短期国債〔▶Bons du Trésor〕からなる総体を示すために財政省が用いる語。国債証券は国の債務の10分の9近くになっている。

Valeur vénale 民法 **市場価値** 市場の状況を基準にして，ある財物が売却されうる価格。物が破壊され，または損傷を受けた場合に，賠償責任を負う者またはその保険者によって支払われるべき賠償金の額を評価する基準となる。

無償譲与の場合の移転登録税および連帯富裕税の税額算定においては，不動産の評価は，移転の日付または課税年度の1月1日における市場価値をもとにして行われる。
▷租税一般法典761条および885条以下

Validation 社保 **期間の有効化** 一定の期間，例えば，兵役および戦争の期間を，被保険者の年金受給権を決定する際に，考慮に入れること。
▷社会保障法典L351-3条
憲法 行政 **合法性確認** ▶Loi de validation〔合法性確認法律〕

Validité 民法 **有効性** ある行為がその完全な効力を発生させるための法律上の要件をすべて満たしていること。

Valise diplomatique 国公 **外交封印袋** 外交伝書使による運搬手段をいい，これにより，外交伝書使は，税関または警察によるあらゆる調査から免れる。

Val

►Immunités diplomatiques et consulaires〔外交官および領事官の特権および免除〕

Valorisme monétaire 民法 **実質貨幣主義** 名目貨幣主義の原則と対立する概念。この概念によれば，金銭債権者は，支払期日に，通貨単位の，通貨の購買力の喪失を考慮して調整された額を受け取る権利を有する。
▷通貨金融法典L112-1条
►Indexation〔指数スライド方式〕

Vassalité 国公 **附庸関係** 2国間の封建的な上下関係。附庸国〔État vassal〕は宗主国〔État suzerain〕に対して貢納および軍事協力を行わなければならず，宗主国の方では軍事的および外交上の保護を保障する。
　この制度は現存せず，19世紀後半オスマントルコ帝国に属する国々（セルビア，ブルガリア，エジプト）に対して用いられ，それらの国家にとって，独立への一過程であった。

Vatican 国公 **ヴァチカン** ローマ市の中の0.44平方キロメートルの領域（ヴァチカンの丘の斜面にそって連なるサン・ピエトロ広場，サン・ピエトロ寺院，宮殿および広場を主に含んでいる）であり，そこにおいてローマ法王庁〔►Saint-Siège〕は排他的権限および専権的な裁判管轄権を行使する（1929年2月11日のラテラノ条約）。

Vénalité 民法 民訴 **売官制** 裁判所補助吏の官職の本質的特性。この官職の名義人が，（自己の承継人として）指名されるように国璽尚書に推薦した人物に，この推薦の謝礼として代金を支払わせること。
►Officier ministériel〔裁判所補助吏〕

Vente 民法 **売買；売却；競売** ある者（売主）が，他の者（買主）に対して権利を移転し，または移転することを約束し，買主は，金銭で代価を支払う義務を負う契約。
▷民法典1582条以下
　移転される権利が債権である場合，一般には，譲渡〔cession〕といわれる（例：債権譲渡〔cession de créance〕）。
▷民法典1689条以下

Vente à la boule de neige 私法 **雪だるま売買** 無償でまたは有利に商品を取得する期待を公衆に抱かせ，金券またはチケットを第三者へ売りつけさせもしくは入会金ないし登録金を支払わせる形で，公衆に商品を販売するという方法で行われる売買。この取引方法は禁止されており，刑事上処罰される。

Vente CAF 商法 **CIF売買** 売主が，買主のために，物品の価格（C:coût），保険料（A:assurance）および運賃（F:fret）を含めた包括的な価額で，物品の運送を確保し，保険を付す売買形態。Vente CIFともいう。

Vente amiable 民訴 **合意による売却** （有体動産の）差押え＝売却〔saisie-vente〕または不動産差押えのありうる結末のひとつ。競売による強制売却〔vente forcée〕の難点（手続きが煩雑で時間がかかり，安値でしか売却できない）を避けるために，債務者は，差し押さえられた財産を任意に売却し，その代金を自己の債権者への支払いに充てることを認められることがある。合意による売却は任意売却〔vente volontaire〕の効力を生ずる。
▷民法典2201条および2202条

Vente à crédit 民法 **信用売買** 目的物はただちに引き渡されるが，代金は期限まで支払われない売買。

Vente au déballage 商法 刑法 **露店販売** 商品を公衆に販売することを目的としていない建物または場所で行われる商品の販売。例えば，このために特に改造された車両からの販売。これらの販売は，事前に行政庁の許可を受けなければならない。
▷商法典L310-2条

Vente à la découpe 民法 **賃借人先買権付一括売却** 建物の全体を一括して売却する方法。この建物の賃借人を保護するため，立法者は，不動産が10以上の住居を含むこと，および，不動産全体の新たな所有者となろうとする者が売買契約の締結予定日において継続中である居住用賃貸借〔bail d'habitation〕の更新を約束していないことを条件として，賃借人のために先買権〔►Droit de préemption〕を認めた（2006年6月13日の法律第685号）。

Vente à distance 民訴 **通信販売** 情報通信，電話，映像通信または郵便手段によって注文を受ける販売。買主は，引渡しから起算して満7日間，交換または払戻しのために，商品を売主に返送することができる。
▷消費法典L121-16条およびL121-20条

Vente à domicile 民訴 **訪問販売** 買主の住所，居所または労働の場で，訪問販売員〔démarcheur〕が誘引する販売。訪問販売は特別の手続きに従い，注文後または購入約束後7日間，顧客は自由に注文または購入約束を放棄することができる。
▷消費法典L121-21条以下

Vente à l'encan 民法 **競売** vente aux enchères publiquesと同義。

Vente aux enchères 〔民法〕**競売** 公衆の参加を認めること，および，最高額を提示した者に財物を競落させることを特徴とする売買形態。2000年7月10日の法律第642号は，動産の任意〔volontaires〕競売を規制し（卸売りを除く），それを《動産任意競売会社》〔►Société de ventes volontaires de meubles aux enchères publiques〕と名づけられた商事会社形態の民事を目的とする会社に委ねている。インターネット利用競売〔vente aux enchères publiques à distance〕も認められるが，これは，財物の所有者の受任者（動産任意競売会社でなければならない）が関与すること，および，最高額を示した者に対してこの代理人が財物を競落させることという規制に服する（商法典L321-3条）。動産の強制〔forcées〕競売については，動産公売官〔►Commissaire-priseur judiciaire〕がその裁判所補助吏〔officier ministériel〕という身分を保持している。不動産の裁判上の競売については，不動産競売期日〔audience des criées〕に競売が開催され，弁護士を介して競りが行われる。競売は，最後の競りから3分が経過した時点で終了する。この時間は，1分が経過するごとにその旨を公衆に知らせるあらゆる視覚的または聴覚的手段によって計算される（2006年7月27日のデクレ第936号78条）。
▷商法典L320-1条以下およびL322-1条以下
►Adjudicataire〔競落人〕►Commissaire-priseur habilité〔認可動産公売人〕►Enchères〔競り；競売〕►Surenchère〔増競り〕

Vente à l'essai 〔民法〕〔商法〕**試用売買** 売却物の試用により買主に満足が与えられた後に所有権移転が実現される売買契約。買主は，その日付以降，物の滅失の危険を負担することになる。
▷民法典1588条

Vente FOB (Free on board) 〔商法〕**FOB売買** 物品の引渡しが本船上で（《free on board》）なされる売買形態。結果として，売主は物品の（海上の）保険および運送を手配しない売買形態。代金は，物品の価格および船積み費用のみを含むものである。

Vente d'immeuble à construire 〔民法〕**建築予定不動産売買** 売主が一定期間内に不動産を建築する義務を負う契約。2つの態様がありうる。

「一括払い売買」〔vente à terme〕においては，代金は，引渡時に支払われる。所有権の移転は，不動産の完成が公署証書によって確認された時に行われ，契約の日に遡って効力を生じる。

「出来高払売買」〔vente en l'état futur d'achèvement〕においては，代金は，仕事の出来高に応じて支払われる。土地の所有権は，ただちに取得者に移転されるが，建築物の所有権は，その作業の進行に応じて取得される。
▷民法典1601-1条以下および2380条；建設・住居法典L261-1条およびR261-1条以下
►Promotion immobilière (Contrat de)〔不動産開発（契約）〕

Vente à perte 〔商法〕〔刑法〕**不当廉売** 商人が，商品をその状態で実際の買入価格を下回る価格によって転売する行為。

実際の買入価格は，買入計算書に記載された額に，売上税，転売に関わる税，および場合により運送賃を加算した額と推定される。

不当廉売は，軽罪を構成する。
▷商法典L442-2条

Vente à prime 〔商法〕〔刑法〕**景品付販売** それ自体が商品または役務の提供に当たる景品の顧客への無償提供を伴う，商品の販売または役務の提供。

景品の提供は，商品の販売または役務の提供と同時に行われることも，それより後に行われることもある。

景品付販売は業者と消費者の間では禁止されている。ただし，少額品または低価格の役務，およびサンプルについて若干の例外がある。
▷消費法典L121-35条

Vente à tempérament 〔商法〕**割賦販売** 代金の支払いが，一定期間内に数回に振り分けられた支払いに分割される一種の信用売買。
▷消費法典L311-2条以下

Ventilation 〔私法〕**個別評価** 複数の財物（例：複数の不動産，営業財産の全要素）が一括してひとつの価格で売却された場合に，全代金のうち各財物に対応する部分を決定すること。

《**Verba volant, scripta manent**》〔民法〕**言葉は消え去るが文字は残る** 言葉は消え去る（いかなる痕跡も残さない）が，文書は残り，証拠となるということ。

Verdict 〔刑訴〕**評決** 弁論の終結後，（有罪性などに関する）裁判長の提示する設問に対す

る重罪院の裁判官および陪審の回答。

Vérification approfondie de situation fiscale d'ensemble（VASFE） 財政 租税状況の総合的調査確認　納税義務者の租税状況全体の対審的検査〔►Examen contradictoire de l'ensemble de la situation fiscale personnelle〕の，1988年以前の呼称。

Vérification des dépens 民訴 訴訟費用の確認　訴訟費用の確認は，これが必要とされるときに，その訴訟費用を言い渡した裁判所の書記によりなされる。裁判所書記は訴訟当事者に訴訟費用の確認証明書を交付する。
　当事者はこの証明書に異議のある場合，訴訟費用額確定命令〔ordonnance de taxe〕を裁判所所長に対して要求する。
▷新民事手続法典704条以下
►Dépens〔訴訟費用〕►Liquidation des dépens〔訴訟費用額の確定〕►Ordonnance de taxe〔訴訟費用額確定命令〕

Vérification d'écriture 民訴 文書の検真　私署証書について，文書または署名が自分のものであることを否認し，またはその作成者のものと認めないことに起因する付帯申立て。この申立ては，その文書が自分のものであることを否認した者により，または相手方当事者の被相続人により，確かに作成されたものであることを証明するよう，その文書を訴訟において利用したいと思う当事者に対して義務づける。
　現に訴訟が提起されていなくても，同一の目的で主たる訴えを提起することが可能である。
►Faux〔偽造の申立て〕

Vérification d'identité 刑訴 同一性の確認　同一性検査で本人が同一性を証明できない場合または証明することを欲しない場合に行う，同一性の強制的探索。この探索は，司法警察員が行う。当該検査の現場または警察もしくは憲兵隊の施設での当人の拘束を含む。
▷刑事手続法典78-3条および78-4条
►Contrôle d'identité〔同一性検査〕►Identité judiciaire〔司法鑑識〕

Vérification des pouvoirs 憲法 議員資格審査　国会の両議院が行う国会議員選挙の適法性審査（有効または無効とすること）。
　フランスで，1958年憲法典以前に実施されていた制度。同憲法典は，この管轄権限を憲法院に与えた。
国公 代表権の確認　国際組織の機関または国際会議が，加盟国を代表するために出席する個人の代表権を確認する手続き。原則として形式的なものであるが，ある国家を事実上排除するために利用されることがある（国際連合および専門機関における南アフリカ共和国）。

Vérifications personnelles du juge 民訴 裁判官自身による検証　証拠手続きのひとつ。この目的で，裁判官は両当事者出席または呼出しのうえ，場合により裁判所書記とともに，訴訟の目的物が存在する現場に赴き，裁判官が必要と考える認定，評価，判断または再現を行うことができる。
▷新民事手続法典179条以下

Versement de transport 社保 交通機関費用分担　10人以上の労働者を雇用する使用者が，公共輸送機関の資金調達に協力すること。

《Verts》budgétaires 財政 予算緑書　国会が予算法律を採択した後に，予算の明細は緑色の表紙のついた分冊の冊子の形で各省に配布される。予算緑書の名称はこれに由来する。
►《Bleus》budgétaires〔予算青書〕►Loi de finances〔予算法律〕

Veto 憲法 拒否権
①*Veto royal, Veto présidentiel*　国王の拒否権，大統領拒否権：若干の体制のもとで国家元首（国王または共和国大統領）に認められる，立法議会が表決した法律に異議を唱える権限。

②*Veto populaire, Référendum facultatif*　人民拒否権，任意的国民投票：国会が適法に表決した法律を，一定数の市民によって一定の期間内に作成された請願書に基づき拒否することを人民に認める半直接民主制の手段。所定の期間内に人民からの異議申立てがなければ，法律は効力を生じる。

国公 拒否権　国際組織において：
　決定が全会一致でなされなければならない場合に加盟国のいずれか1国が，反対票でその決定を妨げる権能。
　国際連合の安全保障理事会の5常任理事国のそれぞれが，手続事項以外の事項を対象とする同理事会の決定を妨げる特権。この特権は決定に必要な多数（15ヵ国中の9ヵ国の賛成票）が安保理の全常任理事国の賛成票を含まなければならないという規定から生じる。

Viabilité 民法 生存能力　出生の時点で生存の能力がある子についていう。
▷民法典725条および906条

Viager 〔民法〕**終身の** 生存している間は享有できるが，その恩典は相続人に及ばない権利についていう（例：rente viagère〔終身定期金〕）。
▷民法典617条および1979条

Vices cachés 〔民法〕**隠れた瑕疵** 最初の検査によっては発見されず，売却物を，買主が企図した用途に適さないものとする欠陥。
▷民法典1641条

Vices du consentement 〔民法〕**同意の瑕疵** 同意の変質を引き起こし，その結果，法律行為の無効をもたらす性質を有する事実。同意の瑕疵には，錯誤〔erreur〕，詐欺〔dol〕，強迫〔violence〕がある。
▷民法典146条，180条，1109条および1844-16条
▶Dol〔詐欺〕▶Erreur〔錯誤〕▶Vices cachés〔隠れた瑕疵〕▶Violence〔強迫〕

Vices rédhibitoires 〔民法〕**解除の原因となる瑕疵** 隠れた瑕疵〔▶Vices cachés〕の同義語。その存在は，担保責任〔▶Garantie〕を発生させる。
▷民法典1641条および1721条；農事法典L213-1条以下

Victime par ricochet 〔民法〕**間接被害者** 直接被害者に生じた損害から，物質的または精神的損害を被る第三者。例えば，事故死による父の死亡の結果，援助金を奪われた息子。

Vidéoconférence（Système de） 〔刑訴〕**テレビ会議システム** 関係者が共和国の異なる地点にいる場合に，捜査または予審を行う必要上，秘密性を確保する音声または視聴覚の電気通信手段を用いること。これにより，手続行為（聴問，尋問，対質，警察留置の延長，すでに拘禁されている者の勾留に先立つ対審的弁論）を行うことが可能となる。この方法は，判決裁判所において，証人，刑事における民事の当事者または鑑定人の聴問についても用いることができる。
▷刑事手続法典706-71条およびR53-33条
〔行訴〕**テレビ会議（システム）** このシステムは，自前の司法官をもたない海外県の地方行政裁判所〔▶Tribunal administratif〕において《テレビ法廷》を開くためにも用いられる。

Viduité 〔民法〕**待婚期間** ▶Délai de viduité〔待婚期間〕

Vie privée 〔民法〕**私生活** 内面に属し，他人の視線から免れていなければならない人の活動領域（愛情生活，生活習慣，健康状態，信仰生活，レジャーなど）を指す。公的生活〔vie publique〕と対比される。法律は，私生活の尊重への権利を明言している。
▷民法典9条；刑法典226-1条以下
▶Atteinte à la vie privée〔私生活に対する侵害〕

Vignette 〔社保〕**薬価証紙** 医薬品の包装に貼られている証紙であって，被保険者は，その医薬費の払戻しを受けるためには，この証紙を診療票に貼りつけなくてはならない。

Vil 〔民法〕**過度に安い** あまりに安い価格についていう。契約の絶対無効を生じさせる価格の不存在に相当するほど取るに足りないこと。

Viol 〔刑法〕**強姦** 暴力，強制または不意打ちによる，他人に対するあらゆる性質の性器挿入行為。被害者が脆弱な状態（妊娠，疾病，身体障害，精神障害）にある場合，被害者が15歳未満である場合，武器を用いて脅迫した場合，集団で本罪を遂行した場合，行為者が被害者の尊属である場合，永続的な障害または身体の一部喪失が生じた場合は加重事情となる。
▷刑法典222-23条以下

Violation de domicile 〔刑法〕**住居侵入** 公権力の受託者または公役務の任務の担当者が，法律が定める場合を除き，その職務または任務の遂行においてまたは遂行の際に，または，私人が，市民の意思に反してその住居へ侵入することにより成立する軽罪。私人による犯罪については，住居からの不退去〔maintien dans les lieux〕もまた犯罪とされている。ただし，私人による住居侵入は，策略，脅迫，暴力行為または強制を用いて行われなければならない。
▷刑法典432-8条および226-4条以下

Violation de la loi 〔刑訴〕**法律違反** 法律違反は主要な破毀事由のひとつである。法律〔loi〕という語は広義で理解され，判例規範を示すこともある。

Violence 〔民法〕**強迫** それがなければ被害者は承諾しなかったであろう行為に対して，その者が同意を与えてしまう程の恐怖を抱かせるような行為。
▷民法典1112条以下
▶Vices du consentement〔同意の瑕疵〕

Violences 〔刑法〕**暴力行為** 刑法典において，人の完全性を侵害する犯罪の総体を表す用語。
▷刑法典222-7条以下およびR625-1条

Violences au sein du couple 〔刑法〕**配偶者間**

暴力　法律の定める一定の犯罪の行為者と被害者との間に配偶者関係があることによる加重事情。刑の加重は，配偶者，内縁の配偶者またはパートナー契約のパートナーとしての地位が存在する場合に適用される。犯罪が行為者と被害者との間に過去において存在した関係ゆえに行われたときは，配偶者たる地位の消滅後（例えば，以前の配偶者）であっても適用される。
▷刑法典132-80条

Virement [商法] **振替え**　単なる記載上の操作によって，ある口座に属する一定額の金銭を他の口座に移動する技術。

Visa [国公] **査証；ヴィザ**　いくつかの効果を証書に認めるために，権限を有する機関によってそれになされる記載。例：旅券の査証。その名義人に，査証を交付した国家への入国または出国の許可を与えるもの。
[民訴] **証印；引用**　手続文書または伝達される書証もしくは文書の原本および写しに，日付を付して添えられる単なる記載。法文により要求される手続きが確かに行われたことを証明する。
▷新民事手続法典672条，821条
　判決において，引用は，その判決が根拠とする法文，または，その判決の支えとなっている手続文書を示している。

Visa en matière de chèque [商法] **小切手の査証**　支払人が一定の金額についての《visé》または《visa》の文言を付して小切手の表面または裏面に署名すること。これによって，支払人は，署名した日における小切手資金の存在とその処分可能性を確認する。
▷通貨金融法典L131-5条

Visite domiciliaire [刑訴] **（家宅）捜索**　厳密な意味では，調査または確認を目的として私有地に立ち入ることを指す。今日では，この措置は，perquisition〔（家宅）捜索〕に関する規則に服している。
▷刑事手続法典56条以下および76条

Vœu [行政] **要望決議**　地方公共団体の議会による表決という形でなされるが，議決〔délibération〕と区別して，願望を伴った単なる意見表明にすぎないものに与えられる名称。地方公共団体の議会が政治的要望決議を行うことは禁止されている。
[民法] **要請**　無償譲与に含まれる条項。これにより，処分者は，受益者が給付をなすことを望む。この条項は，受益者に給付をなす法的義務を課さない。
►Précatif〔希望的〕

Voie de circulation [一般] **車線**　1縦列の車両の通行に十分な幅に車道〔►Chaussée〕を仕切ったもの。
▷道路法典R110-2条

Voies d'exécution [民訴] **強制執行（の方法）**　個人が，強制力を用いて，その者の権利を認める証書または判決を執行させる手続きの総体。有体動産または無体財産を対象とし，金銭を支払う債務またはなす債務の強制執行を目的とするさまざまなsaisie〔差押え〕の項を参照。

Voie de fait [行政] **暴力行為**　行政について，その伝統的特権の大半を失わせることによって，私人の権利を保護する判例が作り出した理論。暴力行為が成立するのは，行政が，自己に属する権限と関連しない決定（例えば，明らかに違法な決定または裁判所によって取り消された決定）を執行し，または，それ自体適法な決定を明白に違法な手続きに従って執行し，その結果，明らかに違法な事実行為をなし，かつ，その行為が動産所有権もしくは不動産所有権または公の自由〔►Libertés publiques〕を侵害する場合である。
　この場合には，司法裁判所が，損害賠償訴訟を審理するについては排他的に，行政の行為の取消しを言い渡すについては行政裁判所と競合して，行政の違法性を審理する管轄権限をもつことになる。
[民訴] **暴力行為**　公然と債権を侵害し，または，法律もしくは行政立法の規定を明白に無視し，その結果，明らかに違法な当該侵害をやめさせるために急速審理手続きに訴えることが認められるあらゆる行為。
▷新民事手続法典809条

《**Voies de nullité n'ont lieu contre les jugements**》 [民訴] **無効の申立ては判決に対してなされない**　裁判行為〔►Acte juridictionnel〕に対しては不服申立て〔►Voie de recours〕によってでなければ異議を申立てられないということを意味する法格言。
►Nullité〔無効〕

Voie parée [民法] **自由売却条項；流担保条項**　質権または抵当権を有する債権者が，債務者から，法律が定める手続きを遵守することなく質物または抵当物件を売却する許可を得ることを内容とする条項（ラテン語では，あらかじめ用意された執行方法を回避する方法

《via parata》という)。この条項は，担保権設定時に締結される場合には，違法である。
▷民法典2201条2項，2346条および2458条
►Pacte commissoire〔流担保条項〕

Voie de recours 〔訴訟〕**不服申立て(の方法)** 訴訟(またはその一部)をあらためて審理させ，または手続きの進行の中でみられた違法性を主張するために，訴訟当事者の自由に委ねられている方法。通常の不服申立ての方法(故障の申立ておよび控訴)と特別の不服申立ての方法(第三者異議の訴え，再審の訴え，破毀申立て)，また，原判決取消しの方法(故障の申立て，再審の訴え)と原判決変更の方法(控訴)は区別される。
▷新民事手続法典527条以下；行政裁判法典L811-1条およびR811-1条以下；刑事手続法典496条以下，549条以下および567条以下

Voie verte 〔一般〕**緑の道** 原動機のない車両，歩行者および騎乗者の通行の用にもっぱら供される道路。
▷道路法典R110-2条

Voirie 〔行政〕**道路** 主として公道および公共の広場，さらにはその沿道の樹木ならびに排水渠を包括する公物〔►Dépendance (du domaine public)〕。道路は，利用者の利益と公権力〔►Puissance publique〕特権との調整を目的とする非常に詳細な法制度の対象になっている。
►Aisances de voirie〔沿道便益権〕
►Concession de voirie〔占用特許〕►Permission de voirie〔占用許可〕

Voix délibérative, Voix consultative 〔訴訟〕〔行政〕**議決権，発言権** 議決権を有するということは，裁判に関する合議〔►Delibéré〕の際の裁判官，または会議体の構成員が，決定に参加する(表決が必要な場合には表決する)権利を有するということである。それに対し発言権は，討議中に意見を表明することだけを可能とする。

Vol 〔刑法〕**窃盗** 他人の物の窃取。
▷刑法典311-1条以下
►Immunité〔免責特権〕

《**Volenti non fit injuria**》〔民法〕**同意した者に対して不法行為はない**

Voluptuaire 〔民法〕**ぜいたく** 美化工事に充てられた費用について使われる形容詞。家主とは別の者がぜいたくのための費用を支出した場合，その費用は，住宅の返還時に払い戻されない。それは，その費用が必要でも有益でもなく，不動産の価値を上げるものでもなかったからである。
►Impenses〔維持改良費〕

Voyageurs, Représentants, Placiers (VRP) 〔労働〕**外交員** ►Représentant de commerce〔商業代理人；外交員〕

Votants 〔憲法〕**投票者** 投票権を有し，実際に投票に参加した選挙人。登録選挙人〔►Électeurs inscrits〕に対する投票者の割合が，投票率である。

Votation 〔憲法〕**直接投票** 特定の問題に関し市民が直接に審議決定すること。
►Démocratie directe〔直接民主制〕►Démocratie semi-directe〔半直接民主制〕

Vote 〔憲法〕**投票** 市民が，一定の判断を示すことによって，代表の選出またはある決定に参加する行為。
►Suffrage〔選挙〕
①*Vote facultatif* 自由投票：市民が行うか行わないかの自由を有する投票。
②*Vote obligatoire* 強制投票：法律によって強制される投票で，棄権の場合に違反者は制裁を受ける。
③*Vote par correspondance* 郵送投票：フランスでは1975年12月31日の法律で廃止された。
④*Vote par procuration* 代理投票：選挙人によって指名された人間を介して行われる投票。フランスではさまざまな種類の選挙人のために認められている。
⑤*Vote préférentiel* 非拘束式名簿投票：選挙人がリスト上の候補者の推薦順位を変更する権限を有するもの。
⑥*Vote public* 公開投票：各人によって表明された投票の内容がすべての者に知らされるもの。
⑦*Vote secret* 秘密投票：各人の選択が当局と他の選挙人に知られないように行われるもの(封筒，投票用紙記入ボックス，投票用紙への他事記載の禁止)。投票の秘密はその独立性の保証である。

Vote bloqué 〔憲法〕**一括表決** 審議中の法文の全部または一部につき，政府によって提案されまたは容認された修正案しか対象とせずに，単一の表決によって判断を下すことを議会に義務づけることを政府に認める手続き。

Vote par délégation 〔憲法〕**委任による表決**
►Délégation〔権限の委任；表決の委任〕

Vu 〔民法〕**～にもとづいて** 判決理由または証

書もしくは条文の参照の前におかれる引用〔►Visa〕の定型表現。

単独で用いられる場合には，手続きの完了を確認する。

Vues, Jours [民法] **眺望窓，明かりとり** 2つの土地を隔てる壁に取りつけられる開口部。

「明かりとり」〔jours〕とは，1人の相隣者のみが所有する境界壁に設けられる開口部である。外部が見えてはならないが，光を通すものでなければならない。

「眺望窓」〔vues〕とは，隣接地からある程度離れた壁にしか設けることのできない開口部である。

▷民法典675条以下

W

Warrant [商法] **質入証券** 商人によって振り出され，営業倉庫に寄託された物品，または，商人が自ら保管を約束している物品によって担保された約束手形であって，裏書〔►Endossement〕により譲渡される。

▷商法典L522-24条以下

►Entiercement〔担保のための質入れ〕
►Gage〔(有体)動産質〕►Récépissé-warrant〔倉庫証券〕

Warrant agricole [農事] **農業証券** 農業経営財産に対する占有移転を伴わない質を可能とする，約定による動産物的担保。

▷農事法典L342-1条以下

Whip [憲法] **院内幹事** 国会において，ある会派の党議拘束を遵守させることを任務とする人物を指す英語(Whipとは《鞭》のこと)。

Z

Zone d'aménagement concerté (ZAC) [行政] **協議整備区域** 土地を開発し基盤整備を行い，そこに建築物または公共施設もしくは私的施設を建設することを目的として公法人が関与する区域。公法人自らがそれら施設を使用する場合もあれば，基盤整備が終わった後に公的または私的建設業者に譲渡する場合もある。

▷都市計画法典L311-1条

Zone d'aménagement différé (ZAD) [行政] **長期整備区域** 一般に都市周辺地区に設けられる区域であって，その内部においては，公法人または公私資本混合整備会社のために先買権が存在する。したがって，建物付土地もしくは更地が譲渡される場合，公法人または公私資本混合整備会社は，先買権に基づき，長期整備区域が設けられる1年前の不動産価格を支払うだけでよい。この制度は，創設される市街化地区または整備される商工業区域に対する土地投機の防止を目的としている。

▷都市計画法典L212-1条以下およびL213-4条

Zone d'attente [行政] **待機区域** 外国人の取締りに関して，港湾，空港または国際列車発着駅に設置され，フランスへの有効な入国資格証明書をもたずにこれらの国境地点に現われた外国人を短期間収容する場所。彼らはそこで入国拒否〔►Refoulement〕による国外への退去の実施，または少なくとも一時的な入国許可(庇護請求者の場合)を待つことになる。

Zone contiguë [国公] **接続水域** 領海の外側に広がる海帯であり，これに対し沿岸国は，自国の通関上，財政上，衛生上または軍事上の保護から正当化されるいくつかの権利を行使する。1982年12月10日のモンテゴ・ベイ〔Montego Bay〕条約により領海の外側の12海里までと定められた(これに対し，以前は領海と接続水域を合わせて全体で12海里を超えることはできなかった)。

Zone économique exclusive [国公] **排他的経済水域** 自国の沿岸から200海里にわたる水

域の資源に対する主権的権利の行使を求めるいくつかの国家の一方的決定により生じたものであり，1982年12月10日のモンテゴ・ベイ〔Montego Bay〕条約により承認された。沿岸国は，その水域において行使されうる本来的に経済的な性質を有するすべての権利を排他的に取得する。

Zone euro ［EU］ ユーロ圏 ►Euro〔ユーロ〕

Zone Franc ［財政］ フラン圏 フランス共和国（フランス本土，海外県〔Départements d'outre-mer（DOM）〕，海外領土〔►Territoire d'outre-mer（TOM）〕）を中心として，アフリカの14の国々（ギニア・ビサウを除き，かつてのフランス海外領土）およびコモロからなる国家集合体。通貨協力に関する諸協定に基づくこの国家集合体の統一は，固定為替レートで各構成国の通貨相互の交換が無制限にできること，ある構成国から他の構成国への資本の移転が自由であること，および，フランス国庫に大部分の対外支払準備金（外貨〔►Devise〕建て資産）を集中させることよって実現されている。ヨーロッパ連合〔►Union européenne〕理事会の決定（1998年11月23日）は，ユーロ〔►Euro〕への移行が，フラン圏の構成国を結びつける通貨協力に関する諸協定に影響を与えないことを確認した。それゆえ，これらの構成国は，ユーロとCFAフラン（またはコモロ・フラン）との間の為替レートを自由に変更する権利を保持している。

Zone franche ［財政］ 免税区域 語本来の意味では，免税区域とは関税法上の制度である。これは，物理的に閉じられた国土の一部であり，通常は再輸出される外国製品の取引または加工を促進する目的で，関税の適用を免れる港湾都市（自由港）に限られる場合もある。また，上記の目的奨励のため，ときとして内国税の免除が認められることもある。この制度は外国（例えば，ハンブルク，シャノン）には存在するが，フランスでは，1986年12月31日の法律が海外県における免税区域設置を認めたにもかかわらず，機能していない。

現在，フランスで免税区域と呼ばれるのはあまり広くない地域である。（例えば，フランス・スイス国境にあるジェクス地方）。そこでは，隣接国の製品または隣接国向けの製品のうち若干のものが関税優遇制度を享受している。

免税区域という表現は今日，想像と濫用によって，さまざまな理由で企業が一時的にない国税の免除または軽減を享受している国土の一部をさすためにしばしば用いられる。
►Zone franche urbaine〔都市免税区域〕

Zone franche urbaine ［財政］ 都市免税区域 雇用を創出する活動を創出または維持する企業がその利益の一部に対する租税の一時的な免除を享受する若干の都市区域（深刻な社会問題に直面している，いわゆる《過敏な》街区）に与えられた呼称。

Zone d'influence ［国公］ 勢力圏 条約により特定国の排他的な政治的勢力のもとに置かれる地域。

植民地拡張に関して行われたもの（特に19世紀末のアフリカ）や，ブロック経済政策の一環としての帝国主義に関して行われたものがある（例：東ヨーロッパは，1945年のポツダムとヤルタの合意以後，ソ連の勢力圏の一部となった）。

Zone de libre-échange ［公法］ 自由貿易地域 いくつかの国家の領域を含む地域であって，そこでは，各国が，相互の関係においては関税障壁を撤廃するが，第三国に対する関係ではそれぞれの関税の自由を保持するものをいう（対外共通関税を実施する関税同盟〔union douanière〕とは異なる）。

Zone à urbaniser par priorité (ZUP) ［行政］ 優先市街化計画 居住用建物を建設するために行政庁によって境界を画定された土地政策区域であり，当該市町村において建設すべき主要な建築物の優先市街化区域への集中を容易にする規定の適用を受ける。この制度は，廃止され協議整備区域〔►Zone d'aménagement concerté（ZAC）〕制度に取って代わられた。優先市街化区域は，この制度が許すあまりに緊密な都市化によって，《ニュータウン》〔grands ensembles〕の建設を助長したとして特に非難されていた。この住民の一部は，心理的社会的に重大な混乱を経験していたからである。

略号一覧

最も日常的な略号のみを選んで掲載した。だが，これらの略号は本書の本文にすべてが収録されているわけではない。これは，ここに掲げた略号が極めて多様であるため，あえて簡略なものとした本文収録語彙数の枠を超えてしまうからである。

AAH　Allocation aux adultes handicapés　成人障害者手当
ACAI　Autorité centrale pour l'adoption internationale　国際養子縁組中央機構
ACCORD　Application coordonnée de comptabilisation, d'ordonnancement et de réglement de la dépense de l'État　総合会計規則
ACOSS　Agence centrale des organismes de sécurité sociale　社会保障機関中央資金管理事務所
ADAPEI　Union départementale des associations de parents d'enfants inadaptés　県不適応児両親協会連合
ADIL　Association départementale pour l'information et le logement　県住宅・情報協会
ADSEA　Association départementale de sauvegarde de l'enfance et de l'adolescence　県青少年保護協会
AELE　Association européenne de libre-échange (Genève)　ヨーロッパ自由貿易連合〔EFTA〕(ジュネーヴ)
AEMO　Action éducative en milieu ouvert　社会内教育活動
AFA　Agence française pour l'adoption　フランス養子縁組センター
AFB　Association française des banques　フランス銀行協会
Afeama　Aide à la famille pour l'emploi d'une assistance maternelle agréée　保育手当
AFL-CIO　American federation of labor-congress of industrial organisations　アメリカ労働総同盟＝産別会議
AFNOR　Association française de normalisation　フランス工業規格協会
AFP　Agence france-press　フランス通信
AFPA　Association pour la formation professionnelle des Adultes　成人職業教育協会
AFSEA　Association française pour la sauvegarde de l'enfance et de l'adolescence　フランス青少年保護協会
AGEJ　Allocation d'une garde d'un enfant à domicile　自宅育児手当
AGESSA　Association pour la gestion de la Sécurité sociale des auteurs　著述業社会保険協会
AGFF　Association pour la gestion du fonds de financement de l'AGIRC et de l'ARRCO　補足退職年金基金管理協会
AGIRA　Association de gestion des informations sur le risque en assurance　保険リスク管理協会
AGIRC　Association générale des institutions de retraite des cadres　管理職退職年金制度総連合
AGS　Association pour la gestion du régime d'assurance des créances des salariés　賃金債権保険制度運営協会
AI　Allocation d'insertion　雇用促進手当
AID　Association internationale de développement (Washington)　国際開発協会〔IDA〕(ワシントン)
AIDA　Association internationale du droit de l'assurance　国際保険法協会
AIEA　Agence internationale de l'énergie atomique (Vienne)　国際原子力機関〔IAEA〕(ウィーン)

AIPPI　Association internationale pour la protection de la propriété industrielle　国際工業所有権保護協会
ALENA　Accord de libre-échange nord-américain　北米自由貿易協定(NAFTA)
AMEXA　Assurance maladie des exploitants agricoles　農業経営者疾病保険
AMF　Autorité des marchés financiers　金融市場機関
AMP　Assistance médicale à la procréation　生殖への医療介助
ANAH　Agence nationale pour l'amélioration de l'habitat　住宅改良全国機関
ANDAFAR　Association nationale pour le développement de l'aménagement foncier agricole et rural　全国農地農村整備推進協会
ANPE　Agence nationale pour l'emploi　国立雇用センター
ANVAR　Agence nationale de valorisation de la recherche　全国研究評価機関
AOC　Appellation d'origine contrôlée　原産地統制名称
AP　Assistance publique　公的扶助
APA　Allocation personnalisée d'autonomie　高齢者自立援助手当
APCA　Assemblée permanente des chambres d'agriculture　農業会議所常設会議
APCM　Assemblée permanente des chambres des métiers　手工業会議所常設会議
APE　Allocation parentale d'éducation　養育親手当
API　Allocation de parent isolé　単親手当
APJ　Agent de police judiciaire　司法警察補助員
APL　Aide personnalisée au logement　応能住宅援助
APUL　Administrations publiques locales (collectivités locales)　地方行政機関(地方公共団体)
ARAF　Aide à la reprise d'activité des femmes　女性再就労支援
ARH　Agence régionale de l'hospitalisation　州医療機関連絡センター
ARIA　Retraite complémentaire facultative des artisans　手工業者補足退職年金
ARRCO　Association des régimes de retraites complémentaires　補足退職年金制度連合
ART　Autorité de régulation des télécommunications　電気通信規制機関
ASE　Aide sociale à l'enfance　児童社会援助
ASEAN　Association of South-East Asian Nations/Association des nations du sud-est asiatique　東南アジア諸国連合
ASF　Association pour la structure financière　補足退職年金審議会
ASI　Allocation supplémentaire d'invalidité　廃疾補足手当
ASPA　Allocation de solidarité aux personnes âgées　老齢者連帯手当
ASS　Allocation spécifique de solidarité　特別連帯手当
ASSEDIC　Association pour l'emploi dans l'industrie et le commerce　商工業雇用協会
AT　Accident du travail　労働災害
ATD　Avis à tiers-détenteur　第三債務者への差押通知
ATEXA　Assurance des accidents du travail des exploitants agricoles　農業経営者労災職業病保険
ATR (loi)　Loi du 6 février 1992 relative à l'administration territoriale de la république　共和国の地方行政に関する1992年2月6日の法律
AUE　Acte unique européen　単一ヨーロッパ議定書
AUPELF　Association des universités partiellement ou entièrement de langue française　フランス語圏大学連盟
AVS　Auxiliaire de vie scolaire　障害児就学補助者
AVTS　Allocation aux vieux travailleurs sociaux　老齢労働者手当
AVTS　Allocation aux vieux travailleurs salariés　退職労働者手当
BALO　Bulletin des annonces légales obligatoires　法定公告集
BAPSA　Budget annexe des prestations sociales agricoles　農業社会保障給付付属予算
BAS　Bureau d'aide sociale　社会援助課
BAT　Bureau de l'assistance technique (ONU) (New York)　（国際連合）技術援助評議会〔TAB〕

（ニューヨーク）
BCE Banque centrale européenne (Francfort)　ヨーロッパ中央銀行（フランクフルト）
BENELUX Union économique：Belgique, Nederland, Luxemburg　ベネルクス（ベルギー・オランダ・ルクセンブルク経済同盟）
BEP Brevet d'études professionnelles　職業教育修了証
BERD Banque européenne pour la construction et le développement (Londres)　ヨーロッパ復興開発銀行（ロンドン）
BIC Bénéfices industriels et commerciaux　商工業所得
BIMA Bulletin d'information du ministère de l'agriculture　農業省広報誌
BIRD Banque internationale pour la reconstruction et le développement (Washington)　国際復興開発銀行〔IBRD〕（ワシントン）
BIT Bureau international du travail (Genève)　国際労働事務局/ILO事務局（ジュネーヴ）
BNC Bénéfices non commerciaux　非商業所得
BNF Bibliothèque nationale de France　フランス国立図書館
BOCC Bulletin officiel de la concurrence et de la consommation　競争・消費公報
BODACC Bulletin officiel des annonces civiles et commerciales　民商事公報
BOPI Bulletin officiel de la propriété industrielle　工業所有権公報
BPF Bon pour francs　フラン建債券
BRC Bordereau récapitulatif de cotisation　社会保険料明細書
BRI Banque des règlements internationaux (Bâle)　国際決済銀行〔BIS〕（バーゼル）
BRP Bureau de recherche des pétroles　石油研究局
CAA Cour administrative d'appel　行政控訴院
CAC 40 Cotation assistée en continu 40 (indice de la Bourse de Paris)　パリ証券取引所指数
CADA Commission d'accès aux documents administratifs　行政文書開示請求審査委員会
CAF Caisse d'allocations familiales　家族手当金庫
CAF Vente de marchandise à un prix global comprenant le coût, l'assurance et le fret　CIF売買（物品の価値保険料運賃込みの価格による商品の売買）
CANAM Caisse nationale d'assurance maladie et maternité des travailleurs non salariés des professions non agricoles　全国非農業非賃労働者疾病母性保険金庫
CANCAVA Caisse autonome nationale de compensation de l'assurance vieillesse artisanale　全国手工業者老齢保険補償自治金庫
CANSSM Caisse autonome nationale de la sécurité sociale dans les mines　全国鉱業社会保障自治金庫
CAP Certificat d'aptitude professionnelle　職業適性証書
CAPA Certificat d'aptitude à la profession d'avocat　弁護士職適格証明書
CAPES Certificat d'aptitude pédagogique pour l'enseignement secondaire　中等教員免状
CAPET Certificat d'aptitude (degrés) pédagogique pour l'enseignement technique　技術教員免状
CAR Conférence administrative régionale　州行政協議会
CARPA Caisse autonome des règlements pécuniaires des avocats　弁護士決済自治金庫
CARSAT Caisse d'assurance retraite et de la santé au travail　退職保険金庫
CAT Centre d'aide par le travail　障害者労働援助センター
CCAS Centre communal d'action sociale　市町村社会福祉活動事務所
CCDVT Caisse centrale de dépôts et de virements de titres　証券寄託振替中央金庫
CCI Chambre de commerce internationale (Paris)　国際商業会議所〔ICC〕（パリ）
CCP Compte courant postal　郵便当座勘定取引口座
CCVRP Caisse de Sécurité sociale des représentants multicartes　複数企業代表者社会保障金庫
CDAPH Commissions des droits et de l'autonomie des personnes handicapées　障害者権利・自立委員会
CDBF Cour de discipline budgétaire et financière　予算財政懲戒法院

CDC Caisse des dépôt et consignations 預託供託金庫
CDCI Commission départementale de la coopération intercommunale 県の市町村相互協力委員会
CDD Contrat (de travail) à durée déterminée 期間の定めのある労働契約
CDI Contrat (de travail) à durée indéterminée 期間の定めのない労働契約
CDI Centre des impôt 税務署
CDI Conseil départmental d'insertion 県雇用促進審議会
CE Communauté européenne ヨーロッパ共同体
CE Conseil d'État コンセイユ・デタ
CEA Centre de l'énergie atomique 原子力エネルギーセンター
CEA Compte d'épargne en actions 株式投資貯蓄口座
CECA Communauté européenne du charbon et de l'acier ヨーロッパ石炭鉄鋼共同体〔EDC〕
CECOS Centre d'étude et de conservation du sperme 精子保存センター
CED Communauté européenne de défense ヨーロッパ防衛共同体〔EDC〕
CEDEX Courrier d'entreprise à distribution exceptionnelle 特別配達企業郵便(番号) ►CIDEX
CEDH Cour européenne des droits de l'Homme, ou Convention européenne des droits de l'Homme ヨーロッパ人権裁判所；ヨーロッパ人権条約
CEE Communauté économique européenne (Bruxelles) ou marché commun ヨーロッパ経済共同体(ブリュッセル)；共同市場(今日のヨーロッパ共同体)
CEEA Communauté européenne de l'énergie atomique (Bruxelles) ヨーロッパ原子力共同体〔EURATOM〕(ブリュッセル)
CEF Centre éducatif fermé 閉鎖育成施設
CEJ Contrat emploi-jeune 若年者雇用促進契約
CEPEJ Commission européenne pour l'efficacité de la justice 裁判の効率化のためのヨーロッパ委員会
CERC Conseil de l'emploi, des revenus et de la cohésion sociale 雇用・所得・社会的結束評議会
CERN Centre européen pour la recherche nucléaire (Genève) ヨーロッパ原子力研究センター(ジュネーヴ)
CES Comité économique et social (de la région) (州)経済社会委員会
CES Contrat emploi-solidarité 雇用促進連帯契約
CESU Chèque emploi service universel 介護サービス等利用券
CET Compte épargne-temps 有給休暇積立口座
CFA (Franc) (Franc) Communauté financière africaine アフリカ金融共同体(CFAフラン)
CFDT Confédération française démocratique du travail フランス民主主義労働総同盟
CFE Caisse des français à l'étranger 在外フランス人金庫
CFE-CGC Confédération française de l'encadrement-Confédération générale des cadres フランス職制＝管理職総同盟
CFP (Franc) (Franc) Change France Pacifique CFPフラン
CFT Confédération française du travail フランス労働同盟
CFTC Confédération française des travailleurs chréstiens フランス・キリスト教労働者同盟
CGA Confédération générale de l'agriculture 農業総連合
CGC Confédération générale des cadres 管理職総同盟 ►CFE-CGC
CGI Code général des impôts 租税一般法典
CGPME Confédération générale des petites et moyennes entreprises 中小企業総同盟
CGT Compagnie générale transatlantique 大西洋汽船会社
CGT Confédération générale du travail 労働総同盟
CGT-FO Confédération générale du travail-force ouvrière 労働総同盟＝労働者の力
CHSCT Comité d'hygiène, de sécurité et des conditions de travail 安全衛生労働条件委員会
CHU Centre hospitalier universitaire 大学医療センター

CIA　Central Intelligence Agency　アメリカ中央情報局
CIAT　Comité interministériel d'aménagement du territoire　国土整備各省調整委員会
CICAS　Centre d'information conseil et accueil des salariés　労働者相談センター
CICR　Comité international de la Croix Rouge (Genève)　赤十字国際委員会〔ICRC〕（ジュネーヴ）
CIDE　Convention internationale relative aux droits de l'enfant　子供の権利条約
CIDEX　Courrier individuel à distribution exceptionnelle　特別配達個人郵便（番号）　►CEDEX
CIDJ　Centre d'information et de documentation de la jeunesse　青少年情報・文書センター
CIE　Contrat initiative-emploi　優先的雇用促進契約
CIF　Congé individuel de formation　自主研修休暇
CIJ　Cour internationale de justice (La Haye)　国際司法裁判所〔ICJ〕（ハーグ）
CIL　Comité interprofessionnel pour le logement　住宅職際委員会
CIO　Centre d'information et d'orientation　情報・進路指導センター
CIRA　Centre interministériel de renseignements administratifs　行政情報センター
CIRDI　Centre international pour le règlement des litiges en matière d'investissements　国際投資紛争解決センター
CIRI　Comité interministériel de restructuration industrielle　産業再編各省調整委員会
CISC　Confédération internationale des syndicats chrétiens　国際キリスト教労働組合連合
CISL　Confédération internationale des syndicats libres　国際自由労働組合連盟
CIVETTE　Culture in vitro et transport embryonnaire　生体外培養・胚移植
CIVI　Commission (nationale) d'indemnisation des victimes d'infractions (pénales)　犯罪被害者補償委員会
CJCE　Cour de justice des communautés européennes　ヨーロッパ共同体裁判所〔ECJ〕
CJP　Centre des jeunes patrons　青年経営者センター
CJUE　Cour de justice de l'Union européenne　ヨーロッパ連合司法裁判所
CMU　Couverture maladie universelle　疾病保険補足保険
CNAF　Caisse nationale d'allocations familiales　全国家族手当金庫
CNAM　Conservatoire nationale des arts et métiers　国立工芸院
CNAM/CNAMTS　Caisse nationale d'assurance maladie des travailleurs salariés　全国賃労働者疾病保険金庫
CNAR　Confédération nationale pour l'aménagement rural　全国農村整備連合
CNASEA　Centre national pour l'aménagement des structures agricoles　農業構造改善センター
CNAV/CNAVTS　Caisse nationale d'assurance vieillesse des travailleurs salariés　全国賃労働者老齢保険金庫
CNBF　Caisse nationale des barreaux français　フランス弁護士会金庫
CNC　Conseil national de la cinématographie　国立映画センター
CNC　Conseil national du crédit et du titre　金融審議会
CNCL　Commission nationale de la communication et des libertés　コミュニケーションと自由に関する委員会
CNE　Contrat nouvelle embauche　雇用強化新規雇用契約
CNE　Caisse nationale d'épargne　国民貯蓄金庫
CNES　Centre national d'études spatiales　国立宇宙研究センター
CNESER　Conseil national de l'enseignement supérieur et de la recherche　全国高等教育・研究評議会
CNET　Centre national d'étude des télécommunications　国立電気通信研究所
CNEXO　Centre national pour l'exploitation des océans　国立海洋開発センター
CNFPT　Centre national de la fonction publique territoriale　全国地方公務員センター
CNIJ　Centre national d'informatique juridique　国立法情報センター
CNIL　Commission nationale de l'informatique et des libertés　情報処理と自由に関する全国委員会

CNJA Centre national des jeunes agriculteurs 全国青年農業者センター
CNOUS Centre national des œuvres universitaires et scolaires 学生厚生センター
CNPF Conseil national du patronat français フランス経営者団体協議会（MEDEFに取って代わられた）
CNRS Centre national de la recherche scientifique 国立科学研究センター
CNU Conseil national des universités 全国大学評議会
CNUCED Conférence des Nations unies pour le commerce et le développement 国際連合貿易開発会議〔UNCTAD〕
CODEFI Comité départemental d'examen des problèmes de financement des entreprises 県企業財務問題検討委員会
CODEVI Compte pour le développement industriel 設備近代化積立口座
COFACE Compagnie française d'assurance pour le commerce extérieur フランス貿易保険会社
COM Collectivité d'outre-mer 海外公共団体
COMECON Conseil d'assistance économique mutuelle (Moscou) 経済相互援助会議（コメコン）（モスクワ）
CORRI Comité régional de restructration industrielle 州産業再編委員会
COS Cœfficient d'occupation des sols 土地占用係数
COSLA Comité régional de restructration industrielle 州産業再編委員会
COTOREP Commission technique d'orientation et de reclassement professionnel 障害者職業指導社会復帰専門委員会（2006年からCommission des droits et de l'autonomie des personnes handicapées：障害者の権利・自立委員会に取って代わられた）
CPAG Centre de préparation à l'administration générale 一般行政職受験準備センター
CPAM Caisse primaire d'assurance maladie 初級疾病保険金庫
CPER Contrats de plan État-régions 計画契約
CPI Cour pénale internationale 国際刑事裁判所
CRAM Caisse régionale d'assurance maladie 地方疾病保険金庫
CRC Chambre régionale des comptes 州会計検査院
CRCI Commission régionale de conciliation et d'indemnisation 州医療事故勧解・補償委員会
CRDS Contribution pour le remboursement de la dette sociale 社会保障債務償還目的税
CREAI Centre régional pour l'enfance et l'adolescence inadaptées 州不適応青少年センター
CREDOC Centre de recherches, d'études et de documentation sur la consommation 消費経済研究・文献センター
CRFPA Centre régional de formation professionnelle des avocats 州弁護士職業研修所
CRIDON Centre de recherches, d'études et de documentation notariales 公証人研究情報文献センター
CROUS Centre régional des œuvres universitaires et scolaires 地方学生厚生センター
CRS Compagnie républicaine de sécurité 共和国治安機動隊
CSA Conseil supérieur de l'audiovisuel 放送メディア高等評議会
CSERC Conseil supérieur de l'emploi, des revenus et des coûts 雇用・所得・コスト高等評議会
CSG Contribution sociale généralisée 社会保障一般税
CSM Conseil supérieur de la magistrature 司法官職高等評議会
CSMF Confédération syndicale des médecins de France フランス医師組合連合
CUCS Contrat urbain de cohésion sociale 社会的結束のための都市開発契約
CUMA Coopérative d'utilisation de matériel agricole 農業機械利用協同組合
CV Curriculum vitae 履歴書
CVIM Convention (des Nations unies) sur les contrats de vente internationale des marchandises 国際物品売買契約に関する国連条約
DAB Distributeur automatique de billets 現金自動支払機
DADS Déclaration annuelle des données sociales 支払賃金総額の年次報告

DAS　Direction de l'action sociale　社会福祉活動局
DATAR　Délégation à l'aménagement du territoire et à l'action régionale　国土整備州開発局
DDAF　Direction départementale de l'agriculture et des forêts　県農林局
DDASS　Direction départementale des affaires sanitaires et sociales　県保健社会福祉局
DDE　Direction départementale de l'équipement　県設備局
DDHC　Déclaration des droits de l'Homme et du citoyen　人および市民の権利宣言
DDISS　Direction départementale des interventions sanitaires et sociales　県保健社会福祉活動局
DDOS (loi)　Dispositions diverses d'ordre social　社会法諸規定
DDTE　Direction départementale du travail et de l'emploi　県労働雇用局
DEA　Diplôme d'études approfondies　高度研究免状
DESS　Diplôme d'études supérieures spécialisées　高等専修免状
DEUG　Diplôme d'études universitaires générales　大学一般履修免状
DEUST　Diplôme d'études universitaires scientifiques et techniques　大学科学技術教育免状
DGCCRF　Direction générale de la concurrence, de la consommation et de la répression des fraudes　競争・消費・欺瞞行為処罰総局
DGF　Dotation globale de fonctionnement　経常費総合交付金
DGFIP　Direction générale des finances publiques　公財政総局
DGI　Direction générale des impôts　租税総局
DGS　Direction générale de la santé　保健総局
DGSE　Direction générale de la sécurité extérieure　対外安全保障総局
DIF　Droit individuel à la formation　自主研修請求権
DILA　Direction de l'information légale et administrative　法律情報情宣局
DOM　Département d'outre-mer　海外県
DPLG　Diplômé par le gouvernement　政府認可の
DRAC　Direction régionale des affaires culturelles　州文化活動局
DRASS　Direction régionale des affaires sanitaires et sociales　州保健社会福祉局
DRH　Directeur des ressources humaines　人事部長
DSQ　Développement social des quartiers　地域的社会発展
DST　Direction de la surveillance du tirritoire　国土監視局
DTS　Droits de tirage spéciaux　特別引出権〔SDR〕
DU　Déclaration unique d'embauche　単一雇入申告
DUCS　Déclaration unifiée des cotisations sociales　個人別社会保険料電子申告
DUP　Déclaration d'utilité publique　公益宣言
DUT　Diplôme universitaire de technologie　技術短期大学免状
EARL　Entreprise agricole à responsabilité limitée　有限責任農業企業
ECESFP　Examen contradictoire de l'ensemble de la situation fiscale personnelle　納税義務者の租税状況全体の対審的検査
ECU　European currency unit (Unité de compte européenne)　ヨーロッパ通貨単位
EMO　Education en milieu ouvert　社会内教育
ENA　École nationale d'administration　国立行政学院
ENI　École nationale d'impôt　国立税務学校
ENM　École nationale de la magistrature　国立司法学院
EN3S　École nationale supérieure de Sécurité sociale　国立高等社会保障学校
ENS　École normale supérieure　高等師範学校
ENSI　École nationale supérieure d'ingénieurs　国立高等技師学院
ENSP　École nationale de la santé publique　国立公衆衛生学院
ENSSIB　École nationale supérieure des sciences de l'information et des bibliothèques　国立高等司書学校
EPCI　Établissement public de coopération intercommunale　市町村間協力公施設法人

EPIC Établissement public à caractère industriel et commercial　商工業的公施設法人
ERA Équipe de recherche associée　共同研究チーム
ERASMUS European Community Action Scheme for the Mobility of University Students (Programme d'action de la Communauté européenne pour la mobilité des étudiants d'université)　エラスムス計画
ESCAE École supérieure de commerce et d'administration des entreprises　高等商業経営学校
ESRO European spatial research organization　ヨーロッパ宇宙研究機構　►OERS
ESSEC École supérieure des sciences économiques et commerciales　高等商業経営学校：高等経済商業学校
EURATOM ►CEEA
EURL Entreprise unipersonnelle à responsabilité limitée　有限責任一人企業
FAF Fonds d'assurance formation　職業教育保険基金
FAO Food and agriculture organization　国際連合食糧農業機関　►OAA
FAS Fonds d'action sociale　社会福祉活動基金
FASASA Fonds d'action sociale pour l'aménagement des structures agricoles　農業構造改善社会福祉活動基金
FBI Federal Bureau of Investigation (Washington)　アメリカ連邦捜査局(ワシントン)
FCC Fichier central des chèques　小切手資料センター
FCP Fonds commun de placement　投資合同ファンド
FCTVA Fonds de compensation pour la TVA　付加価値税補償基金
FDES Fonds de développement économique et social　経済社会開発基金
FEADER Fonds européen agricole pour le développement rural　農業開発のためのヨーロッパ農業基金
FEAGA Fonds européen agricole de garantie　ヨーロッパ農業保証基金
FED Fonds européen de développement　ヨーロッパ開発基金〔EDF〕
FEN Fédération générale de l'éducation nationale　全国教職員組合連合
FEOGA Fonds européen d'orientation et de garantie agricoles　ヨーロッパ農業指導保証基金
FGA Fonds de garantie automobile　自動車事故補償基金
FGAO Fonds de garantie des assurance obligatoires de dommages　強制損害保険保証基金
FGEN Fédération générale de l'éducation nationale　国民教育総連合
FGVTI Fonds de garantie des victimes d'actes de terrorisme et d'autres infractions　テロ行為等被害者補償基金
FICOBA Fichier des comptes bancaires et assimilés　銀行口座番号資料センター
FIDA Fonds international de développement agricole　国際農業開発基金
FIJAIS Fichier judiciaire automatisé des auteurs d'infractions sexuelles　性犯罪者情報ファイル
FINUL Force intérimaire des Nations unies au Liban　国際連合レバノン暫定軍
FISE Fonds international des Nations unies pour le secours de l'enfance (New York)　国際連合国際児童緊急基金(ユニセフ)〔UNICEF〕(ニューヨーク)
FIVA Fonds d'indemnisation des victimes de l'amiante　アスベスト被害者補償基金
FIVETE Fécondation in vitro et transfert d'embryon　生体外受精・胚移植
FMI Fonds monétaire international (Washington)　国際通貨基金〔IMF〕(ワシントン)
FNAL Fonds national d'aide au logement　全国住宅援助基金
FNAS Fonds national d'action sociale　全国社会福祉活動基金
FNASS Fonds national d'action sanitaire et sociale　全国保健社会福祉活動基金
FNCTVA Fonds national de compensation de la TVA　全国付加価値税補償基金
FNE Fonds national de l'emploi　国立雇用基金
FNS Fonds national de solidarité　国民連帯基金
FNSEA Fédération nationale des syndicats d'exploitants agricoles　全国農業経営者組合連合
FOB Free On Board/Franco bord　FOB売買(売主が費用を負担せずに物品の引渡しを本船上で

行う売買）
FONGECIF　Fonds pour la gestion du congé individuel de formation　自主研修休暇管理基金
FOR　Free on rail (franco sur wagon)　貨車渡し
FORMA　Fonds d'orientation et de régularisation des marchés agricoles　農業市場指導調整基金
FPA　Formation professionnelle des adultes　成人職業教育協会
FSM　Fédération syndicale mondiale　世界労働組合連盟〔WFTU〕
FUNU　Force d'urgence des Nations unies　国際連合緊急軍〔UNEF〕
G20　Groupe des 20　G20
GAEC　Groupement agricole d'exploitation en commun　農業共同経営集団
GAFI　Groupe d'action financière sur le blanchiment des capitaux　資金洗浄特捜部
GAM　Groupement d'action municipale　市町村活動団体
GATT　General agreement on tariffs and trade : Accord général sur les tarifs douaniers et le commerce (Genève)　ガット（関税および貿易に関する一般協定）（廃止）
GEIE　Groupement européen d'intérêt économique　ヨーロッパ経済利益団体
GFA　Groupement foncier agricole　農地管理集団
GIC　Grand invalide civil　身体障害者マーク
GIE　Groupement d'intérêt économique　経済利益団体
GIEE　Groupement d'intérêt économique européen　ヨーロッパ経済利益団体
GIG　Grand invalide de guerre　傷痍軍人マーク
GIGN　Groupement d'intervention de la gendarmerie nationale　国家憲兵隊緊急出動グループ
GIP　Groupement d'intérêt public　公益団体
HADOPI　Haute autorité pour la diffusion des œuvres et la protection des droits sur Internet　電子著作物利用監視機構
HALDE　Haute autorité de lutte contre les discriminations et pour l'égalité　差別撤廃平等促進高等機関
HBM　Habitation à bon marché　低価格住宅
HC　Hors cadre　移籍出向
HCR　Haut commissariat des Nations unies pour les réfugiés　国際連合難民高等弁務官事務所〔UNHCR〕
HE　Hors échelle (pour un fonctionnaire)　（公務員制度上の）格付け外の
HEC　Hautes études commerciales　高等商業学校
HLM　Habitation à loyer modéré　低家賃住宅
HT　Hors taxes　税抜き；免税　▶TTC
IAD　Insémination artificielle avec donneur　非配偶者間人工授精
IAE　Institut d'administration des entreprises　企業経営研究所
IATA　International Air Transport Association/Association internationale des transports aériens　国際航空運送協会
ICC　Indice du coût de la construction　住宅建設費指数
IDI　Institut de développement industriel　産業開発金融社
IEJ　Institut d'études judiciaires　司法学院
IEP　Institut d'études politiques　政治学院
IFOP　Institut français d'opinion publique　フランス世論研究所
IFP　Institut français du pétrole　フランス石油研究所
IGF　Impôt sur les grandes fortunes　富裕税（1986年に廃止）　▶ISF
IGN　Institut géographique national　国立地理調査所
IGPN　Inspection générale de la police nationale　国家警察総監局
IGREF　Ingénieurs du génie rural, des eaux et forêts　農林治水工学技師
ILC　Indice des loyers commerciaux　商事賃料指数
IME　Institut médico-édicatif　治療・育成センター

IMP	Institut médico-pédagogique	治療・教育センター
IMP	Institut médico-professionnel	治療・職業教育センター
INA	Institut national de l'audiovisuel	国立放送メディア研究所
INALCO	Institut national des langues et civilisations orientales	国立東洋言語文化学院
INAO	Institut national de l'origine et de la qualité	原産地品質表示協会
INC	Institut national de la consommation	国立消費経済研究所
INED	Institut national d'études démographiques	国立人口統計学研究所
INPI	Institut national de la propriété industrielle	工業所有権局
INRA	Institut national de la recherche agronomique	国立農業研究所
INS	Institut national des sports	国立スポーツ研究所
INSEE	Institut national de la statistique et des études économiques	国立統計経済研究所
INSEP	Institut national du sport, de l'expertise et de la performance	全国スポーツ振興協会
INSERM	Institut national de la santé et la recherche médicale	国立衛生医学研究所
INTELSAT	International Telecommunication Satellite Organization/Organisation internationale des télécommunications par satellites　国際電気通信衛星機構(インテルサット)	
Interpol	インターポール　►OIPC	
IP	Internet protocole　インターネット・プロトコル	
IPAG	Institut de préparation à l'Administration générale　一般行政職受験準備校	
IPP	Incapacité de travail partielle permanente　永続的一部労働不能	
IR	Impôt sur le revenu des personnes physiques　所得税	
IRA	Institut régional d'administration　地方行政学院	
IRCANTEC	Institution de retraite complémentaire des agents non titulaires de l'État et collectivités locales　国家・地方非正規職員補足退職年金制度	
IREPS	Institut régional d'éducation physique et sportive　地方体育研究所	
IRL	Indice de référence des loyers　標準家賃	
IS	Impôt sur les sociétés　法人税	
ISF	Impôt de solidarité sur la fortune　連帯富裕税	
ISO	International Standardization Organisation　国際標準化機構	
ITP	Incapacité (de travail) temporaire partielle　一時的一部労働不能	
ITT	Incapacité temporaire totale (de travail)　一時的全部労働不能	
IUFM	Institut universitaire pour la formation des maîtres　(初・中等)教員養成学校	
IUP	Institut universitaire professionnalisé　職業教育大学院	
IUT	Institut universitaire de technologie　技術短期大学	
IVG	Interruption volontaire de grossesse　人工妊娠中絶	
JAF	Juge aux affaires familiales　家族事件裁判官	
JAP	Juge de l'application des peines　刑罰適用裁判官	
JEX	Juge de l'exécution　執行裁判官	
JME	Juge de la mise en état　準備手続裁判官	
JO	Journal officiel　官報	
JOCE	Journal officiel des communautés européennes　ヨーロッパ共同体官報	
LDD	Livret de développement durable (ex-CODEVI)　設備近代化積立口座(かつてのCODEVI)	
LMD	Licence, Master, Doctorat　学士＝修士＝博士	
LOLF	Loi organique relative aux lois de finances (1er août 2001)　予算法律に関する2001年8月1日の組織法律	
MATIF	Marché à terme international de France　国際金融先物取引所	
MDPH	Maison départementale des personnes handicapées　県障害者施設	
MEDEF	Mouvement des entreprises de France　フランス企業運動(フランス経団連)	
MGEN	Mutuelle générale de l'éducation nationale　全国教職員共済組合	
MICEN	Minutier central électronique　電子原本登録簿	

MIN Marché d'intérêt national 公設卸売市場

MIVILUDES Mission interministérielle de vigilance et de lutte contre les dérives sectaires セクト主義者監視委員会

MJC Maison des jeunes et de la culture 青少年文化センター

MODEF Mouvement de défense des exploitations familiales 家族経営農場保護運動

MRAP Mouvement contre le racisme, l'antisémitisme et pour la paix 人種差別・反ユダヤ主義に反対し平和を促進する運動

MSA Mutualité sociale agricole 農業共済組合

NASA National aeronautics and space administration/Organisation nationale de l'aéronautique et de l'espace (USA) 連邦航空宇宙局（アメリカ合衆国）

NASDAQ National association of securities dealers automated quotation/Cotation automatisée de l'association nationale des marchands de titres (indice boursier des valeurs technologiques, New York) ナスダック

NATO North atlantic treatry organization 北大西洋条約機構 ►OTAN

OAA Organisation des Nations unies pour l'alimentation et l'agriculture (Rome) 国際連合食糧農業機関〔FAO〕（ローマ）

OACI Organisation de l'aviation civile internationale (Montréal) 国際民間航空機関〔ICAO〕（モントリオール）

OAT Obligation assimilable du Trésor 長期国債

OCAM Organisation commune Africaine et Malgache アフリカ・マダガスカル共同機構

OCDE Organisation de coopération et de développement économique (Paris) 経済協力開発機構〔OECD〕（パリ）

OEA Organisation des États americains (Washington) 米州機構〔OAS〕（ワシントン）

OEB Office européen des brevets ヨーロッパ特許局

OERS Organisation européenne de recherches spatiales ►ESRO

OGAF Opérations groupées d'aménagement foncier 土地整備集団活動

OGM Organisme génétiquement modifié 遺伝子組換体

OIT Organisation internationale du travail (Genève) 国際労働機関〔ILO〕（ジュネーヴ）

OJD Office de la justification de la diffusion (journaux) 報道倫理審議会

OMC Organisation mondiale du commerce 世界貿易機関

OMI Organisation maritime internationale (Londres) 国際海洋機関（ロンドン）

OMM Organisation météorologique mondiale (Genève) 世界気象機関〔WHO〕（ジュネーヴ）

OMO Observation en milieu ouvert 社会内観察

OMPI Organisation mondiale de la propriété intellectuelle 世界知的所有権機関〔WIPO〕

OMS Organisation mondiale de la santé (Genève) 世界保健機関〔WHO〕（ジュネーヴ）

ONC Office national de la chasse (et de la faune sauvage) 国立狩猟管理局

ONDAM Objectif national des dépenses d'assurance maladie 疾病保険支出額国家目標

ONF Office national des forêts 営林局

ONG Organisation non gouvernementale 非政府団体〔NGO〕

ONIAM Office national d'indemnisation des accidents médicaux 国立医療事故補償局

ONISEP Office national d'information sur les enseignements et les professions 国立教育・職業情報局

ONN Office national de la navigation 海運公団

ONPI Office national de la propriété industrielle 工業所有権局

ONU Organisation des Nations unies (New York) 国際連合〔UN〕（ニューヨーク）

ONUDI Organisation des Nations unies pour le développement industriel (Vienne) 国際連合工業開発機関〔UNIDO〕（ウィーン）

OOA Organisation des Nations unies pour l'alimentation et l'agriculture 国連食糧農業機関（FAO）

OP　Ouvrier professionnel　熟練工
OPA　Offre publique d'achat　株式公開買付け
OPAC　Office public d'aménagement et de construction　整備建設公社(廃止)　►OPH
OPCVM　Organisme de placement collectif en valeurs mobilières　有価証券共同投資機関
OPE　Offre publique d'echange　株式公開交換
OPEP　Organisation des pays exportateurs de pétrole　石油輸出国機構〔OPEC〕
OPH　Office public de l'habitat　住宅公社
OPHLM　Office public d'habitation à loyer modéré　低家賃住宅公社(廃止)　►OPH
OPJ　Officier de police judiciaire　司法警察員
OPV　Offre publique de vente　株式公開売付け
ORGANIC　Caisse de compensation de l'organisation autonome nationale de l'industrie et du commerce　全国商工業自営業者調整金庫
ORGECO　Organisation générale des consommateurs　消費者総組織
ORSEC　Organisation des secours　災害救助組織
ORSTOM　Office de la recherche scientifique et technique d'outre-mer　海外科学技術研究局
OS　Ouvrier spécialisé　単能工
OTAN　Organisation du traité de l'Atlantique Nord (Bruxelles)　北大西洋条約機構〔NATO〕（ブリュッセル）
OUA　Organisation de l'unité africaine (Addis-Abéba)　アフリカ統一機構〔OAU〕（アディス・アベバ）
PAC　Politique agricole commune　共通農業政策
PACS　Pacte civil de solidarité　パートナー契約
PACT　Protection, amélioration, conservation, transformation de l'habitat　住宅の保護・改良・保存・改築
PAH　Prime à l'amélioration de l'habitat　住宅改良助成金
PAIO　Permanence d'accueil d'information et d'orientation　職業相談所
PAJE　Prestation d'accueil du jeune enfant　幼児受入給付
PALULOS　Prime à l'amélioration des logements à usage locatif et d'occupation sociale　社会福祉目的賃貸住宅改良助成金
PAP　Projets annuels de performance　費用対効果比年次計画
PARE　Plan d'aide au retour à l'emploi　再就労支援計画
PAZ　Plan d'aménagement de zones　区域整備計画
PDG　Président directeur général　社長
PDU　Plan de déplacements urbains　都市交通計画
PEA　Plan d'épargne en actions　株式貯蓄
PEE　Plan d'épargne entreprise　財形貯蓄
PEI　Plan d'épargne interentreprise　企業間財形貯蓄
PEP　Plan d'épargne populaire　国民貯蓄計画
PERCO　Plan d'épargne pour la retraite collectif　企業年金積立
PERP　Plan d'épargne retraite populaire　個人年金積立
PESC　Politique étrangère et de sécurité commune (Union européenne)　共通外交安全保障政策
PG　Procureur général　法院検事長
PIB　Produit intérieur brut　国内総生産
PIC　Prêts immobiliers conventionnés　協定不動産貸付け
PIL　Programme d'insertion locale　地域雇用促進計画
PJ　Police judiciaire　司法警察
PLA　Prêt locatif aidé　賃貸住宅援助融資
PLD　Plafond légal de densité　法定上限密度
PLM (loi)　Loi du 31 décembre 1982 relative à l'organisation administrative de Paris, Lyon,

Marseille　パリ・リヨン・マルセイユの行政組織に関する1982年12月31日の法律
PLU　Plan local d'urbanisme　地域都市計画
PMA　Procréation médicalement assistée　医療介助生殖
PME　Petites et moyennes entreprises　中小企業　►CGPME
PMI　Petites et moyennes industries　中小産業
PMI　Protection maternelle et infantile　母性小児保護
PMU　Pari mutuel urbain　場外勝ち馬投票
PNB　Produit national brut　国民総生産〔GNP〕
PNUD　Programme des Nations unies pour le développement　国際連合開発計画〔UNDP〕
POS　Plan d'occupation des sols　土地占用計画　►PLU
PPP　Partenariat public-privé　公共施設建設委任　►Contrat partenariat〔公共施設建設委任契約〕
PUD　Plan d'urbanisme de détail　都市計画詳細プラン
PVD　Pays en voie de développement　開発途上国
QCM　Questionnaire à choix multiple　複数選択肢式アンケート
QHS　Quartier de haute sécurité　高度監視区域
RAP　Rapports annuels de performance　費用対効果比年次報告
RATP　Régie autonome des transports parisiens　パリ交通公団
RC　Répertoire civil　民事目録
RCB　Rationalisation des choix budgétaires　予算選択の合理化
RER　Réseau express régional　首都圏高速鉄道
RG　Renseignements généraux　総合情報局
RGPP　Révision générale des politiques publiques　国家政策の全面改定
RIB　Relevé d'identification bancaire　銀行取引確認明細
RMA　Revenu minimum d'activité　就労最低収入
RMI　Revenu minimum d'insertion　雇用促進最低収入
RNIPP　Répertoire national d'identification des personnes physiques　国民登録簿
ROM　Région d'outre-mer　海外州
RPVA　Réseau privé virtuel avocats　裁判文書伝達弁護士専用サイト
RSA　Revenu de solidarité active　雇用促進連帯収入
RSI　Régime social des indépendants　自営業者社会保険制度
RTLN　Réunion des théâtres lyriques nationaux　国立歌劇場会議
RTT　Réduction du temps de travail　労働時間短縮
SA　Société anonyme　株式会社
SACEM　Société des auteurs, compositeurs et éditeurs de musique　作詞家作曲家楽譜出版社協会
SAFER　Société d'aménagement foncier et d'établissement rural　土地整備農地創設会社
SALT　Strategic Arms Limitation Talks/Négociations sur la limitation des armements stratégiques　戦略兵器制限交渉
SAMU　Service d'aide médicale urgente　緊急医療救助サーヴィス
SARL　Société à responsabilité limitée　有限会社
SAS　Société par actions simplifiée　略式株式会社
SASU　Société par actions simplifiée unipersonnelle　略式一人株式会社
SCI　Société civile immobilière　不動産民事会社
SCOP　Société coopérative ouvrière de production　労働者生産協同組合
SCP　Société civile professionnelle　専門職民事会社
SCPI　Société civile de placement immobilier　不動産投資民事会社
SDDS　Schéma départemental des structures agricoles　県農業構造計画
SDECE　Service de documentation extérieure et de contre-espionnage　対外情報防諜部
SDF　Sans domicile fixe　ホームレス
SDI　Schéma départemental de coopération intercommunal　県の市町村間協力計画

SDN　Société des nations　国際連盟(廃止)
SDR　Société de développement régional　州開発公社
SE　Société européenne　ヨーロッパ会社
SEBC　Système européen des banques centrales　ヨーロッパ中央銀行制度
SEITA　Service d'exploitation industrielle des tabacs et allumettes (現 Société nationale d'exploitation industrielle des tabacs et allumettes)　たばこ産業専売公社(現たばこ産業株式会社)
SEL　Société d'exercice libéral　自由職会社
SELAFA　Société d'exercice libéral à forme anonyme　自由職株式会社
SELARL　Société d'exercice libéral à responsabilité limitée　自由職有限会社
SELCA　Société d'exercice libéral en commandite par actions　自由職株式合資会社
SEM　Société d'économie mixte　公私資本混合会社
SERNAM　Service national des messageries　フランス国鉄小荷物配送業務
SFI　Société financière internationale (Washington)　国際金融公社〔IFC〕(ワシントン)
SGAR　Secrétariat général pour les affaires régionales　州務局
SGDG　Sans garantie du gouvernement　政府無保証
SHAPE　Supreme Headquarter of Allied Powers in Europe/État-major des forces de l'OTAN en Europe　連合軍ヨーロッパ最高司令部
SICA　Société d'intérêt collectif agricole　農業共同利益会社
SICAV　Société d'investissement à capital variable　可変資本投資会社
SICOMI　Société immobilière pour le commerce et l'industrie　商工業不動産会社
SICOVAM　Société interprofessionnelle pour la compensation des valeurs mobilières　シコバム
SIRENE　Système informatique pour le répertoire des entreprises et établissements　企業事業所台帳情報システム
SIRET　Système informatique pour le répertoire des établissements　企業事業所登録番号
SIVOM　Syndicat intercommunal à vocations multiples　多目的市町村共同組合
SIVU　Syndicat intercommunal à vocation unique　単一目的市町村共同組合
SMAG　Salaire minimum agricole garanti　農業最低賃金
SME　Système monétaire européen　ヨーロッパ通貨制度〔EMS〕
SMI　Surface minimum d'installation　最低営農面積
SMIA　Société mixte d'intérêt agricole　農業利益混同会社
SMIC　Salaire minimum interprofessionnel de croissance　最低賃金
SMIG　Salaire minimum interprofessionnel garanti　最低賃金
SNC　Société en nom collectif　合名会社
SNCF　Société nationale des chemins de fer français　フランス国有鉄道
SNEP　Société nationale des entreprises de press　プレス企業没収財産管理国有会社
SNIAS　Société nationale industrielle aérospatiale　航空宇宙産業国有会社
SNPA　Société nationale des pétroles d'Aquitaine　アキテーヌ石油国有会社
SOFIRAD　Société financière de radiodiffusion　ラジオ放送金融会社
SOFRES　Société française d'enquête par sondage　フランス世論調査会社
SRPJ　Service de recherche de la police judiciaire　司法警察捜査本部
SRU (loi)　Loi du 13 décembre 2000 relative à la solidarité et au renouvellement urbains　都市の連帯と刷新に関する2000年12月13日の法律
TA　Tribunal administratif　地方行政裁判所
TASS　Tribunal des affaires de Sécurité sociale　社会保障事件裁判所
TC　Tribunal des conflits　権限裁判所
TEG　Taux effectif global　実質金利
TESE　Titre emploi service entreprise　中小企業雇用券
TFUE　Traité sur le fonctionnement de l'Union européenne　ヨーロッパ連合運営条約
TFPUE　Tribunal de la fonction publique de l'Union européenne　ヨーロッパ連合職員裁判所

TGI Tribunal de grande instance 大審裁判所
TI Tribunal d'instance 小審裁判所
TIG Travail d'intérêt général 公益奉仕労働
TIP Titre interbancaire de paiement 銀行間決済手形
TIR Transit international routier TIR条約（国際道路運送手帳による担保のもとで行う貨物の国際運送に関する通関条約）
TNP Théâtre national populaire 国立民衆劇場
TOM Territoire d'outre-mer 海外領土
TPG Trésorier-payeur général 地方財務局長
TPI Tribunal pénal international 国際刑事裁判所
TPI Tribunal de première instance (UE) ヨーロッパ第一審裁判所（ヨーロッパ連合）
TRACFIN Traitement du renseignement et action contre les circuits financiers 違法資金特別対策室
TT Immatriculation des véhicules en transit temporaire 免税通過車両の登録
TTC (prix) (Prix) Toutes taxes comprises 税込み（価格）
TUC Travaux d'utilité collective 失業対策公共土木事業
TUE Traité sur l'Union européenne ヨーロッパ連合条約
TVA Taxe sur la valeur ajoutée 付加価値税
UCANSS Union des caisses nationales de sécurité sociale 全国社会保障金庫連合
UE Union européenne ヨーロッパ連合
UEM Union économique et monétaire 経済通貨連合
UEMOA Union économique et monétaire de l'Afrique de l'Ouest 西アフリカ経済通貨連合
UEO Union de l'Europe occidentale 西ヨーロッパ同盟（廃止）
UFR Unité de formation et de recherche 教育研究単位
UIPPI Union internationale pour la protection de la propriété industrielle (Paris Union) 国際工業所有権保護同盟（パリ同盟）
UIT Union internationale des télécommunications (Genève) 国際電気通信連合〔ITU〕（ジュネーヴ）
UNAF Union nationale des associations familiales 全国家族団体連合
UNAPEI Union nationale des associations de parents d'enfants inadaptés 全国不適応児両親団体連合
UNAPL Union nationale des associations de professions libérales 全国自由職団体連合
UNCAC Union nationale des coopératives agricoles de céréales 全国穀物農業協同組合連合
UNCAF Union nationale des caisses d'allocations familiales 全国家族手当金庫連合
UNCTAD United nations conference on trade and development 国際連合貿易開発会議 ►CNUCED
UNEDIC Union nationale pour l'emploi dans l'industrie et le commerce 全国商工業雇用協会連合（全ての商工業雇用協会〔►ASSEDIC〕が統合）
UNESCO United nations educational, scientific and cultural organization/Organisation des Nations Unies pour l'éducation, la science et la culture (Paris) 国際連合教育科学文化機関（ユネスコ）（パリ）
UNICEF United nations international children's emergency fund (New York) 国際連合国際児童緊急基金（ユニセフ）（ニューヨーク） ►FISE
UNIOPSS Union nationale interfédérale des œuvres et organismes privés sanitaires 全国私設保健社会福祉活動連合
UNIRS Union nationale des institutions de retraite des salariés 全国労働者退職年金制度連合
UNRRA Administration des Nations unies pour le secours et le relèvement 連合国救済復興機関
UPU Union postale universelle (Berne) 万国郵便連合〔UPU〕（ベルン）
URCAM Union régionale de caisse d'assurance-maladie 州疾病保険金庫連合

URIOPSS Union régionale des œuvres et organismes privés sanitaires et sociaux　地方私設保健社会福祉活動連合
URSS Union des Républiques Socialistes Soviétiques　ソヴィエト社会主義共和国連邦〔USSR〕（1991年に消滅）
URSSAF Union pour le recouvrement de la sécurité sociale et des allocations familiales　社会保障・家族手当保険料徴収組合連合
USA United States of America　アメリカ合衆国
UTA Union des transports aériens　航空運送連合
UV Unité de valeur　履修単位
VAE Validation des aquis de l'expérience　経験取得認証
VASFE Vérification approfondie de situation fiscale d'ensemble　租税状況の総合的調査確認
VDQS Vin délimité de qualité supérieure　上質限定ワイン
VRP Voyageurs, représentants, placiers　外交員
ZAC Zone d'aménagement concerté　協議整備区域
ZAD Zone d'aménagement différé　長期整備区域
ZAN Zone d'agglomération nouvelle　新市街地整備区域
ZAR Zone d'action rurale　農業活動区域
ZEP Zone d'éducation prioritaire　教育優先区域
ZIF Zone d'intervention foncière　土地取引介入区域
ZRR Zone de revitalisation rurale　農業再活性化区域
ZRU Zone de revitalisation urbaine　都市再活性化区域
ZUP Zone à urbaniser par priorité　優先市街化区域（廃止）

索　引

【0～9，A～Z】

12分の1暫定執行予算 ……………………… 164
4年の消滅時効 …………………………… 137,332
ＣＩＦ売買 ………………………………………… 436
ＦＡＯ ……………………………………………… 302
ＦＯＢ売買 ………………………………………… 437
ＩＦＣ ……………………………………………… 399
ＩＬＯ ……………………………………………… 303
　　──事務局 ………………………………………61
　　──条約 ……………………………………… 124
ＩＭＣＯ …………………………………………… 302
ＩＭＦ ……………………………………………… 205
ＮＡＴＯ …………………………………………… 303
ＮＧＯ ……………………………………………… 303
ＯＥＣＤ …………………………………………… 302
ＯＰＡ ……………………………………………… 297
ＯＰＥ ……………………………………………… 297
ＰＤＧ ……………………………………………… 332
ＳＥＡＴＯ ………………………………………… 303
ＷＨＯ ……………………………………………… 303

【あ】

（契約の）相手方 …………………………………82
悪意 ………………………………………………… 274
アグレマン …………………………………………24
預り証券 …………………………………………… 354
与える債務 ………………………………………… 294
斡旋 …………………………………………… 58,99
圧力団体 …………………………………………… 218
後日付 ………………………………………………32
アパルトヘイト ……………………………………32
アフリカ統一機構 ………………………………… 304
新たな訴え（請求） ……………………………… 147
アラブ連盟 ………………………………………… 260
アレテ ………………………………………………36
暗数 …………………………………………………77
安全 ………………………………………………… 409

安全衛生労働条件委員会 ……………………………86
安全義務 …………………………………………… 295
安全保障理事会 …………………………………… 110
按分 ………………………………………………… 121
　　──による …………………………………………45
　　──による配当 ……………………………… 160
　　──比例 ……………………………………… 271
安楽死 ……………………………………………… 190

【い】

委員会報告者 ……………………………………… 353
移管 ………………………………………………… 191
域内市場 …………………………………………… 272
異議の申立て ……………………………………… 121
異議申立て ………………………………………… 298
（競売条件に関する）異議申立書 ……………… 157
育成扶助 ……………………………………………38
違警罪 ……………………………………………… 120
　　──裁判所 …………………………………… 428
　　──の性質をもつ軽罪 ……………………… 146
意見 …………………………………………………48
遺言 ………………………………………………… 418
　　──執行者 …………………………………… 192
　　──証書 ……………………………………… 418
　　──分割 ……………………………………… 418
　　──変更証書 …………………………………… 82
遺産 ………………………………………………… 221
　　──占有 ……………………………………… 386
（原判決）維持 …………………………………… 102
維持改良費 ………………………………………… 226
意思自治 ……………………………………………45
意思主義 …………………………………………… 112
意思自律 ……………………………………………45
遺失物 ……………………………………………… 184
慰藉料 ……………………………………………… 334
意匠 …………………………………………… 154,283
　　──全国原簿 ………………………………… 365
移籍出向 …………………………………………… 222
移送 ………………………………………………… 370

461

（受刑者の）――	423
遺贈	255
委託者	87
一院制	284
一元的弁護士制度	342
一元論	284
一時的労働不能	228
一事不再理	290
一人会社	400
一部負担	419
一回的給付契約	118
一括請負契約	272
一括管轄方式	57
一括表決	441
一件記録	163
――への記載	276
一件書類の伝達	93
逸失利益	211,264
一般債権者	131
一般政策表明	138
一般担保権	168
一般特恵	329
一般法	166
一方的行為	12
移転価格	339
移転行為	12
移転支出	152
移動	283
――条項	80
委任	88,144,268
――者	87
――状	341
――統治領	270
――による表決	441
委付	142,144
違法（性）	224
適法性審査（訴訟）	34
違法妊娠中絶罪	240
違法の抗弁	191
遺留分	375
――権利者	375
医療介助生殖	341
医療鑑定	195
医療協約	124
――からの除外	139
因果関係	66
姻族関係	27
引退	380
院長	331
隠匿	159,354

【う】

ヴァチカン	436
ヴィザ	440
請合い	324
請負	183
――契約	118,264
――人	183
受取り	358
氏	289,312
――の再建	368
疑いの利益	164
疑わしき期間	316
疑わしきは被告人の利益に	231
内金	7
宇宙空間	186
訴え	12
――の利益	239
新たな――（請求）	147
裏書	180
運送契約	120
運送状	256
運送法	172
運賃	210
運転免許	316

【え・お】

営業財産	203
――条項	79
――賃貸借	262
――手形	57
――の使用人による経営	214
営業倉庫	265
営業年度	193
営業の自由	258
嬰児殺	232
永続的一部労働不能	228
永代賃貸借	51,179
越権	192
エラスムス計画	185
援助金	406
――訴権	14
――の訴え	14
横領	160
大売出し	401
公の自由	258
公の秩序	301,302
公の武力	206
置去り	144
汚染	324

オブザーバー	295
親子関係	→親子（シンシ）関係
オルドナンス	299
オルレアン型議院内閣制	304
恩赦	215
オンブズマン	297

【か】

外因的不可抗力	206
外貨	156
海外県	151
海外領土	417
外観	32
会期	394
会議	102,105
会計官	23
会計監査役	87
会計検査院	128
——改善要求書	361
会計年度	193
会計報告書	98
戒厳	189
解雇	104,105,259
外交	157
外交員	371,441
——の手数料	91
外交官	23
——の特権免除	225
外交関係	367
外交官職	157
（外交官の）信任状	256
外交使節団	282
外交術	157
外交席次	351
外交団	126
外交的庇護	36
外交的保護	344
外国人	189
——によるスパイ行為	187
——の法的地位	101
外国性	196
外国判決	248
（外国領事）認可状	193
悔悟者	370
解散	159
海産	208
海事裁判所	428
開始点	304
会社	397
——グループ	218
——契約	397

——財産の濫用	2
——の業務執行者	214
——の資本	64
——の所在地	395
——の分割	389
——の持分	309
——への出資	34
——の目的	293
外出許可	316
解除	266,376
——訴権	16
——の訴え	16
——の合意	286
解消	159
改善	29
階層的権限	327
海賊行為	319
懐胎	98
買取選択権付賃貸借	262
買取賃貸借	262
海難	208
解任	154
会派	218
開発途上国	312
——（に対する）援助	25
回避	2
（法律）——	210
外部採用	422
解放	178
海法	169
買戻し	368,379
解約	375
——の申入れ	104
——予告期間	143,328
海洋の自由の原則	258
価格	338
——拘束	338
——操作行為	14
——による不当誘引	338
——評価	337
価額	414
書留郵便	256
架空の支払命令書	269
閣議	109
学生	190
拡大	176
確定決算主義	56
確定債務	294
確定収支	260
確定日付	135
学部	196
——長	165

か

項目	ページ
額面超過額	335
閣僚理事会	109
隠れた瑕疵	439
加工	403
嫁資	164
——外財産	55
——財産	55
——制	363
貸方	49
（貸借対照表の）——	311
過失	198
果実	211
——収取権	211
過失傷害	128
過失による人に対する侵害	43
過失約款	288
家事に関する代理権	269
過剰債務	409
課税世帯	208
課税台帳	382
課税標準	37
——の認定	37
——の控除	360
仮装行為	9
家族	197
——財産	55
——事件裁判官	245
——手当	27
——の遺棄	1
——の呼寄せ	366
過怠約款	81
（家宅）捜索	317, 440
家畜賃貸借	51
加重事情	78
ガット（関税及び貿易に関する一般協定）	213
割賦販売	437
合併	211
加入	4
——義務	40
カノン法	64
株式	12
——の払込み	257
——を発行する会社	397
——の引受け	402
株式会社	397
株式合資会社	398
貨物取次業者	423
株主	16
家父の用法指定	154
過分な無償譲与の減殺	359
貨幣	284
——名目主義	290
可変資本会社	397
（加盟国）常駐代表委員会	86
加盟の承認	19
空競り	202
借方	161
（貸借対照表の）——	12
仮契約	96
仮執行	192
仮釈放	258
仮収容	228
仮の管理者	18
仮払金	346
軽い新法の遡及	381
カルテル	65, 182
為替	74
——手形	255
簡易訴訟手続き	340
勧解	99
——委員会	88
——人	99
——部	61
（小審裁判所における）——および裁判のための呼出し（呼出状）	38
管轄	377
——区域	377
——権限	95, 249
——権限の抵触	103
——権限付与条項	79
——限度額	414
——否認申立て	139
環境	184
——アセスメント	190
——影響評価	190
——テロ行為	418
監護	212
慣行	433
勧告	355
——的意見	48
監護権	168
観察期間	316
慣習	131, 433
慣習証明書	70
慣習犯	232
慣習法	131
干渉	241
官職	179
関税	164, 167
——代替措置の禁止	415
——同盟	431
間接化された民主制	149
間接税	226

──事業調査権	193
間接損害	162
完全雇用	322
完全養子縁組	20
姦通	20
鑑定	45,195
──人	194
看板	182
還付	142,378
官報	244
元本	64
──組入	64
──と利息	335
官吏	203
──職団	126
管理	19
──権	19
──行為	8
管理職	62
──退職年金制度総連合	24
関連性	106

【き】

議院	72
──内閣制	308,364
──理事部	61
議員歳費	230
議員資格審査	438
議員提出法律案	343
議員特権	225
帰化	287
期間	143
危難にある者の不救助	290
棄却	136
危急事態	189
企業	183
企業委員会	85
──組合代表	371
──の利益	239
企業会計	96
企業外の災害	4
企業グループ委員会	85
企業合同	429
企業集中	98
企業診断鑑定人	194
企業代理人	203
企業長	75
──の権限	326
企業届出書式事務所	69
企業内組合支部	391
議決	146

議決権証書	70
危険	382
期限	417
危険性	188
起算日	156
議事協議会	102
期日	44
議事日程	301
偽証	199
既遂	113
擬制	200
規制市場	272
規制撤廃	152
即成犯	233
帰責性の推定	332
偽造	121
──の申立て	199
──文書行使	434
偽装行為	143
規則	365
羈束権限	95,327
基礎賃金日額	211
起訴便宜主義	298
寄託	152
──登録簿	365
──の拒絶	362
北大西洋条約機構（NATO）	303
既得権	165
既得利益（の維持）	48
規範	290
既判事項	77
既判力	46,77
忌避	358
寄付	203
基本的夫婦財産制	363
基本法	263
義務的管轄の選択条項	250
義務不履行の申立て	271
記名株式	15
欺罔	210
規約	305,404
虐待	395
客引き行為	351
却下	136
客観的法的地位	396
休暇	104
休業日	244
休業補償手当	230
（金銭的）救護	390
求償訴権	16
求償の訴え	16
休職	159

き

項目	ページ
救助の懈怠	297
休戦協定	35
急速審理裁判官	247
給付	333
──額の確定	260
糾問主義的（手続き）	235
享益株式	15
境界画定	1, 59, 146
教会法	64, 165
恐喝	74
協議整備区域	442
協議的地位	404
競業避止条項	80
教皇庁	383
強行的夫婦財産制	364
教唆	236
共済組合	286
供述	152
教書	276
行商	85
共助の嘱託	91
強制	116
行政	19
──地役	394
行政監督	122
行政機関	19
行政刑法	165
行政契約	117
行政行為	7
行政控訴院	128
行政裁判所	250
強制執行	192
──（の方法）	440
行政訴訟	115
強制退去	195
強制徴収	11, 325
行政庁の沈黙	395
強制通用力	130
行政的決算審査	34
強制的支払命令	373
強制手数料	415
行政文書開示（請求権）	4
──請求審査委員会	88
行政法	165
行政立法	365
──行為	11
──事項確認手続き	144
行政連合	431
強制和議	100
競争	101
──制限行為	328
──評議会	106
──法	166
供託	112
──金	67
共通外交安全保障政策	324
共通財産	55
──制	92, 363
共通農業政策	323
協定	182
協働（弁護士間の協働契約）	83
協同会社	398
共同管理	83
──条項	265
協同組合	125, 398
共同決定	82
──手続き	339
共同債務者	125
共同市場	272
共同実行	127
共同所有（権）	126
共同申請（書）	373
共同訴訟人	83, 261
共同体法	166
共同統治	101
共同物	77
共同保証人	83
凶徒の結社	40
競売	→競売（ケイバイ）
強迫	439
脅迫	276
共犯	96
業務鑑定人	195
（会社の）業務執行者	214
協約	124, 305
協約医	274
強要	196, 351
共用部分	310
協力配偶者	105
共和国委員	88
──補佐	87
共和国行政斡旋官	275
共和国検事	341
共和国法院	129
共和制	373
許可	45
虚偽告訴・告発	151
虚偽表示	395
（事務）局	61
極小国	279
居住	187
──権	168
拠出制の給付	48
居所	375

──指定	38
拒絶証書	345
拒否権	438
虚有権	291
記録手続き	341
緊急収容施設	69
緊急状態	189
緊急性	433
──の宣言	139
緊急認定	113
禁錮	154
銀行	52
──券	57
──取引	298
銀行の貸金庫内の財産の差押え	384
近親相姦	228
(金銭債権の)差押え＝帰属	383
金銭出資株式	15
(金銭的)救護	390
禁反言	187
金融機関	187
金融市場機関	47
金融市場評議会	109

【く】

区	36
空域	186
空席	434
空文化	154
区会	106
(具体的取り分作出のための)分割	28
区長	266
区分所有(権)	126
──規約	366
──者組合	412
──の管理者	412
組合	397
──助成金	76
──代表委員	145
──の自由	258
──の代表性	372
──保障	391
──保障条項	81
──マーク	273
クラス・アクション	79
繰入れ	227
クローズドショップ(条項)	82
郡	36
軍事犯罪	233
君主制	284
君主の行為	197

軍備管理	267
訓令(権)	238

【け】

刑	312
──に伴う処分の取消し	368
──の加重を求める控訴	32
──の吸収	104
──の減免	368
──の時効	331
──の執行停止	411
──の宣告猶予	25
──の短縮	359
──の任意的免除	159,193
──の廃止	1
──の必要的免除	193
──の不併科(の原則)	290
系	260
経営調査	44
(経済・社会発展)計画	320
計画契約	120
警告	48
──権	165
軽罪	146
──・違警罪被告人	335
──・違警罪無罪判決	368
──控訴部	72
──裁判所	428
経済協力開発機構(OECD)	302
経済指導主義	158
経済社会委員会	85
経済社会評議会	107
経済社会理事会	107
経済相互援助会議	85
経済通貨連合	431
経済的社会的民主主義	149
経済的従属	151
経済同盟	431
経済利益団体	218
警察	323
──留置	213
(計算書類の)連結	113
警視	88
形式	207
形式主義	207
形式同一原則	307
形式犯	232
刑事事件における民事の当事者となることの申立て	114
刑事手続き	340
刑事における民事の当事者	310

け

刑事部 73
刑事未成年 280
刑事命令 300
形成的裁判 248
係争 261
　——物管理人 18, 392
係属 386
継続的供給契約 120
継続犯 232
軽度の災害 4
競売 18, 180, 436, 437
　——期日 133
　——条件に関する異議申立書 157
　——条件明細書 62
　(不分割財産の)—— 259
刑罰 312
　——適用機構 250
　——の一身専属性 317
刑法 169
刑務所 338
契約 116
　——上のフォート 199
　——職員 115
　——の相手方 82
　契約変更 48
競落 18
　——人 17
軽減事情 78
懈怠 65
結果債務 295
結果的加重犯 147, 233
決議 137, 376
月給制化 276
結婚退職条項 67, 79
決裁裁判官 151, 245
決算時欠損 136
決算書 97
決算承認 350
決算済判決 350
決算法律 264
欠席 140
　——解放判決 141
　——手続き 340
　——判決 248
　(重罪被告人の)——(手続き) 123
血族 307
　——関係 307
決定 137
　——前置主義 137
血統主義 252
県 151
原因 66

検閲 67
県会 108
厳格解釈 240
幻覚犯 233
現金 292
　——主義 214
限月決済取引 272
権原 420
　——の転換 241
権限 326
　——裁判所 427
　——争議決定 36
　——の委任 144
　——濫用 155
現行犯 202
原告 148
減殺訴権 16
減殺の訴え 16
減殺目的の贈与および遺贈の持戻し 353
(証券の) 現先取引 315
検索の利益 54
検察 280, 308
　——意見(書) 373
検察官 280
　——の予審判事に対する請求(書) 373
　——への伝達 94
検死 45
検事局 308
現実かつ重大な事由 67
現実の提供 297
研修 404
厳粛契約 119
厳粛行為 11, 401
元首侮辱罪 296
憲章 74
原状回復 378
兼職 134
　——禁止 229
建築許可 316
建築用賃貸借 51
建築予定不動産売買 437
県知事 329
　——による付託 142
現場逃走罪 146
(原判決) 維持 102
(原判決) 取消し 232
(原判決) 変更 362
現物支給 48
現物出資株式 12
現物取引 272
憲兵隊 213
憲法 113, 166

468

こ

──改正	381
──慣習	131
──裁判所	129
──制定議会	37
──制定権力	326
──的価値を有する原則	337
──的法律	263
──の硬性	381
──ブロック	57
憲法院	106
憲法典	113
原本	281, 304
──に基づく執行	193
券面額	435
（有価証券の）券面廃止	148
権利	165, 171, 331
──者	50
──宣言	138
──の濫用	2
権力分立	392
元老院	391

【こ】

子	180
──と会う権利	172
──の遺棄	1
故意	161, 238
──犯	233
行為	7
合意	5, 112, 123, 305
──による個人更生計画（書）	320
行為者	45
工具	304
勾引勾留状	268
勾引状	268
公営	362
公益宣言	139
公益団体	218
公益奉仕労働	425
公役務	393
──管理の委託	21
──の委任	145
──の任務	283
公海	221
更改	291
公開買付け（OPA）	297
公開買取り	297
公会計	96
──官	97
公開交換（OPE）	297
航海船	288

交換	173
公館	254
強姦	439
交換社債	294
交換的（正義）	94
交換分合	368
公管理	215
合議	146
公企業	184
──会計検査委員会	91
合議制	84
後期註釈学派	325
（広義の）相続人	407
恒久的施設	188
工業所有権	344
──局	236
公金	150
──横領	101
拘禁刑	180
──の代替	29
拘禁センター	69
航空機	20
公契約	272
攻撃防禦方法	285
後見	429
──監督	429
──監督人	406
──裁判官	247
──人	430
公権力	328, 347
──の損害賠償責任	377
公告	157
交互計算	97
交互制雇用促進諸契約	118
公債	155
──金庫	63
──償却	30
──の中長期公債への借換え	113
──の低利借換え	125
公私資本混合会社	399
公施設法人	187
公署	45
──官	297
──性	45
公序	301, 302
控除	1, 227
交渉	288
公証人	291
──証書	10
公署証書	8
──偽造の訴え	14
──偽造の付帯申立て	199

469

こ

項目	ページ
──偽造の申立て	235
更新	369
更正（権）	372
更生計画（書）	321
更生手続上の犯罪	53
更生手続きにおける個人制裁	197
控訴	32
──禁止額	415
──人	33
──の申立て（書）	8,138
控訴院	128
──弾劾部	72
構造基金	205
拘束時間	30
拘束名簿	261
公訴権	16
──の発動を義務づける告訴	320
公訴時効	331
拘置所	266
公知証書	10
公知性	291
（公定の）手数料	415
公定報酬	179
公的威信侮辱	304
公的機関	328
公的扶助	38
合同分割	309
（口頭）弁論	320
高等法院	220,308
後得財産	7
──組合（条項）	397
──参加制	310
公土木工事	426
公認	242
購買券	58
公判期日の延期	368
公判記録	291
公布	346
交付譲渡	422
公物	151
興奮剤の使用	163
衡平	184,185
抗弁	191
公法	170
合法化	254
公法人	317
公民	78
──権剥奪	142
公務員	24
──（制度）	202
──組合	412
──の賠償責任	376
合名会社	400
拷問および野蛮行為	422
公用開始	20,79
公用収用	195
公用廃止	139,153
勾留	155
──状	269
拘留	378
港湾運送業者	5
港湾労働者	161
コーズ	66
子会社	201
小切手	75
──資金	346
──の査証	440
──の支払保証	71
顧客	81
──権	82,166
国益	239
国外強制退去	238,356
国債	369
──証券	435
国際開発協会	40
国際慣習法	131
国際機構	302
国際行政裁判所	427
国際金融公社（IFC）	399
国際軍事裁判所	428
国際刑事裁判所	130,428
国際原子力機関（IAEA）	22
国際公法	168
国際公務員	203
国際裁判管轄	95
国際私法	168
国際司法裁判所	129
国際収支	52
国際商業会議所	72
国際職員	23
国際人権条約	306
国際組織	302
国際仲裁	35
──裁判	35
国際通貨基金（IMF）	205
国際犯罪	233
国際復興開発銀行	53
国際紛争	103
国際法	168
──委員会	89
国際法人格	317
国際民間航空機関	302
国際礼譲	85,131
国際連合	303

さ

――緊急軍・・・・・・・・・・・・・・・・・・・・・・・・・ 206
――総会・・・・・・・・・・・・・・・・・・・・・・・・・・・・・・ 37
――貿易開発会議（UNCTAD）・・・・・・・ 102
国際連盟・・・・・・・・・・・・・・・・・・・・・・・・・・・・・・・ 400
国際労働機関（ILO）・・・・・・・・・・・・・・・・ 303
国際労働事務局・・・・・・・・・・・・・・・・・・・・・・・・ 61
国際労働条約・・・・・・・・・・・・・・・・・・・・・・・・・・ 124
国璽尚書・・・・・・・・・・・・・・・・・・・・・・・・・・・・・・・ 213
国政調査・・・・・・・・・・・・・・・・・・・・・・・・・・・・・・・ 181
国籍・・・・・・・・・・・・・・・・・・・・・・・・・・・・・・・・・・・・ 287
――証明書・・・・・・・・・・・・・・・・・・・・・・・・・・ 70
――選択・・・・・・・・・・・・・・・・・・・・・・・・・・・ 299
――の抵触・・・・・・・・・・・・・・・・・・・・・・・・・ 104
告訴・・・・・・・・・・・・・・・・・・・・・・・・・・・・・・・・・・・・ 320
告知・・・・・・・・・・・・・・・・・・・・・・・・・・・・・・・・・・・・ 375
国土整備・・・・・・・・・・・・・・・・・・・・・・・・・・・・・・・・ 29
国内管轄権（国内管轄事項）・・・・・・・・・・ 95
（国内管轄権の）留保事項・・・・・・・・・・・・ 162
国内裁判所における仮の保護・・・・・・・・・ 345
国内総生産・・・・・・・・・・・・・・・・・・・・・・・・・・・・ 342
国内的救済の完了・・・・・・・・・・・・・・・・・・・・ 357
告発・・・・・・・・・・・・・・・・・・・・・・・・・・・・・・・・・・・・ 150
国民役務・・・・・・・・・・・・・・・・・・・・・・・・・・・・・・・ 393
国民議会・・・・・・・・・・・・・・・・・・・・・・・・・・・・・・・・ 37
――議員・・・・・・・・・・・・・・・・・・・・・・・・・・・ 152
国民公会制・・・・・・・・・・・・・・・・・・・・・・・・・・・・ 363
国民主権・・・・・・・・・・・・・・・・・・・・・・・・・・・・・・・ 403
国民投票・・・・・・・・・・・・・・・・・・・・・・・・・・・・・・・ 362
――による法律・・・・・・・・・・・・・・・・・・・・ 264
国民発案・・・・・・・・・・・・・・・・・・・・・・・・・・・・・・・ 234
国民連帯基金・・・・・・・・・・・・・・・・・・・・・・・・・・ 205
国有化・・・・・・・・・・・・・・・・・・・・・・・・・・・・・・・・・ 287
国立行政学院・・・・・・・・・・・・・・・・・・・・・・・・・・ 174
国立雇用基金・・・・・・・・・・・・・・・・・・・・・・・・・・ 205
国立雇用センター・・・・・・・・・・・・・・・・・・・・・・ 23
国立司法学院・・・・・・・・・・・・・・・・・・・・・・・・・・ 174
国立司法研修所・・・・・・・・・・・・・・・・・・・・・・・・ 69
小作料・・・・・・・・・・・・・・・・・・・・・・・・・・・・・・・・・ 200
故殺・・・・・・・・・・・・・・・・・・・・・・・・・・・・・・・・・・・・ 279
故障の申立て・・・・・・・・・・・・・・・・・・・・・・・・・・ 298
個人更生（手続き）・・・・・・・・・・・・・・・・・・・ 378
――手続きにおける裁判上の受任者・・・ 270
個人破産（制度）・・・・・・・・・・・・・・・・・・・・・ 409
国家・・・・・・・・・・・・・・・・・・・・・・・・・・・・・・・・・・・・ 188
――主権・・・・・・・・・・・・・・・・・・・・・・・・・・・ 402
――承継・・・・・・・・・・・・・・・・・・・・・・・・・・・ 407
――の安全に対する侵害・・・・・・・・・・・・・ 43
――の継続性・・・・・・・・・・・・・・・・・・・・・・ 115
――の非宗教性・・・・・・・・・・・・・・・・・・・・ 253
――保安法院・・・・・・・・・・・・・・・・・・・・・・ 130
――連合・・・・・・・・・・・・・・・・・・・・・・・・・・・ 101
国会・・・・・・・・・・・・・・・・・・・・・・・・・・・・・・・・・・・・ 308

――の委員会・・・・・・・・・・・・・・・・・・・・・・・・ 91
国会議員の不逮捕特権・・・・・・・・・・・・・・・・ 242
骨核部分・・・・・・・・・・・・・・・・・・・・・・・・・・・・・・・ 217
国家元首・・・・・・・・・・・・・・・・・・・・・・・・・・・・・・・・ 75
――の無答責・・・・・・・・・・・・・・・・・・・・・・ 243
国境・・・・・・・・・・・・・・・・・・・・・・・・・・・・・・・・・・・・ 211
国庫・・・・・・・・・・・・・・・・・・・・・・・・・・・・・・・・・・・・ 426
――訟務官・・・・・・・・・・・・・・・・・・・・・・・・・・ 23
――特別勘定・・・・・・・・・・・・・・・・・・・・・・・・ 98
――預託元・・・・・・・・・・・・・・・・・・・・・・・・・ 127
古典学派・・・・・・・・・・・・・・・・・・・・・・・・・・・・・・・ 174
事柄・・・・・・・・・・・・・・・・・・・・・・・・・・・・・・・・・・・・・ 77
個別行為・・・・・・・・・・・・・・・・・・・・・・・・・・・・・・・・・ 9
個別的訴求の停止・・・・・・・・・・・・・・・・・ 36,411
コミトロジー・・・・・・・・・・・・・・・・・・・・・・・・・・・ 86
コメコン・・・・・・・・・・・・・・・・・・・・・・・・・・・・・・・・ 85
コモンウェルス・・・・・・・・・・・・・・・・・・・・・・・・・ 91
互有（権）・・・・・・・・・・・・・・・・・・・・・・・・・・・・ 283
固有財源・・・・・・・・・・・・・・・・・・・・・・・・・・・・・・・ 377
固有財産・・・・・・・・・・・・・・・・・・・・・・・・・・・・・・・・ 55
雇用・・・・・・・・・・・・・・・・・・・・・・・・・・・・・・・・・・・・ 179
――適応契約・・・・・・・・・・・・・・・・・・・・・・ 117
――統制・・・・・・・・・・・・・・・・・・・・・・・・・・・ 122
――の不安定性・・・・・・・・・・・・・・・・・・・・ 328
婚姻・・・・・・・・・・・・・・・・・・・・・・・・・・・・・・・・・・・・ 273
――公示・・・・・・・・・・・・・・・・・・・・・・・・ 53,347
――事件裁判官・・・・・・・・・・・・・・・・・・・・ 245
――仲介・・・・・・・・・・・・・・・・・・・・・・・・・・・ 131
――に対する故障の申立て・・・・・・・・・ 298
――の約束・・・・・・・・・・・・・・・・・・・・・・・・・ 343
混合経済体制・・・・・・・・・・・・・・・・・・・・・・・・・・ 174
混合判決・・・・・・・・・・・・・・・・・・・・・・・・・・・・・・・ 249
婚資・・・・・・・・・・・・・・・・・・・・・・・・・・・・・・・・・・・・ 164
コンセイユ・デタ・・・・・・・・・・・・・・・・・・ 49,107
コンセンサス方式・・・・・・・・・・・・・・・・・・・・・ 112
混同・・・・・・・・・・・・・・・・・・・・・・・・・・・・・・ 104,113
コンドミニウム・・・・・・・・・・・・・・・・・・・・・・・ 101
婚約・・・・・・・・・・・・・・・・・・・・・・・・・・・・・・・・・・・・ 200

【さ】

在外フランス人高等評議会・・・・・・・・・・・・ 111
再鑑定・・・・・・・・・・・・・・・・・・・・・・・・・・・・・・・・・ 121
最恵国条項・・・・・・・・・・・・・・・・・・・・・・・・・・・・・ 80
財形貯蓄・・・・・・・・・・・・・・・・・・・・・・・・・・・・・・・ 321
――企業側補助成金・・・・・・・・・・・・・・・・・・ 1
罪刑法定主義・・・・・・・・・・・・・・・・・・・・・・・・・・ 254
裁決・・・・・・・・・・・・・・・・・・・・・・・・・・・・・・・・・・・・ 391
債券・・・・・・・・・・・・・・・・・・・・・・・・・・・・・・・・・・・・・ 58
債権・・・・・・・・・・・・・・・・・・・・・・・・・・・・ 131,167,170
――の確定・・・・・・・・・・・・・・・・・・・・・・・・・・ 19
――の届出・・・・・・・・・・・・・・・・・・・・・・・・・ 138

さ

──の流動化‥‥‥‥‥‥‥‥‥‥‥　283
債権債務関係‥‥‥‥‥‥‥‥‥‥‥　293
債権者‥‥‥‥‥‥‥‥‥‥‥‥‥‥　131
　　──代位訴権‥‥‥‥‥‥‥‥‥‥15
　　──代位の訴え‥‥‥‥‥‥‥‥‥15
　　──団体‥‥‥‥‥‥‥‥‥‥‥　273
債権譲渡‥‥‥‥‥‥‥‥‥‥‥‥‥‥71
最高機関‥‥‥‥‥‥‥‥‥‥‥‥　220
再構成家族‥‥‥‥‥‥‥‥‥‥‥　197
催告‥‥‥‥‥‥‥‥‥‥‥‥　240,281
　　──（状）‥‥‥‥‥‥‥‥‥‥　401
財産‥‥‥‥‥‥‥‥‥‥‥‥‥　54,311
　　──管理人‥‥‥‥‥‥‥‥‥‥‥18
　　──権‥‥‥‥‥‥‥‥‥‥‥‥　169
　　──体‥‥‥‥‥‥‥‥‥‥‥‥　311
　　──分離‥‥‥‥‥‥‥‥‥‥‥　392
　　──目録‥‥‥‥‥‥‥‥‥‥‥　242
罪質の決定‥‥‥‥‥‥‥‥‥‥‥　348
歳出予算超過‥‥‥‥‥‥‥　140,142,225
再審‥‥‥‥‥‥‥‥‥‥‥‥‥‥　381
　　──の申立て‥‥‥‥‥‥‥‥‥　357
財政監察職団‥‥‥‥‥‥‥‥‥‥　236
財政監督‥‥‥‥‥‥‥‥‥‥‥‥　122
財政自治‥‥‥‥‥‥‥‥‥‥‥‥‥45
在籍出向‥‥‥‥‥‥‥‥‥‥‥‥　154
催促‥‥‥‥‥‥‥‥‥‥‥‥‥‥　281
財団‥‥‥‥‥‥‥‥‥‥‥‥‥‥　203
裁定‥‥‥‥‥‥‥‥‥‥‥‥　34,391
最低競売価格の決定‥‥‥‥‥‥‥‥282
最低刑ゆえの控訴‥‥‥‥‥‥‥‥‥33
最低所得保障額‥‥‥‥‥‥‥‥‥　279
最低賃金‥‥‥‥‥‥‥‥‥‥‥‥　387
裁判‥‥‥‥‥‥‥‥‥‥‥‥　137,248
　　──外の文書‥‥‥‥‥‥‥‥‥‥9
　　──援助‥‥‥‥‥‥‥‥‥‥‥‥25
　　──の公開‥‥‥‥‥‥‥‥‥‥347
　　──の無償‥‥‥‥‥‥‥‥‥‥216
　　──法‥‥‥‥‥‥‥‥‥‥‥‥168
　　──補助者‥‥‥‥‥‥‥‥‥‥‥47
裁判官‥‥‥‥‥‥‥‥‥‥‥‥‥　245
　　──相手取り訴訟‥‥‥‥‥‥‥337
　　──および検察官‥‥‥‥‥‥‥265
　　──自身による検証‥‥‥‥‥‥438
　　──席‥‥‥‥‥‥‥‥‥‥‥　395
　　──の事件関与の解除‥‥‥‥‥153
　　──の不可動性‥‥‥‥‥‥‥‥228
　　（法院の）──‥‥‥‥‥‥‥‥112
裁判拒否‥‥‥‥‥‥‥‥‥‥‥‥　150
裁判権‥‥‥‥‥‥‥‥‥‥‥‥‥　251
　　──の延長‥‥‥‥‥‥‥‥‥‥344
　　──の十全性‥‥‥‥‥‥‥‥‥322
　　──の付与‥‥‥‥‥‥‥‥‥‥‥44

──免除‥‥‥‥‥‥‥‥‥‥‥‥　225
裁判権限‥‥‥‥‥‥‥‥‥‥‥‥　206
裁判行為‥‥‥‥‥‥‥‥‥‥‥‥‥10
裁判構成体‥‥‥‥‥‥‥‥‥‥‥　207
裁判所‥‥‥‥‥‥‥‥‥‥‥206,250
　　──運営上の行為‥‥‥‥‥‥‥‥8
　　──運営上の措置‥‥‥‥‥‥‥277
　　──書記‥‥‥‥‥‥‥‥‥‥‥216
　　──書記課‥‥‥‥‥‥‥‥216,390
　　──所在地‥‥‥‥‥‥‥‥‥‥395
　　──内送達文書‥‥‥‥‥‥‥‥‥11
　　──の系統‥‥‥‥‥‥‥‥‥‥301
　　──の性質‥‥‥‥‥‥‥‥‥‥287
　　──の友‥‥‥‥‥‥‥‥‥‥‥‥30
　　──の二元性‥‥‥‥‥‥‥‥‥172
　　──の部‥‥‥‥‥‥‥‥‥‥‥390
　　──誹謗‥‥‥‥‥‥‥‥‥‥‥158
　　──補助吏‥‥‥‥‥‥‥‥‥‥296
裁判上および法律上の公告‥‥‥‥‥‥31
裁判上の訴え‥‥‥‥‥‥‥‥‥‥‥15
裁判上の管理者‥‥‥‥‥‥‥‥‥‥18
裁判上の軽罪化‥‥‥‥‥‥‥‥‥　127
裁判上の行為（文書）‥‥‥‥‥‥‥10
裁判上の更生‥‥‥‥‥‥‥‥‥‥　359
裁判上の清算‥‥‥‥‥‥‥‥260,261
（裁判上の）呼出し‥‥‥‥‥‥‥‥78
裁判付託合意‥‥‥‥‥‥‥‥‥‥‥96
裁判付託条項‥‥‥‥‥‥‥‥‥‥‥80
財物‥‥‥‥‥‥‥‥‥‥‥‥‥‥‥54
再保険（契約）‥‥‥‥‥‥‥‥‥　353
債務‥‥‥‥‥‥‥‥‥‥‥‥155,293
債務者‥‥‥‥‥‥‥‥‥‥‥‥‥　136
債務引受け‥‥‥‥‥‥‥‥‥‥‥‥71
債務免除‥‥‥‥‥‥‥‥‥‥‥‥　368
罪名決定の抵触‥‥‥‥‥‥‥‥‥　104
罪名の決定‥‥‥‥‥‥‥‥‥‥‥　348
在留外国人‥‥‥‥‥‥‥‥‥‥‥　375
裁量基準‥‥‥‥‥‥‥‥‥‥‥‥　157
裁量権限‥‥‥‥‥‥‥‥‥‥‥95,327
再割引き‥‥‥‥‥‥‥‥‥‥‥‥　360
詐害‥‥‥‥‥‥‥‥‥‥‥‥‥‥　210
詐害行為取消訴権‥‥‥‥‥‥‥15,312
詐害行為取消しの訴え‥‥‥‥‥15,312
詐欺‥‥‥‥‥‥‥‥‥‥‥‥161,210
先買権‥‥‥‥‥‥‥‥‥‥‥170,329
先使用権‥‥‥‥‥‥‥‥‥‥‥‥‥31
先取り‥‥‥‥‥‥‥‥‥‥‥‥‥　330
先取権‥‥‥‥‥‥‥‥‥‥‥170,328
先取特権‥‥‥‥‥‥‥‥‥‥‥‥　338
　　──債権者‥‥‥‥‥‥‥‥‥‥131
先取分‥‥‥‥‥‥‥‥‥‥‥‥‥　328
先日付‥‥‥‥‥‥‥‥‥‥‥‥‥　325

作業賞与金	312
錯誤	185
差押え	383
——＝獲取	383
——＝差止め	383
（金銭債権の）——＝帰属	383
（有体動産の）——＝執行	385
（賃借人の動産の）——＝担保	385
（有体動産の）——＝売却	386
差押異議	160
差押禁止	235
——財産	55
差押前催告（状）	86
——の公示	346
（差押手続きの）追行の代位	405
（差押動産の）不存在	65
差押動産目録	242
指図	144
差引不足額	136
査証	440
殺害	222
差別	158
——行為	328
——罪	158
サボタージュ	383
参加	241,310
——の訴え（請求）	147
産業の地方分散（化）	136
産業別連合	200
産出物	211,342
参審制	174
暫定収支	260
（三）身分	302

【し】

死因行為	8
ジェノサイド	214
私管理	215
事業所	187
——の閉鎖	200
事業税	416
死刑	285
事件	274
事件係属	261
（事件の）復活	378
事件の呼上げ	33
事件簿	370,382
——からの抹消（職権による）	351
——からの抹消（当事者の請求による）	380
——への登載	182,235,282,319
時限ストライキ	136
施行日	183
自己金融	45
自己資金	205
自己支配	45
自己資本	64
仕事の注文者	267
資産	12
持参（債権）	324
資産一部の出資	34
持参人払式債権証書	56
獅子条項	80
事実上設立された会社	398
事実上の会計官	96
事実上の公金管理	215
事実上の公務員（の理論）	203
事実の錯誤	185
自主占有	325
支出負担行為	181
事情不変更（条項）	354
辞職	148
私署証書	11
始審判決	248
指数	231
私生活に対する侵害	43
使節	254
自然債務	294
自然子の認知	356
自然犯	233
自然法	169
私訴	13
——権	13
——原告人	310
——原告人となることの申立て	114
下請，下請負	402
質	287
質入証券	442
市町村	93
——会	109
——組合	412
——長	266
自治領	162
失業	77
——手当	27
——保険	40
失業者派遣協会	40
失権	136,137,206
——の免除	368
失効	62
執行権	192
執行裁判官	246
執行上の障害	157

し

実効性の原則	175,176
執行正本	126
執行停止	410
実行の着手	86
執行府	192
執行部	61
執行文	208
執行名義	420
執行命令	193
執行免除	225
執行吏	223
──執達書	195
──書記	81
──認定書	113
執行力	206
──ある拒絶証書	345
──ある証書	9
執行令状	116
実質	203
実証学派	174
失踪	159
実体的権利	171
実定契約	117
実定法	170
疾病保険	41
質問	349
実用証	71
実労働日	245
指定期日の手続き	340
指定流通業者	160
支店	407
自動車事故補償基金	204
支配株	57
支配的地位	324
──の濫用	3
支配の濫用	2
自白	48
支払い	306
支払拒絶証明書	70
支払担当会計官	96
支払担当者	162
支払停止	71
支払人	420
支払能力	401
支払場所	162
支払不能状態の不正作出	302
(小切手の) 支払保証	71
支払命令	271,299,300
──書	269
支払猶予	285
事物管轄	95
時分割使用不動産割当会社	397

支分金	35
私法	170,252
死亡	136
──保険	41
司法	252
──機関	46
──警察職員	297
──系統の裁判所における裁判所会議	37
──権	46,245
──裁判所	250
──省	74
司法官	265
──試補	44
──職	265
──職高等評議会	111
資本	64
──株式	13
──支出	152
(会社の)──	64
市民	78
事務管理	215
事務局	390
事務分散	139
社員	40
──の交互計算	97
──配偶者	105
社会援助	26
社会的経済的権利	167
社会的公序	302
社会部	74
社会防衛学派	174
社会保険料の補足的控除	1
社会保険料明細書	59
社会保障	391
──一般税	122
──機関中央財務管理事務所	22
──機関の行政監督	430
──金庫	63
──債務償還目的税	122
──事件裁判所	427
──訴訟	115
──追加補足退職年金組織	237
──登録番号	292
──の保険料	127
──負担	74
──への加入	21
──への登録	224
弱者	317
若年者雇用促進契約	117
若年成人の犯罪者	243
釈放	256
借用証書	356

し

射倖契約	117
社債	293
——権者	293
社宅	262
社長	332
——職代行取締役	18
車両の使用禁止	225
受遺者	254
趣意書	275
州	364
自由	196
収益	243
——権	211, 252
州会	110
州会計検査院	73
週休	371
従業員代表委員	145
従業員を代表する者	371
就業規則	366
就業日	245
住居侵入	439
終結命令	299
集合制保険料率	414
集合店舗	265
重婚	56
重罪	133
——院	38, 128
——院移送決定	281
収支独立原則	342
自由主義的民主主義	149
住居	162
住所	162
——の選定	177
終審判決	248
自由診療	274
修正	381
——案	29
周旋	58
従属	405
住宅手当	27, 230
従たる	4
集団協定	5
集団殺害罪	214
州知事	329
充当	227
12分の1暫定執行予算	164
州弁護士職業研修所	69
自由貿易地域	443
終末期	202
——医療	400
シューマン・プラン	321
住民投票	322, 362

収用許容	71
——決定アレテ	36
収用裁判官	246
自由流通	259
——状態	259
終了日	156
主観的法	171
主観的法的地位	397
受給権者	27
受給者	44
祝日	244
受刑者名簿	175
手工業会議所	73
手工業者	36
——名簿	371
首相	331
——官邸	74
——主宰の閣議	106
主席会計官	96
首席書記	216
受贈者	162
受託者	331
主たる訴え（請求）	147
主たる控訴	32
主たる控訴により挑発される控訴	32
手段債務	294
主張	27
——上の無効理由	285
出港禁止	178
出資	34
——検査役	87
（会社への）——	34
出生	287
——隠滅	408
出張	152
出頭	94
取得時効	434
取得分	178
——限度負担の利益	54
受命裁判官	245
受理性	354
受領	354
——者	4
——書	354
——証	7
——証書	350
種類物	78
順位決定	84
順位による配当（手続き）	300
準契約	349
準正	254
準備金	375

し

準備行為	11
準備調整（権）	238
準備手続き	238
——裁判官	246
（法院の）——裁判官	112
準不法行為	349
——上のフォート	199
準用益権	349
準用による刑罰確定	314
省	280
使用	433
——権	252, 434
承役地	205
障害	179
生涯教育	175
渉外性	196
償還金	355
召喚状	269
商業証券	175
商業使用人	203
商業代理人	371
商業帳簿	261
消極的損害	264
小郡	64
承継人	50
試用契約	181
証券	58
——化	421
——投資会社	399
——取引委員会	91
——取引所	59
証言	416
条件	101
——明細書	62
証拠	334
商号	289
条項	79
商行為	8
商工会議所	72
商工業雇用協会	39
証拠調べ	232, 277
商事裁判官	245
商事裁判所	250, 427
商事賃貸借	51
商事部	73
使用者により支払われるべき労働報酬	
の差押え	386
使用収益	243
証書	7, 10, 238, 420
小審裁判所	428
少数派議決権の濫用	3
常設国際司法裁判所	130

常設仲裁裁判所	130
勝訴額比例報酬契約	306
使用貸借	91
状態犯	233
承諾	3
（加盟国）常駐代表委員会	86
譲渡	71, 286
譲渡担保	201
商取引	423
商人	87
承認	3, 24, 34, 356
証人	417
（営業財産の）使用人による経営	214
少年（係）裁判官	245
試用売買	437
消費財産	55
消費者	113
——法	166
消費貸借	286
消費物	77
商標	273
商品取引所	59
商品搬出許可証	104
商法	166
情報処理と自由に関する全国委員会	90
情報提供義務	294, 295
抄本	196
証明	334
条約	124, 305
将来の権利	167
将来の保護の委任	270
職員	179
職業組合	412
職業債権譲渡明細書	59
職業指導	304
職業紹介	319
職業上の失権	137
職業上のリスク	382
職業病	268
職団評議会	109
職人	36
職場占拠	295
植民地化	84
職務	202
食糧農業機関（FAO）	302
助言	355
——学派	325
——義務	293
（裁判所）所在地	395
書証	318, 334
除斥期間	143
所長	331

職権計上	235
職権執行	192
職権主義的（手続き）	235
職権でなされる措置	296
職権による弁護人の指名	91
所得税	227
初犯者	146
処分可能な	159
処分権	3,252
処分行為	9
処分する	159
書面に基づく判決	249
所有	344
所有権	170,344
書類伝達（の命令）	401
白地証書	57
白地署名	57
資力	197
指令	157
深海底	204
人格権	170
人格調査	191
新学年手当	28
審議	146
審級	142,377
親権	47
人権	168
審査	181
親子関係	201
紳士協定	214
人種隔離政策	32
人種差別（行為）	351
審署	343
人証	335
心神喪失	148
申請（書）	373
心素	30
人体	126
——の不可侵	242
信託	201
——遺贈	200
信託統治地域	430
信託統治理事会	111
慎重義務	295,375
慎重注意債務	295
人的管轄	95
人的商事会社	398
親等	142
人道的干渉の権利	168
人道に対する罪	133
（外交官の）信任状	256
信任投票	242
信任問題	349
人法	263,404
人民主権	403
人民民主主義	149
信用状	6,256
信用の濫用	2
信用売買	436
審理	238
——一部	74
侵略	24
診療報酬	222
人類の共同遺産	311

【す】

随意契約	216
随意条件	101
遂行	113
推定	332
ストライキ	217
（外国人による）スパイ行為	187
スライディング・スケール条項	80

【せ】

税額控除	133
成果計算書	98
請願	318
正義	252
請求	317
（検察官の予審判事に対する）——（書）	373
——の一部を落として	232
——の範囲をこえて	430
政教分離	253
制限	64
正権原	252
政権交代	29
聖座	383
制裁条項	81
清算	260
政治裁判所	252
政治責任	377
誠実	58
性質決定	348
——の抵触	104
（法律関係の）——	348
政治的委任	269
政治的民主主義	149
政治犯罪	233
生死不明	1
（ヨーロッパ経済共同体の）税制の調和	220

そ

生前行為	9
生地主義	252
制度	237
政党	309
正当化事由	197
正統性	254
正統な公権力の命令	86
正当防衛	254
成年	267
——者保護	345
正犯	45
政府	215
——委員	87
——間海事協議機関（IMCO）	302
——事務総局	390
征服	106,136
税務署	69
税務資料提示要求権	166
税務当局	202
生命保険	41
生命倫理	57
税率	415
勢力均衡	184
勢力圏	443
世界気象機関	303
世界人権宣言	139
世界貿易機関	303
世界保健機関（WHO）	303
責任	376
石油輸出国機構	298
セクシャル・ハラスメント	220
セクター	390
施工業者	267
セジーヌ	386
積極財産	12
積極的悔悟	370
積極的損害	135
摂政制	362
接続水域	442
窃盗	441
競り	180
ゼロオプション	299
世論調査	401
善意	58
船員登録機関	235
前科簿	65
選挙	177,407
——区	78
——資格	177
先決問題	349
——付託	370
全権委任（法律）	322
全権代表	322
宣言的裁判	248
先行判決	239
全国三部会	189
全国労働不能控訴院（旧全国労働不能争訟専門委員会）	130
戦時違警罪軍事裁判所	429
戦時軍事裁判所	428
僭称	434
専制政治	430
船籍	312
先占	295
戦争	219
専属管轄	95
選択権	196,299
選択債務	293
選択流通制	160
選定住所	162
前提条件	101
専売事業	284
船舶	288
線引小切手	76
全部義務	294
前文	328
全面審判（訴訟）	322
専門家	416
専門機関	237
専門職同業団体	301
占有	325
——回復訴権	367
——回復の訴え	367
——訴権	15
——の訴え	15
——保持の訴え	96
——保全の訴え	151
専有部分	311
占用許可	317
戦略兵器制限交渉	388
善良な家父	58
善良の風俗	58

【そ】

総会	37
争議	103
早期引退	331,380
臓器摘出	330
総計予算の原則	432
相互援助	38,182
倉庫証券	354
相互性	355
相互扶助	335

相殺	95
総財産	49
捜査協力作業員	271
（家宅）捜索	317,440
争訟	357
相続	222,407
相続権のある配偶者	105
相続財産	407
——への持戻し	353
相続人	221
（広義の）——	407
相続の限定承認	3
相続分	222
相続放棄	369
相対性	368
送達	291
相場表	127
送付	370
双方的行為	8
双務契約	120
贈与	162
——者	162
総連合体	102
ソーシャル・ダンピング	173
ソーシャル・ワーカー	39
租界	99
訴額不定の訴え（請求）	147
即時出頭	94
ソクラテス計画	400
訴権	12,15
組織法律	263
租借	71
訴訟	66,115,261,341
——の実体（に関して）	137
訴訟事件	66
——手続き	340
訴訟手続き	236
——の受継	372
——の分離	158
——の併合	243
訴訟費用	151
訴訟法	170
租税	226
訴追	325
——行為	11
——の適否	298
損益計算書	98
損害	162,255
——賠償金	162

【た】

代位	405
代位債権者のための（順位による）配当手続き	402
第一差押人の優先権	338
第一審判決	248
ダイイ明細書	59
代価	338
対外共通関税	414
大学	433
——区	3
待機区域	442
代金減額訴権（の訴え）	14
代行	239
対抗不能	235
対抗力	298
待婚期間	144,439
滞在禁止	238
第三者	314,419
——異議の訴え	419
第三取得者	419
第三世界	419
第三弁済者	419
大使	29
胎児	202
対質	104
代執行権	406
大赦	30
——の効果をもつ恩赦	215
貸借	333
貸借対照表の提出（裁判上の更生手続開始の申請）	152
代襲	371
対審	115
大臣＝裁判官制	280
大審裁判所	428
滞船料	409
体素	127
代訴	325
代訴士	50
——間の文書（行為）	8
代替刑（制度）	314
代替物	78
大統領恩赦による減刑	94
態度決定を促す訴え	14
滞納留置	116
代表権の確認	438
代表民主制	149
代物弁済	135
逮捕	35
大法廷	37
代理	371
——権	341

大陸棚	322
諾成行為	9
諾成主義	112
多国籍企業	286
多数決の濫用	3
堕胎罪	50
脱税	210
他人のための約定	405
単位事業	12
単一ヨーロッパ議定書	12
弾劾	225
——主義的（手続き）	6,339
短期国債	58
単純執行猶予	410
単純養子縁組	20
男女職業平等高等評議会	111
単親家族	197
単親手当	28
単親の	284
団体交渉	288
——全国委員会	90
団体保険契約	117
単独裁判官（制）	247
単独の意思による債務負担	181
ダンピング	172
担保	212,409
——責任	212

【ち】

治安裁判所	252
治安判事	246
地域	312
——委員会	86
——的取極め	6
——連合	431
地役	394
（行政）——	394
治外法権	195
地上権	171,408
知的財産権	168
知的所有権	344
——の侵害	121
地方行政裁判所	427
地方公共団体	84
地方財務局	426
——長	426
——長補佐	354
地方長官	88
——補佐	87
中央刑務所	266
中央集権	68
仲介	275
仲裁	34
——契約	96
——人	35
註釈	193,215
中断	240
中立	289
懲役	355
懲戒	158
——委員会	73
超過勤務時間	221
長期国債	293
調書	341
徴税官	315
徴税事務所	315,354
調停	275
徴発	373
懲罰	352
徴憑	231
徴用	373
直接税	226
直接訴権	13
直接適用性の原則	33
直接民主主義	149
直接呼出（状）	78
著作権	165
直近裁判所裁判官	246
直系卑属	153
賃金	387
賃借人	262,331
陳述	320
賃貸借	51,264
賃貸人	52
賃料裁判官	246

【つ】

追加の訴え（請求）	147
追加予算デクレ	140
追加労働時間	221
追及権	171
（差押手続きの）追行の代位	405
追奪	191
追認	102,353
追放	52,195
通貨	156,284
通勤災害	4
通告（状）	48
通常手続き	340
通常法律	263
通信販売	436
通達	78

通知……………………………………291
積立金……………………………64,375
積立方式……………………………64

【て】

手当…………………………………27
（証人の）――……………………415
提案理由……………………………195
定額小作……………………………200
定款…………………………………404
定期金………………………………369
定期傭船……………………………420
停止的………………………………411
提訴…………………………………386
定足数………………………………350
抵当権………………………………223
　　――の縮減………………………359
　　――の滌除………………………348
抵当債権者…………………………131
停泊期間……………………………404
ディリジスム………………………158
手形資金……………………………346
適正化………………………………367
適切性………………………………318
適法性（の原則）…………………254
　　――審査訴訟……………………357
（普通法）適用除外条項……………80
デクレ………………………………140
デクレ・ロワ………………………140
出先機関……………………………393
手数料……………………………24,88
（公定の）――……………………415
撤回…………………………………370
手付金…………………………………36
手続き………………………………339
　　――の濫用………………………155
手続進行係裁判官…………………245
テロ行為……………………………418
転換社債……………………………294
電気通信規制機関……………………47
電子約束手形…………………………56
転籍…………………………………423
転貸借契約…………………………402
添付……………………………………4
テンプス計画………………………417

【と】

問屋……………………………………91
同意…………………………………112
　　――整理…………………………365

――の瑕疵…………………………439
統一法………………………………264
登記……………………………182,235
謄記…………………………………423
動機……………………………283,285
動議……………………………285,376
党議拘束……………………………158
等級…………………………………215
同居……………………………………83
　　――（義務）……………………83
同業者………………………………104
統合…………………………………238
動産…………………………………279
　　――公売官………………………88
　　――差押え………………………385
同時死亡者……………………………94
当事者………………………………310
当事者主義的（手続き）……………6
投資証書………………………………70
同職者…………………………………84
同時履行の抗弁……………………192
答申……………………………………48
当然解除条項…………………81,305
当選者未定……………………………52
党大会………………………………105
統治行為………………………………9
東南アジア条約機構（SEATO）…303
投票…………………………………441
謄本…………………………………194
同盟…………………………………260
登録……………………………182,235
道路建築線指定………………………26
ドーピング…………………………163
独裁……………………………45,156
毒殺…………………………………179
涜職…………………………………207
督促…………………………………281
特定物………………………………126
特定名義の承継人……………………50
特別管轄裁判所……………………250
特別後見人…………………………430
特別拘束（時間）……………………42
特別執行令…………………………365
特別選任裁判官……………………245
特務行政………………………………19
匿名会社……………………………400
特約店契約……………………………99
独立行政機関…………………………46
独立国家共同体………………………92
特例協定………………………………5
徒刑…………………………………426
都市計画……………………………433

481

都市再開発	369
土地管轄	95
土地公示	347
土地整備	29
土地占用計画	321
土地占用係数	83
土地台帳	61
──課	61
土地のための地役	394
読会	253
特許	98
（外交官および領事官の）特権免除	225
トバール主義	421
トラスト	429
取消し	31, 379
（原判決）──	232
取下げ	153
取締役会	106
取立て（債権）	349
取次	88
──商	91
取引所相場	130
取引対象外	223
取り分	264
取戻し	379
──（権）	372
──訴権	16
──の訴え	16
問屋 →問屋（トイヤ）	

【な・に】

名	331
内因的不可抗力	65
内縁	101
内閣	280
──総理大臣	331
内水	173
──船	54
内部規則	366
内部的措置	278
内容	274
仲買人	368
仲立	130
──人	131
ナシオン主権	403
南北対話	156
難民	362
二院制	54
荷送人	74
荷為替信用取引	132
二元論	172

西ヨーロッパ同盟	431
日数罰金	244
二頭政治	173
入国拒否	362
入札	17
ニューサンス	291
入職	20
──年齢	21
任意加入保険	42
任意の中止	153
認可	222
（外国領事）認可状	193
人間	189
妊産婦	200
認証	254
（判決の）──謄本	126
認諾	7

【ね・の】

ネグリジェンス・クローズ	288
年金	314, 369
年少者	180
年単位調整	31
ノウ・ハウ	389
農業	24
──課徴金	330
──共済組合	286
農産物流通契約	118
農事賃貸借同数裁判所	428
農事法	171
納税通知	49
能力	64
──制限	238
乗っ取り	319

【は】

ハーグ会議	102
パートナー契約	305
廃疾	242
──保険	41
ハイジャック	319
売春の仲介	346
背信	2
陪審	252
陪席裁判官	37
敗訴	407
排他条項	80, 192
排他的経済水域	442
配置転換	286
配当金	160

配当手続裁判官･･････････････････････246
売買の一方的予約･･･････････････････343
売買の双方的予約･･･････････････････343
墓（の冒瀆）･･･････････････････････392
破壊活動･･･････････････････････････383
破毀･･････････････････････････････････66
　　──通告･･･････････････････････150
　　──申立て･････････････････････325
破毀院･････････････････････････････128
　　──付弁護士････････････････････49
　　──傍聴官･･･････････････････････44
白紙委任状の濫用･･･････････････････････2
白票･･･････････････････････････････････60
派遣労働･･･････････････････････････425
破産管財人･････････････････････････412
破産犯罪･･･････････････････････････････53
艀運送業者･･･････････････････････････････5
パスポート･････････････････････････311
旗･･････････････････････････････････312
罰金･･････････････････････････････････29
　　──強制･･････････････････････････42
発行差金･･･････････････････････････335
発信･･････････････････････････････････178
発生事実･･･････････････････････････197
発生主義（会計）･･････････････････193
発展途上国･････････････････････････312
発明特許･･･････････････････････････････60
パナシャージュ････････････････････306
パリ（市）･････････････････････････307
　　──軍事裁判所･････････････････427
パルルマン･････････････････････････308
バロタージュ･･････････････････････････52
反逆･･････････････････････････････････422
判決･････････････････････････137,248,391
　　──間の矛盾･･････････････････116
　　──裁判所････････････････････250
　　──正本･･･････････････････････194
　　──の言渡し･･････････････････343
　　──の解釈････････････････････240
　　──の公開････････････････････347
　　──の主文････････････････････159
　　──の無効････････････････････292
　　──の減効････････････････････315
　　──の持戻し･･････････････････351
　　──部･････････････････････････61
　　──理由の差替え･･････････････406
　　（法院）──･････････････････････35
　　（第三者に対する）──共通の宣言･･138
反抗･･････････････････････････････････353
万国郵便連合･･････････････････････432
犯罪･･･････････････････････････146,232
　　──科学･･･････････････････････133

　　──学･････････････････････････134
　　──者･････････････････････････146
　　──人引渡し･･････････････････196
　　──の観念的競合･･････････････100
　　──の構成要素･････････････････177
　　──の実在的競合･･････････････100
　　──被害者の損害賠償の訴え･････13
　　──被害者補償委員会･･･････････90
　　──類型･･･････････････････････229
反訴（請求）･･････････････････････148
反則金･･････････････････････････････29
犯則金･････････････････････････････314
反対記帳･･･････････････････････････121
反対行為･･･････････････････････････121
反対証書･･･････････････････････････121
反対の理由により（による）･･･････････7
判断･････････････････････････137,248,391
　　──付託問題･･････････････････350
反致･････････････････････････････368,370
半直接民主制･･････････････････････150
販売拒絶･･･････････････････････････362
万民法･････････････････････････････252
判例･･･････････････････････････････251

【ひ】

ビール契約･････････････････････････117
非営利社団･･･････････････････････････39
　　──契約･･･････････････････････39
被害者の同意･･････････････････････112
引当金（会社に関して）･･････････････346
引受け･･･････････････････････････････3
　　（株式の）──････････････････402
引換指図証･････････････････････････202
引取り･････････････････････････････379
引抜き･････････････････････････････136
非拠出制の給付･･･････････････････････48
引渡し････････････････････････147,261,422
非刑罰化･･･････････････････････････151
非行･･･････････････････････････････198
非公開･････････････････････････････223
被後見子･･･････････････････････････347
被控訴人･･･････････････････････････241
被告･･･････････････････････････････141
　　（軽罪・違警罪）──人････････335
　　（重罪）──人････････････････････6
ビザ･･････････････････････････→ヴィザ
非財産権･･･････････････････････････167
非債弁済･･･････････････････････････306
非自治地域･････････････････････････417
被承継人･････････････････････････････45
非訟裁判権･････････････････････････250

483

ふ

項目	頁
非訟事件決定	137
非訟事件手続き	340
非常事態	78
――権限	327
非常徴用	30
非政府団体	303
被相続人	140
必要性	288
非典型協定	5
人	317
――の胚	178
――を危険にさらすこと	281
人質の略取	338
非武装中立化	288
非物質化	148
被扶養子	181
被扶養者	50
被保険者	42
被保佐人	134
評議部	73
評決	437
表決された役務	394
表決の委任	144
表見行為	8
表見証書	8
表見代理（理論）	268
評定官	112
平等目的の贈与および遺贈の持戻し	352
費用便益衡量理論	56
被用弁護士	49
比例代表制	372
比例填補	365

【ふ】

項目	頁
部	61,72
（裁判所の）――	390
ファイナンスリース	132
ファクタリング	20
封鎖	57
フーシェ・プラン	321
夫婦財産契約	118
夫婦財産制	363
――に基づく利得	48
夫婦財産に関する合意	124
プープル主権	403
フォート	198
フォーラム・ショッピング	208
フォーリン・コート・セオリー	206
不可抗力	65,206
付加退職年金制度	363
不可動性	228
不可分債務	294
不可分性	231
不可分の３０分の１原則	426
賦課方式	370
武器	35
不起訴処分	79
複合債務	294
福祉国家	189
復職	367
複数原本	164
複数政党制民主主義	149
副知事	402
複利	30
福利厚生文化活動	17
袋地	180
父権	347
附合契約	117
負債	155,311
不作為の認定の申立て	65
不作為犯罪	2
不受理	242
――の申立て	192
扶助	38
侮辱	234,235
不信任	68
――動議	285
不正競争	101
不正行為	210
不誠実	274
不存在	231
（差押動産の）――	65
（法主体の）――	435
付帯控訴	33
付帯の訴え（請求）	147
付帯の破毀申立て	326
（県知事による）付託	142
負担	74,331
付遅滞	281
部長	331
普通法	166
――上の裁判所	250
普通郵便	256
（事件の）復活	378
復仇	371
復権	367
物権	171
物法	264,404
不動産	221,224
――開発（契約）	343
――開発者	343
――差押え	385
――質	31

不当条項‥‥‥‥‥‥‥‥‥‥‥‥‥‥‥79
不当利得‥‥‥‥‥‥‥‥‥‥‥‥‥‥182
　　　――返還訴権‥‥‥‥‥‥‥‥‥13
不当廉売‥‥‥‥‥‥‥‥‥‥‥‥‥‥437
船荷証券‥‥‥‥‥‥‥‥‥‥‥‥‥‥106
船主‥‥‥‥‥‥‥‥‥‥‥‥‥‥‥‥210
不能犯‥‥‥‥‥‥‥‥‥‥‥‥‥‥‥233
負の所得税‥‥‥‥‥‥‥‥‥‥‥‥‥226
不服申立て（の方法）‥‥‥‥‥‥‥‥441
　　　――委員会‥‥‥‥‥‥‥‥‥‥91
　　　――の移審的（帰属的）効果‥176
　　　――の停止的効果‥‥‥‥‥‥176
不分割‥‥‥‥‥‥‥‥‥‥‥‥‥‥‥231
普遍的役務‥‥‥‥‥‥‥‥‥‥‥‥‥394
不法行為‥‥‥‥‥‥‥‥‥‥‥‥‥‥146
附庸関係‥‥‥‥‥‥‥‥‥‥‥‥‥‥436
扶養義務‥‥‥‥‥‥‥‥‥‥‥‥‥‥293
扶養する配偶者‥‥‥‥‥‥‥‥‥‥‥105
不用な文書‥‥‥‥‥‥‥‥‥‥‥‥‥‥9
扶養料‥‥‥‥‥‥‥‥‥‥‥‥‥‥‥‥27
不予見（理論）‥‥‥‥‥‥‥‥‥‥‥227
フラン圏‥‥‥‥‥‥‥‥‥‥‥‥‥‥443
フランス共同体‥‥‥‥‥‥‥‥‥‥‥‥92
フランス銀行‥‥‥‥‥‥‥‥‥‥‥‥‥53
フランス連合‥‥‥‥‥‥‥‥‥‥‥‥432
フランチャイズ契約‥‥‥‥‥‥‥‥‥210
不利益（を生じる行為）‥‥‥‥‥‥‥217
不利益変更（の禁止）‥‥‥‥‥‥‥‥362
振出人‥‥‥‥‥‥‥‥‥‥‥‥‥‥‥420
ブルーカラー‥‥‥‥‥‥‥‥‥‥‥‥304
フレックスタイム制‥‥‥‥‥‥‥‥‥222
プレビシット‥‥‥‥‥‥‥‥‥‥‥‥322
プレミアム‥‥‥‥‥‥‥‥‥‥‥‥‥335
浮浪者‥‥‥‥‥‥‥‥‥‥‥‥‥‥‥435
プロトコール‥‥‥‥‥‥‥‥‥‥‥‥345
分益小作‥‥‥‥‥‥‥‥‥‥‥‥‥‥‥84
　　　――契約‥‥‥‥‥‥‥‥‥51,279
分割‥‥‥‥‥‥‥‥‥‥‥‥‥‥‥‥309
　　　――債権債務‥‥‥‥‥‥‥‥293
　　　（会社の）――‥‥‥‥‥‥‥389
　　　（具体的取り分作出のための）――‥‥28
分権化‥‥‥‥‥‥‥‥‥‥‥‥‥‥‥136
文書‥‥‥‥‥‥‥‥‥‥‥‥‥‥‥‥161
　　　――偽造‥‥‥‥‥‥‥‥‥‥199
　　　――の確認‥‥‥‥‥‥‥‥‥356
　　　――の検真‥‥‥‥‥‥‥‥‥438
紛争‥‥‥‥‥‥‥‥‥‥‥‥‥‥‥‥261
　　　――の平和的解決‥‥‥‥‥‥366
分不相応を理由とする減殺‥‥‥‥‥‥359
分別の利益‥‥‥‥‥‥‥‥‥‥‥‥‥‥54
分離しうる行為‥‥‥‥‥‥‥‥‥‥‥‥9

【へ】

併科‥‥‥‥‥‥‥‥‥‥‥‥‥‥‥‥134
併合‥‥‥‥‥‥‥‥‥‥‥‥‥‥‥‥‥31
並行訴訟の抗弁‥‥‥‥‥‥‥‥‥‥‥357
米州機構‥‥‥‥‥‥‥‥‥‥‥‥‥‥302
閉店大売出し‥‥‥‥‥‥‥‥‥‥‥‥260
平和維持活動‥‥‥‥‥‥‥‥‥‥‥‥298
平和共存‥‥‥‥‥‥‥‥‥‥‥‥‥‥‥83
別居‥‥‥‥‥‥‥‥‥‥‥‥‥‥‥‥392
別産制‥‥‥‥‥‥‥‥‥‥‥‥‥364,392
ベネルクス‥‥‥‥‥‥‥‥‥‥‥‥‥‥54
ペルソナ・グラータ‥‥‥‥‥‥‥‥‥317
返還目的の保全差押え‥‥‥‥‥‥‥‥386
便宜判決‥‥‥‥‥‥‥‥‥‥‥‥‥‥249
変形労働時間制‥‥‥‥‥‥‥‥‥‥‥283
　　　――協定‥‥‥‥‥‥‥‥‥‥‥‥6
（契約の）変更‥‥‥‥‥‥‥‥‥‥‥‥48
（原判決）変更‥‥‥‥‥‥‥‥‥‥‥362
弁護士‥‥‥‥‥‥‥‥‥‥‥‥‥‥‥‥49
　　　――間の文書（行為）‥‥‥‥‥‥8
　　　――事務所出張所‥‥‥‥‥‥‥61
　　　――職団‥‥‥‥‥‥‥‥‥‥300
　　　――提携（契約）‥‥‥‥‥‥‥39
　　　――提携（契約）体‥‥‥‥‥‥39
　　　――の選任‥‥‥‥‥‥‥‥‥113
　　　――（裁判所補助吏）の否認‥153
　　　（商事裁判所付）――‥‥‥‥‥24
弁護士会‥‥‥‥‥‥‥‥‥‥‥‥‥‥‥54
　　　――全国評議会‥‥‥‥‥‥‥109
　　　――長‥‥‥‥‥‥‥‥‥‥‥‥54
弁護人‥‥‥‥‥‥‥‥‥‥‥‥‥‥‥141
弁済‥‥‥‥‥‥‥‥‥‥‥‥‥‥‥‥306
　　　――者‥‥‥‥‥‥‥‥‥‥‥401
　　　――猶予‥‥‥‥‥‥‥‥‥‥‥42
変性‥‥‥‥‥‥‥‥‥‥‥‥‥‥‥‥150
（書証の）返付‥‥‥‥‥‥‥‥‥‥‥378
片務契約‥‥‥‥‥‥‥‥‥‥‥‥‥‥120
（口頭）弁論‥‥‥‥‥‥‥‥‥‥‥‥320
弁論‥‥‥‥‥‥‥‥‥‥‥‥‥‥135,320
　　　――の開始‥‥‥‥‥‥‥‥‥304
　　　――期日記録‥‥‥‥‥‥‥‥364
弁論適状にある事件‥‥‥‥‥‥‥‥‥‥20
弁論適状におくこと‥‥‥‥‥‥‥‥‥282

【ほ】

保安期間‥‥‥‥‥‥‥‥‥‥‥‥‥‥316
保安処分‥‥‥‥‥‥‥‥‥‥‥‥‥‥279
ボイコット‥‥‥‥‥‥‥‥‥‥‥‥‥282
法‥‥‥‥‥‥‥‥‥‥‥‥‥‥‥‥‥165

ほ

——の一般原則·················336
——の錯誤·····················185
——の属人性···················317
法院検事························49
——長·························341
忘恩····························234
妨害····························183
法学····························251
包括承継人·······················50
包括名義の承継人·················50
包括予算························184
放棄························152,369
法規行為·························11
法技術··························416
法規的判決·······················36
法規範··························365
俸給指数························231
俸給表··························217
防禦の自由······················258
傍系····························83
——血族························83
法源····························402
報告····························352
——裁判官·············112,246,353
謀殺····························37
法実証主義······················325
報酬限度額······················319
法主体······················317,408
——不存在の相続財産の管理······134
——不存在の相続財産の管理者····134
法人························190,317
——格··························317
——司法監視····················319
放送メディア高等評議会···········110
法秩序··························300
傍聴官··························44
法廷························44,334
——地法························256
法定財産管理····················19
——人··························18
法定上限密度····················319
法定通用力······················130
法定の祝日··············200,244,245
法定犯··························233
法定用益権······················243
法定利息························239
法的地位························396
法典····························82
——化··························82
報復····························379
亡命者··························362
訪問販売····················148,436

暴利··························434
法律··························262
——案提出権··················234
——案の往復··················287
——違反······················439
——援助·······················25
——行為······················10
——事実······················197
——による犯罪の定義··········229
——の合憲性の審査············114
——の裁可····················388
——の時間的抵触··············103
——の即時効（の原則）········176
——の命令····················301
——の理由····················353
暴力行為······················439
傍論··························292
保革共存······················83
捕獲権························337
保管··························212
——者························213
補完性の原則··················336
保険··························40
保険委付······················144
保険外期間····················143
保健社会福祉活動···············16
保険証券······················323
保険証書······················323
保険料························335
——徴収組合··················432
——の算定基礎·················37
——の調整····················367
——比例配分の原則············344
——不徴収決定·················19
保護関係······················345
保護観察······················339
——官·························24
——付執行猶予················410
保護法益······················435
保佐······················38,134
——監督人····················405
——人···················108,134
母子関係······················274
補充議員······················408
募集選考······················32
保証··························67
——人························200
補償金························230
補助機関······················302
保税運送······················424
母性休暇······················105
保税制度······················183

486

母性手帳	65	身分占有	325
保税品運送許可証	7	身分訴権	14
母性保険	41	身分の訴え	14
補正予算案	84	身分吏	296
保全差押え	384	民営化	338
保全措置	277	民事会社	398
保全担保	409	民事時効	331
補足家族手当	96	民事的自由	258
補足制度	363	民事手続き	339
——加入者	310	民事部	72
補足退職年金	380	民事身分	188
——制度連合	35	——に対する侵害	43
——保険料率	414	民主集中制	68
保存行為	9	民主制	148
発起人持分	309	民族	287
没収	102	民族自決	45
補塡退職年金制度	363	——権	170
ホワイトカラー	179	——の原則	287
本案	203,335	民法	166
——に関する防禦	141	（自由な）無害通航（の原則）	311
——について裁判する前の	48	無管轄	229
——についての判決	249	——の抗弁	139
本権の訴え	15	無記名株式	15
本国軍事裁判所	429	無権限	229
本税	171	無限責任社員	86
本店所在地	395	無効	291
本人出頭	94	無国籍者	32,221
本部協定	6	（軽罪・違警罪）無罪判決	368
本俸	422	（重罪）無罪判決	7
		無主物	56,374
		無償行為	11
		無償譲与	257

【ま・み・む】

マーストリヒト条約	265	無所属	290
埋蔵物	426	無銭飲食	217
増競り	408	無銭受益罪	202
待伏せ	219	無体財産	55
（抵当権の）抹消	351	無体財産権	168
マネー・ロンダリング	57	——の差押え	385
麻薬	165	無能力	228
——（の取引および使用）	405	——者	228
——中毒	422	無名契約	118
未収穫果実の差押え	386		
未遂	417		
未成年	280		

【め・も】

——者誘拐	155,402	名義書換え	423
——者を危険にさらすこと	282	名義貸人	333
見積課税	206	名称	289
見習制度	34	明白な過誤	185
（三）身分	302	名誉毀損	157
身分規程	404	命令	157,234,271,299,365
身分証書	9	——権	226
身分証明書	65	滅効	315

メディアトゥール	275
免許	259
免除	159
——事由	192
免税	210
免責	209
申込み	297,324
申立趣意書	100
申立人	373
申立理由書	276
黙示的権限	327
黙示の拒否決定	137
目的	293
——限定性の原則	403
——（物）	292
（会社または非営利社団の）——	293
持株会社	222
（会社の）持分	309
持分による商事会社	398
物	77,374
門戸開放	324
モンロー主義	285

【や・ゆ】

夜間	291
約定利息	239
約束手形	56
夜警国家	189
雇入れ	178
——事前申告	138
——証明書	43
野党	298
遺言	→遺言（イゴン）
有価証券課税証明書	21
有限責任社員	86
有効性	435
有罪判決の公示	346
宥恕	2
有償契約	120
有償行為	11
優生選別	190
有責性	134
優先（弁済）権	170
優先株式	16
優先雇用	337
優先的雇用促進契約	118
有体財産	54
——権	166
有体物	77
融通手形	175
郵便小切手	76

有名契約	118
猶予期間	143
ユーロ	190
有限会社	400
輸出禁止	178
ユス・コーゲンス	252
譲受人	67
ユネスコ（国際連合教育科学文化機関）	431

【よ】

用益	243
——権	434
要役地	204
養親	20
容仮占有	328
容疑者	411
養子	20
——縁組	20
——縁組の	20
要式主義	207
傭船契約	21
——書	75
傭船料	210
用途	154
——指定	20
要物契約	119
ヨーロッパ委員会	90
ヨーロッパ会計検査院	129
ヨーロッパ開発基金	204
ヨーロッパ議会	308
ヨーロッパ企業委員会	85
ヨーロッパ共同体	92
——裁判所	129
——第一審裁判所	428
ヨーロッパ経済協力機構	302
ヨーロッパ経済圏	186
ヨーロッパ経済利益団体	218
ヨーロッパ原子力研究センター	69
ヨーロッパ市民権	78
ヨーロッパ社会基金	205
ヨーロッパ社会圏	186
ヨーロッパ社会憲章	75
ヨーロッパ自由貿易連合	39
ヨーロッパ審議会	108
ヨーロッパ人権委員会	90
ヨーロッパ人権裁判所	129
ヨーロッパ人権条約	124
ヨーロッパ政治共同体	93
ヨーロッパ政治協力	125
ヨーロッパ地域開発基金	204
ヨーロッパ中央銀行	52

ヨーロッパ通貨制度	413
ヨーロッパ通貨単位（エキュ）	175
ヨーロッパ投資銀行	53
ヨーロッパ農業指導保証基金	204
ヨーロッパ復興開発銀行	53
ヨーロッパ防衛共同体	93
ヨーロッパ理事会	108
ヨーロッパ連合	431
──外務大臣	280
預金口座	97
予算	60
──（額）	132
──科目	74
──からの分離	136
──財政懲戒法院	129
──支出プログラムの承認	46
──上限額通知	255,256
──青書	57
──単一の原則	432
──配分デクレ	140
──編成方針通知	255
──法律	263
──法律への相乗り	67
──緑書	438
──割当	20
予審	232,238
──開始決定	230,282
──開始決定遅滞	230,282
──行為	10
──裁判所	250
──終結決定	299
──対象者	317
──判事	246
──補充措置	408
──免訴	290
与信（取引）	131
与信契約	304
予先的特権	338
与党	267
4年の消滅時効	137,332
予納金	346
予備行為	11
（裁判上の）呼出し	78
呼出し	26,37
呼出状	37,78
予謀	330
予防原則	336
予防措置	335
予約	48
世論調査	401

【ら・り】

ライシテ	253
ライセンス契約	118
リース・バック	253
利益	54,239
──参加	239
──代表	372
──配当	160
履行期	173
履行担保	172
履行命令	234
リコール	381
離婚	160
利息	239
立憲主義	114
立候補	64
──の辞退	153
立地による顧客	7
立法（権）	254
立法期	254
立法者	254
──意思	353
立法準備作業	426
立法府	254
略式株式会社	397
理由	285
流担保条項	305
留置（権）	171,378
流通債権証券	420
留保	375
（国内管轄権の）──事項	162
両院合同会議	105
両院合同同数委員会	90
両院制	54
領海	276
両替	74
領事	114
──委任状	256
──官	114
両親	307
良心的兵役拒否者	292
良俗壊乱	304
旅客所持品の差押え	385
旅券	311
旅行小切手	76
利率	414
リンガ計画	260
臨検	424
臨時労働	239

【る・れ】

累犯 355
例外裁判所 250
例外状況 78
令状 268
レオナルド計画 255
歴史的記念物および景勝地 285
レシオ 353
レジオン 255
レフェレンダム 362
（計算書類の）連結 113
連結計算書類 97
連結貸借対照表 56
連合部 74
連続犯 232
連帯 127,401
連帯債務 295
連邦議会 105
連邦国家 189
連邦制 199
連盟 260

【ろ】

ロイヤルティー 382
労働 424
　　——の自由 258
労働医制度 274
労働監督官 236
労働協約 124
　　——の拡大 177
　　——の拡張 195
労働許可証 46,65
労働組合会館 59
労働契約 120
　　——の破棄 382
労働憲章 75
労働災害 4
労働裁判所 110,346
　　——高等評議会 111
労働時間 173,417
労働者 179,304,425
　　——生産協同組合 125,398
　　——の社会的基本権に関するヨーロッパ憲章
　　 75
　　——持株制 16
労働証明書 70
労働取引所 59
労働不能専門訴訟 115
労働不能訴訟裁判所（旧地方廃疾永続

的労働不能争訟委員会） 427
労働法 172
浪費者 342
労務賃貸借 264
老齢保険 41
ローマ市民法 252
ローマ法王庁 383
ローマ法王の大使 290
ロックアウト 262
ロメ協定 125
論告 100
　　——担当官 87

【わ】

和解 99,423
枠組法律 263
わら標識による差押え 384
割当 20
割引き 186
　　——手数料 186
ワルシャワ条約 306

〔監訳者紹介〕
Dirigé par

中村紘一 早稲田大学法学部教授，1941年8月19日生
NAKAMURA Koichi, Professeur à la Faculté de Droit de l'Université de WASEDA, né le 19 août 1941

新倉　修 青山学院大学法務研究科教授，1949年1月1日生
NIIKURA Osamu, Professeur à la Faculté de Droit de l'Université d'AOYAMA-GAKUIN né le 1er janvier 1949

今関源成 早稲田大学法学部教授，1957年1月25日生
IMASEKI Motonari, Professeur à la Faculté de Droit de l'Université de WASEDA, né le 25 janvier 1957

〔以上，所属は2012年3月末日現在〕

フランス法律用語辞典　第3版

1996年4月1日　初版第1刷発行
2012年6月15日　第3版第1刷発行

監訳者	中村紘一・新倉 修・今関源成
訳　者	Termes juridiques 研究会
発行者	株式会社 三 省 堂
	代表者 北口 克彦
印刷者	三省堂印刷株式会社
発行所	株式会社 三 省 堂

〒101-8371　東京都千代田区三崎町二丁目22番14号
電話　編集　(03)3230-9411
　　　営業　(03)3230-9412
振替口座　00160-5-54300
http://www.sanseido.co.jp

〈3版フランス法律用語辞典・504pp.〉ⓒK.Nakamura 2012 Printed in Japan

落丁本・乱丁本はお取替えいたします。
ISBN 978-4-385-15754-2

┌─────────────────────────────────┐
│Ⓡ本書を無断で複写複製することは，著作権法上の例外を除き，禁じ
│られています。本書をコピーされる場合は，事前に日本複写権センター
│(03-3401-2382)の許諾を受けてください。また，本書を請負業者等の
│第三者に依頼してスキャン等によってデジタル化することは，たとえ
│個人や家庭内での利用であっても一切認められておりません。
└─────────────────────────────────┘